개념을 쌓아가는 **기본서**

고등 **셀파**

Sherpa

화학 I

구성과 특징

STRUCTURE

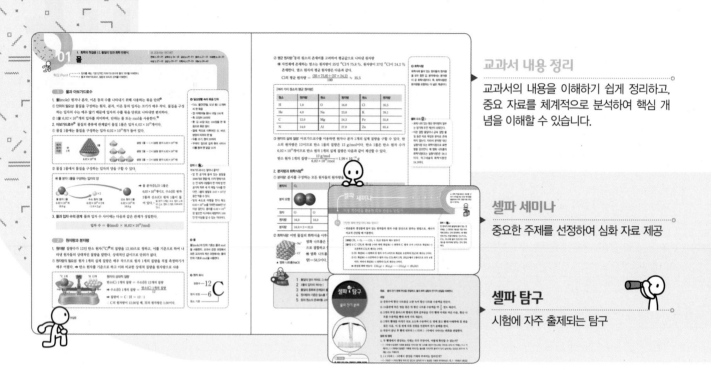

교과서 내용 정리

교과서의 내용을 이해하기 쉽게 정리하고, 중요 자료를 체계적으로 분석하여 핵심 개념을 이해할 수 있습니다.

셀파 세미나

중요한 주제를 선정하여 심화 자료 제공

셀파 탐구

시험에 자주 출제되는 탐구

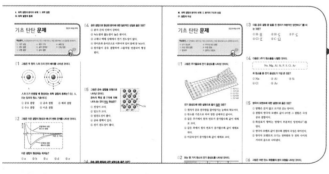

기초 탄탄 문제

중하 난이도의 객관식 문제로 기본 개념을 정립하고, 기초를 탄탄히 다질 수 있습니다.

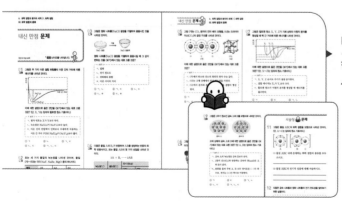

내신 만점 문제

학교 시험에 꼭 나오는 문제로 내신을 대비할 수 있습니다.
시험에 잘 나오는 서술형 문제도 확인할 수 있습니다.

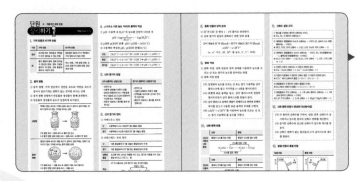

단원 정리하기

이 단원에서 배운 내용을 한눈에 훑어볼 수 있도록 정리하여, 학교 시험을 보기 전에 최종 점검할 수 있습니다.

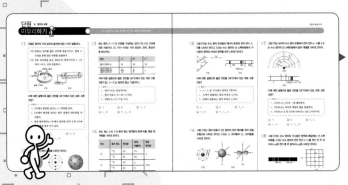

단원 마무리하기

기초 문제와 내신 문제를 통해 탄탄해진 실력을 높이고, 실전에 대비할 수 있습니다.

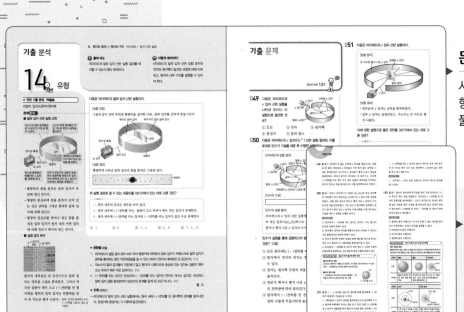

문제 기본서

시험에 잘 나오는 52유형을 선정하여 대표 유형을 분석하였습니다. 52유형과 관련 문제를 풀면 내신을 완벽하게 대비 할 수 있습니다.

정답과 해설

모든 선지에 대한 상세한 해설로 개념을 확실히 이해할 수 있습니다.

단원 짚어보기

배운 내용

· 화석 연료의 사용
· 철의 제련
· 탄소가 이루는 다양한 구조
· 화학 반응식
· 질량 보존 법칙
· 기체 반응 법칙

학습내용 | 1. 생활 속의 화학

01. 우리 생활과 화학

· 식량, 의류, 주거 문제 해결
· 의약품의 발전

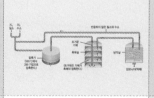

▶ 8쪽

02. 탄소 화합물

· 탄소 화합물
· 탄화 수소
· 탄소 화합물과 우리 생활

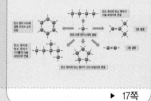

▶ 17쪽

화학의 첫걸음

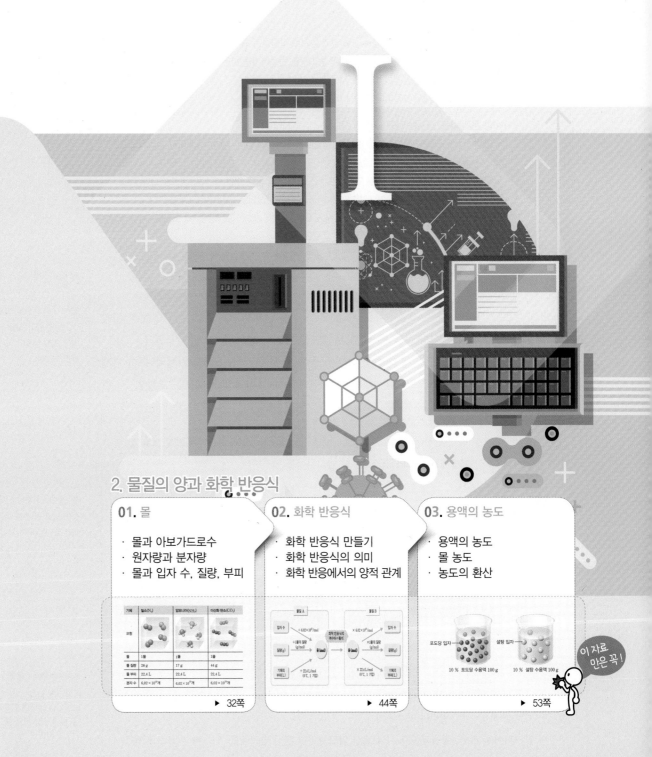

2. 물질의 양과 화학 반응식

01. 몰

- 몰과 아보가드로수
- 원자량과 분자량
- 몰과 입자 수, 질량, 부피

기체	질소(N₂)	암모니아(NH₃)	이산화 탄소(CO₂)
모형			
몰	1몰	1몰	1몰
몰 질량	28 g	17 g	44 g
몰 부피	22.4 L	22.4 L	22.4 L
분자 수	6.02×10^{23}개	6.02×10^{23}개	6.02×10^{23}개

▶ 32쪽

02. 화학 반응식

- 화학 반응식 만들기
- 화학 반응식의 의미
- 화학 반응에서의 양적 관계

▶ 44쪽

03. 용액의 농도

- 용액의 농도
- 몰 농도
- 농도의 환산

10 % 포도당 수용액 100 g   10 % 설탕 수용액 100 g

▶ 53쪽

이 자료 만은 꼭!

01 I. 화학의 첫걸음 | 1. 생활 속의 화학

내 교과서는 어디에?
천재 p.11~14 교학사 p.12~17 금성 p.12~16 동아 p.10~17 미래엔 p.14~19
비상 p.11~16 상상 p.14~19 지학사 p.12~17 YBM p.13~19

우리 생활과 화학

핵심 Point
- 화학이 **일상생활**의 문제 해결에 기여했음을 이해한다.
- 화학이 **식량 문제, 의류 문제, 주거 문제 해결**에 기여한 사례를 알아본다.

1 식량 문제 해결

1. 화학과 식량의 역사 산업 혁명 이후 급격한 인구 증가로 인해 식량 부족 문제가 발생하였으나 화학이 식량 문제 해결에 기여하였다.

산업 혁명 이전	• 원시시대에는 사냥, 채집을 통해 식량을 얻고 농사로 작물을 수확 • 청동기 시대를 거쳐 철기 시대가 되어 철제 농기구를 만들어 이용하면서 식량 생산량이 증가 • 동물의 분뇨나 퇴비 등을 질소 비료로 사용❶ • 어업에서 천연 소재의 그물이나 작살을 이용
산업 혁명 이후	• 식량 문제 발생: 급격한 인구 증가로 인해 식량 부족 사태 발생 • 식량 생산량은 식물이 흡수할 수 있는 형태의 질소❷가 토양에 얼마나 있는지에 따라 달라지므로, 농업 생산량을 높이기 위해 질소 비료가 필요했지만, 동물의 분뇨, 퇴비 등으로는 그 양이 부족하였다. • 독일의 화학자 하버가 암모니아를 대량으로 합성하는 제조 공정 개발 ➡ 식량 생산량 크게 증가 • 살충제, 제초제, 복합 비료 등이 개발되어 농산물의 질이 향상되고 생산량이 크게 늘었다. • 어업에는 합성 섬유를 그물의 소재로 사용하게 되었고, 가두리 양식도 가능하게 되었다.

2. 암모니아의 합성 질소와 수소를 이용하여 암모니아 합성 ➡ 질소 비료의 원료로 이용

$$N_2 \ + \ 3H_2 \ \longrightarrow \ 2NH_3$$
$$\text{질소} \qquad \text{수소} \qquad \text{암모니아}$$

① 급격한 인구 증가에 따른 식량 부족 ➡ 농업 생산량을 높이기 위해 질소 비료가 필요
② 암모니아의 합성: 20세기 초 독일의 화학자 하버가 공기 중에 존재하는 질소 기체와 수소 기체를 이용하여 암모니아를 대량으로 합성하는 새로운 제조 공정을 고안 ➡ 하버-보슈법

자료 파헤치기

[하버-보슈법(Haber-bosch process)]
- 하버-보슈법은 질소 비료의 합성에 중요한 암모니아를 공업적으로 대량 제조하는 방법으로 철 촉매를 사용하여 고온, 고압에서 수소와 질소로부터 암모니아를 합성한다.

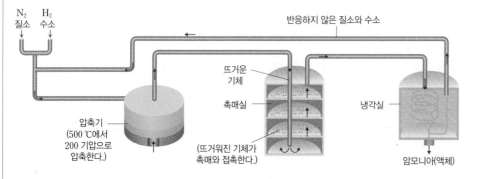

$$N_2 + 3H_2 \xrightarrow[\text{200 기압, 500~600 ℃}]{\text{산화 철(촉매)}} 2NH_3$$

- 암모니아 합성의 공업화에 대한 연구는 하버와 보슈에 의해 계속되어 1909년에 완성 ➡ 암모니아 합성법 자체를 하버-보슈법이라고 부른다.
- 생성된 암모니아를 질산, 황산과 반응시켜 질산 암모늄이나 황산 암모늄을 제조 ➡ 비료로 사용❸

---

❶ 질소의 특징
- 반응성이 매우 작아 식물이 직접 이용하기가 어렵다. 질소는 그 자체로 섭취할 수 없으며, 질소 화합물의 형태로 동식물에게 활용된다.
- 독일의 과학자 리비히는 질소, 인, 칼륨이 식물 생장에 꼭 필요한 원소라는 것을 밝혀내고, 질소가 포함된 인공 비료를 개발하여 사용할 것을 제안하였다.

❷ 질소 고정
공기 중의 질소 기체를 암모니아나 질산 이온 등으로 바꾸는 것을 말한다. 번개, 콩과 식물의 뿌리혹박테리아에 의해 생물이 이용할 수 있는 형태로 고정한다.

❸ 암모니아 자체는 독성이 있어, 독성이 없고 물에 잘 녹는 암모늄 염의 형태로 만들어 사용하기도 한다.

용어

▶ **가두리 양식**: 파도가 심하지 않은 바닷가나 내륙의 인공호에 그물 등으로 울타리를 치고 물고기를 가두어 기르는 방법

2 **의류 문제 해결**

1. **천연 섬유** 식물에서 얻은 면이나 ▶마, 동물에서 얻은 모(울), 견(비단 또는 실크) 등을 이용하여 만든 섬유를 말한다. ❹

① 원시 시대에는 동물의 가죽이나 식물의 잎으로 만든 옷을 입었다.

② 천연 섬유의 장점
- 환경 친화적이고 인체에 부작용이 없다.
- 흡습성과 촉감 등이 좋다.

③ 천연 섬유의 단점
- 질기지 않아 쉽게 닳고, 대량 생산이 어렵다.
- 색깔이 단조로우며 쉽게 구겨지고 열과 물에 약하다.
- 생산량이 일정하지 않고 생산 과정에 농작물과 가축 등을 기를 넓은 땅과 많은 시간, 노력이 필요하다.

2. **합성 섬유** 천연 섬유의 단점을 보완한 섬유로 석탄, 석유, 천연가스 등을 원료로 하여 대량 생산이 가능하다.

합성 섬유		특징
나일론		• 1937년 미국의 화학자 캐러더스❺가 매우 질기고 잘 구겨지지 않는 나일론을 합성 • 나일론은 여러 가지 의류뿐만 아니라 밧줄, 전선, 그물 등 산업용으로 다양하게 이용된다.
폴리에스터		• 1941년 영국에서 처음 개발 • 내구성이 좋고 신축성이 있으며 구김이 잘 생기지 않으며 빨리 마른다.
고어텍스		• 열이나 약품에 강한 테플론계 수지를 늘려서 가열하여 무수히 많은 작은 구멍을 뚫은 아주 얇은 막 • 구멍은 수증기가 통과하기에는 충분히 크지만 물방울이 통과하기에는 작다. 따라서 땀은 수증기의 형태로 배출할 수 있고, 외부에서 들어오는 수분이나 바람은 막을 수 있다.(방수, 방풍) • 등산복, 등산화, 등산 모자 등에 이용
케블라		• 밀도가 섬유 유리의 절반 정도이고 강철보다 5배나 강한 섬유 • 실, 펄프, 직물 등의 형태로, 단독 생산을 할 뿐만 아니라 다른 고분자 물질과 결합하여 엄청난 내구성을 요구하는 산업 보강재로 널리 쓰인다.

3. **합성염료** 과거에는 염료가 다양하지 않아 일부 계층의 사람만 다양한 색깔의 옷을 입었는데, 영국의 화학자 퍼킨이 보라색 합성염료인 모브를 발견함으로써 많은 사람이 다양한 색깔의 옷을 입을 수 있는 계기가 되었다. 이 이후에 ▶알리자린과 ▶인디고가 합성되어 화학 합성염료가 급속도로 확산되었다.

개념 확인하기

1 하버의 암모니아 합성은 식량 문제를 해결하는 데 큰 도움이 되었다. (○, ×)

2 암모니아를 대량 생산하는 방법을 (   )-보슈법이라고 한다.

3 식물에서 얻은 면이나 마처럼 흡습성과 촉감이 좋은 재료를 (   ) 섬유라고 한다.

4 천연 섬유의 단점을 보완하고, 대량 생산이 가능한 섬유를 (   ) 섬유라고 한다.

답 1. ○ 2. 하버 3. 천연 4. 합성

❹ 천연 섬유

• 목화: 섬유를 뽑는 식물, 또는 그 섬유를 말한다. 그 섬유로 짠 직물을 면이라고 한다.

• 비단: 누에고치로 만들어진 섬유. 빛깔이 우아하며 촉감이 부드럽고 화려하다.

❺ 캐러더스(Carothers, W. H., 1896~1937)

미국의 화학자로, 1931년에 합성 고무 네오프렌을 발명하였고, 1937년에 나일론을 합성하였다.

셀파 콕콕

화학 물질의 구조나 반응식보다는 화학이 우리 생활에 기여한 사례 중심으로 공부하도록 한다.

───── 용어 ─────

▶ **마**: 삼베, 모시, 리넨(linen) 소재가 모두 마이다. 여름 옷감으로 주로 쓰이고 우수한 통기성을 지닌다.
▶ **알리자린**: 대표적인 매염 염료로 황갈색 분말로 시판되고 있으나 순수한 것은 오렌지색 결정이다.
▶ **인디고**: 암청색의 건염 염료

3 주거 문제 해결

1. 건축 자재

① 건축 자재의 변화

과거	현재

• 건물을 지을 때 나무, 돌, 흙 등을 사용 • 건물을 지을 때 시간이 오래 걸리는 것에 비해 화재에 취약하고 오래가지 않음	여러 가지 건축 자재(철, 시멘트, 철근 콘크리트, 단열재, 도료 등)의 발달로 문제 해결

② 여러 가지 건축 자재

건축 자재	특징
철	• 반응성이 커서 산소와 결합된 산화물의 형태로 존재 • 제련❻ 기술의 개발로 철이 대량으로 생산되기 시작 • 철은 강도가 커서 기계, 운송 수단, 건축물 등 다양한 분야의 기초 재료로 이용 ➡ 오늘날에는 각종 생활 용품, 운송 수단, 건축물 등을 비롯해 우주 산업에 이르기까지 다양한 분야에 이용 • 철의 합금: 순수한 철보다 여러 가지로 장점이 많아 오늘날 대부분의 철은 각종 합금으로 만들어서 사용하고 있다.
시멘트	• 주성분인 석회(CaO), 실리카, 알루미나 및 산화 철 등과 점토를 섞은 건축 재료 • 콘크리트를 만들 때 모래와 자갈 등을 서로 결합시키는 접착제 역할을 한다.
콘크리트	• 시멘트에 모래와 자갈 등을 섞고 물로 반죽한 뒤 건조한 것 • 시멘트를 결합재로 사용하여 골재들을 한 덩어리로 만든다.
철근 콘크리트	• 콘크리트 속에 철근을 넣은 철근 콘크리트가 개발되어 크고 높은 건물, 다리, 댐 등의 대규모 건축물을 지을 수 있게 되었다.
알루미늄	• 알루미늄 광석을 제련❼하여 얻은 알루미늄은 가벼우면서도 단단한 성질이 있어 창틀이나 건물 외벽에 이용된다.
단열재	• 보온을 하거나 열을 차단할 목적으로 사용하는 재료 • 스타이로폼❽: 벽이나 지붕에 단열재로 사용되는 대표적인 물질
도료	• 물체의 표면에 칠하면 피막을 형성하여 물체를 보호하고 겉모양을 아름답게 하는 물질 • 페인트: 안료를 전색제 또는 결합제와 섞어서 만든 유색의 도료 • 바니쉬: 가구, 책상, 문 등의 표면 위에 사용하는 투명 코팅제 • 화학이 발전함에 따라 다양한 도료가 사용되고 있다.

철	시멘트	콘크리트	스타이로폼	페인트

---

❻ 철의 제련

철의 제련 반응식
- $2C + O_2 \longrightarrow 2CO$
- $Fe_2O_3 + 3CO$
  $\longrightarrow 2Fe + 3CO_2$

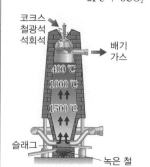

철광석은 코크스에 의해 환원되어 철이 되고, 이산화 탄소가 생성된다.

❼ 알루미늄의 제련

보크사이트라는 산화 알루미늄 광석을 녹여 액체 상태로 만든 뒤 전기 분해하여 금속 알루미늄을 얻는다.

❽ 스타이로폼

발포 폴리스타이렌이라는 플라스틱의 상품명으로 98 %가 공기이고 나머지 2 %가 수지인 자원 절약형 소재이다. 차단성이 우수하여 단열재 용도의 단열 제품으로 많이 쓰이고 아이스박스, 장난감, 부표 등에 사용된다.

━━━━━ 용어 ━━━━━

▶ 단열재: 보온을 하거나 열을 차단할 목적으로 사용하는 재료. 열이 전도되기 어려운 석면, 유리 섬유, 코르크, 발포 플라스틱 등을 사용한다.

2. 난방 건물의 내부를 따뜻하게 하는 일

① 난방 자재의 변화: 나무에서 석탄, 석유, 천연가스와 같은 화석 연료로 변화되었다.

② 화석 연료

- 석탄, 석유, 천연가스 등의 화석 연료는 지질 시대의 생물이 땅속에 묻혀 특정 환경에서 분해되어 만들어진 것으로 주성분은 탄소(C)와 수소(H)이다.
- 화석 연료의 연소: 화석 연료가 산소 기체와 반응하면 물과 이산화 탄소가 생성되고 열에너지가 발생한다. 화석 연료가 연소할 때 발생하는 이산화 탄소가 지구 온난화를 일으킨다.

③ 천연가스: 메테인(CH_4)이 주성분으로 주로 난방과 조리용 연료로 사용된다.

④ 대체 에너지: 화석 연료를 대체할 수 있는 새로운 연료에는 바이오 디젤, 바이오 에탄올, 메테인 하이드레이트 등이 있다.

- 바이오 디젤❾: 콩기름 등의 식물성 기름을 원료로 해서 만든 바이오 연료로 바이오 에탄올과 함께 가장 널리 사용된다.
- 바이오 에탄올: 사탕수수·밀·옥수수·감자·보리 등 주로 녹말 작물을 발효시켜 차량 등의 연료 첨가제로 사용하는 바이오 연료로서 바이오 디젤과 함께 가장 널리 사용된다
- 메테인 하이드레이트: 낮은 온도와 높은 압력에서 메테인과 물이 얼어붙어 형성된 고체 에너지. 매장량이 많고 이산화 탄소 발생이 적어 차세대 에너지로 관심이 높다.

4 의약품의 발전

① 합성 의약품의 개발로 인간의 수명이 과거보다 늘어나고 질병의 예방 및 치료가 쉬워졌다.

② 합성 의약품❿: 천연물에서 약효를 가진 성분만을 추출하거나 화학적으로 합성하여 대량 생산한 의약품

- 아스피린(아세틸 살리실산): 최초의 합성 의약품이다. 세계적으로 많이 이용되는 해열 진통제로 살리실산의 부작용을 줄인 것이다.

약 2500년 전 히포크라테스가 버드나무 껍질이 해열, 진통 효과가 있음을 알아냄	➡	19세기 버드나무 껍질에서 추출한 살리실산 성분이 해열 작용이 있음을 발견	➡	1897년 독일의 호프만이 살리실산과 아세트산으로부터 아스피린 합성

- 페니실린의 발견: 최초의 항생제로 1928년 플레밍이 푸른곰팡이에서 발견 ➡ 수많은 환자의 목숨을 구했다.

③ 건강 기능 식품: 인체에 유용한 기능성을 가진 원료나 성분을 사용하여 가공한 식품

- 의약품과의 차이: 의약품은 비정상적인 기능을 회복 또는 조절시키는 역할을 하고, 건강 기능 식품은 신체의 기능을 돕는 역할을 한다.
- 글루코사민: 인체의 연골 및 각종 조직을 구성하는 성분으로 직접 복용하여 완화시킨다.

개념 확인하기

1 철근 콘크리트가 개발되어 대규모 건축물을 지을 수 있게 되었다. (○ , ×)

2 주택의 보온을 위해 사용되는 스타이로폼을 (   )(이)라고 한다.

3 지질 시대의 생물이 땅속에 묻혀 특정 환경에서 분해되어 만들어진 것을 통틀어 (   )(이)라고 한다.

4 화학적으로 합성하여 대량 생산한 의약품을 (   )(이)라고 한다.

5 1928년에 플레밍이 발견한 항생제는 (   )이다.

답 1 ○ 2 단열재 3 화석 연료 4 합성 의약품 5 페니실린

---

❾ 바이오 디젤

현재 바이오 디젤은 디젤 자동차의 경유에 혼합해서 쓰거나, 100 % 순수 연료로 사용되고 있다. 자동차 연료용 외에 난방 연료용으로도 개발되어 있고, 우리나라에서도 경유에 바이오 디젤을 섞은 연료가 판매되고 있다.

❿ 합성 의약품

합성 의약품의 종류에는 소화제, 제산제, 진통제, 항생제, 항암제 등이 있다.

강의 콕

아스피린은 버드나무 껍질에서 추출한 살리실산의 단점을 보완하여 합성한 것이고, 페니실린은 푸른곰팡이를 배양하여 추출한 것이다.

용어

▶ **지질 시대**: 약 38억 년 전부터 인류가 지구에 나타난 약 1만 년 전까지의 시기

▶ **항생제**: 미생물에 의하여 만들어진 물질로서 다른 미생물의 성장이나 기능을 억제하여 죽이는 물질

기초 탄탄 문제

정답과 해설 2쪽

핵심용어_ 이 단원에서 내가 아는 것과 아직 모르는 것을 정리하며 나의 공부를 돌아보자.

☐ 식량 문제   ☐ 의류 문제   ☐ 주거 문제
☐ 건강 문제   ☐ 암모니아   ☐ 합성 섬유

01 식량 문제와 화학에 대한 설명으로 옳지 <u>않은</u> 것은?

① 원시시대에는 사냥, 채집으로 식량을 얻었다.

② 천연 소재의 그물이나 작살은 잘 찢어졌다.

③ 산업 혁명으로 인구가 급격하게 증가하여 식량이 부족해졌다.

④ 독일의 화학자 리비히가 암모니아를 합성하여 식량 생산량이 크게 증가하였다.

⑤ 현대에는 살충제, 제초제, 복합 비료 등이 개발되어 식량 생산량이 크게 늘었다.

02 의류 문제와 화학에 대한 설명으로 옳지 <u>않은</u> 것은?

① 천연 섬유는 식물에서만 얻을 수 있었다.

② 천연 섬유는 인체에 부작용이 없지만 대량 생산이 어려웠다.

③ 나일론은 스타킹뿐만 아니라, 밧줄, 그물 등의 산업용으로도 사용된다.

④ 영국의 과학자 퍼킨이 보라색 합성염료인 모브를 발견하였다.

⑤ 나일론과 폴리에스터는 합성 섬유이다.

03 암모니아의 합성은 산업 혁명 이후 식량 문제 해결에 큰 기여를 하였다. 이에 대한 설명으로 옳지 <u>않은</u> 것은?

① 암모니아의 화학식은 NH_2이다.

② 암모니아는 질소 비료를 만들기 위한 물질이다.

③ 암모니아를 질산 암모늄이나 황산 암모늄으로 만들어 비료로 사용한다.

④ 암모니아의 구성 성분인 질소는 단백질을 이루는 주요 성분 원소이다.

⑤ 질소는 그 자체로 섭취할 수 없으며 질소 화합물의 형태로 동식물에게 활용된다.

04 그림은 어떤 섬유를 만들기 위한 재료이다. 이에 관한 설명으로 옳지 <u>않은</u> 것은?

① 천연 섬유이다.

② 캐러더스에 의해 개발되었다.

③ 면을 만드는 재료이다.

④ 환경 친화적인 섬유이다.

⑤ 견(비단)은 이 섬유와는 달리 동물에서 얻을 수 있다.

05 주거 문제와 화학에 대한 설명으로 옳지 <u>않은</u> 것은?

① 과거에는 나무, 돌, 흙 등을 사용하여 집을 지었다.

② 철의 제련 기술이 개발되어 대량으로 생산되고, 건축에 철이 이용되었다.

③ 철근 콘크리트가 개발되어 대규모 건축물을 지을 수 있게 되었다.

④ 스타이로폼은 건축물의 단열재로 사용된다.

⑤ 구리는 가벼우면서도 광택이 아름다워 창틀이나 건물 외벽에 이용된다.

06 난방 문제와 화학에 대한 설명으로 옳지 <u>않은</u> 것은?

① 과거에는 난방에 나무를 사용하였다.

② 화석 연료에는 석탄, 석유, 천연가스 등이 있다.

③ 천연가스의 주성분은 메탄올이다.

④ 화석 연료를 대체할 수 있는 새로운 대체 에너지들이 개발되고 있다.

⑤ 화석 연료가 연소할 때 발생하는 이산화 탄소가 지구 온난화를 일으킨다.

07 다음에서 설명하는 합성 의약품은?

> • 최초의 항생제로 플레밍에 의해 발견되었다.
> • 푸른곰팡이에서 추출하여 만든다.

① 모르핀   ② 아스피린

③ 페니실린   ④ 탄산수소 나트륨

⑤ 글루코사민

내신 만점 문제

정답과 해설 2쪽   * ▮▮▮ 난이도를 나타냅니다.

01 화학 비료, 합성 섬유, 건축 자재가 발달하기 이전의 생활을 설명한 것으로 옳은 것만을 〈보기〉에서 있는 대로 고른 것은?

┤ 보기 ├
ㄱ. 식물이나 동물에서 섬유를 얻었다.
ㄴ. 동물의 분뇨나 퇴비 등을 비료로 사용하였다.
ㄷ. 나무나 돌 등을 이용해 지은 집은 오래가지 않았다.

① ㄱ   ② ㄷ   ③ ㄱ, ㄴ
④ ㄴ, ㄷ   ⑤ ㄱ, ㄴ, ㄷ

02 화학 비료, 합성 섬유, 건축 자재가 발달한 이후의 생활을 설명한 것으로 옳은 것만을 〈보기〉에서 있는 대로 고른 것은?

┤ 보기 ├
ㄱ. 암모니아의 대량 생산이 가능해져 식량 생산량이 크게 증가하였다.
ㄴ. 나일론, 폴리에스터 등 다양한 합성 섬유로 의류를 대량 생산할 수 있게 되었다.
ㄷ. 단열재가 개발되어 대규모 건축물을 지을 수 있게 되었다.

① ㄱ   ② ㄷ   ③ ㄱ, ㄴ
④ ㄴ, ㄷ   ⑤ ㄱ, ㄴ, ㄷ

03 화학은 인류의 식량 문제 해결에 기여하였다. 이에 대한 설명으로 옳은 것만을 〈보기〉에서 있는 대로 고른 것은?

┤ 보기 ├
ㄱ. 화학이 농업 생산량 증대를 위한 비료 생산에 기여하여 인류의 식량 문제가 개선되었다.
ㄴ. 공기 중의 질소는 불안정하여 매우 쉽게 암모니아로 만들 수 있다.
ㄷ. 암모니아 합성법 자체를 넓게 하버-보슈법이라 부른다.

① ㄱ   ② ㄴ   ③ ㄱ, ㄴ
④ ㄱ, ㄷ   ⑤ ㄱ, ㄴ, ㄷ

04 그림은 두 가지 섬유를 나타낸 것이다.

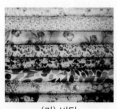 

(가) 비단   (나) 폴리에스터

이에 대한 설명으로 옳은 것만을 〈보기〉에서 있는 대로 고른 것은?

┤ 보기 ├
ㄱ. (가)는 합성 섬유, (나)는 천연 섬유이다.
ㄴ. (가)는 (나)보다 대량 생산이 쉽고, 인체에도 무해하다.
ㄷ. (나)는 구김이 잘 생기지 않으며 빨리 마른다.

① ㄱ   ② ㄷ   ③ ㄱ, ㄴ
④ ㄴ, ㄷ   ⑤ ㄱ, ㄴ, ㄷ

05 그림은 고어텍스라는 신소재이다.

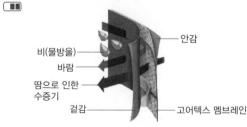

이에 대한 설명으로 옳은 것만을 〈보기〉에서 있는 대로 고른 것은?

┤ 보기 ├
ㄱ. 천연 섬유이다.
ㄴ. 대량 생산이 가능한 소재이다.
ㄷ. 소재의 특성으로 등산복에 사용된다.

① ㄱ   ② ㄴ   ③ ㄱ, ㄴ
④ ㄴ, ㄷ   ⑤ ㄱ, ㄴ, ㄷ

[06~07] 그림은 인류의 식량 문제, 의류 문제, 주거 문제 해결에 기여한 여러 가지 화학 반응 및 물질을 순서에 관계없이 나타낸 것이다.

(가)   (나)   (다)

 (가)~(다)에 대한 설명으로 옳은 것만을 〈보기〉에서 있는 대로 고른 것은?

┤ 보기 ├
- ㄱ. (가)에서 얻은 물질로 농기구를 만들어 이용하면서 식량 생산이 증가했고, 현재는 건축물 재료로 이용한다.
- ㄴ. (나)는 매우 질기고 구겨지지 않아 밧줄, 전선 등에도 사용된다.
- ㄷ. (다)는 암모니아를 대량으로 합성하면서 대량으로 생산하여 인류의 식량 문제 해결에 도움을 주었다.

① ㄱ   ② ㄷ   ③ ㄱ, ㄴ
④ ㄴ, ㄷ   ⑤ ㄱ, ㄴ, ㄷ

07 〈보기〉는 (가)~(다)와 관련된 화학의 유용성에 관련된 설명이다.

┤ 보기 ├
- ㄱ. 콘크리트 속에 철근을 넣어 크고 높은 건물, 대규모 건축물을 지을 수 있게 되었다.
- ㄴ. 합성 섬유와 함께 합성염료의 발전은 다양한 색깔의 옷을 대량 생산하는 계기가 되었다.
- ㄷ. 하버-보슈법은 공기 중의 질소를 이용하여 암모니아를 만든다.

〈보기〉의 설명을 (가)~(다)와 옳게 짝 지은 것은?

	(가)	(나)	(다)
①	ㄱ	ㄴ	ㄷ
②	ㄱ	ㄷ	ㄴ
③	ㄴ	ㄱ	ㄷ
④	ㄴ	ㄷ	ㄱ
⑤	ㄷ	ㄱ	ㄴ

08 다음은 물질 X와 Y에 대한 설명이다.

- X를 공업적으로 대량 합성하려면 철 촉매를 써서 고온 고압에서 수소와 질소를 반응시킨다.
- Y는 보크사이트 광석을 녹여 액체 상태로 만든 뒤 전기 분해하여 얻는다.

이에 대한 설명으로 옳은 것만을 〈보기〉에서 있는 대로 고른 것은?

┤ 보기 ├
- ㄱ. X는 암모니아이다.
- ㄴ. Y는 철의 제련 과정이다.
- ㄷ. X는 식량, Y는 주거 문제 해결에 도움을 주었다.

① ㄱ   ② ㄷ   ③ ㄱ, ㄴ
④ ㄱ, ㄷ   ⑤ ㄱ, ㄴ, ㄷ

09 그림은 2000년 이후 이산화 탄소 배출 증가율을 전년 대비 백분율로 나타낸 것이다.

이에 대한 설명으로 옳은 것만을 〈보기〉에서 있는 대로 고른 것은?

┤ 보기 ├
- ㄱ. 이산화 탄소의 배출 증가 원인은 화석 연료가 연소할 때 발생하는 이산화 탄소가 주범이다.
- ㄴ. 이산화 탄소 배출 증가율이 계속 증가한다면 지구 온난화가 가속화될 것이다.
- ㄷ. 이산화 탄소의 배출 증가의 주 원인이 되는 연료를 대체할 수 있는 연료에는 석탄, 나무 등이 있다.

① ㄱ   ② ㄴ   ③ ㄱ, ㄴ
④ ㄴ, ㄷ   ⑤ ㄱ, ㄴ, ㄷ

다음은 식량 문제 해결에 기여한 화학 반응식이다.

$$N_2 + 3H_2 \xrightarrow[\text{200 기압, 500~600 ℃}]{\text{산화 철}} 2NH_3$$

이에 대한 설명으로 옳은 것만을 〈보기〉에서 있는 대로 고른 것은?

━━┃ 보기 ┃━━
ㄱ. 산화 철은 반응을 돕는 촉매이다.
ㄴ. 일반적으로 암모니아를 암모늄 형태로 바꾸어 비료로 사용한다.
ㄷ. 공기 중의 질소는 원자 간에 매우 강한 결합을 하고 있어 안정하다.

① ㄱ   ② ㄷ   ③ ㄱ, ㄴ
④ ㄴ, ㄷ   ⑤ ㄱ, ㄴ, ㄷ

11 다음은 인류 문명의 발달과 관련된 물질 X에 대한 설명이다.

• 자동차와 항공기의 연료나 난방, 산업의 에너지원으로 사용된다.
• 합성 섬유, 플라스틱의 원료로 사용된다.

이에 대한 설명으로 옳은 것만을 〈보기〉에서 있는 대로 고른 것은?

━━┃ 보기 ┃━━
ㄱ. X는 화석 연료이다.
ㄴ. X의 주성분은 탄소와 질소이다.
ㄷ. X가 완전 연소할 때 이산화 탄소가 발생한다.

① ㄱ   ② ㄴ   ③ ㄱ, ㄷ
④ ㄴ, ㄷ   ⑤ ㄱ, ㄴ, ㄷ

12 건강 문제 해결에 기여한 합성 의약품에 대한 설명으로 옳은 것만을 〈보기〉에서 있는 대로 고른 것은?

━━┃ 보기 ┃━━
ㄱ. 합성 의약품의 개발로 인간의 수명이 늘어났다.
ㄴ. 아스피린은 최초의 항생제이다.
ㄷ. 플레밍이 푸른곰팡이에서 페니실린을 발견하였다.
ㄹ. 페니실린은 아세틸 살리실산의 제품명이다.

① ㄱ   ② ㄴ   ③ ㄱ, ㄷ
④ ㄴ, ㄷ   ⑤ ㄱ, ㄷ, ㄹ

서술형 문제

13 다음은 인류의 식량 문제 해결과 관련된 암모니아의 합성 반응식을 나타낸 것이다.

질소 + (가) ⟶ 암모니아

(1) 이 반응에서 (가)에 들어갈 물질의 분자식을 쓰시오.

_____

(2) 암모니아의 합성이 일상생활의 문제 해결에 어떻게 기여하였는지 다음 용어를 모두 사용하여 서술하시오.

질소   단백질   질소 비료   식량 생산

_____
_____
_____

14 다음은 주거 문제 해결에 기여한 화학 반응에 대한 설명과 화학 반응식이다.

(가) 난방에 사용되는 천연가스의 주성분인 메테인의 연소 반응식은 다음과 같다.
$$CH_4 + 2O_2 \longrightarrow (㉠) + 2H_2O$$
(나) 산화 철(Ⅲ)에서 철을 분리하는 제련법을 통해 철을 얻는다.
$$2Fe_2O_3 + 3C \longrightarrow 4Fe + 3CO_2$$
(다) 알루미늄은 보크사이트라는 광석에서 전기 분해 제련법을 이용하여 얻는다.
$$2Al_2O_3 + 3C \longrightarrow 4Al + 3CO_2$$

(1) (가)의 반응에서 ㉠에 들어갈 물질의 분자식을 쓰시오.

_____

(2) (나)와 (다)의 반응이 주거 문제 해결에 어떤 기여를 하였는지 서술하시오.

_____
_____
_____

02 탄소 화합물

핵심 Point
- 탄소 화합물이 일상생활에 유용하게 활용됨을 이해한다.
- 탄소 화합물이 일상생활에 유용하게 활용되는 사례를 조사하여 알아본다.

1 탄소 화합물

1. **탄소 화합물** 탄소(C) 원자가 수소(H), 산소(O), 질소(N), 황(S), 할로젠(F, Cl, Br, I) 등의 원자와 결합하여 만들어진 화합물❶

① 지구 상에서 생명 활동의 근본이 되는 물질이다.

② 화석 연료, 식량, 생활 주변의 석유 제품, 대부분의 의약품 등도 모두 탄소 화합물이다.

> **자료 파헤치기**
>
> [원유의 분별 증류]
>
> ① 원유를 성분 물질의 끓는점 차이를 이용하여 분별 증류로 분리
>
> ② 원리: 증류탑 아래에 가열한 원유를 공급하면 위쪽으로 올라갈수록 온도가 낮아지므로 끓는점에 따라 서로 다른 성분 물질들이 증류탑의 다른 위치에서 응축한다.❷
>
> • 끓는점이 낮고 휘발성이 큰 성분들이 기체 상태로 윗부분까지 올라간다.
>
> • 분자량이 큰 성분은 증류탑 위로 올라가지 못하고 바닥에 고체 상태로 모이며, 분자량이 작은 성분은 기체 상태로 증류탑 윗부분까지 올라간다.
>
> • 끓는점이 낮은 순서로 석유 가스 → 나프타❸ → 등유 → 경유 → 중유 → 아스팔트 순으로 분리된다.
>
> ③ 원유를 분별 증류하여 나오는 기체 중 나프타를 고온에서 분해하여 다양한 석유 화학 제품을 만든다. ➡ 합성 섬유, 비닐, 고무 타이어, 합성 세제, 의약품, 플라스틱, 스포츠 용품 등

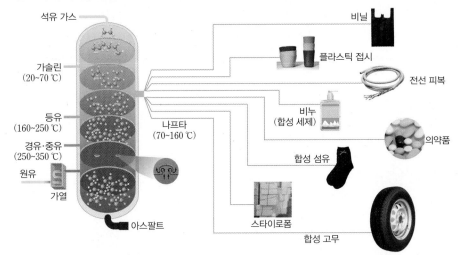

> ④ 원유를 분별 증류 할 때 얻어지는 물질의 이용
>
> • 석유 가스: 가정용 연료로 사용
>
> • 나프타: 자동차 연료, 석유 화학 공업의 원료로 사용 ➡ 다양한 제품 제조
>
> • 등유: 비행기 연료, 가정용 연료
>
> • 경유: 디젤 기관 연료
>
> • 중유: 윤활유, 선박 연료
>
> • 나머지: 아스팔트

③ 현재까지 수천만 종의 탄소 화합물이 알려져 있고, 매년 수만 종의 새로운 물질이 발견되고 합성된다.

---

❶ **화합물**

2가지 이상의 원소로 이루어진 순물질

❷ **분별 증류 원리**

끓는점이 낮은 물질은 액화하지 않고 위로 올라간다.

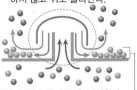

끓는점이 높은 물질은 액화한다.

강의 콕

원유에는 다양한 조합의 탄화수소가 존재한다. 화학식이 같더라도 성질이 다른 구조의 물질도 존재한다. 따라서 다양한 끓는점을 보이며, 증류탑을 어떻게 설계하느냐에 따라 층마다 다른 물질이 나올 수 있다.

❸ **나프타**

원유를 분별 증류할 때, 70~160 ℃의 끓는점 범위에서 얻을 수 있는 탄화수소의 혼합물이다. 나프타를 고온에서 분해하여 석유 화학 공업의 원료로 사용한다.

용어

▶ **원유**: 검푸른 빛의 걸쭉한 액체로 지하의 기름층에서 채굴하여 가공을 거치지 않은 천연 그대로의 탄화수소 혼합물
▶ **증류**: 혼합물을 가열하여 끓어 나오는 기체를 냉각시켜 순수한 액체 물질을 얻는 방법

2. 탄소 화합물의 구조

① 탄소 화합물의 다양한 결합 방법: 탄소 원자 간에는 다양한 결합 방법이 가능하다.

- 탄소 원자는 4개의 결합선을 가진다.
- 탄소 원자들은 결합하여 사슬 모양이나 고리 모양을 만들며, 단일 결합, 2중 결합, 3중 결합
을 형성할 수 있다.
  └ 2중 결합, 3중 결합은 Ⅲ단원에서 자세히 배운다.

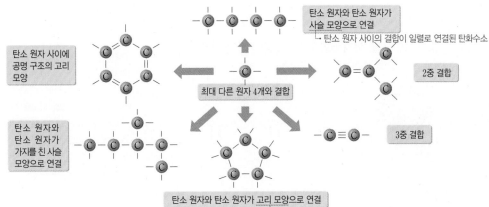

탄소 원자와 탄소 원자가 사슬 모양으로 연결
└ 탄소 원자 사이의 결합이 일렬로 연결된 탄화수소

탄소 원자 사이에 공명 구조의 고리 모양

2중 결합

최대 다른 원자 4개와 결합

탄소 원자와 탄소 원자가 가지를 친 사슬 모양으로 연결

3중 결합

탄소 원자와 탄소 원자가 고리 모양으로 연결
└ 탄소 원자들이 고리 모양으로 둥글게 결합한 탄화수소

② C 원자는 최대 4개의 다른 원자와 공유 결합을 하는데, 다른 C 원자뿐만 아니라 H, O, N 등의 원자와도 결합을 하므로 무수히 많은 탄소 화합물을 만들 수 있다.

탄소 화합물		구조	예시
메테인 (CH_4)	탄소 원자(C) 1개와 수소 원자(H) 4개가 결합하여 정사면체 구조 형성		
이산화 탄소 (CO_2)	탄소 원자(C) 1개와 산소 원자(O) 2개가 결합하여 2개의 2중 결합 형성 ➡ 직선형 구조		
포도당 ($C_6H_{12}O_6$)	원자들이 고리 모양으로 연결		
흑연❹ (C)	탄소 원자(C)들이 육각형을 이루어 연결		

개념 확인하기

1 탄소 화합물이란 탄소 원자가 다른 탄소 원자나 수소, 산소, 질소, 플루오린 등의 여러 가지 원자들과 결합하여 이루어진 물질이다. (○, ×)

2 한 탄소 원자는 최대 ( )개의 원자와 공유 결합을 할 수 있다.

3 탄소 원자 1개가 두 개의 산소 원자와 결합하고 있을 때는 ( )개의 2중 결합이 있다.

답 1. ○ 2. 4 3. 2

3. 화학식과 분자식

① **화학식**: 원소 기호와 숫자를 사용하여 물질을 이루는 원자의 종류와 개수를 나타낸 식으로 여러 가지 형태로 나타낼 수 있다.

② **분자식❺**: 분자를 이루는 성분 원소별 원자의 총 개수를 나타낸 화학식
  ⑩ 메테인은 1개의 탄소 원자(C)와 4개의 수소 원자(H)가 결합한 분자이므로 분자식은 CH_4이다.

┌ 자료 파헤치기 ┐

[화학식이 아닌 다른 방법으로 분자 구조를 표현하는 방법]
공과 막대기로 원자와 결합선을 표현하는 공 막대기 모형, 빈 공간을 채우는 공간 채움 모형, 선을 이용해 표현하는 방법 등이 있다. ⑩ 물(H_2O)의 분자 구조 표현

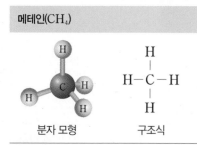

❺ **분자식, 구조식, 시성식**
· 분자식: C_2H_6O
· 구조식: 화합물을 구성하는 각 원자가 화합물 내에서 어떻게 결합하고 있는지 결합선을 사용하여 나타낸다.

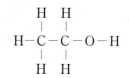

· 시성식: 분자가 갖는 특성을 작용기를 사용하여 알기 쉽게 나타낸 화학식 ⑩ C_2H_5OH
· 분자식, 구조식, 시성식은 분자에서만 표시가 가능하다.

---

2 탄화수소

1. **탄화수소** 탄소와 수소로만 이루어진 화합물

① 아래 표와 같이 탄화수소 중 탄소 1개에 수소 4개가 결합한 화합물을 메테인(CH_4), 탄소 2개에 수소 6개가 결합한 화합물을 에테인(C_2H_6), 탄소 3개에 수소 8개가 결합한 화합물을 프로페인(C_3H_8), 탄소 4개에 수소 10개가 결합한 화합물을 뷰테인(C_4H_{10})이라고 한다.❻

탄화수소	메테인(CH_4)	에테인(C_2H_6)	프로페인(C_3H_8)	뷰테인(C_4H_{10})
모형				

② 주로 화석 연료 속에 들어 있으며 완전 연소하면 이산화 탄소와 물(수증기)이 생성된다.

③ 물에 잘 녹지 않고, 탄소 수가 클수록 분자 사이의 인력이 커져 끓는점이 높아진다.

④ **이용**: 가정용 연료(프로페인), 캔으로 포장되어 야외용 연료로 판매(뷰테인), 프로페인과 뷰테인 같이 끓는점이 낮은 탄화수소를 혼합하여 액화 석유가스(LPG)로 이용된다.

⑤ 대표적인 탄화수소 구조와 특징

메테인(CH_4)	
분자 모형 구조식	· 탄소 원자 1개와 수소 원자 4개가 결합한 정사면체의 입체 구조 · 액화 천연가스(LNG)의 주성분으로서 냄새와 색깔이 없으며 물에 거의 녹지 않는다. · 연소하면 이산화 탄소와 물을 생성하면서 많은 열을 방출하므로 가정용 연료로 이용된다.

❻ 뷰테인은 탄소 연결에 따라 두 가지 모양이 가능하다.

▲ 노말뷰테인

▲ 아이소뷰테인

━━━ 용어 ━━━

▶ LNG: 액화 천연가스(Liquefied Natural Gas)의 줄임말. 천연가스를 $-162\ ^\circ C$에서 약 600배로 압축하여 액화시킨 상태의 가스로, 주성분이 메테인이다.

개념 확인하기

1 분자를 이루는 성분 원소별 원자의 총 개수를 나타낸 화학식을 (   )(이)라고 한다.

2 탄소와 수소만으로 이루어진 화합물을 (   )(이)라고 한다.

3 탄소 원자 (   )개와 수소 원자 (   )개로 이루어진 탄화수소를 메테인이라고 한다.

답 1 분자식 2 탄화수소 3 1, 4

화학식, 분자식, 실험식, 시성식, 구조식의 구분

01 화학식, 분자식, 실험식, 시성식, 구조식 정의 이해

- 화학식: 물질을 이루는 구성 원자와 개수를 원소 기호와 숫자로 나타낸 식
- 화학식의 종류로 분자식, 실험식, 시성식, 구조식이 있음

구분		정의 및 예
화학식	분자식	• 분자를 이루는 원자의 종류와 수를 나타낸 식 예 산소: O_2, 수소: H_2, 물: H_2O, 이산화 탄소: CO_2
	실험식	• 화합물에 존재하는 원소의 비율을 표시한 화학식 • 물질을 구성하는 원자 수의 비를 가장 간단한 정수비로 나타낸 식 (실험식 $\times n =$ 분자식) • 단점: 분자식 구별이 어렵다. 예 C_2H_2, C_6H_6의 실험식이 CH로 같음
	시성식	• 특징적인 구조를 분명하게 드러내는 화학식 • 분자의 특성을 알 수 있도록 작용기를 사용하여 나타낸 식 예 아세트산: CH_3COOH
	구조식	• 화합물 내에서 원자들이 서로 결합된 상태를 결합선으로 나타낸 화학식 물질 / 메테인(CH_4) / 메탄올(CH_3OH) / 물(H_2O) 구조식

구조식 표:

물질	메테인(CH_4)	메탄올(CH_3OH)	물(H_2O)
구조식	H | H−C−H | H	H | H−C−O−H | H	H−O−H (굽은 구조)

02 분자식, 실험식, 시성식, 구조식 구분 적용

① 분자식, 실험식, 구조식 차이

분자식	실험식	구조식
H_2O_2	HO	H−O−O−H 또는 ∠O−O−H (굽은 구조)

② 분자식이 같을 경우 시성식으로 나타내어 구분한다. 예 C_2H_6O
  - 에탄올(C_2H_6O) → CH_3CH_2OH
  - 다이메틸 에테르(C_2H_6O) → CH_3OCH_3

③ 화학식과 분자식 구분 예 물(H_2O), 염화 나트륨(NaCl)
  - H_2O은 분자식, 화학식 모두 사용 ➡ 물은 분자이므로 분자식으로 나타내며, 화학식은 분자식을 포괄하므로 화학식이라고도 한다.
  - 염화 나트륨(NaCl): 화학식은 맞는 말이지만 분자식이라고 할 수 없다. ➡ 염화 나트륨은 분자가 아니므로 분자식이 존재하지 않는다. 분자로 나타내기 어려운 고체 결정 물질들은 실험식으로 나타내며, 화학식은 실험식을 포괄하므로 화학식이라고도 한다.

강의 콕콕
작용기
탄소 화합물의 성질은 몇 개의 원자가 결합한 원자단에 의해 결정되는데, 이러한 원자단을 작용기라고 한다.

+ Plus 자료
분자식과 실험식 비교 예

물질	분자식	실험식
물	H_2O	H_2O
아세틸렌	C_2H_2	CH
벤젠	C_6H_6	CH
과산화 수소	H_2O_2	HO

셀파 콕콕
아세트산의 화학식 구분
실험식: CH_2O
분자식: $C_2H_4O_2$
시성식: CH_3COOH
구조식:
H
\|
H−C−C=O
\| \
H   O−H

+ Plus 문제

Q. 아세트산을 실험식, 분자식, 시성식으로 옳게 나타낸 것은?

	실험식	분자식	시성식
①	CH_2O	$C_2H_4O_2$	CH_3COOH
②	CH_2O	CH_3COOH	$C_2H_4O_2$
③	$C_2H_4O_2$	CH_2O	CH_3COOH
④	$C_2H_4O_2$	CH_3COOH	CH_2O
⑤	CH_3COOH	$C_2H_4O_2$	CH_2O

A. ① | 실험식은 원자 수의 비를 가장 간단한 정수비로 나타낸 화학식이고, 시성식은 작용기를 표시한 화학식이다.

3 **대표적인 탄소 화합물**

1. **알코올** 탄화수소에서 수소 원자 대신 하이드록시기(−OH)가 탄소 원자에 결합되어 있는 탄소 화합물

① 메탄올(CH_3OH)❼: 1개의 원자를 포함하고 있는 메테인의 수소 원자 1개 대신 −OH가 탄소 원자에 결합된 가장 단순한 형태의 알코올

② 메탄올의 특징 및 용도

- 메탄올은 인체 내에 흡수 시, 간에서 폼알데하이드로 변환되어 인체에 치명적이다.
- 알코올 램프 연료, 화공 약품, 용제로 주로 쓰인다.

③ 에탄올(C_2H_5OH): 2개의 탄소 원자를 포함하고 있는 에테인의 수소 원자 1개 대신 −OH가 탄소 원자에 결합되어 있는 알코올로 설탕이나 녹말이 발효될 때 생성된다.

④ 에탄올의 특징 및 용도

- 살균 효과가 있어 소독약이나 손 소독제로도 이용된다.
- 독성이 낮고 물질을 녹이는 성질이 뛰어나기 때문에 약품이나 향수 등의 용매로 쓰인다.
- 연료로 쓰이며 화학 약품이나 술의 원료이기도 하다.

메탄올(CH_3OH)	에탄올(C_2H_5OH)
분자 모형 　　　 구조식	분자 모형 　　　 구조식

2. **카복실산** 탄화수소에서 수소 원자 대신 카복실기(−COOH)가 탄소 원자에 결합되어 있는 탄소 화합물

① 폼산(HCOOH): 가장 단순한 형태의 카복실산

② 아세트산(CH_3COOH): 1개의 탄소 원자를 포함하고 있는 메테인의 수소 원자 1개 대신 −COOH가 탄소 원자에 결합되어 있는 구조로, 17 ℃ 이하에서 고체 상태로 존재하므로 빙초산이라고 하며 에탄올을 발효하여 만들 수 있다❽.

③ 아세트산의 특징 및 용도

- 물에 녹아 수소 이온(H^+)을 내놓으므로 약한 산성을 나타낸다
- 식초에는 아세트산이 3 %~4 % 정도 들어 있어 신맛이 난다.
- 발효를 통해 만들어진 아세트산 수용액은 음료, 식품의 장기 보관용 재료로 이용된다.
- 합성수지, 의약품, 염료 등의 원료로 이용된다.

폼산(HCOOH)	아세트산(CH_3COOH)
분자 모형 　　　 구조식	분자 모형 　　　 구조식

❼ 메탄올
용매, 연료, 유기 합성 원료 등으로 쓰이고, 에탄올과 달리 독성이 매우 강해 음용할 수 없다.

❽ 포도를 발효하면 포도주(에탄올)가 되고 더 발효하면 식초(아세트산)가 된다. 발효는 일종의 산화 과정이다.

셀파 콕콕
알코올, 카복실산의 여러 가지 예보다는 에탄올과 아세트산이라는 대표적인 물질에 집중하여 학습한다. 구조를 보고 어떤 물질인지 알 수 있도록 한다.

━━━ 용어 ━━━
▶ **폼산**: 자극적인 냄새가 나는 무색의 액체로 개미산이라고도 한다.
▶ **빙초산**: 수분이 적고 순도가 높은 아세트산으로 실온에서 얼음 상태인 고체가 된다.

3. 알데하이드 탄화수소에서 포밀기(−CHO)를 가진 탄소 화합물

① 폼알데하이드(HCHO): 1개의 탄소 원자를 포함하고 있는 알데하이드로 자극성이 강한 냄새를 띤 기체상의 화학 물질이며, 평면 삼각형 구조이다.

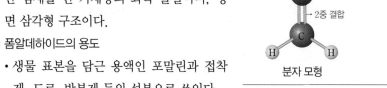

폼알데하이드(HCHO)

분자 모형　　　구조식

② 폼알데하이드의 용도
- 생물 표본을 담근 용액인 포말린과 접착제, 도료, 방부제 등의 성분으로 쓰인다.
- 가격이 싸기 때문에 건축 자재에 널리 이용된다.
- 새집 증후군을 유발하는 유해 물질로 알려져 있는데, 아토피 피부염을 악화시킨다는 연구 결과가 나왔다.

4. 케톤 카보닐기(−C=O)에 탄소 사슬이 결합된 화합물

① 아세톤(CH_3COCH_3): 가장 간단한 케톤으로 가운데 C 원자에 C 원자 2개와 O 원자 1개가 결합한 구조[9]

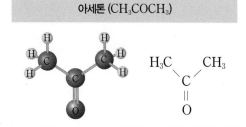

아세톤 (CH_3COCH_3)

② 아세톤의 특징 및 용도
- 특유의 냄새가 나며 물, 알코올, 에테르 등 대부분의 용매와 잘 섞인다.
- 실온에서 휘발성이 강하므로 ▶인화성이 크다.
- 물과 유기 용매 모두에 잘 녹으므로 페인트와 같이 물로 세척되지 않는 물질을 세척하는 데 사용된다.
- 손톱에 바른 매니큐어의 제거에 유용하다.

4　탄소 화합물과 우리 생활

1. 플라스틱 주로 원유에서 분리되는 나프타를 원료로 하여 합성하는 탄소 화합물로, 분자 수천 개가 결합한 ▶고분자 물질이다.[10]

① 특징
- 가볍고, 외부의 힘과 충격에 강하다.
- 녹이 슬지 않고 투명하게 만들거나 원하는 색을 낼 수 있다.
- 대량 생산이 가능하여 값이 싸다.
- 환경오염의 문제가 있다.

② 이용: 가전제품, 생활용품, 건축 자재 등 다양한 플라스틱 제품이 만들어지고, 일상생활 곳곳에서 폭넓게 이용된다.

❾ 아세톤의 구조

아세톤의 중심 탄소와 연결된 C, O, C는 같은 평면에 있으나 CH_3의 H는 평면이 아닌 입체 구조이다.

❿ 합성수지

천연 원료를 사용하지 않고 화학적 방법으로 만든 고분자 물질이다. 플라스틱을 합성수지라고도 한다.

─── 용어 ───

▶ **도료:** 페인트 같이 표면을 보호하고 아름답게 하는 물질을 총칭하는 말
▶ **인화성:** 기체 또는 액체에서 나오는 증기가 공기와 혼합한 경우 화염, 불꽃을 접촉함으로써 점화되어 연소를 지속하는 데 이르는 성질을 말한다.
▶ **고분자:** 분자량이 매우 큰 분자. 대부분의 경우 같은 구조 부분이 반복된 물질이다.

개념 확인하기

1 술의 원료이고 2개의 탄소 원자를 포함하고 있는 알코올을 메탄올이라고 한다. (○, ×)

2 식초에는 3 % ~ 4 %의 (　　)이/가 들어 있어 신맛이 난다.

3 아세트산과 에탄올의 구조를 비교해 보았을 때, 탄소의 개수는 (　　).

4 폼알데하이드는 탄소 원자 (　　)개로 구성된 분자이다.

5 대부분의 용매와 잘 섞이고 분자식이 CH_3COCH_3인 물질을 (　　)(이)라고 한다.

6 플라스틱은 값이 싸고 환경 문제가 없으므로 폭넓게 이용된다. (○, ×)

답 1. × 2. 아세트산 3. 같다 4. 1
5. 아세톤 6. ×

2. 의약품

① 아스피린: 독일의 과학자 호프만이 처음으로 합성하였다. 호프만은 버드나무 껍질에서 분리한 살리실산으로 아세틸 살리실산이라는 탄소 화합물을 합성하였는데, 이것이 해열제나 진통제로 사용하는 아스피린이다.

② 아스피린 이외에도 백신, 항생제, 항암제 등은 대부분 탄소 화합물이다.

아세틸 살리실산(아스피린)

3. 다양한 탄소 화합물

① 비누: 세수를 하거나 빨래할 때 사용하는 계면 활성제로, 탄소 원자들이 사슬처럼 길게 연결되어 있다.

친유성기 / 친수성기

② 합성 세제: 가정용 합성 세제는 일반적으로 주방용 세제와 세탁용 세제, 세척용 세제 등이 있다. 공통적으로 계면 활성제가 포함된다.

③ 합성 섬유: 나일론, 폴리에스터 등의 합성 섬유도 탄소 화합물이다.

나일론 66	폴리에스터

④ 탄소 섬유 복합 재료

• 탄소 섬유[12]: 탄소가 주성분인 매우 가는 굵기의 섬유로, 가벼우면서도 강도가 세며 열팽창률이 작아 다른 재료와 결합하여 사용한다.

장점	단점
• 중량 대비 강도가 매우 높은 저밀도 물질이다. • 강도가 강하다. • 강철 및 알루미늄과 같은 재료보다 열팽창률이 작다. • 방사선에 투명하고 X선에는 보이지 않으므로 의료 장비 및 시설에서 사용이 가능하다.	• 압축되거나 강도 기능을 넘은 높은 충격에 노출되면 부서진다. • 가격이 매우 높다.

• 탄소 섬유 복합 재료의 이용

- 우주, 항공 ➡ 비행기, 로켓
- 에너지 ➡ 풍력 발전기[13], 연료 전지
- 교통수단 ➡ 자동차, 고속열차
- 의학 ➡ 인공관절, 의료 보조기
- 전자 ➡ 노트북 케이스, 핸드폰 케이스
- 스포츠 ➡ 낚싯대, 테니스 라켓, 골프채

▲ 탄소 섬유 복합 재료를 사용한 비행기

개념 확인하기

1 아세틸 살리실산은 진통제나 해열제로 사용되는데, 이 제품을 (　　)(이)라고 한다.

2 비누와 합성 세제에 포함되어 있는 계면 활성제는 탄소 화합물이다. (○, ×)

3 탄소 섬유 복합 재료는 강도가 세서 자동차, 항공 우주 산업 등에 사용되는 신소재이다. (○, ×)

답 1. 아스피린 2. ○ 3. ○

⓫ 벤젠(C_6H_6)

정육각형의 분자로 모든 원자가 한 평면에 있다. 첨가제, 합성 세제 원료 및 각종 용제 등에 주로 사용되며 C 원자 사이의 결합 길이가 같다.

⓬ 탄소 섬유

탄소 섬유를 구성하는 탄소 원자들은 섬유의 길이 방향을 따라 육각 고리 결정의 형태로 붙어 있으며, 이러한 분자 배열 구조로 인해 강한 물리적 속성을 띠게 된다

⓭ 풍력 발전기에 탄소 섬유 이용

최근에는 풍력 발전기의 블레이드(날개)를 철제 블레이드에서 탄소 섬유 복합 재료로 만든 블레이드로 대체
➡ 블레이드가 대형화되고, 회전이 빠를수록 상대적으로 가벼우면서도 강도가 큰 탄소 섬유 복합 재료가 유용하기 때문

━━━━ 용어 ━━━━

▶ **계면 활성제**: 계면이란 기체와 액체, 액체와 액체, 액체와 고체가 서로 맞닿은 경계면이다. 계면 활성제란 이런 계면의 경계를 완화시키는 역할을 하는 물질이다. 물과 기름은 섞이지 않지만 계면 활성제를 넣어주면 섞인다.

▶ 탄소 수에 따라 탄소 화합물 이름의 규칙성을 알 수 있고, 작용기를 통해 물질의 특성을 알 수 있어요.

탄소 화합물 명명법과 작용기

01 탄소 수에 따른 탄화수소의 이름

• 탄화수소는 탄소의 수에 따라 화합물의 이름이 결정된다.

탄소 수	1	2	3	4	5	6	7	8
탄소 화합물 이름	metha (메타)	etha (에타)	propa (프로파)	buta (뷰타)	penta (펜타)	hexa (헥사)	hepta (헵타)	octa (옥타)

• 탄화수소의 명명 예시

❶ CH_4(메테인): C가 1개이므로 **메타**+C와 H가 단일 결합이므로 (**-알케인**) ➡ 메테인

탄소 원자와 다른 원자 사이의 단일 결합을 알케인이라고 한다.

❷ C_2H_4(에텐): C가 2개이므로 **에타**+C와 C가 2중 결합이므로 (**-알켄**) ➡ 에텐

탄소 원자 사이가 2중 결합일 경우 알켄이라고 한다.

❸ C_2H_2(에타인): C가 2개이므로 **에타**+C와 C가 3중 결합이므로 (**-알카인**) ➡ 에타인

탄소 원자 사이가 3중 결합일 경우 알카인이라고 한다.

02 탄소 화합물의 작용기

작용기	하이드록시기(-OH)	포밀기(-CHO)	카복실기(-COOH)
구조와 특징	탄화수소에서 수소 원자 대신 -OH가 탄소 원자에 결합되어 있는 화합물	탄화수소에서 수소 원자 대신 -CHO가 탄소 원자에 결합되어 있는 화합물	탄화수소에서 수소 원자 대신 -COOH가 탄소 원자에 결합되어 있는 화합물
대표적인 탄소 화합물	⑩ 메탄올(CH_3OH) H–C–O–H (위아래 H)	⑩ 아세트 알데하이드(CH_3CHO) H–C–C=O, H	⑩ 폼산(HCOOH) 개미산이라고도 한다. –CHO, –COOH, O=C, H, OH
	에탄올과 같은 계열인 알코올로 무색의 액체이다.	접착제나 아세트산을 만드는 원료이다.	분자 내에 -COOH와 -CHO를 동시에 가지고 있다.

+ **Plus 자료**

강의 콕!
탄화수소 유도체의 작용기 이름이나, 탄소의 개수에 따른 탄화수소의 이름을 기억하지 않아도 된다. 구조를 보고 물질의 특징을 파악하는 것이 중요하다.

탄소의 결합에 따른 명명법과 특징

① 알케인(-C-)
탄소 원자와 다른 원자 사이의 결합이 모두 단일 결합 ⑩ CH_4

H–C–C 구조 (H 상하좌우)

② 알켄(-C=C-)
탄소 원자 사이에 2중 결합 ⑩ C_2H_4

H, H / C=C / H, H

③ 알카인(-C≡C-)
탄소 원자 사이에 3중 결합 ⑩ C_2H_2

H–C≡C–H

---

01 오른쪽 그림은 여러 가지 탄소 화합물이다. 이에 대한 설명으로 옳은 것은?

① (가)~(마)에서 분자 1개당 수소의 개수는 모두 같다.

② (가)~(마)에서 모든 원자가 같은 평면에 있는 분자는 1개이다.

③ 아세트산은 (다)처럼 -COOH를 분자 내에 포함하고 있다.

④ (다)와 (라)는 같은 구조를 분자 내에 포함하고 있다.

⑤ (가)와 (마)는 탄소 원자 1개당 결합한 수소 원자의 개수가 같다.

| **해설** | (다)와 (라)는 -CHO 구조를 가지고 있다. (라)는 -CHO와 -COOH를 모두 가진다.
① (라)는 한 분자에 수소가 2개이고, 나머지는 한 분자에 수소가 4개이다.
② (라)와 (마)는 모든 원자가 같은 평면에 있다.
③ 아세트산은 (라)와 같이 -COOH를 가진다.
⑤ (가)는 탄소 1개당 결합한 수소가 4개이고, (마)는 탄소 1개당 결합한 수소가 2개이다. **답 ④**

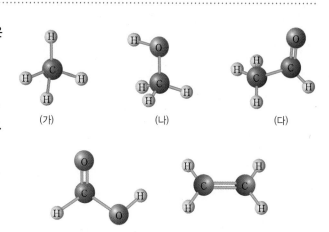

(가)   (나)   (다)

(라)   (마)

기초 탄탄 문제

정답과 해설 4쪽

핵심용어_ 이 단원에서 내가 아는 것과 아직 모르는 것을 정리하며 나의 공부를 돌아보자.

□ 탄소 화합물   □ 탄화수소   □ 메테인
□ 에탄올   □ 아세트산   □ 폼알데하이드
□ 아세톤   □ 아스피린

01 탄소 화합물에 대한 설명으로 옳지 않은 것은?

① 동물과 식물은 대부분 탄소 화합물로 이루어져 있다.
② 탄소를 포함하는 화합물을 탄소 화합물이라고 한다.
③ 탄소 화합물은 정사면체, 평면 삼각형, 직선형 등의 여러 가지 모양을 하고 있다.
④ 탄소 원자 1개는 최대 5개의 다른 원자와 공유 결합을 한다.
⑤ 우리 주변에서 탄소 화합물로 이루어진 물질에는 비누, 의약품, 플라스틱 등이 있다.

02 산소가 포함되지 않은 탄소 화합물은?

① 에탄올   ② 아세트산   ③ 메테인
④ 폼알데하이드   ⑤ 아세톤

03 에탄올의 구조로 옳은 것은?

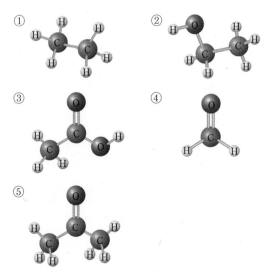

04 오른쪽 그림은 어떤 탄소 화합물의 구조이다. 이에 대한 설명으로 옳지 않은 것은?

① 1개의 탄소 원자를 포함하고 있는 알데하이드이다.
② 평면 삼각형 구조이다.
③ 자극성이 강한 냄새를 띤 화학 물질이다.
④ 접착제, 도료, 방부제 등의 성분으로 사용된다.
⑤ 살균 효과가 있어 소독약이나 손 소독제로도 이용된다.

05 탄화수소에 대한 설명으로 옳지 않은 것은?

① 탄소와 수소로만 이루어진 화합물을 말한다.
② 원유를 이루는 주성분이다.
③ 버스 연료로 사용되는 압축 천연가스(CNG)의 주성분도 탄화수소에 속한다.
④ 탄화수소가 완전 연소하면 일산화 탄소(CO)와 물(H_2O)이 생성된다.
⑤ 가정에서 사용하는 도시가스나 액화 석유가스(LPG)의 주성분도 탄화수소에 속한다.

06 오른쪽 그림은 탄화수소 중 가장 간단한 구조를 갖는 화합물을 나타낸 것이다. 이에 대한 설명으로 옳지 않은 것은?

① 정사면체 구조이다.
② 에테인이다.
③ 산소와 반응하면 열과 빛을 내며 연소한다.
④ C 원자 1개에 H 원자 4개가 단일 결합한 것이다.
⑤ 완전 연소하면 이산화 탄소와 물을 생성한다.

내신 만점 문제

정답과 해설 5쪽

* ▮▮▮ 난이도를 나타냅니다.

01 ▮ 다음은 탄소 화합물에 대한 학생들의 대화 내용이다.

탄소 화합물에는 반드시 탄소가 포함되어 있어.

탄소 화합물은 모두 입체 구조야. 평면 구조인 건 없어.

모든 탄소 화합물은 한 탄소에 최대 4개의 결합이 가능해.

승훈

서영

정화

탄소 화합물에 대한 대화 내용이 옳은 학생만을 있는 대로 고른 것은?

① 승훈   ② 서영   ③ 승훈, 서영

④ 승훈, 정화   ⑤ 서영, 정화

02 ▮▮ 다음은 두 가지 물질의 화학식이다.

$$CH_3CH_3 \qquad CH_3CH_2CH_3$$

이 물질들의 공통점으로 옳은 것만을 〈보기〉에서 있는 대로 고른 것은?

┤ 보기 ├
ㄱ. 탄소와 수소로만 이루어진 화합물이다.
ㄴ. 완전 연소하였을 때의 생성물이 같다.
ㄷ. 탄소 1개당 결합한 수소의 개수가 같다.

① ㄱ   ② ㄱ, ㄴ   ③ ㄱ, ㄷ

④ ㄴ, ㄷ   ⑤ ㄱ, ㄴ, ㄷ

03 ▮▮ 그림은 두 탄소 화합물의 구조를 나타낸 것이다.

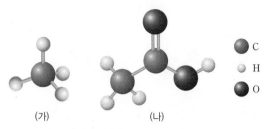

(가)   (나)

● C
○ H
● O

(가)와 (나)의 이름과 화학식을 옳게 연결한 것은?

	(가)		(나)	
---	이름	화학식	이름	화학식
①	메테인	CH_4	아세트알데하이드	CH_3COOH
②	메테인	CH_4	아세트산	CH_2COOH
③	메테인	CH_4	아세트산	CH_3COOH
④	메테인	C_2H_6	아세트알데하이드	CH_3COH
⑤	에테인	CH_4	아세톤	CH_3COOH

04 ▮▮▮ 그림은 두 탄소 화합물의 구조를 나타낸 것이다.

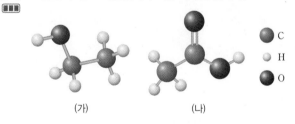

(가)   (나)

● C
○ H
● O

이에 대한 설명으로 옳은 것만을 〈보기〉에서 있는 대로 고른 것은?

┤ 보기 ├
ㄱ. (가)와 (나)는 탄소의 개수가 같다.
ㄴ. (가)와 (나)에는 사면체 구조를 가진 부분이 있다.
ㄷ. (나)를 발효시켜 (가)를 만들 수 있다.

① ㄱ   ② ㄴ   ③ ㄷ

④ ㄱ, ㄴ   ⑤ ㄱ, ㄴ, ㄷ

그림은 두 탄소 화합물의 구조를 나타낸 것이다.

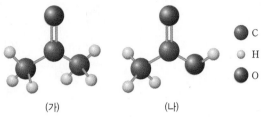

(가)   (나)

C
H
O

이에 대한 설명으로 옳은 것만을 〈보기〉에서 있는 대로 고른 것은?

┤ 보기 ├
ㄱ. (가)와 (나) 모두 2중 결합을 포함하고 있다.
ㄴ. (가)와 (나)의 수소 원자의 개수는 같다.
ㄷ. 두 탄소 화합물 모두 휘발성이 강하고 실온에서 고체 상태이다.

① ㄱ   ② ㄴ   ③ ㄱ, ㄴ
④ ㄱ, ㄷ   ⑤ ㄱ, ㄴ, ㄷ

06 그림은 두 탄소 화합물의 구조를 나타낸 것이다.

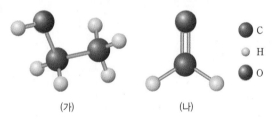

(가)   (나)

C
H
O

이에 대한 설명으로 옳은 것만을 〈보기〉에서 있는 대로 고른 것은?

┤ 보기 ├
ㄱ. 두 탄소 화합물은 모두 평면 구조이다.
ㄴ. (가)는 살균 효과가 있어 손 소독제로 사용된다.
ㄷ. (나)는 접착제, 방부제 등으로 사용된다.

① ㄱ   ② ㄴ   ③ ㄱ, ㄴ
④ ㄴ, ㄷ   ⑤ ㄱ, ㄴ, ㄷ

그림은 일상생활에서 탄소 화합물이 사용되는 예를 나타낸 것이다.

(가)   (나)

(가)와 (나)의 구조를 옳게 나타낸 것은?

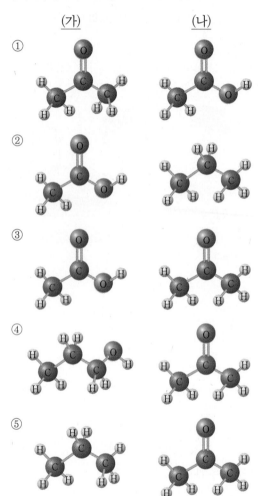

08 플라스틱에 대한 설명으로 옳은 것만을 〈보기〉에서 있는 대로 고른 것은?

┤ 보기 ├
ㄱ. 고분자 물질이다.
ㄴ. 가볍고 녹이 슬지 않고 대량 생산이 가능하다.
ㄷ. 원유에서 분리되는 물질을 원료로 합성한다.

① ㄱ   ② ㄴ   ③ ㄷ
④ ㄱ, ㄴ   ⑤ ㄱ, ㄴ, ㄷ

09 다음은 우리 생활 속에 다양하게 사용되는 탄소 화합물이다.

> 비누　합성 세제　플라스틱　LPG　LNG

이에 대한 설명으로 옳은 것만을 〈보기〉에서 있는 대로 고른 것은?

| 보기 |

ㄱ. 비누와 합성 세제는 계면 활성제의 한 종류이다.

ㄴ. 플라스틱과 LPG는 원유에서 원료를 얻어 생산한다.

ㄷ. LNG의 주성분은 메테인(CH_4)으로 탄소 원자 1개와 수소 원자 4개가 결합한 구조이다.

① ㄱ　　　　② ㄷ　　　　③ ㄱ, ㄴ

④ ㄴ, ㄷ　　　⑤ ㄱ, ㄴ, ㄷ

10 그림은 두통과 해열 및 기타 통증 완화에 효과적인 아세트아미노펜의 구조이다.

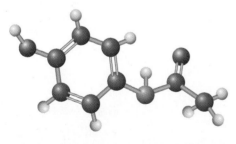

이에 대한 설명으로 옳은 것만을 〈보기〉에서 있는 대로 고른 것은? (단, ●: 탄소, ●: 산소, ○: 수소, ●: 질소 원자이다.)

| 보기 |

ㄱ. 아세트아미노펜은 탄소 화합물이다.

ㄴ. 아세트아미노펜 한 분자에는 탄소 원자가 8개 포함되어 있다.

ㄷ. 아세트아미노펜에 포함된 탄소 원자 중에는 결합선이 3개만 있는 것도 있다.

① ㄱ　　　　② ㄴ　　　　③ ㄱ, ㄴ

④ ㄴ, ㄷ　　　⑤ ㄱ, ㄴ, ㄷ

서술형 문제

11 그림은 탄소 원자 간의 다양한 결합 방법을 나타낸 것이다.

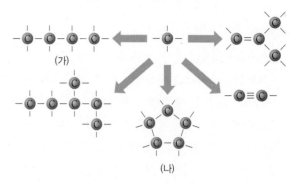

(1) (가), (나)에서 탄소 원자의 결합 모양은 각각 무엇인지 쓰시오.

_____

(2) 탄소 화합물의 종류가 다양한 까닭을 탄소 원자 사이의 결합 방식과 관련지어 서술하시오.

_____

_____

_____

12 그림은 세 가지 탄소 화합물을 주어진 기준에 따라 분류하는 과정을 나타낸 것이다.

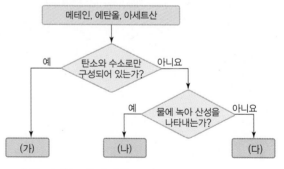

(1) (가)~(다)는 무엇인지 쓰시오.

_____

(2) (가)~(다)의 화학식을 쓰시오.

_____

_____

핵심 Point
- 입자를 세는 기본 단위인 **아보가드로수**와 몰의 의미를 이해한다.
- 몰과 아보가드로수, **질량**과 **부피**의 관계를 이해한다.

1 몰과 아보가드로수

1. 몰(mole) 원자나 분자, 이온 등의 수를 나타내기 위해 사용하는 묶음 단위❶

① 단위의 필요성: 물질을 구성하는 원자, 분자, 이온 등의 입자는 크기가 매우 작다. 물질을 구성하는 입자의 수는 매우 많기 때문에 입자의 수를 묶음 단위로 나타내면 편리하다.

② 1몰: 6.02×10^{23}개의 입자를 의미하며, 단위는 몰 또는 mol을 사용한다. ❷

2. 아보가드로수❸ 물질의 종류에 관계없이 물질 1몰은 입자 6.02×10^{23}개이다.

① 물질 1몰에는 물질을 구성하는 입자 6.02×10^{23}개가 들어 있다.

원자 분자 이온 1개   1몰 6.02×10^{23}개

설탕 1몰 → 1×(설탕 분자 6.02×10^{23}개)
설탕 2몰 → 2×(설탕 분자 6.02×10^{23}개)
설탕 3몰 → 3×(설탕 분자 6.02×10^{23}개)

② 물질 1몰에서 물질을 구성하는 입자의 양을 구할 수 있다.

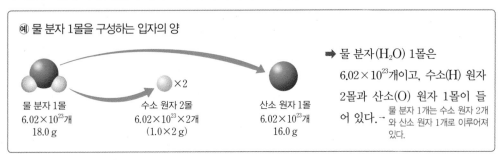

㉾ 물 분자 1몰을 구성하는 입자의 양

물 분자 1몰
6.02×10^{23}개
18.0 g

수소 원자 2몰
$6.02 \times 10^{23} \times 2$개
$(1.0 \times 2\,\text{g})$

산소 원자 1몰
6.02×10^{23}개
16.0 g

➡ 물 분자(H_2O) 1몰은 6.02×10^{23}개이고, 수소(H) 원자 2몰과 산소(O) 원자 1몰이 들어 있다. → 물 분자 1개는 수소 원자 2개와 산소 원자 1개로 이루어져 있다.

3. 몰과 입자 수의 관계 몰과 입자 수 사이에는 다음과 같은 관계가 성립한다.

$$입자 \ 수 = 몰(\text{mol}) \times (6.02 \times 10^{23}/\text{mol})$$

2 원자량과 분자량

1. 원자량 질량수가 12인 탄소 원자(^{12}C)❸의 질량을 12.00으로 정하고, 이를 기준으로 하여 나타낸 원자들의 상대적인 질량을 말한다. 상대적인 값이므로 단위가 없다.

① 원자량의 필요성: 원자 1개의 실제 질량은 매우 작으므로 원자 1개의 질량을 직접 측정하기가 매우 어렵다. ➡ 탄소 원자를 기준으로 하고 이와 비교한 상대적 질량을 원자량으로 사용

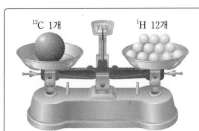

^{12}C 1개 ^{1}H 12개

원자의 상대적 질량

탄소(C) 1개의 질량 = 수소(H) 12개의 질량

➡ 수소(H) 1개의 질량 $= \dfrac{탄소(C) \ 1개의 \ 질량}{12}$

➡ 질량비 = C : H = 12 : 1

∴ C의 원자량이 12.00일 때, H의 원자량은 1.00이다.

---

❶ 일상생활 속의 묶음 단위
- 다스: 물건(연필, 도넛 등) 12개짜리 한 묶음
- 접: 야채(마늘 등)나 과일 100개
- 축: 오징어 20마리
- 톳: 김 40장 또는 100장을 한 묶음으로 묶은 덩이
- 켤레: 짝으로 이루어진 신, 버선, 방망이 따위의 한 벌
- 두름: 조기, 청어 20마리
- 꾸러미: 짚으로 길게 묶어 사이사이를 동여 맨 달걀 10개

강의 콕 ▶)

아보가드로수는 얼마나 클까?
- 밥 한 공기에 들어 있는 쌀알을 2000개로 했을 때, 75억 명에 이르는 전 세계 사람들이 한 끼에 밥 한 공기씩 하루 세 끼 매일 식사를 한다면, 1몰의 쌀알로 3.67×10^{7}년 동안 먹을 수 있다.
- 빛의 속도로 여행을 한다 해도 6.02×10^{23} m를 가려면 6000만 년 이상 걸린다. 종이를 6.02×10^{23}장 쌓으면 지구에서 태양까지 100만 번 이상을 갈 수 있는 거리이다.

❷ 몰
몰(mole)의 단위 기호는 몰과 mol을 사용한다. 교과서 검정 과정에서 모든 교과서의 계산 과정에서는 몰의 단위 기호로 mol을 사용한다.

❸ 원자 표시

질량수 ―12
원자 번호 ―6   C
원소 기호 ―

② 평균 원자량: 동위 원소의 존재비를 고려하여 평균값으로 나타낸 원자량

　　⑩ 자연계에 존재하는 염소는 원자량이 35인 ^{35}Cl가 75.8 %, 원자량이 37인 ^{37}Cl이 24.2 % 존재한다. 염소 원자의 평균 원자량은 다음과 같다.

$$\Rightarrow \text{Cl의 평균 원자량} = \frac{(35 \times 75.8) + (37 \times 24.2)}{100} \fallingdotseq 35.5$$

[여러 가지 원소의 평균 원자량]

원소	원자량	원소	원자량	원소	원자량
H	1.0	O	16.0	Cl	35.5
He	4.0	Na	23.0	K	39.1
C	12.0	Mg	24.3	Fe	55.8
N	14.0	Al	27.0	Zn	65.4

③ 원자의 실제 질량: 아보가드로수를 이용하면 원자나 분자 1개의 실제 질량을 구할 수 있다. 탄소의 원자량은 12이므로 탄소 1몰의 질량은 12 g/mol이다. 탄소 1몰은 탄소 원자 수가 6.02×10^{23}개이므로 탄소 원자 1개의 실제 질량은 다음과 같이 계산할 수 있다.

$$\Rightarrow \text{탄소 원자 1개의 질량} = \frac{12 \text{ g/mol}}{6.02 \times 10^{23}/\text{mol}} = 1.99 \times 10^{-23} \text{ g}$$

2. 분자량과 화학식량❹

① 분자량: 분자를 구성하는 모든 원자들의 원자량을 합한 값

분자식	O_2		H_2O			CO_2		
분자 모형								
원자	O	O	H	O	H	O	C	O
원자량	16.0	16.0	1.0	16.0	1.0	16.0	12.0	16.0
분자량	$16.0 \times 2 = 32.0$		$16.0 \times (1.0 \times 2) = 18.0$			$12.0 + (16 \times 2) = 44.0$		

② 화학식량: 어떤 물질의 화학식을 이루는 원자들의 원자량을 모두 합한 값

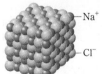
　▲ 염화 나트륨(NaCl)

　⑩ 염화 나트륨은 나트륨 이온(Na^+)과 염화 이온(Cl^-)이 1 : 1로 규칙적으로 결합하고 있으며 화학식은 NaCl이다.❺

　　$\Rightarrow$ 염화 나트륨의 화학식량은 23.0(Na의 원자량)+35.5(Cl의 원자량)=58.5이다.

개념 확인하기

1 물질의 양이 적어도 그 속에 들어 있는 입자 수는 매우 많기 때문에 몰이라는 단위를 쓴다. (○ , ×)

2 1몰의 입자의 개수는 (　　　)개이다.

3 물질의 종류에 관계없이 물질 1몰을 구성하는 입자의 수를 (　　　)(이)라고 한다.

4 원자량의 기준은 질소를 기준으로 하여 그 값을 12.00으로 한다. (○ , ×)

5 동위 원소의 존재비를 고려하여 평균값으로 나타낸 원자량을 (　　　)(이)라고 한다.

답 1 ○ 2 6.02×10^{23} 3 아보가드로수 4 × 5 평균 원자량

셀파 세미나 ──────── S·H·E·R·P·A

▶ 분자량과 화학식량의 개념을 이해하여 상황에 맞게 분자량과 화학식량 용어를 사용하고 구할 수 있어요.

분자량과 화학식량

01 분자량

① 분자량은 분자를 구성하는 모든 원자들의 원자량을 합한 값으로 단위가 없다.

② 물의 분자량 구하기

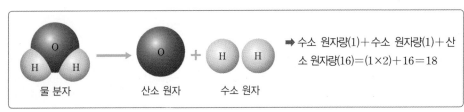

➡ 수소 원자량(1)+수소 원자량(1)+산소 원자량(16)=(1×2)+16=18

물 분자   산소 원자   수소 원자

> **셀파 콕콕**
> 분자량은 분자를 구성하는 모든 원자들의 원자량의 합이다.

02 화학식량

① 화학식: 물질을 구성하는 성분 원소의 종류와 원자의 개수를 원소 기호와 숫자로 나타낸 식이다.

염화 나트륨 (NaCl)	실온에서 수많은 Na^+과 Cl^-이 규칙적으로 결합하여 배열되어 있는 결정으로, 독립적인 분자가 존재하지 않는다. 결정 속에 Na^+과 Cl^-이 $1:1$로 결합하고 있으므로 화학식 NaCl로 표시한다.
다이아몬드 (C)	원자들이 그물처럼 연결된 구조의 물질들은 독립적인 분자가 존재하지 않는다. 이러한 물질은 원소 기호로 화학식을 나타내며 다이아몬드의 경우 화학식으로 나타낼 때는 C로 나타낸다.
구리 (Cu)	금속은 분자 상태로 존재하지 않고, 금속 원자가 규칙적으로 결합하여 배열되어 있으므로 독립적인 분자가 아니다. 구리 금속의 경우 Cu로 나타낸다.

② 화학식량: 물질의 화학식을 구성하는 원자들의 원자량을 모두 더한 값으로, 원자량, 분자량, 실험식량 등은 넓은 의미의 화학식량에 속한다.

③ 화학식량 구하기: 물질을 구성하는 구성 원자의 종류와 개수를 가장 간단한 정수비로 화학식을 나타낸 후, 구성하는 원자들의 원자량을 모두 더한 값으로 화학식량을 구한다.
- 염화 나트륨(Na): Na의 원자량이 23.0, Cl의 원자량이 35.5이므로 화학식은 NaCl이고 화학식량은 58.5이다.
- 다이아몬드: 화학식이 C이고 원자량이 12이므로 화학식량도 12이다.
- 구리: 화학식이 Cu이고 원자량이 63.5이므로 화학식량도 63.5이다.

+ Plus 자료

염화 나트륨(NaCl)의 구조

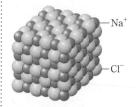

Na^+

Cl^-

다이아몬드(C)의 구조

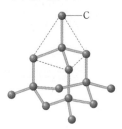

C

구리(Cu)의 구조

Cu

---

01 물질의 이름, 화학식, 화학식량을 짝 지은 것으로 옳지 <u>않은</u> 것은?(단, 원자량은 탄소 12, 산소 16, 수소 1, 염소 35.5, 마그네슘 24.3, 구리 63.5이다.)

이름	화학식	화학식량		이름	화학식	화학식량
① 탄산 이온	$CO_3{}^{2-}$	60		② 염화 마그네슘	$MgCl_2$	95.3
③ 메테인	CH_4	16		④ 구리	Cu_2	127
⑤ 흑연	C	12				

| 해설 | 구리의 화학식은 Cu이고, 화학식량은 63.5이다.   ④ 답

3 몰과 질량

1. 몰의 질량 물질의 화학식량에 g을 붙인 값**❻** → 질량이므로 g을 단위로 쓴다.

2. 몰 질량 1몰의 질량으로 단위는 g/mol이다. 1몰을 구성하고 있는 입자 6.02×10^{23}개의 질량과 같다.

입자 수		물질의 양(mol)		질량
6.02×10^{23}개의 원자	⟷	원자 1몰	⟷	원자량에 g을 붙인 값
6.02×10^{23}개의 분자	⟷	분자 1몰	⟷	분자량에 g을 붙인 값
6.02×10^{23}개의 이온	⟷	이온 1몰	⟷	이온식량에 g을 붙인 값

- 탄소(C)의 원자량이 12이므로, 탄소 12 g에는 6.02×10^{23}개의 탄소 원자가 포함되어 있다.
- 물(H_2O)의 분자량이 18이므로, 물 18 g에는 6.02×10^{23}개의 물 분자가 포함되어 있다.
- 물 18 g에는 6.02×10^{23}개의 산소(O) 원자가 포함되어 있고, 1.20×10^{24}개의 수소(H) 원자가 포함되어 있다.

3. 물질의 질량 물질의 양(mol)에 1몰의 질량(화학식량)을 곱해서 구한다.

> 물질의 질량 = 물질의 양(mol) × 1몰의 질량 = 물질의 양(mol) × 화학식량

⟐ 탄소(C)의 원자량이 12이므로, 탄소 2 mol의 질량은 2 mol × 12 g/mol = 24 g이다.
⟐ 물(H_2O)의 분자량이 18이므로, 물 3 mol의 질량은 3 mol × 18 g/mol = 54 g이다.

4. 1몰에 해당하는 입자 수와 화학식량 1몰에 해당하는 입자 수는 6.02×10^{23}개로 물질에 관계없이 동일하지만, 1몰의 질량은 물질의 화학식량에 따라 달라진다.

⟐ 탄소(C) 1몰과 물(H_2O) 1몰의 입자 수는 6.02×10^{23}개로 동일하지만, 탄소 1몰의 질량은 12 g이고 물 1몰의 질량은 18 g이다.

5. 같은 질량에 포함된 다른 종류 물질의 양 서로 다른 물질은 같은 질량에 포함된 물질의 양(입자 수)이 다르다. 화학식량이 큰 물질일수록 같은 질량에 포함된 입자 수가 적다.

⟐ 물(H_2O)과 탄소(C)가 각각 12 g이 있다면, 물은 $\frac{2}{3}$ mol, 입자 수는 약 4.01×10^{23}개이며, 탄소는 1 mol, 입자 수는 6.02×10^{23}개이다. → 화학식량이 큰 물이 화학식량이 작은 탄소보다 같은 질량에 포함된 입자 수가 적다.

6. 원자나 분자의 양(mol)

> 원자의 양(mol) $= \dfrac{\text{질량}}{\text{원자량}}$,   분자의 양(mol) $= \dfrac{\text{질량}}{\text{분자량}}$

⟐ 탄소(C)가 24 g 있다면, 원자량이 12이므로 $\dfrac{24\ g}{12\ g/mol} = 2$ mol이다.

⟐ 물(H_2O)이 9 g 있다면, 분자량이 18이므로 $\dfrac{9\ g}{18\ g/mol} = 0.5$ mol이다.

개념 확인하기

1 물질 1몰의 질량은 화학식량에 (　)을/를 붙인 값이다.
2 1몰에 해당하는 입자 수는 물질에 관계없이 6.02×10^{23}개이다. (○ , ×)
3 화학식량이 큰 물질일수록 같은 질량에 포함된 입자 수가 많다. (○ , ×)
4 물 90 g의 양(mol)은 (　) mol이다.

답 1 g 2 ○ 3 × 4 5

4 몰과 기체의 부피

1. 아보가드로[7] 법칙

① 모든 기체는 온도와 압력이 같을 때, 같은 부피 속에 같은 수의 분자가 들어 있다. ➡ 일정한 온도와 압력에서 기체의 부피는 물질의 양(mol)에 비례한다.

② 모든 기체는 분자의 종류에 관계없이 0 °C, 1 기압에서 22.4 L의 부피 속에 6.02×10^{23}개의 분자를 포함한다.

기체	수소(H_2)	질소(N_2)	암모니아(NH_3)	이산화 탄소(CO_2)
모형				
몰	1몰	1몰	1몰	1몰
몰 질량	2 g	28 g	17 g	44 g
몰 부피	22.4 L	22.4 L	22.4 L	22.4 L
분자 수	6.02×10^{23}개	6.02×10^{23}개	6.02×10^{23}개	6.02×10^{23}개

2. 몰 부피 표준 상태[8](0 °C, 1 기압)에서 기체 1몰의 부피

① 기체 1몰의 부피: 0 °C, 1 기압에서 모든 기체 1몰의 부피는 22.4 L이다. → 기체의 부피는 온도와 압력에 따라 달라진다.

② 기체의 양(mol): 기체의 양(mol)은 0 °C, 1 기압에서 측정한 기체의 부피를 몰 부피로 나누어서 구한다.

$$\text{기체의 양(mol)} = \frac{\text{기체의 부피}(0\,°C, 1\,\text{기압})}{22.4(\text{L/mol})}$$

㉠ 0 °C, 1 기압에서 수소(H_2) 부피가 44.8 L일 때, 수소 양(mol)은 $\frac{44.8\,\text{L}}{22.4\,\text{L/mol}} = 2\,\text{mol}$이다.

㉠ 0 °C, 1 기압에서 산소(O_2)의 질량이 16 g일 때, 산소의 부피는 $\frac{16}{32} \times 22.4\,\text{L} = 11.2\,\text{L}$이다.

5 몰과 입자 수, 질량, 부피와의 관계 정리

1. 몰과 입자 수, 질량, 부피의 관계[9] 몰과 입자 수, 질량, 기체의 부피는 환산이 가능한 관계이다.

$$\text{몰(mol)} = \frac{\text{입자 수}}{6.02 \times 10^{23}} = \frac{\text{질량(g)}}{\text{몰 질량(g/mol)}} = \frac{\text{기체의 부피(L)}}{22.4\,\text{L/mol}}\,(0\,°C, 1\,\text{기압})$$

| 개념 적용하기 |

[예제] 0 °C, 1 기압에서 산소(O_2) 기체 11.2 L 속에 포함된 분자의 양(mol), 분자 수, 질량을 구해 보자.

[풀이] 입자 수, 질량, 부피 등 제시된 것을 몰로 바꾸어 준다.

· 분자의 양(mol): 산소 O_2 기체 11.2 L의 양(mol)은 $\frac{11.2\,\text{L}}{22.4\,\text{L/mol}} = 0.5\,\text{mol}$이다.

· 분자 수: $0.5\,\text{mol} = \frac{\text{입자 수}}{6.02 \times 10^{23}}$이므로, 입자 수$= 3.01 \times 10^{23}$개다.

· 질량: $0.5\,\text{mol} = \frac{\text{질량(g)}}{32\,\text{g/mol}}$이므로, 질량은 16 g이다.

[7] 아보가드로(Avogadro, A., 1776~1856)

분자 개념을 도입하고, "온도와 압력이 같을 때 모든 기체는 같은 부피 속에 같은 수의 분자를 포함한다."라는 가설을 발표하였다.

[8] 표준 상태

표준 상태(STP)는 standard temperature and pressure의 약자로 온도는 0 °C이고, 압력은 1 기압인 상태를 의미한다.

[9] 몰과 부피의 관계

표준 상태에서 어떤 기체 물질의 부피를 알고 있을 때, 다음과 같은 비례식이 성립한다.

1몰 : 22.4 = x몰 : 부피

$$\therefore x = \frac{\text{부피}}{22.4}$$

강의 콕 🔊

몰과 부피의 관계는 고체, 액체에는 적용되지 않고 0 °C, 1 기압일 때만 22.4 L로 적용된다.

2. 기체의 분자량 구하기

① 아보가드로 법칙에 따르면, 같은 온도와 압력에서 모든 기체는 같은 부피 속에 같은 수의 분자가 들어 있다. → 부피가 같으면 물질의 양(mol)이 같다.

② 같은 온도와 압력에서 부피가 같은 두 기체의 질량비는 분자량비와 같다. 즉, 한 기체의 분자량을 알고 있다면 두 기체의 질량을 비교하여 다른 기체의 분자량을 구할 수 있다.

$$\frac{A\ 기체의\ 질량}{B\ 기체의\ 질량} = = \frac{A\ 기체의\ 분자량}{B\ 기체의\ 분자량}$$

> 개념 적용하기
>
> [예제] 같은 온도와 압력에서 부피가 같은 기체 A와 산소가 있다. 산소(O_2)의 질량이 16 g일 때, $\dfrac{산소의\ 질량}{기체\ A의\ 질량} = \dfrac{8}{7}$이다. 기체 A는 무엇인가? (단, A는 같은 원자로 이루어진 이원자 분자이다.)
>
> [풀이] $\dfrac{산소의\ 질량}{기체\ A의\ 질량} = \dfrac{8}{7} = \dfrac{산소의\ 분자량}{기체\ A의\ 분자량}$이므로 $\dfrac{8}{7} = \dfrac{32}{기체\ A의\ 분자량}$이고, A의 분자량은 28이다. 따라서 A는 질소(N_2)이다. → 질소의 원자량은 14이다.

③ 밀도를 이용하여 분자량 구하기: 0 ℃, 1 기압에서 기체 1몰의 부피가 22.4 L이고, 기체의 밀도는 1 L의 질량에 해당되므로 0 ℃, 1 기압에서 기체의 밀도에 22.4를 곱하면 기체의 분자량이 된다.

$$기체의\ 밀도(0\ ℃,\ 1\ 기압) = \frac{기체의\ 질량}{기체의\ 부피} = \frac{분자량}{22.4}\ (g/L)$$
$$분자량 = 기체의\ 밀도 \times 22.4\ (0\ ℃,\ 1\ 기압)$$

> 개념 적용하기
>
> [예제] 0 ℃, 1 기압에서 A 기체의 밀도가 1.25 g/L이다. A 기체의 분자량을 구해 보자.
>
> [풀이] 1.25 g/L × 22.4 L = 28 g이므로, 분자량은 28이다.

④ 아보가드로 법칙 이용: 같은 온도와 압력에서 부피가 같은 두 기체의 질량비는 분자량 비와 같으며, 같은 부피의 질량을 비교하면 밀도를 알 수 있으므로 밀도비는 분자량의 비와 같다.

$$\frac{A\ 기체의\ 밀도}{B\ 기체의\ 밀도} = \frac{A\ 기체의\ 질량}{B\ 기체의\ 질량} = \frac{A\ 기체의\ 분자량}{B\ 기체의\ 분자량}$$

> 개념 적용하기
>
> [예제] 0 ℃, 1 기압에서 기체 A의 밀도가 1.25 g/L이다. 기체 B의 밀도가 1.43 g/L이다. A 기체가 14 g일 때 B 기체의 질량을 구해 보자.
>
> [풀이] $\dfrac{1.25\ g/L}{1.43\ g/L} = \dfrac{14}{B\ 기체의\ 질량}$이므로 B 기체는 16 g이다.

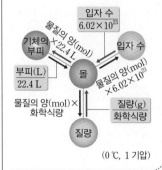

셀파 콕콕
몰과 입자 수, 질량, 부피와의 관계를 그림으로 표현하면 다음과 같다.

(0 ℃, 1 기압)

강의 콕
단위를 계산에 포함시키면 실수 없이 정확하게 계산할 수 있다.

─── 용어 ───

▶ **밀도**: 물질의 질량을 부피로 나눈 값으로 물질마다 고유한 값을 지닌다.

개념 확인하기

1. 일정한 온도와 압력에서 기체의 부피는 물질의 양(mol)에 비례한다. (○ , ×)
2. 모든 기체는 분자의 종류에 관계없이 25 ℃, 1 기압에서 22.4 L의 부피 속에 6.02×10^{23}개의 분자를 포함한다. (○ , ×)
3. 같은 온도와 압력에서 암모니아 1몰의 부피가 22.4 L라면 산소 1몰의 부피는 ( ) L이다.
4. 같은 온도와 압력에서 부피가 같은 두 기체의 질량비는 분자량비와 같다. (○ , ×)
5. 같은 온도와 압력에서는 모든 기체의 부피가 같으므로 ( )을/를 알면 기체의 화학식량을 구할 수 있다.
6. 0 ℃, 1 기압에서 산소 11.2 L의 질량은 ( ) g이다.

정답 1 ○ 2 × 3 22.4 4 ○ 5 질량
6 16

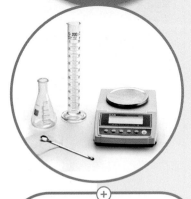

셀파 탐구

물질 1몰의 부피와 질량 체험하기

같은 주제 다른 탐구

• 기체 1몰의 양만큼 비닐봉지에 담아보기
• 기체 1몰의 부피를 채울 수 있는 상자 만들기
• 기체 1몰 부피의 정육면체 상자 만들기
• 공기 1몰의 양만큼 빈 페트병 모아 쌓기

⊕ 유의점

❶ 액체의 경우 질량 대신 부피를 측정할 때는 밀도를 이용하여 1몰의 질량을 1몰의 부피로 환산한 후 눈금실린더로 부피를 측정해야 한다.
❷ 풍선의 부피를 구할 때, 풍선 내부의 온도와 압력은 0 ℃, 1 기압으로 가정한다.
❸ 풍선에 기체를 넣으면 공 모양의 구가 된다고 가정하여 풍선의 지름을 측정한다.

🔍 탐구 돋보기

물질의 상태에 따라 1몰의 양을 측정하는 방법이 다르다. 고체는 질량, 액체는 질량 또는 부피, 기체는 부피를 측정한다. 물질의 상태에 따라 측정하는 방법을 기억하도록 한다.

📋 시험 유형은?

❶ 0 ℃, 1 기압에서 모든 기체 1몰의 부피는 같은가?
▶ 기체 1 mol의 부피는 물질의 종류와 관계없이 22.4 L이다.
❷ 고체, 액체, 기체의 양을 측정하는 방법은?
▶ 고체와 액체는 질량을 측정하고, 기체는 부피를 측정한다.

목표　고체, 액체, 기체 물질 1몰의 양을 어림하고 체험할 수 있다.

과정

❶ 고체 물질 1몰의 양 어림하고 체험하기: 알루미늄, 염화 나트륨의 질량을 측정해 보고, 각 물질 1몰의 질량을 알아보자.

❷ 액체 물질 1몰의 양 어림하고 체험하기: 물, 에탄올을 준비하여 질량을 측정해 보고, 각 물질 1몰의 질량을 알아보자.

❸ 기체 물질 1몰의 양 어림하고 체험하기: 풍선을 준비하고 산소, 헬륨 1몰의 부피를 어림하여 풍선에 담아보자.

결과 및 정리

1. 고체, 액체, 기체 물질을 측정하는 방법을 설명해 보자.
→ 고체와 액체는 질량을 측정하고, 기체는 부피를 측정하도록 한다. 고체의 경우에는 저울이 있어야 하는데, 가루 형태의 고체일 경우에는 약포지와 약숟가락도 필요하다. 액체의 경우는 비커를 이용하여 저울로 무게를 잰다. 기체의 경우에는 풍선과 풍선의 지름을 잴 수 있는 줄자가 필요하다.

2. 측정한 각 물질의 양은 다음과 같다.

물질	알루미늄	염화 나트륨	물	에탄올	산소	헬륨
질량 또는 부피	27 g	58.5 g	18 g (18 mL)	46 g (58.2 mL)	22.4 L (22.4 × 10^3 cm^3)	22.4 L (22.4 × 10^3 cm^3)

3. 물질마다 1몰의 질량이 다른 까닭은 무엇인가?
→ 물질마다 구성하는 원소가 다르므로 물질 1몰의 질량은 달라진다.

4. 1몰의 부피가 같은 물질을 찾아보고, 두 물질의 부피가 같은 까닭을 토의해 보자.
→ 0 ℃, 1 기압에서 산소와 헬륨 1몰의 부피는 22.4 L로 같다. 같은 온도와 압력에서 모든 기체는 같은 부피 속에 같은 수의 분자가 들어 있으므로 1몰의 입자 수에 해당하는 $6.02 × 10^{23}$개의 분자가 포함된 기체의 부피는 기체의 종류에 상관없이 모두 같다.

탐구 대표 문제 정답과 해설 6쪽

01 고체, 액체, 기체 물질 1 mol의 양을 측정하는 실험에 대한 설명으로 옳지 **않은** 것은?

① 고체 물질이 가루라면 약포지와 약숟가락, 저울이 필요하다.
② 액체는 눈금실린더를 이용하여 부피를 측정하고, 물질의 밀도를 이용하여 질량을 구한다.
③ 액체의 질량을 구할 때, 저울과 줄자를 사용한다.
④ 물질의 종류에 따라 1 mol의 질량이 다르다.
⑤ 기체 물질 1 mol의 부피를 측정할 때 풍선과 줄자를 사용한다.

02 표는 0 ℃, 1 기압에서 여러 가지 기체의 부피를 측정한 자료이다.

물질	수소	헬륨	질소	산소	염소
부피(L)	22.4	22.4	22.4	22.4	22.4

기체 종류에 관계없이 기체 1 mol의 부피가 같은 까닭을 서술하시오.

셀파 세미나 ─── S·H·E·R·P·A

▶ 아보가드로 법칙을 이해하고 이를 이용하여 미지의 기체 분자량을 구할 수 있어요.

아보가드로 법칙과 기체 분자량 구하기

* 아보가드로 법칙: 모든 기체는 같은 온도와 압력에서 같은 부피 속에 같은 수의 분자가 들어 있다.
  ➡ 분자 수가 같으면 부피가 같다는 것을 이용하여 분자량을 구할 수 있다.

* 기체의 몰 부피 이용하기

0 ℃, 1 기압에서 모든 기체는 분자의 종류에 관계없이 1몰의 부피가 22.4 L이므로, 기체의 부피와 질량을 알면 분자량을 구할 수 있다.

$$\frac{질량(g)}{분자량(g/mol)} = \frac{부피(L)}{22.4 \text{ L/mol}} \text{ (0 ℃, 1 기압)}$$

$$분자량(g/mol) = \frac{질량(g)}{부피(L)} \times 22.4 \text{ L/mol}$$

㉹ 0 ℃, 1 기압에서 기체 X 11.2 L의 질량이 11 g일 때, 분자량을 구해 보자.

$$분자량 = \frac{질량(g)}{부피(L)} \times 22.4 \text{ L/mol} = \frac{11 \text{ g}}{11.2 \text{ L}} \times 22.4 \text{ L} = 22 \text{ g}$$

이다.

[다른풀이] 기체 X 11.2 L일 때 질량이 11 g이고 기체 1몰의 부피 22.4 L일 때 기체 1몰의 질량, 즉 분자량을 구하는 것이므로 비례식을 세우면 11.2 L : 11 g = 22.4 L : x이다. x = 22이므로 분자량이 22이다.

* 기체의 밀도 이용하기

0 ℃, 1 기압에서 기체의 부피가 22.4 L이므로, 밀도는 분자량을 22.4 L로 나눈 값이다.

$$기체의 밀도(0 ℃, 1기압) = \frac{기체의 질량}{기체의 부피} = \frac{분자량}{22.4} \text{ (g/L)}$$

$$분자량 = 기체의 밀도 \times 22.4$$

㉹ 0 ℃, 1 기압에서 기체의 밀도가 1.42 g/L일 때, 분자량을 구해 보자.

밀도 = $\frac{질량}{부피}$이므로 기체 1 L의 질량이 1.42 g이다.

분자량은 분자 1몰의 질량이며, 기체 1몰의 부피가 22.4 L이므로 밀도를 22.4배 해주면 분자량을 구할 수 있다.

1.42 g/L × 22.4 L ≒ 31.8이므로, 분자량은 31.8이다.

* 아보가드로 법칙 이용하기

같은 온도와 압력에서 부피가 같은 두 기체의 질량비는 분자량의 비와 같으며, 같은 부피의 질량을 비교하면 밀도를 알 수 있으므로 밀도비는 분자량의 비와 같다.

$$질량비 = 분자량비 = 밀도비$$

$$\frac{A \text{ 질량}}{B \text{ 질량}} = \frac{A \text{ 분자량}}{B \text{ 분자량}} = \frac{A \text{ 밀도}}{B \text{ 밀도}}$$

㉹ 0 ℃, 1 기압에서 기체 X와 메테인(CH_4) 기체 11.2 L의 질량이 각각 12 g과 8 g일 때, 기체 X의 분자량을 구해 보자.

질량비 = 분자량비이므로

$$\frac{기체 \text{ X의 질량}}{메테인 기체의 질량} = \frac{기체 \text{ X의 분자량}}{메테인 기체의 분자량} = \frac{12 \text{ g}}{8 \text{ g}}$$

$$= \frac{기체 \text{ X의 분자량}}{16}$$

X의 분자량은 24이다.

1 같은 온도와 압력에서 기체 X와 산소 기체(O_2) 5 L의 질량이 각각 10 g, 20 g이었다. 기체 X의 분자량은?

① 8   ② 16   ③ 24   ④ 32   ⑤ 40

| 해설 | 같은 온도와 압력에서 부피가 같은 기체의 질량비는 분자량비와 같으므로 $\frac{기체 \text{ X의 질량}}{O_2의 질량} = \frac{X의 분자량}{O_2의 분자량} = \frac{10}{20} = \frac{X의 분자량}{32}$, X의 분자량 = 16

답 ②

2 같은 온도와 압력에서 같은 부피의 기체 X와 질소(N_2) 기체의 질량이 각각 13 g, 14 g이었다. 기체 X는 무엇일까?

① CH_4 ② C_2H_2 ③ C_2H_4 ④ C_2H_6 ⑤ C_3H_8

| 해설 | 온도와 압력이 같은 기체의 질량비는 분자량비와 같으므로 $\frac{기체 \text{ X의 질량}}{질소 기체의 질량} = \frac{기체 \text{ X의 분자량}}{질소 기체의 분자량} = \frac{13}{14} = \frac{X의 분자량}{28}$, X의 분자량 = 26이다. 분자량이 26인 것은 C_2H_2이다.

답 ②

기초 탄탄 문제

정답과 해설 6쪽

핵심용어_ 이 단원에서 내가 아는 것과 아직 모르는 것을 정리하며 나의 공부를 돌아보자.

- ☐ 몰의 정의
- ☐ 아보가드로수
- ☐ 원자량과 분자량
- ☐ 몰과 질량
- ☐ 몰과 기체의 부피
- ☐ 몰과 입자 수
- ☐ 몰과 입자 수, 질량, 부피와의 관계

01 다음 중 입자 수가 1몰이 <u>아닌</u> 것은? (단, H, N, O 원자량은 각각 1, 14, 16이다.)

① 수소(H_2) 기체 2 g 속에 포함된 수소 분자의 수

② 질소(N_2) 기체 14 g 속에 포함된 질소 원자의 수

③ 물(H_2O) 18 g 속에 포함된 전체 원자의 수

④ 암모니아(NH_3) 분자 6.02×10^{23}개 속에 포함된 질소 원자의 수

⑤ 0 ℃, 1 기압에서 산소(O_2) 기체 22.4 L 속에 포함된 산소 분자의 수

02 표는 0 ℃, 1 기압에서 기체 A~D의 분자량, 물질의 양 (mol), 질량, 부피를 조사한 자료이다.

기체	분자량	양(mol)	질량(g)	부피(L)
A	28		(가)	11.2
B	22		22	(나)
C	32	(다)	16	
D	(라)		4	5.6

(가)~(라)를 구한 것으로 옳은 것은?

	(가)	(나)	(다)	(라)
①	14	22.4	0.5	32
②	14	22.4	0.5	16
③	14	22.4	1.0	32
④	14	11.2	1.0	16
⑤	28	11.2	0.5	32

03 0 ℃, 1 기압에서 어떤 기체의 밀도가 1.25 g/L이다. 이 기체 A의 분자식으로 가장 적절한 것은? (단, 원자량은 H 1, C 12, N 14, O 16이다.)

① N_2 ② O_2 ③ H_2O ④ CH_4 ⑤ C_2H_6

04 표는 붕소(B)의 동위 원소의 존재비를 나타낸 것이다.

동위 원소	존재 비율(%)
^{10}B	20
^{11}B	80

붕소의 평균 원자량은?

① 10.2   ② 10.4   ③ 10.5

④ 10.6   ⑤ 10.8

05 다음은 물질을 구성하는 원자, 분자, 이온 수에 대한 설명이다. 아보가드로수는 6.02×10^{23}이다.

- H_2O 1몰에 들어 있는 분자 수는 (가)$\times 6.02 \times 10^{23}$이다.
- CH_4 1몰에 들어 있는 원자 수는 (나)$\times 6.02 \times 10^{23}$이다.
- KCl 1몰에 들어 있는 양이온 수는 (다)$\times 6.02 \times 10^{23}$이다.

(가)+(나)+(다)는?

① 4   ② 5   ③ 6   ④ 7   ⑤ 8

06 0 ℃에서 67.2 L의 용기에 에테인(C_2H_6) 기체를 1 기압이 되도록 넣었다. (가) C_2H_6의 양(mol), (나) C_2H_6의 질량, (다) C_2H_6의 수소 원자 수를 옳게 짝 지은 것은? (단, H, C의 원자량은 각각 1, 12이고, 아보가드로수는 6.02×10^{23}이다.)

	(가)	(나)	(다)
①	3 mol	90 g	$3 \times 6.02 \times 10^{23}$개
②	3 mol	90 g	$18 \times 6.02 \times 10^{23}$개
③	3 mol	30 g	$3 \times 6.02 \times 10^{23}$개
④	6 mol	30 g	$3 \times 6.02 \times 10^{23}$개
⑤	6 mol	60 g	$18 \times 6.02 \times 10^{23}$개

내신 만점 문제

* ▮▮▮ 난이도를 나타냅니다.

01 칼슘(Ca)에 대한 설명으로 옳은 것만을 〈보기〉에서 있는 대로 고른 것은? (단, Ca의 원자량은 40이고, 아보가드로수는 6.02×10^{23}이다.)

┤ 보기 ├
ㄱ. 칼슘 1몰의 질량은 40 g이다.
ㄴ. 칼슘 원자 1개의 질량은 약 6.64×10^{-23} g이다.
ㄷ. 칼슘 8.0 g 속에 포함된 칼슘 원자의 양은 0.2몰이다.

① ㄱ
② ㄱ, ㄴ
③ ㄱ, ㄷ
④ ㄴ, ㄷ
⑤ ㄱ, ㄴ, ㄷ

02 같은 온도와 압력에서 서로 다른 크기의 용기 속에 산소(O_2)와 수소(H_2)가 각각 2 g씩 들어 있다. 이때 산소의 양(mol)을 수소의 양(mol)과 비교한 것으로 옳은 것만을 〈보기〉에서 있는 대로 고른 것은? (단, 원자량은 H 1, O 16이다.)

┤ 보기 ├
ㄱ. 산소의 분자 수와 수소의 분자 수는 같다.
ㄴ. 수소의 양(mol)이 산소의 양(mol)의 16배이다.
ㄷ. 수소의 부피는 산소의 부피의 16배이다.

① ㄱ
② ㄱ, ㄴ
③ ㄱ, ㄷ
④ ㄴ, ㄷ
⑤ ㄱ, ㄴ, ㄷ

03 원자량은 ^{12}C의 질량을 12.00으로 정하고 이를 기준으로 다른 원자들의 상대적인 원자량을 구하여 사용하고 있다. 만약 ^{16}O인 산소가 원자량의 기준이 된다면 변하는 것을 〈보기〉에서 있는 대로 고른 것은?

┤ 보기 ├
ㄱ. 물의 분자량
ㄴ. 탄소 원자 1개의 질량
ㄷ. 0 ℃, 1 기압에서 질소 기체의 밀도

① ㄱ
② ㄴ
③ ㄱ, ㄴ
④ ㄱ, ㄷ
⑤ ㄱ, ㄴ, ㄷ

04 그림과 같이 같은 온도와 압력에서 같은 크기의 용기 A와 B가 있다. 용기 A에는 메테인(CH_4) 기체가, 용기 B에는 프로페인(C_3H_8)과 헬륨(He)의 혼합 기체가 들어 있다.

용기 A
메테인

용기 B
프로페인
+ 헬륨

용기 A의 질량은 116 g이고, 용기 B의 질량은 x g이다. 용기 A와 용기 B의 수소 원자 수가 같을 때, 이에 대한 설명으로 옳은 것만을 〈보기〉에서 있는 대로 고른 것은? (단, 용기의 질량은 모두 100 g이고, 원자량은 He 4, C 12, H 1이다.)

┤ 보기 ├
ㄱ. 용기 A와 용기 B의 기체 분자 수는 같다.
ㄴ. $x = 124$ g이다.
ㄷ. 용기 A와 B의 탄소 원자 수의 비는 2 : 3이다.

① ㄱ
② ㄷ
③ ㄱ, ㄴ
④ ㄴ, ㄷ
⑤ ㄱ, ㄴ, ㄷ

05 다음은 일정한 압력에서 A의 분자량을 구하는 실험이다.

(가) 동일한 두 실린더에 같은 질량의 $H_2O(l)$과 $A(l)$를 각각 넣고 가열한다.
(나) 두 물질의 상태가 모두 기체인 온도 t ℃에서 바닥으로부터 피스톤까지의 높이를 측정하였더니 $h_1 : h_2 = 16 : 9$이었다

피스톤

피스톤

h_1 $H_2O(g)$

$A(g)$ h_2

이에 대한 설명으로 옳은 것만을 〈보기〉에서 있는 대로 고른 것은? (단, 원자량은 O : 16, H : 1이고, 피스톤의 질량과 마찰은 무시한다.)

┤ 보기 ├
ㄱ. 피스톤까지의 높이는 두 기체의 양(mol)에 비례한다.
ㄴ. A의 분자량은 32이다.
ㄷ. H_2O와 기체 A가 1몰이 있다면, 질량비는 9 : 16이다.

① ㄱ
② ㄴ
③ ㄱ, ㄴ
④ ㄱ, ㄷ
⑤ ㄱ, ㄴ, ㄷ

다음은 몰에 대한 자료이다.

> 1몰은 6.02×10^{23}개의 입자 수를 말하며, 이 수를 아보가드로수(N_A)라고 한다.

이에 대한 설명으로 옳은 것을 〈보기〉에서 있는 대로 고른 것은? (단, H, C, O의 원자량은 각각 1, 12, 16이다.)

┤ 보기 ├
ㄱ. 물(H_2O) 18 g에 있는 수소 원자 수는 $2N_A$이다.
ㄴ. 흑연(C) 1 g에 있는 탄소 원자 수는 $\dfrac{N_A}{12}$이다.
ㄷ. 수소(H_2) 분자 1개의 질량은 $\dfrac{2}{N_A}$이다.

① ㄱ   ② ㄷ   ③ ㄱ, ㄴ
④ ㄴ, ㄷ   ⑤ ㄱ, ㄴ, ㄷ

25 °C, 1 기압에서 같은 크기의 용기에 산소 기체와 기체 X를 각각 넣고 질량을 측정해 보았더니 산소 기체는 0.16 g이었고, 기체 X는 0.22 g이었다. 이에 대한 설명으로 옳은 것만을 〈보기〉에서 있는 대로 고른 것은? (단, 원자량은 O=16이다.)

┤ 보기 ├
ㄱ. 용기 속에 넣은 산소 분자와 X 분자의 개수는 같다.
ㄴ. 기체의 밀도비는 산소 : X=8 : 11이다.
ㄷ. 기체 X의 분자량은 22이다.

① ㄱ   ② ㄴ   ③ ㄱ, ㄴ
④ ㄱ, ㄷ   ⑤ ㄱ, ㄴ, ㄷ

07 11.2 L의 용기에 0 °C, 1 기압의 암모니아(NH_3)가 들어 있다. 이에 대한 설명으로 옳지 <u>않은</u> 것은? (단, 원자량은 N=14, C=12, H=1이다.)

① 같은 용기에 수소(H_2) 기체를 0 °C, 1 기압으로 채우면 1 g이 된다.
② 암모니아의 양은 0.5몰이다.
③ 암모니아의 질량은 8.5 g이다.
④ 암모니아에 들어 있는 질소 원자 수는 3.01×10^{23}개이다.
⑤ 암모니아에 들어 있는 수소 원자 수와 같은 수소 원자 수를 갖는 에테인(C_2H_6)의 부피는 0 °C, 1 기압에서 11.2 L이다.

08 자연계에 존재하는 탄소의 동위 원소에는 ^{12}C(원자량 12), ^{13}C(원자량 13)이 있고, 탄소의 평균 원자량은 12.011이다. ^{13}C의 존재 비율은?

① 0.11 %   ② 0.55 %   ③ 1.10 %
④ 2.2 %   ⑤ 4.4 %

10 표는 원소 A, B로 이루어진 기체 (가), (나)에 대한 자료이다. 원자량은 B가 A보다 크다.

기체	분자당 구성 원자 수	분자량
(가)	2	36
(나)	3	48

이에 대한 설명으로 옳은 것만을 〈보기〉에서 있는 대로 고른 것은? (단, A, B는 임의의 원소 기호이다.)

┤ 보기 ├
ㄱ. (나)의 분자식은 AB_2이다.
ㄴ. 원자량비는 A : B = 7 : 8이다.
ㄷ. A_2B_2에서 성분 원소의 질량비는 A : B = 1 : 2이다.

① ㄱ   ② ㄴ   ③ ㄷ
④ ㄴ, ㄷ   ⑤ ㄱ, ㄴ, ㄷ

그림은 25 °C, 1 기압에서 실린더 (가), (나)에 들어 있는 혼합 기체의 조성과 부피를 각각 나타낸 것이다. A, B는 각각 C_2H_2, C_3H_8 중 하나이고, (가)와 (나)에 들어 있는 수소(H) 원자의 양(mol)은 같다.

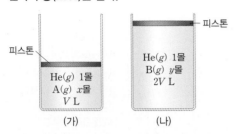

이에 대한 설명으로 옳은 것만을 〈보기〉에서 있는 대로 고른 것은? (단, 피스톤의 질량과 마찰은 무시한다.)

─┤ 보기 ├─

ㄱ. 실린더 속 혼합 기체의 전체 양(mol)은 (나)가 (가) 의 2배이다.

ㄴ. A의 수소 원자의 양(mol)은 2몰이다.

ㄷ. $xy=1$이다.

① ㄱ   ② ㄴ   ③ ㄱ, ㄷ

④ ㄴ, ㄷ   ⑤ ㄱ, ㄴ, ㄷ

12 그림은 기체 (가)와 (나)의 1 g당 분자 수를 나타낸 것이다. (가)와 (나)는 각각 AB_2, AB_3 중 하나이다.

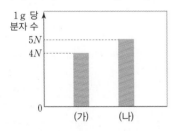

이에 대한 설명으로 옳은 것만을 〈보기〉에서 있는 대로 고른 것은? (단, A와 B는 임의의 원소 기호이다.)

─┤ 보기 ├─

ㄱ. 같은 양(mol)의 A와 결합한 B의 양(mol)은 (가) : (나)=3 : 2이다.

ㄴ. 분자 1 mol에 포함된 원자 수는 (가)>(나)이다.

ㄷ. 같은 온도와 압력에서 기체의 밀도는 (가)<(나)이다.

① ㄱ   ② ㄴ   ③ ㄱ, ㄴ

④ ㄴ, ㄷ   ⑤ ㄱ, ㄴ, ㄷ

서술형 문제

13 다음은 원소 X, Y로 이루어진 순물질 (가)~(다)에 대한 자료이다. (단, X, Y는 임의의 원소 기호이다.)

• (가)~(다)는 각각 실험식과 분자식이 같다.

• (다)를 구성하는 X 원자의 수와 Y 원자의 수는 같다.

(1) (가), (나), (다)의 분자식을 쓰시오.

(2) X와 Y는 질소(N)와 산소(O) 중 하나이다. 0 °C, 1 기압에서 (가)와 (나)의 밀도를 구하는 과정을 포함하여 구하시오. (단, N, O의 원자량은 각각 14, 16이고, 소수점 아래 셋째 자리에서 반올림한다.)

14 표는 0 °C, 1 기압에서 기체 A~D의 분자량과 질량, 부피, 밀도, 물질의 양(mol)의 일부를 나타낸 것이다.

기체	분자량	질량(g)	부피(L)	밀도 (g/L)	물질의 양 (mol)
A	13	(가)	22.4		
B	(나)	4.4		1.96	
C		9.0	(다)	0.8	
D	32		11.2		(라)

(1) 기체 A~D의 분자량이 큰 순서대로 나열하시오.

(2) (가)~(라)를 계산 과정을 포함하여 구하시오. (단, (나)는 소수점 아래 첫째 자리에서 반올림한다.)

I. 화학의 첫걸음 | 2. 물질의 양과 화학 반응식

내 교과서는 어디에?
천재 p.30~38　교학사 p.38~42　금성 p.34~39　동아 p.39~45　미래엔 p.36~43
비상 p.40~45　상상 p.40~45　지학사 p.34~39　YBM p.47~57

02 화학 반응식

핵심 Point ──● 여러 가지 반응을 **화학 반응식**으로 나타내는 방법을 알아본다.
　　　　　　● 화학 반응식을 이용해서 화학 반응에서의 **양적 관계**를 이해한다.

1　화학 반응식 만들기

1. **화학 반응식** 화학 반응을 화학식과 기호를 사용하여 나타낸 식

　예 암모니아의 합성: $N_2 + 3H_2 \longrightarrow 2NH_3$
　　　　　　　　　　　　　　기호　　　　화학식

2. **화학 반응식 만들기**

　예 수소와 산소가 반응하여 물이 생성되는 화학 반응식

① 1단계: 화학 반응의 반응물과 생성물을 화학식으로 나타내기

화살표($\longrightarrow$)❶를 기준으로 반응물의 화학식은 왼쪽에, 생성물의 화학식은 오른쪽에 쓰고, 반응물과 생성물이 각각 두 가지 이상이면 '+'로 연결한다.

$$H_2 + O_2 \longrightarrow H_2O \quad \rightarrow \text{수소와 산소가 만나 물이 생성된다.}$$
　반응물　　　　　生성물

② 2단계: 반응 전후 원자의 종류와 개수가 같도록 계수 맞추기

화학 반응이 일어나는 동안 원자는 새로 생성되거나 소멸되지 않고 배열만 달라진다.❷ 따라서 반응물과 생성물의 원자 종류와 개수가 같도록 각 물질의 화학식 앞에 계수를 맞춘다.

> ❶ 물의 계수를 1로 놓는다. $H_2 + O_2 \longrightarrow 1H_2O$
> ❷ 반응 전후 수소와 산소 원자의 개수를 맞춘다. $1H_2 + \frac{1}{2}O_2 \longrightarrow 1H_2O$
> ❸ 계수는 가장 간단한 정수로 만들고, 계수가 1이면 생략한다. $2H_2 + O_2 \longrightarrow 2H_2O$
>
> $$1H_2 + \frac{1}{2}O_2 \longrightarrow 1H_2O \quad \text{전체 계수×2 ─ ❸}$$
> $$H_2 + O_2 \longrightarrow 1H_2O \qquad 2H_2 + O_2 \longrightarrow 2H_2O$$

③ 3단계: 반응 전후 원자의 종류와 개수가 같은지 확인하기

반응물과 생성물을 이루고 있는 원자의 종류별로 개수가 일치하는지 점검한다.

$$2H_2 + O_2 \longrightarrow 2H_2O$$

반응물
H: 4개, O: 2개　　$2H_2 + O_2 \longrightarrow 2H_2O$　　생성물
H: 4개, O: 2개

➡ 반응물은 수소 원자 4개, 산소 원자 2개이고, 생성물도 수소 원자 4개, 산소 원자 2개이다.

④ 4단계: 반응물과 생성물의 상태 표시하기

화학 반응식을 나타낼 때 반응물과 생성물의 상태를 화학식 뒤 괄호 안에 기호를 이용하여 표시한다.❸

$$2H_2(g) + O_2(g) \longrightarrow 2H_2O(l)$$

❶ 화살표의 의미

화살표($\longrightarrow$)는 반응물이 생성물로 변화하였음을 의미하는 것으로, 같음을 의미하는 '='과는 다르다. $\rightleftarrows$는 가역 반응을 나타낸다.

❷ 질량 보존 법칙과 화학식

화학 반응이 일어날 때 원자가 없어지거나 새로 생성되지 않으므로 화학 반응식에서 화살표 왼쪽과 오른쪽에 존재하는 원자의 종류와 개수는 같다.
➡ 반응물의 총 질량과 생성물의 총 질량은 같다.

강의 톡
화학 반응식의 계수를 맞출 때 가장 많은 종류의 원소로 이루어진 물질의 계수를 1로 놓고 계수를 맞추는 것이 편리하다.

❸ 물질의 상태 표시

물질의 상태	원어	약자
기체	gas	g
액체	liquid	l
고체	solid	s
수용액	aqueous solution	aq

═══ 용어 ═══
▶ **화학 반응**: 원자가 재배열되어 물질의 종류가 변하는 반응

3. 화학 반응식에 사용되는 표현

① 화학 반응 조건(촉매, 온도, 압력 등)을 화살표 위와 아래에 표시한다.

$$N_2(g) + 3H_2(g) \xrightarrow[500\sim600\,^\circ\text{C, 200 기압}]{\text{Fe}_2\text{O}_3 \rightarrow \text{촉매}} 2NH_3(g)$$

└ 온도   └ 압력

② 가열하는 경우(열에너지가 필요한 경우)에는 화살표 아래에 △ 기호를 표시하기도 한다.

$$2NaHCO_3(s) \xrightarrow{\triangle} Na_2CO_3(s) + H_2O(l) + CO_2(g)$$

③ 기체가 발생하는 경우에는 위로 향하는 화살표(↑)를, 앙금이 생성되는 경우에는 아래로 향하는 화살표(↓)를 그 물질의 화학식 뒤에 표시한다.

$$AgNO_3(aq) + NaCl(aq) \longrightarrow NaNO_3(aq) + AgCl(s)\downarrow$$

$$Mg(s) + 2HCl(aq) \longrightarrow MgCl_2(aq) + H_2(g)\uparrow$$

| 자료 파헤치기 |

화학 반응의 종류

종류	정의	화학 반응식	예시
화합	두 가지 이상의 물질이 반응하여 한 가지 물질로 변하는 반응	$A + B \longrightarrow AB$	예 $H_2 + Cl_2 \longrightarrow 2HCl$
분해	한 가지 물질이 두 가지 이상의 물질로 변하는 반응	$AB \longrightarrow A + B$	예 $2NaHCO_3 \xrightarrow{\triangle}$ $Na_2CO_3 + H_2O + CO_2\uparrow$
치환	화합물을 구성하는 성분 중 일부가 다른 원자나 원자단으로 자리를 바꾸는 반응	$AB + C \longrightarrow$ $AC + B$	예 $2HBr + Cl_2 \longrightarrow$ $2HCl + Br_2$
복분해	두 가지 화합물이 성분의 일부를 서로 바꾸어 두 가지 새로운 화합물을 생성하는 반응	$AB + CD \longrightarrow$ $AD + CB$	예 $AgNO_3 + NaCl \longrightarrow$ $AgCl\downarrow + NaNO_3$

2 화학 반응식의 의미

1. 화학 반응식의 의미 화학 반응식의 물질의 계수비로부터 반응물과 생성물의 다양한 양적 관계를 파악할 수 있다.

$$계수비 = 몰비 = 분자\ 수비 = 부피비(기체의\ 경우) \neq 질량비$$

① 화학 반응식으로 알 수 있는 정보
- 반응물과 생성물의 종류
- 계수비를 통한 각 물질의 몰비 또는 분자 수비와 부피비❹
- 반응하는 물질들의 질량비와 부피비 → 1몰의 질량 = (화학식량) g

개념 확인하기

1 화학 반응식에서 반응물을 화살표(→)의 오른쪽에, 생성물을 화살표(→)의 왼쪽에 쓴다. (○ , ×)
2 화학 반응 전후 원자의 종류와 개수는 변하지 않는다. (○ , ×)
3 화학 반응식에서 상태를 표시할 때, 수용액은 ( )(으)로 표시한다.
4 화학 반응식의 계수비로부터 질량비와 부피비를 알 수 있다. (○ , ×)

답 1 × 2 ○ 3 aq 4 ×

강의 콕 ⋯⋯⋯

화학 반응식의 의미와 관련 있는 법칙을 연계하여 해석할 수 있도록 한다. 화학 반응의 종류는 암기하기 보다는 크게 네 가지로 나뉠 수 있다는 정도로 기억한다.

암기 콕 ⋯⋯⋯

계수비＝몰비＝분자 수비
＝부피비(기체의 경우)≠질량비

❹ 화학 반응식의 계수

화학 반응식에서 '계수비＝부피비'의 관계는 기체의 경우에만 성립한다. 고체나 액체 상태에서는 성립하지 않는다.

━━━ **용어** ━━━

▶ 촉매: 반응 속도를 증가시키거나 감소시키는 물질로 반응이 끝난 후에도 원래 상태로 존재한다.
▶ 열에너지: 열의 형태를 취한 에너지로 물체의 온도나 상태를 변화시킬 수 있다.
▶ 원자단: 분자를 구성하는 여러 원자 중에서 하나의 단위가 되어 존재하고 있는 원자의 집단

02. 화학 반응식   **41**

② 메테인의 연소 반응[5]

화학 반응식	$CH_4(g)$	+	$2O_2(g)$	$\longrightarrow$	$CO_2(g)$	+	$2H_2O(l)$
분자 모형		+		$\rightarrow$		+	
물질	메테인	+	산소	$\longrightarrow$	이산화 탄소	+	물
	➡ 반응물: 메테인, 산소				생성물: 이산화 탄소, 물		
분자 수	1	:	2		1	:	2
	➡ 메테인 분자 1개와 산소 분자 2개가 반응하여 이산화 탄소 분자 1개와 물 분자 2개를 생성함을 알 수 있다. → 아보가드로 법칙과 관련						
몰(mol)	1	:	2		1	:	2
	➡ 메테인 1몰과 산소 2몰이 반응하여 이산화 탄소 1몰과 물 2몰을 생성함을 알 수 있다. 즉, 화학 반응식의 계수비는 각 물질의 몰비와 같다.						
기체의 부피(L) (0 ℃, 1 기압)	22.4	:	2×22.4		22.4		
	1	:	2	:	1 → 기체 반응 법칙과 관련		
	➡ 화학 반응식의 계수비는 부피비와 같다. 단, 물은 기체가 아니므로 계수비를 통해 부피비를 알 수 없다.						
질량(g)	1×16.0	:	2×32.0		1×44.0	:	2×18.0
	4	:	16 → $\overset{4+16=11+9}{\text{질량 보존 법칙과 관련}}$		11	:	9
	➡ 1몰의 질량은 물질의 화학식량에 따라 달라지므로 질량비≠계수비이다.						

셀파 콕콕 🔍
화학 반응 전후 원자 수, 질량, 전자 수 등은 보존되지만 분자 수는 보존되지 않는다.

[5] 메테인 연소 반응에서 화학 반응 관련 법칙
• 질량 보존 법칙: 반응물의 질량의 총합과 생성물의 질량의 총합이 20 g으로 같으므로 질량 보존 법칙이 성립함을 알 수 있다.
• 아보가드로 법칙: 같은 온도와 압력에서 메테인 연소 반응의 반응물과 생성물의 몰비와 부피비가 같다.
• 기체 반응 법칙: 기체 상태인 메테인, 산소, 이산화 탄소 사이의 부피비는 1:2:1이므로 기체 반응 법칙이 성립함을 알 수 있다.

| 개념 적용하기 |

[예제] 질소(N_2)와 수소(H_2)가 반응하여 암모니아(NH_3)를 생성하는 반응의 화학 반응식을 완성하고, 부피비와 질량비를 구하시오.

[풀이] ① 화학 반응식 완성하기: 반응물과 생성물을 화학식으로 나타내면 $N_2 + H_2 \longrightarrow NH_3$이다.
  • N의 개수를 맞추기 위해 생성물인 NH_3 앞에 2를 써준다.: $N_2 + H_2 \longrightarrow \underline{2}NH_3$
  • H의 개수를 맞추기 위해 반응물인 H_2 앞에 3을 써준다.: $N_2 + \underline{3}H_2 \longrightarrow 2NH_3$
  • 상태를 표시하면 $N_2(g) + 3H_2(g) \longrightarrow 2NH_3(g)$이다.

② 부피비: 반응물과 생성물이 모두 기체 상태이므로, 계수비와 부피비가 같다.
  • 부피비 ➡ 질소 : 수소 : 암모니아 = 1 : 3 : 2

③ 질량비: 질량 = 계수 × 화학식량이므로, 질량비를 다음과 같이 계산할 수 있다.
  • 질량비 ➡ 질소 : 수소 : 암모니아 = $1×(14×2) : 3×(1×2) : 2×\{14+(1×3)\}$
    $= 28 : 6 : 34 = 14 : 3 : 17$

➡ 부피비는 1 : 3 : 2이고, 질량비는 14 : 3 : 17이다.

용어
▶ 질량 보존 법칙: 화학 변화가 일어나도 반응 전후의 질량은 항상 같다.
▶ 아보가드로 법칙: 같은 온도와 압력에서 모든 기체는 같은 부피 속에 같은 수의 분자가 있다.
▶ 기체 반응 법칙: 온도와 압력이 같을 때, 반응 기체와 생성 기체의 부피 사이에는 간단한 정수비가 성립한다.

개념 확인하기

1 메테인 연소 반응의 화학 반응식에서 메테인 1몰이 반응할 때 이산화 탄소는 (　　)몰 생성된다.

2 화학 반응식에서 질량비와 계수비가 같으므로 아보가드로 법칙이 성립함을 알 수 있다.　　(○, ×)

답 1. 1　2. ×

셀파 세미나 ―――――― S·H·E·R·P·A

▶ 화학 반응식에서 계수를 구하기 어려울 때, 미정 계수법을 활용하여 화학 반응식을 완성할 수 있어요.

미정 계수법을 활용한 화학 반응식 만들기

01 간단한 화학 반응식의 계수 맞추기

- 반응물과 생성물에 들어 있는 원자들의 원자 수를 암산으로 맞추는 방법으로, 계수가 비교적 간단할 때 이용한다.

> [예제] $CH_4 + O_2 \longrightarrow CO_2 + H_2O$ 반응의 계수 맞추기
> [풀이] ① C: CH_4의 계수를 1이라 하면 화살표(→) 왼쪽의 C 원자 수가 1이므로 화살표(→) 오른쪽의 CO_2의 계수는 1이다.
> ② H: 화살표(→) 왼쪽의 H 원자 수가 4이므로 화살표 오른쪽의 H_2O의 계수는 2이다.
> ③ O: 화살표(→) 오른쪽의 O 원자 수는 CO_2에서 2개, $2H_2O$에서 2개이므로 모두 4개이다. 따라서 화살표(→) 왼쪽의 O_2의 계수는 2이다.
> ➡ 완성된 화학 반응식: $CH_4(g) + 2O_2(g) \longrightarrow CO_2(g) + 2H_2O(l)$

강의 콕(콕)

한 원자가 여러 물질에 들어 있는 경우에는 그 원자의 개수를 가장 마지막에 맞추는 것이 편리하다. 예 메테인의 연소 반응식에서는 산소가 O_2, CO_2, H_2O에 들어 있으므로 O의 개수를 마지막에 맞추는 것이 편리하다.

02 미정 계수법의 필요성

- 복잡한 화학 반응식에서는 반응물과 생성물의 원자 수를 따져서 계수를 완성하기가 어려우므로 수학적 방법인 미정 계수법을 이용한다.
  - 예 프로페인(C_3H_8)의 연소 반응: 프로페인(C_3H_8)이 산소(O_2)와 반응하여 이산화 탄소(CO_2)와 물(H_2O)을 생성한다.

Plus 자료

미정 계수법

항등식의 성질을 이용하여 여러 가지 식에서 미지의 계수를 구하는 방법
예 $a(x-1)(x-2)+b(x-1)+c=x^2$일 때
- x^2의 계수: $a=1$
- x의 계수: $3a-b=0$
- 상수항: $2a-b+c=0$
➡ $a=1, b=3, c=1$이다.

03 미정 계수법으로 프로페인(C_3H_8)의 연소 반응식 만들기

단계		예시
1	반응물과 생성물을 화학식으로 쓰고 계수를 a, b, x, y 등으로 나타낸다.	반응물은 프로페인과 산소, 생성물은 이산화 탄소와 물이다. 미정 계수를 포함하면 다음과 같다. $aC_3H_8 + bO_2 \longrightarrow xCO_2 + yH_2O$
2	반응물과 생성물에 들어 있는 원자의 종류와 개수가 같아지도록 관계식을 세운다.	탄소의 개수 $3a=x$, 수소의 개수 $8a=2y$, 산소의 개수 $2b=2x+y$라는 관계식이 성립한다.
3	a, b, x, y 등의 계수 가운데 임의의 계수 값을 1로 놓고 다른 계수의 값을 구한다. 이때 계수가 분수로 되는 경우에는 양쪽을 정수배 하여 정수로 고친다.	$2b=2x+y$의 x, y에 $x=3a, y=4a$를 대입하면 $2b=10a, b=5a$이다. $a=1$이라 하면, $b=5, x=3, y=4$이다.
4	화학 반응식을 완성하고 반응물과 생성물의 원자들의 원자 수 같은지 확인한다.	프로페인의 연소 반응의 화학 반응식은 $C_3H_8 + 5O_2 \longrightarrow 3CO_2 + 4H_2O$이다. 화살표 왼쪽 원자의 종류와 개수는 탄소 3, 수소 8, 산소 10이고, 화살표 오른쪽 원자의 종류와 개수도 탄소 3, 수소 8, 산소 10으로 같다.

Plus 문제

Q. 다음 화학 반응식의 계수를 맞추시오.
1) $H_2+N_2 \longrightarrow NH_3$
2) $CH_3COOH+O_2 \longrightarrow CO_2+H_2O$
3) $NH_3+O_2 \longrightarrow NO+H_2O$
4) $Fe+O_2+H_2O \longrightarrow Fe(OH)_2$
5) $C_4H_{10}+O_2 \longrightarrow CO_2+H_2O$

A.

1) $3H_2+N_2 \longrightarrow 2NH_3$
2) $CH_3COOH+2O_2 \longrightarrow 2CO_2+2H_2O$
3) $4NH_3+5O_2 \longrightarrow 4NO+6H_2O$
4) $2Fe+O_2+2H_2O \longrightarrow 2Fe(OH)_2$
5) $2C_4H_{10}+13O_2 \longrightarrow 8CO_2+10H_2O$

4. 화학 반응에서 질량과 부피의 관계 어떤 물질의 질량으로부터 다른 기체의 부피를 구하거나, 어떤 기체의 부피로부터 다른 물질의 질량을 구할 수 있다.❾

❾ 계수비는 부피비와 같지만 질량비와는 다르다. 주어진 질량을 통해 물질의 양(mol)을 구한 후, 몰비를 통해 다른 물질의 부피나 질량을 구할 수 있다.

[예제] 0 °C, 1 기압에서 광합성을 통해 포도당 90.0 g이 생성되는 데 필요한 이산화 탄소의 부피 구하기

[풀이]		
단계 1	화학 반응식을 만든다.	$6CO_2(g) + 6H_2O(l) \longrightarrow C_6H_{12}O_6(s) + 6O_2(g)$
단계 2	물질의 질량을 몰로 환산한다.	포도당의 양(mol)을 구한다. 포도당의 양(mol) $= \dfrac{질량}{분자량} = \dfrac{90}{180} = 0.5$ mol
단계 3	화학 반응식을 통해 필요한 몰비를 결정한다.	화학 반응식에서 계수비를 통해 필요한 몰비를 구한다. $6CO_2(g) + 6H_2O(l) \longrightarrow C_6H_{12}O_6(s) + 6O_2(g)$ 이산화 탄소 : 포도당 = 6몰 : 1몰 = x몰 : 0.5몰
단계 4	몰비를 이용하여 반응물이나 생성물의 양(mol)을 구한다.	따라서 이산화 탄소는 $x=3$몰이 필요하다.
단계 5	필요한 경우 양(mol)을 다시 부피로 환산한다.	이산화 탄소의 양(mol)을 부피로 바꾼다. 3몰 × 22.4 L/mol = 67.2 L ∴ 이산화 탄소는 67.2 L가 필요하다.

4 한계 반응물

1. 한계 반응물❿ 임의의 양의 반응물이 있을 때, 먼저 소모되는 물질

2. 한계 반응물의 결정 각 반응 물질에 대해서 그 양이 전부 사용되었다고 가정하고 그때 만들어지는 생성물의 질량을 계산한다. 한계 반응물은 가장 적은 생성 물질을 만든다.

❿ 한계 반응물이 아닌 과량 존재하는 반응물은 반응이 끝난 후에도 존재한다.

[예제] 암모니아(NH_3) 17 g과 염화 수소(HCl) 17 g을 완전히 반응시켜 염화 암모늄(NH_4Cl)을 만들 때, 반응 후 존재하는 물질들의 질량 구하기

[풀이]		
단계 1	화학 반응식을 만든다.	$NH_3(g) + HCl(g) \longrightarrow NH_4Cl(s)$
단계 2	반응물의 질량을 몰로 환산한다.	암모니아의 분자량은 17이고, 17 g의 암모니아는 1 mol이다. 염화 수소의 분자량은 36.5이고, 17 g의 염화 수소는 약 0.47 mol이다.
단계 3	화학 반응식을 통해 생성물의 양(mol)을 계산한다.	$NH_3(g) + HCl(g) \longrightarrow NH_4Cl(s)$ 만일 암모니아가 모두 반응하였다고 하면, 생성물의 양은 1 mol이고, 염화 수소가 모두 반응하였다고 하면 생성물의 양은 0.47 mol이다.
단계 4	계산을 통해 한계 반응물을 결정한다.	따라서 한계 반응물은 염화 수소이다. 즉, 염화 수소는 모두 반응하였다.
단계 5	생성물과 반응물 중 남은 물질의 양(mol)을 계산하고 필요할 경우 질량으로 환산한다.	암모니아는 0.47 mol 반응하고, 0.53 mol 남았고, 염화 암모늄은 0.47 mol 생성되었다. 따라서 반응 후 존재하는 물질은 암모니아와 염화 암모늄이다. 암모니아 분자량은 17이므로, 0.53 × 17 = 약 9.0 g 남고, 염화 암모늄 분자량은 53.5이므로 0.47 × 53.5 = 약 25.1 g 생성된다.

══ 용어 ══

▶ **염화 암모늄**: 순수한 상태에서 흰색의 결정으로 물에 잘 녹으며, 흡습성이 약간 있다.

개념 확인하기

1 임의의 양의 여러 반응물 중, 먼저 소모되는 것을 (　　　)(이)라고 한다.

2 $2H_2(g) + O_2(g) \longrightarrow 2H_2O(l)$ 반응에서 수소와 산소가 각각 22.4 L 있다면 한계 반응물은 (　　　)이다.

답 1. 한계 반응물 2. 수소

목표 실험을 통해 몰과 질량의 양적 관계를 확인할 수 있다.

과정

❶ 3개의 삼각 플라스크에 묽은 염산(HCl)을 각각 80 mL씩 넣고 질량을 측정한다.

❷ 전자저울에 시약포지를 올려놓고 영점을 맞춘 뒤 탄산 칼슘($CaCO_3$) 1.0 g을 측정한다. 같은 방법으로 탄산 칼슘 2.0 g, 3.0 g을 각각 측정한다.

❸ 염산이 든 삼각 플라스크를 저울 위에 올려놓은 후, 탄산 칼슘 1.0 g을 삼각 플라스크에 넣는다. 반응이 끝나면 삼각 플라스크의 질량을 측정한다.

❹ 탄산 칼슘 2.0 g, 3.0 g에 대해서도 과정 ❸, ❹를 반복한다.

결과 및 정리

1. 과정 ❶~❹의 결과는?
→

탄산 칼슘의 질량(g)	1.0	2.0	3.0
(염산＋삼각 플라스크) 질량(g)	192.94	200.04	194.29
(탄산 칼슘＋염산＋삼각 플라스크) 질량(g)	193.94	202.04	197.29
(반응 후의 용액＋삼각 플라스크) 질량(g)	193.59	201.23	196.12
반응 전과 후의 질량 차이(g)	0.35	0.81	1.17

2. 탄산 칼슘과 묽은 염산 반응의 화학 반응식을 쓰시오.
→ $CaCO_3(s) + 2HCl(aq) \longrightarrow CaCl_2(aq) + H_2O(l) + CO_2(g)$

3. 반응 전과 후에 질량 차이가 나는 까닭은?
→ 반응에서 이산화 탄소가 생성되어 빠져나가므로 질량이 감소한다.

4. 반응한 탄산 칼슘과 생성된 이산화 탄소의 몰비를 구하시오.(단, 탄산 칼슘의 화학식량은 100이다.)

탄산 칼슘의 질량(g)	1.0	2.0	3.0
반응한 탄산 칼슘 양(mol)	$0.01 = \frac{1.0}{100}$	$0.02 = \frac{2.0}{100}$	$0.03 = \frac{3.0}{100}$
생성된 이산화 탄소 기체의 질량(g)	0.35	0.81	1.17
생성된 이산화 탄소 기체의 양(mol)	$0.008 = \frac{0.35\,g}{44\,g/mol}$	$0.018 = \frac{0.81\,g}{44\,g/mol}$	$0.027 = \frac{1.17\,g}{44\,g/mol}$
탄산 칼슘과 이산화 탄소의 몰비	1 : 0.8	1 : 0.9	1 : 0.9

→ 실험의 오차를 고려하면 몰비는 탄산 칼슘 : 이산화 탄소＝1 : 1로 화학 반응식의 계수비와 일치한다.

탐구 대표 문제 정답과 해설 9쪽

01 위의 탐구 실험에 대한 설명으로 옳은 것은?

① 묽은 염산의 양을 늘려 주면 생성되는 이산화 탄소의 양이 늘어난다.

② 염산의 농도가 더 진한 것을 사용하면 생성되는 이산화 탄소의 양이 증가한다.

③ 화학 반응식에서 반응물과 생성물의 계수비는 질량비와 같다.

④ 이산화 탄소는 물에 잘 녹지 않는 기체이다.

⑤ 묽은 염산 대신 같은 농도와 부피의 묽은 황산을 사용하면 실험 결과가 달라진다.

같은 주제 다른 탐구

[과정]
그림과 같이 장치한 후 Y자관을 기울여 묽은 염산과 마그네슘이 반응할 때 생성된 기체의 부피를 측정한다.
[결과 및 정리]

묽은
염산 ── Mg

$Mg(s) + 2HCl(aq)$
$\longrightarrow MgCl_2(aq) + H_2(g)$
마그네슘과 생성된 수소 기체의 몰비는 1 : 1이며, 화학 반응식의 계수비와 일치한다.

➕ 유의점

화학 반응식의 계수비의 관계에서 계수비와 부피비의 관계는 기체일 때만 성립하고, 고체나 액체일 때는 성립하지 않는다. 또 질량비와 부피비는 다르다는 것을 주의하도록 한다.

시험 유형은?

❶ 탄산 칼슘 10 g과 충분한 양의 묽은 염산을 반응시켰을 때 생성되는 이산화 탄소의 질량은?

▶ 탄산 칼슘과 이산화 탄소의 몰비는 1 : 1이다. 탄산 칼슘 10 g은 $\frac{10}{100}$＝0.1몰이므로 이산화 탄소도 0.1몰 생성된다. 따라서 0.1몰×44 g/몰＝4.4 g이 생성된다.

기초 탄탄 문제

정답과 해설 10쪽

핵심용어_ 이 단원에서 내가 아는 것과 아직 모르는 것을 정리하며 나의 공부를 돌아보자.

- ☐ 화학 반응식 만들기
- ☐ 화학 반응식의 의미
- ☐ 화학 반응에서 질량과 질량의 관계
- ☐ 화학 반응에서의 양적 관계
- ☐ 화학 반응에서 부피와 부피의 관계

01 화학 반응식을 만드는 방법에 대한 설명으로 옳지 <u>않은</u> 것은?

① 화살표(→)의 왼쪽에는 반응물을, 오른쪽에는 생성물을 쓴다.

② 반응물과 생성물 사이는 화살표로 연결한다.

③ 계수를 맞출 때에는 미정 계수를 사용하기도 한다.

④ 고체는 s, 액체는 aq, 기체는 g로 상태를 표시한다.

⑤ 반응물이 생성물로 될 때는 생성되거나 없어지는 원자가 없다는 점을 고려하여 계수를 맞춘다.

02 다음은 LPG의 주성분인 뷰테인의 연소 반응식이다.

$$2C_4H_{10}(g) + 13O_2(g) \longrightarrow 8CO_2(g) + 10H_2O(l)$$

이에 대한 설명으로 옳은 것은? (단, C, O, H의 원자량은 각각 12, 16, 1이다.)

① 반응 전보다 반응 후의 분자 수가 작다.

② 반응을 통해 새로운 원자가 생성된다.

③ 뷰테인 1몰이 반응하면 이산화 탄소 8몰이 생성된다.

④ 뷰테인 4.48 L가 반응하면 H_2O 18 g이 생성된다.

⑤ 생성된 CO_2와 H_2O의 질량비는 4 : 5이다.

03 일정한 온도와 압력에서 기체 X_2 20 mL와 기체 Y_2 40 mL를 반응시키면, 기체 A가 20 mL 생성되고, 기체 Y_2 10 mL가 반응하지 않고 남는다. 이 반응의 화학 반응식으로 옳은 것은?

① $X_2 + 2Y_2 \longrightarrow XY_2$

② $3X_2 + 2Y_2 \longrightarrow 3XY_2$

③ $X_2 + 3Y_2 \longrightarrow 2XY_2$

④ $2X_2 + 3Y_2 \longrightarrow 2X_2Y_2$

⑤ $2X_2 + 3Y_2 \longrightarrow 2X_2Y_3$

04 그림은 A(●)와 B(■)로 이루어진 물질의 화학 반응을 모형으로 나타낸 것이다.

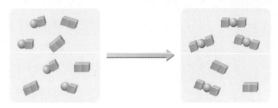

이 반응의 화학 반응식으로 옳은 것은? (단, A와 B는 임의의 원소 기호이다.)

① $AB_2 + B_2 \longrightarrow 2A_2B$

② $2AB + B_2 \longrightarrow 2AB_2$

③ $AB + B_2 \longrightarrow 2AB_2$

④ $B_2 + 2B_2 \longrightarrow 2AB_2$

⑤ $AB + 2B_2 \longrightarrow 2AB_2$

05 다음은 기체 A와 기체 B가 반응하여 기체 C가 생성되는 반응의 화학 반응식이다.

$$A(g) + 2B(g) \longrightarrow 2C(g)$$

기체 A 14 g과 기체 B 4 g이 모두 반응하여 0 ℃, 1 기압에서 기체 C 22.4 L가 생성되었다. 이에 대한 설명으로 옳지 <u>않은</u> 것은?

① 생성된 기체 C의 질량은 18 g이다.

② 분자량의 비는 A : B=14 : 1이다.

③ 0 ℃, 1 기압에서 반응 전 기체 A와 B의 총 부피는 33.6 L이다.

④ C의 분자량은 18이다.

⑤ 반응한 A는 0.5몰이다.

06 다음은 메탄올 연소 반응의 미완성 화학 반응식이다.

$$aCH_3OH + bO_2 \longrightarrow cCO_2 + dH_2O$$

이 반응식에 대한 설명으로 옳지 <u>않은</u> 것은? (단, H, C, O의 분자량은 각각 1, 12, 16이다.)

① $a+b+c+d=11$이다.

② 메탄올 1몰이 반응할 때 생성되는 수증기의 양은 36 g이다.

③ 메탄올 32 g과 반응하는 산소의 부피는 33.6 L이다.

④ 메탄올 1분자가 반응하면 이산화 탄소 1분자가 생성된다.

⑤ 산소 3몰이 반응할 때 이산화 탄소 3몰이 생성된다.

내신 만점 문제

* ■■■ 난이도를 나타냅니다.

01 다음은 일정한 온도와 압력에서 수소 기체와 산소 기체가 반응하여 수증기가 생성될 때의 화학 반응식을 나타낸 것이다.

$$2H_2 + O_2 \longrightarrow 2H_2O$$

이 반응에 대한 설명으로 옳은 것만을 〈보기〉에서 있는 대로 고른 것은? (단, 온도는 일정하다.)

┤ 보기 ├
ㄱ. 부피비는 $H_2 : O_2 : H_2O = 2 : 1 : 2$이다.
ㄴ. 몰비는 $H_2 : O_2 : H_2O = 2 : 1 : 2$이다.
ㄷ. 질량비는 $H_2 : O_2 : H_2O = 2 : 1 : 2$이다.

① ㄱ   ② ㄴ   ③ ㄱ, ㄴ
④ ㄴ, ㄷ   ⑤ ㄱ, ㄴ, ㄷ

02 다음은 메테인의 연소 반응식이다.

$$CH_4(g) + 2O_2(g) \longrightarrow CO_2(g) + 2H_2O(l)$$

메테인 8 g을 연소시킬 때 생성되는 이산화 탄소의 부피를 구하기 위해 필요한 것을 〈보기〉에서 있는 대로 고른 것은?

┤ 보기 ├
ㄱ. 이산화 탄소의 분자량
ㄴ. 메테인의 분자량
ㄷ. 실험 온도와 압력에서 기체 1몰의 부피

① ㄱ   ② ㄴ   ③ ㄱ, ㄷ
④ ㄴ, ㄷ   ⑤ ㄱ, ㄴ, ㄷ

03 그림은 용기에 XY, Y_2를 넣고 반응시켰을 때, 반응 전과 후 용기에 존재하는 물질을 모형으로 나타낸 것이다.

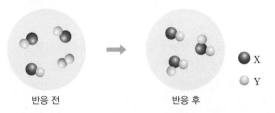

반응 전   반응 후

이 반응에 대한 설명으로 옳은 것만을 〈보기〉에서 있는 대로 고른 것은? (단, X, Y는 임의의 원소 기호이다.)

┤ 보기 ├
ㄱ. Y_2가 1몰 반응하면 생성물은 2몰이 생성된다.
ㄴ. 용기에 존재하는 물질의 총 질량은 반응 전과 후가 같다.
ㄷ. 반응 전 용기에 Y_2 입자를 1개 더 넣으면, 반응 후 용기에는 생성물만 존재한다.

① ㄱ   ② ㄴ   ③ ㄷ
④ ㄱ, ㄴ   ⑤ ㄱ, ㄴ, ㄷ

04 표는 원자량을 정하는 기준과 이와 관련된 자료이다. 현재 사용되는 원소의 원자량은 기준 I에 따른 것으로 ^{12}C에 대한 상대적 질량이다. 기준 II는 영희가 ^{12}C 대신 ^{16}O를 기준으로 사용하여 새롭게 제안한 것이다.

원자량을 정하는 기준		1몰의 정의	기준에 따른 ^{16}O의 원자량
I	^{12}C의 원자량=12	^{12}C 12 g의 원자 수	15.995
II	^{16}O의 원자량=16	^{16}O 16 g의 원자 수	16.000

기준 I을 적용한 탄소 1몰과 기준 II를 적용한 탄소 1몰을 각각 완전 연소시켰다. 이에 대한 설명으로 옳은 것만을 〈보기〉에서 있는 대로 고른 것은?

┤ 보기 ├
ㄱ. 0 ℃, 1기압에서 생성된 이산화 탄소의 밀도는 II가 더 크다.
ㄴ. 생성된 이산화 탄소의 분자 수는 I이 더 많다.
ㄷ. 소모된 산소(O_2)의 질량은 II가 더 크다.

① ㄱ   ② ㄴ   ③ ㄷ
④ ㄱ, ㄴ   ⑤ ㄱ, ㄷ

05 다음은 알루미늄과 묽은 염산의 반응을 나타낸 것이다.

$$a\text{Al} + b\text{HCl} \longrightarrow c\text{AlCl}_3 + d\text{H}_2$$

Al 2.7 g을 충분한 양의 묽은 염산과 반응시켰다. 이에 대한 설명으로 옳은 것만을 〈보기〉에서 있는 대로 고른 것은? (단, Al의 원자량은 27이고, 0 ℃, 1 기압에서 기체 1몰의 부피는 22.4 L이다.)

보기
ㄱ. 반응한 HCl의 양은 0.3몰이다.
ㄴ. $b : c = 3 : 1$이다.
ㄷ. 0 ℃, 1 기압에서 발생하는 수소 기체의 부피는 6.72 L이다.

① ㄱ ② ㄴ ③ ㄱ, ㄴ
④ ㄴ, ㄷ ⑤ ㄱ, ㄴ, ㄷ

 다음은 프로페인(C_3H_8)의 완전 연소 반응을 화학 반응식으로 나타낸 것이다. a, b, c는 반응식의 계수이다.

$$\text{C}_3\text{H}_8(g) + a\text{O}_2(g) \longrightarrow b\text{CO}_2(g) + c\text{H}_2\text{O}(l)$$

그림 (가)와 같이 강철 용기 속에 C_3H_8 4.4 g과 O_2 x g을 넣고 프로페인을 완전 연소시켰더니, (나)와 같이 되었다.

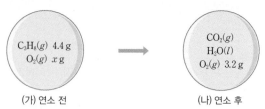

(가) 연소 전   (나) 연소 후

이에 대한 설명으로 옳은 것만을 〈보기〉에서 있는 대로 고른 것은? (단, (가)와 (나)의 온도와 압력은 같고, 원자량은 H=1, C=12, O=16이다.)

보기
ㄱ. $a+c=3b$이다.
ㄴ. (가)에서 $O_2(g)$의 질량(x)은 16 g이다.
ㄷ. (나)에서 물질의 총 양(mol)은 0.8몰이다.

① ㄱ ② ㄷ ③ ㄱ, ㄴ
④ ㄱ, ㄷ ⑤ ㄱ, ㄴ, ㄷ

07 다음은 탄소와 마그네슘의 연소 실험이다.

(가) 그림 A와 같이 탄소(^{12}C) 12 g을 넣은 실린더에 산소 기체 1몰을 채운 후 완전히 연소시킨다.
$$\text{C}(s) + \text{O}_2(g) \longrightarrow \text{CO}_2(g)$$
(나) 그림 B와 같이 마그네슘(^{24}Mg) 12 g을 넣은 실린더에 산소 기체 1몰을 채운 후 완전히 연소시킨다.
$$2\text{Mg}(s) + \text{O}_2(g) \longrightarrow 2\text{MgO}(s)$$

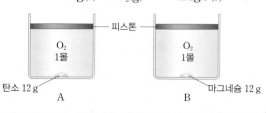

피스톤
O_2 1몰 O_2 1몰
탄소 12 g   마그네슘 12 g
A   B

이에 대한 설명으로 옳은 것만을 〈보기〉에서 있는 대로 고른 것은? (단, 반응 전후 온도와 압력은 같고, 피스톤의 질량과 마찰, 실린더 안의 고체 부피는 무시한다.)

보기
ㄱ. 완전히 연소시켜도 A 실린더의 높이는 변하지 않는다.
ㄴ. (나)에서 마그네슘과 반응한 산소 기체는 0.5몰이다.
ㄷ. (나)에서 반응 전후 실린더 안 기체의 부피비는 4 : 3이다.

① ㄱ ② ㄱ, ㄴ ③ ㄱ, ㄷ
④ ㄴ, ㄷ ⑤ ㄱ, ㄴ, ㄷ

08 그림은 0 ℃, 1 기압에서 반응 용기에 메테인(CH_4) 1몰과 산소(O_2) a몰을 넣고 완전 연소시켰을 때 생성된 두 물질의 질량 백분율을 원그래프로 나타낸 것이고, 이때의 화학 반응식은 다음과 같다.

(가) (나)

$$\text{CH}_4(g) + a\text{O}_2(g)$$
$$\longrightarrow \text{CO}_2(g) + 2\text{H}_2\text{O}(g)$$

이에 대한 설명으로 옳은 것만을 〈보기〉에서 있는 대로 고른 것은? (단, a는 계수이다.)

보기
ㄱ. (가)는 H_2O이고, (나)는 CO_2이다.
ㄴ. (나)의 산소 원자 수가 (가)의 2배이다.
ㄷ. 반응 전 기체의 부피가 생성된 기체의 부피보다 작다.

① ㄱ ② ㄷ ③ ㄱ, ㄴ
④ ㄱ, ㄷ ⑤ ㄱ, ㄴ, ㄷ

09 다연이는 0 °C, 1 기압에서 어떤 금속(M)의 원자량을 구하기 위해 충분한 양의 묽은 염산과 반응시켜 발생한 수소 기체의 부피를 측정하였다. 다음은 금속 M과 묽은 염산의 화학 반응식이다.

$$2M + 2HCl \longrightarrow 2MCl + H_2$$

표는 실험 결과를 나타낸 것이다.

실험	I	II	III
반응한 금속(M)의 질량(g)	2.4	4.8	7.2
발생한 수소 기체의 부피(mL)	1120	2240	3360

이에 대한 설명으로 옳은 것만을 〈보기〉에서 있는 대로 고른 것은? (단, 0 °C, 1 기압에서 기체 1몰의 부피는 22.4 L이다.)

┤보기├
ㄱ. 금속(M) 1몰이 반응하면 11.2 L의 기체가 발생한다.
ㄴ. 실험 I에서 발생한 수소의 부피는 0.05몰이다.
ㄷ. 금속(M)의 원자량은 24이다.

① ㄱ　　　② ㄴ　　　③ ㄱ, ㄴ
④ ㄴ, ㄷ　　　⑤ ㄱ, ㄴ, ㄷ

10 다음은 A와 B가 반응하여 C가 생성되는 반응의 화학 반응식이다.

$$2A + B \longrightarrow 2C$$

표는 반응물 A, B의 질량비를 다르게 하여 수행한 실험 (가), (나)에서 반응 전과 후에 존재하는 물질의 질량비를 나타낸 것이다.

실험	반응 전	반응 후
(가)	A : B = 1 : 2	B : C = 10 : 11
(나)	A : B = x : y	A : C = 1 : 2

이에 대한 설명으로 옳은 것만을 〈보기〉에서 있는 대로 고른 것은?

┤보기├
ㄱ. 반응하는 질량비는 A : B = 7 : 4이다.
ㄴ. $x : y = 25 : 8$이다.
ㄷ. 반응 전후의 질량은 보존된다.

① ㄱ　　　② ㄷ　　　③ ㄱ, ㄴ
④ ㄴ, ㄷ　　　⑤ ㄱ, ㄴ, ㄷ

서술형 문제

11 프로페인(C_3H_8)의 연소 반응에 대하여 물음에 답하시오.

(1) 프로페인의 연소 반응을 화학 반응식으로 나타내시오.(단, 반응물과 생성물은 모두 기체이다.)

_____

(2) 프로페인 22 g이 완전 연소될 때 생성되는 수증기의 질량은 몇 g인지 계산 과정과 함께 쓰시오.

_____

_____

12 다음은 탄산 칼슘($CaCO_3$)과 묽은 염산(HCl)의 반응에서 생성되는 기체 X의 분자량을 구하기 위한 실험이다. 탄산 칼슘의 화학식량은 M이다.

(가) 전자저울에 약포지를 올려놓고 영점을 맞춘 뒤 탄산 칼슘 가루의 질량 w_1 g을 측정하였다.
(나) 탄산 칼슘 w_1 g이 반응하기에 충분한 양의 묽은 염산이 들어 있는 삼각 플라스크의 질량을 측정하였더니 w_2 g이었다.
(다) (나)의 삼각 플라스크에 (가)의 탄산 칼슘을 넣었더니 기체 X가 발생하였다.
$$CaCO_3 + 2HCl \longrightarrow CaCl_2 + H_2O + \boxed{X}$$
(라) 반응이 완전히 끝난 후 용액이 들어 있는 삼각 플라스크의 질량을 측정하였더니 w_3 g이었다.

탄산 칼슘　　　묽은 염산

(1) 기체 X의 분자식과 분자량을 쓰시오.

_____

(2) 이 반응에서 어떤 과정을 잘못 수행하면 기체 X의 분자량이 작게 측정될지 서술하시오.

_____

_____

03
I. 화학의 첫걸음 | 2. 물질의 양과 화학 반응식

용액의 농도

내 교과서는 어디에?
천재 p.40~43 교학사 p.43~45 금성 p.40~43 동아 p.36~38 미래엔 p.44~47
비상 p.40~42 상상 p.48~51 지학사 p.40~42 YBM p.41~43

핵심 Point
● 용액의 농도를 몰 농도로 표현하는 방법을 알아본다.
● 정확한 용액의 몰 농도를 만드는 방법을 알 수 있다.

1 용액의 농도

1. 용해와 용액

① 용액: 용매와 용질이 균일하게 섞여 있는 혼합물❶
② 용해: 두 종류 이상의 물질이 균일하게 섞이는 현상
③ 용매: 다른 물질을 녹이는 물질❷
④ 용질: 다른 물질에 녹는 물질
㉠ 소금이 물에 녹아 소금물이 될 때, 소금과 같이 용매에 녹는 물질을 용질, 물과 같이 소금을 녹이는 물질을 용매, 소금물과 같이 용매와 용질이 고르게 섞인 물질을 용액이라고 한다.

소금(용질)　　　물(용매)　　　　　　　　　　　　용해　　　소금물(용액)

$$용매 + 용질 \underset{석출}{\overset{용해}{\rightleftharpoons}} 용액$$

┌ 퍼센트 농도를 말한다.
2. **질량 퍼센트 농도** 용액 100 g 속에 녹아 있는 용질의 질량을 백분율로 나타낸 것

$$질량\ 퍼센트\ 농도(\%) = \frac{용질의\ 질량(g)}{용액의\ 질량(g)} \times 100$$

$$= \frac{용질의\ 질량(g)}{용질의\ 질량(g) + 용매의\ 질량(g)} \times 100$$

➡ 용질의 양이 많아질수록 용액의 농도는 진해지고, 용매의 양이 많아질수록 용액의 농도는 묽어진다.

┌─────────── 개념 적용하기 ───────────┐
[예제] 소금물 100 g 속에 녹아 있는 소금의 질량이 10 g일 때 퍼센트 농도(%)를 구해 보자.

[풀이] 퍼센트 농도(%)는 $\frac{용질의\ 질량\ (g)}{용액의\ 질량\ (g)} \times 100$이므로 $\frac{소금의\ 질량\ (g)}{소금물의\ 질량\ (g)} \times 100 = \frac{10\ g}{100\ g} \times 100$

= 10 %이다.
　　　　　　　　　　　　　　　　　　　　└ 소금 10 g
　　　　　　　　　　　　　　　　　　　　　 +물 90 g
└──────────────────────────────┘

① 퍼센트(백분율, %) 농도는 전체의 양을 100으로 가정했을 때 특정 부분이 차지하는 양을 나타내는 것으로 일상생활에서 가장 많이 사용하는 농도(%)이다.❸
② 퍼센트 농도의 특징
• 온도나 압력이 변해도 질량은 변하지 않으므로 퍼센트 농도는 달라지지 않는다.
• 액체의 양을 측정할 때 일반적으로 질량보다는 부피를 측정하기 때문에 부피를 질량으로 환산하기 위해 밀도가 필요하다.→ 밀도 = $\frac{질량}{부피}$

---

❶ 균일 혼합물

두 가지 이상의 성분 물질이 고르게 섞여 있는 혼합물을 균일 혼합물이라고 한다.
㉠ 소금물, 공기, 황산 구리(Ⅱ) 수용액 등

강의 콕 🔊

화합물과 혼합물 구분
화합물은 화학적 방법에 의해 각 성분으로 분리할 수 있는 물질로 녹는점, 끓는점, 성분비가 일정하지만, 혼합물은 물리적 방법에 의해 각 성분으로 분리할 수 있는 물질로 녹는점, 끓는점, 성분비가 일정하지 않다.

❷ 같은 상태의 물질이 혼합된 용액에서는 양이 많은 물질이 용매, 양이 적은 물질이 용질이다. 용액의 이름은 용질 이름을 먼저, 용매 이름을 나중에 읽고 '용액'을 붙여 읽는다.

❸ 일상생활에서 가장 많이 사용하는 퍼센트 농도

㉠ 홍초, 식초

───── 용어 ─────

▶ 농도: 액체나 혼합 기체와 같은 용액을 구성하는 성분의 양의 정도. 용액이 얼마나 진하고 묽은지를 수치로 나타내는 방법이다.

셀파 콕콕 📍
용액의 몰 농도를 구하는 방법, 혼합 용액의 몰 농도를 구하는 방법을 잘 기억하도록 한다.

[같은 부피의 용액에 같은 질량의 용질을 녹인 수용액의 몰 농도]

수용액	포도당 수용액 100 mL	설탕 수용액 100 mL
용액 100 mL에 같은 양의 용질 용해	포도당 18 g 포도당 수용액 100 mL	설탕 18 g 설탕 수용액 100 mL
용질의 질량	18 g	18 g
용질의 분자량	180	342
용질의 양(mol)	$\dfrac{18\ g}{180\ g/mol}=0.1\ mol$	$\dfrac{18\ g}{342\ g/mol}≒0.053\ mol$
수용액의 몰 농도(M)	$\dfrac{0.1\ mol}{0.1\ L}=1\ M$	$\dfrac{0.053\ mol}{0.1\ L}=0.53\ M$

➡ 같은 부피의 용액에 같은 질량의 용질을 녹이더라도 용질의 종류가 다르면 몰 농도가 다르다. ❻

❻ 용질의 종류가 다르더라도 몰 농도가 같으면 용질의 입자 수는 같다.

3. **혼합 용액의 몰 농도** 용액에 물을 넣어 ▸희석하거나, 두 용액을 섞을 때 용액의 부피와 농도는 변하지만 용질이 반응하지 않는다면 용질의 전체 양(mol)은 변하지 않고 일정하다.

① 희석했을 때의 농도: 용질의 전체 양(mol)은 변하지 않고 일정하다. a M 용액 V L에 용매를 가하여 V' L가 되었을 때 희석된 용액의 농도 a' M은 다음과 같이 구한다.

> 용질의 양(mol)＝몰 농도(mol/L)×용액의 부피(L)＝$a×V=a'×V'$ → 용질의 양(mol)은 변하지 않으므로 희석 전과 희석 후가 같다.
> ➡ 처음 용액의 몰 농도(a)×처음 용액의 부피(V)＝나중 용액의 몰 농도(a')×나중 용액의 부피(V')
> ➡ 나중 용액의 몰 농도(a')＝$\dfrac{처음\ 용액의\ 몰\ 농도(a)×처음\ 용액의\ 부피(V)}{나중\ 용액의\ 부피(V')}$
> 예 0.5 M A 수용액 500 mL에 500 mL의 물을 넣어 희석시켰을 때의 농도는
>   └ 0.5 L   └ 0.5 L
> $\dfrac{0.5\ M×0.5\ L}{(0.5+0.5)\ L}=0.25\ M$이다.

강의 콕 📕
혼합 용액의 몰 농도를 구할 때는 용질의 양(mol)이 변하지 않는다는 것을 생각하여 용질의 양(mol) 구한 후 전체 부피로 나누어주도록 한다.

② 혼합 용액의 농도: 농도가 다른 두 용액을 혼합하면, 용질의 전체 양(mol)은 변하지 않고 농도와 부피만 변한다. a M 용액 V L와 a' M 용액 V' L를 혼합할 때 혼합 용액의 농도를 a'' M, 부피를 V'' L라고 하면 다음과 같은 관계가 성립한다.

> 용질의 전체 양(mol)＝$(a×V)+(a'×V')=a''(V+V')=a''×V''$
> 혼합 용액의 농도(a'')＝$\dfrac{용질의\ 전체\ 양(aV+a'V')}{혼합\ 용액의\ 부피(V+V')}$
> 예 0.5 M A 수용액 500 mL와 0.1 M A 수용액 500 mL를 혼합했을 때 농도는
> $\dfrac{(0.5\ M×0.5\ L)+(0.1\ M×0.5\ L)}{1\ L}=0.3\ M$이다.
> a M 용질의 양(mol) ┘   └ a' M 용질의 양(mol)

③ 용액에 용질을 가했을 때 농도: 용액의 부피는 변하지 않으므로 다음과 같은 관계가 성립한다.

> a M 용액 V L에 분자량이 M_w인 용질 w g을 가했을 때, 몰 농도 a' M은 다음과 같다.
> 용질의 전체 양(mol)＝$a'×V=a×V+\dfrac{w}{M_w}$이므로, 몰 농도는 $a'=a+\dfrac{w}{M_w×V}$이다.
> 예 1 M 수산화 나트륨 수용액 500 mL에 수산화 나트륨(화학식량 40) 4 g을 더 넣어주었을 때 농도는 용질의 전체 양(mol)＝$1×0.5+\dfrac{4}{40}=0.6\ mol$이므로, 몰 농도는 $\dfrac{0.6\ mol}{0.5\ L}=1.2\ M$이다.

▬▬▬ 용어 ▬▬▬
▸ 희석: 용액의 농도를 묽게 하는 것

└─ $a \%$ 용액은 용액 100 g 속에 용질이 a g 녹아 있는 용액을 의미한다.

1. 퍼센트 농도를 몰 농도로 환산하기

① 몰 농도(M)=$\dfrac{\text{용질의 양(mol)}}{\text{용액의 부피(L)}}$이므로 몰 농도를 구하기 위해서는 용액의 부피(L)와 용질의 양(mol)을 알아야 한다.

② $\underline{a \%}$ 용액의 밀도가 d g/mL이고, 용질의 화학식량이 M_w라고 가정할 때 퍼센트 농도를 몰 농도로 환산하기(단, 용액의 부피는 1 L)❻
└─ 용액 100 g일 때 용질 a g

| 1단계 | 밀도를 사용하여 용액의 질량을 용액의 부피로 환산한다.
용액의 부피(L)=$\dfrac{\text{용액의 질량(g)}}{\text{용액의 밀도(g/mL)}\times 1000}=\dfrac{100}{1000d}=\dfrac{1}{10d}$
└─ 용액 1 L의 질량 |

⬇

| 2단계 | 용질의 분자량을 사용하여 용질의 양(mol)을 구한다.
용질의 양(mol)=$\dfrac{\text{용질의 질량}(a)}{\text{용질의 분자량}(M_w)}=\dfrac{a}{M_w}$(mol) |

⬇

| 3단계 | 몰 농도를 구한다.
$a \%$ 용액의 몰 농도=$\dfrac{\text{용질의 양(mol)}}{\text{용액의 부피(L)}}=\dfrac{10ad}{M_w}$(mol/L) |

2. 몰 농도를 퍼센트 농도로 환산하기

① 질량 퍼센트 농도(%)=$\dfrac{\text{용질의 질량(g)}}{\text{용액의 질량(g)}}\times 100$이므로 용질의 질량과 용액의 질량을 알아야 한다.

② 용액의 몰 농도가 b M이고 용질의 분자량은 M_w, 밀도는 d g/mL라고 가정할 때 몰 농도를 퍼센트 농도로 환산하기(단, 용액의 부피는 1 L) → b M 용액은 용액 1 L 속에 용질이 b mol 녹아 있는 수용액을 뜻한다.

| 1단계 | 분자량과 몰 농도를 이용하여 용질의 질량을 구한다.
용질의 질량(g)=분자량 × 몰 농도=$M_w \times b$ |

⬇

| 2단계 | 용액의 부피와 밀도를 이용하여 용액의 질량을 구한다.
용액의 질량(g)=용액의 부피 × 용액의 밀도=1000 mL × d g/mL |

⬇

| 3단계 | $\%$ 농도를 구한다.
$\%$ 농도=$\dfrac{\text{용질의 질량(g)}}{\text{용액의 질량(g)}}\times 100=\dfrac{100bM_w}{1000d}=\dfrac{bM_w}{10d}$ |

개념 확인하기

1 0.5 M 수용액 200 mL를 0.4 M로 희석하려면 물 ( ) mL가 더 필요하다.

2 0.5 M 염화 나트륨 수용액 500 mL와 0.4 M 염화 나트륨 수용액 500 mL의 혼합 용액의 부피는 ( ) mL이고 몰 농도는 ( )M이다.

3 퍼센트 농도를 몰 농도로 환산할 때 용액의 부피를 구하기 위해서 ( )을/를 사용한다.

4 몰 농도를 퍼센트 농도로 환산하기 위해서는 용질의 ( )와/과 용액의 ( )이/가 필요하다.

답: 1. 50 2. 1000, 0.45 3. 밀도
4. 분자량, 밀도

셀파 탐구

0.2 M 황산 구리(Ⅱ) 수용액 만들기

유의점

❶ 황산 구리(Ⅱ) 오수화물이 피부에 닿지 않도록 반드시 실험용 장갑을 껴야 한다.

❷ 부피 플라스크를 사용할 때, 부피 플라스크의 표선과 수면의 밑부분을 일치시키도록 한다. 정밀한 실험에는 정확하게 눈금이 보정된 부피 플라스크를 사용한다.

용어

▶ **표준 용액**: 농도를 정확하게 알고 있는 용액
▶ **수화물**: 분자 내에 물 분자를 포함하고 있는 물질로 황산 구리(Ⅱ) 오수화물의 화학식은 $CuSO_4 \cdot 5H_2O$이다.
▶ **부피 플라스크**: 정확한 농도의 용액을 만드는 데 사용되며, 특정 용량의 액체를 정확히 담아낼 수 있다. 둥근바닥 플라스크와는 달리 바닥이 편평하다.

목표   0.2 M 황산 구리(Ⅱ) 수용액 1000 mL를 만들 수 있다.

과정

❶ 깨끗한 비커와 유리 막대를 준비한 후, 비커 속에 황산 구리(Ⅱ) 오수화물을 전자저울로 정확하게 측정하여 넣는다.

❷ 과정 ❶의 비커에 증류수를 약간 넣어 유리 막대로 저으면서 황산 구리(Ⅱ) 오수화물을 녹인다.

❸ 1000 mL 부피 플라스크에 깔때기를 사용하여 과정 ❷의 수용액을 넣고 증류수로 비커를 씻어낸 용액도 부피 플라스크 속에 넣는다.

→ 부피 플라스크에 용액을 부을 때 쏟을 위험이 있으므로 깔때기를 사용하여 용액을 옮기도록 한다. 또한 용액이 들어 있던 비커에 증류수를 조금 넣어 헹군 후 부피 플라스크에 넣는다.

❹ 부피 플라스크에 증류수를 넣다가 표선 근처에 이르면 중지하고, 스포이트를 사용하여 증류수를 한 방울씩 떨어뜨려서 정확하게 표선까지 채워지도록 한다.

❺ 부피 플라스크의 뚜껑을 닫고 용액을 충분히 흔들어 주어 용질이 모두 용해되도록 한다.

→ 부피 플라스크를 너무 세게 흔들어 섞지 않는다.

탐구 대표 문제 정답과 해설 13쪽

01 이 실험 과정에 대한 설명으로 옳지 <u>않은</u> 것은?

① 황산 구리(Ⅱ)는 수화물의 형태로 존재하므로 황산 구리(Ⅱ) 오수화물의 분자량을 사용하여야 한다.

② 비커를 증류수로 씻어낸 용액을 버리면 용질의 양이 줄어들어 정확한 농도의 용액을 만들 수 없다.

③ 스포이트를 사용할 때 가능한 한꺼번에 많은 양의 물을 떨어뜨린다.

④ 증류수를 표선보다 많이 넣었을 때는 용액을 버리고 다시 만들어야 정확한 용액을 만들 수 있다.

⑤ 부피 플라스크의 표선 가까이에서는 스포이트를 사용한다.

결과 및 정리

1. 이 실험에서 사용된 황산 구리(Ⅱ) 오수화물의 양(mol)과 질량은 얼마인가? (단, 황산 구리(Ⅱ) 오수화물의 화학식량은 249.7이다.)
→ 이 실험에서 0.2 M 농도의 용액 1 L를 만들었고, 황산 구리(Ⅱ) 오수화물의 분자량은 249.7이다.

몰 농도 (M) $= \dfrac{\text{용질의 양(mol)}}{\text{용액의 부피(L)}}$ 이므로 $0.2\ \text{M} = \dfrac{\text{용질의 양(mol)}}{1\ \text{L}}$ 이다. 따라서 용질인 황산 구리(Ⅱ)

오수화물은 0.2 mol 필요하다. 0.2 mol 황산 구리(Ⅱ) 오수화물의 질량을 구하기 위해 물질의 양(mol)

$= \dfrac{\text{용질의 질량}}{\text{화학식량}}$ 식을 이용하면 $0.2\ \text{mol} = \dfrac{\text{용질의 질량}}{249.7}$ 이므로 49.94 g이 필요하다.

2. 만들어진 0.2 M 황산 구리(Ⅱ) 수용액을 사용하여 0.1 M 황산 구리(Ⅱ) 수용액 0.5 L를 만드는 방법을 설명하시오.
→ [방법 1]
0.1 M 수용액 0.5 L를 만들기 위해 필요한 용질의 양(mol)을 구한 후 필요한 0.2 M 황산 구리(Ⅱ) 수용액 양을 계산하면 구할 수 있다.

0.1 M 황산 구리(Ⅱ) 수용액 0.5 L에 녹아 있는 황산 구리(Ⅱ)의 양(mol)은 $0.1\ \text{M} = \dfrac{x\ \text{mol}}{0.5\ \text{L}}$, $x = 0.05\ \text{mol}$

이다. 0.2 M 황산 구리(Ⅱ) 수용액에서 같은 양(mol)의 황산 구리(Ⅱ)를 취하려면 $0.2\ \text{M} = \dfrac{0.05\ \text{mol}}{y\ \text{L}}$,

0.25 L가 필요하다. 따라서 0.2 M 황산 구리(Ⅱ) 수용액 250 mL를 500 mL 부피 플라스크에 넣고, 물을 넣어 500 mL를 맞춰 준다.

→ [방법 2]
용액에 용매를 가하여 묽은 용액을 만들 때(희석) 용액을 묽혀도 용질의 양(mol)은 변하지 않고, 용액의 부피나 농도만 변한다. 농도가 M인 용액 V에 용매를 가해 부피가 V'가 되었을 때의 농도를 M' 이라고 하면 다음 관계식이 성립한다.

용질의 양(mol) $= MV = M'V'$

$MV = M'V'$ 식을 적용하면 $0.2\ \text{M} \times x\ \text{L} = 0.1\ \text{M} \times 0.5\ \text{L}$이므로 x는 0.25이다. 따라서 0.2 M 황산 구리(Ⅱ) 수용액 250 mL가 필요하다.

3. 부피 플라스크에 물 1 L를 먼저 넣은 뒤 같은 양의 황산 구리(Ⅱ) 오수화물을 녹여도 같은 농도의 용액을 만들 수 있을까?
→ 물을 먼저 채우면 용질을 녹였을 때 부피가 1 L와 달라질 수 있으므로 같은 농도의 용액을 만들 수 없다. 따라서 용액을 만들 때에는 용질을 적은 양의 용매에 먼저 녹인 후 용액의 부피를 맞춰야 한다.

탐구 돋보기

실험 과정을 순서대로 기억하고, 만들어지는 용액의 농도를 계산할 수 있어야 한다.
➡ 일정량의 용질을 적은 양의 용매에 녹인 후 원하는 부피가 될 때까지 용매를 가하여 용액을 만든다.
[단계1] 고체의 질량을 측정한다.
[단계2] 부피 플라스크에 고체를 담는다.
[단계3] 필요한 양보다 약간 적은 양의 물에 녹이면서 흔들어준다.
[단계4] 부피 플라스크에 표시된 전체 부피까지 희석한다.

강의 콕!

표준 용액의 이용
표준 용액은 농도를 정확히 알고 있는 용액으로, 농도를 모르는 일정한 부피의 산 수용액에 염기 표준 용액을 조금씩 가해 완전 중화시키는 데 사용된 염기 표준 용액의 부피를 측정하면 산 수용액의 농도를 구할 수 있다. (Ⅳ단원에서 더 자세하게 배우게 된다.)

시험 유형은?

❶ 실험의 순서로 옳은/옳지 않은 것은?
▶ 실험 순서를 바꾸어 두고, 순서를 찾는 문제의 유형이 출제될 수 있다.
❷ 증류수로 비커를 씻어 낸 용액을 부피 플라스크 속에 넣는 까닭은?
▶ 비커에 묻어 있는 황산 구리(Ⅱ) 수용액을 씻어 정확한 황산 구리(Ⅱ)의 질량을 취하기 위해서이다.
❸ 이 실험에서 0.2 M 황산 구리(Ⅱ) 수용액 1000 mL를 만들기 위해 필요한 황산 구리(Ⅱ) 오수화물의 양을 구하시오.
▶ 황산 구리(Ⅱ) 오수화물이 49.94 g이 필요하다.

02 다음은 0.1 M 염화 나트륨(NaCl) 수용액 500 mL를 만드는 실험 과정을 나타낸 것이다. (단, NaCl의 화학식량은 58.5이다.)

(가) 염화 나트륨 x g을 정확히 측정하여 50 mL 정도의 증류수가 들어 있는 비커에 넣어 완전히 녹인다.
(나) 500 mL 용기 A에 (가)의 수용액을 넣고 비커를 씻은 용액도 부피 플라스크 속에 넣어 준다.
(다) 용기 A의 수용액이 잘 섞이도록 흔들어 준 후 표선까지 증류수를 가한다.

이 실험에서 사용한 염화 나트륨의 질량 x (g)과 용기 A의 이름을 쓰시오.

기초 탄탄 문제

정답과 해설 13쪽

핵심용어_ 이 단원에서 내가 아는 것과 아직 모르는 것을 정리하며 나의 공부를 돌아보자.

□ 퍼센트 농도   □ 몰 농도
□ 표준 용액   □ 표준 용액 만들기
□ 단위의 환산

01 밀도가 1.5 g/mL인 수산화 나트륨(NaOH) 수용액 500 mL에는 수산화 나트륨 160 g이 녹아 있다. 수산화 나트륨 수용액의 퍼센트 농도는? (단, 소수점 둘째 자리에서 반올림한다.)

① 2.13 %   ② 21.3 %   ③ 5.33 %
④ 53.3 %   ⑤ 42.6 %

02 그림은 설탕 수용액 (가)와 (나)를 나타낸 것이다.

20 ℃
물 100 g
설탕 50 g
(가)

80 ℃
물 50 g
설탕 25 g
(나)

(가)와 (나)에 대한 설명으로 옳은 것은?
① (가)와 (나)의 퍼센트 농도는 같다.
② (가)와 (나)의 몰 농도는 같다.
③ (가)와 (나)의 밀도는 같다.
④ (가)가 (나)보다 몰 농도가 작다.
⑤ (가)가 (나)보다 밀도가 작다.

03 용액 100 mL에 염화 나트륨 9 g이 녹아 있는 생리 식염수가 있다. 퍼센트 농도와 몰 농도를 옳게 짝지은 것은? (단, 염화 나트륨의 화학식량은 58.5이고, 용액의 밀도는 1.1 g/mL이다.)

	퍼센트 농도	몰 농도
①	8.18 %	6.50 M
②	8.18 %	1.54 M
③	8.18 %	1.48 M
④	12.2 %	1.54 M
⑤	12.2 %	6.50 M

04 NaOH 20 g을 물에 녹여 수용액 500 mL를 만들었다. 이 용액 200 mL를 취해 1 L 부피 플라스크에 넣고 표선까지 물을 넣어 묽혔을 때 몰 농도는? (단, NaOH의 화학식량은 40이다.)

① 0.1 M   ② 0.2 M   ③ 0.4 M
④ 0.6 M   ⑤ 0.8 M

05 다음은 염화 나트륨(NaCl) 수용액 500 mL를 만드는 실험 과정을 순서 없이 나열한 것이다.

[실험 과정]
(가) NaCl이 들어 있는 비커에 증류수를 넣어 유리 막대로 저으면서 녹인다.
(나) 저울에 비커를 올려놓고 NaCl을 정확히 측정하여 넣는다.
(다) 부피 플라스크의 표선이 넘지 않도록 증류수를 넣다가, 스포이트를 이용하여 정확히 500 mL까지 채워지도록 한다.
(라) 깔때기를 사용하여 비커의 용액을 부피 플라스크에 넣고 증류수로 비커를 씻어 그 용액도 넣는다.

NaCl 수용액을 만드는 과정을 순서대로 나열한 것은?
① (가) ─ (나) ─ (다) ─ (라)
② (나) ─ (가) ─ (다) ─ (라)
③ (나) ─ (가) ─ (라) ─ (다)
④ (나) ─ (라) ─ (다) ─ (가)
⑤ (라) ─ (나) ─ (다) ─ (가)

06 0.5 M 수산화 나트륨 수용액을 만드는 방법으로 옳은 것은? (단, 수산화 나트륨의 화학식량은 40이다.)
① 물 500 mL에 수산화 나트륨 40 g을 녹인다.
② 물 1 L에 수산화 나트륨 20 g을 녹인다.
③ 수산화 나트륨 10 g을 물에 녹여 500 mL를 만든다.
④ 수산화 나트륨 40 g을 물에 녹여 1 L를 만든다.
⑤ 수산화 나트륨 0.5 mol을 물에 녹여 500 mL를 만든다.

내신 만점 문제

정답과 해설 14쪽

* ▮▮▮ 난이도를 나타냅니다.

01 그림과 같이 5 % 설탕 수용액과 5 % 포도당 수용액이 있다.

▮

5 % 설탕
수용액 500 g
(가)

5 % 포도당
수용액 500 g
(나)

두 수용액에서 여러 가지 값들의 크기를 비교한 것으로 옳지 **않은** 것은? (단, 설탕과 포도당의 화학식량은 각각 342, 180 이고, 두 수용액의 밀도는 1 g/mL로 가정한다.)

① 용질의 입자 수: (가) < (나)

② 용질의 양(mol): (가) < (나)

③ 용액의 몰 농도: (가) > (나)

④ 용질의 질량: (가) = (나)

⑤ 용액 속 물 분자 수: (가) = (나)

 그림은 서로 다른 농도의 포도당 수용액 (가)와 (나)를 나타낸 것이다.

1 %
포도당 수용액 1 L
밀도 = 1.0 g/mL
(가)

1 M
포도당 수용액
500 mL
(나)

이에 대한 설명으로 옳은 것만을 〈보기〉에서 있는 대로 고른 것은? (단, 포도당의 분자량은 180이다.)

┤ 보기 ├

ㄱ. 녹아 있는 포도당의 분자 수는 (가)가 (나)보다 많다.

ㄴ. (나)에 녹아 있는 포도당의 질량은 90 g이다.

ㄷ. (가)를 몰 농도로 환산하면 (나)보다 크다.

① ㄱ ② ㄴ ③ ㄷ

④ ㄱ, ㄴ ⑤ ㄱ, ㄷ

03 그림은 어떤 산 HA 시약병에 붙어 있는 표지를 나타낸 것이다. 은서는 25 ℃에서 다음과 같은 실험을 수행하였다.

▮▮▮

HA
화학식량 $= a$
농도(질량 %) $= c$
밀도(g/mL, 20 ℃) $= d$

(가) 피펫을 이용하여 시약병에서 HA 수용액 V mL 를 취한다.

(나) (가)에서 취한 용액을 증류수로 묽혀 용액의 부피 를 500 mL로 만든다.

(나)에서 만든 용액의 몰 농도(M)로 옳은 것은?

① $\dfrac{cdV}{50a}$ ② $\dfrac{dV}{2a}$ ③ $\dfrac{2dV}{a}$

④ $\dfrac{2cdV}{a}$ ⑤ $\dfrac{50cdV}{a}$

04 다음은 0.5 M 염산을 묽게 하여 0.01 M 염산 0.5 L를 만드는 방법을 설명한 것이다.

▮

(가) 0.5 M 염산 ▢A▢ mL를 취해 ▢B▢ 에 넣는다.

(나) ▢B▢ 에 증류수를 부어 0.5 L의 표선을 맞춘다.

이에 대한 설명으로 옳은 것만을 〈보기〉에서 있는 대로 고른 것은?

┤ 보기 ├

ㄱ. A는 10이다.

ㄴ. B는 둥근바닥 플라스크이다.

ㄷ. 0.01 M 염산 0.5 L에 포함된 염산의 양(mol)은 0.005 mol이다.

① ㄱ ② ㄱ, ㄴ ③ ㄱ, ㄷ

④ ㄴ, ㄷ ⑤ ㄱ, ㄴ, ㄷ

05 다음은 A 수용액을 만드는 과정이다.

> (가) 물 160 g에 A 40 g을 넣어 모두 녹인다.
> (나) (가) 용액 100 g에 물을 넣어 1 L 용액을 만든다.
> (다) (가) 용액 20 g과 (나) 용액 0.5 L를 혼합한다.

이에 대한 설명으로 옳은 것만을 〈보기〉에서 있는 대로 고른 것은? (단, A의 분자량은 50이다.)

┤ 보기 ├
ㄱ. (가) 용액의 퍼센트 농도는 20 %이다.
ㄴ. (나) 용액의 몰 농도는 0.4 M이다.
ㄷ. (다) 용액에 A는 0.28 mol이 포함되어 있다.

① ㄱ   ② ㄷ   ③ ㄱ, ㄴ
④ ㄴ, ㄷ   ⑤ ㄱ, ㄴ, ㄷ

06 다음은 25 °C에서 0.1 M 설탕물을 만들기 위한 과정이다. 설탕의 분자량은 342이다.

> (가) 전자저울에 시약포지를 올려놓고 영점 조절을 한 후, 설탕 34.2 g을 측정한다.
> (나) 증류수가 들어 있는 비커에 설탕을 넣어 녹인 후, 설탕물을 1 L 부피 플라스크에 넣는다.
> (다) 비커에 묻어 있는 설탕물을 증류수로 씻어 부피 플라스크에 넣는다.
> (라) 부피 플라스크에 증류수를 채워 표선까지 맞춘다.
> (마) 부피 플라스크를 마개로 막고 용액을 골고루 섞는다.

(가)~(마) 중 한 과정만을 다르게 수행했을 때, 0.1 M보다 낮은 농도의 설탕물이 만들어진 경우만을 〈보기〉에서 있는 대로 고른 것은?

┤ 보기 ├
ㄱ. (가)에서 시약포지를 포함해 34.2 g 질량을 측정하였다.
ㄴ. (다)에서 비커에 묻어 있는 설탕물을 부피 플라스크에 넣지 않았다.
ㄷ. (라)에서 증류수를 표선을 넘길 정도로 채워서 용액을 덜어내어 표선을 맞추었다.

① ㄱ   ② ㄴ   ③ ㄱ, ㄴ
④ ㄴ, ㄷ   ⑤ ㄱ, ㄴ, ㄷ

07 그림 (가)~(다)는 서로 다른 농도의 수산화 나트륨 수용액을 나타낸 것이다.

30 %   2.6 M   물 6 mol
120 g   120 g   120 g
(가)   (나)   (다)

물에 녹아 있는 수산화 나트륨의 질량을 옳게 비교한 것은? (단, 수산화 나트륨의 화학식량은 40이고, 수용액의 밀도는 1.3 g/mL이다.)

① (가) > (나) > (다)
② (가) > (나) = (다)
③ (가) > (다) > (나)
④ (나) > (가) > (다)
⑤ (나) > (다) > (가)

08 오른쪽 그림은 1 M A 수용액 50 mL를 모형으로 나타낸 것이다. 0.5 M A 수용액 100 mL의 모형을 나타낸 것으로 옳은 것은?

①   ②   ③

④   ⑤

다음은 황산(H_2SO_4) 표준 용액을 만들 때 사용하는 실험 기구의 일부와 실험 과정이다.

[실험 기구]
ㄱ. 1000 mL 비커   ㄴ. 1000 mL 부피 플라스크
ㄷ. 깔때기   ㄹ. 세척병

[실험 과정]
(가) 밀도가 1.4 g/mL인 50 % 황산을 준비한다.
(나) ☐A☐ 에 증류수를 반쯤 넣는다.
(다) 50 %의 황산 7 mL를 피펫으로 취하여 (나)의
    ☐A☐ 에 넣고 잘 섞는다.
(라) 증류수를 (다)의 ☐A☐ 에 1000 mL 눈금까지 넣고 잘
    섞는다.

A에 해당하는 실험 기구와 만들어진 황산 표준 용액의 농도로 옳은 것은? (단, H_2SO_4의 분자량은 98이다.)

	A	몰 농도		A	몰 농도
①	ㄱ	0.1 M	②	ㄴ	0.05 M
③	ㄴ	0.1 M	④	ㄷ	0.05 M
⑤	ㄹ	0.1 M			

10 다음은 세 가지 수용액의 입자 모형을 나타낸 것이다.

100 mL	50 mL	25 mL
(가)	(나)	(다)

용액의 몰 농도(M)의 크기를 비교한 것으로 옳은 것은?
① (가)>(나)=(다)
② (가)=(다)>(나)
③ (나)>(가)=(다)
④ (나)=(가)>(다)
⑤ (가)=(나)=(다)

서술형 문제

11 세은이는 비누를 만들기 위해 NaOH 100 g을 물에 녹여 NaOH 수용액 500 mL를 만들었다. 그런데 자료를 조사해 보니 2.5 M NaOH 수용액이 필요하다는 사실을 알았다. (단, 수산화 나트륨의 화학식량은 40이다.)

(1) 처음 만든 NaOH 수용액의 몰 농도를 계산 과정과 함께 쓰시오.

_____

(2) 처음 만든 NaOH 수용액으로 2.5 M NaOH 수용액을 몇 L 만들 수 있는지 계산 과정과 함께 쓰시오.

_____

(3) 처음 만든 NaOH 수용액으로 2.5 M NaOH 수용액을 만드는 실험 과정을 설계하시오.

_____
_____
_____

12 시연이는 20 °C에서 서로 다른 농도의 HCl(aq)을 이용하여 다음과 같은 실험을 하였다. (단, 염산의 분자량은 36.5이다.)

(가) 1.0 M HCl(aq) 20 mL와 2.0 M HCl(aq) 30 mL를 100 mL 부피 플라스크에 넣는다.
(나) (가)의 용액에 증류수를 가하여 전체 부피를 100 mL로 만든다.

(1) (가) 용액의 몰 농도를 계산 과정과 함께 쓰시오.

_____
_____

(2) (나) 용액의 몰 농도를 계산 과정과 함께 쓰시오.

_____
_____

(3) (나) 용액을 묽혀 500 mL 용액을 만드는 실험 과정을 설계하고, 묽힌 용액의 몰 농도를 구하시오.

_____
_____

1. 우리 생활과 화학

식량 문제 해결	• 암모니아의 합성: 산업 혁명 이후 하버가 수소 기체와 질소 기체를 이용하여 대량 합성에 성공하면서 농업 생산량이 극대화 됨 $N_2 + 3H_2 \xrightarrow[\text{200 기압, 500~600 °C}]{\text{산화 철}} 2NH_3$
의류 문제 해결	• 합성 섬유: 대량 생산이 가능해진 나일론, 폴리에스터 및 다양한 신소재가 활용되고 있음 • 합성염료: 모브의 발견으로 다양한 색의 옷을 입을 수 있게 됨
주거 문제 해결	• 건축 자재: 철근과 콘크리트, 알루미늄 제련, 철의 제련, 단열재 등을 사용하게 됨 • 난방: 화석 연료, 천연가스, 대체 에너지 사용

2. 탄소 화합물

① 탄소 화합물: 탄소(C) 원자가 수소(H), 산소(O), 질소(N), 황(S), 할로젠(F, Cl, Br, I) 등의 원자와 결합하여 만들어진 화합물로, C 원자는 최대 4개의 다른 원자와 공유 결합을 한다.

② 탄화수소: 탄소와 수소로만 이루어진 화합물로, 완전 연소하면 이산화 탄소와 물(수증기)이 생긴다.

③ 메테인: 탄소 원자 1개와 수소 원자 4개가 공유 결합한 물질로, 정사면체의 입체 구조이다. 액화 천연가스(LNG)의 주성분이다.

▲ 메테인

④ 여러 가지 탄소 화합물

구분	구조	특징과 용도
에탄올 (C_2H_5OH)		연료, 화학 약품, 술의 원료, 살균 효과
아세트산 (CH_3COOH)		약한 산성을 띠고 식초에 포함되어 있다.
폼알데하이드 (HCHO)		자극성이 강한 냄새를 띠는 평면 삼각형 구조로 새집증후군 유발 물질이다.

3. 탄소 화합물과 우리 생활

① 플라스틱: 고분자 물질의 탄소 화합물로 외부의 힘과 충격에 강하고 대량 생산이 가능하여 일상생활에 폭넓게 이용된다.

② 아스피린: 아세틸 살리실산이라는 탄소 화합물로 해열제나 진통제로 사용

③ 합성 세제: 계면 활성제가 포함된 탄소 화합물

④ 탄소 섬유 복합 재료: 탄소가 주성분인 매우 가는 굵기의 섬유로 가벼우면서 강도가 세며 열팽창율이 작다.

4. 몰

① 1몰: 6.02×10^{23}개의 입자를 의미하며, 단위는 몰 또는 mol을 사용한다. 이 수를 아보가드로수라고 한다.

$$\text{몰(mol)} = \frac{\text{입자 수}}{6.02 \times 10^{23}/\text{mol}}$$

② 원자량과 분자량

원자량	탄소 원자(^{12}C)의 질량을 12.00으로 정하고, 이를 기준으로 하여 나타낸 원자들의 상대적인 질량
분자량	분자를 구성하는 원자들의 원자량을 모두 합한 값
화학식량	물질의 화학식을 이루는 원자들의 원자량을 합한 값

③ 몰과 질량: 물질 1몰의 질량은 그 물질의 화학식량에 g을 붙인 값이다.

④ 1몰의 입자 수와 질량

입자	1몰의 입자 수	입자 1몰과 질량
원자	6.02×10^{23}개의 원자	원자량 g
분자	6.02×10^{23}개의 분자	분자량 g
이온	6.02×10^{23}개의 이온	화학식량 g (이온 결합 물질)

⑤ 몰과 기체의 부피: 같은 온도와 압력에서 모든 기체는 같은 부피 속에 같은 수의 분자가 들어 있다.

⑥ 몰과 입자 수, 질량, 부피와의 관계

$$\text{몰(mol)} = \frac{\text{입자 수}}{6.02 \times 10^{23}} = \frac{\text{질량(g)}}{\text{몰 질량(g/mol)}}$$
$$= \frac{\text{기체의 부피(L)}}{22.4\,\text{L/mol}} \text{(0 °C, 1 기압)}$$

⑦ 같은 온도와 압력에서 밀도비는 분자량비와 같다.

$$\frac{\text{A 기체의 밀도}}{\text{B 기체의 밀도}} = \frac{\text{A 기체의 질량}}{\text{B 기체의 질량}} = \frac{\text{A 기체의 분자량}}{\text{B 기체의 분자량}}$$

5. 화학 반응식

① 화학 반응식: 화학식과 기호를 사용하여 화학 반응을 나타낸 식

② 화학 반응식 만들기

1단계	반응물과 생성물을 화학식으로 표시
2단계	반응물을 화살표(→)의 왼쪽에, 생성물을 화살표(→)의 오른쪽에 놓고 ＋와 →로 연결
3단계	각 원소별 원자 수가 같아지도록 계수 결정
4단계	각 물질의 상태 표시

③ 화학 반응식의 의미: 화학 반응식의 물질의 계수비로부터 반응물과 생성물의 다양한 양적 관계를 파악할 수 있다.

$$계수비＝몰비＝분자 수비＝부피비(기체의 경우)\neq질량비$$

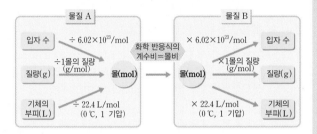

6. 질량 퍼센트 농도

① 퍼센트 농도: 질량 퍼센트 농도로 용액 100 g 속에 녹아 있는 용질의 질량을 백분율로 나타낸 것

$$질량 퍼센트 농도(\%) = \frac{용질의 질량(g)}{용액의 질량(g)} \times 100$$

② 온도나 압력이 변해도 질량은 변하지 않으므로 퍼센트 농도가 달라지지 않는다.

③ 퍼센트 농도가 같은 용액이라도 용질의 종류가 다르면 용질의 입자 수가 다르다.

7. 몰 농도

① 몰 농도: 용액 1 L 속에 녹아 있는 용질의 양(mol)

$$몰 농도(M) = \frac{용질의 양(mol)}{용액의 부피(L)}$$

② 몰 농도를 알면 용액 속에 녹아 있는 용질의 양(mol)뿐만 아니라 용질의 질량도 알 수 있다.

③ 몰 농도가 같으면 용질의 종류가 다르더라도 용질의 입자 수는 같다.

8. 표준 용액 만들기

1단계	2단계
용질의 질량을 측정한 후, 비커에 넣고 적당량의 증류수로 녹인다.	부피 플라스크에 비커의 용액을 넣고 증류수로 비커를 몇 번 헹구어 함께 부어준다.
3단계	4단계
부피 플라스크의 표선까지 증류수를 채운다.	부피 플라스크의 뚜껑을 닫고 여러 번 흔들어 잘 섞어준다.

9. 혼합 용액의 몰 농도

① 용액에 물을 넣어 희석하거나, 두 용액을 섞을 때 용질이 반응하지 않는다면 용질의 전체 양(mol)은 변하지 않는다.

② 희석했을 때의 농도

$$나중 용액의 몰 농도＝\frac{처음 용액의 몰 농도\times처음 용액의 부피}{나중 용액의 부피}$$

③ 혼합 용액의 농도

$$혼합 용액의 농도 = \frac{용질의 전체 양(mol)}{혼합 용액의 부피}$$

10. 농도의 환산

① ％ 농도를 몰 농도로 환산
- 용액의 질량 ➡ 밀도를 이용해 부피로 변환
- 용질의 질량 ➡ 화학식량을 이용해 용질의 양(mol)으로 변환

② 몰 농도를 ％ 농도로 환산
- 용액의 부피 ➡ 밀도를 이용해 질량으로 변환
- 용질의 양(mol) ➡ 화학식량을 이용해 질량으로 변환

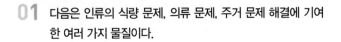
01 다음은 인류의 식량 문제, 의류 문제, 주거 문제 해결에 기여한 여러 가지 물질이다.

> (가) 암모니아　　(나) 나일론　　(다) 폴리에스터
> (라) 철　　　　　(마) 알루미늄　(바) 천연가스

이에 대한 설명으로 옳은 것만을 〈보기〉에서 있는 대로 고른 것은?

┤ 보기 ├
ㄱ. 의류 문제 해결에 기여한 물질은 (나), (다)이다.
ㄴ. (가)를 만드는 화학 반응식은
　　$N_2 + 3H_2 \longrightarrow 2NH_3$이다.
ㄷ. (라)와 (마)의 제련을 통해 식량 문제를 해결할 수 있었다.

① ㄱ　　　　② ㄴ　　　　③ ㄱ, ㄴ
④ ㄴ, ㄷ　　⑤ ㄱ, ㄴ, ㄷ

02 그림은 원유의 분별 증류 장치인 증류탑을 나타낸 것이다.

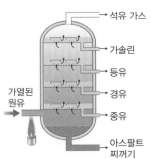

이에 대한 설명으로 옳은 것만을 〈보기〉에서 있는 대로 고른 것은?

┤ 보기 ├
ㄱ. 원유의 분별 증류는 탄화수소의 밀도 차를 이용한 분리 방법이다.
ㄴ. 탄소 수가 가장 작은 물질은 석유 가스이고, 석유 가스에서 LPG를 만들 수 있다.
ㄷ. 중유는 여러 가지 탄화수소로 이루어져 있다.

① ㄱ　　　　② ㄴ　　　　③ ㄷ
④ ㄴ, ㄷ　　⑤ ㄱ, ㄴ, ㄷ

03 그림 (가)~(다)는 일상생활에 사용되는 대표적 탄소 화합물이다. (가)는 두 번의 산화 반응을 거쳐 (다)가 된다.

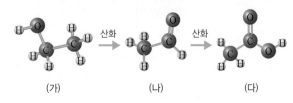

이에 대한 설명으로 옳은 것만을 〈보기〉에서 있는 대로 고른 것은?

┤ 보기 ├
ㄱ. (가)~(다)의 탄소의 개수는 같다.
ㄴ. (나)는 폼알데하이드이다.
ㄷ. (가)~(다)의 분자 1 mol이 완전 연소할 때 생성되는 H_2O의 양(mol)이 가장 큰 것은 (가)이다.

① ㄱ　　　　② ㄱ, ㄴ　　　③ ㄱ, ㄷ
④ ㄴ, ㄷ　　⑤ ㄱ, ㄴ, ㄷ

04 그림은 25 ℃, 1 기압에서 H_2, O_2, XO_3 기체의 부피와 질량을 나타낸 것이다. H, O의 원자량은 각각 1, 16이다.

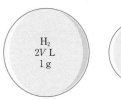

이에 대한 설명으로 옳은 것만을 〈보기〉에서 있는 대로 고른 것은? (단, X는 임의의 원소 기호이다.)

┤ 보기 ├
ㄱ. w는 8이다.
ㄴ. X의 원자량은 32이다.
ㄷ. X_2와 XO_2의 분자량은 같다.

① ㄱ　　　　② ㄱ, ㄴ　　　③ ㄱ, ㄷ
④ ㄴ, ㄷ　　⑤ ㄱ, ㄴ, ㄷ

05 다음은 수소와 산소가 반응하여 수증기가 생성되는 화학 반응식을 나타낸 것이다.

$$2H_2(g) + O_2(g) \longrightarrow 2H_2O(g)$$

위 반응식을 참고할 때 다음 표의 ㉠~㉣ 안에 들어갈 값과 각각 적용되는 법칙을 옳게 짝 지은 것은?

구분	수소	산소	수증기
질량	2 g	16 g	(㉠)
부피	22.4 L	(㉡)	22.4 L
분자 수	(㉢)	3.01×10^{23}개	6.02×10^{23}개
물질의 양(mol)	1몰	0.5몰	(㉣)

	수치	적용되는 법칙
①	㉠ 18 g	질량 보존 법칙
②	㉡ 11.2 L	일정 성분비 법칙
③	㉡ 33.6 L	일정 성분비 법칙
④	㉢ 6.02×10^{23}개	기체 반응 법칙
⑤	㉣ 2몰	아보가드로 법칙

06 그림은 일정한 온도와 압력에서 탄화수소(C_mH_n)를 실린더에서 연소시키기 전과 후의 물질 조성을 나타낸 것이다.

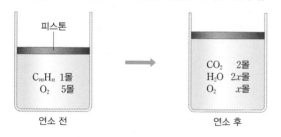

이에 대한 설명으로 옳은 것만을 〈보기〉에서 있는 대로 고른 것은? (단, 반응물과 생성물은 모두 기체이다.)

┤ 보기 ├
ㄱ. 탄화수소의 실험식은 CH_3이다.
ㄴ. $x = 2$이다.
ㄷ. 연소 전 기체의 부피가 12 L라면, 연소 후 기체의 부피는 13 L이다.

① ㄱ   ② ㄴ   ③ ㄷ
④ ㄱ, ㄷ   ⑤ ㄴ, ㄷ

07 그림은 같은 온도와 압력에서 실린더에 들어 있는 3가지 기체의 부피와 질량을 나타낸 것이다.

이에 대한 설명으로 옳은 것만을 〈보기〉에서 있는 대로 고른 것은? (단, X~Z는 임의의 원소 기호이다.)

┤ 보기 ├
ㄱ. 원자량의 비는 X : Z = 4 : 3이다.
ㄴ. XY_4의 분자량은 Z의 원자량과 같다.
ㄷ. XY_2Z 15 g의 부피는 12 L이다.

① ㄱ   ② ㄱ, ㄴ   ③ ㄱ, ㄷ
④ ㄴ, ㄷ   ⑤ ㄱ, ㄴ, ㄷ

08 그림은 0 ℃, 1 기압에서 기체 상태의 탄화수소 A, B의 질량에 따른 부피를, 표는 A, B를 이루는 탄소와 수소의 질량 백분율을 나타낸 것이다.

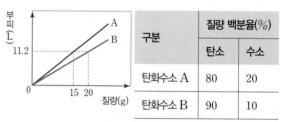

구분	질량 백분율(%)	
	탄소	수소
탄화수소 A	80	20
탄화수소 B	90	10

이에 대한 설명으로 옳은 것만을 〈보기〉에서 있는 대로 고른 것은? (단, 0 ℃, 1 기압에서 기체 1몰의 부피는 22.4 L이고, 수소와 탄소의 원자량은 각각 1, 12이다.)

┤ 보기 ├
ㄱ. A는 실험식과 분자식이 같다.
ㄴ. 탄화수소 B의 탄소와 수소의 몰비는 C : H = 3 : 4이다.
ㄷ. 1 g을 완전 연소시켰을 때 생성되는 물(H_2O)의 양(mol)은 A가 B보다 많다.

① ㄱ   ② ㄷ   ③ ㄱ, ㄴ
④ ㄴ, ㄷ   ⑤ ㄱ, ㄴ, ㄷ

단원 마무리하기

I. 화학의 첫걸음

09 표는 용기 (가)와 (나)에 들어 있는 화합물 X_2Y와 X_2Y_2에 대한 자료이다.

용기	화합물의 질량(g)		용기 내 전체 원자 수
	X_2Y	X_2Y_2	
(가)	a	$2b$	$19N$
(나)	$2a$	b	$14N$

이에 대한 설명으로 옳은 것만을 〈보기〉에서 있는 대로 고른 것은?

┃ 보기 ┃
ㄱ. (가)에서 X_2Y와 X_2Y_2의 분자 수는 같다.
ㄴ. $\dfrac{(가)에서\ X\ 원자\ 수}{(나)에서\ X\ 원자\ 수}=\dfrac{5}{4}$이다.
ㄷ. (나)의 용기 내 전체 분자 수는 $4N$개이다.

① ㄱ   ② ㄱ, ㄴ   ③ ㄱ, ㄷ
④ ㄴ, ㄷ   ⑤ ㄱ, ㄴ, ㄷ

10 다음은 마그네슘(Mg)과 탄산 칼슘($CaCO_3$)을 각각 묽은 염산에 넣었을 때 일어나는 반응의 화학 반응식이다.

(가) $Mg + aHCl \longrightarrow bMgCl_2 + H_2\uparrow$
(a, b는 반응 계수)
(나) $CaCO_3 + cHCl \longrightarrow$
$CaCl_2 + H_2O + \boxed{\ X\ }$ (c는 반응 계수)

이에 대한 설명으로 옳은 것만을 〈보기〉에서 있는 대로 고른 것은? (단, Mg, H, C, O의 원자량은 각각 24, 1, 12, 16이고, $CaCO_3$의 화학식량은 100이다. 화학 반응으로 발생한 반응열에 의해 온도는 변하지 않는다고 가정한다.)

┃ 보기 ┃
ㄱ. $a+b+c=5$이다.
ㄴ. X의 분자량은 44이다.
ㄷ. 0 ℃, 1 기압에서 Mg 24 g과 $CaCO_3$ 100 g을 각각 충분한 양의 묽은 염산에 넣었을 때, 발생하는 기체의 부피는 같다.

① ㄱ   ② ㄱ, ㄴ   ③ ㄱ, ㄷ
④ ㄴ, ㄷ   ⑤ ㄱ, ㄴ, ㄷ

11 표는 수소(H) 원자 수가 동일한 탄화수소 (가)와 (나)의 분자량과 성분 원소의 질량비를 나타낸 것이다.

탄화수소	분자량	질량비(C : H)
(가)	56	6 : 1
(나)	44	$x : y$

이에 대한 설명으로 옳은 것만을 〈보기〉에서 있는 대로 고른 것은? (단, H, C의 원자량은 각각 1, 12이다.)

┃ 보기 ┃
ㄱ. (가)를 구성하는 C와 H의 몰비는 1 : 2이다.
ㄴ. (나)의 C 원자 수는 4이다.
ㄷ. $x : y=9 : 2$이다.

① ㄱ   ② ㄱ, ㄴ   ③ ㄱ, ㄷ
④ ㄴ, ㄷ   ⑤ ㄱ, ㄴ, ㄷ

12 다음은 기체 A와 B가 반응하여 기체 C를 생성하는 반응의 화학 반응식이다.

$$2A(g) + bB(g) \longrightarrow cC(g)\ (b, c는 반응 계수)$$

그림은 일정한 질량의 A가 들어 있는 실린더에 B를 조금씩 넣어가면서 반응시켰을 때, 넣어 준 B의 질량에 따른 반응 후 전체 기체의 부피를 나타낸 것이다. 반응 전과 후 온도와 압력은 같고, 실험 조건에서 기체 1몰의 부피는 24 L이다.

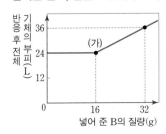

이에 대한 설명으로 옳은 것만을 〈보기〉에서 있는 대로 고른 것은? (단, 피스톤의 두께와 마찰은 무시한다.)

┃ 보기 ┃
ㄱ. A : B : C의 질량비는 2 : 1 : 2이다.
ㄴ. 넣어 준 B의 질량이 32 g일 때, 실린더 속에는 C만 존재한다.
ㄷ. A가 X_2, B가 Y_2라고 했을 때, C는 X_2Y이다.

① ㄱ   ② ㄴ   ③ ㄷ
④ ㄴ, ㄷ   ⑤ ㄱ, ㄴ, ㄷ

13 다음은 기체 A와 B로부터 기체 C와 D가 생성되는 반응의 화학 반응식이다.

$$A(g) + 2B(g) \longrightarrow 2C(g) + D(g)$$

그림은 일정한 질량의 A가 들어 있는 용기에 B를 조금씩 넣어 주면서 반응시켰을 때, 넣어 준 B의 질량에 따른 생성물 C와 D의 질량을 나타낸 것이다. (가), (나)는 각각 B를 16 g, 32 g 넣었을 때이다.

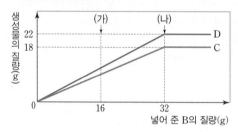

이에 대한 설명으로 옳은 것만을 〈보기〉에서 있는 대로 고른 것은?

┤ 보기 ├
ㄱ. A의 처음 질량은 8 g이다.
ㄴ. 분자량은 B가 A의 2배이다.
ㄷ. (나)에서 반응 후 전체 분자 수의 비는 (가)에서 반응 후 전체 분자 수의 6배이다.

① ㄱ   ② ㄱ, ㄴ   ③ ㄱ, ㄷ
④ ㄴ, ㄷ   ⑤ ㄱ, ㄴ, ㄷ

14 표는 일정한 온도와 압력에서 기체 (가)~(다)에 대한 자료이다. (가)~(다)에 포함된 수소 원자의 전체 질량은 같다.

기체	(가)	(나)	(다)
분자식	H_2	NH_3	CH_4
기체의 양	N_A개	V L	x g

(가)~(다)에 대한 설명으로 옳은 것만을 〈보기〉에서 있는 대로 고른 것은? (단, H의 원자량은 1이며, N_A는 아보가드로 수이다.)

┤ 보기 ├
ㄱ. $x=8$이다.
ㄴ. (가)의 부피는 $\dfrac{2}{3}V$ L이다.
ㄷ. (다)에 있는 총 원자 수는 $2N_A$이다.

① ㄱ   ② ㄱ, ㄴ   ③ ㄱ, ㄷ
④ ㄴ, ㄷ   ⑤ ㄱ, ㄴ, ㄷ

15 그림 (가)는 피스톤으로 분리된 용기에 기체 A 2 g과 기체 B 1 g이 들어 있는 것을, (나)는 B가 들어 있는 부분에 기체 C 1 g을 더 넣은 것을 나타낸 것이다. 온도는 일정하고, B와 C는 반응하지 않는다.

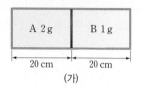
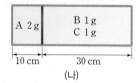

이에 대한 설명으로 옳은 것만을 〈보기〉에서 있는 대로 고른 것은? (단, 피스톤의 두께와 마찰은 무시한다.)

┤ 보기 ├
ㄱ. (가)에서 A와 B의 기체의 양(mol)은 같다.
ㄴ. (가)의 전체 분자의 양(mol)과 (나)의 전체 분자의 양(mol)은 같다.
ㄷ. 분자량의 비는 A : B : C=4 : 2 : 1 이다.

① ㄱ   ② ㄱ, ㄴ   ③ ㄱ, ㄷ
④ ㄴ, ㄷ   ⑤ ㄱ, ㄴ, ㄷ

16 다음은 X_2와 Y_2가 반응하여 A를 생성하는 화학 반응식이다. a는 반응식의 계수이다.

$$X_2(g) + 2Y_2(g) \longrightarrow aA(g)$$

표는 반응 전과 후의 기체에 대한 자료이다.

실험	반응 전		반응 후		
	X_2의 부피(L)	Y_2의 부피(L)	X_2의 질량(g)	Y_2의 질량(g)	전체 기체의 부피(L)
I	11.2	V_1	0	0.5	16.8
II	V_2	11.2	21	0	22.4

이에 대한 설명으로 옳은 것만을 〈보기〉에서 있는 대로 고른 것은? (단, 피스톤의 두께와 마찰은 무시하고, 0 ℃, 1 기압에서 기체 1몰의 부피는 22.4 L이다.)

┤ 보기 ├
ㄱ. A의 실험식은 X_2Y이다.
ㄴ. X_2의 분자량은 28이다.
ㄷ. $\dfrac{V_1}{V_2}=\dfrac{5}{4}$이다.

① ㄱ   ② ㄱ, ㄴ   ③ ㄱ, ㄷ
④ ㄴ, ㄷ   ⑤ ㄱ, ㄴ, ㄷ

17 다음은 마그네슘(Mg)과 염산(HCl(aq))의 화학 반응식이다.

$$Mg(s) + 2HCl(aq) \longrightarrow MgCl_2(aq) + H_2(g)$$

그림은 HCl(aq) 0.2 L에 Mg을 질량을 달리하여 넣었을 때, Mg의 질량에 따른 생성물 H_2의 부피를 나타낸 것이다.

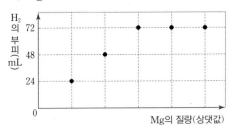

Mg을 넣기 전 HCl(aq) 0.2 L의 몰 농도는? (단, H_2 1몰의 부피는 24 L이다.)

① 0.03 M   ② 0.06 M   ③ 0.12 M

④ 0.18 M   ⑤ 0.24 M

18 그림은 0.1 M NaOH 수용액 300 mL를 나타낸 것이다. 이 비커에 8 g의 NaOH을 추가하려고 한다. 이에 대한 설명으로 옳은 것만을 〈보기〉에서 있는 대로 고른 것은? (단, NaOH의 화학식량은 40이고 추가한 NaOH에 따른 부피 증가는 없다고 가정한다.)

0.1 M
NaOH(aq)
300 mL

┤ 보기 ├

ㄱ. NaOH을 추가로 넣기 전 비커 속 NaOH의 양은 1.2 g이다.

ㄴ. NaOH을 추가했을 때 용액의 농도는 약 0.77 M이다.

ㄷ. NaOH를 추가한 후 용액의 농도가 0.1 M이려면 물 1 L를 추가하면 된다.

① ㄱ   ② ㄴ   ③ ㄱ, ㄴ

④ ㄴ, ㄷ   ⑤ ㄱ, ㄴ, ㄷ

19 다음은 묽은 염산(HCl)과 수산화 나트륨(NaOH) 수용액의 반응을 화학 반응식으로 나타낸 것이다.

$$HCl(aq) + NaOH(aq) \longrightarrow H_2O(l) + NaCl(aq)$$

250 mL의 물에 녹인 NaOH 8 g 용액을 0.4 M HCl 수용액 x mL와 완전히 중화 반응시켰다. x와 반응 후의 NaCl 수용액의 몰 농도를 구한 것으로 옳은 것은? (단, 각각의 원자량은 H=1, Cl=35.5, Na=23, O=16이고, 중화 반응으로 인해 생성된 물의 질량은 무시하며, 용액의 온도는 변하지 않았다고 가정한다.)

	x	몰 농도		x	몰 농도
①	250 mL	0.27 M	②	250 mL	0.54 M
③	500 mL	0.54 M	④	500 mL	0.27 M
⑤	500 mL	2.7 M			

20 20 % H_2SO_4 수용액의 몰 농도를 구하기 위하여 〈보기〉와 같은 자료를 조사하였다.

┤ 보기 ├

ㄱ. H_2SO_4의 화학식량   ㄴ. 물의 분자량

ㄷ. H_2SO_4 수용액의 밀도   ㄹ. 물의 밀도

ㅁ. H_2SO_4 수용액의 온도

몰 농도를 구하기 위해 꼭 필요한 자료를 〈보기〉에서 있는 대로 고른 것은?

① ㄱ, ㄴ   ② ㄱ, ㄷ   ③ ㄱ, ㄷ, ㄹ

④ ㄴ, ㄷ, ㄹ   ⑤ ㄴ, ㄷ, ㅁ

21 다음은 0.1 M 염화 나트륨(NaCl) 수용액 100 mL를 만들기 위한 실험 과정이다.

> (가) 염화 나트륨 5.85 g을 측정한다.
> (나) 100 mL 부피 플라스크를 준비한다.
> (다) 물이 담긴 50 mL 비커에 과정 (가)의 염화 나트륨을 넣고 녹인다.
> (라) 100 mL 부피 플라스크에 (다)의 용액을 넣고 표선까지 증류수를 채운다.
> (마) 마개를 막고 부피 플라스크를 흔들어 용액을 잘 섞는다.

과정 (가)~(마) 중 옳지 <u>않은</u> 것은? (단, Na의 원자량은 23, Cl의 원자량은 35.5이다.)

① (가)   ② (나)   ③ (다)
④ (라)   ⑤ (마)

22 다음은 재하가 0.01 M NaOH 수용액을 만드는 실험 과정이다.

> (가) 500 mL 부피 플라스크에 순도가 99 %인 NaOH $\boxed{x}$ g을 넣고, 수용액의 부피가 500 mL가 될 때까지 증류수를 넣어 0.1 M NaOH 수용액을 만든다.
> (나) 피펫으로 과정 (가)의 수용액 $\boxed{y}$ mL를 취하여 다른 500 mL 부피 플라스크에 넣는다.
> (다) 과정 (나)의 부피 플라스크에 수용액의 부피가 500 mL가 될 때까지 증류수를 넣어 0.01M NaOH 수용액을 만든다.

이에 대한 설명으로 옳은 것만을 〈보기〉에서 있는 대로 고른 것은? (단, NaOH의 화학식량은 40이고, 0.1 M NaOH 수용액의 밀도는 1.0 g/mL이다.)

> **보기**
> ㄱ. x는 $\frac{200}{99}$이다.
> ㄴ. y는 25이다.
> ㄷ. 0.1 M NaOH 수용액의 퍼센트 농도는 0.4 %이다.

① ㄱ   ② ㄱ, ㄴ   ③ ㄱ, ㄷ
④ ㄴ, ㄷ   ⑤ ㄱ, ㄴ, ㄷ

23 그림은 (가) 0.1 M HCl(aq) 500 mL와 (나) 0.3 M HCl(aq) 200 mL를 나타낸 것이다.

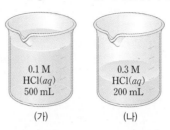

이에 대한 설명으로 옳은 것만을 〈보기〉에서 있는 대로 고른 것은?

> **보기**
> ㄱ. HCl의 양(mol)은 (가)가 (나)보다 많다.
> ㄴ. (가)와 (나)를 모두 섞었을 때 용액의 농도는 약 0.5 M이다.
> ㄷ. (가) 용액 200 mL와 (나) 용액 200 mL를 섞었을 때 용액의 농도는 0.2 M이다.

① ㄱ   ② ㄴ   ③ ㄷ
④ ㄴ, ㄷ   ⑤ ㄱ, ㄴ, ㄷ

24 은수는 0.1 M NaOH(aq) 표준 용액 300 mL를 이용하여 HCl(aq)을 중화하려고 하였다. 그런데 실수로 비커에 증류수를 넣어 NaOH(aq)의 부피가 500 mL가 되었고, NaOH(aq)의 농도를 알 수 없게 되었다.

이에 대한 설명으로 옳은 것만을 〈보기〉에서 있는 대로 고른 것은? (단, 추가한 NaOH에 따른 부피 증가는 없다고 가정한다.)

> **보기**
> ㄱ. 희석된 용액의 농도는 0.06 M이다.
> ㄴ. 표준 용액이 희석되기 전과 후의 NaOH의 양(mol)은 같다.
> ㄷ. 희석된 용액의 농도를 다시 0.1 M로 만들기 위해서는 NaOH을 2 g 더 넣어주면 된다.

① ㄱ   ② ㄱ, ㄴ   ③ ㄱ, ㄷ
④ ㄴ, ㄷ   ⑤ ㄱ, ㄴ, ㄷ

주기성 전자 발견
질량수 양자수 유효 핵전하
동위 원소 보어의 원자 모형
질량수 전자 순차 이온화 에너지
파울리 배타 원리 양자수 원자 모형
유효 핵전하 음극선 원자핵 발견 이온화 에너지
전자 껍질 양자수 이온화 에너지
원자핵 오비탈 전자 껍질 전자 배치 규칙
유효 핵전하 원자가 전자 양성자
원자가 전자 전자 배치 훈트 규칙 질량수 오비탈
알파(α) 입자 산란 실험 원자 반지름
이온 반지름 오비탈 톰슨
쌓음 원리 러드퍼드 전자 발견
평균 원자량 전자 중성자
음극선 실험 주기율
전자 원자가 전자
멘델레예프

단원 짚어보기

배운 내용

- 원소와 원자
- 원자핵
- 주기율표
- 멘델레예프의 주기율표
- 원자 번호
- 원소의 주기적인 성질
- 원자가 전자

원자의 세계

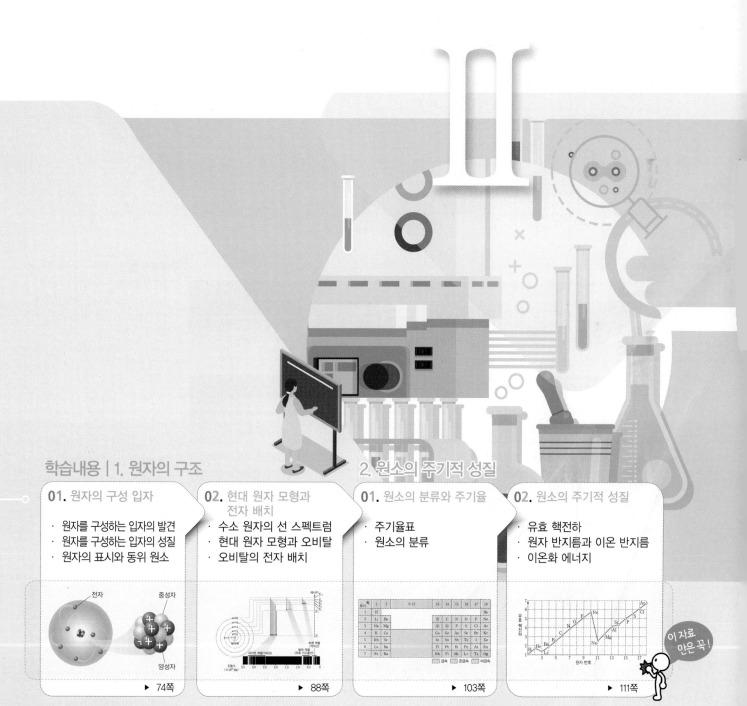

학습내용 | 1. 원자의 구조

01. 원자의 구성 입자

· 원자를 구성하는 입자의 발견
· 원자를 구성하는 입자의 성질
· 원자의 표시와 동위 원소

▶ 74쪽

02. 현대 원자 모형과 전자 배치

· 수소 원자의 선 스펙트럼
· 현대 원자 모형과 오비탈
· 오비탈의 전자 배치

▶ 88쪽

2. 원소의 주기적 성질

01. 원소의 분류와 주기율

· 주기율표
· 원소의 분류

▶ 103쪽

02. 원소의 주기적 성질

· 유효 핵전하
· 원자 반지름과 이온 반지름
· 이온화 에너지

▶ 111쪽

01 원자의 구성 입자

내 교과서는 어디에?
천재 p.55~64　교학사 p.56~61　금성 p.55~61　동아 p.57~65　미래엔 p.58~67
비상 p.55~59　상상 p.62~66　지학사 p.57~61　YBM p.67~73

핵심 Point
● 원자를 구성하는 **입자**의 종류와 성질을 이해한다.
● 원자의 구성 입자 수에 따라 원자를 **원소 기호**와 **원자 번호**로 나타낸다.
● 동위 원소의 존재 비율을 이용하여 **평균 원자량**을 구한다.

1 원자❶를 구성하는 입자의 발견

1. 전자의 발견(톰슨, 1897년)

① 음극선 실험: 톰슨(Thomson, J. J., 1856~1940)은 진공 유리관의 양끝에 전극을 설치한 뒤 높은 전압을 걸어 줄 때 발생하는 음극선의 성질을 실험을 통해 알아냄으로써 음극선의 정체가 원자를 이루고 있는 전자라는 사실을 밝혔다.

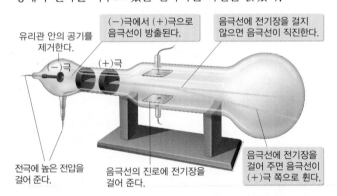

② 음극선의 성질

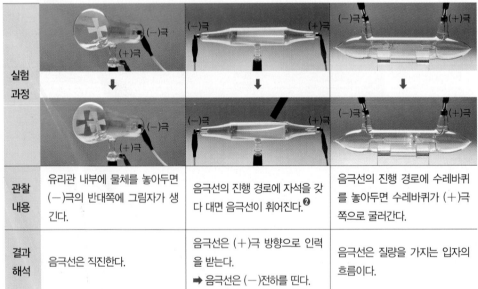

실험 과정	↓	↓	↓
관찰 내용	유리관 내부에 물체를 놓아두면 (−)극의 반대쪽에 그림자가 생긴다.	음극선의 진행 경로에 자석을 갖다 대면 음극선이 휘어진다.❷	음극선의 진행 경로에 수레바퀴를 놓아두면 수레바퀴가 (+)극 쪽으로 굴러간다.
결과 해석	음극선은 직진한다.	음극선은 (+)극 방향으로 인력을 받는다. ➡ 음극선은 (−)전하를 띤다.	음극선은 질량을 가지는 입자의 흐름이다.

③ 톰슨의 원자 모형: 톰슨은 음극선 실험을 통해 원자 내부에는 질량을 가지면서 (−)전하를 띠는 '전자'가 있다는 것을 알아내고, 새로운 원자 모형을 제시하였다.

· 원자는 (+)전하를 띤 공에 (−)전하를 띤 전자가 박혀 있는 모형이다.

· 주변의 (+)전하와 전자가 가진 (−)전하의 합은 0이므로 원자는 전기적으로 중성이다.

초코칩이 박혀 있는 푸딩에 비유하여 푸딩 모형이라고도 한다.

▲ 톰슨의 원자 모형

---

❶ 돌턴의 원자설

돌턴은 질량 보존 법칙, 일정 성분비 법칙 등 실험적인 현상을 설명하기 위해 '물질은 더 이상 쪼개지지 않는 원자로 이루어져 있다.'는 원자설을 주장하였다.

▲ 돌턴의 원자 모형

강의 콕

원자를 구성하는 더 작은 입자인 전자의 발견으로, 원자는 더 이상 쪼개지지 않는다는 돌턴의 원자설은 수정되어야 했다.

❷ 전자의 전하량−질량비

톰슨은 전기장과 자기장에서 음극선이 휘는 정도를 측정하여 전자의 질량에 대한 전하량의 비를 알아냈다. 질량이 클수록 입자는 덜 휘어지고, 전하량이 클수록 입자는 더 많이 휘어지게 된다.

용어

▶ 음극선: 진공 유리관의 양 끝에 전극을 설치한 뒤 높은 전압을 걸어 줄 때 (−)극에서 (+)극으로 흐르는 빛

---

2. 원자핵의 발견(러더퍼드, 1911년)

① 알파(α) 입자[3] 산란 실험: 러더퍼드(Rutherford, E., 1871~1937)는 금박[4]에 알파(α) 입자를 쏘아 주고 α 입자의 경로를 관찰하였다.

[실험 장치]

방사성 물질에서 방출되는 α 입자를 금박에 쏘고, 주변에 형광막을 설치하여 α 입자의 경로를 관찰한다. 이를 통해 α 입자 경로에 영향을 주는 원자 내부 입자의 존재를 확인할 수 있다.

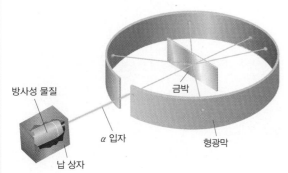

방사성 물질
금박
α 입자
형광막
납 상자

[예상 결과]

α 입자는 전자보다 매우 무겁기 때문에 톰슨의 원자 모형에 따른다면 모든 α 입자는 휘지 않고 직선 운동할 것으로 예상되었다.

---

② 실험 결과 및 해석

· 대부분의 α 입자는 휘지 않고 금박을 통과하였다.

➡ 원자의 대부분은 빈 공간이라는 것을 알 수 있다.

· 소수의 α 입자는 작은 각도로 경로가 휘었고, 극소수의 α 입자는 큰 각도로 튕겨져 나왔다.

➡ α 입자의 경로에 영향을 줄 수 있는 큰 질량을 가진 입자가 원자 내부에 존재하며, 이 입자는 α 입자가 큰 각도로 휘게 하는 반발력이 작용하므로 (+)전하를 띤다.

· 위의 결과를 종합하였을 때, 원자 내부에는 부피는 작으나 질량이 크고 (+)전하를 띠는 입자가 존재함을 알 수 있다.

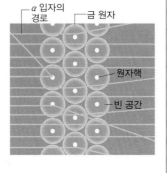

α 입자의 경로
금 원자
원자핵
빈 공간

③ 러더퍼드의 원자 모형: 러더퍼드는 α 입자 산란 실험을 통해 (+)전하를 띠는 '원자핵'이 원자 내부 중심에 존재하고, 주변부에 전자가 움직이는 모형을 제안하였다.

태양 주위를 공전하는 행성의 모양과 비슷하다고 하여, 행성 모형 또는 태양계 모형이라고도 한다.

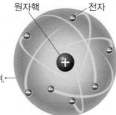

원자핵
전자

▲ 러더퍼드의 원자 모형

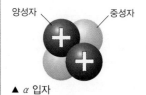

❸ α 입자

헬륨의 원자핵으로, 방사성 물질이 핵붕괴할 때 방출된다. 러더퍼드가 실험을 할 당시에는 α 입자가 헬륨의 원자핵이라는 것은 알려져 있지 않았고, (+)전하를 띠고 질량이 크다는 것만 밝혀져 있었다.

양성자
중성자

▲ α 입자

❹ 금박을 사용하는 까닭

금은 전성(두드리면 펴지는 성질)이 커서 매우 얇게 펼 수 있기 때문이다. α 입자 산란 실험은 원자에 α 입자를 통과시키는 것이기 때문에 경로에 적은 수의 원자가 있을수록 좋다.

셀파 콕콕

α 입자 산란 실험에서 발견된 입자가 양성자가 아닌 원자핵이라는 것에 유의해야 한다. 양성자는 러더퍼드가 이후 다른 실험을 통해 발견하였다.

─── 용어 ───

▶ **방사성 물질**: 안에 불안정한 핵이 있어서 이것들이 붕괴하면서 에너지가 높은 입자나 전자기파를 방출하는 물질

개념 확인하기

1 진공 유리관에 전극을 설치한 뒤 높은 전압을 걸어 주면 (　　)극에서 (　　)극으로 빛이 흐른다.

2 음극선의 경로에 전기장을 걸어 주면 (+)극 쪽으로 휘어진다. (○, ×)

3 알파(α) 입자 산란 실험에서 대부분의 α 입자 경로는 크게 휘었다. (○, ×)

4 알파(α) 입자 산란 실험을 통해 양성자가 발견되었다. (○, ×)

5 원자핵은 (　　)전하를 띤다.

답 1 −, + 2 ○ 3 × 4 × 5 +

3. 양성자와 중성자의 발견

① **양성자의 발견(러더퍼드, 1919년)**: 러더퍼드는 질소 기체에 알파(α) 입자를 충돌시켰을 때 ($+$)전하를 띤 가벼운 입자가 튀어 나오는 것을 발견하였고, 이 입자가 다른 원소에도 공통적으로 들어 있다는 것을 확인하고, 이를 '양성자'라고 하였다.[5] ─ 원자핵이 ($+$)전하를 띠는 까닭은 원자핵 속에 양성자가 들어 있기 때문이다.

② **중성자의 발견(채드윅, 1932년)**: 채드윅(Chadwick, J., 1891~1974)은 베릴륨에 α 입자를 충돌시켰을 때 전하를 띠지 않는 입자가 튀어 나오는 것을 발견하였고, 이를 '중성자'라고 하였다.

③ **새로운 원자 모형**
- 원자핵이 양성자와 중성자로 이루어져 있다는 것을 확인하였다.
- 원자를 이루는 입자는 양성자, 중성자, 전자이며, 양성자와 중성자가 뭉쳐진 원자핵 주변을 전자가 돌고 있는 원자 모형이 제시되었다.

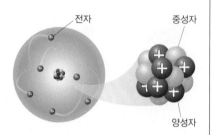

2 원자를 구성하는 입자의 성질

1. 원자의 크기 원자의 지름은 10^{-10} m 정도이고, 원자핵의 지름은 $10^{-15}{\sim}10^{-14}$ m 정도이다.

① 원자를 커다란 야구장이라고 하면, 원자핵은 야구장 가운데에 놓인 작은 구슬 정도의 크기에 해당한다.

② 전자는 원자핵보다도 더 작은 크기를 가진다.

③ 원자의 대부분은 빈 공간이며, 원자핵과 전자가 차지하는 부피는 원자의 크기에 비해 매우 적다. → 따라서 원자의 크기는 전자가 존재하는 공간의 크기라고 할 수 있다.

2. 원자를 구성하는 입자의 질량과 전하량[6]

입자		질량(g)	상대적 질량	전하량(C)	상대적 전하량
원자핵	양성자	1.673×10^{-24}	1	$+1.60 \times 10^{-19}$	$+1$
	중성자	1.675×10^{-24}	1	0	0
전자		9.109×10^{-28}	$\dfrac{1}{1837}$	-1.60×10^{-19}	-1

① 양성자와 중성자의 질량은 거의 동일하고 전자보다 1837배 무거우므로 원자의 질량은 원자핵의 질량과 거의 같다.

➡ 원자의 대부분은 빈 공간이고, 원자핵은 원자 크기에 비해 매우 작으므로 원자핵의 밀도는 매우 크다.

② 양성자와 전자의 전하량은 크기가 같고 부호만 반대이다.

➡ 원자에서 양성자와 전자의 개수가 같으므로 원자는 전기적으로 중성이다.

개념 확인하기

1 채드윅은 베릴륨에 α 입자를 충돌시켰을 때 전하를 띠지 않는 입자가 튀어 나오는 것을 발견하고, 이를 ( )(이)라고 하였다.

2 원자핵은 ($+$)전하를 띠는 ( )과/와 전하를 띠지 않는 ( )(으)로 구성되어 있으며, 그 주위를 ( )이/가 돌고 있다.

3 원자에서는 ( )과/와 ( )의 개수가 항상 같으므로 전기적으로 중성이다.

답 1. 중성자 2. 양성자, 중성자, 전자 3. 양성자, 전자

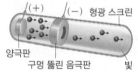

❺ 골트슈타인의 양극선 실험

톰슨의 음극선 실험 이전, 독일의 과학자 골트슈타인이 수소 방전관을 이용한 실험에서 ($-$)극 쪽으로 흐르는 선을 발견하고, 이를 '양극선'이라고 하였다. 하지만 당시에는 양극선이 양성자라는 사실을 알지 못했고, 추후 러더퍼드의 발견으로 양성자라는 입자가 발견되었다.

❻ 상대적 질량과 전하량

원자를 구성하는 입자는 매우 작은 질량과 전하량을 가지기 때문에, 우리가 일상생활에서 사용하는 단위인 그램(g)과 쿨롱(C)을 사용할 경우 매우 작은 값을 나타낸다. 따라서 편리하게 비교하기 위해 단위 없이 상대적 질량과 전하량을 사용한다.

강의 쏙

원자를 구성하는 입자의 질량과 전하량은 숫자를 외울 필요가 없으나, 상대적 값을 비교할 수는 있어야 한다.

암기 쏙

- 원자의 구조
원자 ┬ 원자핵 ┬ 양성자
       │   └ 중성자
       └ 전자
- 원자는 양성자수와 전자 수가 같음
➡ 전기적으로 중성

용어

▶ **밀도**: 물질의 질량을 부피로 나눈 값($\dfrac{질량}{부피}$)으로, 물질마다 고유한 값을 갖는다.

목표   음극선 실험의 결과를 통해 전자의 발견 과정을 이해할 수 있다.

과정 및 결과

❶ 진공 유리관의 양 끝에 전극을 설치한 뒤 높은 전압을 걸어 준다. ➡ (−)극에서 (+)극으로 흐르는 빛인 음극선을 관찰할 수 있다.

❷ 진공 유리관 내부에 물체를 놓아두었다. ➡ (−)극 반대쪽에 그림자가 생겼다.

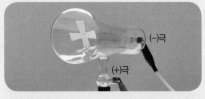 

❸ 음극선의 진행 경로에 자석을 갖다 대었다. ➡ 자석 방향으로 음극선이 휘어졌다.

❹ 음극선의 진행 경로에 수레바퀴를 설치하였다. ➡ 수레바퀴가 (+)극 쪽으로 굴러갔다.

정리

1. 이 실험으로 알 수 있는 음극선의 성질은 무엇인가?
→ • 물체를 놓았을 때 그림자가 생겼다. ➡ 음극선은 직진한다는 것을 알 수 있다.
　• 자석을 갖다 대었을 때 자석 쪽으로 휘어졌다. ➡ 음극선은 전하를 띤다.
　• 수레바퀴가 (+)극 쪽으로 굴러갔다. ➡ 음극선은 질량을 가진 입자의 흐름이다.

2. 이 실험을 통해 제안할 수 있는 원자 모형은?
→ 원자 내부에는 (−)전하를 띤 전자가 존재하고, 나머지 부분은 (+)전하가 고르게 분포되어 있다(푸딩 모형).

탐구 대표 문제 　정답과 해설 20쪽

01 위의 음극선 실험의 결과로 알 수 있는 사실은?

① 원자는 더 이상 쪼개질 수 없다.

② 원자는 질량을 가지는 입자이다.

③ 원자 내부에는 (+)전하를 띠는 입자가 존재한다.

④ 원자 내부에는 (−)전하를 띠는 입자가 존재한다.

⑤ 원자 내부에서는 원자핵 주변에 전자가 분포한다.

원자를 구성하는 입자 발견 실험

| 톰슨의 음극선 실험 |

그림은 톰슨의 음극선 실험 장치를 나타낸 것이다. 진공 유리관의 양끝에 전극을 설치하여 높은 전압을 걸어 준 후, (가) 음극선 경로에 전기장을 걸어 주고, (나) 음극선 경로에 바람개비를 놓아두었다.

이에 대한 설명으로 옳은 것은 ○, 옳지 않은 것은 ×를 하시오.

1. 진공 방전관의 양쪽 전극에 높은 전압을 걸어 주면 (+)극에서 (−)극으로 향하는 음극선이 관찰된다. (   )

2. 음극선은 외부에서 전기장을 걸어 주면 전기장의 (−)극 쪽으로 휘어진다. (   )

3. 음극선의 진행 경로에 바람개비를 두면 바람개비가 회전한다. (   )

4. (−)극으로 사용한 금속의 종류에 따라 전자의 질량에 대한 전하량의 비는 모두 다르게 계산된다. (   )

5. 이 실험으로 전자를 발견하였다. (   )

6. 이 실험으로 양성자를 발견하였다. (   )

7. 이 실험으로 톰슨의 원자 모형을 설명할 수 있다. (   )

8. 음극선은 (+)전하를 띤 입자의 흐름임을 알 수 있다. (   )

9. 음극선은 질량을 가진 입자의 흐름임을 알 수 있다. (   )

10. 이 실험으로 러더퍼드의 원자 모형을 설명할 수 있다. (   )

11. 이 실험을 통해 (+)전하를 띤 공 모양의 물질에 (−)전하를 띤 입자가 박혀 있는 원자 모형이 제안되었다. (   )

| 해설 |

음극선은 (−)전하를 띠며 질량을 가진 입자의 흐름으로, 이 입자가 전자이다. 전자의 질량에 대한 전하량의 비는 음극선관의 금속이나 전압의 크기에 관계없이 항상 일정하다.

| 러더퍼드의 알파(α) 입자 산란 실험 |

그림은 러더퍼드의 α 입자 산란 실험을 나타낸 것이다. 그림과 같이 금박 주위에 형광막을 설치한 다음, α 입자를 금박에 충돌시켰다.

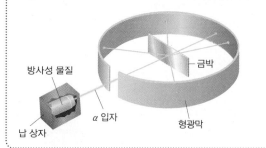

이에 대한 설명으로 옳은 것은 ○, 옳지 않은 것은 ×를 하시오.

1. 대부분의 α 입자는 금박을 통과하였다. (   )

2. 일부 α 입자는 굴절되었고, 극소수는 큰 각도로 튕겨 나왔다. (   )

3. 이 실험으로 원자핵을 발견하였다. (   )

4. 이 실험으로 전자를 발견하였다. (   )

5. α 입자는 전기적으로 중성이다. (   )

6. 원자 내부의 공간은 대부분 비어 있다. (   )

7. 원자핵은 (+)전하를 띠고 있다. (   )

8. 원자의 (+)전하는 원자핵에 밀집되어 있다. (   )

9. 이 실험은 톰슨의 원자 모형으로 설명할 수 있다. (   )

10. 전자의 에너지 준위는 불연속적임을 설명할 수 있다. (   )

11. 모든 원자에 (−)전하를 띠는 입자가 있음을 설명할 수 있다. (   )

12. 원자 내부에 양전하를 띠는, 질량이 크고 부피가 매우 작은 입자가 존재함을 알 수 있다. (   )

13. 원자 내부에 (+)전하를 띠는 입자와 (−)전하를 띠는 입자가 같은 수로 존재함을 설명할 수 있다. (   )

| 해설 |

러더퍼드의 α 입자 산란 실험을 통해 원자의 내부는 대부분 빈 공간이며, 원자의 중심에 크기가 매우 작고, 원자 질량의 대부분을 차지하는, (+)전하를 띤 원자핵이 존재함을 확인하였다.

3 원자의 표시와 동위 원소

1. 원자의 표시

① 원자 번호와 원소 기호

원자가 이온이 되면 전자의 수는 변화하므로, 전자의 수를 원자 번호로 정하지 않는다.

• 원소❼의 종류는 양성자의 개수에 따라서 결정되며, 양성자의 개수를 원자 번호로 정한다.

$$원자 번호 = 양성자수$$ → 양성자수가 같으면 같은 원소, 양성자수가 다르면 다른 원소이다.

• 원소마다 고유한 이름과 원소 기호❽를 가진다. 원소 기호는 원소 이름에서 알파벳 1~2개를 사용하여 첫 번째 글자는 대문자, 두 번째 글자는 소문자로 나타낸다.

㉾ 수소(Hydrogen): H, 헬륨(Helium): He, 산소(Oxygen): O, 칼슘(Calcium): Ca

② 질량수

• 원자의 구성 입자 중 양성자와 중성자는 질량이 거의 같고, 전자는 그에 비해 매우 가볍다. 따라서 원자의 질량은 양성자와 중성자 질량의 합, 즉 원자핵의 질량과 거의 같다.

• 양성자와 중성자의 개수 합을 통해 원자의 질량을 표시하고, 이를 질량수라고 한다.

$$질량수 = 양성자수 + 중성자수$$ → 양성자와 중성자의 개수로 원자의 질량을 대략적으로 비교할 수 있다.

③ 원자의 표시 방법: 원소 기호에 원자 번호와 질량수를 표시함으로써 원자에 대한 정보를 나타낸다.

• 원자 번호는 원소 기호 왼쪽 아래에 작은 글씨로 나타내며, 이를 통해 양성자수를 알 수 있다.

• 질량수는 원소 기호 왼쪽 위에 작은 글씨로 나타내며, 이를 통해 양성자수와 중성자수의 합을 알 수 있다.

• 중성 원자의 경우, 양성자수와 전자의 수가 같으므로, 전자의 수를 파악할 수 있다.

• 이온의 경우, 전하량을 오른쪽 위에 작은 글씨로 표시하며, 이로부터 양성자수와 전자 수의 차이를 알 수 있다.

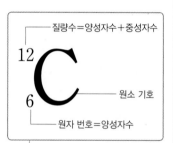

질량수＝양성자수＋중성자수

원소 기호

원자 번호＝양성자수

└ 원자 번호는 원소의 고유한 값이므로 생략하고, 질량수만 표시하여 ^{12}C로 나타내기도 한다.

[원자와 이온을 구성하는 입자 수] — 자료 파헤치기

＝원자 번호　＝질량수－양성자수　＝양성자수－전하량

기호	원자 번호	질량수	전하량	양성자수	중성자수	전자 수
$^{1}_{1}$H	1	1	0	1	0 (=1-1)	1 (=1-0)
$^{1}_{1}$H^{+}	1	1	+1	1	0 (=1-1)	0 (=1-(+1))
$^{12}_{6}$C	6	12	0	6	6 (=12-6)	6 (=6-0)
$^{15}_{8}$O^{2-}	8	15	-2	8	7 (=15-8)	10 (=8-(-2))
$^{23}_{11}$Na^{+}	11	23	+1	11	12 (=23-11)	10 (=11-(+1))

개념 확인하기

1 원소의 종류는 전자의 수로 결정된다. (○ , ×)

2 원자 번호는 (양성자수, 중성자수, 질량수)와 같다.

3 질량수는 ( )과/와 ( )의 합과 같다.

답 1 × 2 양성자수 3 양성자수, 중성자

---

❼ 원소와 원자

원소는 물질의 기본 성분을, 원자는 물질을 이루는 기본 입자를 의미한다. 따라서 원소는 원자의 종류를 의미한다고 볼 수 있다. 예를 들어 물 분자(H_2O) 1개를 이루는 원자는 3개이고, 원소의 종류는 2가지이다.

❽ 원소 기호

원소 기호는 라틴어나 그리스어 첫 글자를 따서 붙이게 되며, 첫 글자가 겹치는 경우 두 글자로 사용한다.

암기 콕

질량수＝양성자수＋중성자수
(＝ 원자 번호)
(＝ 중성 원자의 전자 수)

━━ 용어 ━━

▶ 이온: 원자가 전자를 잃거나 얻어서 (＋)전하 또는 (－)전하를 띠게 된 입자

2. 동위 원소

① **동위 원소**: 같은 원소의 원자는 양성자수가 같다. 그러나 양성자수가 같은 원자라도 원자핵 속의 중성자수가 다른 것도 있다. 이와 같이 양성자수는 같지만 중성자수가 다른 원소를 동위 원소라고 한다.

- 동위 원소는 양성자수가 같으므로 원자 번호와 원소 기호가 같고, 중성자수가 다르므로 질량수가 다르다.
- 동위 원소를 구분할 때에는 원소 기호에 질량수를 표시하여 나타낸다.
- 원소는 대부분 동위 원소를 가지고 있으며, 자연계에 존재하는 동위 원소의 비율은 거의 일정하다.

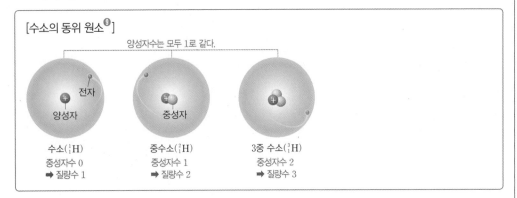

[수소의 동위 원소 ❾]

양성자수는 모두 1로 같다.

수소($_1^1H$)
중성자수 0
➡ 질량수 1

중수소($_1^2H$)
중성자수 1
➡ 질량수 2

3중 수소($_1^3H$)
중성자수 2
➡ 질량수 3

② **동위 원소 ❿의 성질**

- 동위 원소는 양성자수가 같으므로 전자의 수도 동일하다.
- ➡ 화학 결합이나 생성할 수 있는 물질의 종류가 동일하다.
- ➡ 동위 원소는 동일한 ▸화학적 성질을 가진다. → 중성자수는 그 원자의 화학적 성질에 거의 영향을 주지 않으므로 동위 원소는 화학적 성질이 거의 같다.
- 예 수소($_1^1H$)와 중수소($_1^2H$), 3중 수소($_1^3H$) 모두 산소와 2 : 1로 결합하여 물을 만들 수 있다.
- 동위 원소는 질량이 다르므로 밀도, 녹는점, 끓는점 등의 ▸물리적 성질이 다르다.
- ➡ 동위 원소들은 질량수도 다르고 원자량도 다르다.
- ➡ 한 원소의 질량수와 ▸원자량은 약간의 차이가 있으므로 동위 원소의 질량수의 비와 원자량의 비는 다르다.

③ **몇 가지 원소의 동위 원소**

원소	동위 원소	양성자수	중성자수	질량수	원자량	존재 비율(%)
수소(H)	$_1^1H$	1	0	1	1.0078	99.98
	$_1^2H$	1	1	2	2.0141	0.02
	$_1^3H$	1	2	3	3.0160	거의 없음
탄소(C)	$_6^{12}C$	6	6	12	12	98.90
	$_6^{13}C$	6	7	13	13.0034	1.10
산소(O)	$_8^{16}O$	8	8	16	15.995	99.762
	$_8^{17}O$	8	9	17	16.995	0.038
	$_8^{18}O$	8	10	18	17.999	0.200
염소(Cl)	$_{17}^{35}Cl$	17	18	35	34.9689	75.77
	$_{17}^{37}Cl$	17	20	37	36.9659	24.23

---

❾ **수소의 동위 원소**

수소의 동위 원소는 별도의 원소 기호를 사용할 때도 있는데, 중수소(Deuterium)는 D, 3중 수소(Tritium)는 T를 사용한다.

❿ **방사성 동위 원소**

불안정한 핵을 가지는 동위 원소를 방사성 동위 원소라고 한다. 원자핵의 안정성은 중성자수에 따라 달라질 수 있는데, 중성자가 너무 적거나 많아서 불안정한 경우 핵붕괴를 통해 안정한 핵을 가지려고 하며, 이때 방사선을 방출한다. 수소의 동위 원소 중 3중 수소는 방사성 동위 원소이다.

셀파 콕콕 🔍

동위 원소끼리 같은 수를 가지는 입자와 다른 수를 가지는 입자를 구분할 수 있어야 하며, 질량수와 원자 번호를 통해 중성자수를 계산할 수 있어야 한다.

═══ 용어 ═══

▸ **화학적 성질**: 물질이 어떻게 결합할지, 또는 다른 물질과 어떤 반응을 할지 등의 화학 반응과 관계 있는 성질
▸ **물리적 성질**: 물질의 역학적 성질이나 열, 광학, 전기, 자기의 성질 등을 양을 헤아려 정한 성질로서 밀도, 녹는점, 끓는점, 비열 등이 해당한다.
▸ **원자량**: 원자의 상대적 질량으로, ^{12}C의 원자량을 12로 하여 나타낸 상대적인 값

3. 평균 원자량

① 원자량과 질량수: 원자량과 질량수는 모두 원자의 질량을 나타내는 방법이지만, 그 중 원자량을 통해 더 정확한 원자의 질량을 비교할 수 있다.

- 질량수는 양성자와 중성자의 개수로 나타내므로 양성자와 중성자의 질량 차이 및 전자의 질량으로 인해 실제 질량과 차이가 있다. 반면, 원자량은 ^{12}C를 기준으로 나타낸 상대적 질량이므로 원자의 질량을 더 정확하게 비교할 수 있다. → 원자량과 질량수는 같지 않지만 매우 비슷한 값을 가진다.
- 모든 원자의 질량수는 자연수이지만, 원자량은 ^{12}C만 정확히 12의 값을 가진다.

② 평균 원자량: 주기율표에 나타내는 원자량은 해당 원소의 동위 원소의 원자량을 모두 고려한 평균 원자량이다.

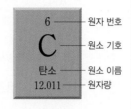

- 자연계에서 동위 원소의 비율이 대부분 일정하게 나타나므로 질량을 계산할 때 평균 원자량을 사용하는 것이 편리하다.
- 평균 원자량은 동위 원소의 존재 비율을 고려하여 계산한다.❶

평균 원자량 = (동위 원소의 원자량❷ × 존재 비율) + (동위 원소의 원자량 × 존재 비율) + …

예 수소의 평균 원자량

동위 원소	원자량	존재 비율(%)
$^{1}_{1}H$	1.0078	99.98
$^{2}_{1}H$	2.0141	0.02
$^{3}_{1}H$	3.0160	거의 없음

수소의 평균 원자량 계산

$$= 1.0078 \times \frac{99.98}{100} + 2.0141 \times \frac{0.02}{100}$$
$$\fallingdotseq 1.008$$

예 탄소의 평균 원자량

동위 원소	원자량	존재 비율(%)
$^{12}_{6}C$	12	98.90
$^{13}_{6}C$	13.0034	1.10

탄소의 평균 원자량 계산

$$= 12 \times \frac{98.90}{100} + 13.0034 \times \frac{1.10}{100}$$
$$\fallingdotseq 12.01$$

③ 평균 분자량: 구성 원자의 평균 원자량을 모두 더한 값

- 분자량은 분자를 구성하는 원자의 원자량 합과 동일하므로 동위 원소로 인해 같은 분자라도 여러 가지 분자량이 존재할 수 있다.
- 분자를 모두 분해했을 때 존재하는 동위 원소의 비율도 자연계에 존재하는 동위 원소 비율과 동일하므로 평균 분자량은 평균 원자량의 합과 동일하다.
- 동위 원소는 화학적 성질이 동일하므로 분자량의 차이가 있어도 분자의 화학 결합 및 반응 등에 있어서 차이는 거의 없지만, 물리적 성질에서는 차이가 나타날 수 있다.

❶ 평균 원자량과 동위 원소
원소 중 대부분은 1~2개의 안정한 동위 원소를 가진다. 따라서 평균 원자량을 통해 존재 비율이 높은 동위 원소를 추론할 수 있다.

❷ 원자량과 몰
몰은 입자를 세는 단위로, 1몰은 탄소(^{12}C) 12 g에 들어 있는 탄소 원자의 수로 정의한다. 따라서 '몰×원자량=질량'의 관계가 성립한다. 이러한 계산을 할 때 일반적으로 평균 원자량을 사용한다.

셀파 콕콕
원자량과 존재 비율을 통해 평균 원자량을 계산하거나, 평균 원자량을 통해 원자량 또는 존재 비율을 계산할 수 있어야 한다.

개념 확인하기

1 양성자수가 같고 전자 수가 다른 원소는 동위 원소 관계이다. (○ , ×)

2 동위 원소는 화학적 성질은 같고 물리적 성질은 다르다. (○ , ×)

3 다음 수소의 동위 원소의 양성자수와 중성자수를 각각 순서대로 쓰시오.
　(1) $^{1}_{1}H$: (　　 , 　　)　　(2) $^{2}_{1}H$: (　　 , 　　)

4 원소 X의 동위 원소 원자량이 각각 34, 36, 존재 비율이 각각 30 %, 70 %일 때 평균 원자량은 (　)이다.

답 1 × 2 ○ 3 (1) 1, 0, (2) 1, 1
4 35.4

셀파 세미나

동위 원소에 따른 분자의 질량

01 동위 원소와 분자량

- 분자량은 구성 원자의 원자량 합과 같으므로, 원자량이 다른 동위 원소로 인해 분자량이 다른 여러 가지 분자가 존재할 수 있다.

예 수소 분자(H_2)

- 안정한 수소(H) 동위 원소의 원자량

동위 원소	원자량
^1H	1.0
^2H	2.0

- 가능한 수소 분자(H_2)의 분자량

구성 동위 원소	분자량
$^1H + {}^1H$	$1.0 + 1.0 = 2.0$
$^1H + {}^2H$	$1.0 + 2.0 = 3.0$
$^2H + {}^2H$	$2.0 + 2.0 = 4.0$

예 산소 분자(O_2)

- 안정한 산소(O) 동위 원소의 원자량

동위 원소	원자량
^{16}O	16
^{17}O	17
^{18}O	18

실제로 산소의 동위 원소 원자량의 정확한 값의 차이는 1이 아니기 때문에 $^{16}O + {}^{18}O$과 $^{17}O + {}^{17}O$의 분자량은 정확히 동일하지는 않다.

- 가능한 산소 분자(O_2)의 분자량

구성 동위 원소	분자량
$^{16}O + {}^{16}O$	$16 + 16 = 32$
$^{16}O + {}^{17}O$	$16 + 17 = 33$
$^{16}O + {}^{18}O$	$16 + 18 = 34$
$^{17}O + {}^{17}O$	$17 + 17 = 34$
$^{17}O + {}^{18}O$	$17 + 18 = 35$
$^{18}O + {}^{18}O$	$18 + 18 = 36$

02 분자량에 따른 존재 비율

- 서로 다른 동위 원소로 이루어진 경우, 조합 가능한 경우의 수를 곱해 주어야 한다.
- 모든 분자량에 해당하는 분자의 존재 비율을 더하면 1이 되어야 한다.

예 브로민 분자(Br_2)의 분자량에 따른 존재 비율

- 안정한 브로민(Br) 동위 원소의 원자량

동위 원소	원자량	존재 비율
^{79}Br	79	$\frac{1}{2}$
^{81}Br	81	$\frac{1}{2}$

- 브로민 분자(Br_2)의 분자량에 따른 존재 비율

분자량	구성 동위 원소	존재 비율
158	$^{79}Br + {}^{79}Br$	$\frac{1}{2} \times \frac{1}{2} = \frac{1}{4}$
160	$^{79}Br + {}^{81}Br$	$2 \times \frac{1}{2} \times \frac{1}{2} = \frac{1}{2}$
162	$^{81}Br + {}^{81}Br$	$\frac{1}{2} \times \frac{1}{2} = \frac{1}{4}$

＋ Plus 자료

분자의 평균 분자량 계산 방법
❶ 분자식에서 가능한 동위 원소 조합을 통해 분자량의 종류를 파악한다.
❷ 동위 원소의 존재 비율을 통해 각 분자량에 해당하는 분자의 존재 비율을 계산한다.
❸ 분자의 평균 분자량을 계산한다.

강의 콕 🎬
분자량에 따른 분자의 존재 비율을 계산할 때에는 수학의 확률 개념을 활용하면 이해가 쉽다. ^{79}Br과 ^{81}Br이 50개씩 들어 있는 주머니에서 원자를 한 개씩 두 번 뽑아서 분자를 만들 때의 확률을 계산하면 된다.

＋ Plus 문제

Q. 분자 X_2를 구성하는 안정한 X의 두 가지 동위 원소의 원자량은 14, 15이다. 가능한 X_2의 분자량을 모두 구하시오.

A. 28, 29, 30 | X_2 분자를 만들 때 분자량은 14+14, 14+15, 15+15의 3가지 조합이 가능하다.

▶ 동위 원소로 이루어진 분자의 존재 비율과 분자량을 구하는 방법, 평균 분자량을 구하는 방법을 이해해 보아요.

평균 원자량과 평균 분자량

예 염소 분자(Cl_2)의 분자량에 따른 존재 비율

• 안정한 염소(Cl) 동위 원소의 원자량

동위 원소	원자량	존재 비율
^{35}Cl	35	$\frac{3}{4}$
^{37}Cl	37	$\frac{1}{4}$

• 염소 분자(Cl_2)의 분자량에 따른 존재 비율

분자량	구성 동위 원소	존재 비율
70	$^{35}Cl + ^{35}Cl$	$\frac{3}{4} \times \frac{3}{4} = \frac{9}{16}$
72	$^{35}Cl + ^{37}Cl$	$2 \times \frac{3}{4} \times \frac{1}{4} = \frac{3}{8}$
74	$^{37}Cl + ^{37}Cl$	$\frac{1}{4} \times \frac{1}{4} = \frac{1}{16}$

Plus 자료

동위 원소 효과

분자 내의 원자가 동위 원소로 치환되었을 때 동위 원소의 질량 차이에 의해 밀도, 확산 속도 등과 같은 성질이 변하는 것을 동위 원소 효과라고 한다.

예 중수(^2H_2O)는 일반 물(^1H_2O)보다 밀도가 더 커서 중수(^2H_2O)로 만든 얼음은 일반적인 물(^1H_2O)에 가라앉는다.

보통의 얼음(^1H_2O)
물(^1H_2O)
중수로 만든 얼음(^2H_2O)

03 평균 분자량 구하기

• 평균 분자량은 평균 원자량과 같이 분자량과 존재 비율을 곱하여 구할 수 있다.

평균 분자량＝(분자량 × 존재 비율)＋(분자량×존재 비율) ＋ …

• 평균 분자량은 분자를 구성하는 원자의 평균 원자량 합과 동일하다.

예 브로민 분자(Br_2)의 평균 분자량

$158 \times \frac{1}{4} + 160 \times \frac{1}{2} + 162 \times \frac{1}{4} = 160$

➡ Br의 평균 원자량(80)×2＝160

예 염소 분자(Cl_2)의 평균 분자량

$70 \times \frac{9}{16} + 72 \times \frac{3}{8} + 74 \times \frac{1}{16} = 71$

➡ Cl의 평균 원자량(35.5)×2＝71

04 분자량에 따른 분자의 성질 차이

• 원자의 화학적 성질은 양성자수에 따라 달라지므로 동위 원소는 화학적 성질이 동일하다.
   ➡ 동위 원소로 이루어진 분자는 동일한 화학 결합에 의해 분자를 만들 수 있고 반응도 유사하다.
• 동위 원소는 원자량이 다르므로 밀도 등의 물리적 성질에는 차이가 있다.
   ➡ 동위 원소로 이루어진 분자의 분자량이 다르므로 분자의 물리적 성질이 다르다.

강의 콕

단순히 평균 분자량을 구해야 하는 문제에서는 분자량에 따른 존재 비율을 계산하는 것보다 평균 원자량의 합을 구하는 것이 더 빠르고 간편하다.

01 X의 안정한 동위 원소의 원자량은 35(75 %), 37(25 %)이다. 이에 대한 설명으로 옳지 <u>않은</u> 것은?

① X의 평균 원자량은 35.5이다.
② X_2의 분자량 중 가장 작은 값은 70이다.
③ X_2 중 분자량이 72인 분자가 가장 존재 비율이 높다.
④ X_2의 평균 분자량은 71이다.
⑤ X_2의 가능한 분자량은 3가지이다.

| 해설 | X_2 분자 중 분자량이 70인 분자의 존재 비율이 가장 높다. ⓒ 🔒

02 질량수가 2인 수소를 포함한 물(^2H_2O)이 일반적인 물(^1H_2O)과 다른 성질을 나타내는 것은?

① 밀도
② 포함된 결합의 종류
③ 공유 전자쌍의 수
④ 비공유 전자쌍의 수
⑤ 한 분자에 포함된 양성자의 수

| 해설 | 밀도는 질량과 관련된 물리적 성질이므로 다른 동위 원소를 포함할 때 밀도가 달라진다. ① 🔒

기초 탄탄 문제

정답과 해설 20쪽

핵심용어_ 이 단원에서 내가 아는 것과 아직 모르는 것을 정리하며 나의 공부를 돌아보자.

- ☐ 음극선 실험
- ☐ 전자
- ☐ 알파 입자 산란 실험
- ☐ 원자핵
- ☐ 양성자
- ☐ 중성자
- ☐ 질량수
- ☐ 동위 원소

01 그림은 음극선 실험 장치를 나타낸 것이다.

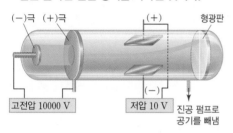

(−)극 (+)극   (+)   형광판
고전압 10000 V   저압 10 V   진공 펌프로 공기를 빼냄
(−)

음극선 실험에 대한 설명으로 옳은 것은?

① 음극선은 (+)극에서 방출된다.

② 유리관 내부에는 수소 기체를 넣어 준다.

③ 이 실험에 의해 양성자가 발견되었다.

④ 음극선은 (+)전하를 띤 입자의 흐름이다.

⑤ 음극선의 경로에 바람개비를 두면 회전할 것이다.

02 그림은 실험을 통해 제시된 원자 모형 3가지를 나타낸 것이다.

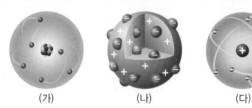

(가)   (나)   (다)

원자 모형이 제시된 순서로 알맞은 것은?

① (가) → (다) → (나)

② (나) → (가) → (다)

③ (나) → (다) → (가)

④ (다) → (가) → (나)

⑤ (다) → (나) → (가)

03 원자와 원자의 구성 입자에 대한 설명으로 옳지 <u>않은</u> 것은?

① 원자 내부는 대부분 빈 공간이다.

② 양성자보다 전자의 질량이 더 크다.

③ 양성자와 중성자는 질량이 비슷하다.

④ 양성자와 중성자는 원자핵을 구성한다.

⑤ 양성자와 전자의 전하량은 크기가 같고 부호가 다르다.

04 표는 원자 X~Z를 구성하는 입자 수를 나타낸 것이다.

원자	양성자 수	중성자 수	전자 수
X	6	6	6
Y	6	7	6
Z	7	7	7

X~Z에 대한 설명으로 옳지 <u>않은</u> 것은? (단, X~Z는 임의의 원소 기호이다.)

① X와 Y는 동위 원소이다.

② 질량수는 X < Y < Z이다.

③ 원자 번호는 Z가 가장 크다.

④ Y와 Z는 화학적 성질이 같다.

⑤ Y를 원자의 표시법으로 나타내면 $^{13}_{6}Y$이다.

05 표는 임의의 원소 X의 2가지 동위 원소에 대한 자료이다.

원소	질량수	원자량	존재 비율 (%)	평균 원자량
X	35	35	x	35.5
	37	37	y	

x와 y로 알맞은 것은? (단, X는 임의의 원소 기호이며, $x+y$는 100이다.)

	x	y		x	y
①	20	80	②	25	75
③	50	50	④	60	40
⑤	75	25			

내신 만점 **문제**

정답과 해설 20쪽   * ▦▦ 난이도를 나타냅니다.

01
그림은 원자를 구성하는 입자 X를 발견하게 된 실험을 나타낸 것이다.

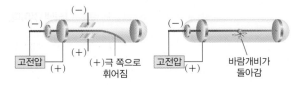

이 실험과 관련된 설명으로 옳은 것만을 〈보기〉에서 있는 대로 고른 것은?

┤ 보기 ├
ㄱ. X는 질량을 가진다.
ㄴ. X는 (−)전하를 띤다.
ㄷ. X의 발견으로 푸딩 원자 모형이 제시되었다.

① ㄱ   ② ㄴ   ③ ㄱ, ㄷ
④ ㄴ, ㄷ   ⑤ ㄱ, ㄴ, ㄷ

02
다음은 원자 모형 (가)에 대한 설명이다.

- 음극선 실험의 결과를 설명할 수 있다.
- (가)에 따르면 알파(α) 입자가 원자를 통과했을 때 모든 알파(α) 입자의 경로가 거의 휘어지지 않고 직진할 것이다.

(가)에 대한 설명으로 옳은 것만을 〈보기〉에서 있는 대로 고른 것은?

┤ 보기 ├
ㄱ. 원자핵이 존재하지 않는 모형이다.
ㄴ. 수소 원자의 선 스펙트럼을 설명할 수 있다.
ㄷ. 전자의 존재를 확률 분포로 설명할 수 있다.

① ㄱ   ② ㄷ   ③ ㄱ, ㄴ
④ ㄴ, ㄷ   ⑤ ㄱ, ㄴ, ㄷ

03
다음은 알파(α) 입자 산란 실험을 나타낸 것이다.

[실험 장치]

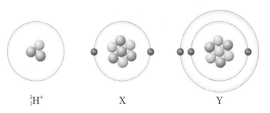

[실험 결과]
- 대부분의 α 입자는 휘어지지 않고 금박을 통과했다.
- 일부 α 입자는 휘어지거나 튕겨져 나왔다.

이에 대한 설명으로 옳은 것만을 〈보기〉에서 있는 대로 고른 것은?

┤ 보기 ├
ㄱ. 원자는 대부분 빈 공간이다.
ㄴ. 이 실험을 통해 (+)전하를 띠는 입자가 발견되었다.
ㄷ. 이 실험을 통해 발견된 입자의 수는 원자 번호와 같다.

① ㄱ   ② ㄷ   ③ ㄱ, ㄴ
④ ㄴ, ㄷ   ⑤ ㄱ, ㄴ, ㄷ

04
그림은 $^{3}_{1}H^{+}$과 원자 또는 이온 X, Y를 모형으로 나타낸 것이다.

$^{3}_{1}H^{+}$ X   Y

이에 대한 설명으로 옳은 것만을 〈보기〉에서 있는 대로 고른 것은?

┤ 보기 ├
ㄱ. X와 Y는 질량수가 같다.
ㄴ. X는 Y보다 원자 번호가 크다.
ㄷ. Y는 +1가 양이온이다.

① ㄴ   ② ㄷ   ③ ㄱ, ㄴ
④ ㄱ, ㄷ   ⑤ ㄱ, ㄴ, ㄷ

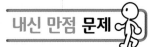
05 다음은 아르곤과 칼륨 원자를 기호로 나타낸 것이다.

$$^{40}_{18}Ar \qquad ^{40}_{19}K$$

$^{40}_{18}Ar$이 $^{40}_{19}K$보다 큰 값을 갖는 것만을 〈보기〉에서 있는 대로 고른 것은?

┤ 보기 ├
ㄱ. 질량수
ㄴ. 전자 수
ㄷ. 중성자수

① ㄴ   ② ㄷ   ③ ㄱ, ㄴ
④ ㄱ, ㄷ   ⑤ ㄱ, ㄴ, ㄷ

 표는 원자 A와 양이온 B, C를 구성하는 입자의 수를 나타낸 것이다. (가)~(다)는 각각 전자, 양성자, 중성자 중 하나이다.

구성 입자 원자 또는 이온	(가)	(나)	(다)
A	6	6	7
B	11	10	12
C	12	10	12

이에 대한 설명으로 옳은 것만을 〈보기〉에서 있는 대로 고른 것은?

┤ 보기 ├
ㄱ. (가)가 양성자이다.
ㄴ. B와 C는 동위 원소 관계이다.
ㄷ. 질량수는 C가 A의 2배이다.

① ㄱ   ② ㄴ   ③ ㄱ, ㄷ
④ ㄴ, ㄷ   ⑤ ㄱ, ㄴ, ㄷ

07 표는 원자를 구성하는 입자 (가)~(다)에 대한 자료이다. (가)~(다)는 각각 전자, 양성자, 중성자 중 하나이다.

성질 입자	(가)	(나)	(다)
질량(g)	1.67×10^{-24}	x	9.11×10^{-28}
전하량(C)	$+1.60 \times 10^{-19}$	0	y

이에 대한 설명으로 옳은 것만을 〈보기〉에서 있는 대로 고른 것은?

┤ 보기 ├
ㄱ. x는 약 9.11×10^{-28}이다.
ㄴ. y는 -1.60×10^{-19}이다.
ㄷ. 질량수가 1인 수소(^1_1H) 원자에는 (나)가 존재하지 않는다.

① ㄱ   ② ㄴ   ③ ㄱ, ㄷ
④ ㄴ, ㄷ   ⑤ ㄱ, ㄴ, ㄷ

08 다음은 원자 X~Z의 이온을 나타낸 것이다.

$$^{15}_{8}X^{2-} \qquad ^{19}_{9}Y^{-} \qquad ^{26}_{13}Z^{3+}$$

이에 대한 설명으로 옳은 것만을 〈보기〉에서 있는 대로 고른 것은? (단, X~Z는 임의의 원소 기호이다.)

┤ 보기 ├
ㄱ. 전자 수는 세 가지 이온이 모두 같다.
ㄴ. 중성자수는 X < Y < Z이다.
ㄷ. $\dfrac{중성자수}{양성자수}$는 X < Z < Y이다.

① ㄴ   ② ㄷ   ③ ㄱ, ㄴ
④ ㄱ, ㄷ   ⑤ ㄱ, ㄴ, ㄷ

09 표는 X_2 분자의 분자량에 따른 존재 비율을 나타낸 것이다.

분자량	존재 비율(%)
158	25
160	50
162	25

이에 대한 설명으로 옳은 것만을 〈보기〉에서 있는 대로 고른 것은? (단, X는 임의의 원소 기호이다.)

┤ 보기 ├
ㄱ. X의 동위 원소는 3가지이다.
ㄴ. X의 원자량 중 가장 작은 값은 79이다.
ㄷ. X_2의 평균 분자량은 160이다.

① ㄱ   ② ㄷ   ③ ㄱ, ㄴ
④ ㄴ, ㄷ   ⑤ ㄱ, ㄴ, ㄷ

10 다음은 질소(N)에 대한 자료의 일부이다.

[자료]
자연 상태에서 질소는 두 가지 안정한 동위 원소로 존재한다.

질소의 평균 원자량을 구하기 위해 추가로 조사해야 할 자료로 옳은 것만을 〈보기〉에서 있는 대로 고른 것은?

┤ 보기 ├
ㄱ. 질소의 각 동위 원소의 질량수
ㄴ. 질소의 각 동위 원소의 원자량
ㄷ. 질소의 각 동위 원소의 자연계 존재 비율
ㄹ. 질소의 각 동위 원소의 양성자수

① ㄱ, ㄷ   ② ㄴ, ㄷ   ③ ㄴ, ㄹ
④ ㄱ, ㄴ, ㄹ   ⑤ ㄱ, ㄷ, ㄹ

서술형 문제

11 다음은 브라운관 TV의 원리에 대해 조사한 자료와 브라운관 TV에서 나타나는 현상을 나타낸 것이다.

[자료]
전자총에서 전자가 나와 화면의 형광 물질과 충돌하여 브라운관 TV의 영상을 나타낸다.

[현상]
브라운관 TV에 자석을 가까이하면 자석 주위의 화면이 휘어지는 것을 관찰할 수 있다.

(1) 음극선 실험에서 발견된 전자의 성질 중 위의 현상과 관련 있는 것을 쓰시오.

_____

(2) 위 현상의 원인을 (1)에서 답한 전자의 성질과 관련지어 서술하시오.

_____
_____

12 표는 가상의 원소 A의 동위 원소에 대한 자료이다.

원자량	존재 비율(%)	평균 원자량
x	80	$x+0.4$
y	20	

(1) $y-x$의 값을 구하되, 식도 함께 쓰시오.

_____

(2) 원자 A 2개가 결합하여 이원자 분자 A_2를 형성할 수 있다. A_2 분자가 가질 수 있는 분자량에 따른 존재 비와 이를 구하는 과정을 서술하시오. (단, 분자량은 x를 이용해서 쓰시오.)

_____
_____
_____
_____

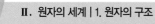

02 현대 원자 모형과 전자 배치

내 교과서는 어디에?

천재 p.65~77 교학사 p.64~77 금성 p.62~73 동아 p66~74 미래엔 p.68~79
비상 p.60~68 상상 p.70~79 지학사 p.62~70 YBM p.77~87

핵심 Point
- 수소 원자의 선 **스펙트럼**을 통해 에너지의 **불연속성**을 이해한다.
- **양자수**와 **오비탈**을 이용하여 **현대 원자 모형**을 설명할 수 있다.
- **전자 배치** 규칙에 따라 전자를 오비탈에 배치할 수 있다.

1. 수소 원자의 선 스펙트럼

1. 빛과 스펙트럼

① 빛: 전기장과 자기장의 진동을 통해 전달되는 ▸파동을 전자기파라고 하며, 전자기파는 빛의 형태로 나타난다.

- 전자기파는 ▸파장에 따라 여러 영역으로 나누어진다.❶

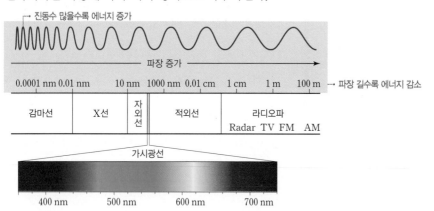

- 파장(λ)에 관계없이 속도(c)는 동일하고 속도(c)는 파장(λ)과 ▸진동수(ν)의 곱이므로, 파장(λ)과 진동수(ν)는 반비례한다.
- 전자기파의 에너지(E)는 진동수(ν)에 비례한다. 따라서 에너지는 파장(λ)에 반비례한다.

$$c = \lambda \times \nu, \quad E = h\nu = \frac{hc}{\lambda}$$

(c: 빛의 속도, λ: 파장, ν: 진동수, h(플랑크 상수): 6.6×10^{-34} J·s)

② 스펙트럼: 빛을 분광기에 통과시킬 때 각 파장별로 빛이 분산되어 생기는 띠❷

- 연속 스펙트럼: 햇빛을 프리즘(분광기)에 통과시키면 모든 색이 나타나는 연속 스펙트럼이 나타난다.

- 수소 원자의 선 스펙트럼: 수소 방전관에서 방출되는 빛을 프리즘(분광기)에 통과시키면 불연속적인 선 스펙트럼이 나타난다.

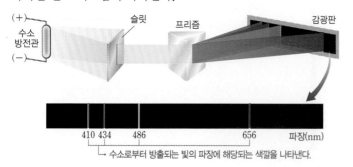

└→ 수소로부터 방출되는 빛의 파장에 해당되는 색깔을 나타낸다.

---

❶ 색과 파장

가시광선의 연속 스펙트럼을 관찰하면 빨간색의 파장이 가장 길고, 보라색의 파장이 가장 짧다. 적외선 영역은 '빨간색 바깥'이라는 의미로 빨간색보다 파장이 길며, 자외선 영역은 '보라색 바깥'이라는 의미로 보라색보다 파장이 짧다.

❷ 빛의 분산

파장에 따라 굴절되는 정도에 차이가 있기 때문에 빛을 프리즘에 통과시키면 빛이 다양한 색으로 나누어져 나타난다.

강의 콕

수소 방전관에서 몇 개 파장의 빛만 방출하는 것은 수소 원자가 특정한 에너지의 빛만 방출하기 때문이며, 이로부터 수소 원자가 가질 수 있는 에너지는 불연속적임을 알 수 있다.

━━ 용어 ━━

▸ **파동**: 매질의 진동을 통해 에너지가 전달되는 현상. 전자기파는 매질 없이 전기장과 자기장이 진동한다.
▸ **파장**: 매질이 1회 진동할 때 파동이 진행하는 거리
▸ **진동수**: 1초에 매질이 진동하는 횟수. 매질이 1회 진동하는 데 걸리는 시간(주기)에 반비례한다.

2. 보어의 원자 모형 보어는 수소 원자의 선 스펙트럼을 설명할 수 있는 원자 모형을 제시하였다.

① 전자 껍질: 전자는 특정한 에너지 준위의 원형 궤도를 따라 원자핵 주위를 원운동하고 있는데, 전자가 존재할 수 있는 궤도를 전자 껍질이라고 한다. → 전자는 궤도 외의 다른 공간에 존재할 수 없다.

전자 — 원자핵

② 주 양자수: 원자핵에 가까운 전자 껍질부터 주 양자수(n)를 1, 2, 3, … 순서로 부여하며, 이론적으로 주 양자수(n)는 무한대(∞)까지 가능하다. ➡ 전자 껍질을 나타내는 기호로 K, L, M, N, …을 사용한다.

③ 전자의 에너지 준위: 전자가 각 전자 껍질에서 가지는 에너지
• 전자 껍질의 주 양자수가 커질수록 전자가 가지는 에너지 준위가 높아진다.❸ → 전자가 원자핵에 가까이 있을수록 큰 정전기적 인력을 받으며, 에너지 준위가 낮다.
• 주 양자수(n)가 커질수록 전자 껍질 간의 에너지 준위 차이가 작아진다.
　예 $n=1$과 $n=2$ 사이의 에너지 차이가 $n=2$와 $n=3$ 사이의 에너지 차이보다 크다.
• 전자는 전자 껍질 외의 다른 공간에 존재할 수 없으므로 전자의 에너지는 불연속적이다.
　예 $n=1$의 에너지 준위와 $n=2$의 에너지 준위 사이의 값을 가질 수 없다.

④ ▶전자 전이와 에너지 출입: 전자가 에너지 준위가 다른 전자 껍질로 전이할 때 두 전자 껍질의 에너지 준위 차이만큼 에너지를 흡수하거나 방출한다. 이 에너지의 형태는 전자기파(빛)이다.

에너지 준위가 낮은 전자 껍질에서 높은 전자 껍질로 이동할 때	에너지 준위가 높은 전자 껍질에서 낮은 전자 껍질로 이동할 때
에너지를 흡수한다.	에너지를 방출한다.
에너지 흡수	에너지 방출

3. 수소 원자의 선 스펙트럼

① 수소 원자에서 전자의 에너지 준위❹ → 다전자 원자에서는 전자 간 반발로 인해 이와 같은 식이 성립하지 않는다.

$$E_n = -\frac{1312}{n^2} \text{ kJ/mol } (n=1, 2, 3, \cdots)$$

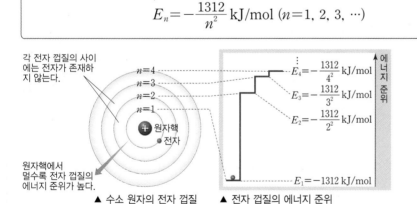

각 전자 껍질의 사이에는 전자가 존재하지 않는다.

원자핵에서 멀수록 전자 껍질의 에너지 준위가 높다.

$n=4$
$n=3$
$n=2$
$n=1$
원자핵
전자

$E_4 = -\dfrac{1312}{4^2}$ kJ/mol
$E_3 = -\dfrac{1312}{3^2}$ kJ/mol
$E_2 = -\dfrac{1312}{2^2}$ kJ/mol
$E_1 = -1312$ kJ/mol

에너지 준위

▲ 수소 원자의 전자 껍질　　▲ 전자 껍질의 에너지 준위

개념 확인하기

1 전자기파의 에너지는 진동수에 비례한다. (○ , ×)
2 수소 방전관에서 방출되는 빛을 프리즘에 통과시키면 (연속 , 선) 스펙트럼이 나타난다.
3 전자는 원자핵에서 멀어질수록 높은 에너지를 가진다. (○ , ×)
4 주 양자수(n)가 커질수록 전자 껍질 사이의 에너지 준위 차이가 커진다. (○ , ×)

❸ 안정과 불안정
에너지가 낮은 상태는 안정하고, 에너지가 높은 상태는 불안정하다. 전자가 가장 안정한 배치를 가질 때 바닥상태라고 하며, 불안정한 배치를 가질 때 들뜬상태라고 한다. 모든 물질은 안정한 상태를 선호한다.

강의 톡!
우리가 지구로부터 멀어질수록 위치 에너지가 커지듯이, 전자가 원자핵으로부터 멀어질수록 에너지가 높아진다.

❹ 수소 원자의 바닥상태
수소 원자의 경우 전자가 1개이므로 $n=1$인 전자 껍질에 존재할 때가 바닥상태이다.

──── 용어 ────

▶ **전자 전이**: 전자가 한 에너지 준위에서 다른 에너지 준위로 이동하는 현상

답 1 ○ 2 선 3 ○ 4 ×

② 전자 전이와 에너지: 전자가 전이할 때 흡수하거나 방출하는 에너지의 크기는 각 전자 껍질의 에너지 준위 차이로 계산할 수 있다.→ 주 양자수(n)가 같다면 흡수할 때와 방출할 때 에너지 크기가 동일하다.

예 $n=2$의 전자 껍질에서 $n=1$의 전자 껍질로 전이할 때 방출하는 에너지

$$\Delta E = E_2 - E_1 = \left(-\frac{1312}{2^2}\right) - \left(-\frac{1312}{1^2}\right) = \frac{3}{4} \times 1312 \ (\text{kJ/mol})$$ → $n=1$에서 $n=2$로 전이할 때 흡수하는 에너지와 크기가 같다.

③ 수소 원자의 방출 스펙트럼: 전자가 가질 수 있는 에너지는 불연속적이므로 전자 전이 시 흡수하거나 방출하는 빛의 에너지와 파장도 불연속적이다.

- 전자 전이로 인해 방출하거나 흡수하는 빛이 선 스펙트럼으로 나타난다.
- 에너지 준위가 높은 전자 껍질에서 낮은 전자 껍질로 전자가 전이할 때, 전이 후 주 양자수 (n)에 따라 방출되는 빛의 선 스펙트럼 계열이 달라진다.❺

스펙트럼 계열	주 양자수		스펙트럼 영역
	전이 전	전이 후	
라이먼 계열	$n \geq 2$	$n=1$	자외선
발머 계열	$n \geq 3$	$n=2$	주로 가시광선($n=3$부터 $n=6$에서 전이할 때)
파셴 계열	$n \geq 4$	$n=3$	적외선

[수소 원자의 방출 스펙트럼]

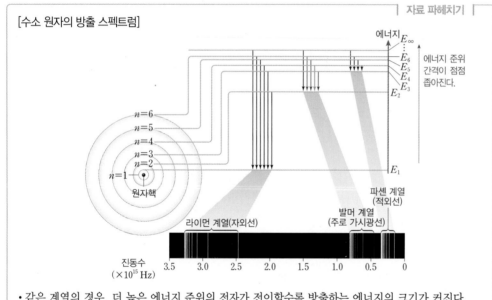

- 같은 계열의 경우, 더 높은 에너지 준위의 전자가 전이할수록 방출하는 에너지의 크기가 커진다.
- 더 높은 에너지 준위의 전자가 전이하는 쪽의 선 스펙트럼 간격이 좁다.

④ 보어 원자 모형의 한계
- 전자가 1개인 수소 원자에 대해서만 정확한 에너지 준위를 계산할 수 있다.
- 다전자 원자의 경우 같은 주 양자수를 가지는 전자에 대해서도 여러 가지 에너지 준위가 나타난다.❻

개념
확인하기

1 수소 원자에서 $n=3$에서 $n=1$로 전자가 전이할 때 자외선이 방출된다. (○ , ×)
2 수소 원자에서 $n=2$에서 $n=3$으로 전자가 전이할 때 적외선이 흡수된다. (○ , ×)
3 헬륨 원자에서 전자의 에너지 준위는 $E_n = -\dfrac{1312}{n^2}$ kJ/mol이다. (○ , ×)

답 1. ○ 2. × 3. ×

❺ 수소 원자의 선 스펙트럼 계열
$n=4$ 이상의 전자 껍질로 전자가 전이할 때에도 브래킷 계열, 훈트 계열 등의 이름이 있지만, 화학 I에서는 다루지 않는다. $n=4$ 이상의 전자 껍질로 전자가 전이할 때에는 적외선이 방출된다.

❻ 다전자 원자에 대한 보어 모형
보어 모형은 전자와 원자핵 사이의 인력만 고려하기 때문에, 전자가 여러 개 있을 때 반발력이 작용하면 정확한 에너지 준위를 계산할 수 없다. 그러나 다전자 원자의 방출 스펙트럼 또한 선 스펙트럼으로 나타나기 때문에 전자의 에너지 준위가 불연속적이라는 것을 알 수 있다.

암기 콕
수소 원자의 전자 전이와 스펙트럼 계열
- $n \geq 2 \rightarrow n=1$
  라이먼 계열, 자외선
- $n \geq 3 \rightarrow n=2$
  발머 계열, 가시광선
- $n \geq 4 \rightarrow n=3$
  파셴 계열, 적외선

용어
▶ 다전자 원자: 전자가 여러 개인 원자. 수소 외에는 모두 다전자 원자이다.

셀파 세미나 ——— S·H·E·R·P·A

수소 원자의 전자 전이와 선 스펙트럼

01 보어의 수소 원자 모형과 에너지

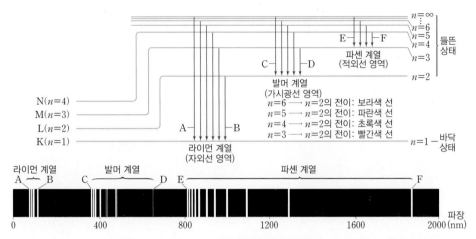

구분		전자 전이	각 계열에서 파장과 에너지 비교
A	라이먼 계열	$n=\infty \rightarrow n=1$	라이먼 계열에서 파장이 가장 짧고, 에너지는 가장 큼
B		$n=2 \rightarrow n=1$	라이먼 계열에서 파장이 가장 길고, 에너지는 가장 작음
C	발머 계열	$n=\infty \rightarrow n=2$	발머 계열에서 파장이 가장 짧고, 에너지는 가장 큼
D		$n=3 \rightarrow n=2$	발머 계열에서 파장이 가장 길고, 에너지는 가장 작음
E	파셴 계열	$n=\infty \rightarrow n=3$	파셴 계열에서 파장이 가장 짧고, 에너지는 가장 큼
F		$n=4 \rightarrow n=3$	파셴 계열에서 파장이 가장 길고, 에너지는 가장 작음

02 수소 원자의 전자 전이와 에너지

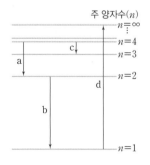

[에너지와 파장의 비교]
- 에너지: b>a>c
- 파장: c>a>b

a	$n=4 \rightarrow n=2$로 전이 ➡ 246 kJ/mol 에너지 방출
	$\Delta E = E_4 - E_2 = -\dfrac{1312}{4^2} - \left(-\dfrac{1312}{2^2}\right) = +246 \ (\text{kJ/mol})$
b	$n=2 \rightarrow n=1$로 전이 ➡ 984 kJ/mol 에너지 방출
	$\Delta E = E_2 - E_1 = -\dfrac{1312}{2^2} - \left(-\dfrac{1312}{1^2}\right) = +984 \ (\text{kJ/mol})$
c	$n=4 \rightarrow n=3$으로 전이 ➡ 63.8 kJ/mol 에너지 방출
	$\Delta E = E_4 - E_3 = -\dfrac{1312}{4^2} - \left(-\dfrac{1312}{3^2}\right) \fallingdotseq +63.8 \ (\text{kJ/mol})$
d	$n=1 \rightarrow n=\infty$로 전이 ➡ 1312 kJ/mol 에너지 흡수
	$\Delta E = E_1 - E_\infty = -\dfrac{1312}{1^2} - \left(-\dfrac{1312}{\infty^2}\right) = -1312 \ (\text{kJ/mol})$

- 전자 전이 d의 의미: 바닥상태의 전자가 원자핵에서 무한히 멀어지는 것으로, 수소 원자(H)가 전자를 잃고 수소 이온(H^+)이 될 때의 전자 전이와 같다.

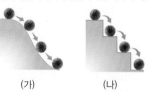

Plus 자료

연속적인 에너지와 불연속적인 에너지 비유

(가)   (나)

(가) 연속적인 에너지: 경사면에서는 공의 위치 에너지가 끊어지지 않고 연속적으로 변한다. ➡ 모든 값의 에너지를 가질 수 있다.

(나) 불연속적인 에너지: 계단에서는 계단의 높이에 따라 공의 위치 에너지가 불연속적으로 변한다. ➡ 몇 가지의 특정한 에너지 상태만 가능하다.

셀파 콕콕

수소 원자의 전자 전이에 따른 스펙트럼 계열과 빛의 영역을 구분하고, 파장, 에너지, 진동수의 크기를 비교하는 문제가 자주 출제된다.

- 라이먼 계열: $n \geq 2 \rightarrow n=1$
- 발머 계열: $n \geq 3 \rightarrow n=2$
- 파셴 계열: $n \geq 4 \rightarrow n=3$

라이먼 계열 (자외선)	발머 계열 (가시광선)	파셴 계열 (적외선)

짧다	파장	길다
크다	에너지	작다
많다	진동수	적다

Plus 문제

Q. 01에 제시된 수소 원자의 선 스펙트럼 A~F의 파장, 에너지, 진동수 크기를 각각 비교하시오.

A. 파장: A<B<C<D<E<F
에너지: A>B>C>D>E>F
진동수: A>B>C>D>E>F
Ⅰ 빛에너지(E)는 진동수(ν)에 비례하고, 파장(λ)에 반비례한다.

2 현대 원자 모형과 오비탈

1. 현대 원자 모형

① 전자의 파동성❼: 모든 물질은 입자성과 파동성을 가진다는 이론이 제시되면서, 전자를 파동으로 취급할 수 있게 되었다. → 일상생활에서는 물질의 파동성을 잘 느낄 수 없지만, 전자와 같이 작은 입자에 대해서는 파동성이 크게 나타난다.

② 불확정성 원리❽: 독일의 과학자 하이젠베르크(Heisenberg, W., 1901~1976)는 전자의 위치와 ▶운동량을 동시에 정확하게 알 수 없다는 불확정성 원리를 발표하였다. ➡ 전자의 파동성 때문에 불확정성이 나타나며, 전자의 위치는 확률적으로만 알 수 있다고 해석할 수 있다.

2. 오비탈

① 오비탈: 일정한 에너지의 전자가 원자핵 주위에서 발견될 확률 분포를 나타낸 것

- 점밀도 그림: 전자가 발견될 확률을 점으로 표시하여 나타낸다. → 점이 빽빽할수록 전자가 발견될 확률이 높다. 원자의 경계를 뚜렷하게 정할 수 없다.
- 경계면 그림: 전자의 존재 확률이 90 %인 경계면을 그려서 나타낸다. → 경계면에서는 전자를 발견할 확률이 같다.

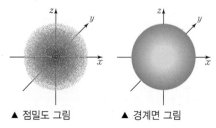

▲ 점밀도 그림   ▲ 경계면 그림

② 주 양자수(n)와 오비탈: 보어 모형에서 에너지 준위가 더 높은 전자 껍질에 존재하는 전자는 오비탈 모형에서 핵으로부터 더 먼 곳에 존재할 수 있는 확률이 높다.

➡ 경계면이 핵으로부터 더 멀리 존재하므로 오비탈의 크기가 커진다고 볼 수 있다.

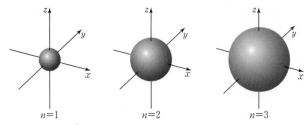

$n=1$ $n=2$ $n=3$

③ 오비탈의 종류❾: 같은 전자 껍질 안에도 여러 종류의 오비탈이 존재하며, 오비탈의 종류에 따라 모양이 다르다. → 다전자 원자의 경우 수소 원자보다 선 스펙트럼에서 더 많은 개수의 선이 나타나는 까닭이다.

[오비탈의 종류]

- s 오비탈(구형): 전자가 존재할 확률은 방향과 관계없이 원자핵으로부터의 거리에 따라서만 달라진다.
  ➡ 모든 전자 껍질에 1개씩 존재한다.
- p 오비탈(아령 모양): 원자핵으로부터의 방향에 따라 전자의 존재 확률이 다르다. 즉, x, y, z축 세 방향으로 존재하며, 이를 p_x, p_y, p_z로 표시한다. ➡ $n=2$인 전자 껍질부터 존재한다.
- d, f 오비탈도 존재하며, d 오비탈의 방향은 5가지, f 오비탈의 방향은 7가지이다.

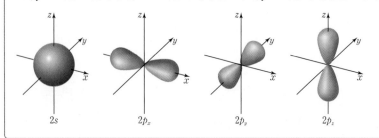

$2s$ $2p_x$ $2p_y$ $2p_z$

④ 전자 껍질에 따른 오비탈의 종류와 수: 주 양자수(n)가 커질수록 존재하는 오비탈의 종류가 다양하며, 오비탈의 개수가 많다.

⑩ $n=1$일 때 s 오비탈, $n=2$일 때 s, p 오비탈, $n=3$일 때 s, p, d 오비탈이 존재한다.

❼ 전자의 파동성

전자를 원자에 갇혀 있는 정상파로 취급한다. 예를 들어 기타 줄에 생기는 파동이나 관 속에서 생기는 소리와 같이 전자를 취급하게 된다.

❽ 불확정성 원리

$$\Delta x \cdot \Delta p \geq \frac{h}{2}$$

Δx는 위치의 불확정성, Δp는 운동량의 불확정성을 의미하며, h는 상수이다. 즉, 위치와 운동량의 불확정성이 일정 값보다 항상 크다. 따라서 위치의 불확정성이 작아지면 운동량의 불확정성이 커지고, 운동량의 불확정성이 작아지면 위치의 불확정성이 커진다.

❾ 오비탈의 표시

주 양자수 n과 오비탈의 종류인 s, p, d를 함께 써서 나타낸다.

오비탈의 종류

$2p_x$ ← 오비탈의 방향

주 양자수

암기 콕 🖉

- s 오비탈: 구형, 방향성 ✕
- p 오비탈: 아령형, 방향성 ○

════ 용어 ════

▶ **운동량**: 물체의 질량과 속력의 곱을 의미한다. 운동량은 일반적으로 p로 표시한다.

3. 양자수 원자 내에서 전자의 상태를 구분할 때 사용하는 수로, 4종류가 있다.

① 주 양자수(n): 오비탈의 크기와 에너지 준위를 결정한다. → 보어의 원자 모형에서 전자 껍질을 나타낸다.

• n은 1, 2, 3 …과 같이 자연수 값만 가능하다.

• 주 양자수가 클수록 오비탈이 크고, 전자가 핵으로부터 멀리 떨어져 존재할 확률이 높다.

② 방위 양자수(l): 오비탈의 종류(모양)를 결정한다. → '부 양자수'라고도 한다.

• 주 양자수가 n일 때 방위 양자수는 0부터 $n-1$까지의 정수만 가능하다.

방위 양자수(l)	0	1	2	3
오비탈의 종류	s	p	d	f

③ 자기 양자수(m_l): 오비탈의 방향을 결정한다.

• 방위 양자수가 l일 때 자기 양자수는 $-l$부터 $+l$까지의 정수만 가능하다.

주 양자수(n)	방위 양자수(l)	자기 양자수(m_l)	오비탈의 종류	오비탈 수(n^2)	
1	0	0	$1s$	1	1
2	0	0 ┌→ p 오비탈에는 방향이 다른 3개의 오비탈이 존재	$2s$	1	4
	1	$-1, 0, +1$	$2p$	3	
3	0	0	$3s$	1	9
	1	$-1, 0, +1$	$3p$	3	
	2	$-2, -1, 0, +1, +2$	$3d$	5	

└→ d 오비탈에는 방향이 다른 5개의 오비탈이 존재

④ 스핀 자기 양자수(m_s): 전자의 스핀 방향을 나타낸다. ❿

• 전자의 스핀 방향은 2가지(↑, ↓)가 가능하며, 스핀 자기 양자수 (m_s)는 ↑ 방향이 $+\frac{1}{2}$, ↓ 방향이 $-\frac{1}{2}$이다.

• 스핀 자기 양자수는 오비탈과 관련 없는 전자의 고유 성질이다.

➡ 서로 상관관계를 갖는 n, l, m_l과는 달리 m_s는 다른 세 종류의 양자수와 연관이 없다.

$m_s=+\frac{1}{2}$ $m_s=-\frac{1}{2}$

4. 오비탈의 에너지 준위

① 수소 원자의 에너지 준위: 주 양자수(n)에 의해서만 에너지 준위가 결정된다. → 오비탈의 모양과 방향에 의해 에너지가 변하지 않는다.

• 전자가 1개로 전자 간 반발력이 존재하지 않으므로 원자핵과 전자 사이의 거리에 의해서만 에너지가 달라진다.

• 주 양자수가 클수록 원자핵과 전자 사이의 거리가 멀어져 전자가 받는 인력의 크기가 작아지므로 에너지가 높아진다.

$$1s<2s=2p<3s=3p=3d<4s=4p=4d=4f<5s \cdots$$

개념 확인하기

1 일정한 에너지의 전자가 원자핵 주위에서 발견될 확률 분포를 나타낸 것을 ( )(이)라고 한다.

2 ( ) 오비탈의 모양은 구형이고, ( ) 오비탈의 모양은 아령 모양이다.

3 $n=3$, $l=1$인 오비탈은 $3s$ 오비탈이다. (○, ×)

4 $n=2$인 전자 껍질에 존재하는 오비탈의 개수는 ( )개이다.

답 1. 오비탈 2. s, p 3. × 4. 4

셀파 콕콕 🔍
오비탈의 종류가 주어졌을 때 오비탈에 해당하는 양자수를 파악할 수 있어야 하고, 양자수가 주어졌을 때 오비탈의 종류를 파악할 수 있어야 한다.

암기 콕 🎯
각 전자 껍질 n에 존재하는
• 오비탈의 종류의 수 $=n$가지
• 오비탈의 수 $=n^2$개

❿ **전자 스핀**
팽이나 지구가 축을 중심으로 자전하는 것과 같이, 전자도 자신의 축을 중심으로 회전하는 것으로 생각할 수 있는데, 이러한 전자의 자전을 스핀이라고 한다. 전자의 스핀 방향은 시계 방향과 반시계 방향의 두 가지로 나타내며, 각각 서로 반대 방향의 화살표로 표시한다.

━━━ 용어 ━━━

▶ **스핀**: 전자의 자전을 의미한다.

② 다전자 원자의 에너지 준위: 주 양자수(n)뿐 아니라 방위 양자수(l)에 따라서도 달라진다.

- 같은 종류의 오비탈에 대해서는 주 양자수(n)가 클수록 에너지가 높다. → $1s$ 오비탈$<2s$ 오비탈
- 오비탈의 종류에 따라 전자 간 반발력이 달라지므로 방위 양자수(l)에 따라 오비탈의 에너지 준위가 달라진다. ➡ 같은 전자 껍질에서는 $s<p<d<f$ 순서로 에너지가 높아진다.
- $3d$ 오비탈이 $4s$ 오비탈보다 에너지 준위가 높아지는 현상이 나타난다.

$$1s<2s<2p<3s<3p<\underline{4s<3d}<4p<5s<4d<5p<\cdots \text{ ⓫}$$

└→ 주 양자수가 더 큰 $4s$ 오비탈의 에너지 준위가 더 낮다.

⓫ 양자수와 오비탈의 에너지 준위

다전자 원자에서 오비탈의 에너지 준위는 $(n+l)$이 클수록 높다. $(n+l)$이 같을 때에는 n이 클수록 에너지 준위가 높다.

- $4s$와 $3d$ 오비탈의 경우
  $4s$: $n+l=4+0=4$
  $3d$: $n+l=3+2=5$
  ➡ $4s$ 오비탈$<3d$ 오비탈
- $4d$와 $5p$ 오비탈의 경우
  $4d$: $n+l=4+2=6$
  $5p$: $n+l=5+1=6$
  ➡ $4d$ 오비탈$<5p$ 오비탈

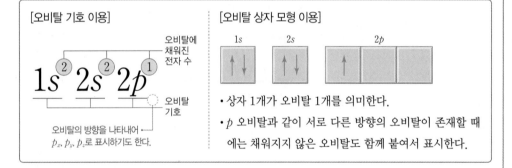

▲ 수소 원자의 오비탈 에너지 준위

└→ 주 양자수가 같으면 에너지 준위가 같다.

▲ 다전자 원자의 오비탈 에너지 준위

같은 방위 양자수(l)를 가질 때 방향이 달라져도 에너지 준위는 동일하다.

3 오비탈의 전자 배치

1. 전자 배치 표시 방법

① 오비탈 기호 이용: 오비탈 기호의 오른쪽 위에 채워진 전자의 수를 작은 글씨로 표시한다.

② 오비탈 상자 모형 이용: 오비탈을 상자로, 전자를 점 또는 화살표로 표시한다.

[오비탈 기호 이용]

$$1s^2 \ 2s^2 \ 2p^1$$

오비탈에 채워진 전자 수

오비탈 기호

오비탈의 방향을 나타내어 → p_x, p_y, p_z로 표시하기도 한다.

[오비탈 상자 모형 이용]

$1s$	$2s$	$2p$		
↑↓	↑↓	↑		

- 상자 1개가 오비탈 1개를 의미한다.
- p 오비탈과 같이 서로 다른 방향의 오비탈이 존재할 때에는 채워지지 않은 오비탈도 함께 붙여서 표시한다.

암기 콕 ✏️

- 수소 원자의 에너지 준위에서 주의할 점
  $2s=2p$
  $3s=3p=3d$
  $4s=4p=4d=4f$
  ┐ 주 양자수가 같으면 에너지 준위가 같다.
- 다전자 원자의 에너지 준위에서 주의할 점
  $4s<3d$ → 주 양자수가 큰 $4s$가 $3d$보다 에너지 준위가 낮다.

2. 전자 배치 규칙 바닥상태의 전자 배치는 아래의 전자 배치 규칙을 모두 만족하는 전자 배치이다.

① 쌓음 원리: 전자는 에너지 준위가 낮은 오비탈부터 순서대로 채워져야 한다.

- 수소 원자는 전자가 1개이므로 $1s$ 오비탈에 있을 때가 바닥상태이다.
- 다전자 원자는 에너지가 낮은 오비탈이 모두 채워지고 그 다음 오비탈을 채워야 한다.

[다전자 원자에서 오비탈에 전자가 채워지는 순서]

$$1s \rightarrow 2s \rightarrow 2p \rightarrow 3s \rightarrow 3p \rightarrow 4s \rightarrow 3d \rightarrow 4p \rightarrow 5s \cdots$$

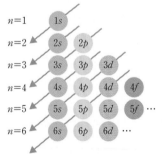

▲ 다전자 원자의 오비탈에 전자가 채워지는 순서

② 파울리 배타 원리: 1개의 오비탈에는 전자가 최대 2개까지 채워질 수 있으며, 이때 두 전자의 스핀 방향은 달라야 한다. → 파울리 배타 원리를 만족하지 않는 전자 배치는 존재할 수 없다.

- 한 원자 안에 있는 어떤 전자도 4가지 양자수(n, l, m_l, m_s)가 모두 동일할 수 없다.
- 같은 오비탈에서는 3가지 양자수(n, l, m_l)가 같으므로 스핀 자기 양자수(m_s)가 달라야 한다.

═══ 용어 ═══

▶ **바닥상태**: 전자가 핵에서 가장 가까운 상태에 있어 에너지가 가장 낮은 안정한 상태

[예 리튬($_3$Li)의 바닥상태 전자 배치]

1s 오비탈에 전자가 최대 2개 채워지므로 3번째 전자는 2s 오비탈에 채워져야 한다. ⑫

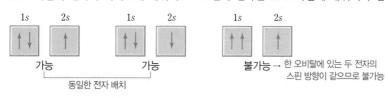

③ 훈트 규칙: p 오비탈 또는 d 오비탈과 같이 에너지 준위가 같은 오비탈에 전자가 들어갈 때에는 홀전자 수가 많을수록 안정하다.
└─ 가능하면 전자가 쌍을 이루지 않게 배치
➡ 전자 2개가 같은 오비탈에 채워지면 전자 간 반발력이 더 크므로 불안정해진다. ⑬

[예 탄소($_6$C)의 바닥상태 전자 배치]

2p 오비탈에 전자 2개가 채워질 때 전자가 쌍으로 채워지는 것보다 홀전자가 2개일 때 더 안정하다.

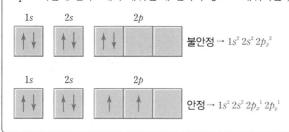

불안정 → $1s^2\,2s^2\,2p_x^2$

안정 → $1s^2\,2s^2\,2p_x^1\,2p_y^1$

3. 원자가 전자

① 원자가 전자: 바닥상태 전자 배치에서 가장 바깥 전자 껍질에 존재하여, 외부와 상호작용하며 화학 결합에 참여할 수 있는 전자를 말한다.
- 1∼17족은 최외각 전자 수와 원자가 전자 수가 동일하다.
- 18족 원소는 옥텟 규칙을 만족하여 안정하므로 원자가 전자 수가 0이다.→ 18족 원소는 화학 결합을 거의 형성하지 않는다.

② 원자가 전자와 주기성: 전자 배치 규칙에 따라서 원자가 전자 수의 변화가 규칙적으로 반복되고, 이에 따라 비슷한 화학적 성질을 가지는 원소가 주기적으로 나타난다.
➡ 같은 족 원소는 원자가 전자 수가 같으므로 비슷한 화학적 성질을 가진다.

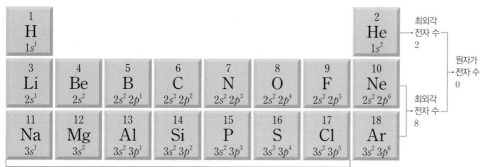

▲ 바닥상태에서 가장 바깥 전자 껍질의 전자 배치 └ 최외각 전자 수＝원자가 전자 수

⑫ **스핀과 에너지**
한 오비탈에 전자가 1개 존재할 때에는 전자의 스핀이 달라도 에너지가 동일하다.

⑬ **훈트 규칙의 비유**
사람들이 버스 좌석에 앉을 때 가급적 한 사람씩 앉는 것을 선호하는 것과 비슷하다.

⑭ **원자의 전자 배치**
원자의 전자 배치가 쌓음 원리, 파울리 배타 원리, 훈트 규칙을 모두 따르면 에너지가 가장 낮은 안정한 바닥상태이고, 파울리 배타 원리는 만족하지만 쌓음 원리와 훈트 규칙에 어긋나는 전자 배치는 불안정한 들뜬상태이다. 하지만 파울리 배타 원리에 어긋나는 전자 배치는 불가능한 전자 배치이다.

셀파 콕콕 🔍
전자 배치 규칙에 따라 원자 번호 1∼20번까지의 원소에 대해서 바닥상태 전자 배치를 그릴 수 있어야 한다.

━━━━ 용어 ━━━━
▶ **홀전자**: 한 오비탈에 전자 1개가 있을 때, 이 전자를 홀전자라고 한다.
▶ **최외각 전자**: 가장 바깥 전자 껍질에 존재하는 전자

개념 확인하기

1 다전자 원자에서 주 양자수(n)가 같을 때 방위 양자수(l)가 작을수록 에너지 준위가 높다. (○ , ×)
2 쌓음 원리에 따르면 전자는 에너지 준위가 (높은 , 낮은) 오비탈부터 순서대로 채워진다.
3 한 오비탈에 최대로 채워질 수 있는 전자는 ( )개이다.
4 질소(N)의 바닥상태 전자 배치에서 홀전자의 개수는 ( )개이다.

답 1 × 2 낮은 3 2 4 3

셀파 세미나 ————— S·H·E·R·P·A

▶ 양자수, 오비탈 수, 전자 배치의 관계를 파악해 보아요.

양자수, 오비탈 수, 전자 수

01 주 양자수(n)에 따른 오비탈 종류 파악

- 주 양자수가 n일 때, 가능한 방위 양자수(l)는 0부터 $n-1$까지 총 n개
- 방위 양자수가 l일 때, 가능한 자기 양자수(m_l)는 $-l$부터 $+l$까지 $(2l+1)$개
- 주 양자수가 n일 때, 가능한 자기 양자수(m_l)는 n^2개 ➡ n번째 전자 껍질에 존재하는 오비탈은 n^2개
- 한 개의 오비탈에 들어갈 수 있는 전자 수는 최대 2개 ➡ n번째 전자 껍질에 들어갈 수 있는 최대 전자 수는 $2n^2$개

주 양자수(n)	1	2		3		
오비탈 종류	$1s$	$2s$	$2p$	$3s$	$3p$	$3d$
방위 양자수(l)	0	0	1	0	1	2
자기 양자수(m_l)	0	0	$-1, 0, +1$	0	$-1, 0, +1$	$-2, -1, 0, +1, +2$
오비탈 수	1	1	3	1	3	5
주 양자수에 따른 오비탈의 총 개수(n^2)	1	4		9		
주 양자수에 따른 전자의 최대 개수($2n^2$)	2	8		18		
주 양자수에 따른 최대 전자 배치						

02 전자 배치 그림으로 각 전자의 양자수 파악

- 양자수는 전자에 대한 정보를 나타내는 수이므로 모든 전자는 양자수 4개를 가진다.
  - 주 양자수(n): 오비탈의 크기(전자 껍질)
  - 방위 양자수(l): 오비탈의 종류(모양)
  - 자기 양자수(m_l): 오비탈의 방향
  - 스핀 자기 양자수(m_s): 전자의 스핀 방향
- 양자수를 표시할 때에는 (n, l, m_l, m_s)와 같이 양자수 4개를 묶어서 표시한다.
- 일반적으로 같은 방위 양자수(l)의 오비탈 전자 배치는 자기 양자수(m_l) 순서대로 배열되어 있다.

예) 질소의 전자 배치

$$\frac{n}{}\ \frac{l}{}\ \frac{m_l}{}\ \frac{m_s}{}$$

- 전자 ㉠: $\left(1, 0, 0, +\dfrac{1}{2}\right)$
- 전자 ㉡: $\left(2, 0, 0, -\dfrac{1}{2}\right)$
- 전자 ㉢: $\left(2, 1, 1, +\dfrac{1}{2}\right)$

➕ Plus 자료

- 주 양자수(n)가 4일 때, 존재할 수 있는 오비탈은 s, p, d, f 4가지이므로 방위 양자수는 0부터 3까지 가능하고, 오비탈 수는 16개, 최대 전자 수는 32개이다.
- 주 양자수(n)가 5 이상일 때, 이론적으로 5번째 전자 껍질 이상에서는 s, p, d, f 외에 다른 오비탈이 존재할 수 있지만, 실제 원자에서는 점유되는 것이 확인되지 않았다.

셀파 콕콕

- 각 전자 껍질의 주 양자수(n)에 따라 존재하는 오비탈의 개수(n^2)와 전자 수($2n^2$)를 파악할 수 있어야 한다.
- 모든 전자는 각각 양자수 4개를 가지며, 한 원자 내에 존재하는 전자 중 양자수 4개가 모두 동일한 전자는 존재하지 않는다.

➕ Plus 문제

Q. 다음 중 존재할 수 없는 양자수 조합(n, l, m_l, m_s)은?

① $\left(1, 0, 0, +\dfrac{1}{2}\right)$ ② $\left(2, 0, 0, -\dfrac{1}{2}\right)$

③ $\left(2, 1, 0, +\dfrac{1}{2}\right)$ ④ $\left(3, 0, 1, -\dfrac{1}{2}\right)$

⑤ $\left(3, 1, 1, +\dfrac{1}{2}\right)$

A. ④ | 방위 양자수(l)가 0인 s 오비탈은 자기 양자수(m_l)의 값이 항상 0이다.

▶ 원자 번호 1~20번 원소의 바닥상태 전자 배치와 이온의 전자 배치를 이해해 보아요.

바닥상태의 전자 배치

01 원자 번호 1~20번 원소의 바닥상태 전자 배치

원자 번호	전자 껍질 / 오비탈	K 1s	L 2s	L 2p	M 3s	M 3p	M 3d	N 4s	전자 배치	홀전자 수
1	H	↑							$1s^1$	1
2	He	↑↓							$1s^2$	0
3	Li	↑↓	↑						$1s^2\ 2s^1$	1
4	Be	↑↓	↑↓						$1s^2\ 2s^2$	0
5	B	↑↓	↑↓	↑					$1s^2\ 2s^2\ 2p^1$	1
6	C	↑↓	↑↓	↑ ↑					$1s^2\ 2s^2\ 2p^2$	2
7	N	↑↓	↑↓	↑ ↑ ↑					$1s^2\ 2s^2\ 2p^3$	3
8	O	↑↓	↑↓	↑↓ ↑ ↑					$1s^2\ 2s^2\ 2p^4$	2
9	F	↑↓	↑↓	↑↓ ↑↓ ↑					$1s^2\ 2s^2\ 2p^5$	1
10	Ne	↑↓	↑↓	↑↓ ↑↓ ↑↓					$1s^2\ 2s^2\ 2p^6$	0
11	Na	↑↓	↑↓	↑↓ ↑↓ ↑↓	↑				$1s^2\ 2s^2\ 2p^6\ 3s^1$	1
12	Mg	↑↓	↑↓	↑↓ ↑↓ ↑↓	↑↓				$1s^2\ 2s^2\ 2p^6\ 3s^2$	0
13	Al	↑↓	↑↓	↑↓ ↑↓ ↑↓	↑↓	↑			$1s^2\ 2s^2\ 2p^6\ 3s^2\ 3p^1$	1
14	Si	↑↓	↑↓	↑↓ ↑↓ ↑↓	↑↓	↑ ↑			$1s^2\ 2s^2\ 2p^6\ 3s^2\ 3p^2$	2
15	P	↑↓	↑↓	↑↓ ↑↓ ↑↓	↑↓	↑ ↑ ↑			$1s^2\ 2s^2\ 2p^6\ 3s^2\ 3p^3$	3
16	S	↑↓	↑↓	↑↓ ↑↓ ↑↓	↑↓	↑↓ ↑ ↑			$1s^2\ 2s^2\ 2p^6\ 3s^2\ 3p^4$	2
17	Cl	↑↓	↑↓	↑↓ ↑↓ ↑↓	↑↓	↑↓ ↑↓ ↑			$1s^2\ 2s^2\ 2p^6\ 3s^2\ 3p^5$	1
18	Ar	↑↓	↑↓	↑↓ ↑↓ ↑↓	↑↓	↑↓ ↑↓ ↑↓			$1s^2\ 2s^2\ 2p^6\ 3s^2\ 3p^6$	0
19	K	↑↓	↑↓	↑↓ ↑↓ ↑↓	↑↓	↑↓ ↑↓ ↑↓		↑	$1s^2\ 2s^2\ 2p^6\ 3s^2\ 3p^6\ 4s^1$	1
20	Ca	↑↓	↑↓	↑↓ ↑↓ ↑↓	↑↓	↑↓ ↑↓ ↑↓		↑↓	$1s^2\ 2s^2\ 2p^6\ 3s^2\ 3p^6\ 4s^2$	0

02 이온의 전자 배치

원자가 전자를 잃어 양이온이 될 때	원자가 전자를 얻어 음이온이 될 때
에너지가 가장 높은 오비탈의 전자를 잃는다.	전자가 채워지지 않은 오비탈 중 가장 에너지가 낮은 오비탈에 전자가 들어간다.

$_{12}$Mg   1s[↑↓] 2s[↑↓] 2p[↑↓ ↑↓ ↑↓] 3s[↑↓]
→ $1s^2\ 2s^2\ 2p^6\ 3s^2$

$_{12}$Mg^{2+} 1s[↑↓] 2s[↑↓] 2p[↑↓ ↑↓ ↑↓] 3s[ ]
→ $1s^2\ 2s^2\ 2p^6$

$_8$O   1s[↑↓] 2s[↑↓] 2p[↑↓ ↑ ↑]
→ $1s^2\ 2s^2\ 2p^4$

$_8$O^{2-} 1s[↑↓] 2s[↑↓] 2p[↑↓ ↑↓ ↑↓]
→ $1s^2\ 2s^2\ 2p^6$

기초 탄탄 문제

정답과 해설 22쪽

핵심용어_ 이 단원에서 내가 아는 것과 아직 모르는 것을 정리하며 나의 공부를 돌아보자.

□ 선 스펙트럼 □ 전자 전이 □ 오비탈
□ 양자수 □ 에너지 준위 □ 쌓음 원리
□ 파울리 배타 원리 □ 훈트 규칙

01 그림은 수소 원자의 방출 스펙트럼을 나타낸 것이다.

410 434   486   656   파장(nm)

위의 스펙트럼을 설명할 수 있는 원자 모형은?

①   ②   ③

④   ⑤

02 다음은 전자 전이와 스펙트럼에 대한 세 학생의 대화이다.

- 학생 A: 수소 원자에서는 선 스펙트럼이 관찰되고, 다전자 원자에서는 연속 스펙트럼이 관찰돼.
- 학생 B: 전자가 에너지 준위가 더 높은 전자 껍질로 이동할 때 빛에너지를 방출해.
- 학생 C: 선 스펙트럼을 통해 원자에서 전자의 에너지 준위는 불연속적이라는 것을 알 수 있어.

제시한 의견이 옳은 학생만을 있는 대로 고른 것은?

① A   ② C
③ A, B   ④ B, C
⑤ A, B, C

03 그림 (가)는 $2s$ 오비탈을, (나)는 $3p_x$ 오비탈을 나타낸 것이다.

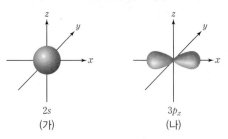

이에 대한 설명으로 옳은 것은?

① 방위 양자수는 (가)와 (나)가 같다.
② (가)에는 전자가 최대 1개 채워질 수 있다.
③ (나)에서는 원자핵으로부터의 거리가 같으면 전자의 발견 확률이 같다.
④ 수소 원자에서 에너지 준위는 (가)와 (나)가 같다.
⑤ 다전자 원자에서 에너지 준위는 (가)가 (나)보다 낮다.

04 다음 중 양자수의 조합으로 가능한 것은?

구분	①	②	③	④	⑤
주 양자수(n)	1	1	2	2	3
방위 양자수(l)	1	0	1	0	1
자기 양자수(m_l)	0	1	0	0	2
스핀 자기 양자수(m_s)	$+\frac{1}{2}$	$-\frac{1}{2}$	0	$+\frac{1}{2}$	$-\frac{1}{2}$

05 질소($_7$N) 원자의 바닥상태 전자 배치를 옳게 나타낸 것은?

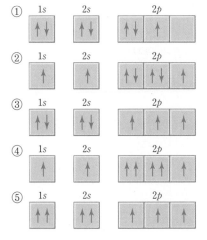

내신 만점 문제

정답과 해설 23쪽

* ▪▪▪ 난이도를 나타냅니다.

01 그림은 수소 원자의 전자 배치를 나
▪ 타낸 것이다.
이에 대한 설명으로 옳은 것만을
⟨보기⟩에서 있는 대로 고른 것은?

┤ 보기 ├
ㄱ. 바닥상태의 전자 배치이다.
ㄴ. 전자가 L 전자 껍질로 전이할 때 가시광선을 흡수
한다.
ㄷ. 전자가 M 전자 껍질로 전이할 때 흡수하는 빛의
파장이 L 전자 껍질로 전이할 때 흡수하는 빛의 파
장보다 짧다.

① ㄴ   ② ㄷ   ③ ㄱ, ㄴ
④ ㄱ, ㄷ   ⑤ ㄱ, ㄴ, ㄷ

02 그림은 수소 원자의 가시광선 영역의 방출 스펙트럼을 나타
▪ 낸 것이다.

이에 대한 설명으로 옳은 것만을 ⟨보기⟩에서 있는 대로 고른
것은? (단, 수소 원자의 에너지 준위 $E_n = -\dfrac{k}{n^2}$ kJ/몰이고,
n은 주 양자수, k는 상수이다.)

┤ 보기 ├
ㄱ. a~c 중 에너지가 가장 큰 것은 c이다.
ㄴ. a~c는 $n \geq 3 \rightarrow n=2$로 전자가 전이할 때 방출되
는 선이다.
ㄷ. b의 파장은 a의 파장의 1.12배이다.

① ㄱ   ② ㄴ   ③ ㄱ, ㄷ
④ ㄴ, ㄷ   ⑤ ㄱ, ㄴ, ㄷ

03 그림은 수소 원자의 주 양자수(n)에 따른 에너지 준위와 전
▪ 자 전이 a~c를 나타낸 것이다.

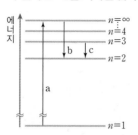

a~c에 대한 설명으로 옳은 것만을 ⟨보기⟩에서 있는 대로 고
른 것은? (단, 수소 원자의 에너지 준위 $E_n = -\dfrac{k}{n^2}$ kJ/몰이
고, n은 주 양자수, k는 상수이다.)

┤ 보기 ├
ㄱ. 빛을 흡수하는 전자 전이는 1가지이다.
ㄴ. 적외선을 흡수 또는 방출하는 전자 전이는 2가지
이다.
ㄷ. b와 c에 해당하는 에너지 합은 a에 해당하는 에너
지보다 크다.

① ㄱ   ② ㄷ   ③ ㄱ, ㄴ
④ ㄴ, ㄷ   ⑤ ㄱ, ㄴ, ㄷ

04 그림 (가)는 보어의 수소 원자 모형을 나타낸 것이고, (나)는
▪ 수소 원자의 $2p$ 오비탈을 나타낸 것이다.

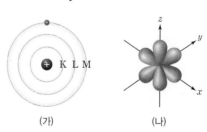

(가)   (나)

이에 대한 설명으로 옳은 것만을 ⟨보기⟩에서 있는 대로 고른
것은?

┤ 보기 ├
ㄱ. (가)에서 전자가 들어 있는 오비탈은 (나)보다 에너
지 준위가 높다.
ㄴ. 수소 원자의 전자가 (나)에 존재하면 들뜬상태이다.
ㄷ. (가)의 전자는 항상 구형의 오비탈에 존재한다.

① ㄴ   ② ㄷ   ③ ㄱ, ㄴ
④ ㄱ, ㄷ   ⑤ ㄱ, ㄴ, ㄷ

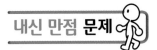
05 표는 수소 원자의 전자 전이 Ⅰ~Ⅲ을 전이 전과 후의 주 양자 수(n) 및 방출 에너지로 나타낸 것이다. 방출 에너지의 크기는 $E_Ⅰ < E_Ⅱ < E_Ⅲ$이다.

전자 전이 주 양자수	Ⅰ	Ⅱ	Ⅲ
전이 전($n_전$)	4	x	3
전이 후($n_후$)	2	1	1
방출 에너지	$E_Ⅰ$	$E_Ⅱ$	$E_Ⅲ$

이에 대한 설명으로 옳은 것만을 〈보기〉에서 있는 대로 고른 것은?

┤ 보기 ├
ㄱ. x는 2이다.
ㄴ. Ⅰ~Ⅲ 중 가시광선 영역에 해당하는 것은 1가지이 다.
ㄷ. $E_Ⅰ$과 $E_Ⅱ$의 합은 $E_Ⅲ$보다 크다.

① ㄱ   ② ㄴ   ③ ㄱ, ㄷ
④ ㄴ, ㄷ   ⑤ ㄱ, ㄴ, ㄷ

 그림 (가)와 (나)는 수소 원자의 두 가지 s 오비탈을 나타낸 것이다.

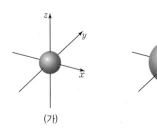
(가)   (나)

이에 대한 설명으로 옳은 것만을 〈보기〉에서 있는 대로 고른 것은?

┤ 보기 ├
ㄱ. (가)가 (나)보다 에너지 준위가 높다.
ㄴ. (나)에 전자가 존재하면 들뜬상태이다.
ㄷ. 각 오비탈에 들어갈 수 있는 최대 전자 수는 (나)가 (가)보다 더 많다.

① ㄴ   ② ㄷ   ③ ㄱ, ㄴ
④ ㄱ, ㄷ   ⑤ ㄱ, ㄴ, ㄷ

07 그림은 탄소($_6$C) 원자의 전자 배치를 나타낸 것이다.

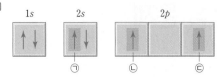

이에 대한 설명으로 옳은 것만을 〈보기〉에서 있는 대로 고른 것은?

┤ 보기 ├
ㄱ. 방위 양자수(l)는 ㉠이 ㉡보다 작다.
ㄴ. 자기 양자수(m_l)는 ㉡과 ㉢이 동일하다.
ㄷ. 위의 전자 배치는 바닥상태의 전자 배치이다.

① ㄱ   ② ㄴ   ③ ㄱ, ㄷ
④ ㄴ, ㄷ   ⑤ ㄱ, ㄴ, ㄷ

08 그림은 다전자 원자에서 오비탈의 에너지 준위를 나타낸 것이다.

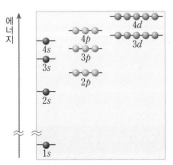

다전자 원자의 오비탈에 대한 설명으로 옳은 것만을 〈보기〉에서 있는 대로 고른 것은?

┤ 보기 ├
ㄱ. 주 양자수(n)가 같을 때 방위 양자수(l)가 클수록 에너지 준위가 높다.
ㄴ. 방위 양자수(l)가 같을 때 주 양자수(n)가 클수록 에너지 준위가 높다.
ㄷ. 방위 양자수(l)가 같을 때 자기 양자수(m_l)가 클수 록 에너지 준위가 높다.

① ㄱ   ② ㄷ   ③ ㄱ, ㄴ
④ ㄴ, ㄷ   ⑤ ㄱ, ㄴ, ㄷ

09 다음은 원자 X~Z의 전자 배치를 나타낸 것이다.

- X: $1s^2\ 2s^2\ 3s^2$
- Y: $1s^2\ 2s^2\ 2p^3\ 3s^2$
- Z: $1s^2\ 2s^2\ 2p^6\ 3s^2$

이에 대한 설명으로 옳은 것만을 〈보기〉에서 있는 대로 고른 것은? (단, X~Z는 임의의 원소 기호이다.)

┤ 보기 ├

ㄱ. X는 들뜬상태이다.

ㄴ. Y는 쌓음 원리를 만족한다.

ㄷ. X~Z는 모두 같은 족 원소이다.

① ㄱ   ② ㄷ   ③ ㄱ, ㄴ

④ ㄴ, ㄷ   ⑤ ㄱ, ㄴ, ㄷ

10 표는 바닥상태 원자 X~Z의 p 오비탈에 들어 있는 전자 수를 나타낸 것이다.

원자	X	Y	Z
p 오비탈에 들어 있는 전자 수	2	5	8

이에 대한 설명으로 옳은 것만을 〈보기〉에서 있는 대로 고른 것은? (단, X~Z는 임의의 원소 기호이다.)

┤ 보기 ├

ㄱ. 원자가 전자 수는 Z가 가장 크다.

ㄴ. X와 Y는 같은 주기 원소이다.

ㄷ. X와 Z는 같은 족 원소이다.

① ㄱ   ② ㄴ   ③ ㄱ, ㄷ

④ ㄴ, ㄷ   ⑤ ㄱ, ㄴ, ㄷ

서술형 문제

11 그림은 주 양자수(n)에 따른 수소 원자의 에너지 준위를 나타낸 것이다.

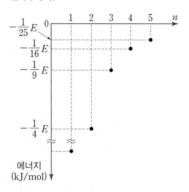

(1) 위 그림으로부터 알 수 있는 주 양자수(n)와 에너지 준위(E_n)의 관계식을 쓰시오.

(2) 다음 두 가지 전자 전이에서 방출되는 에너지 크기의 비($E_a : E_b$)를 구하는 과정을 서술하시오.

구분	전자 전이	방출되는 에너지
a	$n=3 \rightarrow n=2$	E_a
b	$n=2 \rightarrow n=1$	E_b

12 그림은 원자 X의 세 가지 전자 배치를 나타낸 것이다.

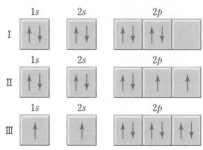

I~Ⅲ 중 들뜬상태의 전자 배치를 모두 고르고, 전자 배치가 불안정한 까닭을 전자 배치 규칙과 함께 서술하시오.

01 원소의 분류와 주기율

내 교과서는 어디에?
천재 p.81~86 교학사 p.80~85 금성 p.77~82 동아 p.81~87 미래엔 p.82~87
비상 p.75~79 상상 p.82~87 지학사 p.77~83 YBM p.91~97

핵심 Point
● 현대의 주기율표가 만들어지기까지의 과정을 이해한다.
● 원소의 주기적 성질로, 유효 핵전하, 원자 반지름, 이온화 에너지의 주기성을 이해한다.

1 주기율표

1. 주기율과 주기율표

① 주기율: 원소를 원자 번호 순으로 배열할 때, 성질이 비슷한 원소가 주기적으로 나타나는 것

② 주기율표: 주기율에 따라 원소를 배열한 표

2. 주기율표가 만들어지기까지의 과정

현대의 주기율표가 만들어지기까지 여러 과학자들은 주기율을 발견하기 위해 많은 노력을 하였다. 대표적인 과학자들은 다음과 같다.❶

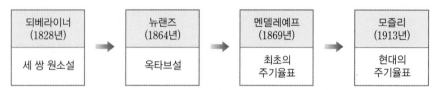

되베라이너 (1828년)		뉴랜즈 (1864년)		멘델레예프 (1869년)		모즐리 (1913년)
세 쌍 원소설	→	옥타브설	→	최초의 주기율표	→	현대의 주기율표

① 되베라이너(1828년): 화학적 성질이 비슷하고 물리적 성질은 규칙적으로 변하는 세 원소가 있다는 것을 알고, 성질이 비슷한 원소를 3개씩 묶어 세 쌍 원소❷라고 하였다. 예를 들어, 리튬(Li), 나트륨(Na), 칼륨(K)의 쌍은 화학적 성질이 비슷하며, 가운데 원소인 나트륨의 원자량은 리튬과 칼륨의 원자량의 평균값과 같다.

┌─── 원자량, 밀도, 녹는점 등

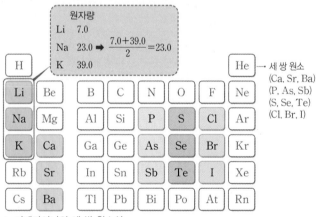

원자량
Li 7.0
Na 23.0 ➡ $\frac{7.0+39.0}{2}=23.0$
K   39.0

He → 세 쌍 원소
(Ca, Sr, Ba)
(P, As, Sb)
(S, Se, Te)
(Cl, Br, I)

▲ 되베라이너의 세 쌍 원소설

② 뉴랜즈(1864년): 원소를 원자량 순서로 나열하면 화학적 성질이 비슷한 원소가 8번째마다 나타나는 규칙성을 발견하고, 이를 ▶옥타브설이라고 하였다.

도	레	미	파	솔	라	시
H	Li	Be	B	C	N	O
F	Na	Mg	Al	Si	P	S
Cl	K	Ca	Cr	Ti	Mn	Fe
Co/Ni	Cu	Zn	Y	In	As	Se
Br	Rb	Sr	Ce/La	Zr	−	−

▲ 뉴랜즈의 옥타브설

---

❶ 라부아지에(1789년)

라부아지에는 당시에 원소로 알려진 33종의 물질을 성질에 따라 네 그룹으로 분리하였다. 그러나 라부아지에가 분리한 원소 중에는 빛과 열처럼 원소가 아닌 것과 산화 칼슘 등의 화합물도 포함되어 있었다. 라부아지에의 분류는 원소로 알려진 물질들을 성질에 따라 분류하려고 시도했다는 데 의의가 있다.

❷ 되베라이너의 세 쌍 원소

되베라이너는 칼슘(Ca), 스트론튬(Sr), 바륨(Ba)의 쌍은 화학적 성질이 비슷하며, 스트론튬의 원자량은 칼슘과 바륨의 원자량의 평균값을 갖는다는 사실을 발견하였다.

원소	원자량
Ca	40.1
Sr	87.6
Ba	137.3

강의 콕

옥타브설에서 당시에는 비활성 기체가 발견되지 않았기 때문에 8번째마다 주기성이 나타났다. 현재에는 9번째마다 주기성이 나타난다.

── 용어 ──

▶ **옥타브**(octave): 어떤 음에서 완전 8도의 거리에 있는 음, 또는 그 거리

③ 멘델레예프(1869년)

- 1869년 멘델레예프는 당시까지 발견된 63종의 원소들을 원자량 순으로 나열하여 성질이 비슷한 원소가 주기적으로 나타나는 것을 발견하였다. 그는 같은 주기의 원소들을 세로로, 같은 족의 원소들을 가로로 배열하였다.

- 멘델레예프는 1869년에 발표한 주기율표를 수정하여 성질이 비슷한 원소들을 8개의 그룹으로 나누고, 원소들을 원자량 순으로 나열한 주기율표를 1871년에 발표하였다. 같은 주기의 원소들을 가로로, 같은 족의 원소들을 세로로 배열하고, 당시까지 발견되지 않은 원소의 자리는 비워 두었다.

- 멘델레예프가 주기율표에서 빈자리로 남겨 둔 원소들은 이후에 실제로 발견되었다.

㉧ 규소(Si)와 주석(Sn)의 성질을 바탕으로 두 원소 사이에 발견되지 않은 원소를 에카-실리콘(Es)이라는 예비명을 붙이고 성질을 예측하였는데, 이 원소는 현대의 주기율표에서 저마늄(Ge)이며, 예측한 값이 실제 값과 비슷하다.❸

성질	에카-실리콘(Es)	저마늄(Ge)❹
원자량	73.4	72.6
밀도(g/cm³)	5.5	5.3
녹는점(℃)	800 이상	958
산화물 / 염화물	EsO_2 / $EsCl_4$	GeO_2 / $GeCl_4$

[멘델레예프의 주기율표에서 에카-실리콘(Es) 성질 예측]
멘델레예프는 원소를 원자량이 증가하는 순서로 배열하여 표를 만들었으며, 아직 발견되지 않은 원소의 자리는 비워 두었다. 원자량의 순서대로 밀도, 녹는점 등이 주기성을 갖는 사실에 근거하여 미지의 원소들의 원자량에 해당하는 자리에 들어갈 원소들의 성질까지 예측할 수 있었다.

	I	II	III	IV	V	VI	VII	VIII			
I	H 1										
II	Li 7	Be 9.4	B 11	C 12	N 14	O 16	F 19				
III	Na 23	Mg 24	Al 27.3	Si 28	P 31	S 32	Cl 35.5				
IV	K 39	Ca 40	? 44	Ti 48	V 51	Cr 52	Mn 55	Fe 56	Co 58.9	Ni 58.7	
V	Cu 63	Zn 65.2	? 68	? 72	As 75	Se 78	Br 80				
VI	Rb 85	Sr 87	Yt 88	Zr 90	Nb 94	Mo 96	? 100	Ru 104.2	Rh 104.4	Pd 106	
VII	Ag 108	Cd 112	In 113	Sn 118	Sb 122	Te 125	I 127				
VIII	Cs 133	Ba 137	Di 138	Ce 140							

Si와 Sn 가운데 원소인 ?의 성질을 예측할 수 있다.

$$?의\ 성질에\ 대한\ 값 = \frac{Si\ 값 + Sn\ 값}{2}$$

- 멘델레예프의 주기율표는 최초의 주기율표라는 역사적 의의를 가지고 있었다. 그러나 그 당시 주기율표에 없던 18족 원소들이 나중에 발견되었다. 원자량 순서대로 배치하면 비활성 기체인 아르곤은 다른 원소들과 화학적 성질이 크게 달라 주기율표에 넣기 어려웠다.
  이러한 문제점을 개선하여 현재와 비슷한 주기율표를 완성한 사람은 모즐리였다.

개념 확인하기

1 원소를 배열할 때 비슷한 성질의 원소들이 주기적으로 나타나는 것을 ( )(이)라고 한다.
2 되베라이너는 화학적 성질이 비슷한 원소를 3개씩 묶어 ( )(이)라고 하였다.
3 멘델레예프는 원소들을 (원자량 , 원자 번호) 순으로 배열하여 주기율표를 만들었다.
4 멘델레예프는 새로운 원소의 발견을 예측하였다. (○, ×)

답 1. 주기율 2. 세 쌍 원소 3. 원자량 4. ○

---

❸ 멘델레예프의 원소 예측
멘델레예프는 규소(Si)와 같은 족에 속하는 저마늄(Ge)뿐만 아니라, 알루미늄(Al)과 같은 족에 속하는 갈륨(Ga)의 존재와 성질도 예측하였다.

❹ 저마늄(Germanium)
영어로 저마늄, 독일어로 게르마늄이고, 원소 기호는 Ge, 원자 번호는 32이다. 독일의 화학자 빈클러가 1886년에 구리, 납, 아연 등의 광석을 정제하는 과정에서 저마늄을 발견하였다. 단단한 준금속 원소로 규소나 주석과 화학적 성질이 비슷하며, 반도체 등에 이용된다.

강의 콕 🔖
멘델레예프의 주기율표는 비활성 기체인 아르곤(Ar)이 발견되면서 문제가 발생하였다. 원자량 순서로 배열하면 아르곤은 칼륨(K) 다음에 위치하는데, 아르곤은 다른 원소들과 화학적 성질이 크게 달랐기 때문이다. 모즐리는 이러한 문제점을 개선하여 현재와 비슷한 주기율표를 완성하였다.

용어
▶ 산화물: 산소와 다른 원소와의 화합물
▶ 염화물: 염소와 다른 원소와의 화합물

④ 모즐리(1913년)

- 멘델레예프의 주기율표는 원소들을 원자량 순서대로 배열하였기 때문에 몇몇 원소들의 성질이 주기성에 맞지 않았다.
- 모즐리는 X선 연구를 통해 원소의 성질이 주기적으로 나타나는 것은 원자량이 아니라, 양성자수와 관련이 있다는 것을 발견하였다.❺
- 모즐리는 원소들을 양성자수, 즉 원자 번호 순서대로 나열하여 현재 사용하고 있는 것과 비슷한 주기율표를 완성하였다.

3. **현대의 주기율표** 현대의 주기율표는 원소들을 원자 번호 순으로 나열하여 화학적 성질이 비슷한 원소가 같은 세로줄에 오도록 배열한 표이다.

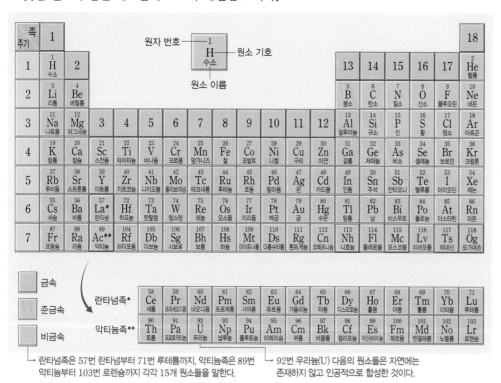

- 란타넘족은 57번 란타넘부터 71번 루테튬까지, 악티늄족은 89번 악티늄부터 103번 로렌슘까지 각각 15개 원소들을 말한다.
- 92번 우라늄(U) 다음의 원소들은 자연에는 존재하지 않고 인공적으로 합성한 것이다.

① 주기

- 주기율표의 가로줄로, 1~7주기가 있다.
- 주기는 전자가 들어 있는 전자 껍질 수와 같으며, 같은 주기 원소는 바닥상태에서 전자가 들어 있는 전자 껍질 수가 같다.

주기	원소	원소 수(개)	전자가 들어 있는 전자 껍질	전자 껍질 수(개)
1	$_1$H~$_2$He	2	K	1
2	$_3$Li~$_{10}$Ne	8	K L	2
3	$_{11}$Na~$_{18}$Ar	8	K L M	3
4	$_{19}$K~$_{36}$Kr	18	K L M N	4
5	$_{37}$Rb~$_{54}$Xe	18	K L M N O	5
6	$_{55}$Cs~$_{86}$Rn	32	K L M N O P	6
7	$_{87}$Fr~$_{118}$Og	32	K L M N O P Q	7

❺ **모즐리 법칙**
원자에 전자빔을 발사하면 전자가 바닥상태로 전이하면서 에너지 차이만큼 X선을 방출하는데, 모즐리는 이 X선의 파장과 원자핵의 양성자수 사이에 수학적인 관계를 찾았다. 이를 모즐리 법칙이라고 한다. 모즐리 법칙에 의하면 X선의 진동수의 제곱근이 원자 번호에 비례한다. 이 법칙의 발견으로 원소의 화학적 성질을 결정하는 것은 원자량이 아니라, 원자 번호(양성자수)임이 밝혀졌다.

암기 콕
- 멘델레예프: 원자량 순서로 배열
- 모즐리: 원자 번호(양성자수) 순서로 배열

━━━ 용어 ━━━
▶ **전자 껍질**: 보어 원자 모형에서 전자는 특정한 에너지를 가진 몇 개의 원형 궤도를 원운동하는데, 이 궤도를 전자 껍질이라고 한다.

② 족→ 오늘날 사용되는 주기율표는 멘델레예프의 주기율표와 달리 18개의 족이 있다.

- 주기율표의 세로줄로, 1~18족이 있다.
- 1족 원소는 알칼리 금속(H 제외)❻, 17족 원소는 ▸할로젠 원소❼, 18족 원소는 ▸비활성 기체❽라고 한다.
- 같은 족 원소(동족 원소)는 원자가 전자 수가 같아서 화학적 성질이 비슷하다. 단, 수소(H)는 1족에 위치하고 있지만 비금속 원소로, 1족에 속한 나머지 원소들과 화학적 성질이 다르다.
- 1, 2, 13~17족 원소의 경우 원자가 전자 수는 족의 끝자리 수와 같다.→ 예외: 18족 원소

족	1	2		13	14	15	16	17	18
원자가 전자 수	1	2		3	4	5	6	7	0

❻ 알칼리 금속

수소를 제외한 1족 원소로 Li, Na, K, Rb 등이 있다. 반응성이 매우 크며, 비금속과 반응하여 +1가의 양이온이 되기 쉽다.

❼ 할로젠 원소

17족 원소로 F, Cl, Br, I 등이 있다. 반응성이 크며, −1가의 음이온이 되기 쉽다.

❽ 비활성 기체

18족 원소로 He, Ne, Ar, Kr 등이 있다. He을 제외하고 옥텟 규칙을 만족하므로 안정하여 다른 원소들과 거의 반응하지 않는다.

2 원소의 분류

1. **원소의 분류** 주기율표의 원소들은 금속 원소, 비금속 원소, 준금속 원소로 분류할 수 있다.

주기 \ 족	1	2	3~12	13	14	15	16	17	18
1	H								He
2	Li	Be		B	C	N	O	F	Ne
3	Na	Mg		Al	Si	P	S	Cl	Ar
4	K	Ca		Ga	Ge	As	Se	Br	Kr
5	Rb	Sr		In	Sn	Sb	Te	I	Xe
6	Cs	Ba		Tl	Pb	Bi	Po	At	Rn
7	Fr	Ra		Nh	Fl	Mc	Lv	Ts	Og

▢ 금속 ▢ 준금속 ▢ 비금속

- 1, 2, 13~18족: 전형 원소
  ➡ 가장 바깥 전자 껍질의 s, p 오비탈에 전자가 채워짐
- 3~12족: 전이 원소
  ➡ d나 f 오비탈에 전자가 부분적으로 채워짐

① 금속 원소: 주기율표의 주로 왼쪽에 위치한다.
- 전자를 잃고 양이온이 되기 쉽다.
  예 $Na \longrightarrow Na^+ + e^-$, $Mg \longrightarrow Mg^{2+} + 2e^-$
- 실온에서 액체인 수은(Hg)을 제외하고 모두 고체이다.
- 열전도성, 전기 전도성이 크며, 금속 광택 및 연성과 전성이 있다.

② 비금속 원소: 주기율표의 주로 오른쪽에 위치한다.
- 전자를 얻어 음이온이 되기 쉽다. 단, 18족 원소는 음이온이 되지 않는다.
  예 $O + 2e^- \longrightarrow O^{2-}$, $F + e^- \longrightarrow F^-$
- 실온에서 액체인 브로민(Br_2)을 제외하고 기체나 고체로 존재한다.

③ 준금속 원소
- 주기율표에서 금속과 비금속의 경계에 위치한다.
  예 붕소(B), 규소(Si), 저마늄(Ge), 비소(As) 등
- 금속과 비금속의 중간 정도의 성질을 가지고 있다.

암기 콕 🎯

주기율표에서 왼쪽 아래로 갈수록 금속성이 증가하고, 오른쪽 위로 갈수록 비금속성이 증가한다. (18족 제외)

비금속성 증가
비금속
금속
금속성 증가

━━ 용어 ━━

▸ **알칼리**: 물에 녹으면 염기성을 띠는 물질. 주로 1족과 2족의 금속이 알칼리성을 띤다.
▸ **할로젠**: 17족 원소로, 반응성이 커서 금속과 반응하여 금속 염(salt)의 형태로 존재한다.
▸ **비활성**: 다른 화합물과 쉽게 반응하지 않는 성질

개념 확인하기

1 주기율표의 가로줄을 (주기 , 족)(이)라고 하고, 세로줄을 (주기 , 족)(이)라고 한다.
2 같은 주기의 원소는 바닥상태에서 전자가 들어 있는 ( ) 수가 같다.
3 동족 원소는 ( ) 수가 같아서 화학적 성질이 비슷하다.
4 주기율표의 왼쪽에는 주로 ( ) 원소가, 오른쪽에는 ( ) 원소가 존재한다.

답 1 주기, 족 2 전자 껍질 3 원자가 전자 4 금속, 비금속

2. 원소의 전자 배치와 주기율

① 전자 배치의 주기성: 바닥상태 원자의 전자 배치에서 가장 바깥 전자 껍질의 전자 배치는 주기성을 나타낸다.

| 자료 파헤치기 |

[가장 바깥 전자 껍질의 전자 배치]
- 전자가 들어 있는 가장 바깥 전자 껍질의 주 양자수는 주기와 같다.

= 전자가 들어 있는 전자 껍질 수

주기 \ 족	1	2	13	14	15	16	17	18
1	$1s^1$							$1s^2$
2	$2s^1$	$2s^2$	$2s^2 2p^1$	$2s^2 2p^2$	$2s^2 2p^3$	$2s^2 2p^4$	$2s^2 2p^5$	$2s^2 2p^6$
3	$3s^1$	$3s^2$	$3s^2 3p^1$	$3s^2 3p^2$	$3s^2 3p^3$	$3s^2 3p^4$	$3s^2 3p^5$	$3s^2 3p^6$
4	$4s^1$	$4s^2$	$4s^2 4p^1$	$4s^2 4p^2$	$4s^2 4p^3$	$4s^2 4p^4$	$4s^2 4p^5$	$4s^2 4p^6$
가장 바깥 전자 껍질의 전자 배치	ns^1	ns^2	$ns^2 np^1$	$ns^2 np^2$	$ns^2 np^3$	$ns^2 np^4$	$ns^2 np^5$	$ns^2 np^6$
원자가 전자 수	1	2	3	4	5	6	7	0

→ He은 18족 원소이지만, 최외각 전자 수는 2이다.

→ 원자 번호 8 또는 18을 주기로 가장 바깥 전자 껍질의 전자 배치가 비슷해진다.

- 전자가 들어 있는 가장 바깥 전자 껍질의 s 오비탈과 p 오비탈에 들어 있는 전자가 원자가 전자이다 (단, 18족 제외).

② 전자 배치와 원자가 전자
- 최외각 전자: 가장 바깥 전자 껍질에 들어 있는 전자이다. 1, 2, 13~18족 원소의 경우 최외각 전자 수는 족의 끝자리 수와 같다(단, He은 제외).
- 원자가 전자: 원소의 화학적 성질을 결정하는 전자이다. 원자가 전자 수는 최외각 전자 수와 같으며, 예외로 다른 원소와 반응하지 않는 18족 원소는 원자가 전자 수가 0이다.

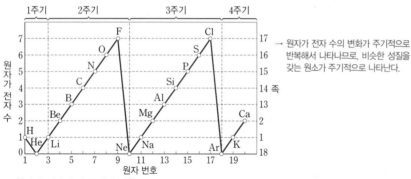

→ 원자가 전자 수의 변화가 주기적으로 반복해서 나타나므로, 비슷한 성질을 갖는 원소가 주기적으로 나타난다.

▲ 원자가 전자 수의 주기적 경향

- 족에 따른 최외각 전자 수와 원자가 전자 수

구분	1족	2족	13족	14족	15족	16족	17족	18족
최외각 전자 수	1	2	3	4	5	6	7	8(He은 2)
원자가 전자 수	1	2	3	4	5	6	7	0

암기 콕
- 같은 주기: 전자가 들어 있는 가장 바깥 전자 껍질의 주 양자수가 같다.
- 같은 족: 원자가 전자 수가 같다.

셀파 콕콕
대부분의 원소의 경우 최외각 전자 수와 원자가 전자 수가 같다. 그러나 화학 결합을 형성하지 않는 18족 원소는 최외각 전자 수 8(단, He은 2)이고, 원자가 전자 수는 0이다.

용어
▶ 주기성: 일정한 간격을 두고 되풀이하여 진행되거나 나타나는 성질

개념 확인하기

1 원자의 바닥상태 전자 배치에서 전자가 들어 있는 가장 바깥 전자 껍질의 주 양자수는 (　　)과/와 같다.

2 원자의 바닥상태 전자 배치에서 가장 바깥 전자 껍질에 들어 있는 전자 중 화학 결합에 관여하는 전자를 (　　)(이)라고 한다.

3 1족 원소의 원자가 전자 수는 (　　)이고, 17족 원소의 원자가 전자 수는 (　　)이다.

답 1. 주기 2. 원자가 전자 3. 1, 7

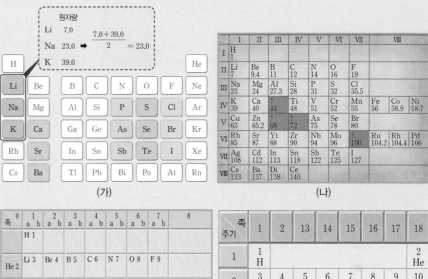

(가)   (나)

셀파 탐구

주기율표가 만들어지기 까지의 과정 조사하기

탐구 돋보기

- 되베라이너의 세 쌍 원소는 화학적 성질이 비슷하므로 같은 족에 속한다.
- 멘델레예프의 주기율표에서 숫자는 원자량을 나타낸다.
- 모즐리의 주기율표에서 숫자는 원자 번호를 나타낸다.
- 현대의 주기율표에서 금속 원소는 주로 왼쪽에, 비금속 원소는 주로 오른쪽에 위치한다.

강의 콕콕

멘델레예프의 주기율표에는 18족 원소가 없고, 모즐리의 주기율표에는 18족 원소가 왼쪽 끝에 0족으로 표시되어 있다. 현대의 주기율표에는 18족 원소가 오른쪽 끝에 18족으로 표시되어 있다.

셀파 콕콕

멘델레예프는 원소들을 원자량 순서로 배열하였고, 모즐리는 원소들을 원자 번호 순서로 배열하였음을 반드시 기억한다.

시험 유형은?

❶ 되베라이너의 세 쌍 원소는 현대 주기율표에서 같은 족과 같은 주기 중 어디에 속하는가?
▶ 같은 족

❷ 멘델레예프와 모즐리의 주기율표의 가장 큰 차이점은?
▶ 멘델레예프는 원소를 원자량 순으로, 모즐리는 원자 번호 순으로 배열하였다.

목표 현대의 주기율표가 만들어지기까지의 과정을 설명할 수 있다.

과정

그림 (가)~(라)는 각각 되베라이너의 세 쌍 원소설, 멘델레예프의 주기율표, 모즐리의 주기율표, 현대 주기율표의 일부를 나타낸 것이다.

(다)

족	0	1 a b	2 a b	3 a b	4 a b	5 a b	6 a b	7 a b	8
		H 1							
	He 2	Li 3	Be 4	B 5	C 6	N 7	O 8	F 9	
	Ne 10	Na 11	Mg 12	Al 13	Si 14	P 15	S 16	Cl 17	
	Ar 18	K 19	Ca 20	Sc 21	Ti 22	V 23	Cr 24	Mn 25	Fe 26, Co 27, Ni 28
		Cu 29	Zn 30	Ga 31	Ge 32	As 33	Se 34	Br 35	
	Kr 36	Rb 37	Sr 38	Y 39	Zr 40	Nb 41	Mo 42		Ru 44, Rh 45, Pd 46
		Ag 47	Cd 48	In 49	Sn 50	Sb 51	Te 52	I 53	
	Xe 54	Cs 55	Ba 56	57-71*	Hf 72	Ta 73	W 74		Os 76, Ir 77, Pt 78
		Au 79							

(라)

주기 \ 족	1	2	13	14	15	16	17	18
1	1 H							2 He
2	3 Li	4 Be	5 B	6 C	7 N	8 O	9 F	10 Ne
3	11 Na	12 Mg	13 Al	14 Si	15 P	16 S	17 Cl	18 Ar
4	19 K	20 Ca	31 Ga	32 Ge	33 As	34 Se	35 Br	36 Kr

결과 및 정리

1. (가)에서 Li, Na, K을 이용하여 세 쌍 원소설을 설명해 보자.

→ 리튬(Li), 나트륨(Na), 칼륨(K)의 쌍은 화학적 성질이 비슷하며, 가운데 원소인 나트륨의 원자량은 리튬과 칼륨의 원자량의 평균값과 같다.

2. (나)에서 멘델레예프 주기율표의 특징과 한계점을 설명해 보자.

→ 멘델레예프는 원소들을 원자량 순으로 배열하면 성질이 비슷한 원소가 주기적으로 나타나는 것을 발견하였다. 그러나 원자량 순서대로 배열하였을 때 18족 원소와 같은 몇몇 원소들은 화학적 성질이 크게 달라 주기율표에 넣을 수 없었다.

3. (다)에서 모즐리 주기율표의 특징을 설명해 보자.

→ 모즐리는 원소들을 원자 번호 순서로 배열하였으며 18족 비활성 기체도 배열하여 멘델레예프가 만든 주기율표의 문제점을 해결할 수 있었다.

탐구 대표 문제 정답과 해설 25쪽

01 (가)에서 Ca의 원자량을 x, Ba의 원자량을 z라고 할 때, Sr의 원자량 y를 세 쌍 원소설에 의하여 구하시오.

02 (라)에서 금속 원소와 준금속 원소, 비금속 원소는 각각 몇 가지인가?

기초 탄탄 문제

정답과 해설 25쪽

핵심용어_ 이 단원에서 내가 아는 것과 아직 모르는 것을 정리하며 나의 공부를 돌아보자.

□ 주기율 □ 주기율표 □ 원자량
□ 원자 번호 □ 주기 □ 족
□ 금속과 비금속 □ 원자가 전자

01 주기율과 주기율표에 대한 설명으로 옳지 <u>않은</u> 것은?

① 주기율은 성질이 비슷한 원소가 주기적으로 나타나는 것이다.
② 뉴랜즈는 옥타브설을 주장하였다.
③ 멘델레예프는 새로운 원소의 발견을 예측하였다.
④ 라부아지에는 원소를 4개의 그룹으로 분류하였다.
⑤ 모즐리는 원소들을 원자량 순으로 배열하여 멘델레예프가 만든 주기율표의 문제점을 해결할 수 있었다.

02 다음은 되베라이너가 주장한 세 쌍 원소에 해당하는 원소들의 원자량을 나타낸 것이다.

(가)

원소 기호	원자량
Li	7
Na	23
K	39

(나)

원소 기호	원자량
Ca	40
Sr	88
Ba	137

이에 대한 설명으로 옳지 <u>않은</u> 것은?

① 세 쌍 원소는 화학적 성질이 비슷하다.
② 중간 원소의 원자량은 나머지 두 원소의 원자량의 평균값과 비슷하다.
③ (가)와 (나)의 각 원소 쌍에서 원자량이 커짐에 따라 물리적 성질이 규칙적으로 변한다.
④ 현대 주기율표에서 같은 주기 원소에 해당한다.
⑤ Cl-Br-I도 세 쌍 원소에 해당한다.

03 다음 중 주기율표에서 같은 족에 속하는 원소가 같은 값을 갖는 것은?

① 양성자수
② 최외각 전자 수
③ 원자가 전자 수
④ 원자가 전자의 주 양자수
⑤ 전자가 들어 있는 전자 껍질 수

[04~05] 그림은 주기율표의 원소를 (가)~(마)로 분류한 것이다.

주기＼족	1	2	13	14	15	16	17	18
1	(가)							
2								
3		(나)					(라)	(마)
4				(다)				
5								
6								

04 이에 대한 설명으로 옳은 것은?

① (가)는 알칼리 금속이다.
② (나)는 양이온이 되기 쉽다.
③ (다)는 반응성이 거의 없다.
④ (라)는 대부분 전기 전도성이 있다.
⑤ (마)는 최외각 전자 수가 모두 8이다.

05 다음은 원소 X의 전자 배치를 나타낸 것이다.

$$1s^2\ 2s^2\ 2p^6\ 3s^2\ 3p^3$$

X에 대한 설명으로 옳은 것은? (단, X는 임의의 원소 기호이다.)

① 3주기에 속한다.
② 13족에 속한다.
③ (다)에 속한다.
④ 원자가 전자 수는 3이다.
⑤ 전자를 잃고 양이온이 되기 쉽다.

내신 만점 문제

정답과 해설 26쪽   * ▩▩▩ 난이도를 나타냅니다.

01 다음은 라부아지에가 당시에 원소로 알려진 33개의 물질을 분류한 내용이다.

> • 동식물 및 광물계에 포함된 원소
> 예 산소, 수소, 질소, 빛, 열
> • 산화되어 산을 만드는 원소
> 예 황, 인, 탄소, 염소, 플루오린 등
> • 산화되어 염기를 만드는 금속 원소
> 예 안티모니, 은, 비소, 비스무트, 코발트, 구리, 주석 등
> • 염을 만드는 원소
> 예 생석회, 마그네시아, 알루미나, 실리카 등

라부아지에의 원소 분류 방법의 한계점으로 옳은 것만을 〈보기〉에서 있는 대로 고른 것은?

> ┤ 보기 ├
> ㄱ. 빛과 열은 원소가 아니다.
> ㄴ. 코발트, 구리, 주석은 금속 원소가 아니다.
> ㄷ. 생석회는 원소가 아니다.

① ㄱ   ② ㄴ   ③ ㄱ, ㄷ
④ ㄴ, ㄷ   ⑤ ㄱ, ㄴ, ㄷ

02 다음은 현재 사용하는 주기율표의 완성에 기여한 모즐리의 업적에 관한 글이다.

> 모즐리는 여러 원소에서 X선의 파장을 조사하여 분석하는 실험을 하였다. 실험 결과 원소들을 원자량보다는 원자핵 속 ⓐ 의 수에 따라 배열했을 때 원소의 주기적 성질이 더 잘 나타난다는 사실을 알았다.

ⓐ으로 가장 적절한 것은?

① 양성자   ② 중성자   ③ 전자
④ 전자 껍질   ⑤ 원자가 전자

03 다음은 주기율과 관련된 설명 (가)~(라)를 시대 순서에 관계 없이 나타낸 것이다.

> (가) 당시까지 발견된 63종의 원소를 원자량 순으로 나열하였으며, 발견되지 않은 원소의 자리는 빈칸으로 남겨놓고 원소의 성질을 예측하였다.
> (나) 화학적 성질이 비슷한 원소를 3개씩 묶어 세 쌍 원소라고 하였다.
> (다) 원소들을 원자량 순서로 배열하면 8번째마다 성질이 비슷한 원소가 주기적으로 나타난다는 것을 발견하였다.
> (라) 원소들을 원자 번호 순으로 배열하여 멘델레예프가 만든 주기율표의 문제점을 해결할 수 있었다.

(가)~(라)를 시대 순으로 옳게 배열한 것은?

① (가) → (나) → (다) → (라)
② (가) → (다) → (나) → (라)
③ (나) → (가) → (다) → (라)
④ (나) → (다) → (가) → (라)
⑤ (다) → (나) → (가) → (라)

04 그림은 주기율표의 일부를 나타낸 것이다.

족\주기	1	2	13	14	15	16	17	18
1	A							
2							B	
3	C						D	E

A~E에 대한 설명으로 옳은 것만을 〈보기〉에서 있는 대로 고른 것은? (단, A~E는 임의의 원소 기호이다.)

> ┤ 보기 ├
> ㄱ. A와 C는 모두 알칼리 금속이다.
> ㄴ. 비금속성은 B가 가장 크다.
> ㄷ. 음이온이 되기 쉬운 원소는 3가지이다.

① ㄱ   ② ㄴ   ③ ㄱ, ㄷ
④ ㄴ, ㄷ   ⑤ ㄱ, ㄴ, ㄷ

 그림은 주기율표의 일부를 나타낸 것이다.

주기＼족	1	2	13	14	15	16	17	18
1								
2								(다)
3	(가)					(나)		
4								

이에 대한 설명으로 옳은 것만을 〈보기〉에서 있는 대로 고른 것은?

―┤보기├―
ㄱ. (가)에서 원자 번호가 커질수록 금속성이 커진다.
ㄴ. (나)에서 원자 번호가 커질수록 원자가 전자 수는 증가한다.
ㄷ. (다)에서 모든 원자들의 최외각 전자 수는 같다.

① ㄱ   ② ㄷ   ③ ㄱ, ㄴ
④ ㄴ, ㄷ   ⑤ ㄱ, ㄴ, ㄷ

 다음은 2, 3주기 원소 A~C에 대한 자료이다.

- A의 바닥상태 전자 배치는 다음과 같다.
  $$1s^2 \, 2s^2 \, 2p^1$$
- A와 B는 원자가 전자 수가 같다.
- C는 바닥상태 전자 배치에서 전자가 들어 있는 전자 껍질 수가 A와 같고, C의 홀전자 수는 3이다.

이에 대한 설명으로 옳은 것만을 〈보기〉에서 있는 대로 고른 것은? (단, A~C는 임의의 원소 기호이다.)

―┤보기├―
ㄱ. A는 준금속 원소이다.
ㄴ. C가 −3의 음이온이 되면 Ar과 같은 전자 배치를 갖는다.
ㄷ. 원자 번호는 C가 B보다 크다.

① ㄱ   ② ㄴ   ③ ㄱ, ㄷ
④ ㄴ, ㄷ   ⑤ ㄱ, ㄴ, ㄷ

07 그림은 바닥상태 원자 A와 B의 전자 배치를 나타낸 것이다.

 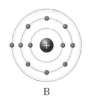

A   B

이에 대한 설명으로 옳지 않은 것은? (단, A, B는 임의의 원소 기호이다.)

① A는 2주기 원소이다.
② B는 알칼리 금속이다.
③ 원자가 전자 수는 A가 B보다 크다.
④ B는 +1가의 양이온이 되기 쉽다.
⑤ 홀전자 수는 A가 B보다 1만큼 크다.

08 그림은 주기율표의 일부를 나타낸 것이다.

주기＼족	1	2	13	14	15	16	17	18
2	A						B	C
3	D							E

A~E 중 −1가의 음이온이 되었을 때, 이온의 바닥상태 전자 배치에서 가장 바깥 전자 껍질의 전자 배치가 $2s^2 2p^6$인 원소는? (단, A~E는 임의의 원소 기호이다.)

① A   ② B   ③ C
④ D   ⑤ E

09 다음은 원자 A와 B의 전자 배치를 나타낸 것이다.

- A: $1s^2 \, 2s^2 \, 2p^3$
- B: $1s^2 \, 2s^2 \, 2p^6 \, 3s^1 \, 3p^4$

이에 대한 설명으로 옳은 것만을 〈보기〉에서 있는 대로 고른 것은? (단, A, B는 임의의 원소 기호이다.)

―┤보기├―
ㄱ. B는 바닥상태이다.
ㄴ. A와 B는 같은 족의 원소이다.
ㄷ. A와 B는 같은 주기의 원소이다.

① ㄱ   ② ㄴ   ③ ㄱ, ㄷ
④ ㄴ, ㄷ   ⑤ ㄱ, ㄴ, ㄷ

10 다음은 어떤 원소 (가)와 (나)에 대한 설명이다.

- 바닥상태 전자 배치에서 전자가 들어 있는 전자 껍질 수는 (나)가 (가)보다 크다.
- 바닥상태에서 원자가 전자 수는 (가)가 (나)의 2배이다.

(가)와 (나)는 2주기 또는 3주기 원소로, 각각 아래 주기율표의 A~E 중 하나이다.

족 주기	1	2	13	14	15	16	17	18
2			A	B				C
3		D		E				

(가)와 (나)에 해당하는 것을 옳게 짝 지은 것은? (단, A~E는 임의의 원소 기호이다.)

	(가)	(나)
①	B	C
②	B	D
③	C	D
④	C	E
⑤	D	B

그림은 원자 A~D의 바닥상태 전자 배치에서 전자가 들어 있는 전자 껍질의 주 양자수와 원자가 전자 수를 나타낸 것이다. A~D는 원자 번호 1~20의 원소 중 하나이다.

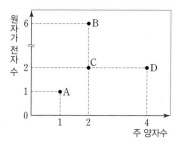

A~D에 대한 설명으로 옳은 것만을 〈보기〉에서 있는 대로 고른 것은? (단, A~D는 임의의 원소 기호이다.)

┤ 보기 ├
ㄱ. B와 C는 화학적 성질이 비슷하다.
ㄴ. 금속 원소는 2가지이다.
ㄷ. 바닥상태 전자 배치에서 홀전자 수는 D가 가장 크다.

① ㄱ 　　② ㄴ 　　③ ㄱ, ㄷ
④ ㄴ, ㄷ 　　⑤ ㄱ, ㄴ, ㄷ

서술형 문제

12 그림은 주기율표의 일부를 나타낸 것이다.

족 주기	1	2	13	14	15	16	17	18
1	H							He
2	Li	Be	B	C	N	O	F	Ne
3	Na	Mg	Al	Si	P	S	Cl	Ar
4	K	Ca	Ga	Ge	As	Se	Br	Kr

(1) 위의 원소 중 비금속성이 가장 큰 원소를 쓰시오.

_____

(2) Br(브로민)과 화학적 성질이 비슷한 원소를 있는 대로 고르고, 그 까닭을 서술하시오.

_____

_____

13 그림은 원자 번호 1~20인 원소의 주기율표를 나타낸 것이다.

족 주기	1	2	13	14	15	16	17	18
1	H							He
2	Li	Be	B	C	N	O	F	Ne
3	Na	Mg	Al	Si	P	S	Cl	Ar
4	K	Ca						

(1) 원자 번호에 따른 원자가 전자 수를 아래 그래프에 나타내시오.

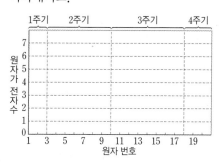

(2) 원소를 원자 번호 순으로 배열할 때, 성질이 비슷한 원소가 주기적으로 나타나는 까닭을 원자가 전자 수와 관련지어 서술하시오.

_____

_____

02 원소의 주기적 성질

내 교과서는 어디에?

천재 p.87~94 교학사 p.86~91 금성 p.83~89 동아 p.89~97 미래엔 p.88~95
비상 p.80~85 상상 p.90~98 지학사 p.84~92 YBM p.101~109

핵심 Point ━━● 주기율표에서 유효 핵전하와 원자 반지름의 주기성을 이해한다.
━━● 주기율표에서 이온화 에너지의 주기성을 이해한다.

---

1 유효 핵전하

원자 번호가 커질수록 양성자수가 증가하므로 원자핵이 갖는 핵전하는 증가한다.

1. 유효 핵전하❶ 원자 내의 전자들은 원자핵에 의해 끌리는 인력을 받고 있으며, 다전자 원자들은 원자핵과의 인력뿐 아니라 원자 내부 전자들 사이의 반발력을 동시에 받는다. 따라서 전자가 받는 핵전하는 실제 원자핵의 핵전하보다 작아지는데, 이를 유효 핵전하라고 한다.

> [수소 원자의 유효 핵전하]
> 보어 원자 모형에 따르면 수소 원자의 전자는 K 전자 껍질에 1개밖에 없으므로 전자들 사이의 반발력은 없고 원자핵과 전자 사이의 인력만 존재한다. 따라서 수소 원자에서 전자에 작용하는 유효 핵전하는 양성자수에 의한 핵전하와 같은 +1이다.

핵전하를 가리는 전자가 없으므로 유효 핵전하는 +1이다.

> [다전자 원자의 유효 핵전하]
> 전자가 2개 이상인 다전자 원자에서는 전자들 사이의 반발력이 작용하여 원자핵과 전자 사이의 인력이 약해진다. 따라서 다전자 원자에서 전자에 작용하는 유효 핵전하는 양성자수에 의한 핵전하보다 작다.

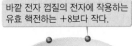

바깥 전자 껍질의 전자에 작용하는 유효 핵전하는 +8보다 작다.

2. 가려막기 효과❷ 다전자 원자에서 다른 전자들에 의해 원자핵이 가려져서 전자에 작용하는 유효 핵전하가 양성자수에 의한 핵전하보다 작아지는 현상

• 가려막기 효과는 안쪽 전자 껍질에 있는 전자들뿐만 아니라, 같은 전자 껍질에 있는 다른 전자들에 의해서도 나타난다. → 산소 원자의 경우 가장 바깥 전자 껍질의 전자는 안쪽 전자 껍질의 전자 2개와, 같은 전자 껍질의 전자 5개가 핵전하를 가린다.

• 같은 전자 껍질에 있는 전자들에 의한 가려막기 효과보다 안쪽 전자 껍질에 있는 전자들에 의한 가려막기 효과가 더 크다.

3. 유효 핵전하의 주기성

> • 같은 주기: 원자 번호가 커질수록 전자에 작용하는 유효 핵전하가 증가한다.

➡ 같은 주기에서 원자 번호가 1 커지면 양성자수가 1 증가하므로 핵전하도 1 증가하며, 전자 수도 1 증가하므로 가려막기 효과도 증가한다. 이때 양성자수 증가에 의한 핵전하 증가의 영향이 전자 수 증가에 따른 가려막기 효과의 영향보다 크므로, 전자에 작용하는 유효 핵전하는 증가한다.

> • 핵전하가 1 증가하면서 주기가 바뀔 때: 전자에 작용하는 유효 핵전하가 크게 감소한다.

➡ 2주기 원소인 네온(Ne)에서 3주기 원소인 나트륨(Na)으로 원자 번호가 1 커지면 새로운 전자 껍질(M 전자 껍질)에 전자가 들어가므로 안쪽 전자 껍질(L 전자 껍질)에 있는 전자들 때문에 가려막기 효과를 크게 받는다. 따라서 주기가 바뀌면 유효 핵전하가 크게 감소한다.

---

❶ 유효 핵전하
(effective nuclear charge)
다전자 원자는 원자핵에 끌리는 인력과 원자 내부 전자에 의한 반발력의 작용을 동시에 받는다. 따라서 전자가 느낄 수 있는 실질적인 핵전하(알짜 핵전하)는 원자핵에 있는 양성자에 의한 핵전하보다 작게 되는데, 이를 유효 핵전하라고 한다.

❷ 가려막기 효과
유효 핵전하는 양성자수에 의한 핵전하에서 전자들의 가려막기 효과를 나타내는 상수를 뺀 값으로 나타낸다.
유효 핵전하
= 핵전하 - 가려막기 상수

암기 콕
원자가 전자의 유효 핵전하
• 같은 주기에서 원자 번호가 커질수록 증가
• 네온(Ne) → 나트륨(Na)처럼 주기가 바뀔 때 크게 감소

━━━ 용어 ━━━

▶ **핵전하**: 원자핵이 가진 전하. 원자핵 내의 양성자 전하의 총합

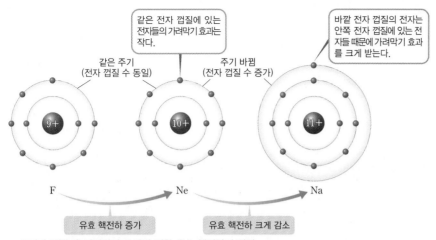

같은 전자 껍질에 있는 전자들의 가려막기효과는 작다.

바깥 전자 껍질의 전자는 안쪽 전자 껍질에 있는 전자들 때문에 가려막기 효과를 크게 받는다.

같은 주기
(전자 껍질 수 동일)

주기 바뀜
(전자 껍질 수 증가)

F → Ne → Na

유효 핵전하 증가　　유효 핵전하 크게 감소

▲ 주기가 바뀔 때 가려막기 효과에 의한 유효 핵전하의 변화

자료 파헤치기

[유효 핵전하의 주기성]

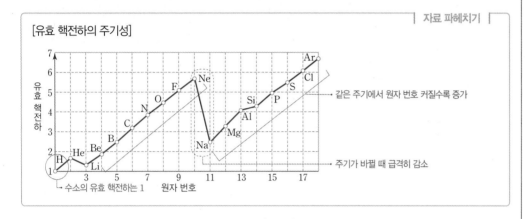

같은 주기에서 원자 번호 커질수록 증가

주기가 바뀔 때 급격히 감소

수소의 유효 핵전하는 1　　원자 번호

강의 콕

같은 주기에서 원자 번호가 1 증가할 때 유효 핵전하는 가려막기 효과 때문에 1보다 조금 적게 증가한다. 그러나 2주기 원소 Ne에서 3주기 원소 Na으로 주기가 바뀔 때는 전자가 느끼는 유효 핵전하가 크게 감소한다.

암기 콕

유효 핵전하는 핵전하보다 작으나, 같은 주기에서 유효 핵전하와 핵전하의 경향성은 일치한다.

2　원자 반지름과 이온 반지름

1. 원자 반지름

① 원자 반지름의 정의: 현대적 원자 모형에 따르면 원자의 경계가 분명하지 않으므로 원자 반지름의 크기를 정확하게 알 수 없다. 따라서 일반적으로 같은 종류의 두 원자가 결합되어 있을 때 두 원자핵 간 거리의 반을 원자 반지름으로 정의한다.❸

❸ 비활성 기체의 원자 반지름

18족 원소는 결합을 형성하지 않으므로 결합된 두 원자핵 간 거리로 원자 반지름을 정의할 수 없다. 따라서 비활성 기체의 원자 반지름은 비교하지 않는다.

[수소의 원자 반지름]

수소 분자(H_2)에서 수소 원자핵 간 거리의 $\frac{1}{2}$로 정의한다.

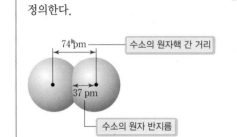

74 pm ─ 수소의 원자핵 간 거리
37 pm ─ 수소의 원자 반지름

[금속 나트륨의 원자 반지름]

나트륨 결정에서 가장 가까운 원자핵 간 거리의 $\frac{1}{2}$로 정의한다.

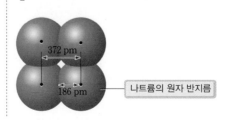

372 pm
186 pm ─ 나트륨의 원자 반지름

─ 용어 ─

▶ pm(피코미터): 길이 단위의 한 가지로, 1 pm＝10^{-12} m이다.
▶ 나트륨 결정: 나트륨 원자들이 규칙적으로 배열된 고체

개념
확인하기

1　수소 원자에서 전자에 작용하는 유효 핵전하는 ＋1이다.　　　　　　　(○, ×)

2　헬륨 원자에서 전자에 작용하는 유효 핵전하는 ＋2이다.　　　　　　　(○, ×)

3　같은 주기에서 원자 번호가 커질수록 전자에 작용하는 유효 핵전하가 증가한다.　(○, ×)

답 1. ○ 2. × 3. ○

② 원자 반지름에 영향을 주는 요인
- 전자 껍질 수: 전자 껍질 수가 증가할수록 원자핵과 원자가 전자 사이의 거리가 멀어지므로 원자 반지름이 증가한다.
  └ 원자핵이 전자를 약하게 끌어당긴다.
- 유효 핵전하: 유효 핵전하가 증가할수록 원자핵과 원자가 전자 사이의 ▶정전기적 인력이 증가하므로 원자 반지름이 감소한다.
  └ 원자핵이 전자를 강하게 끌어당긴다.

③ 원자 반지름의 주기성

- 같은 주기: 원자 번호가 커질수록 원자가 전자에 작용하는 유효 핵전하가 증가하므로 원자 반지름이 감소한다.

⑩ Li > Be > B
Li−Be−B로 갈수록 전자 껍질 수는 같고 양성자 수 증가 ➡ 유효 핵전하 증가 ➡ 원자핵과 전자 사이의 인력 증가 ➡ 원자 반지름 감소

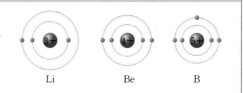

Li   Be   B

- 같은 족: 원자 번호가 커질수록 전자 껍질 수가 증가하므로 원자 반지름이 증가한다.

⑩ Li < Na < K
Li−Na−K으로 갈수록 전자 껍질 수 증가 ➡ 원자핵과 전자 사이의 거리 멀어짐 ➡ 원자핵과 전자 사이의 인력 감소 ➡ 원자 반지름 증가

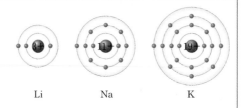

Li   Na   K

| 자료 파헤치기 |

[원자 반지름의 주기성]

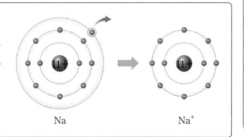

같은 족에서 원자 번호 커질수록 증가

같은 주기에서 원자 번호 커질수록 감소

2. 이온 반지름

① 양이온 반지름: 금속 원소의 원자가 안정한 양이온이 되면 전자 껍질 수가 감소하므로 양이온 반지름은 원자 반지름보다 작아진다.
  └ 가장 바깥 전자 껍질의 전자를 모두 잃는다.

⑩ Na > Na⁺, Ca > Ca²⁺

⑩ 나트륨(Na) 원자가 나트륨 이온(Na^+)이 될 때, M 전자 껍질에 있는 원자가 전자 1개를 잃으므로 전자 껍질 수가 감소한다. 따라서 반지름은 $Na > Na^+$이다.

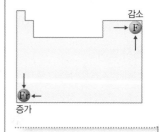

Na   Na⁺

② 음이온 반지름: 비금속 원소❹의 원자가 안정한 음이온이 되면 전자 수가 증가하여 전자 사이
의 반발력이 증가하므로 유효 핵전하가 감소하여 음이온 반지름은 원자 반지름보다 커진다.
— 가장 바깥 전자 껍질에 전자를 받아들여 옥텟 규칙을 만족한다.
예 $Cl < Cl^-$, $O < O^{2-}$, $F < F^-$

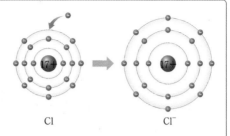

예 염소(Cl) 원자가 염화 이온(Cl^-)이 될 때, M 전자
껍질의 전자 수가 7에서 8로 증가하여 전자 사이
의 반발력이 증가하고, 유효 핵전하가 감소한다.
따라서 반지름은 $Cl < Cl^-$이다.

Cl   Cl⁻

❹ 금속 원소와 비금속 원소
주기율표에서 금속 원소는 주로 주기
율표의 왼쪽에, 비금속 원소는 주로
주기율표의 오른쪽에 위치한다. 1족,
2족 원소는 전자를 잃고 양이온이 되
기 쉽고, 16족, 17족 원소는 전자를
얻어 음이온이 되기 쉽다.

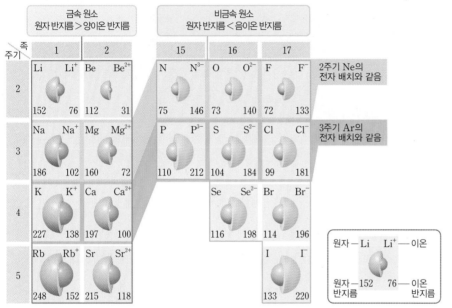

▲ 금속 원소와 비금속 원소의 원자 반지름과 이온 반지름 비교(pm)

암기 콕
· 양이온 반지름 < 원자 반지름
· 음이온 반지름 > 원자 반지름

③ 이온 반지름의 주기성

· 금속 양이온은 같은 주기에서 원자 번호가 커질수록 유효 핵전하가 증가하므로 이온 반지
름이 작아진다. 이러한 경향은 비금속 음이온에서도 나타난다.

· 같은 족에서 양이온과 음이온은 각각 원자 번호가 커질수록 전자 껍질 수가 증가하므로 이
온 반지름이 커진다.

④ 등전자 이온의 반지름 비교: 등전자 이온은 전자 껍질 수와 전자 수가 같으므로 가려막기 효과
의 크기가 같다. 따라서 등전자 이온은 양성자수에 의한 핵전하가 클수록, 즉 원자 번호가
커질수록 유효 핵전하가 증가하므로 이온 반지름이 작아진다.

예 · $O^{2-} > F^- > Na^+ > Mg^{2+}$ → 전자 배치가 Ne과 같은 이온들

· $S^{2-} > Cl^- > K^+ > Ca^{2+}$ → 전자 배치가 Ar과 같은 이온들

═══ 용어 ═══
▶ 등전자 이온: 같은 수의 전자를 가
지고 있어 전자 배치가 같은 이온

개념
확인하기

1 같은 족에서는 원자 번호가 커질수록 (   ) 수가 증가하므로 원자 반지름이 (   )한다.

2 같은 주기에서는 원자 번호가 커질수록 원자가 전자에 작용하는 (   )이/가 증가하므로 원자 반지름
이 (   )한다.

3 원자가 안정한 양이온이 되면 반지름이 증가하고, 안정한 음이온이 되면 반지름이 감소한다. (○, ×)

4 전자 수가 같은 이온의 경우, 원자 번호가 클수록 이온 반지름이 크다. (○, ×)

답 1. 전자 껍질, 증가 2. 증가 3. 유효 핵전하, 감소 3. × 4. ×

🔍 **탐구 돋보기**

• 유효 핵전하는 같은 주기에서 원자 번호가
커질수록 증가하고, 주기가 바뀔 때 크게
감소한다.

• 원자 반지름은 같은 주기에서 원자 번호가
커질수록 감소하고, 같은 족에서 원자 번호
가 커질수록 증가한다.

• 18족 원소(비활성 기체)는 결합을 잘 형성
하지 않으므로 다른 방법으로 원자 반지름
을 정하여 사용한다. 따라서 1~17족 원소
들과 원자 반지름의 기준이 달라 나타내지
않았다.

목표 2, 3주기 원소들의 유효 핵전하와 원자 반지름을 그래프로 나타내고, 주기성을 설명할 수 있다.

과정

❶ 그림은 2주기와 3주기 원소들의 유효 핵전하를 나타낸 것이다.

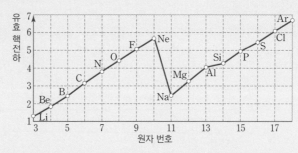

❷ 그림은 2주기와 3주기 원소들의 원자 반지름을 나타낸 것이다.

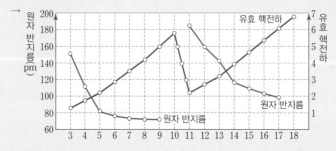

결과 및 정리

1. 2, 3주기 원소들의 유효 핵전하와 원자 반지름을 한 그래프에 나타내 보자.

2. 같은 주기에서 유효 핵전하와 원자 반지름은 각각 어떻게 달라지는가?

→ 같은 주기에서 원자 번호가 커질 때 유효 핵전하는 증가하고, 원자 반지름은 감소한다.

3. 같은 주기에서 유효 핵전하가 증가할수록 원자 반지름이 감소하는 까닭은 무엇인가?

→ 유효 핵전하가 증가하면 원자핵이 전자들을 강하게 끌어당기므로 원자 반지름이 감소한다.

탐구 **대표 문제** 정답과 해설 28쪽

01 2, 3주기 원소들의 원자 반지름과 유효 핵전하에 대한 설명으로 옳지 <u>않은</u> 것은?

① 같은 주기에서 원자 번호가 클수록 유효 핵전하가 증가한다.

② 유효 핵전하는 나트륨(Na)이 리튬(Li)보다 크다.

③ 같은 주기에서 원자 번호가 클수록 원자 반지름이 감소한다.

④ 같은 족에서 원자 번호가 클수록 원자 반지름이 증가한다.

⑤ 네온(Ne)에서 나트륨(Na)으로 원자 번호가 커질 때 유효 핵전하는 크게
증가한다.

📝 **시험 유형은?**

❶ 2주기 원소인 네온(Ne)에서 3주기 원소
인 나트륨(Na)으로 될 때 유효 핵전하가
크게 감소하는 까닭은?

▶ 새로운 전자 껍질(M 전자 껍질)에 전자 1
개가 들어가므로 안쪽 전자 껍질(L 전자
껍질)에 있는 전자들 때문에 가려막기 효
과를 크게 받는다. 따라서 유효 핵전하가
크게 감소한다.

❷ 같은 족에서 원자 번호가 커질 때 원자 반
지름이 증가하는 까닭은?

▶ 전자 껍질 수가 증가하기 때문이다.

3. 이온화 에너지

1. 이온화 에너지 기체 상태의 원자 1몰에서 전자 1몰을 떼어 내는 데 필요한 에너지

$$\text{M}(g) + E \longrightarrow \text{M}^+(g) + \text{e}^- \quad (E: \text{이온화 에너지})$$

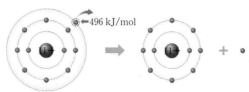
←496 kJ/mol

예 기체 상태의 나트륨 원자 1몰에서 전자 1몰을 떼어 내는 데 필요한 에너지는 496 kJ이다.

└→ 원자에서 전자를 떼어 내기 위해서는 원자핵과 전자 사이의 인력을 끊을 만큼의 에너지를 외부에서 가해 주어야 한다.

2. 이온화 에너지의 주기성 원자핵과 전자 사이의 인력이 강할수록 이온화 에너지가 증가한다.

• 같은 주기: 원자 번호가 커질수록 이온화 에너지가 대체로 증가한다. → 같은 주기에서 알칼리 금속이 가장 작고, 비활성 기체가 가장 크다.

➡ 원자 번호가 커질수록 유효 핵전하가 증가하여 원자핵과 전자 사이의 인력이 커지기 때문이다.

• 같은 족: 원자 번호가 커질수록 이온화 에너지가 감소한다.

➡ 원자 번호가 커질수록 전자 껍질 수가 커져 원자핵과 전자 사이의 인력이 작아지기 때문이다.

| 자료 파헤치기 |

[이온화 에너지의 주기성]

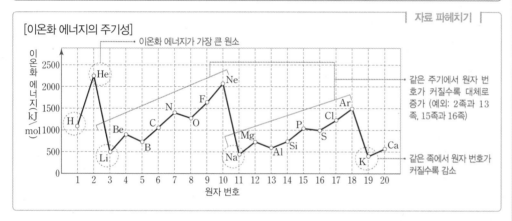

이온화 에너지가 가장 큰 원소

같은 주기에서 원자 번호가 커질수록 대체로 증가 (예외: 2족과 13족, 15족과 16족)

같은 족에서 원자 번호가 커질수록 감소

3. 이온화 에너지의 주기성 예외: 같은 주기에서 원자 번호가 커질수록 대체로 증가하지만, 2족과 13족 사이, 15족과 16족 사이에서는 예외적인 경향이 나타난다.

[2족과 13족 사이❺]

2주기에서 2족 원소인 베릴륨(Be)은 $1s^2 2s^2$, 13족 원소인 붕소(B)는 $1s^2 2s^2 2p^1$의 전자 배치를 갖는다. 이때 $2p$ 오비탈의 에너지가 $2s$ 오비탈의 에너지보다 높으므로 $2s$ 오비탈보다 $2p$ 오비탈에서 전자를 떼어 내기가 더 쉽다. 따라서 이온화 에너지는 B가 Be보다 작다. └→ 다전자 원자에서 오비탈의 에너지 준위 $1s < 2s < 2p < 3s < 3p < 4s < 3d < \cdots$

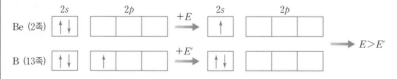

$E > E'$

암기 콕

이온화 에너지
• 같은 주기: 원자 번호가 클수록 대체로 증가
• 같은 족: 원자 번호가 클수록 감소
• 반지름과 주기성이 대체로 반대

대체로 증가

대체로 감소

❺ 마그네슘(Mg)과 알루미늄(Al)의 이온화 에너지 비교

3주기 2족 원소인 마그네슘(Mg)은 $1s^2 2s^2 2p^6 3s^2$, 13족 원소인 알루미늄(Al)은 $1s^2 2s^2 2p^6 3s^2 3p^1$의 전자 배치를 갖는다. 이때 $3p$ 오비탈의 에너지가 $3s$ 오비탈의 에너지보다 높으므로 $3s$ 오비탈보다 $3p$ 오비탈에서 전자를 떼어 내기가 더 쉽다. 따라서 이온화 에너지는 Al이 Mg보다 작다.

━━━ 용어 ━━━

▶ 이온화: 중성 원자가 전자를 잃거나 얻어서 전하를 띠게 되는 현상
▶ 오비탈: 원자핵 주위의 공간에서 전자가 존재할 확률 분포를 나타낸 것

개념 확인하기

1 같은 주기에서 이온화 에너지는 1족 원소가 가장 작고, 18족 원소가 가장 크다. (○, ×)

2 같은 족에서는 원자 번호가 커질수록 ( ) 수가 커져 이온화 에너지가 ( )한다.

3 이온화 에너지는 붕소(B)가 베릴륨(Be)보다 크다. (○, ×)

답 1 ○ 2 전자 껍질, 감소 3 ×

[15족과 16족 사이❻]

2주기에서 15족 원소인 질소(N)는 $1s^2\ 2s^2\ 2p_x^1\ 2p_y^1\ 2p_z^1$, 16족 원소인 산소(O)는 $1s^2\ 2s^2\ 2p_x^2$ $2p_y^1\ 2p_z^1$의 전자 배치를 갖는다. 이때 16족 원소는 $2p_x$ 오비탈의 전자가 쌍을 이루고 있어 전자 사이의 반발력 때문에 15족 원소보다 전자를 떼어 내기가 더 쉽다. 따라서 이온화 에너지는 O가 N보다 작다.

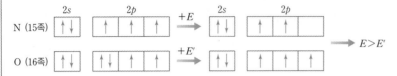

4. 순차 이온화 에너지

① 순차 이온화 에너지: 기체 상태의 원자에서 전자를 1몰씩 차례로 떼어 내는 데 필요한 에너지

[순차 이온화 에너지❼]

첫 번째 전자를 떼어 내는 데 필요한 에너지를 제1 이온화 에너지(E_1), 두 번째, 세 번째 전자를 떼어 내는 데 필요한 에너지를 각각 제2 이온화 에너지(E_2), 제3 이온화 에너지(E_3)라고 한다.

- $M(g) + E_1 \longrightarrow M^+(g) + e^-$ (E_1: 제1 이온화 에너지) → 수소(H)는 전자가 1개이므로 제1 이온화 에너지만 존재한다.
- $M^+(g) + E_2 \longrightarrow M^{2+}(g) + e^-$ (E_2: 제2 이온화 에너지)
- $M^{2+}(g) + E_3 \longrightarrow M^{3+}(g) + e^-$ (E_3: 제3 이온화 에너지)

$Be(g) + 899\ kJ/mol \rightarrow Be^+(g) + e^-$ $Be^+(g) + 1757\ kJ/mol \rightarrow Be^{2+}(g) + e^-$ $Be^{2+}(g) + 14849\ kJ/mol \rightarrow Be^{3+}(g) + e^-$

② 순차 이온화 에너지의 크기: 이온화 차수가 커질수록 순차 이온화 에너지는 증가한다.

➡ 전자를 떼어 낼수록 가려막기 효과가 감소하므로 유효 핵전하가 증가하여 원자핵과 전자 사이의 인력이 증가하기 때문이다.

순차 이온화 에너지의 크기: $E_1 < E_2 < E_3 < E_4 < \cdots$

③ 순차 이온화 에너지와 원자가 전자 수: 순차 이온화 에너지가 급격히 증가하는 구간은 원소의 원자가 전자 수와 관련이 있다.

➡ 원자가 전자를 모두 떼어 낸 후, 그 다음 전자를 떼어 낼 때는 안쪽 전자 껍질에서 전자를 떼어 내게 된다. 안쪽 전자 껍질에 있는 전자는 원자가 전자에 비해 원자핵으로부터 더 큰 인력을 받으므로 이온화 에너지가 급격히 증가하게 된다. 따라서 순차 이온화 에너지가 급격히 증가하기 직전까지 떼어 낸 전자 수는 원자가 전자 수와 같다.

[나트륨(Na)의 순차 이온화 에너지와 원자가 전자 수]

순차 이온화 에너지(kJ/mol)	E_1	E_2	E_3	E_4	E_5
	496	4562	6912	9543	13353

나트륨의 순차 이온화 에너지는 $E_1 \ll E_2 < E_3 < E_4 < E_5$이므로 원자가 전자 수는 1임을 알 수 있다.

---

❻ 인(P)과 황(S)의 이온화 에너지 비교

3주기 15족 원소인 인(P)은 $1s^2\ 2s^2$ $2p^6\ 3s^2\ 3p_x^1\ 3p_y^1\ 3p_z^1$, 16족 원소인 황(S)은 $1s^2\ 2s^2\ 2p^6\ 3s^2\ 3p_x^2$ $3p_y^1\ 3p_z^1$의 전자 배치를 갖는다. 이때 황(S)은 $3p_x$ 오비탈의 전자가 쌍을 이루고 있어 전자 사이의 반발력 때문에 전자를 떼어 내기가 더 쉽다. 따라서 이온화 에너지는 S이 P보다 작다.

암기 콕

같은 주기에서 이온화 에너지 주기성의 예외
- 2족 > 13족
- 15족 > 16족

❼ 이온화 에너지와 제1 이온화 에너지

일반적으로 이온화 에너지라고 표현하면 순차 이온화 에너지 중에서 제1 이온화 에너지를 의미한다.

━━ 용어 ━━

▶ 원자가 전자: 원자의 바닥상태 전자 배치에서 가장 바깥 전자 껍질에 있는 전자로, 화학 결합에 참여하는 전자이다.

④ 3주기 원소 Na에서 S까지의 순차 이온화 에너지(E_n)와 원자가 전자 수(단위: kJ/mol)[8]는 다음과 같다.

→ 차수가 커질수록 증가

원소	E_1	E_2	E_3	E_4	E_5	E_6	E_7	원자가 전자 수
Na	496	4562	6912	9544	13353	16610	20115	1
Mg	738	1451	7733	10540	13628	17995	21704	2
Al	578	1817	2745	11578	14831	18378	23295	3
Si	787	1577	3232	4356	16091	19785	23786	4
P	1012	1903	2912	4957	6274	21269	25397	5
S	1000	2251	3361	4564	7013	8496	27106	6

| 개념 적용하기 |

[예제] 3주기 원소 A~C의 순차 이온화 에너지가 다음과 같을 때, 각 원소의 족을 구해 보자.

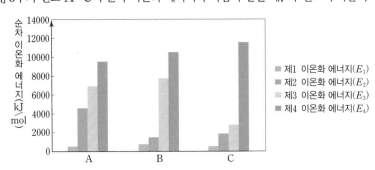

■ 제1 이온화 에너지(E_1)
■ 제2 이온화 에너지(E_2)
■ 제3 이온화 에너지(E_3)
■ 제4 이온화 에너지(E_4)

[풀이] • A의 순차 이온화 에너지: $E_1 \ll E_2 < E_3 < E_4$ ➡ A의 원자가 전자 수 1
• B의 순차 이온화 에너지: $E_1 < E_2 \ll E_3 < E_4$ ➡ B의 원자가 전자 수 2
• C의 순차 이온화 에너지: $E_1 < E_2 < E_3 \ll E_4$ ➡ C의 원자가 전자 수 3

[답] A: 1족, B: 2족, C: 13족

5. **주기율표에서 원소의 주기적 경향** 주기율표에서 왼쪽 아래로 갈수록 원자 반지름은 증가하고 이온화 에너지는 대체로 감소하며, 오른쪽 위로 갈수록 원자 반지름은 감소하고 이온화 에너지는 대체로 증가하는 경향이 있다.

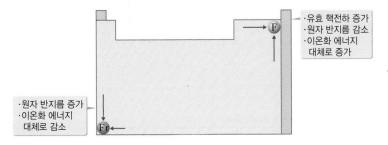

·유효 핵전하 증가
·원자 반지름 감소
·이온화 에너지
 대체로 증가

·원자 반지름 증가
·이온화 에너지
 대체로 감소

암기 콕
순차 이온화 에너지에서 제n 이온화 에너지가 급격히 증가하면 원자가 전자 수는 $(n-1)$이다.

❽ 3주기 원소의 제2 이온화 에너지
3주기 원소에서 제2 이온화 에너지는 Na이 가장 크다. 그 까닭은 첫 번째 전자는 원자가 전자가 있는 M 전자 껍질에서 떼어 내지만, 두 번째 전자는 안쪽 전자 껍질인 L 전자 껍질에서 전자를 떼어 내야 하므로 유효 핵전하가 크게 증가하기 때문이다.

─ 용어 ─
▶ **주기적 경향**: 일정한 간격을 두고 되풀이하여 진행하거나 나타나는 것

개념 확인하기

1 이온화 에너지는 산소(O)가 질소(N)보다 크다. (○, ×)
2 이온화 차수가 커질수록 순차 이온화 에너지는 커진다. (○, ×)
3 순차 이온화 에너지가 $E_1 < E_2 < E_3 \ll E_4$인 원소는 14족 원소이다. (○, ×)
4 3주기 원소 중에서 제3 이온화 에너지가 가장 큰 원소는 Mg이다. (○, ×)

답 1 × 2 ○ 3 × 4 ○

목표 2, 3주기 원소의 이온화 에너지를 그래프로 나타내고, 주기성을 설명할 수 있다.

과정

표는 2, 3주기 원소의 이온화 에너지를 나타낸 것이다.

원소	이온화 에너지(kJ/mol)	원소	이온화 에너지(kJ/mol)
Li	520	Na	500
Be	900	Mg	740
B	800	Al	580
C	1090	Si	790
N	1400	P	1060
O	1310	S	1000
F	1680	Cl	1260
Ne	2080	Ar	1520

결과 및 정리

1. 2, 3주기 원소의 이온화 에너지를 족에 따라 그래프로 나타내 보자.

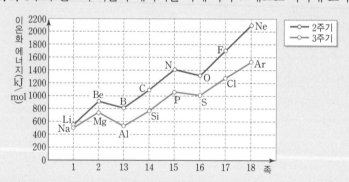

2. 같은 주기에서 이온화 에너지는 어떻게 달라지며, 그 까닭은 무엇인가?
→ 같은 주기에서 원자 번호가 커질수록 이온화 에너지가 대체로 증가한다. 그 까닭은 원자 번호가 커질수록 유효 핵전하가 증가하여 원자핵과 전자 사이의 인력이 증가하기 때문이다.

3. 같은 족에서 이온화 에너지는 어떻게 달라지며, 그 까닭은 무엇인가?
→ 같은 족에서 원자 번호가 커질수록 이온화 에너지는 감소한다. 그 까닭은 원자 번호가 커질수록 전자 껍질 수가 증가하여 원자가 전자가 원자핵으로부터 멀어져 원자핵과 전자 사이의 인력이 작아지기 때문이다.

탐구 대표 문제 정답과 해설 28쪽

01 2, 3주기 원소의 이온화 에너지에 대한 설명으로 옳지 않은 것은?

① 같은 주기에서 원자 번호가 클수록 이온화 에너지는 대체로 증가한다.

② 같은 족에서 원자 번호가 클수록 이온화 에너지는 감소한다.

③ 같은 주기에서 이온화 에너지는 1족 원소가 가장 크다.

④ 같은 주기에서 이온화 에너지는 2족 원소가 13족 원소보다 크다.

⑤ 같은 주기에서 이온화 에너지는 15족 원소가 16족 원소보다 크다.

셀파 콕콕

같은 주기에서 2족 → 13족, 15족 → 16족으로 원자 번호가 커질 때 이온화 에너지가 감소하는 까닭을 오비탈을 이용한 전자 배치와 관련지어 이해해야 한다.

시험 유형은?

❶ 같은 주기에서 2족 → 13족으로 원자 번호가 증가할 때 이온화 에너지가 감소하는 까닭은?

▶ 가장 바깥 전자 껍질에 2족 원소는 ns^2, 13족 원소는 ns^2np^1의 전자 배치를 갖는다. 이때 np 오비탈의 에너지가 ns 오비탈의 에너지보다 높으므로 ns 오비탈보다 np 오비탈에서 전자를 떼어 내기가 더 쉽다. 따라서 이온화 에너지는 13족 원소가 2족 원소보다 작다.

❷ 같은 주기에서 15족 → 16족으로 원자 번호가 증가할 때 이온화 에너지가 감소하는 까닭은?

▶ 가장 바깥 전자 껍질에 15족 원소는 $ns^2 np_x^1 np_y^1 np_z^1$, 16족 원소는 $ns^2 np_x^2 np_y^1 np_z^1$의 전자 배치를 갖는다. 이때 np_x 오비탈에 전자가 쌍을 이루어 채워지면 전자 사이의 반발력 때문에 불안정하므로 전자를 떼어 내기가 더 쉽다. 따라서 이온화 에너지는 16족 원소가 15족 원소보다 작다.

순차 이온화 에너지

| 순차 이온화 에너지(표) |

표는 3주기 원소 A, B, C의 순차 이온화 에너지를 나타낸 것이다. (단, A~C는 임의의 원소 기호이다.)

원소	순차 이온화 에너지(kJ/mol)			
	E_1	E_2	E_3	E_4
A	496	4562	6912	9544
B	738	1451	7733	10540
C	578	1817	2745	11578

이에 대한 설명으로 옳은 것은 ○, 옳지 않은 것은 ×를 하시오.

1. B의 원자가 전자 수는 2이다. (　　)

2. A~C 중 반응성이 가장 작은 원소는 A이다. (　　)

3. A~C 중 핵전하량이 가장 작은 것은 C이다. (　　)

4. C의 산화물의 화학식은 C_2O_3이다. (　　)

5. A의 안정한 이온의 전자 배치는 $1s^2\,2s^2\,2p^6$이다. (　　)

6. 금속성은 A가 B보다 작다. (　　)

7. B는 산소와 결합하여 공유 결합 물질을 만든다. (　　)

8. 원자 C(g)를 C^{3+}(g)으로 만들기 위해 필요한 에너지는 2745 kJ/mol이다. (　　)

9. B의 염화물의 화학식은 BCl_2이다. (　　)

10. 유효 핵전하는 C가 A보다 크다. (　　)

11. A~C 중 원자 반지름은 C가 가장 크다. (　　)

12. A~C 중 바닥상태 원자의 전자 배치에서 홀전자 수는 B가 가장 많다. (　　)

13. C는 2족 원소이다. (　　)

| 해설 |

순차 이온화 에너지 차이로부터 A, B, C는 각각 1, 2, 13족 원소임을 알 수 있다. 따라서 A, B, C는 각각 Na, Mg, Al이다. C는 13족 원소이므로 C가 C^{3+}으로 될 때 필요한 에너지는 $E_1+E_2+E_3$=5140(kJ/mol)이다.

| 순차 이온화 에너지(그래프) |

그림은 원자 번호가 연속인 2, 3주기 원소의 제1~제3 이온화 에너지를 나타낸 것이다. A~D는 임의의 원소 기호이며, 원자 번호 순서가 아니다.

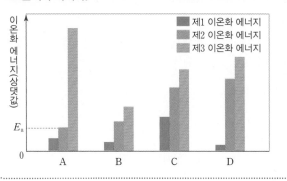

이에 대한 설명으로 옳은 것은 ○, 옳지 않은 것은 ×를 하시오.

1. A는 마그네슘(Mg)이다. (　　)

2. 원자 A가 옥텟 규칙을 만족하는 양이온이 되는 데 필요한 최소 에너지는 E_a이다. (　　)

3. A~D 중 원자가 전자 수는 B가 가장 크다. (　　)

4. A~D 중 3주기 원소는 3가지이다. (　　)

5. A는 2족, D는 1족 원소이다. (　　)

6. 원자 반지름은 A가 B보다 작다. (　　)

7. C와 D는 같은 주기 원소이다. (　　)

8. D의 원자 반지름은 A보다 크다. (　　)

9. B의 원자가 전자 수는 3이다. (　　)

10. 원자가 전자가 느끼는 유효 핵전하는 A가 D보다 크다. (　　)

11. C는 A와 D보다 주기가 작다. (　　)

12. A~D 중 핵전하량이 가장 작은 것은 C이다. (　　)

| 해설 |

원자 번호가 연속인 2, 3주기 원소에서 2주기 18족 원소인 Ne의 제1 이온화 에너지가 가장 크므로 C가 Ne이다. 순차 이온화 에너지로 보아 A는 2족 원소이므로 Mg이고, D는 1족 원소이므로 Na이다. 따라서 B는 Al이다.

기초 탄탄 문제

정답과 해설 28쪽

핵심용어_ 이 단원에서 내가 아는 것과 아직 모르는 것을 정리하며 나의 공부를 돌아보자.

☐ 유효 핵전하   ☐ 가려막기 효과   ☐ 원자 반지름
☐ 이온 반지름   ☐ 등전자 이온   ☐ 이온화 에너지
☐ 순차 이온화 에너지

01 다음 원자들의 유효 핵전하 크기를 부등호를 이용하여 비교하시오.

(1) B, F, Ne   (2) Al, P, S

02 다음 원자와 이온들의 반지름 크기를 부등호를 이용하여 비교하시오.

(1) C, N, Na   (2) Mg, Ca, Be
(3) O^{2-}, Na^+, Mg^{2+}

03 그림은 2주기와 3주기 원소의 족에 따른 원자 반지름을 순서 없이 나타낸 것이다.

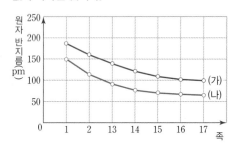

(가)와 (나)는 각각 몇 주기 원소인지 쓰시오.

04 표는 임의의 원소 X의 순차 이온화 에너지(E_n)를 나타낸 것이다.

원소	순차 이온화 에너지(kJ/mol)			
	E_1	E_2	E_3	E_4
X	800	2430	3660	25000

(1) X의 원자가 전자 수를 쓰시오.
(2) X가 전자를 잃고 안정한 양이온이 되는 데 필요한 최소 에너지(kJ/mol)를 구하시오.

05 그림은 2주기와 3주기 원소의 족에 따른 이온화 에너지를 순서 없이 나타낸 것이다.

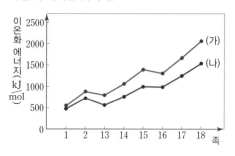

(가)와 (나)는 각각 몇 주기 원소인지 쓰시오.

06 원소의 주기적 성질에 대한 설명으로 옳은 것은?

① 같은 족에서 원자 번호가 클수록 원자 반지름이 감소한다.
② 같은 주기에서 원자 번호가 클수록 이온화 에너지가 대체로 감소한다.
③ 할로젠 원자가 안정한 이온이 되면 반지름이 감소한다.
④ 2주기 18족 원소에서 3주기 1족 원소로 주기가 바뀔 때에는 유효 핵전하가 크게 감소한다.
⑤ 같은 주기에서 원자 번호가 클수록 유효 핵전하가 감소한다.

07 그림은 원자 번호 1~20인 원소들을 나타낸 것이다.

H							He
Li	Be	B	C	N	O	F	Ne
Na	Mg	Al	Si	P	S	Cl	Ar
K	Ca						

(1) 원자 반지름이 가장 큰 원소를 쓰시오.
(2) 이온화 에너지가 가장 큰 원소를 쓰시오.

내신 만점 문제

정답과 해설 29쪽

* ▧▧▧ 난이도를 나타냅니다.

 그림은 주기율표의 일부를 나타낸 것이다.

주기＼족	1	2	13	14	15	16	17	18
2							A	B
3	C							D

A~D에 대한 설명으로 옳은 것만을 〈보기〉에서 있는 대로 고른 것은? (단, A~D는 임의의 원소 기호이다.)

┤ 보기 ├

ㄱ. 원자 반지름이 가장 큰 원소는 D이다.

ㄴ. A가 안정한 이온이 되면 B와 전자 배치가 같아진다.

ㄷ. 안정한 이온의 반지름은 A가 C보다 크다.

① ㄱ   ② ㄴ   ③ ㄱ, ㄷ

④ ㄴ, ㄷ   ⑤ ㄱ, ㄴ, ㄷ

---

02 그림은 이온 X^+의 전자 배치 모형을 나타낸 것이다.

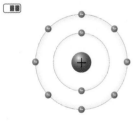

X에 대한 설명으로 옳은 것만을 〈보기〉에서 있는 대로 고른 것은? (단, X는 임의의 원소 기호이다.)

┤ 보기 ├

ㄱ. 3주기 원소이다.

ㄴ. 17족 원소이다.

ㄷ. 반지름은 X가 X^+보다 크다.

① ㄱ   ② ㄴ   ③ ㄱ, ㄷ

④ ㄴ, ㄷ   ⑤ ㄱ, ㄴ, ㄷ

 그림은 2주기와 3주기 원소의 족에 따른 유효 핵전하를 순서 없이 나타낸 것이다.

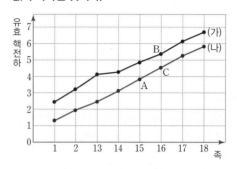

이에 대한 설명으로 옳은 것만을 〈보기〉에서 있는 대로 고른 것은? (단, A~C는 임의의 원소 기호이다.)

┤ 보기 ├

ㄱ. (가)는 2주기 원소이다.

ㄴ. 원자 반지름은 A가 C보다 크다.

ㄷ. 이온화 에너지는 B가 C보다 크다.

① ㄱ   ② ㄴ   ③ ㄱ, ㄷ

④ ㄴ, ㄷ   ⑤ ㄱ, ㄴ, ㄷ

---

04 표는 원자 A~D의 전자 배치를 나타낸 것이다.

원자	전자 배치
A	$1s^2\, 2s^2\, 2p^3$
B	$1s^2\, 2s^2\, 2p^4$
C	$1s^2\, 2s^2\, 2p^5$
D	$1s^2\, 2s^2\, 2p^6\, 3s^1$

A~D에 대한 설명으로 옳은 것만을 〈보기〉에서 있는 대로 고른 것은? (단, A~D는 임의의 원소 기호이다.)

┤ 보기 ├

ㄱ. 원자 반지름은 D가 가장 크다.

ㄴ. 이온화 에너지는 B가 A보다 크다.

ㄷ. A~C 중 유효 핵전하는 C가 가장 크다.

① ㄱ   ② ㄴ   ③ ㄱ, ㄷ

④ ㄴ, ㄷ   ⑤ ㄱ, ㄴ, ㄷ

05 표는 같은 주기의 원소 A~D의 원자 반지름과 이들이 안정한 이온이 되었을 때의 이온 반지름을 나타낸 것이다.

원소	A	B	C	D
원자 반지름(pm)	186	160	99	104
이온 반지름(pm)	x	72	181	184

A~D에 대한 설명으로 옳은 것만을 〈보기〉에서 있는 대로 고른 것은? (단, A~D는 임의의 원소 기호이다.)

┤ 보기 ├

ㄱ. 원자 번호는 A가 가장 크다.

ㄴ. x는 72보다 크다.

ㄷ. 금속 원소는 2가지이다.

① ㄱ   ② ㄴ   ③ ㄱ, ㄷ

④ ㄴ, ㄷ   ⑤ ㄱ, ㄴ, ㄷ

07 그림은 원소 X와 Y의 순차 이온화 에너지를 나타낸 것이다. X와 Y는 각각 2, 3주기 원소 중 하나이다.

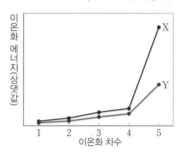

X와 Y에 대한 설명으로 옳은 것만을 〈보기〉에서 있는 대로 고른 것은? (단, X, Y는 임의의 원소 기호이다.)

┤ 보기 ├

ㄱ. X와 Y는 같은 족 원소이다.

ㄴ. 원자 반지름은 X가 Y보다 크다.

ㄷ. 유효 핵전하는 X가 Y보다 크다.

① ㄱ   ② ㄷ   ③ ㄱ, ㄴ

④ ㄴ, ㄷ   ⑤ ㄱ, ㄴ, ㄷ

06 표는 3주기 원소 A, B, C의 순차 이온화 에너지(E_n)를 나타낸 것이다.

원소	순차 이온화 에너지(kJ/mol)			
	E_1	E_2	E_3	E_4
A	496	4562	6912	9544
B	x	1817	2745	11578
C	738	1451	7733	10540

A~C에 대한 설명으로 옳은 것만을 〈보기〉에서 있는 대로 고른 것은? (단, A~C는 임의의 원소 기호이다.)

┤ 보기 ├

ㄱ. 원자 반지름은 A가 가장 크다.

ㄴ. x는 738보다 크다.

ㄷ. C가 안정한 이온이 되기 위해서 필요한 최소 에너지는 1451 kJ/mol이다.

① ㄱ   ② ㄴ   ③ ㄱ, ㄷ

④ ㄴ, ㄷ   ⑤ ㄱ, ㄴ, ㄷ

08 그림은 원자 A~D가 Ne과 같은 전자 배치를 갖는 이온이 되었을 때의 이온 반지름을 나타낸 것이다. A~D는 각각 O, F, Na, Mg 중 하나이다.

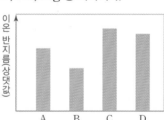

A~D에 대한 설명으로 옳은 것만을 〈보기〉에서 있는 대로 고른 것은?

┤ 보기 ├

ㄱ. 원자 번호는 B가 가장 크다.

ㄴ. 원자 반지름은 A가 가장 크다.

ㄷ. 유효 핵전하는 D가 C보다 크다.

① ㄱ   ② ㄷ   ③ ㄱ, ㄴ

④ ㄴ, ㄷ   ⑤ ㄱ, ㄴ, ㄷ

09 그림은 원자 번호가 연속인 2, 3주기 원소의 이온화 에너지를 나타낸 것이다.

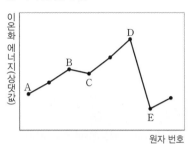

A~E에 대한 설명으로 옳은 것만을 〈보기〉에서 있는 대로 고른 것은? (단, A~E는 임의의 원소 기호이다.)

보기

ㄱ. A와 E는 같은 족 원소이다.
ㄴ. 바닥상태 전자 배치에서 홀전자 수는 C가 B보다 크다.
ㄷ. B와 C가 D와 같은 전자 배치를 갖는 이온이 되면, 이온 반지름은 B 이온이 C 이온보다 크다.

① ㄱ   ② ㄷ   ③ ㄱ, ㄴ
④ ㄴ, ㄷ   ⑤ ㄱ, ㄴ, ㄷ

10 그림은 원자 번호가 연속적으로 증가하는 2, 3주기 원소 A~D의 유효 핵전하를 나타낸 것이다.

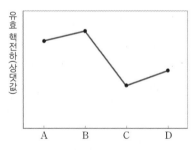

A~D에 대한 설명으로 옳은 것만을 〈보기〉에서 있는 대로 고른 것은? (단, A~D는 임의의 원소 기호이다.)

보기

ㄱ. 금속 원소는 2가지이다.
ㄴ. 원자 반지름은 C가 가장 크다.
ㄷ. 이온화 에너지는 B가 가장 크다.

① ㄱ   ② ㄷ   ③ ㄱ, ㄴ
④ ㄴ, ㄷ   ⑤ ㄱ, ㄴ, ㄷ

서술형 문제

11 그림은 원자 번호 1~20인 원소의 주기율표를 나타낸 것이다.

주기 \ 족	1	2	13	14	15	16	17	18
1	H							He
2	Li	Be	B	C	N	O	F	Ne
3	Na	Mg	Al	Si	P	S	Cl	Ar
4	K	Ca						

(1) 3주기 원소 중에서 원자가 전자의 유효 핵전하가 가장 큰 원소는 무엇인지 쓰고, 그 까닭을 서술하시오.

_____

_____

(2) 위의 원소 중 원자 반지름이 가장 큰 원소는 무엇인지 쓰고, 그 까닭을 서술하시오.

_____

_____

(3) 위의 원소 중 이온화 에너지가 가장 큰 원소는 무엇인지 쓰고, 그 까닭을 서술하시오.

_____

_____

_____

12 플루오린(F), 나트륨(Na), 마그네슘(Mg)의 원자 반지름과, 각 원자가 Ne과 같은 전자 배치를 갖는 이온이 되었을 때의 이온 반지름의 크기를 상대적으로 비교하여 그래프 위에 점으로 나타내시오. 점선은 기울기가 1인 직선이다.

1. 입자의 발견 과정

[전자 발견(톰슨)]

- 음극선 실험: 진공 유리관에 높은 전압을 걸어 주었을 때 (−)극에서 (+)극으로 흐르는 음극선을 관찰하고, 음극선이 (−)전하를 띤 전자의 흐름임을 밝혔다.
- 모형 제시: (+)전하를 띤 원자 내부에 (−)전하를 띠고 질량을 가지는 입자인 전자가 존재한다. ➡ 푸딩 모형

[원자핵 발견(러더퍼드)]

- 알파(α) 입자 산란 실험: 헬륨의 원자핵인 α 입자를 얇은 금박에 통과시켰을 때, 대부분의 α 입자는 경로가 휘지 않았으나 일부 α 입자는 경로가 휘어지거나 크게 튕겨 나왔다. ➡ 원자 중심에 질량이 크고 (+)전하를 띠는 입자가 존재한다.
- 모형 제시: 원자 중심에 질량이 크고 (+)전하를 띠는 원자핵이 존재하고, 주변에 전자가 운동한다. ➡ 행성 모형

[양성자(러더퍼드)와 중성자(채드윅) 발견]

- 질소 기체 등 다양한 원소의 원자핵에 α 입자를 충돌시켰을 때 공통적으로 나오는 (+)전하를 띤 입자를 발견하였다. ➡ 양성자 발견
- 베릴륨에 α 입자를 충돌시켰을 때 전하를 띠지 않는 입자가 나오는 것을 발견하였다. ➡ 중성자 발견
- 모형 제시: 양성자와 중성자가 뭉쳐진 원자핵 주변을 전자가 돌고 있다.

2. 원자의 구성 입자

① 원자의 구조: 양성자와 중성자로 이루어진 원자핵이 중심에 존재하고, 전자가 원자핵 주위를 운동한다.

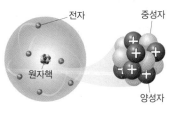

② 입자의 성질

입자		상대적 질량	상대적 전하량
원자핵	양성자	1	+1
	중성자	1	0
전자		$\dfrac{1}{1837}$	−1

3. 동위 원소와 평균 원자량

① 질량수: 양성자수와 중성자수의 합으로, 원소 기호 왼쪽 위에 표시한다.

② 동위 원소: 양성자수(원자 번호)는 같지만 중성자수가 달라 질량수가 다른 원소이다. 동위 원소는 화학적 성질은 같으나 질량 등의 물리적 성질이 다르다.

③ 평균 원자량: 각 동위 원소의 원자량에 존재 비율을 곱하여 각 원소의 평균 원자량을 구한다.

4. 보어의 원자 모형

① 전자가 원자핵 주위의 정해진 궤도만을 움직인다.

② 궤도마다 원자핵과의 거리가 달라서 에너지 준위가 다르다. ➡ 전자의 에너지가 불연속적이다.

③ 안쪽 전자 껍질부터 1, 2, 3 …과 같이 번호를 붙이고, 이를 주 양자수(n)라고 한다.

④ 수소 원자의 에너지 준위: 수소 원자는 주 양자수가 n일 때 에너지 준위가 $-\dfrac{1312}{n^2}$ kJ/몰의 값을 가진다.

5. 오비탈 모형과 양자수

① 오비탈 모형: 전자의 파동성으로 인해 전자의 위치를 정확히 알 수 없으므로 전자의 존재 확률만을 나타내는 모형

② 오비탈의 종류: s(구형), p(아령형), d, f로 표현한다.
- s 오비탈은 1가지 방향, p 오비탈은 3가지 방향이 존재한다.
- $n=1$ 전자 껍질에는 s 오비탈, $n=2$ 전자 껍질에는 s, p 오비탈, $n=3$ 전자 껍질에는 s, p, d 오비탈이 존재한다.

③ 양자수: 오비탈의 종류와 전자의 스핀을 나타내는 수

양자수	의미	규칙
주 양자수 (n)	오비탈의 크기	보어 모형에서 전자 껍질 번호와 동일 ➡ 주 양자수가 클수록 오비탈이 큼
방위 양자수 (l)	오비탈의 종류(모양)	0부터 $n-1$까지의 정수만 가능 ➡ $s=0, p=1, d=2, f=3$
자기 양자수 (m_l)	오비탈의 방향	$-l$부터 $+l$까지의 정수만 가능 ➡ $s=0, p=-1, 0, +1$
스핀 자기 양자수(m_s)	전자의 스핀 방향	$+\dfrac{1}{2}, -\dfrac{1}{2}$만 가능

6. 전자 배치 규칙과 원자가 전자

① 쌓음 원리: 에너지 준위가 낮은 오비탈부터 채운다.
- 수소 원자: $1s < 2s = 2p < 3s = 3p = 3d < 4s = 4p = 4d = 4f < \cdots$
- 다전자 원자: $1s < 2s < 2p < 3s < 3p < 4s < 3d < 4p \cdots$

② 파울리 배타 원리: 한 오비탈에 전자가 최대 2개까지 들어가며, 두 전자의 스핀 방향은 달라야 한다.

③ 훈트 규칙: 같은 에너지 준위의 오비탈에 전자 여러 개가 들어갈 때 홀전자 수가 많을수록 안정하다.

7. 원소의 분류와 주기율의 발견

되베라이너	세 쌍 원소설
뉴랜즈	옥타브설
멘델레예프	63종의 원소를 원자량 순으로 배열하여 최초의 주기율표를 만들었고, 새로운 원소의 발견 가능성과 성질을 예측함
모즐리	원소들을 원자 번호 순으로 나열하면서 화학적 성질이 비슷한 원소들이 같은 세로줄에 오도록 배열함

8. 주기율표

① 주기율표의 구성

족 (1~18족)	• 주기율표의 세로줄 • 같은 족 원소들은 원자가 전자 수가 같아서 화학적 성질이 비슷함
주기 (1~7주기)	• 주기율표의 가로줄 • 같은 주기의 원소들은 전자가 들어 있는 전자 껍질 수가 같음

② 원소의 분류

성질	금속 원소	비금속 원소
전기 전도성	좋음	나쁨
이온의 형성	양이온이 되기 쉬움	음이온이 되기 쉬움
상온에서 상태	고체(단, 수은은 액체)	고체, 기체(단, 브로민은 액체)

9. 유효 핵전하

① 유효 핵전하: 전자에 작용하는 실질적인 핵전하이다.
② 유효 핵전하의 주기성

같은 주기	원자 번호가 커질수록 원자가 전자에 작용하는 유효 핵전하가 증가한다.
주기가 바뀔 때	원자 번호가 1 커져 주기가 바뀔 때에는 유효 핵전하가 크게 감소한다. 이는 전자 껍질이 1개 증가하여 안쪽 전자 껍질에 있는 전자로부터 가려막기 효과를 크게 받기 때문이다.

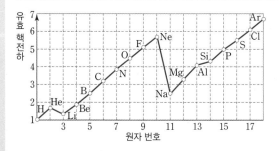

10. 원자 반지름과 이온 반지름

① 원자 반지름의 주기성

같은 주기	전자 껍질 수는 같고 원자 번호가 커질수록 양성자수가 증가하여 유효 핵전하가 증가하므로 원자 반지름이 감소한다.
같은 족	원자 번호가 커질수록 전자 껍질 수가 증가하므로 원자 반지름이 증가한다.

② 이온 반지름

원자가 양이온이 될 때	금속 원자가 전자를 잃고 안정한 양이온이 되면 전자 껍질 수가 감소하므로 반지름이 감소한다. 예 $Na > Na^+$
원자가 음이온이 될 때	비금속 원자가 전자를 얻어 안정한 음이온이 되면 전자 수가 증가하여 전자 사이의 반발력이 증가하므로 반지름이 증가한다. 예 $Cl < Cl^-$

③ 등전자 이온: 원자 번호(양성자수)가 클수록 이온 반지름이 감소한다. 예 $O^{2-} > F^- > Na^+ > Mg^{2+}$

11. 이온화 에너지

① 이온화 에너지: 기체 상태의 중성 원자 1몰에서 전자 1몰을 떼어 내는 데 필요한 에너지이다.

$$M(g) + E \longrightarrow M^+(g) + e^- \ (E: \text{이온화 에너지})$$

② 이온화 에너지의 주기성

같은 주기	원자 번호가 커질수록 원자핵과 전자 사이의 인력이 증가하므로 이온화 에너지는 대체로 증가한다.
같은 족	원자 번호가 커질수록 전자 껍질 수가 증가하여 원자핵과 전자 사이의 인력이 감소하므로 이온화 에너지는 감소한다.

③ 주기성의 예외: 2족과 13족 사이, 15족과 16족 사이에서는 원자 번호가 커질수록 이온화 에너지가 감소한다.

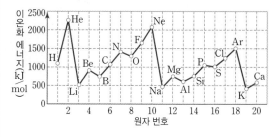

12. 순차 이온화 에너지

① 순차 이온화 에너지: 기체 상태의 원자에서 전자를 차례대로 떼어 내는 데 필요한 에너지(E_n)로, 순차가 진행될수록 이온화 에너지는 증가한다.

$$E_1 < E_2 < E_3 < E_4 < \cdots$$

② 순차 이온화 에너지가 급격히 증가하기 직전까지 떼어 낸 전자 수는 원자가 전자 수와 같다.

01 다음은 원자의 구성 입자의 발견에 대한 2가지 실험이다.

> (가) 알파(α) 입자를 얇은 금박에 충돌시키고, 형광 스크린을 통해 경로 변화를 관찰한다.
>
> (나) 진공 유리관을 높은 전압으로 방전시켜서 ($-$)극에서 나오는 선을 관찰한다.

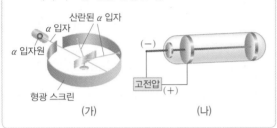

이에 대한 설명으로 옳은 것만을 〈보기〉에서 있는 대로 고른 것은?

> ┨ 보기 ┠
> ㄱ. (가)에서 발견된 입자는 ($+$)전하를 띤다.
> ㄴ. (나)에서 발견된 입자는 원자 질량의 대부분을 차지한다.
> ㄷ. 중성 원자에서는 (가)에서 발견된 입자 수와 (나)에서 발견된 입자 수가 같다.

① ㄱ   ② ㄴ   ③ ㄱ, ㄷ
④ ㄴ, ㄷ   ⑤ ㄱ, ㄴ, ㄷ

02 그림은 3가지 원자 모형을 나타낸 것이다.

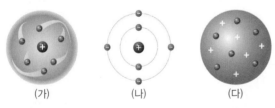

이에 대한 설명으로 옳은 것만을 〈보기〉에서 있는 대로 고른 것은?

> ┨ 보기 ┠
> ㄱ. 원자 모형이 제시된 순서는 (다) → (가) → (나)이다.
> ㄴ. (가)에 따르면 알파 입자(α) 산란 실험에서 알파(α) 입자 중 일부의 경로가 휘어진다.
> ㄷ. (나)에 따르면 전자의 에너지 준위가 불연속적이다.

① ㄱ   ② ㄷ   ③ ㄱ, ㄴ
④ ㄴ, ㄷ   ⑤ ㄱ, ㄴ, ㄷ

03 표는 원자 A~C의 이온을 구성하는 입자 (가), (나), (다)에 대한 자료이다. 단, (가)~(다)는 각각 양성자, 전자, 중성자 중 하나이다.

이온	A^+	B^{2-}	C^{2+}
입자 (가)의 수	10	10	10
$\dfrac{\text{입자 (다)의 수}}{\text{입자 (나)의 수}}$	$\dfrac{11}{12}$	$\dfrac{8}{9}$	1

이에 대한 설명으로 옳은 것만을 〈보기〉에서 있는 대로 고른 것은? (단, A~C는 임의의 원소 기호이다.)

> ┨ 보기 ┠
> ㄱ. 입자 (나)는 양성자이다.
> ㄴ. 원자 번호는 A<B<C이다.
> ㄷ. 질량수는 C가 가장 크다.

① ㄱ   ② ㄷ   ③ ㄱ, ㄴ
④ ㄴ, ㄷ   ⑤ ㄱ, ㄴ, ㄷ

04 표는 원소 X와 Y의 동위 원소 원자량과 존재 비율, 평균 원자량을 나타낸 것이다.

원소	동위 원소	원자량	존재 비율(%)	평균 원자량
X	^{35}X	35	75	x
	^{37}X	37	25	
Y	^{79}Y	79	a	79.9
	^{81}Y	81	b	

이에 대한 설명으로 옳은 것만을 〈보기〉에서 있는 대로 고른 것은? (단, X, Y는 임의의 원소 기호이고, $a+b=100$이다.)

> ┨ 보기 ┠
> ㄱ. x는 36.5이다.
> ㄴ. $\dfrac{a}{b}=\dfrac{11}{9}$이다.
> ㄷ. 분자 XY의 분자량 중 가장 존재 비율이 큰 것은 116이다.

① ㄱ   ② ㄷ   ③ ㄱ, ㄴ
④ ㄴ, ㄷ   ⑤ ㄱ, ㄴ, ㄷ

05 그림 (가)는 수소 원자 오비탈의 에너지 준위와 전자 전이 A, B를 나타낸 것이고, (나)는 수소 원자의 선 스펙트럼에서 가시광선 영역과 자외선 영역을 모두 나타낸 것이다.

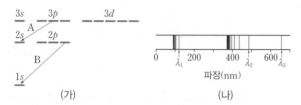

(가)　　　　　　　(나)

이에 대한 설명으로 옳은 것만을 〈보기〉에서 있는 대로 고른 것은?

　보기

ㄱ. $\lambda_1 \sim \lambda_3$ 중 가시광선 영역은 2개이다.

ㄴ. A에서 방출되는 빛의 파장은 λ_2이다.

ㄷ. B에서 방출되는 빛의 파장은 λ_1이다.

① ㄴ　　　　　② ㄷ　　　　　③ ㄱ, ㄴ

④ ㄱ, ㄷ　　　　⑤ ㄱ, ㄴ, ㄷ

06 그림 (가)는 원자 번호가 9인 원자의 전자 배치를 전자 껍질 모형으로 나타낸 것이고, (나)는 $2s$ 오비탈과 $2p_x$ 오비탈을 나타낸 것이다.

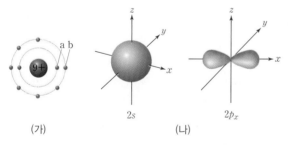

(가)　　　　　　　(나)

이에 대한 설명으로 옳은 것만을 〈보기〉에서 있는 대로 고른 것은?

　보기

ㄱ. 전자 a는 구형의 오비탈을 점유한다.

ㄴ. 전자 b가 속한 전자 껍질에는 최대 8개의 전자가 채워질 수 있다.

ㄷ. $2s$ 오비탈의 전자는 경계면을 따라 원운동한다.

ㄹ. (가)에 존재하는 (나)의 두 오비탈은 에너지가 같다.

① ㄱ, ㄴ　　　　② ㄱ, ㄷ　　　　③ ㄴ, ㄹ

④ ㄱ, ㄷ, ㄹ　　　⑤ ㄴ, ㄷ, ㄹ

07 그림 (가)는 보어의 수소 원자 모형에서 전자 전이 a~d를, (나)는 수소 원자의 선 스펙트럼에서 발머 계열을 나타낸 것이다.

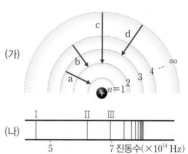

이에 대한 설명으로 옳은 것만을 〈보기〉에서 있는 대로 고른 것은?

　보기

ㄱ. (가)의 c는 (나)의 I에 해당한다.

ㄴ. (가)의 d는 라이먼 계열의 빛을 방출한다.

ㄷ. (가)의 a~d 중 (나)에 나타나는 선은 2가지이다.

① ㄱ　　　　　② ㄷ　　　　　③ ㄱ, ㄴ

④ ㄴ, ㄷ　　　　⑤ ㄱ, ㄴ, ㄷ

08 그림 (가)는 수소 원자의 가시광선 영역에 해당하는 선 스펙트럼을, (나)는 수소 원자의 전자 전이 a~e를 전이 전 주 양자수($n_{전}$)와 전이 후 주 양자수($n_{후}$)로 나타낸 것이다.

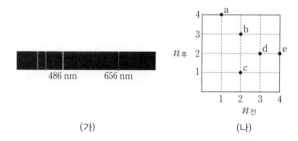

(가)　　　　　　　(나)

이에 대한 설명으로 옳은 것만을 〈보기〉에서 있는 대로 고른 것은? (단, 수소 원자의 에너지 준위 $E_n \propto -\dfrac{1}{n^2}$이다.)

　보기

ㄱ. 수소의 이온화 에너지와 a에 해당하는 에너지의 크기는 같다.

ㄴ. 486 nm의 선은 e에 해당한다.

ㄷ. 방출하는 빛의 파장은 d에서가 c에서보다 짧다.

① ㄱ　　　　　② ㄴ　　　　　③ ㄱ, ㄷ

④ ㄴ, ㄷ　　　　⑤ ㄱ, ㄴ, ㄷ

09 그림은 보어의 수소 원자 모형에서 전자의 전자 전이 과정을 나타낸 것이다.
전자 전이 a~d에 대한 설명으로 옳은 것만을 〈보기〉에서 있는 대로 고른 것은? (단, 수소 원자의 에너지 준위 $E_n \propto -\dfrac{1}{n^2}$이고, n은 주 양자수이다.)

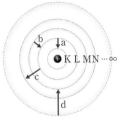

┤ 보기 ├
ㄱ. a에서 방출되는 빛의 파장이 가장 길다.
ㄴ. b는 a보다 더 긴 파장의 빛을 방출한다.
ㄷ. c가 흡수하는 에너지와 d가 방출하는 에너지는 같다.

① ㄱ   ② ㄴ   ③ ㄱ, ㄷ
④ ㄴ, ㄷ   ⑤ ㄱ, ㄴ, ㄷ

10 그림은 오비탈의 에너지 준위에 따른 중성 원자 A의 바닥상태 전자 배치를 나타낸 것이다.

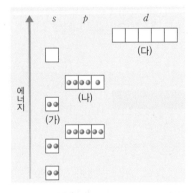

원자 A에 대한 설명으로 옳은 것만을 〈보기〉에서 있는 대로 고른 것은? (단, A는 임의의 원소 기호이다.)

┤ 보기 ├
ㄱ. 주기율표에서 3주기 17족에 속한다.
ㄴ. 오비탈 (가), (나), (다)의 주 양자수는 같다.
ㄷ. (나)의 전자가 (다)로 이동해도 가장 바깥 전자 껍질의 전자 수는 변하지 않는다.

① ㄱ   ② ㄴ   ③ ㄱ, ㄷ
④ ㄴ, ㄷ   ⑤ ㄱ, ㄴ, ㄷ

11 그림은 주기율표의 일부를 나타낸 것이다.

주기＼족	13	14	15	16	17	18
1						2 He
2		6 C	7 N	(가)	9 F	(나)
3			15 P	16 S	(다)	18 Ar

(가)~(다)에 대한 설명으로 옳은 것만을 〈보기〉에서 있는 대로 고른 것은? (단, (가)~(다)의 전자 배치는 바닥상태이다.)

┤ 보기 ├
ㄱ. 전자가 들어 있는 오비탈 수는 (가)와 (나)가 같다.
ㄴ. 홀전자 수는 (나)가 (가)보다 크다.
ㄷ. 원자가 전자 수는 (가)가 (다)보다 크다.

① ㄱ   ② ㄷ   ③ ㄱ, ㄴ
④ ㄴ, ㄷ   ⑤ ㄱ, ㄴ, ㄷ

12 다음은 원자 A~C에 대한 자료이다.

- 원자 A~C는 2, 3주기이다.
- 같은 족에 속하는 원자는 2개이다.
- C는 바닥상태 전자 배치에서 홀전자가 존재하며, $\dfrac{p \text{ 오비탈 전자 수}}{s \text{ 오비탈 전자 수}} = 1$이다.
- 양성자수의 비는 A : B = 4 : 1이다.

A~C에 대한 설명으로 옳은 것만을 〈보기〉에서 있는 대로 고른 것은? (단, A~C는 임의의 원소 기호이다.)

┤ 보기 ├
ㄱ. 2주기 원자는 1개이다.
ㄴ. 원자 반지름이 가장 작은 원자는 C이다.
ㄷ. 전기 음성도가 가장 큰 원자는 A이다.

① ㄱ   ② ㄴ   ③ ㄷ
④ ㄱ, ㄴ   ⑤ ㄴ, ㄷ

13 표는 원소 A~C의 원자 또는 이온의 전자 배치를 나타낸 것이다.

	1s	2s	$2p_x$	$2p_y$	$2p_z$	3s
A	↑↓	↑↓	↑	↑	↑	
B⁺	↑↓	↑↓	↑↓	↑↓	↑↓	↑
C⁻	↑↓	↑↓	↑↓	↑↓	↑↓	↑

이에 대한 설명으로 옳은 것만을 〈보기〉에서 있는 대로 고른 것은? (단, A~C는 임의의 원소 기호이다.)

┤보기├
ㄱ. A의 원자가 전자 수는 4이다.
ㄴ. B와 C는 같은 주기의 원소이다.
ㄷ. 위의 전자 배치는 파울리 배타 원리를 모두 만족한다.

① ㄱ 　② ㄷ 　③ ㄱ, ㄴ
④ ㄴ, ㄷ 　⑤ ㄱ, ㄴ, ㄷ

14 그림은 원자 번호가 연속인 3~4주기 원소의 제1 이온화 에너지를 나타낸 것이다.

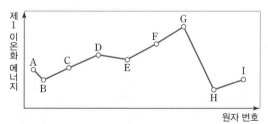

이에 대한 설명으로 옳은 것만을 〈보기〉에서 있는 대로 고른 것은? (단, A~I는 임의의 원소 기호이다.)

┤보기├
ㄱ. A~I 중 전기 음성도가 가장 큰 원소는 F이다.
ㄴ. E의 제1 이온화 에너지가 D보다 작은 까닭은 같은 오비탈의 전자 사이에 반발력이 작용하기 때문이다.
ㄷ. A가 I보다 제1 이온화 에너지가 큰 것은 A가 I보다 유효 핵전하가 더 크기 때문이다.

① ㄱ 　② ㄴ 　③ ㄷ
④ ㄱ, ㄴ 　⑤ ㄴ, ㄷ

15 그림은 원자 A~D의 전자 배치를 나타낸 것이다.

	1s	2s		2p		3s
A	↑↓	↑↓	↑	↑	↑	
B	↑↓	↑↓	↑↓	↑↓	↑↓	
C	↑↓	↑↓	↑↓	↑↓	↑↓	↑
D	↑↓	↑↓	↑↓	↑↓	↑↓	↑↓

이에 대한 설명으로 옳은 것만을 〈보기〉에서 있는 대로 고른 것은? (단, A~D는 임의의 원소 기호이다.)

┤보기├
ㄱ. 모두 바닥상태의 전자 배치이다.
ㄴ. 원자가 전자 수는 B가 C의 5배이다.
ㄷ. A의 홀전자 3개는 자기 양자수(m_l)가 모두 다르다.

① ㄱ 　② ㄴ 　③ ㄱ, ㄷ
④ ㄴ, ㄷ 　⑤ ㄱ, ㄴ, ㄷ

16 표는 바닥상태 원자 W~Z에서 전자가 들어 있는 오비탈 수와 홀전자 수를 나타낸 것이다.

원자	W	X	Y	Z
오비탈 수	4	5	5	6
홀전자 수	a	1	2	1

이에 대한 설명으로 옳은 것만을 〈보기〉에서 있는 대로 고른 것은? (단, W~Z는 임의의 원소 기호이다.)

┤보기├
ㄱ. a는 2이다.
ㄴ. 원자 번호는 W<X<Y<Z이다.
ㄷ. Z의 홀전자의 방위 양자수(l)는 1이다.

① ㄱ 　② ㄷ 　③ ㄱ, ㄴ
④ ㄴ, ㄷ 　⑤ ㄱ, ㄴ, ㄷ

17 다음은 되베라이너의 세 쌍 원소설과 관련된 자료이다.

> 화학적 성질이 비슷하고 물리적 성질은 규칙적으로 변하는 세 원소가 있다는 것을 알고, 성질이 비슷한 원소를 3개씩 묶어 세 쌍 원소라고 하였다.

아래 주기율표의 (가)~(다) 중 세 쌍 원소로 가능한 것만을 있는 대로 고른 것은?

족 주기	1	2	13	14	15	16	17	18
1								
2				(나)				
3							(다)	
4		(가)						
5								

① (가)　　　　② (나)　　　　③ (다)
④ (가), (다)　　⑤ (가), (나), (다)

18 그림은 2주기 원소 A~E의 제1 이온화 에너지를 나타낸 것이다. A~E는 각각 Be, B, C, N, O 중 하나이다.

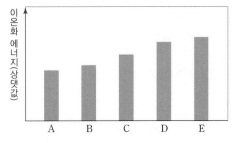

A~E에 대한 설명으로 옳은 것만을 〈보기〉에서 있는 대로 고른 것은?

> **보기**
> ㄱ. 원자 반지름은 B가 가장 크다.
> ㄴ. 바닥상태 전자 배치에서 홀전자 수는 D가 가장 크다.
> ㄷ. 제2 이온화 에너지는 C가 A보다 크다.

① ㄱ　　　　② ㄷ　　　　③ ㄱ, ㄴ
④ ㄴ, ㄷ　　　⑤ ㄱ, ㄴ, ㄷ

19 그림은 원소 A~C의 제1 이온화 에너지(E_1)와 제2 이온화 에너지(E_2)를 나타낸 것이다. A~C는 각각 F, Na, Mg 중 하나이다.

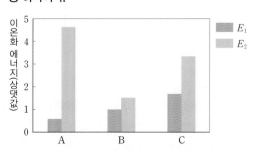

이에 대한 설명으로 옳은 것만을 〈보기〉에서 있는 대로 고른 것은?

> **보기**
> ㄱ. A는 Na이다.
> ㄴ. 제2 이온화 에너지가 A가 B보다 큰 까닭은 A는 원자가 전자가 들어 있는 전자 껍질보다 안쪽 전자 껍질에서 두 번째 전자를 떼어 내기 때문이다.
> ㄷ. A~C가 Ne과 같은 전자 배치를 갖는 이온이 되었을 때 이온 반지름은 C 이온이 가장 크다.

① ㄱ　　　　② ㄷ　　　　③ ㄱ, ㄴ
④ ㄴ, ㄷ　　　⑤ ㄱ, ㄴ, ㄷ

20 표는 원소 A와 B의 순차 이온화 에너지(E_n)를 나타낸 것이다. A와 B는 2주기 또는 3주기 원소이다.

원소	순차 이온화 에너지(kJ/mol)			
	E_1	E_2	E_3	E_4
A	801	2427	3660	25026
B	738	1451	7733	10540

A와 B에 대한 설명으로 옳은 것만을 〈보기〉에서 있는 대로 고른 것은? (단, A, B는 임의의 원소 기호이다.)

> **보기**
> ㄱ. 원자가 전자 수는 A가 B보다 크다.
> ㄴ. 원자 번호는 A가 B보다 크다.
> ㄷ. 금속성은 A가 B보다 크다.

① ㄱ　　　　② ㄴ　　　　③ ㄱ, ㄷ
④ ㄴ, ㄷ　　　⑤ ㄱ, ㄴ, ㄷ

21 그림은 원자 번호가 연속인 2주기 원소 A~C의 순차 이온화 에너지(E_n)를 나타낸 것이다.

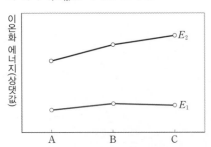

A~C에 대한 설명으로 옳은 것만을 〈보기〉에서 있는 대로 고른 것은? (단, A~C는 임의의 원소 기호이다.)

┤ 보기 ├

ㄱ. A는 리튬(Li)이다.

ㄴ. 바닥상태 전자 배치에서 B의 홀전자 수는 3이다.

ㄷ. A와 B의 원자가 전자 수의 합은 C의 원자가 전자 수보다 크다.

① ㄱ   ② ㄷ   ③ ㄱ, ㄴ

④ ㄴ, ㄷ   ⑤ ㄱ, ㄴ, ㄷ

22 그림은 3주기 원소 A~C에 대하여 각각의 제4 이온화 에너지를 100으로 하여 순차 이온화 에너지(E_n)의 상댓값을 나타낸 것이다.

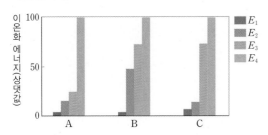

A~C에 대한 설명으로 옳은 것만을 〈보기〉에서 있는 대로 고른 것은? (단, A~C는 임의의 원소 기호이다.)

┤ 보기 ├

ㄱ. 유효 핵전하는 A가 가장 크다.

ㄴ. 원자 반지름은 B가 가장 크다.

ㄷ. 제1 이온화 에너지는 C>A>B이다.

① ㄱ   ② ㄷ   ③ ㄱ, ㄴ

④ ㄴ, ㄷ   ⑤ ㄱ, ㄴ, ㄷ

23 다음은 3주기 원소 A와 B에 대한 자료이다.

- A와 B의 바닥상태 전자 배치에서 홀전자 수는 각각 1이다.
- A는 금속 원소, B는 비금속 원소이다.
- A는 바닥상태 전자 배치에서 $\dfrac{전자가\ 들어\ 있는\ p\ 오비탈\ 수}{전자가\ 들어\ 있는\ s\ 오비탈\ 수}$가 1보다 크다.
- A와 B의 안정한 이온은 모두 18족 원소와 같은 전자 배치를 갖는다.

A와 B에 대한 설명으로 옳은 것만을 〈보기〉에서 있는 대로 고른 것은? (단, A, B는 임의의 원소 기호이다.)

┤ 보기 ├

ㄱ. A의 원자가 전자 수는 1이다.

ㄴ. 안정한 A 이온과 B 이온의 전자 배치는 같다.

ㄷ. 안정한 이온의 반지름은 B 이온이 A 이온보다 크다.

① ㄱ   ② ㄷ   ③ ㄱ, ㄴ

④ ㄴ, ㄷ   ⑤ ㄱ, ㄴ, ㄷ

24 그림은 원소 A~D의 원자 반지름과 네온(Ne)의 전자 배치를 갖는 이온의 반지름을 나타낸 것이다. A~D는 각각 O, F, Na, Mg 중 하나이다.

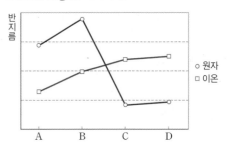

A~D에 대한 설명으로 옳은 것만을 〈보기〉에서 있는 대로 고른 것은?

┤ 보기 ├

ㄱ. B의 이온 반지름이 A의 이온 반지름보다 큰 까닭은 핵전하가 작기 때문이다.

ㄴ. 비금속성은 C가 가장 크다.

ㄷ. 이온화 에너지는 D가 가장 크다.

① ㄱ   ② ㄷ   ③ ㄱ, ㄴ

④ ㄴ, ㄷ   ⑤ ㄱ, ㄴ, ㄷ

주기성
공유 결합　무극성 공유 결합
전기 전도성　금속 결합
쌍극자 모멘트
극성 공유 결합　공유 전자쌍
분자 구조　분자 결정　전자 배치
이온　결합각　끓는점　단일 결합
전기 전도성　분자 구조　2중 결합
공유　결합　무극성 분자
자유 전자　이온 결합
자유 전자　자유 전자　전기 분해
결합력　용해　반발력　극성 공유 결합
전자쌍 반발 이론　공유 결정　결합의 극성
루이스 전자점식　비공유 전자쌍　화학 결합
쌍극자 모멘트　극성 분자　무극성 공유 결합
자유 전자　결합의 극성　결합의 극성
물에 대한 용해성　루이스 구조식
화학 결합　전기 음성도
옥텟 규칙　주기성　비활성 기체
전기 전도성　금속

단원 짚어보기

배운 내용

· 전자
· 이온 결합
· 공유 결합
· 금속과 비금속
· 이온 결합 물질
· 공유 결합 물질
· 전기 전도성

화학 결합과
분자의 세계

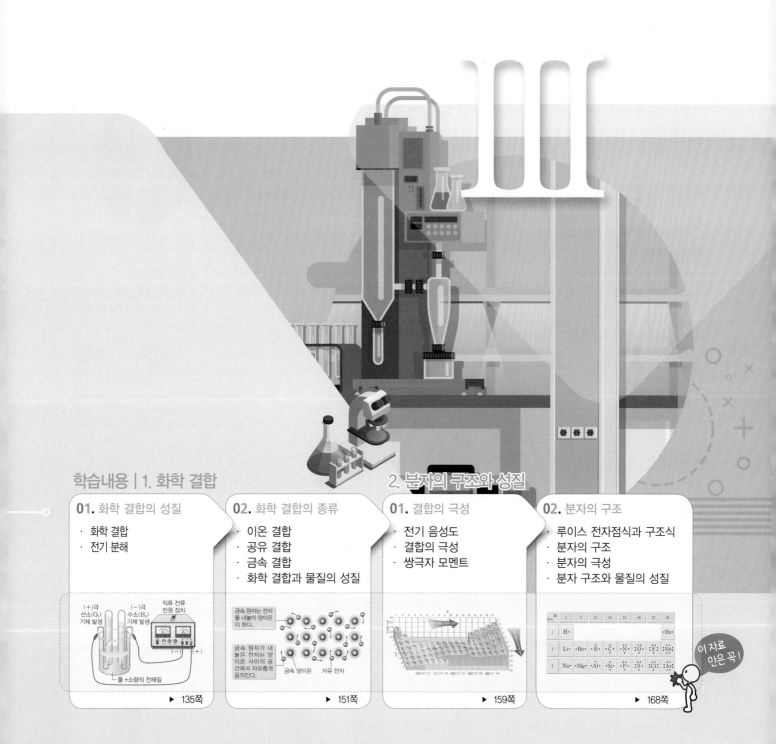

이 자료
만은 꼭!

01

화학 결합의 성질

내 교과서는 어디에?

천재 p.107~109 금성 p.98~103 교학사 p.102~104 동아 p.109~113 미래엔 p.106~109
비상 p.99~100 상상 p.108~110 지학사 p.107~109 YBM p.119~121

핵심 Point ● 물의 전기 분해 실험 등을 통해 화학 결합의 전기적 성질에 대해 알아본다.
● 전자가 관여하는 화학 결합의 성질을 이해한다.

---

1 화학 결합

1. 화학 결합과 화합물의 종류 자연계에는 주기율표에 나타나 있는 120여 종의 원소보다 훨씬
더 많은 수의 화합물이 존재한다. 이는 원자들이 다양한 화학 결합을 형성하여 물질을 이루
기 때문이다. └→ 물질을 이루는 기본 입자

2. 화학 결합의 형성

① 화학 결합에는 두 원자가 전자쌍을 공유하여 형성되는 공유 결합과, 한 원자에서 다른 원자로
전자가 이동하여 생성된 이온들 간의 정전기적 인력에 의해 형성되는 이온 결합이 있다.

② 화학 결합이 형성되는 데에는 모두 원자 속의 전자가 관여한다.

2 물을 형성하는 화학 결합

1. 라부아지에❶의 물 분해 실험

① 실험 과정: 뜨겁게 가열한 긴 주철관에 물을 흘려보내고 변화를 관찰한다.

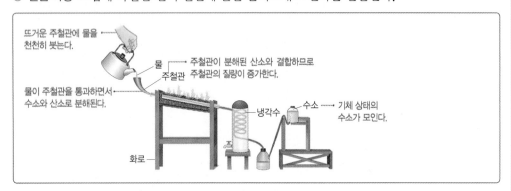

② 실험 결과
• 주철관을 타고 흐르는 물이 뜨거운 열에 의해 산소 기체와 수소 기체로 분해되고, 주철관
은 산소와 결합한다.

$$3H_2O(l) + 2Fe(s) \longrightarrow Fe_2O_3(s) + 3H_2(g)$$

구분	실험 결과	까닭
화로 위의 주철관	주철관이 부식된다. 주철관의 전체 질량이 증가한다.	물이 분해되면서 발생한 산소 기체가 주철관과 반응한다.
주철관에 연결된 냉각 호스	기체가 발생한다.	물이 분해되면서 발생한 수소 기체가 모인다.

• 실험 전 주철관과 물의 질량 합은 실험 후 부식된 주철관과 반응 후 발생한 수소 기체의
질량 합과 같다. 즉, 질량 보존 법칙❷이 성립한다.

③ 18세기 중반까지는 물을 물질의 기본 원소로 생각하였으나, 라부아지에는 물이 원소가 아니
라는 것을 위의 실험으로 밝혀내었다. → 물은 수소와 산소가 결합하여 이루어진 화합물이다.

---

❶ **라부아지에(Lavoisier, A. L., 1743~1794)**

프랑스의 화학자이자 근대 화학 창시
자 중 한 사람으로 연소 실험을 통해
플로지스톤설을 비판하고, 화학 혁명
을 이끌어내었다. 또한 그는 질량 보
존 법칙을 발견하였다.

❷ **질량 보존 법칙**

화학 반응이 일어날 때 반응 전 물질
의 총 질량과 반응 후 생성된 물질의
총 질량은 같다.

반응 전　　　　반응 후
C(12 g)+O₂(32 g) = CO₂(44 g)

강의 콕 🎞️

라부아지에는 물 분해 실험에서 물
이 서로 다른 두 가지 원소로 분해되
는 것을 통해, 당시 물이 물질을 이
루는 기본 원소 중의 하나라고 주장
한 아리스토텔레스의 4원소설이 잘
못되었음을 밝혀내었다.

━━━ 용어 ━━━

▶ **전자쌍**: 공유 결합에서 두 원자가
공유하는 한 쌍의 전자
▶ **부식**: 금속이 그 표면에서 산소와
반응하여 산화 금속이 되거나 변질되
는 것

---

2. 물의 전기 분해[3]

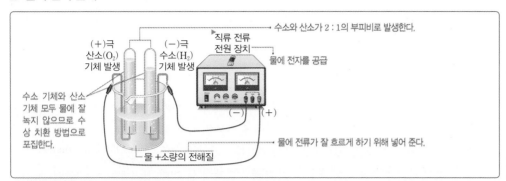

(+)극 산소(O_2) 기체 발생
(−)극 수소(H_2) 기체 발생
직류 전류 전원 장치
수소와 산소가 2 : 1의 부피비로 발생한다.
물에 전자를 공급
수소 기체와 산소 기체 모두 물에 잘 녹지 않으므로 수상 치환 방법으로 포집한다.
물에 전류가 잘 흐르게 하기 위해 넣어 준다.
물 +소량의 전해질

① 순수한 물은 전기가 잘 통하지 않으므로 전해질[4]을 소량 녹여서 ▶직류 전류를 흘려 주면, 물이 분해되어 (−)극에서 수소 기체가, (+)극에서 산소 기체가 발생한다.

② 전체 반응식은 $2H_2O(l) \longrightarrow 2H_2(g) + O_2(g)$이며, 각 전극에서 다른 반응이 일어난다.

자료 파헤치기

[물의 전기 분해]

구분	(−)극	(+)극
발생한 물질	수소(H_2) 기체	산소(O_2) 기체
기체의 상대적 부피	2	1
기체의 확인	불을 가까이하면 폭발음이 나며 탄다. ← 가연성	꺼져가는 불씨를 다시 살린다. → 조연성
화학 반응식	$4H_2O + 4e^- \longrightarrow 2H_2 + 4OH^-$ (중성 → 염기성)	$2H_2O \longrightarrow O_2 + 4H^+ + 4e^-$ (중성 → 산성)
반응 모형	(−)극에서는 전자가 공급되어 물 분자와 전자가 결합한다. 물은 전자를 얻으면서 수산화 이온(OH^-)과 수소 기체(H_2)가 된다.	(+)극에서는 물 분자가 전극으로 전자를 내놓으면서 수소 이온(H^+)과 산소 기체(O_2)가 된다.
전체 반응식	$2H_2O(l) \longrightarrow 2H_2(g) + O_2(g)$	

3. **물[5]의 전기 분해 실험의 결론** 물에 전류가 흐르면 각 전극에서 전자를 잃거나 얻는 화학 반응이 일어나 물이 분해되어 성분 물질이 얻어진다. 이로부터 물을 구성하는 원소들의 화학 결합에 전자가 관여한다는 것을 알 수 있다.

개념 확인하기

1 우주에는 120여 종의 화합물이 존재한다. (○ , ×)
2 라부아지에의 물 분해 실험에서 주철관의 질량은 (증가 , 감소)한다.
3 물을 전기 분해하면 (−)극에서 (   ) 기체, (+)극에서 (   ) 기체가 발생한다.
4 물의 전기 분해 실험으로 물을 구성하는 원소들의 화학 결합에 (   )이/가 관여한다는 것을 알 수 있다.

정답 1 × 2 증가 3 수소, 산소 4 전자

---

[3] 전기 분해

물질에 전기 에너지를 가해 전자의 이동이 일어나게 함으로써 물질을 분해하는 방법이다. 실생활에 자주 사용하는 예로, 배터리에 전류를 공급하면 배터리 내부에서 전기 분해 반응이 일어나 충전된다.

[4] 전해질

물 등의 용매에 녹아 이온화하여 양이온과 음이온을 생성하는 물질로, 고체 상태에서는 전기 전도성이 없지만 용매에 녹으면 전기 전도성을 띤다.

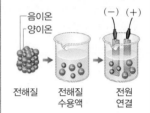

음이온
양이온
전해질 / 전해질 수용액 / 전원 연결

[5] 물의 또 다른 성질

· 극성 용매이다.
· 녹는점, 끓는점이 높다.
· 비열이 크다.
· 물이 얼음보다 밀도가 크다.
· 순수한 물은 중성이다.
· 푸른색 염화 코발트 종이로 확인한다.

강의 콕

물의 전기 분해 실험은 전기 분해의 원리보다 수소와 산소 사이의 화학 결합에 전자가 관여한다는 것에 집중한다.

용어

▶ **직류 전류**: 한쪽 방향으로 계속 흘러가는 전류이다. 반면 흐르는 방향이 일정한 시간 간격으로 바뀌는 전류를 교류 전류라고 한다.

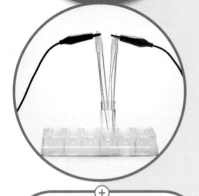

셀파 탐구

물의 전기 분해

과정

❶ 증류수에 황산 나트륨을 소량 녹여 황산 나트륨 수용액을 만든다.

❷ 24홈판에 작은 병을 꽂은 뒤 황산 나트륨 수용액을 약 $\frac{2}{3}$ 정도 채운다.

❸ 2개의 투명 플라스틱 빨대의 한쪽 끝부분을 각각 빨대 마개로 막은 다음, 황산 나트륨 수용액을 빨대 속에 가득 채운다.

❹ 2개의 빨대를 마개가 위로 오도록 수용액이 든 병에 꽂고 빨대 아래쪽에 침 핀을 꽂은 다음, 이 침 핀에 직류 전원을 연결하여 전기 분해를 한다.

❺ 반응이 끝난 후 빨대 내부의 (＋)극과 (－)극에서 나타나는 변화를 관찰한다.

결과 및 정리

1. 두 빨대에서 생성되는 기체는 각각 무엇이며, 어떻게 확인할 수 있는가?

→ (－)극에서 발생한 기체에 불꽃을 가져가면 '펑' 소리를 내면서 연소하는 것으로 보아 이 기체는 수소 기체이고, (＋)극에서 발생한 기체에 꺼져가는 불씨를 가져가면 불씨가 다시 살아나는 것으로 보아 이 기체는 산소 기체이다.

2. (＋)극과 (－)극에서 생성된 기체의 부피비는 얼마인가?

→ (－)극과 (＋)극의 빨대 위의 빈 공간의 길이의 비가 생성된 기체의 부피비이다. 즉, (－)극에서 생성된 수소와 (＋)극에서 생성된 산소의 부피비는 2 : 10이다.

3. 실험 결과로 보아 물 분자를 이루는 원자들의 결합은 어떤 성질을 지니고 있는가?

→ 물 분자에 전자를 공급해 주면 분자 내 원자 간의 결합이 재조합된다. 따라서 물 분자를 이루는 원자들의 결합에 전자가 관여하고 있음을 알 수 있다.

4. 물에 황산 나트륨을 녹이는 까닭은 무엇인가?

→ 순수한 물은 전류가 흐르지 않으므로 황산 나트륨을 가해 물에 전류가 흐르도록 한 것이다.

⊕ 유의점

❶ 물에 넣어 주는 전해질의 선택에 유의해야 한다. 이온 결합 물질이라고 모두 사용할 수 있는 것은 아니기 때문이다. 예를 들어 염화 이온이 들어 있는 전해질은 산소 기체 대신에 염소 기체가 발생하므로 사용해서는 안 된다.

❷ 빨대에 황산 나트륨 수용액을 가득 채우지 않으면 발생한 기체의 부피를 정확히 비교할 수 없으므로 반드시 가득 채우고, 빨대 마개로 생성된 기체가 새어나가지 않도록 해야 한다.

❸ 교류 전원을 사용하면 (＋)극과 (－)극이 수시로 바뀌므로 원하는 실험 결과를 얻을 수 없다.

❹ 수소 기체를 너무 많이 모으면 불씨를 넣었을 때 폭발할 위험이 있다.

셀파 콕콕 ◉

물의 전기 분해 실험은 화학 반응의 양적 관계(몰비＝물 : 수소 : 산소＝2 : 2 : 1)에서 자주 나오므로 이와 관련하여 학습해 둔다. 실험 장치에서 (＋)극과 (－)극의 구분이 안 될 경우에 발생한 기체가 적은 쪽이 산소이며, 산소는 음이온이 되기 쉬운 원소로 (＋)극을 좋아한다는 것을 기억한다.

📋 시험 유형은?

❶ 물의 전기 분해 실험으로 알 수 있는 것은?
▶ 물 분자의 화학 결합에 전자가 관여한다.
❷ 물을 전기 분해할 때 발생하는 수소와 산소의 부피비는?
▶ 수소 : 산소＝2 : 1

탐구 대표 문제 정답과 해설 36쪽

01 이 실험 과정에 대한 설명으로 옳은 것은?

① (＋)극에서 발생하는 기체는 매우 위험하므로 빨대 마개를 꼭 막아야 한다.

② 교류 전원을 사용해도 똑같은 결과가 나온다.

③ 황산 나트륨 수용액에 페놀프탈레인 용액을 넣고 전기 분해 실험을 해도 용액의 색은 변하지 않는다.

④ 실험을 수행할 때마다 발생하는 수소와 산소의 부피비는 다르게 나온다.

⑤ 실험을 통해 물 분자의 화학 결합에는 전자가 관여한다는 것을 알 수 있다.

02 그림은 물의 전기 분해 실험을 한 후 시험관의 모습을 나타낸 것이다. (가)극과 (나)극에서 발생한 기체의 종류를 각각 쓰시오.

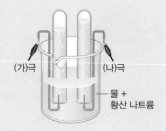

염화 나트륨을 형성하는 화학 결합

1. 염화 나트륨 용융액의 전기 분해

① 실험 과정: 고체 염화 나트륨을 가열하여 용융액을 만든 다음, 전극을 꽂아 전류를 흘려보내면서 (+)극과 (−)극의 변화를 관찰한다.

② 실험 결과: (−)극에서는 금속 나트륨이 액체로 생성되고[6], (+)극에서는 염소 기체가 발생한다. ➡ 염화 나트륨 용융액에 존재하는 Na^+이 (−)극으로 이동하여 전자를 얻고, Cl^-이 (+)극으로 이동하여 전자를 잃는 반응이 일어나기 때문이다.

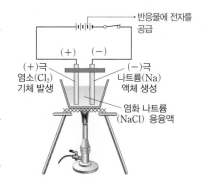

❻ 염화 나트륨 용융액의 전기 분해에서 나트륨이 고체로 석출되지 않는 까닭

염화 나트륨의 녹는점은 801 ℃이고, 나트륨의 녹는점은 97.7 ℃이다. 따라서 염화 나트륨 용융액 안에서 나트륨은 액체로 존재한다.

| 자료 파헤치기 |

염화 나트륨 용융액의 전기 분해❼

구분	(+)극	(−)극
발생한 물질	염소(Cl_2) 기체 → 황록색 기체	나트륨(Na) 금속
화학 반응식	$2Cl^- \longrightarrow Cl_2 + 2e^-$	$Na^+ + e^- \longrightarrow Na$
반응 모형	 염화 이온은 전자를 내놓고 염소 기체가 된다.	나트륨 이온이 전자를 얻어 나트륨 금속이 된다.
	(+)극 e⁻ (−)극	
	염화 나트륨 용융액 → Na⁺, Cl⁻이 존재	
전체 반응식	$2NaCl(l) \longrightarrow 2Na(l) + Cl_2(g)$	

③ 염화 나트륨 용융액을 전기 분해하는 까닭: 고체 상태의 염화 나트륨은 전류가 흐르지 않는다. 하지만 염화 나트륨이 액체 상태가 되면 양이온과 음이온이 자유롭게 이동할 수 있으므로 양이온과 음이온이 서로 반대 전하를 띤 전극으로 이동하면서 전류가 흐르기 때문이다.

나트륨 이온
염화 이온
고체 상태 → 양이온과 음이온이 단단히 결합되어 있어 움직일 수 없다.
액체 상태 → 양이온과 음이온이 자유롭게 움직일 수 있다.

❼ 염화 나트륨 수용액의 전기 분해

염화 나트륨 수용액에는 나트륨 이온, 염화 이온, 물 분자가 함께 존재한다. 여기에 전류를 흘려 주면 (−)극에서는 수소 기체가 발생하고, (+)극에서는 염소 기체가 발생한다. 따라서 염화 나트륨을 전기 분해하려고 할 때 염화 나트륨 수용액을 사용하면 안 된다.

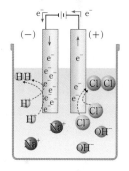

암기 콕 ⏰
모든 화학 결합에는
• 전자가 관여한다.
• 전기적 인력이 작용한다.

2. 염화 나트륨 용융액의 전기 분해 실험의 결론
염화 나트륨 용융액에 전류가 흐르면 각 전극에서 전자를 잃거나 얻는 화학 반응이 일어나 염화 나트륨이 분해되어 성분 물질이 얻어진다. 이로부터 염화 나트륨을 구성하는 원소들의 화학 결합에 전자가 관여한다는 것을 알 수 있다.

▶ **용어**

▶ 용융: 고체 상태의 물질이 열에너지를 흡수하여 액체로 되는 변화

개념 확인하기

1 고체 염화 나트륨은 전류가 흐르지 않지만, (　　) 상태가 되면 전류가 흐른다.

2 염화 나트륨 용융액의 전기 분해 실험으로 염화 나트륨을 구성하는 원소들의 화학 결합에 (　　)이/가 관여한다는 것을 알 수 있다.

답 1. 액체(용융) 2. 전자

4 화학 결합의 원리

1. **옥텟 규칙**(octet rule, **여덟 전자 규칙**) 원자는 비활성 기체와 같이 가장 바깥 전자 껍질에 전자 8개가 완전히 채워져 있을 때 가장 안정하다. 이와 같이 비활성 기체 이외의 원자들이 가장 바깥 전자 껍질에 8개의 전자를 가져 안정한 전자 배치를 이루려는 경향을 옥텟 규칙이라고 한다.❽

2. **비활성 기체** 주기율표의 18족 원소로, 가장 바깥 전자 껍질에 전자가 모두 채워져 있기 때문에 다른 원자와 전자를 주고받기 어려워 화학 결합을 하지 않는다. (예외로, Xe(제논)은 산소, 할로젠 등과 반응한다.)

① 비활성 기체의 전자 배치

→ 가장 바깥 전자 껍질의 전자 배치: $ns^2\, np^6$
(단, 헬륨은 예외)

원소	헬륨($_2$He)	네온($_{10}$Ne)	아르곤($_{18}$Ar)
전자 배치	$1s^2$	$1s^2\, 2s^2\, 2p^6$	$1s^2\, 2s^2\, 2p^6\, 3s^2\, 3p^6$
최외각 전자❾	2	8	8
원자가 전자	0	0	0

② 비활성 기체의 성질: 비활성 기체는 옥텟 규칙을 만족하고 있으므로 전자를 잃거나 얻지 않는다. 따라서 화학적으로 안정하여 반응성이 거의 없다. → 단원자 분자로 존재

③ 비활성 기체의 이용

헬륨(He)	네온(Ne)	아르곤(Ar)
상업용 풍선, 잠수부의 공기통, 목소리 변조 등	네온 사인 간판, 레이저(He−Ne) 발진, 저온 냉매 등	아르곤 용접, 아르곤 충전, 형광등 충전, 연대 측정, 화학 분석 등
▲ 헬륨을 채운 풍선	▲ 네온 사인	▲ 아르곤 용접

└→ 헬륨 대신 가격이 더 저렴한 수소(H_2)를 사용하기도 하는데, 수소는 폭발성이 있어 위험하다.

3. **이온의 형성**

① 금속 원소와 이온의 전자 배치
- 금속 원소가 옥텟 규칙을 만족하기 위해서는 전자를 잃는다. → 원자가 전자가 1~2개이므로 전자를 잃기 쉽다.
- 금속의 이온은 잃은 전자 수만큼의 (+)전하를 띠는 양이온이 된다.
- 금속 이온은 반응성이 크다.

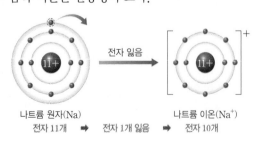

나트륨 원자(Na)   나트륨 이온(Na^+)
전자 11개 ➡ 전자 1개 잃음 ➡ 전자 10개

❽ **확장된 옥텟 규칙**

s, p 오비탈로만 구성된 원자 번호 1~20번까지의 원자는 거의 옥텟 규칙을 만족하지만, d 오비탈이 존재하는 21번 원자부터는 확장된 옥텟 규칙을 적용하기도 한다.

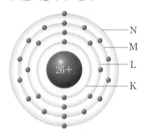

N 껍질($n=4$): $4s^2$(원자가 전자)
M 껍질($n=3$): $3s^2\, 3p^6\, 3d^6$
L 껍질($n=2$): $2s^2\, 2p^6$
K 껍질($n=1$): $1s^2$

❾ **최외각 전자 수와 원자가 전자 수 비교**

족	최외각 전자 수	원자가 전자 수
1	1	1
2	2	2
13	3	3
14	4	4
15	5	5
16	6	6
17	7	7
18	8	0

셀파 콕콕 🔍

비활성 기체 이외의 원자들은 화학 결합을 통해 더 안정한 전자 배치를 이룬다는 것을 기억한다.

■■■■ 용어 ■■■■

▶ oct(옥트): 8을 의미하는 접두사. 8각형은 octagon, 문어는 octopus가 된다.
▶ **최외각 전자**: 가장 바깥 전자 껍질에 있는 전자
▶ **원자가 전자**: 가장 바깥 전자 껍질에 있어 화학 반응에 참여하는 전자

② 비금속 원소와 이온의 전자 배치^⑩

- 비금속 원소가 옥텟 규칙을 만족하기 위해서는 전자를 얻는다. ── 원자가 전자가 6~7개이므로 전자를 얻기 쉽다.
- 비금속 원소의 이온은 얻은 전자 수만큼의 (ー)전하를 띠는 음이온이 된다.
- 비금속 원소의 이온은 반응성이 크다.

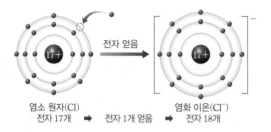

염소 원자(Cl)   염화 이온(Cl^-)
전자 17개 ➡ 전자 1개 얻음 ➡ 전자 18개

③ 이온의 전하량 결정: 양성자수 ― 이온의 전자 수 = 전하량

예 • 나트륨 이온(Na^+): 양성자수 11 ― 전자 수 10 = +1
- 칼슘 이온(Ca^{2+}): 양성자수 20 ― 전자 수 18 = +2
- 염화 이온(Cl^-): 양성자수 17 ― 전자 수 18 = ー1
- 산화 이온(O^{2-}): 양성자수 8 ― 전자 수 10 = ー2

──────────────────────── 자료 파헤치기 ────

[플루오린화 이온, 네온 원자, 나트륨 이온의 전자 배치 비교]

- 공통점: $1s^2\ 2s^2\ 2p^6$의 안정한 전자 배치를 갖는다.
- 차이점: 양성자수가 다르기 때문에 전기적 성질이 다르고, 원자량도 달라 각기 다른 성질을 가진다.

플루오린화 이온   네온 원자   나트륨 이온

⑩ **수소와 탄소의 옥텟 규칙 적용**

수소는 전자 1개를 얻어 전자 2개를 가지면 안정해지지만, 이 경우는 전자 간의 반발로 불안정해진다. 따라서 수소는 전자를 잃어 양이온인 H^+으로 되는 것이 더 안정하다.
탄소는 전자를 4개 잃거나 전자를 4개 얻을 경우 모두 옥텟 규칙을 만족하기 때문에 양이온과 음이온이 둘 다 가능하다. 하지만 탄소 원소는 이온이 되기보다는 공유 결합을 통해 안정화하려는 성질이 강해 대부분 공유 결합을 형성한다.

셀파 콕콕

주기율표에서 원자 번호를 1~20번까지 외울 수 있다면, 이제 보어의 전자 배치와 오비탈의 전자 배치를 쓸 수 있어야 한다. d 오비탈이 등장하는 원자 번호 21번 스칸듐부터는 옥텟 규칙에 대체로 맞지 않아 출제되는 비율이 매우 적다.

4. 원소가 화학 결합을 하는 까닭 물질을 구성하는 원소들은 화학 결합을 함으로써 옥텟 규칙을 만족하여 가장 안정한 전자 배치 상태를 만들거나 유지한다.

구분	금속 원소＋비금속 원소	비금속 원소＋비금속 원소	금속 원소
화학 결합	이온 결합	공유 결합	금속 결합
결합 모형	예 염화 나트륨(NaCl)	 예 플루오린(F_2) 분자	 예 나트륨(Na)

└ 각 화학 결합의 특징은 02. 화학 결합의 종류에서 자세히 배운다.

──── 용어 ────
▶ **반응성**: 물질이 화학 반응을 일으키는 성질. 일반적으로 불안정한 상태의 물질들이 반응성이 크다.
▶ **전하량**: 어떤 물체 또는 입자가 띠고 있는 전기의 양

개념 확인하기

1 옥텟 규칙은 최외각 전자가 (   )개로 완전히 채워질 때 원자가 가장 안정한 상태를 가진다는 것이다.
2 (   )은/는 화학적으로 안정하여 화학 반응을 하지 않고, 다른 원소와 결합하여 화합물을 만들지 않는다.
3 금속 원소는 옥텟 규칙을 만족하기 위해 전자를 얻고 음이온이 된다.   (○, ×)
4 물질을 구성하는 원소들은 화학 결합을 함으로써 (   ) 규칙을 만족하여 가장 안정한 전자 배치 상태를 이룬다.

답 1 8 2 비활성 기체 3 × 4. 옥텟

기초 탄탄 문제

정답과 해설 36쪽

핵심용어_ 이 단원에서 내가 아는 것과 아직 모르는 것을 정리하며 나의 공부를 돌아보자.

☐ 화학 결합   ☐ 전기 분해
☐ 옥텟 규칙   ☐ 비활성 기체
☐ 비활성 기체의 전자 배치   ☐ 이온의 전자 배치

01 다음은 염화 나트륨과 물의 전기 분해 실험에 대한 설명이다.

[실험] • 액체 상태의 염화 나트륨에 전류를 흘려 주면 금속 나트륨과 염소가 생성된다.
• 순수한 물에 황산 나트륨을 소량 가하여 전류를 흘려 주면 산소 기체와 수소 기체가 생성된다.
[결론] 화학 결합이 형성될 때 (㉠)이/가 관여하는 전기적 성질을 확인할 수 있다.

결론에서 ㉠에 알맞은 것은?

① 원자   ② 전자   ③ 양성자
④ 중성자   ⑤ 원자핵

02 그림은 물의 분자 모형을 나타낸 것이다.
이에 대한 설명으로 옳은 것을 모두 고르면? (2개)

① 물은 원소이다.
② 순수한 물은 전기 전도성이 크다.
③ 물은 수소와 산소로 구성되어 있다.
④ 물을 구성하는 화학 결합에는 전자가 관여한다.
⑤ 물은 염화 나트륨과 같은 종류의 화학 결합에 의해 형성된다.

03 옥텟 규칙에 대한 설명으로 옳은 것은?

① 네온은 옥텟 규칙을 만족하고 있다.
② 모든 원자들은 옥텟 규칙을 만족하고 있다.
③ 원자의 총 전자 수가 8이면 안정한 전자 배치가 된다.
④ 원자는 반드시 전자를 잃어 옥텟 규칙을 만족한다.
⑤ 헬륨, 네온, 아르곤의 최외각 전자 수는 모두 같다.

04 비활성 기체에 대한 설명으로 옳지 <u>않은</u> 것은?

① 주기율표의 18족 원소이다.
② 반응성이 거의 없다.
③ 실생활에서는 거의 이용되지 않는다.
④ 대부분 옥텟 규칙을 만족하는 전자 배치를 한다.
⑤ 최외각 전자 수와 원자가 전자 수가 다르다.

05 그림은 네온(Ne) 원자의 전자 배치 모형을 나타낸 것이다.
다음에서 네온(Ne) 원자와 같은 전자 배치를 갖는 이온의 개수는?

| Ca^{2+} | Na^+ | F^- | O^{2-} |

① 0개   ② 1개   ③ 2개
④ 3개   ⑤ 4개

06 그림은 알루미늄(Al) 원자의 전자 배치 모형을 나타낸 것이다.
알루미늄 원자가 안정한 전자 배치 상태가 되기 위한 전자의 이동으로 옳은 것은?

① 전자 1개를 얻는다.
② 전자 2개를 얻는다.
③ 전자 1개를 잃는다.
④ 전자 2개를 잃는다.
⑤ 전자 3개를 잃는다.

내신 만점 문제

정답과 해설 37쪽 * ▮▮▮ 난이도를 나타냅니다.

01 화학 결합에 대한 설명으로 옳은 것만을 〈보기〉에서 있는 대로 고른 것은?

┤ 보기 ├
ㄱ. 공유 결합과 이온 결합에는 전자가 관여한다.
ㄴ. 모든 원소는 다른 원소와 화학 결합을 형성한다.
ㄷ. 옥텟 규칙은 원소들이 할로젠 원소와 같은 전자 배치를 가지려는 경향이다.

① ㄱ   ② ㄷ   ③ ㄱ, ㄴ
④ ㄴ, ㄷ   ⑤ ㄱ, ㄴ, ㄷ

02 다음은 아직 완성하지 못한 실험 보고서의 일부이다.

- 실험 제목: ┃ (가) ┃
- 실험 목적: 공유 결합 화합물이 구성 원소로 나누어질 때 전자가 관여하는 것을 확인한다.
- 실험 장치 및 결과

산소 10 mL 발생 / (다) / 물 + (나) / 전극 / 전원 장치 / (라)

- 실험 결론: ┃ (마) ┃

(가)~(마)에 들어갈 내용에 대한 설명으로 옳지 않은 것은?

① (가)에는 '물의 전기 분해 실험'이 적절하다.
② (나)에는 '수산화 나트륨'이 들어갈 수 있다.
③ (다)에는 '수소 10 mL 발생'이 들어간다.
④ (라)에는 '(+)극'이 해당된다.
⑤ (마)에는 "실험을 통해 공유 결합에 전자가 관여함을 알 수 있었다."라는 내용이 적절하다.

03 다음은 물을 전기 분해했을 때 각 극에서 일어나는 반응의 화학 반응식을 나타낸 것이다.

- (−)극: $4H_2O + $ (가) $ \longrightarrow 2H_2 + 4OH^-$
- (+)극: $2H_2O \longrightarrow O_2 + 4H^+ + $ (나)

위 반응에 대한 설명으로 옳은 것만을 〈보기〉에서 있는 대로 고른 것은?

┤ 보기 ├
ㄱ. (가)는 $4e^-$, (나)는 $2e^-$이다.
ㄴ. 반응이 진행되어도 두 극 주변의 물은 모두 중성을 유지한다.
ㄷ. 전체적으로 물 2분자가 수소 2분자와 산소 1분자로 분해되는 반응이다.

① ㄱ   ② ㄷ   ③ ㄱ, ㄴ
④ ㄴ, ㄷ   ⑤ ㄱ, ㄴ, ㄷ

04 다음은 염화 나트륨 용융액의 전기 분해 실험 장치와 각 극에서 일어나는 반응을 나타낸 것이다.

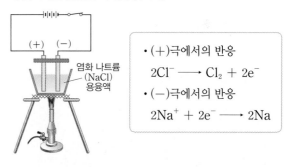

- (+)극에서의 반응
  $2Cl^- \longrightarrow Cl_2 + 2e^-$
- (−)극에서의 반응
  $2Na^+ + 2e^- \longrightarrow 2Na$

위 실험에 대한 설명으로 옳은 것만을 〈보기〉에서 있는 대로 고른 것은?

┤ 보기 ├
ㄱ. 가열을 하는 것은 전기 분해를 빠르게 진행하기 위해서이다.
ㄴ. 염화 나트륨 2몰을 전기 분해하면 염소 기체 1몰이 발생한다.
ㄷ. 염화 나트륨의 이온 결합에 전자가 관여하고 있음을 알 수 있다.

① ㄱ   ② ㄴ   ③ ㄱ, ㄷ
④ ㄴ, ㄷ   ⑤ ㄱ, ㄴ, ㄷ

05 그림은 염화 나트륨 용융액과 물의 전기 분해 실험 장치를 나타낸 것이다.

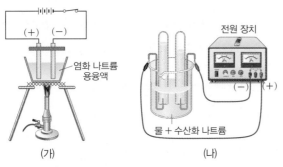

(가)와 (나)의 공통점에 대한 설명으로 옳은 것만을 〈보기〉에서 있는 대로 고른 것은?

┤ 보기 ├

ㄱ. (+)극에서 기포가 발생한다.
ㄴ. (−)극에서 나트륨이 생성된다.
ㄷ. 실험을 통해 화학 결합에 전자가 관여함을 확인할 수 있다.

① ㄱ   ② ㄴ   ③ ㄱ, ㄷ
④ ㄴ, ㄷ   ⑤ ㄱ, ㄴ, ㄷ

 그림은 산화 이온(O^{2-})과 네온(Ne) 원자의 전자 배치를 나타낸 것이다.

산화 이온(O^{2-})   네온 원자(Ne)

두 입자에 대한 설명으로 옳은 것만을 〈보기〉에서 있는 대로 고른 것은?

┤ 보기 ├

ㄱ. 모두 옥텟 규칙을 만족하고 있다.
ㄴ. 최외각 전자 수는 네온이 더 많다.
ㄷ. 산화 이온과 네온의 반응성은 같다.

① ㄱ   ② ㄷ   ③ ㄱ, ㄴ
④ ㄴ, ㄷ   ⑤ ㄱ, ㄴ, ㄷ

07 그림은 중성 원자 X, Y의 전자 배치 모형을 나타낸 것이다.

X   Y

이에 대한 설명으로 옳은 것만을 〈보기〉에서 있는 대로 고른 것은? (단, X, Y는 임의의 원소 기호이다.)

┤ 보기 ├

ㄱ. X는 반응성이 없어 Y와 반응하지 않는다.
ㄴ. X와 Y가 안정한 이온이 되면 같은 전자 배치를 가진다.
ㄷ. 안정한 이온이 될 때 X 이온의 전하는 Y 이온의 전하와 부호가 반대이다.

① ㄱ   ② ㄷ   ③ ㄱ, ㄴ
④ ㄴ, ㄷ   ⑤ ㄱ, ㄴ, ㄷ

08 다음은 원자 A~D의 전자 배치를 나타낸 것이다.

- A: $1s^2\ 2s^2\ 2p^4$
- B: $1s^2\ 2s^2\ 2p^6\ 3s^2\ 3p^1$
- C: $1s^2\ 2s^2\ 2p^6\ 3s^2$
- D: $1s^2\ 2s^2\ 2p^6\ 3s^2\ 3p^6$

위의 원자들이 모두 옥텟 규칙을 만족하기 위해 각각 잃거나 얻는 전자의 개수를 모두 합한 값은? (단, A~D는 임의의 원소 기호이고, 전자의 개수는 출입에 상관없이 모두 더한다.)

① 4   ② 5   ③ 6
④ 7   ⑤ 8

09 그림은 원자 A~D의 전자 배치 모형을 나타낸 것이다.

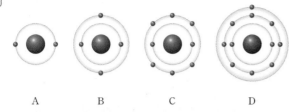

A   B   C   D

이에 대한 설명으로 옳은 것만을 〈보기〉에서 있는 대로 고른 것은? (단, A~D는 임의의 원소 기호이다.)

┤ 보기 ├
ㄱ. A는 B, C, D와 화학 결합을 형성하지 않는다.
ㄴ. B와 D는 양이온이 되려는 경향이 강하다.
ㄷ. C와 D는 안정한 이온이 되었을 때 똑같은 전자 배치를 갖는다.

① ㄱ   ② ㄷ   ③ ㄱ, ㄴ
④ ㄴ, ㄷ   ⑤ ㄱ, ㄴ, ㄷ

10 그림은 비활성 기체의 전자 배치 모형을 나타낸 것이다.

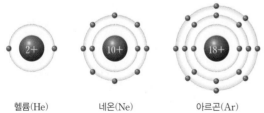

헬륨(He)   네온(Ne)   아르곤(Ar)

이들 원자에 대한 공통점으로 옳은 것만을 〈보기〉에서 있는 대로 고른 것은?

┤ 보기 ├
ㄱ. 원자가 전자 수가 같다.
ㄴ. 물질의 반응성이 비슷하다.
ㄷ. 실온에서 물질의 상태가 같다.

① ㄱ   ② ㄷ   ③ ㄱ, ㄴ
④ ㄴ, ㄷ   ⑤ ㄱ, ㄴ, ㄷ

서술형 문제

11 철수는 그림과 같이 여러 가지 기체를 비눗방울에 담아 불을 붙이는 연소 실험을 수행하였다. 다음은 실험 장치와 실험에 사용한 기체들이다.

수소(H_2), 아르곤(Ar), 메테인(CH_4)

(1) 위 실험에서 연소가 일어나지 않는 기체를 있는 대로 고르시오.

_____

(2) (1)에서 고른 기체가 연소하지 않는 까닭을 서술하고, 이 기체가 실생활에서 이용되고 있는 예를 한 가지만 서술하시오.

_____
_____
_____

12 그림은 물의 전기 분해 실험 장치를 나타낸 것이다.

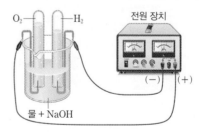

(1) 위 실험에서 전원 장치는 무엇을 공급하는 역할을 하는지 쓰시오.

_____

(2) 위 실험을 통해 내릴 수 있는 결론을 서술하시오.

_____
_____
_____

02
Ⅲ. 화학 결합과 분자의 세계 | 1. 화학 결합
화학 결합의 종류

내 교과서는 어디에?
천재 p.110~123 금성 p.104~114 교학사 p.104~111 동아 p.114~130 미래엔 p.110~125
비상 p.101~111 상상 p.112~122 지학사 p.110~119 YBM p.122~133

핵심 Point
- 이온 결합의 특성과 **이온 결합 물질**의 성질을 설명하고, 물질의 예를 들 수 있다.
- **공유 결합**, **금속 결합**의 특성을 설명하고, 각 물질의 예를 들 수 있다.
- 물질의 성질을 결합의 종류와 관련지어 이해한다.

1 이온 결합

1. **이온 결합** 금속 원소의 양이온과 비금속 원소의 음이온 사이의 정전기적 인력으로 형성되는 결합

2. **이온 결합의 형성** 금속 원소와 비금속 원소는 서로 전자를 주고받아 각각 옥텟 규칙을 만족하면서 금속 원소는 안정한 양이온, 비금속 원소는 안정한 음이온이 된다. 이 두 이온이 정전기적 인력으로 결합하여 화합물을 형성한다.

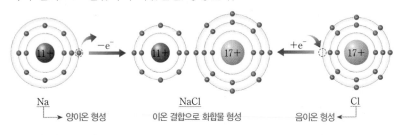

Na
└→ 양이온 형성

NaCl
이온 결합으로 화합물 형성

Cl
음이온 형성 ←┘

3. **이온 결합의 형성과 에너지** 중성 원자에서 양이온이 될 때 필요한 에너지와 중성 원자에서 음이온이 될 때 방출되는 에너지를 고려하면, 이온이 형성되는 과정은 에너지 면에서 불리하다. 하지만 생성된 양이온과 음이온이 이온 결합을 형성하면서 큰 에너지를 방출하기 때문에 안정한 상태가 된다.❶

| 자료 파헤치기 |

[이온 간 거리(r)에 따른 에너지 변화]

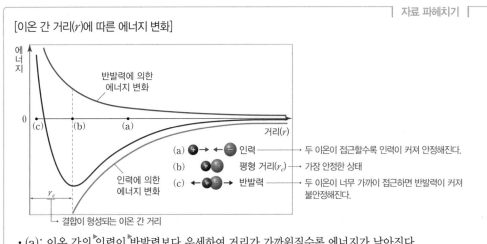

(a) ⊕→ ←⊖ 인력 ── 두 이온이 접근할수록 인력이 커져 안정해진다.
(b) ⊕⊖ 평형 거리(r_e) ── 가장 안정한 상태
(c) ⊕⊖ 반발력 ── 두 이온이 너무 가까이 접근하면 반발력이 커져 불안정해진다.

- **(a):** 이온 간의 인력이 반발력보다 우세하여 거리가 가까워질수록 에너지가 낮아진다.
- **(b):** 이온 간의 인력과 반발력이 균형을 이루어 에너지가 가장 낮은 상태로, 이온 결합이 형성된다.
- **(c):** 이온 간의 반발력이 우세하여 거리가 가까워질수록 에너지가 높아지고 불안정해진다.

---

❶ **이온 결합의 형성과 에너지**

나트륨과 염소는 원자나 이온으로 따로 존재하는 것보다 서로 결합하여 염화 나트륨으로 존재하는 것이 에너지 면에서 훨씬 유리하다.

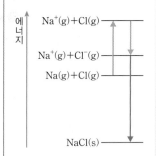

암기 콕 🧭
- 이온 결합
  금속 양이온과 비금속 음이온이 정전기적 인력에 의해 결합하는 것

━━━ 용어 ━━━
▶ **인력**: 두 물체가 서로 끌어당기는 힘
▶ **반발력**: 두 물체가 서로 밀어내는 힘. 척력이라고도 한다.

개념
확인하기

1 중성 원자가 전자를 잃거나 얻어 (　　) 규칙을 만족하는 전자 배치를 가지면서 안정한 이온이 된다.

2 금속 양이온과 비금속 음이온이 정전기적 인력에 의해 형성되는 화학 결합은 (　　) 결합이다.

3 이온 간의 거리가 가까울수록 에너지가 낮아지고 이온 결합이 잘 형성된다. (○ / ×)

답 1. 옥텟 2. 이온 3. ×

▶ 다양한 종류의 양이온과 음이온을 조합하여 이온 결합 화합물을 완성하고, 이름을 읽어 보아요.

이온 결합 화합물의 화학식과 명명법

01 이온 결합 화합물의 구성 이온의 이름 암기

- 금속 원소의 양이온: 금속 원소의 이름 뒤에 '이온'을 붙인다. 예 Na^+: 나트륨 이온
- 비금속 원소의 음이온: 비금속 원소의 이름 뒤에 '~화 이온'을 붙인다. 단, 원소 이름이 '소'로 끝나면 '소'를 빼고 '~화 이온'을 붙인다. 예 Cl^-: 염화 이온

이온식	이름	전하량	이온식	이름	전하량
Li^+	리튬 이온	$+1$	F^-	플루오린화 이온	-1
Ag^+	은 이온	$+1$	I^-	아이오딘화 이온	-1
Mg^{2+}	마그네슘 이온	$+2$	O^{2-}	산화 이온	-2
Ca^{2+}	칼슘 이온	$+2$	S^{2-}	황화 이온	-2
Fe^{2+}	철(II) 이온	$+2$	OH^-	수산화 이온	-1
Cu^{2+}	구리 이온	$+2$	NO_3^-	질산 이온	-1
Al^{3+}	알루미늄 이온	$+3$	SO_4^{2-}	황산 이온	-2
Fe^{3+}	철(III) 이온	$+3$	CO_3^{2-}	탄산 이온	-2

02 명명법에 맞추어 이온 결합 화합물의 이름 붙이기

- 음이온 이름 뒤에 양이온 이름을 붙이되, '이온'은 생략한다. 예 $CaCl_2$: 염화 칼슘

화학식	이름	화학식	이름
NaF	플루오린화 나트륨	Na_2O	산화 나트륨
CuS	황화 구리	KI	아이오딘화 칼륨
$CuSO_4$	황산 구리	$AgNO_3$	질산 은
$CaCO_3$	탄산 칼슘	$NaOH$	수산화 나트륨
FeO	산화 철(II)	Fe_2O_3	산화 철(III)

└─ 금속이 두 가지 이상의 이온을 형성할 때 이를 구별하기 위해 ─┘
금속 이온의 전하를 로마자로 표기한다.

03 이온 결합 화합물의 화학식 만들기

- 양이온을 앞에 쓰고, 음이온을 뒤에 쓴다. 이때 양이온과 음이온의 전하량 총합이 0이 되도록 이온의 개수비를 맞춰야 한다.

$$(양이온의 전하) \times (양이온의 수) + (음이온의 전하) \times (음이온의 수) = 0$$

이름	화학식	총 전하량	이름	화학식	총 전하량
수산화 마그네슘	$Mg(OH)_2$	$(+2) + (-1) \times 2$ $= 0$	산화 알루미늄	Al_2O_3	$(+3) \times 2 + (-2) \times 3$ $= 0$
산화 철(II)	FeO	$(+2) + (-2) = 0$	염화 구리(II)	$CuCl_2$	$(+2) + (-1) \times 2 = 0$

강의 콕콕
- 화학식을 쓸 때와 이름을 읽을 때 순서를 헷갈리지 않는다.
- 화합물의 명명법은 화학의 기초에 해당한다. 화합물의 이름을 보고 화학식을 쓸 수 있고, 화학식을 보고 이름을 읽을 수 있도록 연습해야 한다.

➕ Plus 자료

이온으로 화학식 만들기
M^{a+}과 X^{b-}이 결합하여 생성되는 화합물의 화학식은 다음과 같이 나타낸다. 단, a와 b가 1인 경우 1은 생략한다.

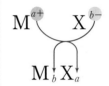

$$M_b X_a$$

셀파 콕콕
이온 결합 화합물의 화학식은 결합하는 이온들의 개수비를 가장 간단한 정수비로 나타냄을 알아둔다.

➕ Plus 문제

Q1. 이온 결합 화합물의 이름 읽기
  (1) $AgCl$ (2) Al_2O_3
  (3) Fe_2O_3 (4) $Ca(OH)_2$
A1. (1) 염화 은 (2) 산화 알루미늄 (3) 산화 철(III) (4) 수산화 칼슘

Q2. 이온 결합 화합물을 화학식으로 나타내기
  (1) 아이오딘화 나트륨
  (2) 염화 알루미늄
  (3) 탄산 나트륨
A2. (1) NaI (2) $AlCl_3$ (3) Na_2CO_3

Q3. 이온들이 결합하여 생성된 이온 결합 화합물의 화학식 나타내기
  (1) Na^+과 SO_4^{2-}
  (2) Al^{3+}과 NO_3^-
  (3) Mg^{2+}과 O^{2-}
A3. (1) Na_2SO_4 (2) $Al(NO_3)_3$
  (3) MgO

→ 이온 결합에 의해 생성된 물질로, 모두 화합물이다.

4. 이온 결합 물질의 예와 이용

물질	염화 나트륨❷	염화 칼슘	탄산수소 나트륨	수산화 마그네슘
화학식	NaCl	CaCl$_2$	NaHCO$_3$	Mg(OH)$_2$
이용	소금의 주성분	습기 제거제, 제설제	베이킹파우더의 주성분	제산제의 주성분

❷ 소금과 염화 나트륨

소금을 흔히 NaCl이라고 하지만, 엄밀히 말하면 소금과 염화 나트륨은 다르다. 공기의 주성분이 질소라고 할 수 있듯이, 소금의 주성분이 염화 나트륨이다.

5. 이온 결합 물질의 성질

결정형 고체	• 수많은 양이온과 음이온이 연속적으로 결합된 반복적 구조의 결정으로 이루어져 있다. • 입자 간의 인력이 강하여 녹는점과 끓는점이 높으므로 대부분 실온에서 고체 상태이다.	Cl$^-$　Na$^+$
물에 대한 용해성	대부분 물에 잘 녹으며, 물속에서 양이온과 음이온이 물 분자에 둘러싸여 존재(수화)한다.	Na$^+$　Cl$^-$
전기 전도성	• 고체: 이온들이 단단히 결합되어 이동할 수 없으므로 전기 전도성이 없다. • 용융액 및 수용액: 이온들이 자유롭게 이동할 수 있으므로 전기 전도성이 있다. 따라서 전해질 역할을 한다.	(+) ─┤├─ (−)　Cl$^-$　Na$^+$
깨짐과 쪼개짐	외부에서 힘을 가하면 쉽게 깨지거나 쪼개진다. 양이온과 음이온이 교차 결합되어 있는 상태에서 힘을 가하면 같은 전하의 이온끼리 마주하게 되어 반발력이 작용하기 때문이다.	외부 힘　반발력　결정이 쪼개진다.

강의 콕 📖

염화 나트륨을 물에 넣었을 때 염화 이온과 나트륨 이온이 새로 생기는 것이 아니라, 원래 존재하고 있던 염화 이온과 나트륨 이온이 해리되어 물속에 확산되는 것이다.

6. 이온 결합력의 세기 비교

① 이온 결합력: 양이온과 음이온 사이에는 쿨롱 힘❸이 작용한다.

② 이온 결합력의 세기: 양이온과 음이온의 전하량과 이온 간 거리의 영향을 받는다.

　• 이온의 전하량이 클수록 결합력이 세다. 예 MgO > NaF → MgO: +2가 양이온, −2가 음이온 / NaF: +1가 양이온, −1가 음이온

　• 이온의 전하량이 같은 경우, 이온 간 거리가 짧을수록 결합력이 세다.

　　예 LiCl > NaCl > KCl → 양이온의 반지름: Li$^+$ < Na$^+$ < K$^+$

③ 이온 결합력과 녹는점, 끓는점: 이온 결합력이 클수록 녹는점, 끓는점이 높다.

화학식	이온 간 거리(pm)	녹는점(℃)	화학식	이온 간 거리(pm)	녹는점(℃)
NaF	235	996	MgO	212	2825
NaCl	283	801	CaO	240	2613
NaBr	298	747	BaO	275	1973

❸ 쿨롱 힘

양이온과 음이온 사이에 작용하는 정전기적 힘으로, 인력과 반발력이 있다. 쿨롱 힘의 세기는 두 이온 간의 거리의 제곱에 반비례하고, 두 이온의 전하량 곱에 비례한다.

$$F = k\frac{q_1 q_2}{r^2}$$

(F = 쿨롱 힘, k = 상수, q_1, q_2 = 이온 전하량, r = 이온 간 거리)

━━━ 용어 ━━━

▶ 제설제: 눈의 어는점을 낮춰 녹은 눈이 얼지 않도록 하는 물질로, 주로 염화 칼슘이나 염화 나트륨이 이용된다.
▶ 제산제: 위액 분비를 억제하고 위산을 중화시켜 산 자극을 완화시키는 작용을 하는 물질
▶ 결정형: 원자의 규칙적인 배열 때문에 일정한 모양을 가지는 것

개념 확인하기

1 이온 결합 물질은 결합력이 강하여 실온에서 대부분 (　　) 상태이다.

2 이온 결합 물질은 고체 상태와 액체 상태일 때 전기 전도성이 모두 있다. （ ○, × ）

3 이온 결합 물질은 외부에서 힘을 가하면 쉽게 깨지거나 쪼개진다. （ ○, × ）

답 1. 고체 2. × 3. ○

▶ 몇 가지 이온 결합 물질에 대하여 상대적인 녹는점을 비교해 보아요.

이온 결합 물질의 녹는점

01 이온 결합 물질의 이온 간 거리와 녹는점

화학식	양이온	음이온	이온 간 거리(pm)	녹는점(℃)
NaF	Na^+	F^-	235	996
NaCl	Na^+	Cl^-	283	801
NaBr	Na^+	Br^-	298	747
MgO	Mg^{2+}	O^{2-}	212	2825
CaO	Ca^{2+}	O^{2-}	240	2613
BaO	Ba^{2+}	O^{2-}	275	1973

(NaCl 행: +1가 양이온, −1가 음이온 / CaO 행: +2가 양이온, −2가 음이온)

셀파 콕콕
- 이온 결합 물질의 녹는점은 이온 결합력의 세기가 셀수록 높다.
- 이온 결합력의 세기는 쿨롱 법칙에 따라 이온 전하량의 곱에 비례하고, 이온 간 거리의 제곱에 반비례한다.

02 이온 결합 물질의 녹는점에 대한 경향성

- 이온의 전하량과 형성된 화합물의 녹는점 비교: +1가 양이온과 −1가 음이온이 이온 결합하여 형성된 NaF, NaCl, NaBr보다 +2가 양이온과 −2가 음이온이 결합하여 형성된 MgO, CaO, BaO의 녹는점이 월등히 높다.
- 나트륨 이온과 결합한 할로젠화 이온들의 주기와 이온 간 거리, 녹는점의 관계: 주기가 작을수록 이온 간 거리가 짧아 이온 결합력이 강하므로 녹는점이 높아진다.
- 산화 이온과 금속 이온들의 주기와 이온 간 거리, 녹는점의 관계: 주기가 작을수록 이온 간 거리가 짧아 이온 결합력이 강하므로 녹는점이 높아진다.
- 이온 결합 화합물의 녹는점에 대한 경향성: 이온의 전하량이 클수록 녹는점이 높다. 또한 이온 간 거리가 가까울수록 녹는점이 높다.

+ Plus 자료

이온 결합 물질의 녹는점

화학식	이온 전하량	이온 간 거리 (pm)	녹는점 (℃)
NaCl	+1, −1	283	801
$MgCl_2$	+2, −1	253	714
MgO	+2, −2	212	2825
Al_2O_3	+3, −2	194	2072

$MgCl_2$, Al_2O_3 등과 같은 3원자 이상의 이온 결합 화합물의 녹는점은 이론적으로 단순 비교하기 어려우며, 실험으로 직접 측정하는 것이 정확하다.

03 이온 결합 물질의 녹는점 비교

- NaCl과 KCl의 녹는점 비교: Na^+은 3주기 원소의 이온, K^+은 4주기 원소의 이온으로 NaCl이 KCl보다 이온 사이의 거리가 짧으므로 녹는점이 더 높다.
- KF와 CaO의 녹는점 비교: KF은 +1가 양이온과 −1가 음이온의 이온 결합 물질이고, CaO은 +2가 양이온과 −2가 음이온의 이온 결합 물질이므로 전하량이 더 큰 CaO의 녹는점이 더 높다.

강의 콕

BaO과 NaF의 녹는점을 비교하면 BaO은 이온의 전하량이 더 커서 결합력이 셀 것 같고, NaF은 이온 간 거리가 짧아서 결합력이 셀 것 같다. 이런 경우 전하량이 더 큰 물질의 녹는점이 더 높은 경우가 많으므로 이온의 전하량을 먼저 비교하는 것이 좋다. NaCl과 KF과 같이 이온 간 거리 비교가 애매한 경우의 문제는 잘 출제되지 않는다.

01 이온 결합 화합물의 결합력에 대한 결론으로 ㉠과 ㉡에 알맞은 말을 쓰시오.

이온 결합력의 세기는 양이온과 음이온의 (㉠)과/와 (㉡)의 영향을 받는다. 이온의 (㉠)이/가 클수록 결합력이 세고, (㉡)이/가 짧을수록 결합력이 세다.

| 해설 | 이온 결합력은 양이온과 음이온 사이에 작용하는 쿨롱 힘에 의한 것으로, 전하량의 곱에 비례하고 이온 간 거리의 제곱에 반비례한다.

답 ㉠ 전하량, ㉡ 이온 간 거리

2 **공유 결합**

1. 공유 결합 비금속 원소의 원자 사이에 전자쌍을 공유하여 형성되는 화학 결합❹

① 비금속 원자의 전자 배치

원소	수소	질소	산소	플루오린
전자 배치	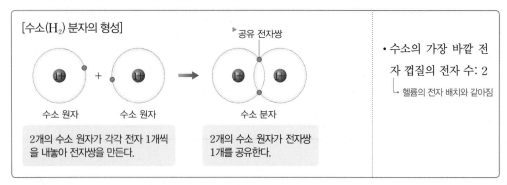			
안정한 전자 배치 조건	전자 1개 부족	전자 3개 부족	전자 2개 부족	전자 1개 부족

② 공유 결합의 형성: 비금속 원소의 원자들은 비활성 기체와 같은 전자 배치를 이루기 위해 자신의 전자를 내놓아 전자쌍을 만들고, 그 전자쌍을 공유하여 결합한다.

[수소(H_2) 분자의 형성]

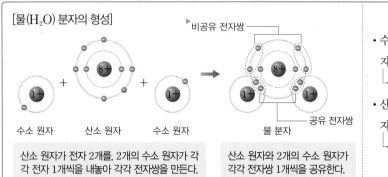

공유 전자쌍

수소 원자 + 수소 원자 → 수소 분자

2개의 수소 원자가 각각 전자 1개씩을 내놓아 전자쌍을 만든다.

2개의 수소 원자가 전자쌍 1개를 공유한다.

• 수소의 가장 바깥 전자 껍질의 전자 수: 2
└ 헬륨의 전자 배치와 같아짐

[물(H_2O) 분자의 형성]

비공유 전자쌍

수소 원자 + 산소 원자 + 수소 원자 → 물 분자

공유 전자쌍

산소 원자가 전자 2개를, 2개의 수소 원자가 각각 전자 1개씩을 내놓아 각각 전자쌍을 만든다.

산소 원자와 2개의 수소 원자가 각각 전자쌍 1개씩을 공유한다.

• 수소의 가장 바깥 전자 껍질의 전자 수: 2
└ 헬륨의 전자 배치와 같아짐
• 산소의 가장 바깥 전자 껍질의 전자 수: 8
└ 네온의 전자 배치와 같아짐

2. 단일 결합과 다중 결합

① 단일 결합: 두 원자가 1개의 전자쌍을 공유하는 결합

② 다중 결합: 두 원자가 2개의 전자쌍을 공유하는 결합을 2중 결합, 두 원자가 3개의 전자쌍을 공유하는 결합을 3중 결합이라고 하며, 2중 결합과 3중 결합을 다중 결합이라고 한다.

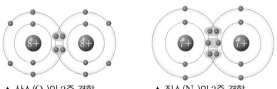

▲ 산소(O_2)의 2중 결합   ▲ 질소(N_2)의 3중 결합

③ 일반적으로 다중 결합의 결합 수가 많아질수록 결합 길이는 짧아지고, 결합력이 강해진다. ┌ 결합의 세기

예 결합 길이: $C-C > C=C > C≡C$ ➡ 결합력: $C-C < C=C < C≡C$

---

❹ **배위 결합**

화학 결합을 하는 두 원자 중 한쪽 원자만 결합에 관여하는 전자를 일방적으로 제공하여 결합하는 공유 결합이다. 예 암모늄 이온(NH_4^+)

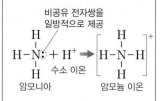

비공유 전자쌍을 일방적으로 제공

$$H-N\overset{\cdot}{\underset{\cdot}{H}} + H^+ \rightarrow \left[H-N-H \atop H \right]^+$$

암모니아   수소 이온   암모늄 이온

암기 콕

• 금속＋비금속 ➡ 이온 결합
• 비금속＋비금속 ➡ 공유 결합

━━ 용어 ━━

▶ **공유 전자쌍**: 두 원자가 공유 결합을 할 때 각 원자가 내놓아 공유한 전자쌍

▶ **비공유 전자쌍**: 공유 결합에 참여하지 않고 한 원자에만 속한 전자쌍

3. 수소의 공유 결합 형성과 에너지
2개의 수소 원자가 결합할 때에는 에너지를 방출하여 원자 상태보다 안정한 상태의 수소 분자를 형성한다.

자료 파헤치기

[수소 원자의 핵 간 거리에 따른 에너지 변화]

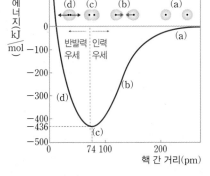

- **(a)**: 두 수소 원자 사이의 거리가 멀어 인력과 반발력이 거의 작용하지 않으므로 에너지는 0이다. ← 원자핵(+)과 원자핵(+), 전자(−)와 전자(−) 사이
- **(b)**: 두 수소 원자가 가까워질수록 인력이 증가하여, 에너지는 낮아진다. ← 원자핵(+)과 전자 사이
- **(c)**: 두 수소 원자 사이의 인력과 반발력이 균형을 이루어 에너지가 가장 낮은 안정한 상태에서 공유 결합이 형성된다. ➡ 수소 분자(H_2) 1몰이 형성될 때 $436 \ kJ/mol$의 에너지가 방출되고, 수소 분자의 결합 길이❺는 74 pm이다. → 공유 결합 반지름은 37 pm
- **(d)**: 두 수소 원자가 더 가까워지면 원자핵 간, 전자 간 반발력이 강하여 에너지가 높아지고, 불안정해진다.

4. 공유 결합 물질의 성질
① **실온에서의 상태**: 공유 결합으로 이루어진 물질은 상태가 다양하게 존재한다. 실온에서 기체로 존재하는 물질은 비활성 기체를 제외하면 대부분 공유 결합 물질이다.
② **전기 전도성**: 고체와 액체 상태에서 일반적으로 전기 전도성이 없다. 단, 고체 흑연(C) 등은 예외로 전기 전도성이 있다.
③ **녹는점과 끓는점**: 분자 내 원자 사이의 결합은 강하나 분자 사이의 결합은 매우 약하므로 이온 결정보다 녹는점, 끓는점이 낮다. → 녹는점, 끓는점은 분자 사이의 결합과 관계있다. → 공유 결정을 이루는 다이아몬드(C), 흑연(C), 석영(SiO_2) 등은 녹는점이나 끓는점이 매우 높다.
④ **물에 대한 용해성**: 일반적으로 물에 잘 녹지 않으나, 암모니아(NH_3), 설탕($C_{12}H_{22}O_{11}$) 등과 같이 물에 잘 녹는 물질도 있다.
⑤ **공유 결합 물질의 고체 형태**: 분자 결정과 공유 결정으로 구분된다.

구분	분자 결정	공유 결정(원자 결정)
정의	원자들이 공유 결합한 분자가 규칙적으로 배열되어 이루어진 고체 물질이다.	원자들이 공유 결합하여 그물처럼 연결되어 형성된 고체 물질이다. → 분자가 아님
특징	분자 간의 결합력이 공유 결정의 결합력에 비해 매우 약하다.	모든 원자들이 직접 공유 결합하여 형성되므로 결합력이 매우 강하다.
녹는점과 끓는점	녹는점과 끓는점이 매우 낮다.	녹는점과 끓는점이 매우 높다.
예	드라이아이스, 나프탈렌, 아이오딘 등	다이아몬드❻, 석영 등

└→ 승화성을 가지는 것들이 많다.

1 두 원자 사이에 전자쌍을 공유하여 형성되는 화학 결합은 ( ) 결합이다.
2 두 원자가 2개의 전자쌍을 공유하면 ( ) 결합, 3개의 전자쌍을 공유하면 ( ) 결합이라고 한다
3 공유 결합에서 두 원자 사이의 인력과 반발력이 균형을 이룰 때 두 원자핵 사이의 거리를 ( )(이)라고 한다.
4 공유 결합 물질은 원자 간 결합은 강하나 분자 간 결합은 매우 약해 녹는점과 끓는점이 비교적 낮다. (O , X)

답 1. 공유 2. 2중, 3중 3. 공유 결합 길이 4. O

---

❺ 결합 길이와 공유 결합 반지름
- 결합 길이: 두 원자가 공유 결합을 형성할 때 두 원자핵 사이의 평균 거리로, 공유 결합 길이라고도 한다.
- 공유 결합 반지름: 같은 원자 사이에 공유 결합을 이룰 때 결합 길이의 절반

❻ 탄소 동소체
같은 종류의 원소로 구성되어 있지만 분자식이나 구조가 다른 물질을 동소체라고 한다. 탄소의 동소체에는 다이아몬드, 흑연, 숯, 풀러렌, 그래핀, 탄소 나노 튜브 등이 있으며, 이들은 탄소(C)로만 이루어져 있지만 원자 배열이 서로 달라 성질이 전혀 다르다.

(가) 다이아몬드   (나) 흑연

강의 콕
일반적인 공유 결합 물질의 성질은 대체로 분자 결정의 성질이다. 그 예로 승화성을 가진 드라이아이스, 아이오딘, 나프탈렌을 알아두도록 한다. 공유 결정의 성질은 흑연과 다이아몬드, 석영 등 특별한 경우에 해당하며, 흑연, 그래핀, 탄소 나노 튜브 등은 전기 전도성을 가지고 있는 공유 결합 물질임을 알아둔다.

━━━ 용어 ━━━
▶ **승화**: 고체가 액체 상태를 거치지 않고 직접 기체로 변하거나 기체가 직접 고체로 변하는 현상

▶ 몇 가지 공유 결합 물질에 대하여 결합 길이와 결합 에너지의 관계를 설명해 보아요.

공유 결합 물질에서 결합 길이와 결합 에너지의 관계

01 공유 결합 물질의 결합 형태와 결합 길이 및 결합 에너지

구분	공유 결합 물질	결합	결합 길이(pm)	결합 에너지(kJ/mol)
할로젠 분자	F_2	F–F	142	155
	Cl_2	Cl–Cl	199	240
	Br_2	Br–Br	229	190
	I_2	I–I	267	148
할로젠화 수소	HF	H–F	93	565
	HCl	H–Cl	128	429
	HBr	H–Br	142	363
	HI	H–I	162	295
탄화수소	C_2H_6	C–C	154	345
	C_2H_4	C=C	134	612
	C_2H_2	C≡C	120	809

> 공유 결합이 형성되었을 때 두 원자의 원자핵 사이의 거리를 결합 길이라고 한다.

> 기체 상태의 분자 1몰에서 원자 간 공유 결합을 끊어 기체 상태의 원자로 만드는 데 필요한 에너지를 결합 에너지라고 한다. 결합 에너지가 클수록 결합이 강하고 안정하다.

강의 콕콕
• 같은 족, 같은 주기에서 결합 길이와 결합 에너지 크기는 반대되는 경향성을 가지지만, 결합 길이와 결합 에너지가 절대적으로 반비례하지는 않는다.
• F_2이 Cl_2보다 결합 길이는 짧지만 예외적으로 F_2의 결합 에너지가 더 작다. 이는 F이 2주기 원소로 원자의 크기가 작아 7개의 원자가 전자가 Cl보다 촘촘히 배치되어 전자가 하나 더 배치되면 반발력이 크게 작용하여 에너지 면에서 불리하기 때문이다.

02 결합 길이와 결합 에너지의 관계

• 할로젠 분자의 결합 길이와 결합 에너지의 관계: F_2, Cl_2, Br_2, I_2의 경우, 할로젠 원소의 원자 번호가 증가함에 따라 결합 길이는 증가하고 결합 에너지는 감소한다. 단, 예외로 Cl_2는 F_2보다 결합 에너지가 크다.
• 할로젠화 수소의 결합 길이와 결합 에너지의 관계: HF, HCl, HBr, HI의 경우, 할로젠 원소의 원자 번호가 증가함에 따라 결합 길이는 증가하고 결합 에너지는 감소한다.
• 탄화수소에서 결합 수와 결합 길이 및 결합 에너지의 관계: C_2H_6, C_2H_4, C_2H_2의 경우, C와 C 사이에 결합 수가 증가할수록 결합 길이는 감소하고 결합 에너지는 증가한다.

+ Plus 자료

결합 수, 결합 길이, 결합 에너지

결합	결합 수	결합 길이(pm)	결합 에너지(kJ/mol)
C–O	1	143	358
C=O	2	123	745
C≡O	3	113	1170
N–N	1	146	160
N=N	2	122	418
N≡N	3	110	945

두 원자 사이의 결합 수가 증가할수록 결합 길이는 감소하고, 결합 에너지는 증가한다.

01 그림은 몇 가지 원자 간 결합 길이와 결합 에너지를 나타낸 것이다. 이에 대한 설명으로 옳은 것만을 〈보기〉에서 있는 대로 고른 것은?

―┤ 보기 ├―
ㄱ. 원자 반지름은 Cl<Br<I이다.
ㄴ. C≡C 결합력은 C–C의 정확히 3배이다.
ㄷ. 할로젠 원자 간의 결합 에너지가 클수록 할로젠 분자의 끓는점이 높다.

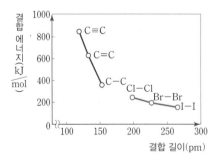

① ㄱ ② ㄷ ③ ㄱ, ㄴ ④ ㄴ, ㄷ ⑤ ㄱ, ㄴ, ㄷ

| 해설 | 할로젠 원자 간 결합 길이가 짧을수록 결합 에너지는 커진다. 결합 에너지는 끓는점과 관계 없다. ① 답

셀파 콕콕
• 결합 길이가 짧을수록 결합 에너지는 커진다.
• 다중 결합의 결합 수가 많을수록 결합 길이가 짧아지고 결합 에너지는 커진다.

3 금속 결합

1. 금속 결합

① 자유 전자: 금속에서 원자가 전자는 쉽게 떨어져 나가 금속 양이온 사이를 자유롭게 이동하는데, 이를 자유 전자라고 한다.

② 금속 결합: 자유 전자❼와 금속 양이온 사이에 정전기적 인력으로 형성되는 결합❽
  └→ 자유 전자가 금속 양이온들을 일정한 위치에 유지하도록 하는 결합

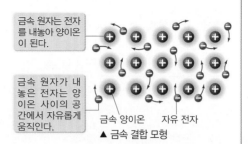

> 금속 원자는 전자를 내놓아 양이온이 된다.

> 금속 원자가 내놓은 전자는 양이온 사이의 공간에서 자유롭게 움직인다.

금속 양이온   자유 전자
▲ 금속 결합 모형

2. 금속 결합력

① 금속 양이온의 반지름이 작고, 양이온의 전하량이 클수록 결합력은 증가한다.
  • 같은 족에서 금속 결합력 비교: Li>Na>K
  • 같은 주기에서 금속 결합력 비교: Na<Mg<Al

② 금속 결합력이 클수록 녹는점이 높다.
  ➡ 녹는점: Mg(650 ℃)>Li(180.54 ℃)>Na(97.7 ℃)>K(63.65 ℃)

3. 금속 결합 물질의 성질

① 광택: 대부분의 금속은 은백색 광택을 띤다. → 빛을 잘 반사하기 때문

② 실온에서의 상태: 녹는점이 높아 실온에서 대부분 고체 상태로 존재한다. 단, 수은은 실온에서 액체 상태이다.

③ 열전도성: 금속을 가열하면 높은 온도에서 큰 운동 에너지를 가진 자유 전자가 자유롭게 이동하고, 양이온의 진동 운동이 쉽게 전달되므로 열전도성이 좋다.

④ 전기 전도성: 금속에 전압을 걸어 주면 자유 전자가 (+)극으로 이동하므로 금속은 고체나 액체 상태에서 전기가 잘 통한다.

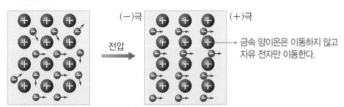

(−)극   전압   (+)극

→ 금속 양이온은 이동하지 않고 자유 전자만 이동한다.

⑤ 펴짐성(전성)과 뽑힘성(연성): 금속에 힘을 가하면 양이온들의 층은 미끄러져 이동하지만 자유 전자들이 층 사이의 결합을 유지시켜 주므로 금속은 얇게 펴거나 길게 뽑을 수 있다.

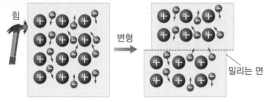

힘   변형   밀리는 면

---

❼ **자유 전자**

금속 원자는 이온화 에너지가 작기 때문에 금속 원자의 원자가 전자는 이온 결합이나 공유 결합과는 달리 한 원자에 고정되어 있지 않고 쉽게 떨어져 나와 자유롭게 움직인다.

❽ **전자 바다 모형**

금속은 수많은 자유 전자(음의 성질을 띰)가 퍼져 있고, 그 안에 전자를 잃은 금속 양이온(양의 성질을 띰)들이 박혀 있는 것과 같은 상태를 이룬다. 금속 결합은 이 모든 자유 전자와 금속 양이온들이 정전기적 인력으로 결합하고 있는 것을 말한다. 이는 쉼 없이 움직이는 전자의 바다 속에 금속 양이온들이 둥둥 떠 있는 상황으로 연상할 수 있다.

전자 바다

금속 양이온   자유 전자

셀파 콕콕 🔍

금속 결합 물질의 성질은 대부분 자유 전자에 의해 나타나므로 자유 전자에 대해서만 알고 있어도 금속 결합과 금속 결합 물질의 성질을 이해할 수 있다.

━━━ 용어 ━━━

▶ **전성**: 누르는 힘에 대하여 물체가 부서지거나 구부러지지 않고, 얇게 영구 변형되는 성질. 펴짐성이라고도 한다.

▶ **연성**: 탄성 한계를 넘는 힘을 가해도 물체가 파괴되지 않고 늘어나는 성질. 뽑힘성이라고도 한다.

개념 확인하기

1 금속 결합은 (   )과/와 금속 양이온 사이의 정전기적 인력에 의한 결합이다.

2 금속 결합의 결합력 세기는 금속 양이온의 반지름이 (작 , 크)고, 양이온의 전하량이 (작을 , 클)수록 증가한다.

3 금속 결합은 입자 간의 결합력이 (약 , 강)해서 녹는점과 끓는점이 (낮 , 높)다.

답 1. 자유 전자 2. 크, 클 3. 강, 높

4. 금속 결합 물질의 장점과 이용[9]

금속	구리(Cu)	철(Fe)	알루미늄(Al)	금(Au)
장점	연성, 전성, 전기 전도성, 열전도성, 내식성	연성, 전성, 열전도성, 전기 전도성, 가공성, 경제성	가벼움, 연성, 전성, 전기 전도성, 열전도성, 내식성	연성, 전성, 전기 전도성, 열전도성, 내식성
이용	전선, 회로 기판 등	철사, 철판, 건축 자재 등	알루미늄박, 캔, 건물 창틀 등	회로 기판, 금박, 귀금 속, 장식용, 치과 의료 용, 화폐

4 화학 결합과 물질의 성질

1. 화학 결합에 따른 결합력 비교
① 이온 결합 물질, 공유 결합 물질 중 공유 결정, 금속 결합 물질 모두 녹는점이 높은 편으로 결합력이 강하다.
② 공유 결정은 녹는점이 매우 높으므로 일반적으로 공유 결합이 다른 결합에 비해 더 강한 결합이라고 할 수 있다.

2. 화학 결합의 종류에 따른 결정의 성질

화학 결합 (결합력)	이온 결합 (정전기적 인력)	공유 결합		금속 결합 (정전기적 인력)
결정	이온 결정	분자 결정	공유 결정	금속 결정
결정 입자	양이온, 음이온	분자	원자	금속 양이온, 자유 전자
녹는점과 끓는점	높음	낮음	매우 높음	높음
전기 전도성 고체	없음	없음	없음(예외: 흑연 등)	있음
전기 전도성 액체	있음	없음	없음	있음
물에 대한 용해성	잘 녹음 → 수용액 상태에서 전류를 흐르게 함	물질의 종류에 따라 다름	녹지 않음	녹지 않음
그 외의 특성	힘을 가하면 쉽게 부서짐	승화성을 띠는 물질이 많음	매우 단단함	힘을 가하면 넓게 펴지거나 길게 뽑힘
예	염화 나트륨, 염화 칼슘	드라이아이스, 얼음, 나프탈렌	다이아몬드, 흑연[10]	철, 구리, 금, 알루미늄

개념 확인하기

1 알루미늄박은 금속의 (연성 , 전성)을 이용한 것이고, 구리 전선은 금속의 (연성 , 전성)과 전기 전도성을 이용한 것이다.

2 염화 나트륨, 다이아몬드, 구리 중 결합력이 가장 강한 것은 ( )이다.

3 이온 결합 물질은 물에 녹았을 때 전류를 흐르게 한다. (○ , ×)

4 공유 결합 물질은 모두 전류가 흐르지 않는다. (○ , ×)

답 1 전성, 연성 2 다이아몬드 3 ○ 4 ×

---

[9] 합금

금속에 다른 원소를 한 가지 이상 첨가하여 얻은 금속으로, 원래 금속의 성질을 강화하거나 단점을 보완한 것이다. 첨가하는 원소는 반드시 금속 원소일 필요는 없다.

▲ 청동 (구리-주석 합금) ▲ 스테인리스 스틸 (철-크로뮴 합금)

[10] 흑연은 공유 결합 물질인데 전류가 흐르는 까닭

일반적으로 1개의 탄소는 4개의 공유 결합을 형성하는데, 흑연의 탄소는 3개의 공유 결합을 형성하고 1개의 전자가 결합하지 않고 있다. 이 1개의 전자가 자유 전자와 같은 역할을 하여 전류를 흐르게 한다. 풀러렌, 그래핀, 탄소 나노 튜브도 같은 원리로 전류가 흐른다.

셀파 콕콕
다양한 실험 결과를 주고 화학 결합의 종류를 묻는 문제가 자주 출제된다. 물질의 상태에 따른 전기 전도성, 물에 대한 용해성, 상온에서 물질의 상태 등을 고려하여 이온 결합, 공유 결합, 금속 결합으로 구분할 수 있도록 한다.

용어
▶ 내식성: 부식이나 침식을 잘 견디는 성질
▶ 가공성: 용도에 따른 재료의 가공이 적합한지의 정도

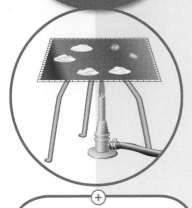

셀파 탐구

화학 결합의 상대적 세기 비교하기

+ 유의점

❶ 가열하는 과정에서 고체 시료가 기화되는 경우가 있다. 인체에 유해한 시료일 경우 반드시 후드 안에서 실험을 진행한다.

❷ 실험 여건상 정확한 녹는점을 측정하기 어렵다. 따라서 가열판에 열이 고르게 전달되도록 실험 준비를 해야 하고, 비접촉식 온도계를 사용하면 훨씬 편리하게 녹는점을 측정할 수 있다.

🗐 시험 유형은?

❶ 녹는점을 비교하여 이온 결합 물질과 공유 결합 물질을 분류하면?

▶ 녹는점이 낮으면 공유 결합 물질 중 분자 결정, 녹는점이 비교적 높으면 이온 결합 물질, 녹는점이 매우 높으면 공유 결합 물질 중 공유 결정이다.

❷ 상태에 따른 전기 전도성으로 이온 결합 물질, 공유 결합 물질, 금속 결합 물질을 구분하면?

▶ 고체일 때 전류가 흐르면 금속 결합 물질, 물에 녹아 전류가 흐르면 이온 결합 물질, 물에 녹아도 전류가 흐르지 않으면 공유 결합 물질이다.

목표 고체 물질의 녹는점을 비교하여 화학 결합의 상대적 세기를 판단하고, 이온 결합 물질과 공유 결합 물질, 금속 결합 물질로 분류할 수 있다.

과정

❶ 가열판에 다양한 고체 시료를 올려 놓고 가열하여 녹는점을 비교한다.

❷ 그래프는 실험 결과를 바탕으로 하여 녹는점을 나타낸 것이다.

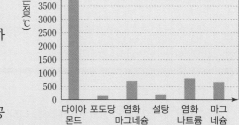

결과 및 정리

1. 위의 물질들을 이온 결합 물질, 공유 결합 물질, 금속 결합 물질로 분류해 보자.

→ • 이온 결합 물질: 염화 마그네슘, 염화 나트륨
  • 공유 결합 물질: 다이아몬드(공유 결정), 포도당(분자 결정), 설탕(분자 결정)
  • 금속 결합 물질: 마그네슘

2. 녹는점으로 이온 결합, 공유 결합, 금속 결합의 원자 사이의 결합 세기를 비교해 보자.

→ 공유 결합(공유 결정) ≫ 이온 결합 ≈ 금속 결합
  분자 결정은 분자 간 인력에 의해 녹는점이 결정되므로 원자 사이의 결합 세기를 비교할 때에는 비교 대상에서 제외시킨다.

3. 다이아몬드의 녹는점이 다른 물질에 비해 매우 높은 까닭은 무엇인가?

→ 다이아몬드에서 탄소 사이의 공유 결합은 이온 결합과 금속 결합보다 결합력이 훨씬 강하기 때문이다.

4. 위 물질들을 녹는점 외의 다른 방법을 이용하여 이온 결합 물질, 공유 결합 물질, 금속 결합 물질로 구분해 보자.

→ 고체에서 전기 전도성을 갖는 마그네슘은 금속 결합 물질이다. 나머지 물질을 물에 녹였을 때 물에 잘 녹고 수용액 상태에서 전류가 흐르는 염화 마그네슘과 염화 나트륨은 이온 결합 물질이고, 물에는 녹지만 전류가 흐르지 않는 포도당과 설탕은 공유 결합 물질 중 분자 결정이다. 고체에서 전기 전도성이 없고 물에 녹지 않는 다이아몬드는 공유 결합 물질 중 원자 결정이다.

탐구 **대표 문제** 정답과 해설 39쪽

01 이 실험에 대한 설명으로 옳은 것은?

① 공유 결합 물질은 모두 녹는점이 높다.
② 위의 물질 중 이온 결합 물질은 3가지이다.
③ 포도당과 설탕은 모든 원자 사이의 공유 결합력이 약해서 녹는점이 낮다.
④ 다이아몬드를 흑연으로 바꿔 실험해도 흑연의 녹는점이 가장 높을 것이다.
⑤ 이온 결합, 공유 결합, 금속 결합 중 금속 결합의 결합력이 가장 강하다.

02 그림과 같이 장치하고 아래 물질들의 녹는점을 측정하였다.

〈실험에 쓰인 시료〉
설탕, 질산 구리(Ⅱ), 흑연

실험 결과 가장 빨리 녹을 것으로 예상되는 물질을 쓰시오.

기초 탄탄 문제

정답과 해설 39쪽

핵심용어_ 이 단원에서 내가 아는 것과 아직 모르는 것을 정리하며 나의 공부를 돌아보자.

- ☐ 이온 결합
- ☐ 옥텟 규칙
- ☐ 쿨롱 힘
- ☐ 공유 결합
- ☐ 공유 전자쌍
- ☐ 단일 결합
- ☐ 다중 결합
- ☐ 금속 결합

01 그림은 두 원자 A와 B의 전자 배치를 나타낸 것이다.

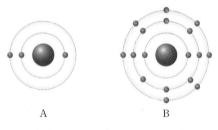

A와 B가 반응할 때 형성되는 화학 결합의 종류는? (단, A, B는 임의의 원소 기호이다.)

① 공유 결합　② 금속 결합　③ 배위 결합
④ 수소 결합　⑤ 이온 결합

02 그림은 이온 결합의 형성과 에너지 변화 관계를 나타낸 것이다.

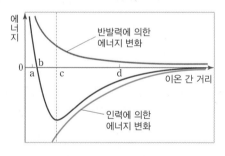

이온 결합이 형성되는 위치는?

① a　② b　③ c　④ d　⑤ e

03 공유 결합에 대한 설명으로 옳지 <u>않은</u> 것은?

① 비금속 원소의 원자들끼리의 결합이다.
② 두 원자가 전자를 내놓아 서로 공유한다.
③ 두 원자 사이에 1개의 전자쌍만 공유할 수 있다.
④ 공유 결합을 이루는 각 원자의 전자 배치는 대체로 옥텟 규칙을 만족한다.
⑤ 결합 길이는 두 원자 간의 반발력과 인력에 의한 에너지가 최소인 지점에서 원자핵 간 거리이다.

04 공유 결합으로 형성된 분자에 대한 일반적인 성질로 옳은 것은?

① 분자 간의 인력이 강하다.
② 녹는점과 끓는점이 높은 편이다.
③ 고체나 액체 상태에서 전기 전도성이 없다.
④ 양이온과 음이온으로 이루어져 있어 물에 잘 녹는다.
⑤ 원자들이 공유 결합하여 그물처럼 연결되어 형성된다.

05 그림은 금속 결합을 모형으로 나타낸 것이다.
금속의 특성 중 (가)에 의해 나타나는 현상이 <u>아닌</u> 것은?

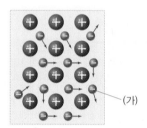

① 전성이 크다.
② 밀도가 크다.
③ 열전도성이 좋다.
④ 연성이 크다.
⑤ 전기 전도성이 좋다.

06 금속 결합 물질에 대한 설명으로 옳은 것은?

① 자유 전자가 열에너지를 전달하므로 열전도성이 좋다.
② 금속 양이온과 비금속 음이온 간의 인력에 의해 결합이 형성된다.
③ 전압을 걸면 금속 양이온이 (−)극으로 이동하여 전기가 통한다.
④ 외부에서 힘을 가하면 쉽게 깨지거나 쪼개진다.
⑤ 녹는점이 매우 높아 실온에서 모두 고체 상태로 존재한다.

내신 만점 문제

정답과 해설 40쪽　　　　*▨▨▨ 난이도를 나타냅니다.

01 그림은 두 가지 이온 결합 화합물의 이온 간의 거리에 따른 에너지를 나타낸 것이다.

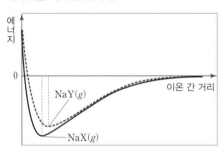

이에 대한 설명으로 옳은 것만을 〈보기〉에서 있는 대로 고른 것은? (단, X, Y는 임의의 할로젠 원소 기호이다.)

┃ 보기 ┃
ㄱ. 원자 번호는 X가 Y보다 작다.
ㄴ. 녹는점은 $NaX(s)$가 $NaY(s)$보다 높다.
ㄷ. 이온 간의 반발력이 인력보다 우세하게 작용하는 이온 간 거리 구간은 $NaX(g)$가 $NaY(g)$보다 짧다.

① ㄱ　　　　② ㄴ　　　　③ ㄱ, ㄷ
④ ㄴ, ㄷ　　　⑤ ㄱ, ㄴ, ㄷ

02 표는 세 가지 물질의 녹는점을 나타낸 것이며, 물질 (가)~(다)는 각각 NaF, NaBr, MgO 중의 하나이다.

물질	(가)	(나)	(다)
녹는점(℃)	747	996	2825

물질 (가)~(다)로 옳은 것은?

	(가)	(나)	(다)
①	NaF	NaBr	MgO
②	NaF	MgO	NaBr
③	NaBr	NaF	MgO
④	NaBr	MgO	NaF
⑤	MgO	NaF	NaBr

03 그림은 염화 나트륨($NaCl$) 결정을 가열하여 용융시킨 것을 나타낸 것이다.

　가열　

NaCl 결정　　　　　　NaCl 용융액

염화 나트륨($NaCl$) 결정을 가열하여 용융시킬 때 그 값이 변하는 것을 〈보기〉에서 있는 대로 고른 것은?

┃ 보기 ┃
ㄱ. 질량
ㄴ. 전기 전도도
ㄷ. 전하량의 총합
ㄹ. 이온 사이의 거리

① ㄱ, ㄴ　　　② ㄱ, ㄷ　　　③ ㄴ, ㄷ
④ ㄴ, ㄹ　　　⑤ ㄷ, ㄹ

04 다음은 물질 A와 B_2가 반응하여 AB를 생성하는 반응의 화학 반응식이고, 표는 물질 AB의 몇 가지 성질을 나타낸 것이다.

$$2A + B_2 \longrightarrow 2AB$$

녹는점(℃)	끓는점(℃)	전기 전도성	
		고체	액체
801	1413	없음	있음

이에 대한 설명으로 옳지 **않은** 것은? (단, A, B는 임의의 3주기 원소 기호이다.)

① A는 금속이다.
② 실온에서 A와 B_2는 물질의 상태가 다르다.
③ A와 B는 주고받는 전자의 수가 같다.
④ AB는 힘을 가하면 휘어진다.
⑤ AB는 수용액 상태에서 전기 전도성이 있다.

05 그림 (가)는 CO_2 분자의 전자 배치 모형을, (나)는 드라이아이스(CO_2)의 결정 구조를 나타낸 것이다.

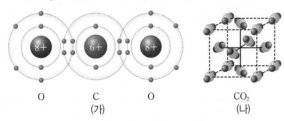

이에 대한 설명으로 옳은 것만을 〈보기〉에서 있는 대로 고른 것은?

| 보기 |

ㄱ. (가)에서 탄소와 산소의 최외각 전자 수는 같다.
ㄴ. (나)는 고체 상태에서 전기 전도성을 가진다.
ㄷ. (나)에서 분자와 분자 사이에는 공유 결합이 형성된다.

① ㄱ   ② ㄷ   ③ ㄱ, ㄴ
④ ㄴ, ㄷ   ⑤ ㄱ, ㄴ, ㄷ

06 그림은 강철솜을 공기 중에서 연소시키는 실험을 나타낸 것이다.

강철솜을 연소시킬 때 연소 후 달라지는 것에 대한 설명으로 옳은 것만을 〈보기〉에서 있는 대로 고른 것은?

| 보기 |

ㄱ. 강철솜의 질량이 증가한다.
ㄴ. 전기 전도성을 잃게 된다.
ㄷ. 탄성이 있던 강철솜에 충격을 가하면 쉽게 부스러진다.

① ㄱ   ② ㄷ   ③ ㄱ, ㄴ
④ ㄴ, ㄷ   ⑤ ㄱ, ㄴ, ㄷ

07 그림은 할로젠 원소 X, Y, Z가 기체 상태의 이원자 분자를 형성할 때 핵 간 거리에 따른 에너지를 나타낸 것이다.

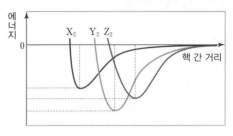

이에 대한 설명으로 옳은 것만을 〈보기〉에서 있는 대로 고른 것은? (단, X~Z는 임의의 원소 기호이다.)

| 보기 |

ㄱ. X, Y, Z 순서로 주기가 점점 증가한다.
ㄴ. 결합 에너지는 X_2가 Y_2보다 크다.
ㄷ. 할로젠 원소가 이원자 분자를 형성할 때 에너지를 흡수한다.

① ㄱ   ② ㄷ   ③ ㄱ, ㄴ
④ ㄴ, ㄷ   ⑤ ㄱ, ㄴ, ㄷ

 그림은 2주기의 원자 A, B, C에 대한 전자 배치 모형을 나타낸 것이다.

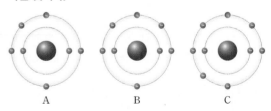

이에 대한 설명으로 옳은 것만을 〈보기〉에서 있는 대로 고른 것은? (단, A~C는 임의의 원소 기호이다.)

| 보기 |

ㄱ. A_2와 B_2에는 다중 결합이 존재한다.
ㄴ. C_2와 BC_2는 모두 공유 결합 물질이다.
ㄷ. A, B, C 세 원자가 한 분자로 결합할 수 있다.

① ㄱ   ② ㄷ   ③ ㄱ, ㄴ
④ ㄴ, ㄷ   ⑤ ㄱ, ㄴ, ㄷ

09 그림은 3주기 원소인 금속 A와 B를 모형으로 나타낸 것이다.

금속 A   금속 B

고체 상태의 금속 A와 B에 대한 설명으로 옳은 것만을 〈보기〉에서 있는 대로 고른 것은? (단 A, B는 임의의 원소 기호이다.)

┤ 보기 ├
ㄱ. 금속 A의 녹는점은 금속 B보다 낮다.
ㄴ. 1몰의 산소(O_2)와 반응하는 금속의 양(mol)은 A와 B가 같다.
ㄷ. 전류를 흘려 주면 A, B 모두 양이온은 (−)극 쪽으로, 전자는 (+)극 쪽으로 이동한다.

① ㄱ   ② ㄷ   ③ ㄱ, ㄴ
④ ㄴ, ㄷ   ⑤ ㄱ, ㄴ, ㄷ

10 그림은 고체로 존재하는 네 가지 물질을 주어진 기준에 따라 구분한 것이다.

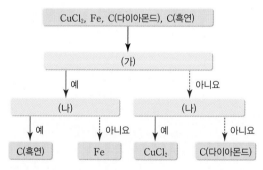

```
CuCl₂, Fe, C(다이아몬드), C(흑연)
            │
           (가)
     예 ↓        ↓ 아니요
    (나)          (나)
  예↓  ↓아니요   예↓   ↓아니요
C(흑연) Fe    CuCl₂  C(다이아몬드)
```

(가)와 (나)에 들어갈 기준으로 옳은 것만을 〈보기〉에서 각각 고른 것은?

┤ 보기 ├
ㄱ. 공유 결합 물질인가?
ㄴ. 녹는점이 매우 높은가?
ㄷ. 고체일 때 전류가 흐르는가?
ㄹ. 힘을 가하면 쉽게 부스러지는가?

　　(가)　(나)　　　　(가)　(나)
①　 ㄱ 　ㄴ　　 ②　 ㄴ 　ㄱ
③　 ㄷ 　ㄴ　　 ④　 ㄷ 　ㄹ
⑤　 ㄹ 　ㄱ

서술형 문제

11 그림은 물질 ABC의 화학 결합을 모형으로 나타낸 것이다. (단, A~C는 임의의 원소 기호이다.)

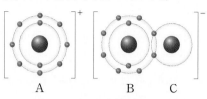

A　　　　　B　　C

⑴ 물질 ABC 내에 존재하는 화학 결합의 종류를 모두 쓰시오.

_____

⑵ 물질 ABC의 전기적 성질에 대해 서술하시오.

_____

_____

12 다음은 금속 나트륨과 염화 나트륨의 전기 전도성을 알아보기 위한 실험이다.

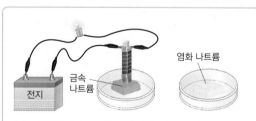

(가) 실험실에서 오래 보관했던 나트륨의 표면에 전극을 대었더니 전구에 불이 켜지지 않았고, 전극을 금속 내부에 찔러 넣었더니 전구에 불이 켜졌다.
(나) 전극을 염화 나트륨에 대어 보았더니 전구에 불이 켜지지 않았다.

⑴ 실험 결과로 알 수 있는 금속 나트륨과 염화 나트륨의 전기 전도성을 비교하여 서술하시오.

_____

_____

⑵ 처음 나트륨 표면에 전극을 대었을 때 전구에 불이 켜지지 않은 까닭을 서술하시오.

_____

_____

_____

01 결합의 극성

천재 p.127~131　금성 p.115~117　교학사 p.114~117　동아 p.137~141　미래엔 p.126~129
비상 p.112~114　상상 p.124~127　지학사 p.123~126　YBM p.137~141

핵심 Point
- 전기 음성도의 주기적 변화를 이해한다.
- 결합한 원소들의 전기 음성도 차이와 쌍극자 모멘트를 활용하여 결합의 극성을 이해한다.

1 전기 음성도

1. 전기 음성도 원자가 전자쌍을 공유하여 결합할 때 원자마다 전자쌍을 끌어당기는 힘이 다르면 전자쌍이 한쪽으로 치우친다. 이와 같이, 공유 결합을 이루고 있는 두 원자가 전자쌍을 끌어당기는 힘을 상대적인 값으로 나타낸 것을 전기 음성도라고 한다.

① 전기 음성도의 기준: 폴링❶은 플루오린(F)의 전기 음성도를 4.0으로 정하고, 이 값을 기준으로 다른 원소들의 전기 음성도를 상대적으로 정하였다.
　　　　　　　　　　　　　　　　　└ 전자쌍을 끌어당기는 힘이 가장 크다.
② 18족 원소는 다른 원자와 결합을 형성하지 않으므로 전기 음성도는 18족 원소를 제외한다.❷
③ 전기 음성도가 클수록 공유 전자쌍을 더 강하게 끌어당긴다.

> 같은 원자끼리는 공유 전자쌍을 끌어당기는 정도가 같다.

> 수소보다 플루오린이 공유 전자쌍을 더 세게 끌어당긴다.
> ➡ 전기 음성도: 플루오린 > 수소

④ 전기 음성도는 단위가 없다.

2. 전기 음성도의 주기성

> **• 같은 주기:** 원자 번호가 클수록 전기 음성도가 대체로 증가한다.

➡ 원자 번호가 커질수록 ▸유효 핵전하가 증가하여 원자핵과 전자 사이의 인력이 증가하므로 다른 원자와의 결합에서 공유 전자쌍을 끌어당기는 힘이 더 강하다.

2주기 원소	C	N	O	F
원자 번호	6	7	8	9
양성자수	6	7	8	9
전기 음성도	2.5	3.0	3.5	4.0

전기 음성도 증가 →

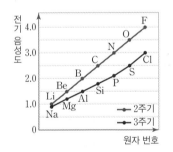

> **• 같은 족:** 원자 번호가 클수록 전기 음성도가 대체로 감소한다.

➡ 원자 번호가 커질수록 ▸전자 껍질 수가 증가하여 원자핵과 전자 사이의 인력이 감소하므로 다른 원자와의 결합에서 공유 전자쌍을 끌어당기는 힘이 약하다.

17족 원소	F	Cl	Br	I
원자 번호	9	17	35	53
주기	2	3	4	5
전기 음성도	4.0	3.0	2.8	2.5

전기 음성도 감소 →

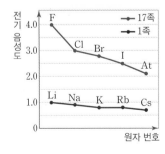

---

❶ **폴링(Pauling, L. C., 1901 ~1994)**

미국의 물리화학자로 노벨 화학상과 노벨 평화상을 수상하였다. 1932년에 결합 에너지로부터 전기 음성도를 계산해 내었다. 폴링 이후에 다른 학자들이 다른 방법으로 전기 음성도를 정의한 것도 있다.

❷ **18족 원소의 전기 음성도**

폴링은 전기 음성도를 계산할 때 원자가 결합을 하지 않으면 전기 음성도를 계산할 수 없다고 하였다. 따라서 비활성 기체들은 전기 음성도에서 제외시키지만, 전자 수가 많은 Kr, Xe, Rn과 같은 경우에는 결합을 하는 경우가 있기 때문에 전기 음성도가 존재한다.

원소	Kr	Xe
전기 음성도	3.0	2.6

셀파 콕콕 🔍

2주기 원소는 플루오린(F, 4.0)을 기준으로 원자 번호가 1 감소할 때마다 전기 음성도가 0.5씩 감소한다. 특히 탄소(2.5), 질소(3.0), 산소(3.5)는 꼭 외워두고, 추가로 수소(H, 2.1)와 염소(Cl, 3.0)도 자주 나오므로 외워두면 편리하다.

━━ 용어 ━━

▸ **유효 핵전하:** 원자 내 전자가 원자핵에 의해 끌리는 인력과 원자 내부 전자의 반발력에 의해 전자에 실제로 작용하는 핵전하

▸ **전자 껍질:** 원자핵을 중심으로 전자들이 이루는 단계별 에너지 층

[전기 음성도의 주기적 경향❸]

금속 원소는 대부분 2.0 이하의 값을 가지고, 비금속 원소는 대부분 2.0 이상의 값을 가진다.

같은 주기에서 원자 번호 증가
➡ 유효 핵전하 증가
➡ 원자핵과 전자 사이의 인력 증가
➡ 공유 전자쌍을 끌어당기는 힘 증가

같은 족에서 원자 번호 증가
➡ 전자 껍질 수 증가
➡ 원자핵과 전자 사이의 인력 감소
➡ 공유 전자쌍을 끌어당기는 힘 감소

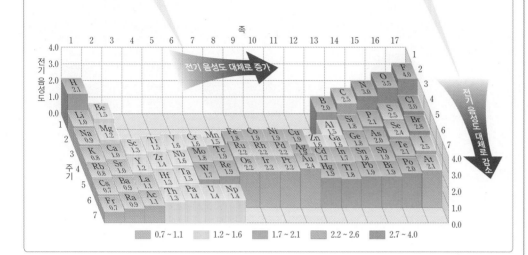

❸ 전기 음성도의 주기적 경향

전기 음성도의 주기적 경향은 다른 성질의 주기성과도 일치하는데, 일반적으로 원자 크기와 관련이 있다. 원자 크기가 클수록 화학 결합에서 전자쌍을 끌어당기는 능력이 작다고 할 수 있다.

암기 콕 🎯

전기 음성도는 대체로 주기율표의 오른쪽 위로 갈수록 증가한다.

강의 콕 🔌

전기 음성도 표를 보면 2주기 탄소와 3주기 황의 전기 음성도가 2.5로 표기되어 있어 탄소와 황의 경우 무극성 공유 결합을 할 것 같으나, 실제로는 소수점 둘째 자리 이하의 수에서 차이가 난다. 무극성 공유 결합은 같은 원자 사이의 공유 결합에서만 형성된다.

2 결합의 극성

1. **결합의 극성** 두 개의 원자가 결합하는 경우, 두 원자의 전기 음성도 차이에 따라 분자 내 전자 분포가 한쪽으로 쏠리는 현상에 의해 극성이 생긴다.

2. **무극성 공유 결합과 극성 공유 결합**

① **무극성 공유 결합**
   - 같은 원자 사이에 형성되는 공유 결합으로, 두 원자의 전기 음성도가 같아 공유 전자쌍의 치우침이 없는 결합이다. → 공유 전자쌍이 두 원자핵 주위에 균일하게 존재한다.
   - 결합하는 원자들은 부분적인 전하를 띠지 않는다.

결합	H-H	N≡N	O=O
결합 모형	H H	N N	O O
전기 음성도 차이	0 =2.1(H)-2.1(H)	0 =3.0(N)-3.0(N)	0 =3.5(O)-3.5(O)

─── **용어** ───

▶ **극성**: 자석에 N극과 S극이 있는 것처럼 분자에 (+)전하를 띠는 부분과 (-)전하를 띠는 부분이 나누어져서 나타나는 성질

▶ **무극성**: 극성을 가지지 않는 성질이나 상태

개념
확인하기

1 플루오린(F)의 전기 음성도는 (　　)이다.

2 주기율표에서 같은 족 원소들은 원자 번호가 커질수록 전기 음성도가 대체로 감소한다. (○, ×)

3 전기 음성 차이가 없는 두 원자 사이에 이루어지는 결합은 무극성 공유 결합이다. (○, ×)

4 H-H, C-C, H-C는 모두 무극성 공유 결합을 한다. (○, ×)

답 1.4.0 2.○ 3.○ 4.×

② 극성 공유 결합
- 서로 다른 원자 사이에 형성되는 공유 결합으로, 전기 음성도 차이에 의해 공유 전자쌍이 한쪽으로 치우치는 결합이다.
- 전기 음성도가 큰 원자는 공유 전자쌍을 강하게 끌어당겨 부분적인 음전하[4](δ^-)를 띠고, 전기 음성도가 작은 원자는 공유 전자쌍을 약하게 끌어당겨 부분적인 양전하(δ^+)를 띠게 된다.

결합	H-F	H-O	C=O
결합 모형	δ^- F δ^+ H 전자쌍이 F 쪽으로 치우침 ➡ F: 부분적인 음전하 ➡ H: 부분적인 양전하	δ^- O H H δ^+ δ^+ 전자쌍이 O 쪽으로 치우침 ➡ O: 부분적인 음전하 ➡ H: 부분적인 양전하	δ^+ δ^- O C O δ^- 전자쌍이 O 쪽으로 치우침 ➡ O: 부분적인 음전하 ➡ C: 부분적인 양전하
전기 음성도 차이	1.9 =4.0(F)-2.1(H)	1.4 =3.5(O)-2.1(H)	1.0 =3.5(O)-2.5(C)

---

3 쌍극자 모멘트

1. **쌍극자** 극성 공유 결합을 하고 있는 이원자 분자의 양끝이 부분적인 전하를 띠고 있는 상태로, 한 쌍의 부분적인 양전하(δ^+)와 부분적인 음전하(δ^-)를 갖는 것을 쌍극자라고 한다.

2. **쌍극자 모멘트**[5] 공유 결합에서 극성의 정도를 나타내는 척도
① 쌍극자 모멘트(μ)의 크기: 전하량(q)과 두 전하 사이의 거리(r)를 곱한 값으로 나타낸다.

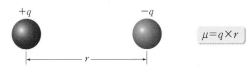

$$\mu = q \times r$$

- 무극성 공유 결합의 쌍극자 모멘트는 0이다.
- 극성 공유 결합에서 쌍극자 모멘트 값이 클수록 극성이 강하다.
- 전하량이 클수록, 두 전하 사이의 거리가 멀수록 쌍극자 모멘트 값은 증가한다.
- 이원자 분자의 경우, 전하량의 크기는 두 원자의 전기 음성도 차이를, 두 전하 사이의 거리는 두 원자 간 결합 길이를 사용하여, 분자의 상대적인 쌍극자 모멘트 크기를 비교할 수 있다.

② 쌍극자 모멘트의 방향: (+)전하로부터 (-)전하 쪽으로 향한다.
- 전기 음성도가 더 큰 원자가 부분적인 음전하(δ^-)를 띠고, 전기 음성도가 더 작은 원자가 부분적인 양전하(δ^+)를 띤다.

$$\overset{\delta^+}{H}-\overset{\delta^-}{Cl} \qquad \overset{\delta^+}{H}-\overset{\delta^-}{F}$$
2.1 3.5   2.1 4.0

- 같은 원자라도 결합하는 원자의 종류에 따라 쌍극자 모멘트의 방향이 달라진다.

$$\overset{\delta^-}{C}-\overset{\delta^+}{H} \qquad \overset{\delta^+}{C}-\overset{\delta^-}{Cl}$$
2.5 2.1   2.5 3.5

→ 같은 C 원자라도 전기 음성도가 더 작은 H와 결합할 때에는 C가 부분적인 음전하를 띠고, 전기 음성도가 더 큰 Cl와 결합할 때에는 C가 부분적인 양전하를 띤다.

---

❹ 부분 전하

화학 결합의 비대칭적인 결합에 의해 만들어지는 현상으로, 전체적인 전자의 분포가 한쪽으로 치우치게 되면 부분적으로 한쪽은 음전하를, 다른 한쪽은 양전하를 띤다. 부분 전하는 δ(델타)를 이용하여 δ^+(양전하)와 δ^-(음전하)로 표시하며, 여기서 δ는 0보다 크고 1보다 작은 값이다.

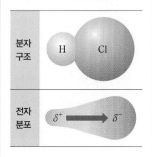

분자 구조	H Cl
전자 분포	δ^+ → δ^-

암기 콕
- 같은 원자 사이의 결합
  ➡ 무극성 공유 결합
- 서로 다른 원자 사이의 결합
  ➡ 극성 공유 결합

❺ 쌍극자 모멘트의 단위

쌍극자 모멘트의 정의는 '전하량× 거리'이다. 각 항의 단위를 SI 단위계로 쓰면 전하량은 쿨롱(C), 거리는 미터(m)가 되어 C·m이 된다. 그러나 CGS 단위계를 사용하면 쌍극자 모멘트의 단위는 디바이(D, debye)가 된다.
1D는 3.333×10^{-30} C·m이다.

용어

▶ **SI 단위계**: 미터법에 따른 측정 단위를 국제적으로 통일한 체계
▶ **CGS 단위계**: 기본이 되는 길이·질량·시간의 단위로 센티미터(cm)·그램(g)·초(s)를 채택하고, 이를 기준 삼아 다른 물리량의 단위를 정한 단위계

③ 쌍극자 모멘트의 표시: 쌍극자 모멘트는 크기와 방향을 가지는 벡터량이며, (+)전하에서 (−) 전하 쪽으로 향하는 화살표로 나타낸다.
- 쌍극자 모멘트의 방향: 화살표의 방향으로 나타낸다.
- 쌍극자 모멘트의 크기: 화살표의 길이로 나타낸다. **❻**

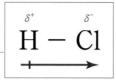

전기 음성도가 작아 부분적인 양전하를 띠는 H에서 전기 음성도가 → 커서 부분적인 음전하를 띠는 F을 향하도록 ←——→로 표시한다.

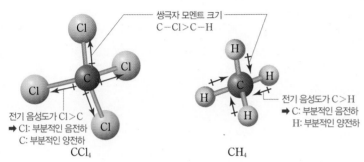

쌍극자 모멘트 크기
$C-Cl > C-H$

전기 음성도가 $Cl > C$
➡ Cl: 부분적인 음전하
C: 부분적인 양전하
CCl_4

전기 음성도가 $C > H$
➡ C: 부분적인 음전하
H: 부분적인 양전하
CH_4

자료 파헤치기

[결합의 극성과 분자의 극성] → 분자의 극성은 02. 분자의 구조에서 자세히 배운다.

- 결합의 극성은 원자와 원자 간의 전기 음성도 차이로 판단하고, 분자의 극성은 분자 내 모든 결합의 쌍극자 모멘트 값을 합하여 판단한다.
- 무극성 공유 결합을 하는 이원자 분자는 무극성 분자이다.
- 극성 공유 결합을 하는 분자라도 분자 내 모든 결합의 쌍극자 모멘트 합이 0이 되면 무극성 분자가 된다.
- 예 CO_2의 경우, $C=O$ 결합의 쌍극자 모멘트 값이 0이 아니기 때문에 극성 공유 결합이다. 하지 만 분자 내에 존재하는 두 개의 $C=O$ 결합의 쌍극자 모멘트 값을 합하면 0이 되므로 CO_2는 무극성 분자가 된다.

분자			
결합의 극성	무극성 공유 결합 $(H-H, O=O)$	극성 공유 결합 $(C=O, C-H)$	극성 공유 결합 $(H-Cl, O-H)$
분자의 극성	무극성 분자	무극성 분자	극성 분자

❻ 쌍극자 모멘트의 측정
전류가 흐르는 두 금속판 사이에서 일정한 방향으로 배열하는 분자는 금속판의 전기 용량에 영향을 준다. 따라서 금속판 사이의 전기 용량을 측정하여 쌍극자 모멘트의 크기를 계산할 수 있다.

셀파 콕콕 🔍
쌍극자 모멘트의 값을 직접 계산하 는 문제는 출제되는 경우가 드물다. 결합하는 두 원자의 전기 음성도 차 이를 비교하여 큰 쪽이 부분적인 음 전하, 작은 쪽이 부분적인 양전하를 가지게 되고, 쌍극자 모멘트의 방향 이 양전하에서 음전하로 향한다는 것을 알아둔다.

---- 용어 ----

▶ **벡터량**: 힘이나 속도 등과 같이 크 기와 방향을 모두 가지는 양. 크기만 가지는 스칼라량과 구별된다.

개념 확인하기

1 극성 공유 결합은 서로 다른 원자 사이에 형성되며, 전기 음성도 차이에 의해 공유 전자쌍이 한쪽으로 치우치는 공유 결합이다. (○ , ×)

2 극성 공유 결합에서 전기 음성도가 큰 원소는 부분적인 양전하를 띤다. (○ , ×)

3 공유 결합에서 극성을 나타내는 척도로 ( )을/를 사용한다.

4 전하량의 크기가 클수록, 두 전하 사이의 거리가 멀수록 쌍극자 모멘트 값은 증가한다. (○ , ×)

정답 1 ○ 2 × 3 쌍극자 모멘트 4 ○

3. 전기 음성도 차이와 결합의 극성

① 극성 공유 결합을 형성하고 있는 분자에서 두 원자 사이의 전기 음성도 차이가 클수록 대체로 공유 결합의 극성이 증가하며, 더 강한 결합을 형성한다.

공유 결합	H−H	C−H	N−H	O−H	F−H
전기 음성도 차이	0	0.4	0.9	1.4	1.9
극성 비교	무극성	극성이 약함 → 극성이 강함			

② 할로젠화 수소 화합물의 전기 음성도 차이와 결합 길이 비교

화합물	전기 음성도 차이 F>Cl>Br>I	쌍극자 모멘트 ($\times 10^{-30}$ C·m)	결합 길이 (pm)	결합 에너지 (kJ/mol)
HF	1.9 ↑ 증가	6.37 ↑ 증가	93 ↑ 짧아짐	565 ↑ 증가
HCl	0.9	3.60	128	429
HBr	0.7	2.67	142	363
HI	0.4	1.40	162	295

- 할로젠화 수소 화합물 중에서 전기 음성도 차이가 가장 큰 것은 플루오린화 수소(HF)이므로 플루오린화 수소의 극성이 가장 크다. ➡ 플루오린화 수소가 가장 강한 결합을 하고 있기 때문에 결합 길이는 가장 짧고, 결합 에너지는 가장 크다.

4. 전기 음성도 차이와 결합의 형성

① 전기 음성도 차이가 약 2.0보다 큰 원자 사이에는 전자가 이동하여 이온 결합이 형성된다.
② 전기 음성도 차이가 약 2.0보다 작은 원자 사이에는 극성 공유 결합이 형성된다.
③ 같은 원자 사이에는 전기 음성도 차이가 0이므로 무극성 공유 결합이 형성된다.

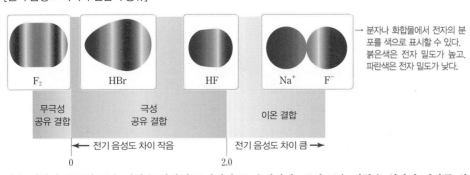

[전기 음성도 차이와 결합의 종류]

→ 분자나 화합물에서 전자의 분포를 색으로 표시할 수 있다. 붉은색은 전자 밀도가 높고, 파란색은 전자 밀도가 낮다.

이온 결합과 무극성 공유 결합은 결합의 극단적인 두 유형이며, 극성 공유 결합은 원자가 전자를 완전히 이동시키는 것은 아니고, 두 원자가 공유 전자쌍을 완전히 동등하게 공유하는 것도 아닌 중간적인 결합이다.

암기 콕

전기 음성도 차이가 클수록
- 쌍극자 모멘트 큼
- 결합의 극성이 강함
- 결합의 세기가 강함
- 결합 에너지 큼

강의 콕

극성 공유 결합과 이온 결합을 구분하는 전기 음성도 차이가 명확한 것은 아니다. 사실 그 값이 중요한 것이 아니라 그 정도로 전기 음성도 차이가 크다는 것이 중요하다. 실제로 전기 음성도 차이가 1.9인 플루오린화 수소(HF)는 극성 공유 결합으로 이루어져 있고, 전기 음성도 차이가 1.6인 산화 구리(II)(CuO)는 이온 결합으로 이루어져 있다.

용어

▶ 할로젠화 수소: 수소와 할로젠이 결합하여 형성된 화합물
▶ 결합 길이: 결합하는 두 원자핵 사이의 거리
▶ 결합 에너지: 분자를 이루는 원자 사이의 결합의 세기를 나타내는 척도로, 결합 에너지가 클수록 결합이 강하고 안정하다.

개념 확인하기

1 결합하는 두 원자의 전기 음성도 차이가 크면 쌍극자 모멘트도 크다. (○ , ×)
2 C−H, N−H, O−H, F−H 결합 중 결합의 극성이 가장 큰 것은 (   ) 결합이다.
3 결합하는 두 원자의 전기 음성도 차이가 약 2.0 이상으로 매우 크면 이온 결합이 형성된다. (○ , ×)

답 1 ○ 2 F−H 3 ○

결합의 극성

01 이원자 분자의 전기 음성도 차이와 결합의 극성

구분	같은 원자로 이루어진 이원자 분자				다른 원자로 이루어진 이원자 분자			
	H_2		F_2		HF		HCl	
전기 음성도	H	H	F	F	H	F	H	Cl
	2.1	2.1	4.0	4.0	2.1	4.0	2.1	3.0
전기 음성도 차이	0		0		1.9		0.9	
쌍극자 모멘트 ($\times 10^{-30}$ C·m)	0		0		6.09		3.70	
쌍극자 모멘트 표시	H-H		F-F		$\overset{\delta^+}{H}-\overset{\delta^-}{F}$ ⟶		$\overset{\delta^+}{H}-\overset{\delta^-}{Cl}$ ⟶	
결합의 극성	무극성 공유 결합		무극성 공유 결합		극성 공유 결합		극성 공유 결합	

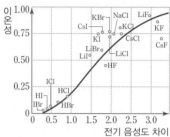

Plus 자료

전기 음성도와 결합의 이온성

결합을 이루고 있는 두 원자들의 전기 음성도 차이가 클수록 결합의 이온성은 커진다. LiI은 전기 음성도 차이가 1.5밖에 안되지만 이온성 비율이 0.5보다 커서 이온 결합으로 분류한다. 반면, HF는 전기 음성도 차이가 1.9나 되지만 이온성 비율이 0.43이므로 공유 결합이 된다.

02 무극성 공유 결합과 극성 공유 결합의 형성

• 전기 음성도 차이와 쌍극자 모멘트 사이의 관계: 두 원자가 결합할 때 두 원자의 전기 음성도 차이가 없을 경우에는 쌍극자 모멘트가 0이 되고, 전기 음성도 차이가 있을 경우에는 전기 음성도 차이가 클수록 쌍극자 모멘트 값이 커진다.

• 무극성 공유 결합과 극성 공유 결합이 형성되는 원리: 같은 원자 사이에는 공유 전자쌍이 결합 전체에 고르게 분포되어 무극성 공유 결합을 하게 된다. 두 원자 사이의 전기 음성도 차이가 있을 때에는 공유 전자쌍이 전기 음성도가 더 큰 원자 쪽으로 치우쳐 부분적인 양전하와 음전하가 생기는 극성 공유 결합을 하게 된다.

강의 콕

이원자 분자에서 같은 종류의 원자끼리 공유 결합할 경우 고민할 필요 없이 무극성 공유 결합이다. 마찬가지로 이원자 분자에서 다른 종류의 원자끼리 공유 결합을 하면 무조건 극성 공유 결합이다.

---

1 공유 결합에 대한 설명으로 옳은 것은?

① 같은 종류의 두 원자는 극성 공유 결합을 형성한다.
② 다른 종류의 두 원자도 무극성 공유 결합을 할 수 있다.
③ 결합하는 원자들이 부분 전하를 띠는 결합은 무극성 공유 결합이다.
④ 극성 공유 결합에서 전기 음성도가 큰 원소는 부분적인 양전하를 띤다.
⑤ 공유 결합한 두 원자의 전기 음성도가 다르면 결합의 쌍극자 모멘트 값이 0이 아니다.

| 해설 | 같은 종류의 두 원자는 무극성 공유 결합을 형성한다. 다른 종류의 두 원자는 전기 음성도 차이에 의해 쌍극자 모멘트가 0이 아니므로 극성 공유 결합을 형성한다.

답 ⑤

2 다음은 극성 공유 결합에 대한 설명이다. (　　)에 들어갈 말로 알맞은 것은?

> 극성 공유 결합은 결합하는 원자들 사이에 (　　) 차이가 존재하여 공유 전자쌍의 쏠림 현상으로 부분 전하가 나타난다.

① 원자량　　　　② 전하량
③ 원자 반지름　　④ 전기 음성도
⑤ 이온화 에너지

| 해설 | 극성 공유 결합은 결합하는 원자들 사이에 전기 음성도 차이가 존재하여 공유 전자쌍의 쏠림 현상으로 부분 전하가 나타난다.

답 ④

기초 탄탄 문제

정답과 해설 42쪽

핵심용어_ 이 단원에서 내가 아는 것과 아직 모르는 것을 정리하며 나의 공부를 돌아보자.

- □ 전기 음성도
- □ 무극성 공유 결합
- □ 극성 공유 결합
- □ 부분 전하
- □ 쌍극자
- □ 쌍극자 모멘트

01 그림은 주기율표에 전기 음성도를 나타낸 것이다.

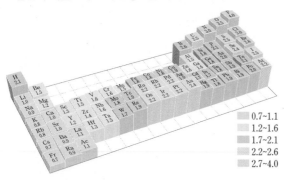

전기 음성도에 대한 설명으로 옳지 <u>않은</u> 것은?

① 원자가 공유 전자쌍을 끌어당기는 능력의 척도이다.
② 탄소를 기준으로 하여 정한 상대적인 값이다.
③ 같은 주기에서 원자 번호가 증가할수록 값이 대체로 크다.
④ 같은 족에서 원자 번호가 증가할수록 값이 대체로 작다.
⑤ 비금속성이 증가할수록 값이 대체로 크다.

02 표는 몇 가지 원소의 전기 음성도를 나타낸 것이다.

원소	A	B	C	D
전기 음성도	2.0	3.5	0.9	2.5

위의 원소로 이루어진 화합물에서 (가) 극성이 가장 작은 결합과 (나) 극성이 가장 큰 결합으로 예측되는 것을 옳게 짝지은 것은? (단, A~D는 임의의 원소 기호이다.)

	(가)	(나)		(가)	(나)
①	A-B	B-C	②	A-B	C-D
③	A-D	B-C	④	A-D	B-D
⑤	B-D	C-D			

03 다음 공유 결합 중 밑줄 친 원자가 부분적인 양전하(δ^+)를 띠는 것은?

① H-<u>H</u> ② H-<u>C</u> ③ F-<u>C</u>
④ Cl-<u>F</u> ⑤ C-<u>Cl</u>

04 다음은 3주기 원소들을 나열한 것이다.

> Na, Mg, Al, Si, P, S, Cl, Ar

위 원소들 중 전기 음성도가 가장 큰 것은?

① Na ② Al ③ Si
④ Cl ⑤ Ar

05 쌍극자 모멘트에 대한 설명으로 옳은 것은?

① 방향은 갖지 않고 크기만 갖는 양이다.
② 결합의 쌍극자 모멘트 값이 0이면 그 결합은 극성 공유 결합이다.
③ 화살표가 향하는 방향이 부분적인 양전하(δ^+)를 띤다.
④ 쌍극자 모멘트 값이 클수록 결합의 극성은 작아진다.
⑤ 쌍극자 모멘트의 크기는 전하량과 두 전하 사이의 거리의 곱으로 나타낸다.

06 그림은 어떤 탄소 화합물의 분자 모형을 나타낸 것이다.

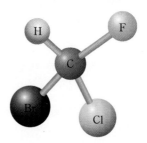

이 탄소 화합물 내의 결합 중 쌍극자 모멘트 값이 가장 큰 결합은?

① C-H 결합 ② C-F 결합 ③ C-Cl 결합
④ C-Br 결합 ⑤ 모두 같다.

내신 만점 **문제**

정답과 해설 43쪽
* ▨▨▨ 난이도를 나타냅니다.

01 표는 2주기 원소의 전기 음성도를 나타낸 것이다.

원소	Li	Be	B	C	N	O	F
전기 음성도	1.0	1.5	2.0	2.5	3.0	3.5	4.0

N−H 결합보다 극성이 큰 공유 결합만을 〈보기〉에서 있는 대로 고른 것은? (단, H의 전기 음성도는 2.1이다.)

┤ 보기 ├
ㄱ. N−F   ㄴ. O−H   ㄷ. Li−F

① ㄱ   ② ㄷ   ③ ㄱ, ㄴ
④ ㄴ, ㄷ   ⑤ ㄱ, ㄴ, ㄷ

02 그림은 흑연(C)의 구조를 모형으로 나타낸 것이다.

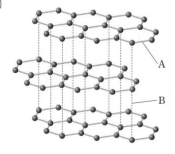

이에 대한 설명으로 옳은 것만을 〈보기〉에서 있는 대로 고른 것은?

┤ 보기 ├
ㄱ. 흑연은 탄소로만 이루어진 홑원소 물질이다.
ㄴ. A는 무극성 공유 결합이고, B는 극성 공유 결합이다.
ㄷ. 결합의 쌍극자 모멘트는 모든 위치에서 동일하다.

① ㄱ   ② ㄴ   ③ ㄱ, ㄷ
④ ㄴ, ㄷ   ⑤ ㄱ, ㄴ, ㄷ

03 그림은 염소(Cl_2)의 분자 모형을 나타낸 것이다.

염소(Cl_2)에 대한 설명으로 옳은 것만을 〈보기〉에서 있는 대로 고른 것은?

┤ 보기 ├
ㄱ. 무극성 공유 결합을 한다.
ㄴ. 결합의 쌍극자 모멘트가 0이다.
ㄷ. 한쪽 원자는 부분적인 양전하(δ^+)를 띠고, 다른 한 쪽 원자는 부분적인 음전하(δ^-)를 띤다.

① ㄱ   ② ㄷ   ③ ㄱ, ㄴ
④ ㄴ, ㄷ   ⑤ ㄱ, ㄴ, ㄷ

04 그림은 이산화 탄소(CO_2)와 삼염화 붕소(BCl_3)의 분자 모형을 나타낸 것이다.

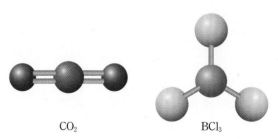

CO_2 BCl_3

두 분자의 공통점으로 옳은 것만을 〈보기〉에서 있는 대로 고른 것은?

┤ 보기 ├
ㄱ. 분자 내 모든 결합의 쌍극자 모멘트가 0이 아니다.
ㄴ. 분자 내 모든 원자가 옥텟 규칙을 만족한다.
ㄷ. 분자 내에 무극성 공유 결합이 있다.

① ㄱ   ② ㄴ   ③ ㄱ, ㄷ
④ ㄴ, ㄷ   ⑤ ㄱ, ㄴ, ㄷ

05 다음은 이원자 화합물 AB, AC, BC에 대한 자료이다. A~C는 각각 H, F, Cl 중 하나이다.

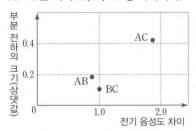

화합물	분자량
AB	36.5
AC	20
BC	54.5

위 자료에 대한 설명으로 옳은 것만을 〈보기〉에서 있는 대로 고른 것은? (단, A~C는 임의의 원소 기호이다.)

┤ 보기 ├
ㄱ. 세 화합물 중 쌍극자 모멘트는 AB가 가장 크다.
ㄴ. 세 화합물 중 비공유 전자쌍은 BC가 가장 많다.
ㄷ. 전기 음성도는 C>B>A이다.

① ㄱ　　　　② ㄷ　　　　③ ㄱ, ㄴ
④ ㄴ, ㄷ　　　⑤ ㄱ, ㄴ, ㄷ

06 그림은 과산화 수소의 구조식을 나타낸 것이다.

$$H-O-O-H$$

과산화 수소 분자에 대한 설명으로 옳은 것만을 〈보기〉에서 있는 대로 고른 것은?

┤ 보기 ├
ㄱ. 비공유 전자쌍이 있다.
ㄴ. 무극성 공유 결합이 있다.
ㄷ. 중심 원자가 옥텟 규칙을 만족한다.

① ㄱ　　　　② ㄷ　　　　③ ㄱ, ㄴ
④ ㄴ, ㄷ　　　⑤ ㄱ, ㄴ, ㄷ

07 그림은 탄소와 수소, 탄소와 플루오린의 결합을 모형으로 나타낸 것이다.

이에 대한 설명으로 옳은 것만을 〈보기〉에서 있는 대로 고른 것은?

┤ 보기 ├
ㄱ. (가)와 (나)는 모두 극성 공유 결합이다.
ㄴ. (가)의 탄소와 (나)의 탄소는 전기 음성도가 다르다.
ㄷ. (가)의 탄소와 (나)의 탄소는 부분 전하의 부호가 반대이다.

① ㄱ　　　　② ㄴ　　　　③ ㄱ, ㄷ
④ ㄴ, ㄷ　　　⑤ ㄱ, ㄴ, ㄷ

08 그림은 화합물 AB_4C의 화학 결합을 전자 배치 모형으로 나타낸 것이다.

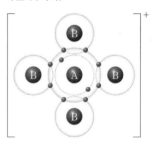

이에 대한 설명으로 옳은 것만을 〈보기〉에서 있는 대로 고른 것은? (단, A~C는 임의의 원소 기호이다.)

┤ 보기 ├
ㄱ. 이 화합물을 이루는 모든 결합은 공유 결합이다.
ㄴ. A는 C보다 전기 음성도가 작다.
ㄷ. BC는 공유 결합 화합물이다.

① ㄱ　　　　② ㄴ　　　　③ ㄱ, ㄷ
④ ㄴ, ㄷ　　　⑤ ㄱ, ㄴ, ㄷ

그림은 주기율표의 일부를 나타낸 것이다.

주기 \ 족	1	2	13	14	15	16	17	18
1								A
2				B		C		
3	D							E

원소 A~E에 대한 설명으로 옳은 것만을 〈보기〉에서 있는 대로 고른 것은? (단, A~E는 임의의 원소 기호이다.)

┤ 보기 ├
ㄱ. A의 전기 음성도가 가장 크다.
ㄴ. B와 C는 무극성 공유 결합을 한다.
ㄷ. D와 E의 전기 음성도 차이는 B와 C의 전기 음성도 차이보다 클 것이다.

① ㄱ　　　　　② ㄷ　　　　　③ ㄱ, ㄴ
④ ㄴ, ㄷ　　　　⑤ ㄱ, ㄴ, ㄷ

10 그림은 탄소만으로 이루어진 두 물질의 결정 구조를 나타낸 것이다.

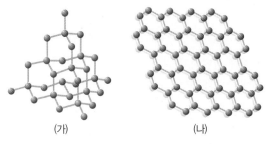

(가)　　　　　　　　　(나)

(가)와 (나)의 공통점에 대한 설명으로 옳은 것만을 〈보기〉에서 있는 대로 고른 것은?

┤ 보기 ├
ㄱ. 탄소의 결합각이 같다.
ㄴ. 전류가 흐르지 않는다.
ㄷ. 모든 결합의 쌍극자 모멘트 값이 0이다.

① ㄱ　　　　　② ㄷ　　　　　③ ㄱ, ㄴ
④ ㄴ, ㄷ　　　　⑤ ㄱ, ㄴ, ㄷ

서술형 문제

11 다음 글을 읽고, 물음에 답하시오.

　　⊙　은/는 분자 내 원자가 그 원자의 결합에 관여하고 있는 전자쌍을 끌어당기는 정도를 나타내는 척도이다. 이것은 가장 바깥 전자 껍질에 있는 전자 수와 핵에서 떨어져 있는 전자 껍질 간 거리의 함수이다. 원자는 거의 채워져 있는 전자 껍질은 완전히 채우려 하고, 거의 빈 전자 껍질은 쉽게 전자를 포기하려는 경향이 있다. 예를 들면 원자가 전자가 7개인 염소는 가장 바깥 전자 껍질을 채우기 위해 전자를 얻으려고 하는 반면, 원자가 전자가 1개인 나트륨은 그 원자가 전자를 쉽게 잃으려고 한다.

(1) 위 글이 설명하는 ⊙은 무엇인지 쓰시오.

_____

(2) 만약 모든 원자들이 전자쌍을 끌어당기는 정도가 같다면 분자는 어떻게 될지 서술하시오.

_____
_____

12 그림은 주기율표에 전기 음성도를 나타낸 것이다.

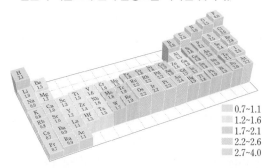

우리 몸은 대부분 물과 단백질, 지방, 탄수화물 등의 유기물로 구성되어 있다. 이러한 유기물은 모두 탄소가 중심이 되는 탄소 화합물이다. 탄소는 대부분의 원소와 공유 결합을 하기 때문에 생명체를 구성하는 데 중요한 역할을 한다. 탄소가 대부분의 원소와 공유 결합을 하는 까닭을 위의 전기 음성도 그림을 참고하여 서술하시오.

_____
_____
_____

02 분자의 구조

내 교과서는 어디에?

천재 p.132~146 금성 p.121~133 교학사 p.128~135 동아 p.142~157 미래엔 p.130~145
비상 p.123~130 상상 p.130~150 지학사 p.120~142 YBM p.145~159

핵심 Point
- 원자, 분자, 이온, 화합물을 **루이스 전자점식**으로 표현할 수 있다.
- **전자쌍 반발 이론**에 근거하여 분자의 구조를 모형으로 나타낼 수 있다.
- 분자의 극성과 끓는점 등 물리적, 화학적 성질이 **분자 구조**와 관계가 있음을 이해한다.

1 루이스 전자점식과 구조식

1. 루이스[1] 전자점식 원자 사이의 결합을 나타내기 위하여 원소 기호 주위에 원자가 전자를 점으로 표시하여 나타낸 식

족 주기	1	2	13	14	15	16	17	18
1	H·							·He·
2	Li·	·Be·	·B·	·C·	·N·	:O·	:F·	:Ne:
3	Na·	·Mg·	·Al·	·Si·	·P·	:S·	:Cl·	:Ar:

▲ 1~3 주기 원소의 루이스 전자점식

[루이스 전자점식 나타내는 법][2]
원소 기호의 오른쪽, 왼쪽, 위, 아래에 원자가 전자를 전자점으로 한 개씩 그린 뒤, 다시 한 개씩 더 그려서 쌍을 이루게 한다.

① **공유 전자쌍**: 두 원자 사이에 공유되어 공유 결합을 하는 전자쌍
② **비공유 전자쌍**: 공유 결합에는 참여하지 않고 한 원자에만 속해 있는 전자쌍

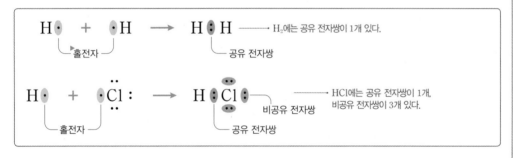

H· + ·H → H:H ── H₂에는 공유 전자쌍이 1개 있다.
  └홀전자   └홀전자   └공유 전자쌍

H· + ·Cl: → H:Cl: ── HCl에는 공유 전자쌍이 1개, 비공유 전자쌍이 3개 있다.
  └홀전자   └비공유 전자쌍
                 └공유 전자쌍

2. 루이스 구조식 루이스 전자점식으로 표현한 공유 결합 분자의 전자 배치를 간단하게 나타낸 것으로, 공유 전자쌍을 결합선(—)으로 나타낸 분자의 구조식이다. → 비공유 전자쌍은 생략하기도 한다.

① **단일 결합**: 두 원자 사이에 공유 전자쌍이 1개인 공유 결합을 단일 결합이라고 하며, 1개의 결합선(—)으로 나타낸다.

H:Cl: H—Cl:
▲ 루이스 전자점식   ▲ 루이스 구조식

② **다중 결합**: 두 원자 사이에 공유 전자쌍이 2개와 3개인 결합을 각각 2중 결합과 3중 결합이라고 하며, 각각 결합선 2개(=)와 3개(≡)로 나타낸다.

2중 결합
:O:O: :O=O:
루이스 전자점식   루이스 구조식
▲ 2중 결합(예 O₂)

3중 결합
:N:N: :N≡N:
루이스 전자점식   루이스 구조식
▲ 3중 결합(예 N₂)

---

❶ 루이스(Lewis, G. N., 1875~1946)

미국의 과학자로 옥텟 규칙, 전자쌍 등의 개념으로 공유 결합의 본질을 설명하였다. 또한, 비공유 전자쌍의 개념으로 산과 염기를 정의하였다.

❷ 루이스 전자점식 나타내는 법

일반적으로 전자쌍을 나타내려는 원자에 보이지 않는 네모 상자를 상상하고, 한 변에 최대 2개의 전자를 배치한다. 다만, 3중 결합과 같이 한 변에 전자 3쌍(6개)을 배치하는 경우도 있고, 네모를 유지하지 않는 경우도 있다.

· 일반적인 전자 배치

:F: :F:

한 변당 전자 2개씩

· 한 변에 전자 3쌍(6개) 배치

:N:::N:

· 네모를 유지하지 않음

:O::O:

--- 용어 ---

▶ **홀전자**: 원자가 전자 중에 쌍을 이루지 않은 전자
▶ **구조식**: 분자를 구성하는 원자와 원자 사이의 결합 모양이나 배열 상태를 결합선을 사용하여 나타낸 것

3. 분자의 루이스 전자점식 그리기 루이스 전자점식은 옥텟 규칙에 따라 전자를 배치하는 것을 기본 원칙으로 한다. → 루이스 전자점식을 이용하면 분자들의 결합을 간단하게 표현할 수 있다.

루이스 전자점식 그리는 순서	예 CH₂O 분자
① 분자를 구성하는 모든 원자의 원자가 전자 수 합을 구한다.	원자의 원자가 전자 수 C는 4, 2개의 H는 각각 1씩, O는 6 ➡ 원자가 전자 수의 합=4+1×2+6=12
② 중심 원자를 찾아서 골격 구조를 그린다. • 보통 결합선이 많은 원자 또는 크기가 큰 원자가 중심 원자가 된다. • 전기 음성도가 작은 원자가 중심에 위치하는 편이다. • H와 F은 끝부분에 붙는다.	전기 음성도가 작은 탄소를 중심 원자로 선택 O H C H
③ 중심 원자와 주변 원자 사이의 결합에 전자를 2개씩 할당한다.	탄소 주변에 공유 전자쌍 배치(공유 전자쌍 3개=전자 6개) O H:C:H
④ 주변 원자에 옥텟 규칙을 만족하도록 전자쌍을 그린다.	산소 주변에 비공유 전자쌍 배치(비공유 전자쌍 3개=전자 6개) Ö H:C:H
⑤ 남은 전자를 중심 원자에 쌍으로 배치하며, 중심 원자의 전자 수가 8보다 작으면 2중 결합이나 3중 결합을 만든다. └ 주변 원자의 비공유 전자쌍을 공유 전자쌍으로 바꾸어 옥텟 규칙을 만족하게 한다.	탄소 주위의 전자가 6개이므로 산소 원자에 속한 비공유 전자쌍 1개를 탄소와 산소 사이로 옮겨 2중 결합으로 배치 Ö H:C:H

4. 원자의 족과 공유 결합 수

① 주기율표의 족에 따라 원자가 가진 원자가 전자 중에서 쌍을 이루고 있지 않은 전자의 수가 다르다.

② 족에 따른 공유 결합 수

족	1	14	15	16	17
결합 가능한 전자 수	1	4	3	2	1
형성 가능한 루이스 구조식❸	H	−C− C =C= ≡C−	−N− N :N≡	−Ö− =Ö:	:F:
공유 결합 수	1	4	3	2	1

<개념 확인하기>

1 분자의 루이스 전자점식은 원소 기호 주위에 공유 전자쌍만을 나타낸다. (○, ×)

2 루이스 구조식에서 2중 결합은 결합선 ( )개, 3중 결합은 결합선 ( )개로 나타낸다.

3 루이스 구조식을 그릴 때 대부분의 구성 원자들은 ( )을/를 만족해야 한다.

4 탄소는 ( )족 원소이고, ( )개의 공유 결합이 가능하다.

답 1 × 2 2, 3 3 옥텟 규칙 4 14, 4

❸ 구조식

루이스 구조식은 루이스 전자점식에서 공유 전자쌍을 결합선으로 나타낸 것이며, 일반 구조식은 루이스 구조식에서 비공유 전자쌍을 삭제한 것이다.

예 사염화 탄소(CCl₄) 분자

루이스 전자점식	:Cl: :Cl: C :Cl: :Cl:
루이스 구조식	:Cl: :Cl−C−Cl: :Cl:
구조식	Cl Cl−C−Cl Cl

암기 콕

• 질소 분자의 안정한 루이스 구조식

:N̈−N̈: (×)　　:N≡N: (○)

• 이산화 탄소의 안정한 루이스 구조식

:Ö−C≡O: (×)　　Ö=C=Ö (○)

━ 용어 ━

▶ **중심 원자**: 분자의 중심에서 주변 원자들과 결합하는 원자

셀파 탐구

분자, 이온, 화합물을 루이스 전자점식으로 표현하기

목표   여러 가지 분자, 이온, 화합물을 루이스 전자점식으로 표현할 수 있다.

과정

❶ 분자, 이온, 화합물을 구성하는 모든 원자의 원자가 전자 수의 합을 구한다.

❷ 중심 원자를 정하고 중심 원자와 주변 원자 사이에 공유 전자쌍 1개씩을 그린다.

❸ 옥텟 규칙에 따라 주변 원자부터 전자를 배치한다.

❹ 중심 원자가 옥텟 규칙을 만족하도록 남은 전자를 배치한다.

❺ 중심 원자의 전자 수가 8개 미만이면 주변 원자의 비공유 전자쌍을 공유 전자쌍으로 바꾸어 옥텟 규칙을 만족하도록 한다.

분자	루이스 전자점식	분자	루이스 전자점식	분자, 이온, 화합물	루이스 전자점식
메테인 (CH_4)	H : C : H 구조 (H 위·아래)	플루오린 (F_2)	:F::F:	이산화 탄소 (CO_2)	Ö::C::Ö
암모니아 (NH_3)	H : N : H 구조 (H 아래)	산소 (O_2)	:Ö::Ö:	수산화 이온 (OH^-)	[:Ö:H]⁻
물 (H_2O)	H : Ö : 구조 (H 아래)	질소 (N_2)	:N:::N:	염화 암모늄 (NH_4Cl)	[H:N:H]⁺ [:Cl:]⁻

결과 및 정리

1. 탄소, 질소, 산소에서 공유 결합을 통해 공유 전자쌍이 될 수 있는 전자는 각각 몇 개인가?

→ 탄소는 4개, 질소는 3개, 산소는 2개이다.

2. 메테인, 암모니아, 물 분자의 공유 전자쌍과 비공유 전자쌍은 각각 몇 개인가?

→ 메테인은 공유 전자쌍이 4개이고, 비공유 전자쌍은 없다. 암모니아는 공유 전자쌍이 3개, 비공유 전자쌍이 1개이다. 물은 공유 전자쌍이 2개, 비공유 전자쌍이 2개이다.

3. 수산화 이온을 구성하는 모든 원자의 원자가 전자 수의 합과 수산화 이온의 전자점식에 나타난 전자 수의 차이를 설명해 보자.

→ 수산화 이온을 구성하는 원자는 H와 O로 원자가 전자 수의 합은 1＋6＝7이고, 수산화 이온의 전자점식에 나타난 전자 수는 8로 1개가 더 많다. 그 까닭은 전자 1개를 받아 음이온이 되면 안정한 전자 배치를 이룰 수 있기 때문이다.

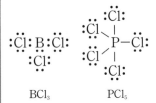

강의 콕

• 이온에서 원자가 전자 수의 합을 구할 때 이온의 전하만큼 전자 수를 합하거나 뺀다.

• 중심 원자를 정할 때 공유 결합을 가장 많이 할 수 있는 원자를 중심 원자로 정한다.

탐구 돋보기

중심 원자가 옥텟 규칙을 만족하지 않는 분자 예

:Cl: B :Cl:
  :Cl:

:Cl: 구조 P-Cl 구조

BCl₃   PCl₅

• BCl₃: B가 8개보다 전자를 적게 가짐

• PCl₅: P가 8개보다 전자를 많이 가짐

시험 유형은?

❶ 플루오린 분자에서 공유 전자쌍과 비공유 전자쌍의 수는?

▶ 공유 전자쌍은 1개, 비공유 전자쌍은 6개이다.

❷ 질소 원자가 화학 결합하여 질소 분자가 될 때 모든 원자가 옥텟 규칙을 만족하기 위한 조건은?

▶ 2개의 질소 원자가 3중 결합을 한다.

탐구 대표 문제 정답과 해설 45쪽

01 그림은 CO_2 분자의 루이스 전자점식을 나타낸 것이다. 이에 대한 설명으로 옳지 않은 것은?   Ö::C::Ö

① 탄소와 산소로 이루어져 있다.   ② 2중 결합이 있다.

③ 탄소는 중심 원자이다.   ④ 모든 원자가 옥텟 규칙을 만족한다.

⑤ 모든 원자에 비공유 전자쌍이 있다.

2 분자의 구조

1. 전자쌍 반발 이론(VSEPR 이론)

① **전자쌍 반발 이론**: 영국의 화학자 시지윅에 의해 제안된 이론으로, 분자에서 중심 원자를 둘러싸고 있는 <u>전자쌍들은 정전기적 반발력을 최소화하기 위해 서로 멀리 떨어져 있으려고 한다</u>는 이론이다.
　　　　　　└ 전자쌍들은 (−)전하를 띠고 있으므로 서로 반발한다.

➡ 비금속 원자들 사이의 공유 결합으로 이루어진 분자의 구조를 예측하기에 매우 유용하다.

② **전자쌍 반발 이론에 따른 전자쌍의 배치**: 중심 원자 주위에 존재하는 전자쌍의 수에 따라 전자쌍 배치와 분자 구조가 달라진다.

전자쌍의 수	2개	3개	4개
풍선 모형			
전자쌍 배치 구조	180°	120°	109.5°
	전자쌍이 서로 반대 방향으로 배치	전자쌍이 삼각형의 세 꼭짓점을 향하도록 배치	전자쌍이 정사면체의 네 꼭짓점 방향으로 각각 배치
분자 구조	직선형	평면 삼각형	정사면체형
	평면 구조		입체 구조
결합각❹	180°	120°	109.5°

③ 전자쌍이 차지하는 공간
* **공유 전자쌍**: 두 원자핵 사이에 공유되고, 전자쌍들은 두 원자핵에 가깝게 존재하므로 두 원자핵 사이에 한정된다.
* **비공유 전자쌍**: 두 원자핵 사이에 공유된 것이 아니라 한 원자핵에만 편재되어 있기 때문에 공유 전자쌍보다 원자 주변의 더 많은 공간을 차지하게 된다.
* 비공유 전자쌍이 공유 전자쌍보다 더 많은 공간을 차지하므로, 비공유 전자쌍이 많을수록 공유 전자쌍 사이의 각을 작게 만든다.

④ 공유 전자쌍과 비공유 전자쌍의 반발력 크기 비교

| 비공유 전자쌍 사이의 반발력 | > | 비공유 전자쌍과 공유 전자쌍 사이의 반발력 | > | 공유 전자쌍 사이의 반발력 |

개념 확인하기

1 전자쌍 반발 이론은 중심 원자를 둘러싸고 있는 전자쌍들이 (　　)을/를 최소화하기 위해 서로 멀리 떨어져 있으려고 한다는 이론이다.

2 중심 원자에 4개의 공유 전자쌍만 존재하는 분자 구조는 (　　)이다.

3 비공유 전자쌍 사이의 반발력은 공유 전자쌍 사이의 반발력보다 더 (크 , 작)다.

답 1 정전기적 반발력 2 정사면체형 3 크

❹ **결합각**
중심 원자(A)의 원자핵과 결합한 이웃 원자(B)의 원자핵을 연결한 선이 이루는 각도이다. 결합각의 크기는 전자쌍 반발 이론에 의해 결정되고, 결합각은 분자 구조를 예측하는 데 중요한 역할을 한다.

강의 콕!
②의 전자쌍 배치에 따른 분자 구조는 중심 원자에 비공유 전자쌍이 없을 때 공유 전자쌍 수에 따른 분자 구조이다. 중심 원자에 비공유 전자쌍이 존재하면 분자 구조가 달라진다.

셀파 콕콕
공유 전자쌍 수에 따른 분자 구조가 한 평면에 존재하는지의 여부와 결합각을 묻는 문제가 자주 출제된다.

━━ 용어 ━━
▶ **VSEPR**: Valence shell electron pair repulsion, 원자가 껍질 전자쌍 반발
▶ **분자 구조**: 분자 내 원자들의 3차원적 배열
▶ **평면 구조**: 모든 원자가 동일 평면에 존재하는 구조
▶ **입체 구조**: 모든 원자가 동일 평면 내에 있지 않은 구조

2. 분자의 구조[5]

① 이원자 분자의 구조: 이원자 분자는 2개의 원자가 결합되어 형성되므로 분자 구조가 항상 직선형이며, 결합각은 180°이다.

분자식	H_2	HCl	O_2	N_2
루이스 구조식	H–H	$H-\ddot{\underset{..}{C}}l$	$\ddot{\underset{..}{O}}=\ddot{\underset{..}{O}}$	$:N\equiv N:$
분자 모형	H H	H Cl	O O	N N
분자 구조	직선형	직선형	직선형	직선형

└ 같은 원자끼리 결합하거나 서로 다른 원자가 결합하거나 모두 직선형이다.

② 중심 원자에 공유 전자쌍만 존재하는 분자의 구조: 중심 원자 주위의 공유 전자쌍 수에 따라 분자 구조가 달라진다.

공유 전자쌍의 수	2개	3개	4개
루이스 구조식	H–Be–H	(BCl₃ 구조) 옥텟 규칙 예외	$H-C-H$ (위아래 H)
분자 모형	H Be H	Cl B Cl Cl	H C H H H
분자 구조	직선형	평면 삼각형	정사면체형
	평면 구조		입체 구조
결합각	180°	120°	109.5°
화합물의 예	BeH_2, BeF_2, $BeCl_2$	BCl_3	CH_4, CCl_4, SiH_4, SiF_4

[중심 원자 주위의 전자쌍이 5개와 6개인 분자의 구조]

분자의 중심 원자가 2주기 원소일 때에는 비교적 옥텟 규칙을 잘 따르지만, 3주기 이상의 원소에서는 d 오비탈이 존재하여 옥텟 규칙을 따르지 않는 경우가 있다. 예 PF_5와 SF_6

공유 전자쌍의 수	5개(예 PF_5)	6개(예 SF_6)
분자 모형과 결합각	90°, 120°	90°, 90°
분자 구조	삼각쌍뿔형	정팔면체형

[5] 3차원적 분자 구조 나타내기
3차원적 분자 구조를 평면에 나타내기 위해 다음과 같은 기호를 사용한다.

직선	점선 쐐기	두꺼운 쐐기
——	·····ılllı	◄━━
평면에 있는 결합	평면 뒤로 향하는 결합	평면 앞으로 향하는 결합

예 CH_4의 분자 구조

분자 모형	(CH₄ 분자 모형)
루이스 구조식 (2차원)	$H-C-H$ (위아래 H)
루이스 구조식 (3차원)	(CH₄ 3차원 구조)

강의 콕콕
공유 전자쌍이 4개인 분자의 경우 루이스 구조식은 평면처럼 보여 결합각을 90°로 착각하기 쉽다. 하지만 이 구조는 결합각이 109.5°인 입체 구조이다.

셀파 콕콕
분자 구조가 직선형, 정사면체형인 분자는 다양한 분자가 존재하지만, 정삼각형인 분자는 붕소(B) 화합물인 경우가 대부분이다.

━━ 용어 ━━
▶ **삼각쌍뿔**: 정사면체 2개를 붙인 다면체

③ 중심 원자에 비공유 전자쌍이 존재하는 분자의 구조: 비공유 전자쌍에 의한 반발력이 더 크므로 중심 원자에 비공유 전자쌍이 많을수록 결합각이 작다.**❻**

공유 전자쌍의 수	4개	3개	2개
비공유 전자쌍의 수	0개	1개	2개
루이스 구조식	H | H－C－H | H 공유 전자쌍 사이의 반발력만 존재한다.	.. N H | H H 비공유 전자쌍과 공유 전자쌍 사이의 반발력이 공유 전자쌍들 사이의 반발력보다 크다.	:O: H H 비공유 전자쌍들 사이의 반발력이 공유 전자쌍과 비공유 전자쌍 사이의 반발력보다 크다.
분자 모형	109.5°	107°	104.5°
분자 구조	정사면체형	▸삼각뿔형	굽은 형
결합각	109.5°	107°	104.5°
화합물의 예	CH_4, CF_4, NH_4^+	NH_3, PH_3	H_2O, H_2S, OF_2

④ 중심 원자에 다중 결합이 포함된 분자의 구조: 다중 결합을 단일 결합으로 간주하여 분자 구조를 예측한다.

	2중 결합		3중 결합	
분자	이산화 탄소 (CO_2)	▸에텐 (C_2H_4)	▸에타인 (C_2H_2)	사이안화 수소 (HCN)
루이스 구조식	:Ö=C=Ö: 탄소 주위에 전자쌍 2개가 있는 것과 같다.	H﹨ ﹢C=C﹢ ⁄H H⁄ ﹨H 탄소 주위에 전자쌍 3개가 있는 것과 같다.	H－C≡C－H 탄소 주위에 전자쌍 2개가 있는 것과 같다.	H－C≡N: 탄소 주위에 전자쌍 2개가 있는 것과 같다.
분자 모형	180°	120°	180°	180°
분자 구조	직선형	평면형	직선형	직선형
결합각	180°	120°	180°	180°

❻ 분자 구조 예측

전자쌍 반발 이론에 따라 다음과 같은 순서로 분자 구조를 예측한다.
① 분자의 루이스 구조식을 그린다.
② 중심 원자에 결합한 원자 수를 확인하고, 비공유 전자쌍 수를 구한다.
③ 전자쌍 배열을 결정하고, 비공유 전자쌍을 제거하여 분자 구조를 예측한다.
④ 비공유 전자쌍의 반발을 고려하여 결합각을 예측한다.

강의 콕

중심 원자에 비공유 전자쌍이 존재하면 전자쌍 간의 반발력 차이에 의해 결합각이 달라지지만, 기본적으로 주변 전자쌍이 3개인 경우는 120°, 4개인 경우는 109.5°에서 결합각이 조금 변화가 생기는 정도이다.

━━━ 용어 ━━━

▸ **삼각뿔**: 밑면이 삼각형인 각뿔. 사면체라고도 한다.
▸ **에텐(C_2H_4)**: 에틸렌이라고도 하며, 주로 합성 섬유, 합성 수지 등의 원료로 사용된다.
▸ **에타인(C_2H_2)**: 아세틸렌이라고도 하며, 주로 용접, 절단 등에 사용되거나 합성 수지 원료로 사용된다.

개념 확인하기

1 이원자 분자는 항상 직선형 구조를 가진다. (○ , ×)
2 BeH_2, BCl_3, CH_4는 구성 원자가 모두 한 평면에 존재하는 분자들이다. (○ , ×)
3 비공유 전자쌍의 반발력에 의해 물의 H-O-H 결합각은 메테인의 H-C-H 결합각보다 크다. (○ , ×)
4 BeH_2, CO_2, C_2H_2의 분자 구조는 모두 직선형이다. (○ , ×)

답 1 ○ 2 × 3 × 4 ○

▶ 전자쌍이 배치되는 원리를 파악하여 분자 모형을 예측해 보아요.

전자쌍 반발 이론

01 메테인, 암모니아, 물의 분자 구조 비교

- 전자쌍 반발 이론에 의하면 전자쌍이 4개인 분자는 정사면체형의 분자 구조를 갖는다. 4개의 전자쌍 중 비공유 전자쌍 수에 따라 분자의 구조와 결합각이 달라진다.
- 중심 원자 주위에 전자쌍이 4개일 때 비공유 전자쌍이 없으면 정사면체형, 1개이면 삼각뿔형, 2개이면 굽은 형이 된다.

분자	메테인(CH_4)	암모니아(NH_3)	물(H_2O)
비공유 전자쌍 수(개)	0	1	2
루이스 구조식 (전자쌍 배치)	H–C–H (H 위, H 아래)	H–N–H (H 아래)	O–H (H)
분자의 기하 구조와 결합각	109.5° 정사면체형 → 입체 구조	107° 삼각뿔형 → 입체 구조	104.5° 굽은 형 → 평면 구조

02 메테인, 암모니아, 물 분자의 결합각 비교

- 메테인은 탄소 원자를 중심으로 주변 원자들이 모두 동일한 반발력을 가지고 있어 결합각이 109.5°가 된다.
- 암모니아는 질소 원자를 중심으로 3개의 수소 원자와 1개의 비공유 전자쌍이 있는데, 비공유 전자쌍과 공유 전자쌍 사이의 반발력이 공유 전자쌍들 사이의 반발력보다 더 커서 수소 원자들을 모이게 하므로 결합각이 109.5°보다 작은 107°가 된다.
- 물은 산소 원자를 중심으로 2개의 수소 원자와 2개의 비공유 전자쌍이 있는데, 비공유 전자쌍들 사이의 반발력이 커서 상대적으로 반발력이 약한 공유 전자쌍들 사이가 많이 좁아져 결합각이 104.5°가 된다.

＋ Plus 자료

CF_4와 XeF_4의 구조 비교

XeF_4는 CF_4와 다르게 중심 원자에 4개의 플루오린 원자가 결합하고 2개의 비공유 전자쌍이 존재한다. 전자쌍 반발 이론에 따라 Xe 원자 주변에 플루오린 원자들은 90° 간격으로 한 평면에 존재하고, 비공유 전자쌍은 평면의 위 아래에 위치한다.

화학식	CF_4	XeF_4
전자쌍	4	6
비공유 전자쌍	0	2
분자 구조	정사면체형	평면 사각형
결합각	109.5°	90°

셀파 콕콕 ♀

메테인, 암모니아, 물의 분자 구조와 결합각을 묻는 문제는 매우 자주 출제되므로 세 분자의 구조적 차이점을 반드시 이해하도록 한다. 결합각은 메테인＞암모니아＞물 순서이다.

---

01 메테인, 암모니아, 물에 대한 설명으로 옳은 것은?

① 세 분자 모두 입체 구조이다.

② 물 분자의 결합각이 가장 크다.

③ 세 분자의 분자량이 모두 같다.

④ 중심 원자에 전자쌍이 가장 많은 것은 메테인이다.

⑤ 중심 원자 주위의 비공유 전자쌍의 수에 따라 결합각이 달라진다.

| 해설 | 중심 원자에 4개의 전자쌍이 존재하면 기본적으로 정사면체형의 분자 구조이지만, 중심 원자 주위의 비공유 전자쌍 수에 따라 결합각과 분자 구조가 달라진다.

답 ⑤

02 다음은 물 분자와 암모니아 분자의 결합각이 다른 까닭에 대한 설명이다. (   )에 들어갈 내용으로 알맞은 것은?

> 물은 암모니아보다 (   )이/가 많아서/커서 주변 원자인 수소 원자에 미치는 반발력이 더 크기 때문이다.

① 분자량

② 구성 원자의 종류

③ 중심 원자의 전하량

④ 중심 원자의 전자쌍

⑤ 중심 원자의 비공유 전자쌍

| 해설 | 물은 암모니아보다 중심 원자에 비공유 전자쌍이 많아서 주변 원자인 수소 원자에 미치는 반발력이 더 크다.

답 ⑤

1. 무극성 분자 분자 내 전하가 고르게 분포되어 있어서 부분 전하를 갖지 않는 분자

① 같은 원소로 이루어진 이원자 분자: 같은 원소끼리는 무극성 공유 결합을 하여 결합의 쌍극자 모멘트가 0이므로 무극성 분자이다. 예 H_2, O_2, N_2, F_2 등

② 대칭 구조의 다원자 분자: 서로 다른 원자끼리는 극성 공유 결합을 하지만, 대칭 구조를 이루어 결합의 쌍극자 모멘트 합이 0이 되므로 무극성 분자이다. 예 CO_2, BCl_3, CH_4 등

구분	이원자 분자	다원자 분자
분자 모형	H_2 O_2 N_2	CO_2 두 쌍극자 모멘트의 크기가 같고 방향이 반대이다. BCl_3 세 쌍극자 모멘트의 크기가 같고 대칭 방향이다. CH_4 네 쌍극자 모멘트의 크기가 같고 대칭 방향이다.
결합의 극성	무극성 공유 결합	극성 공유 결합
분자 구조의 대칭	대칭 구조	대칭 구조
결합의 쌍극자 모멘트 합	0	0

2. 극성 분자 분자 내 전하의 분포가 고르지 않아 부분 전하를 갖는 분자

① 서로 다른 원소로 이루어진 이원자 분자: 서로 다른 원자끼리는 극성 공유 결합을 하여 결합의 쌍극자 모멘트가 0이 아니므로 극성 분자이다. 예 HCl, CO, NO 등

② 비대칭 구조의 다원자 분자: 서로 다른 원자끼리 극성 공유 결합을 하며, 비대칭 구조를 이루어 결합의 쌍극자 모멘트 합이 0이 아니므로 극성 분자이다. 예 NH_3, H_2O, HCN, CH_3Cl 등

구분	이원자 분자	다원자 분자
분자 모형	HCl 전기 음성도가 큰 Cl 쪽으로 전자쌍이 치우친다.	NH_3 H_2O HCN
결합의 극성	극성 공유 결합	극성 공유 결합
분자 구조의 대칭	비대칭 구조	비대칭 구조
결합의 쌍극자 모멘트 합	0이 아님	0이 아님

개념 확인하기

1 같은 종류의 원자로 구성된 이원자 분자는 모두 무극성 분자이다. (○ , ×)

2 분자가 비대칭 구조이면 결합의 쌍극자 모멘트 합이 0이고, 무극성 분자이다. (○ , ×)

3 CO_2, H_2O, BCl_3, NH_3, CH_4 중 무극성 분자는 ( )이다.

답 1. ○ 2. × 3. CO_2, BCl_3, CH_4

---

❼ 분자의 극성을 알아보는 방법

① 분자의 루이스 구조식을 나타내고, 분자의 구조를 예측한다.

② 결합하는 두 원자의 전기 음성도를 비교하여 극성 결합의 벡터량을 나타낸다.

③ 극성 결합에 대응하는 벡터의 합으로부터 결합의 쌍극자 모멘트 합을 구하여 분자의 극성 여부를 예측한다.

강의 콕

극성 공유 결합을 하면 극성 분자라고 생각하기 쉽다. 극성 공유 결합을 하더라도 대칭 구조를 이루면 결합의 쌍극자 모멘트 합이 0이 되어 무극성 분자가 된다.

암기 콕

· 결합의 쌍극자 모멘트 합이 0이면 ➡ 무극성 분자

· 결합의 쌍극자 모멘트 합이 0이 아니면 ➡ 극성 분자

용어

▶ 대칭: 분자 내 원자가 점이나 직선 또는 평면의 양쪽에 있는 부분이 똑같은 모양으로 배치되어 있는 것

쌍극자 모멘트로 분자의 극성 구별

01 힘의 합성

힘의 합성 원리를 확실히 이해하면 쌍극자 모멘트의 합을 쉽게 구할 수 있다.

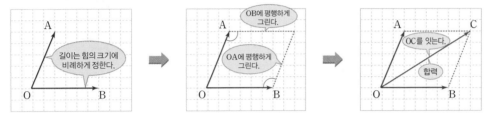

02 힘의 합성을 이용한 분자의 극성 구별하기

분자식	분자 모양	쌍극자 모멘트의 합성	쌍극자 모멘트 합	극성
CO_2	O C O	① ② → 상쇄 크기가 같고 방향이 반대인 두 힘의 합력은 0이다.	$\mu=0$	무극성
BCl_3	Cl B Cl Cl	① ② → ①+② → ①+② 60° 120° 60° ③ ③의 힘은 합력인 ①+②의 힘과 크기는 같고 방향은 반대이다.	$\mu=0$	무극성
CH_4	H C H H H	③ ④ ① ② → ③ ④ ① ② → ③+④ ①+② → ③+④ ①+②	$\mu=0$	무극성
NH_3	N H H H	① ② → ① ② → ① ①+② → ①+② ③ → ①+② →	$\mu\neq0$	극성
H_2O	H O H	① ② → ① ② → ①+② →	$\mu\neq0$	극성

01 염화 메틸렌(CH_2Cl_2)의 실제 분자 구조는 그림 (가)와 같다. 분자 구조가 그림 (나)와 같다고 가정했을 때 달라지는 점으로 옳지 <u>않은</u> 것은?

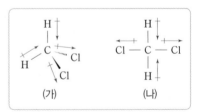

(가)   (나)

① 끓는점이 낮아진다.

② 쌍극자 모멘트의 합이 0이다.

③ 분자 내의 전하 분포가 고르다.

④ 사염화 탄소보다 물에 잘 녹는다.

⑤ 기체 상태에서 전기장을 통해 주었을 때 전기장의 영향을 받지 않는다.

| 해설 | 분자 구조 (가)의 경우 결합의 쌍극자 모멘트 합이 0이 아니지만, (나)의 경우 결합의 쌍극자 모멘트 합이 0인 무극성 분자로 극성일 때보다 끓는점이 낮아지고 전자가 분자 내에 고르게 분포되어 전하를 띠지 않게 되므로 극성 용매보다 무극성 용매에 잘 녹는다.   답 ④

▶ 분자 구조의 대칭성을 비교하여 분자의 극성과 물질의 성질을 예측해 보아요.

분자의 대칭성과 극성

01 에탄올과 다이메틸 에테르의 분자 모형

에탄올과 다이메틸 에테르는 분자식이 C_2H_6O로 같은 물질이다. 이 두 물질은 분자 구조가 다르기 때문에 이들이 갖는 성질이 서로 다르다.

에탄올	다이메틸 에테르

탄소와 수소 쪽에 부분적인 양전하가, 산소 쪽에 부분적인 음전하가 생긴다.

02 에탄올과 다이메틸 에테르의 성질 비교

물질	에탄올	다이메틸 에테르
분자식	$CH_3CH_2OH(C_2H_6O)$	$CH_3OCH_3(C_2H_6O)$
녹는점(℃) / 끓는점(℃)	$-114.5 / 78.3$	$-141.5 / -24.9$
물질의 극성	극성	극성
구조의 비대칭 정도	비대칭이 심함	비대칭이 약함(좌우 대칭)
화학적 성질	금속 나트륨과 반응하여 수소 기체를 발생한다.	금속 나트륨과 반응하지 않는다.

03 에탄올과 다이메틸 에테르의 녹는점과 끓는점이 차이가 나는 까닭

에탄올의 분자 구조는 다이메틸 에테르와 비교하여 비대칭 정도가 더 크기 때문에 극성이 더 강하다. 따라서 에탄올이 더 큰 부분 전하를 띠게 되고, 분자 간에 인력이 더 강하게 작용하므로 녹는점과 끓는점이 높게 나타난다.

➕ Plus 자료

구조 이성질체

분자식은 같지만 구조가 달라 다른 성질을 갖는 화합물을 구조 이성질체라고 한다. 구조 이성질체에는 다음의 예가 있다.
• C_2H_5CHO와 CH_3COCH_3
• C_2H_5COOH와 CH_3COOCH_3
• $CH_3CH_2CH_2NH_2$와 $CH_3CH(NH_2)CH_3$

---

01 (가) 에탄올(CH_3CH_2OH)과 (나) 다이메틸 에테르(CH_3OCH_3)에 대한 설명으로 옳지 않은 것은?

① (가)와 (나)는 분자식은 같지만 구조가 다르다.
② (가)와 (나)의 분자량은 같다.
③ 끓는점은 (가)가 (나)보다 높다.
④ (가)와 (나) 모두 산소 원자가 부분적인 음전하를 띤다.
⑤ (가)는 극성 분자이고, (나)는 무극성 분자이다.

| 해설 | 에탄올과 다이메틸 에테르는 모두 극성 분자이다.

답 ⑤

02 그림 (가)와 (나)는 C_3H_9N의 두 가지 분자 구조를 나타낸 것이다. 끓는점이 더 높을 것으로 예상되는 분자를 쓰시오.

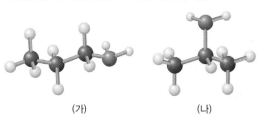

(가)   (나)

| 해설 | (가)가 (나)보다 비대칭 정도가 더 심하므로 극성이 더 강할 것이다.

답 (가)

1. 분자 구조와 물질의 성질 분자 구조로 알 수 있는 분자의 극성은 분자의 물리적, 화학적 성질에 영향을 미친다.

① 분자량이 비슷할 때 무극성 분자보다 극성 분자의 녹는점이나 끓는점이 높다.❽

└→ 극성 분자 사이의 인력이 더 강하기 때문

물질	분자량	분자의 극성	녹는점(℃)	끓는점(℃)
CH_4	16 ┐ 분자량 비슷	무극성	−183	−161 ┐
NH_3	17 ┘	극성	−78	−33 ┘
O_2	32 ┐ 분자량 비슷	무극성	−219	−183 ┐
H_2S	34 ┘	극성	−86	−61 ┘

NH_3가 CH_4보다 녹는점, 끓는점이 높다.
H_2S가 O_2보다 녹는점, 끓는점이 높다.

② 분자의 극성에 따라 물질의 ▸용해도가 달라진다.
- 극성 물질은 극성 용매에 잘 ▸용해된다. 예 물과 에탄올은 잘 섞인다.
- 무극성 물질은 무극성 용매에 잘 용해된다. 예 사염화 탄소와 벤젠은 잘 섞인다.
- 극성 물질과 무극성 물질은 서로 섞이지 않는다. 예 물과 기름은 잘 섞이지 않는다.

2. 극성 분자의 전기적 성질

① 기체 상태의 극성 분자는 부분적인 전하를 가지므로 ▸전기장에서 일정하게 배열된다.

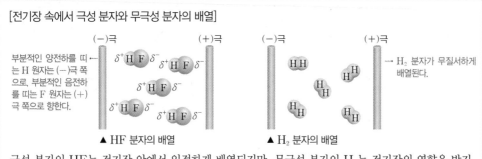

[전기장 속에서 극성 분자와 무극성 분자의 배열]

부분적인 양전하를 띠는 H 원자는 (−)극 쪽으로, 부분적인 음전하를 띠는 F 원자는 (+)극 쪽으로 향한다.

→ H_2 분자가 무질서하게 배열된다.

▲ HF 분자의 배열　　　▲ H_2 분자의 배열

극성 분자인 HF는 전기장 안에서 일정하게 배열되지만, 무극성 분자인 H_2는 전기장의 영향을 받지 않아 무질서하게 배열된다.

② 액체 상태의 물질을 가늘게 흘려보내고 ▸대전체를 가까이하면 극성 분자는 대전체에 끌린다.

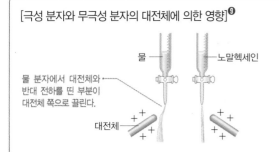

[극성 분자와 무극성 분자의 대전체에 의한 영향]❾

물　　　노말헥세인

물 분자에서 대전체와 반대 전하를 띤 부분이 대전체 쪽으로 끌린다.

대전체

극성 물질인 물은 대전체에 끌려 휘어지지만, 무극성 물질인 노말헥세인은 대전체에 끌리지 않는다.

개념 확인하기

1 분자량이 비슷할 때 무극성 분자보다 극성 분자의 녹는점이나 끓는점이 (　　)다.

2 무극성 물질은 극성 용매에 잘 용해된다. (○ , ×)

3 물은 극성 분자이므로 물줄기에 대전체를 가까이하면 물줄기는 대전체에 끌린다. (○ , ×)

답 1. 녹 2. × 3. ○

---

❽ 분자의 극성에 따른 분자 간의 인력

- 무극성 분자: 분산력이라고 하는 매우 약한 인력이 작용
- 극성 분자: 쌍극자·쌍극자 힘으로 분산력보다 상대적으로 강한 인력이 작용

암기 콕 🎯

- 분자량이 비슷할 때 녹는점, 끓는점: 극성 분자 > 무극성 분자
- 용해성: 극성 물질끼리, 무극성 물질끼리 잘 섞임
- 극성 분자는 대전체에 끌림
- 극성 분자는 전기장에서 일정하게 배열

❾ 가는 물줄기에 대전체를 대었을 때 분자의 배열

가는 물줄기　　가는 물줄기

가는 물줄기에 (−)대전체를 가까이하면 부분적인 양전하를 띠는 H 원자가 대전체 쪽으로 끌리면서 물줄기가 휜다. 반대로 물줄기에 (+)대전체를 가까이하면 부분적인 음전하를 띠는 O 원자가 대전체 쪽으로 끌리면서 물줄기가 휜다.

━━━ 용어 ━━━

▸ **용해도**: 일정한 온도에서 용매 100 g에 녹을 수 있는 용질의 최대 질량
▸ **용해**: 용질이 용매와 고르게 섞이는 현상
▸ **전기장**: 전하로 인한 전기력이 작용하는 공간
▸ **대전체**: 전자의 이동에 의해 전기적으로 (+)나 (−)전기를 띤 물체

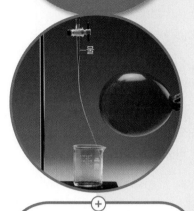

목표 무극성 분자로 이루어진 물질과 극성 분자로 이루어진 물질의 성질을 확인할 수 있다.

과정

❶ 스탠드에 뷰렛을 고정하고 깔때기를 이용하여 물을 채운다.

❷ 뷰렛의 꼭지를 열어 물줄기가 가늘게 흐르게 하고, 털가죽으로 문지른 고무풍선을 물줄기 가까이에 대어 본다.

❸ 뷰렛의 꼭지를 열어 물줄기가 가늘게 흐르게 하고, 명주 헝겊으로 문지른 유리 막대를 물줄기 가까이에 대어 본다.

❹ 물 대신 에탄올과 노말헥세인으로 위의 과정을 반복한다.

결과 및 정리

1. 액체 줄기의 변화를 표에 정리해 보자.

구분	물	에탄올	노말헥세인
고무풍선((−)로 대전)	대전체 쪽으로 휜다.	대전체 쪽으로 휜다.	변화 없다.
유리 막대((+)로 대전)	대전체 쪽으로 휜다.	대전체 쪽으로 휜다.	변화 없다.

2. 액체 줄기에 변화가 생긴 까닭은 무엇일까?

→ 극성 물질인 물과 에탄올의 경우 대전체가 띠고 있는 전하에 의해 정전기적 인력이 발생하여 대전체 쪽으로 액체 줄기가 끌려가기 때문이다.

3. 고무풍선이 (−)전하를 띠고 유리 막대가 (+)전하를 띤다면, 과정 ❷와 ❸에서 흐르는 물줄기 속 물 분자의 배열은 어떻게 나타낼 수 있을까?

→ 고무풍선을 대었을 때는 부분적인 양전하를 띠고 있는 수소 원자 부분이 고무풍선 가까이 배열되고, 유리 막대를 대었을 때는 부분적인 음전하를 띠고 있는 산소 원자 부분이 유리 막대 가까이 배열된다.

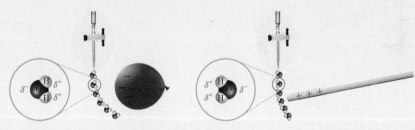

탐구 대표 문제 정답과 해설 45쪽

01 이 실험에 대한 설명으로 옳은 것은?

① 실험에서 고무풍선과 유리 막대는 서로 반대 전하를 띤다.

② 대전체가 띠는 전하가 바뀌면 물줄기가 휘는 방향도 바뀐다.

③ 물과 에탄올은 대전체의 중력에 의해 끌려간다.

④ 물 대신 식용유를 사용해도 결과는 같다.

⑤ 노말헥세인 액체 줄기에 (−)전하로 대전된 플라스틱 자를 가져가면 휜다.

02 미지 시료 X를 물에 넣었더니 모두 녹았다. 이 실험 결과로 보아 미지 시료 X는 극성 물질인지 무극성 물질인지 쓰시오.

기초 탄탄 문제

정답과 해설 45쪽

핵심용어_ 이 단원에서 내가 아는 것과 아직 모르는 것을 정리하며 나의 공부를 돌아보자.

☐ 루이스 전자점식   ☐ 루이스 구조식
☐ 전자쌍 반발 이론   ☐ 분자의 극성
☐ 무극성 분자   ☐ 극성 분자

01 그림은 폼알데하이드(HCHO)의 루이스 전자점식을 나타낸 것이다.
이에 대한 설명으로 옳지 <u>않은</u> 것은?

① 2중 결합을 포함하고 있다.
② 구성 원자는 총 4개이다.
③ 중심 원자는 탄소이다.
④ 모든 원자들이 한 평면에 존재한다.
⑤ $H-C-H$ 결합각은 정확히 $120°$이다.

02 그림은 두 종류의 탄화수소의 루이스 구조식을 나타낸 것이다.

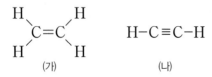

(가)와 (나)의 공통점으로 옳은 것은?

① 극성 분자이다.   ② 분자식이 같다.
③ 결합각이 같다.   ④ 다중 결합이 없다.
⑤ 모든 원자가 한 평면에 존재한다.

03 분자의 극성에 대한 설명으로 옳지 <u>않은</u> 것은?

① 결합의 쌍극자 모멘트 합이 클수록 분자의 극성은 커진다.
② 분자량이 비슷할 경우 분자의 극성이 클수록 끓는점이 높다.
③ 전기 음성도가 같은 원자끼리 결합한 이원자 분자는 극성 분자이다.
④ 분자 구조가 비대칭이면 분자는 극성을 나타낸다.
⑤ 극성 분자는 극성 용매에 잘 용해된다.

04 그림은 중심 원자가 2주기 원소인 화합물 A, B, C, D의 분자 구조를 나타낸 모형이다.

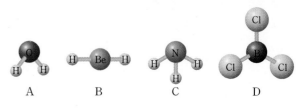

이에 대한 설명으로 옳은 것은?

① 분자의 결합각은 $A<C<D<B$이다.
② A와 C는 입체 구조를 갖는다.
③ B와 D는 무극성 공유 결합을 한다.
④ C와 D는 무극성 분자이다.
⑤ 중심 원자에는 모두 비공유 전자쌍이 존재한다.

05 다음은 어떤 분자의 특성을 나타낸 것이다.

> • 구성 원자들이 한 평면에 존재하지 않는다.
> • 결합의 쌍극자 모멘트 합이 0이다.

위 특성을 갖는 분자에 해당하는 것은?

① N_2 ② OF_2 ③ NH_3
④ BCl_3 ⑤ CH_4

06 그림은 기체 상태의 물질에 전기장을 걸어 주기 전과 후에 분자의 배열을 비교하여 나타낸 것이다.

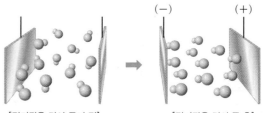

[전기장을 걸어 주기 전]   [전기장을 걸어 준 후]

위와 같은 성질을 나타내는 물질이 <u>아닌</u> 것은?

① H_2O ② NH_3 ③ SO_2
④ CO_2 ⑤ HF

내신 만점 **문제**

정답과 해설 46쪽 * ▰▰▰ 난이도를 나타냅니다.

01 그림은 몇 가지 분자를 루이스 전자점식으로 나타낸 것이다.

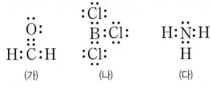

(가)   (나)   (다)

이에 대한 설명으로 옳은 것만을 〈보기〉에서 있는 대로 고른 것은?

┤ 보기 ├

ㄱ. 모두 중심 원자에 전자쌍이 3개 존재한다.

ㄴ. (가)와 (나)는 평면 구조이다.

ㄷ. 극성 분자는 두 가지이다.

① ㄱ   ② ㄷ   ③ ㄱ, ㄴ

④ ㄴ, ㄷ   ⑤ ㄱ, ㄴ, ㄷ

02 다음은 분자 구조가 서로 다른 5가지 분자들이다.

HCN H_2O BCl_3 NH_3 CH_4

다음 〈조건〉에 가장 많이 해당하는 분자가 가지는 분자 구조는?

┤ 조건 ├

• 모든 원자가 한 평면에 존재한다.

• 결합의 쌍극자 모멘트 합이 0이다.

• 중심 원자에 비공유 전자쌍이 존재한다.

• 다중 결합을 포함한다.

• 중심 원자가 옥텟 규칙을 만족하지 못한다.

① 굽은 형   ② 직선형

③ 삼각뿔형   ④ 평면 삼각형

⑤ 정사면체형

03 그림은 중심 원자(X)가 각각 C, N, O인 세 가지 수소 화합물에서 전자쌍의 배치를 나타낸 것이다. □는 H의 가능한 위치를 나타낸다.

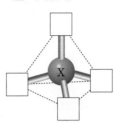

X에 C, N, O를 각각 배치하여 수소 화합물을 만들 때, C → N → O의 수소 화합물일수록 증가하는 것을 〈보기〉에서 있는 대로 고른 것은?

┤ 보기 ├

ㄱ. 공유 전자쌍 수

ㄴ. 분자의 극성

ㄷ. H–X–H 결합각

① ㄱ   ② ㄴ   ③ ㄱ, ㄷ

④ ㄴ, ㄷ   ⑤ ㄱ, ㄴ, ㄷ

04 다음은 2~4주기 2족 원소의 염화물들이다.

$BeCl_2$ $MgCl_2$ $CaCl_2$

이에 대한 설명으로 옳은 것만을 〈보기〉에서 있는 대로 고른 것은?

┤ 보기 ├

ㄱ. 루이스 구조식은 모두 같다.

ㄴ. 모두 극성 공유 결합을 한다.

ㄷ. $BeCl_2$만 무극성 분자이다.

① ㄱ   ② ㄷ   ③ ㄱ, ㄴ

④ ㄴ, ㄷ   ⑤ ㄱ, ㄴ, ㄷ

05 표는 원자 수가 5 이하인 분자 (가), (나), (다)에 대한 자료이다. X~Z는 각각 H, C, O 중 하나이고, (가)~(다)에서 중심 원자는 옥텟 규칙을 만족한다.

분자	(가)	(나)	(다)
원자 수 비	$X\left(\frac{1}{3}\right)$ $Y\left(\frac{2}{3}\right)$	$Y\left(\frac{1}{3}\right)$ $Z\left(\frac{2}{3}\right)$	$X\left(\frac{1}{4}\right)$ $Z\left(\frac{1}{2}\right)$ $Y\left(\frac{1}{4}\right)$

이에 대한 설명으로 옳은 것만을 〈보기〉에서 있는 대로 고른 것은?

┤ 보기 ├

ㄱ. (가)에는 다중 결합이 있다.

ㄴ. (나)는 쌍극자 모멘트가 0이다.

ㄷ. (다)는 입체 구조이다.

① ㄱ　　② ㄷ　　③ ㄱ, ㄴ

④ ㄴ, ㄷ　　⑤ ㄱ, ㄴ, ㄷ

06 그림은 2주기 원자 X~Z의 루이스 전자점식을 나타낸 것이다.

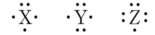

이에 대한 설명으로 옳은 것만을 〈보기〉에서 있는 대로 고른 것은? (단, X~Z는 임의의 원소 기호이다.)

┤ 보기 ├

ㄱ. X_2 분자에는 비공유 전자쌍이 2개 있다.

ㄴ. XZ_3 분자와 YZ_2 분자 모두 극성 분자이다.

ㄷ. X, Y, Z 1개씩으로 이루어진 분자는 옥텟 규칙을 만족하지 않는다.

① ㄱ　　② ㄷ　　③ ㄱ, ㄴ

④ ㄴ, ㄷ　　⑤ ㄱ, ㄴ, ㄷ

07 그림은 네 가지 분자를 주어진 기준에 따라 분류하는 과정을 나타낸 것이다.

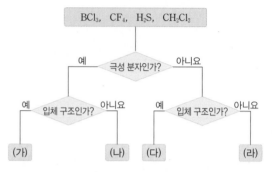

(가)~(라)에 대한 설명으로 옳은 것만을 〈보기〉에서 있는 대로 고른 것은?

┤ 보기 ├

ㄱ. 공유 전자쌍 수는 (가)와 (다)가 같다.

ㄴ. (나)와 (라)는 모두 2주기 원소로만 구성되어 있다.

ㄷ. 결합각은 (다)가 (라)보다 크다.

① ㄱ　　② ㄷ　　③ ㄱ, ㄴ

④ ㄴ, ㄷ　　⑤ ㄱ, ㄴ, ㄷ

08 그림은 NH_3와 BF_3가 결합하여 NH_3BF_3을 형성하는 화학 반응식을 구조식으로 나타낸 것이다.

$$H-\overset{\displaystyle ..}{\underset{\displaystyle H}{N}}-H \;+\; \overset{\displaystyle F}{\underset{\displaystyle F}{\overset{|}{\underset{|}{B}}}}-F \;\longrightarrow\; H-\overset{\displaystyle H}{\underset{\displaystyle H}{\overset{|}{\underset{|}{N}}}}-\overset{\displaystyle F}{\underset{\displaystyle F}{\overset{|}{\underset{|}{B}}}}-F$$

이 반응에 대한 설명으로 옳은 것만을 〈보기〉에서 있는 대로 고른 것은?

┤ 보기 ├

ㄱ. 생성물의 붕소 원자는 옥텟 규칙을 만족한다.

ㄴ. F-B-F의 결합각은 반응 전보다 반응 후에 작아진다.

ㄷ. NH_3BF_3은 극성 분자이다.

① ㄱ　　② ㄷ　　③ ㄱ, ㄴ

④ ㄴ, ㄷ　　⑤ ㄱ, ㄴ, ㄷ

09 표는 분자 (가)~(다)에 대한 자료이다. X와 Y는 2주기 원소, Z는 1주기 원소이다. (가)~(다) 모두 중심 원자는 옥텟 규칙을 만족한다.

분자	실험식	분자 내 공유 전자쌍 수
(가)	XZ_3	3
(나)	ZYX	4
(다)	YZ	5

이에 대한 설명으로 옳은 것만을 〈보기〉에서 있는 대로 고른 것은? (단, X~Z는 임의의 원소 기호이다.)

┤ 보기 ├
ㄱ. (가), (나), (다) 모두 극성 분자이다.
ㄴ. (가)와 (다)는 분자당 구성 원자 수가 같다.
ㄷ. (나)와 (다)의 분자 구조는 모두 직선형이다.

① ㄱ   ② ㄷ   ③ ㄱ, ㄴ
④ ㄴ, ㄷ   ⑤ ㄱ, ㄴ, ㄷ

10 그림은 요소 분자의 구조식을 나타낸 것이다.

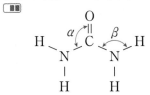

요소 분자에 대한 설명으로 옳은 것만을 〈보기〉에서 있는 대로 고른 것은?

┤ 보기 ├
ㄱ. 평면 구조이다.
ㄴ. 비공유 전자쌍이 4개 존재한다.
ㄷ. 결합각은 α가 β보다 작다.

① ㄱ   ② ㄴ   ③ ㄱ, ㄷ
④ ㄴ, ㄷ   ⑤ ㄱ, ㄴ, ㄷ

서술형 문제

11 다음은 물질의 극성에 관한 실험을 나타낸 것이다.

(가) 빨간색 색소를 섞은 물과 에탄올, 노말헥세인을 준비한다. (단, 에탄올과 노말헥세인의 밀도는 물보다 작다.)

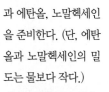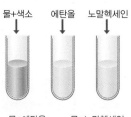

(나) 비커 2개에 물과 에탄올, 물과 노말헥세인을 각각 넣고 저어 주었을 때의 변화를 관찰한다.

(1) 실험 결과를 예측하여 서술하시오.

_____

_____

(2) 위와 같이 실험 결과를 예측한 까닭을 서술하시오.

_____

_____

12 그림은 NH_3 분자가 가질 수 있는 두 가지 가능한 구조를 모형으로 나타낸 것이다.

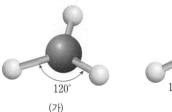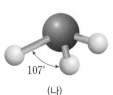

120°   107°
(가)   (나)

(1) (가)와 (나)의 차이점을 서술하시오.

_____

_____

(2) NH_3 분자 구조가 (가)와 (나) 중 어느 것인지 확인하기 위한 실험을 한 가지 이상 제시하시오.

_____

_____

1. 화학 결합

① 물의 전기 분해: $2H_2O(l) \longrightarrow 2H_2(g) + O_2(g)$

② 염화 나트륨 용융액의 전기 분해:

$$2NaCl(l) \longrightarrow 2Na(l) + Cl_2(g)$$

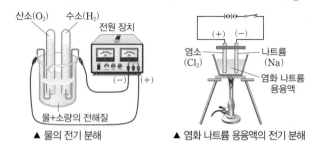

▲ 물의 전기 분해　　　▲ 염화 나트륨 용융액의 전기 분해

③ 화학 결합이 형성될 때에는 모두 전자가 관여한다.

2. 화학 결합의 원리

① 옥텟 규칙: 비활성 기체 이외의 원자가 가장 바깥 전자 껍질에 전자 8개를 가져 비활성 기체와 같은 전자 배치를 가지려는 경향

② 비활성 기체: 주기율표의 18족 원소로 가장 바깥 전자 껍질에 전자가 모두 채워져 있기 때문에 다른 원자와 전자를 주고받기 힘들어 화학 결합을 하기 어렵다.

원소	헬륨($_2$He)	네온($_{10}$Ne)	아르곤($_{18}$Ar)
전자 배치	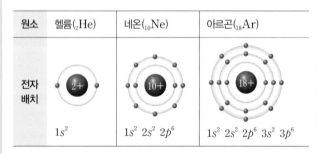2+ $1s^2$	10+ $1s^2\ 2s^2\ 2p^6$	18+ $1s^2\ 2s^2\ 2p^6\ 3s^2\ 3p^6$

③ 화학 결합의 원리: 물질을 구성하는 원소들은 화학 결합을 통해 옥텟 규칙을 만족하는 가장 안정한 전자 배치 상태를 만들거나 유지한다.

3. 이온 결합

① 이온 결합: 금속 원소의 양이온과 비금속 원소의 음이온 사이의 정전기적 인력에 의해 형성되는 결합

② 이온 결합의 형성: 금속 원소와 비금속 원소는 서로 전자를 주고받아 각자 옥텟 규칙을 만족하는 양이온과 음이온이 되고, 이들이 정전기적 인력으로 결합하게 된다.

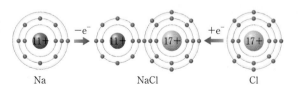

Na　　　　　NaCl　　　　　Cl

4. 공유 결합

① 공유 결합: 비금속 원소의 원자 사이에 전자쌍을 공유하여 형성되는 화학 결합

② 공유 결합의 형성: 비금속 원소의 원자들은 자신의 전자를 내놓아 전자쌍을 만들고, 그 전자쌍을 공유하여 결합함으로써 각 원자는 비활성 기체와 같은 전자 배치를 이룬다.

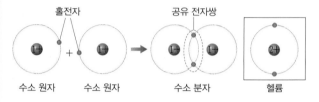

수소 원자　　수소 원자　　　수소 분자　　　헬륨

5. 금속 결합

① 자유 전자: 금속 원소의 원자가 전자는 한 원자에 고정되어 있지 않고 자유롭게 움직여 금속의 특성을 가지게 한다.

② 금속 결합: 자유 전자가 금속 양이온들을 일정한 위치에 유지하도록 하는 결합으로, 금속 결합은 금속에 고르게 퍼져 있는 자유 전자와 금속 양이온들 간의 정전기적 인력에 의한 결합이다.

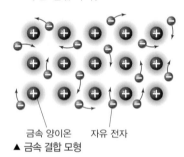

금속 양이온　　자유 전자
▲ 금속 결합 모형

6. 화학 결합과 물질의 성질

① 이온 결합 물질, 공유 결합 물질(공유 결정), 금속 결합 물질은 모두 녹는점이 높은 편으로 결합력이 강하다.

② 화학 결합에 따른 결정의 성질

화학 결합	이온 결합	공유 결합		금속 결합
결정	이온 결정	분자 결정	공유 결정	금속 결정
결정 입자	양이온, 음이온	분자	원자	금속양이온, 자유 전자
녹는점과 끓는점	높음	낮음	매우 높음	높음
전기 전도 성 고체	×	×	×(예외: 흑연)	○
액체	○	×	×	○
물에 대한 용해성	잘 녹음	분자의 극성에 따라 다름	녹지 않음	녹지 않음

7. 전기 음성도

① 전기 음성도: 공유 결합에서 원자가 공유 전자쌍을 끌어당기는 힘을 상대적인 값으로 나타낸 것

② 전기 음성도의 주기성

- 같은 주기에서 원자 번호가 커질수록 전기 음성도는 대체로 증가한다.
- 같은 족에서 원자 번호가 커질수록 전기 음성도는 대체로 감소한다.

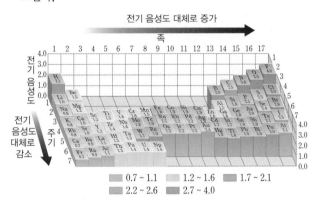

8. 쌍극자 모멘트와 결합의 극성

$$\mu = q \times r$$

① 쌍극자 모멘트(μ): 공유 결합에서 극성의 정도를 나타내는 척도로, 크기는 전하량(q)과 두 전하 사이의 거리(r)를 곱한 값으로 나타낸다.

② 무극성 공유 결합: 같은 원자 사이에 형성되는 공유 결합으로, 두 원자의 전기 음성도가 같아 공유 전자쌍의 치우침이 없으므로 쌍극자 모멘트가 0이다.

⑩ $H-H$, $O=O$, $N\equiv N$

③ 극성 공유 결합: 서로 다른 원자 사이에 형성되는 공유 결합으로, 전기 음성도의 차이에 의해 공유 전자쌍이 한쪽으로 치우치므로 쌍극자 모멘트가 0이 아니다.

⑩ $H-Cl$, $O-H$, $C=O$

9. 루이스 전자점식

① 루이스 전자점식: 원자 사이의 결합을 나타내기 위하여 원소 기호 주위에 원자가 전자를 점으로 표시하여 나타낸 식

② 루이스 구조식: 공유 전자쌍을 결합선($-$)으로 나타낸 분자 구조식

▲ 루이스 전자점식　　▲ 루이스 구조식

10. 전자쌍 반발 이론

① 전자쌍 반발 이론: 분자의 중심 원자를 둘러싸고 있는 전자쌍들이 정전기적 반발력을 최소화하기 위해 서로 멀리 떨어져 있으려고 한다는 이론

② 전자쌍 반발 이론에 따른 전자쌍의 배치

전자쌍 수	2	3	4
풍선 모형			
전자쌍 배치 구조			
분자 구조	직선형	평면 삼각형	정사면체형
	평면 구조		입체 구조
결합각	180°	120°	109.5°

11. 분자의 극성

① 무극성 분자: 분자 내 전하가 고르게 분포되어 있어서 부분 전하를 가지지 않는 분자

⑩ H_2, CO_2, BCl_3, CH_4

② 극성 분자: 분자 내 전하의 분포가 고르지 않아 부분 전하를 갖는 분자

⑩ HCl, H_2O, NH_3, CH_3Cl

수소(H_2)　　　　염화 수소(HCl)
▲ 무극성 분자　　▲ 극성 분자

③ 분자의 극성 예측: 분자 내 각 극성 결합의 쌍극자 모멘트 합을 구하여 분자의 극성 여부를 예측한다.

12. 극성 분자와 무극성 분자의 성질 비교

구분	극성 분자	무극성 분자
용해성	극성 용매에 잘 용해된다.	무극성 용매에 잘 용해된다.
녹는점과 끓는점	분자량이 비슷한 경우, 극성 분자는 무극성 분자보다 녹는점과 끓는점이 높다.	극성 분자에 비해 녹는점과 끓는점이 매우 낮다.
전기적 성질	부분적인 전하를 띠고 있으므로 전기장에서 일정하게 배열되며, 대전체에 끌린다.	전기적 성질이 없다.

01 다음은 염화 나트륨 용융액을 전기 분해하는 실험 장치와 화학 반응식을 나타낸 것이다.

염화 나트륨
(NaCl)
용융액

$$2NaCl(l) \longrightarrow 2Na(l) + Cl_2(g)$$

이에 대한 설명으로 옳은 것만을 〈보기〉에서 있는 대로 고른 것은?

| 보기 |

ㄱ. 염화 나트륨 용융액은 전류가 흐른다.
ㄴ. (+)극과 (−)극에서 이동하는 전자 수가 다르다.
ㄷ. 이온 결합에 전자가 관여함을 확인할 수 있다.

① ㄱ   ② ㄴ   ③ ㄱ, ㄷ
④ ㄴ, ㄷ   ⑤ ㄱ, ㄴ, ㄷ

02 그림은 메테인과 사플루오린화 탄소의 구조식을 나타낸 것이다.

$$\begin{array}{ccc} & H & \\ & | & \\ H - & C & - H \\ & | & \\ & H & \end{array} \qquad \begin{array}{ccc} & F & \\ & | & \\ F - & C & - F \\ & | & \\ & F & \end{array}$$

(가)   (나)

(가)와 (나)의 공통점으로 옳은 것만을 〈보기〉에서 있는 대로 고른 것은?

| 보기 |

ㄱ. 결합의 쌍극자 모멘트 합이 같다.
ㄴ. 분자 구조가 입체 구조이다.
ㄷ. 중심 탄소의 부분 전하의 종류가 같다.

① ㄱ   ② ㄷ   ③ ㄱ, ㄴ
④ ㄴ, ㄷ   ⑤ ㄱ, ㄴ, ㄷ

03 그림은 원자 A, B의 전자 배치 모형을 나타낸 것이다.

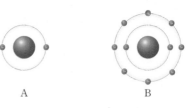

A   B

두 원자의 공통점으로 옳은 것만을 〈보기〉에서 있는 대로 고른 것은? (단, A, B는 임의의 원소 기호이다.)

| 보기 |

ㄱ. 원자가 전자 수가 같다.
ㄴ. 전자를 얻어 음이온이 되기 쉽다.
ㄷ. 실온에서 안정한 액체로 존재한다.

① ㄱ   ② ㄷ   ③ ㄱ, ㄴ
④ ㄴ, ㄷ   ⑤ ㄱ, ㄴ, ㄷ

04 그림은 금속 (가)와 이온 결합 화합물 (나)를 모형으로 나타낸 것이다.

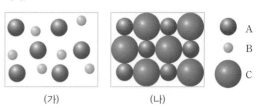

  A
  B
  C

(가)   (나)

(가)와 (나)에 대한 설명으로 옳은 것만을 〈보기〉에서 있는 대로 고른 것은?

| 보기 |

ㄱ. A는 (+)전하를 띤다.
ㄴ. 실온의 (가)와 (나) 상태에서 B와 C는 자유롭게 움직인다.
ㄷ. (가)와 (나)는 외부에서 충격을 가할 때 비슷한 현상을 나타낸다.

① ㄱ   ② ㄷ   ③ ㄱ, ㄴ
④ ㄴ, ㄷ   ⑤ ㄱ, ㄴ, ㄷ

05 그림은 수산화 이온과 사이안화 이온의 구조식을 나타낸 것이다.

$$[O-H]^{a-} \qquad [C\equiv N]^{b-}$$
$$\quad\text{(가)} \qquad\qquad \text{(나)}$$

이에 대한 설명으로 옳은 것만을 〈보기〉에서 있는 대로 고른 것은?

┤ 보기 ├
ㄱ. $a=b$이다.
ㄴ. (가)가 (나)보다 비공유 전자쌍이 더 많다.
ㄷ. H^+과 (가)와 (나)가 각각 결합하여 형성된 분자의 구조는 모두 직선형이다.

① ㄱ　　　② ㄷ　　　③ ㄱ, ㄴ
④ ㄴ, ㄷ　　⑤ ㄱ, ㄴ, ㄷ

06 표는 물질 (가)~(다)의 녹는점을 나타낸 것이며, (가)~(다)는 각각 NaF, NaBr, MgO 중의 하나이다.

물질	(가)	(나)	(다)
녹는점(℃)	747	996	2825

이에 대한 설명으로 옳은 것만을 〈보기〉에서 있는 대로 고른 것은?

┤ 보기 ├
ㄱ. (가)와 (나)는 불꽃 반응색이 같다.
ㄴ. (나)는 (가)보다 결합력이 강하다.
ㄷ. (다)의 녹는점이 (나)보다 높은 것은 이온의 전하량이 (나)보다 크기 때문이다.

① ㄱ　　　② ㄷ　　　③ ㄱ, ㄴ
④ ㄴ, ㄷ　　⑤ ㄱ, ㄴ, ㄷ

07 다음은 암모니아수와 염산을 반응시켜 염화 암모늄을 생성하는 반응의 화학 반응식을 나타낸 것이다.

$$NH_3(aq) + HCl(aq) \longrightarrow NH_4^+(aq) + Cl^-(aq)$$

이에 대한 설명으로 옳은 것만을 〈보기〉에서 있는 대로 고른 것은? (단, NH_4Cl은 상온에서 고체이다.)

┤ 보기 ├
ㄱ. NH_3와 NH_4^+의 분자 구조는 같다.
ㄴ. NH_4Cl 수용액은 전류가 흐른다.
ㄷ. HCl와 NH_4Cl에서 $H-Cl$과 NH_4-Cl의 결합의 종류는 다르다.

① ㄱ　　　② ㄷ　　　③ ㄱ, ㄴ
④ ㄴ, ㄷ　　⑤ ㄱ, ㄴ, ㄷ

08 다음은 이산화 탄소가 물과 반응하여 탄산이 되는 반응의 화학 반응식과, 이산화 탄소(CO_2)와 탄산(H_2CO_3)의 루이스 구조식을 나타낸 것이다.

$$CO_2(g) + H_2O(l) \longrightarrow H_2CO_3(aq)$$

O=C=O　　　　　H-O-C(=O)-O-H

이산화 탄소　　　　　　탄산

이 반응에 대한 설명으로 옳은 것만을 〈보기〉에서 있는 대로 고른 것은?

┤ 보기 ├
ㄱ. 반응 후 탄소의 결합 수가 달라진다.
ㄴ. CO_2와 H_2CO_3은 극성이 다르다.
ㄷ. 반응 후 $O-C-O$의 결합각은 커진다.

① ㄱ　　　② ㄴ　　　③ ㄱ, ㄷ
④ ㄴ, ㄷ　　⑤ ㄱ, ㄴ, ㄷ

09 그림은 나트륨 원자의 전자 배치와 금속의 전자 바다 모형을 나타낸 것이다.

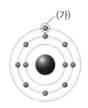 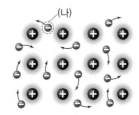

이에 대한 설명으로 옳은 것만을 〈보기〉에서 있는 대로 고른 것은?

─┤ 보기 ├─
ㄱ. (가)는 원자가 전자이다.
ㄴ. 나트륨은 이온화 에너지의 크기가 작은 편이다.
ㄷ. (가)는 전자 궤도에서 쉽게 떨어져 나와 (나)가 된다.

① ㄱ   ② ㄷ   ③ ㄱ, ㄴ
④ ㄴ, ㄷ   ⑤ ㄱ, ㄴ, ㄷ

10 그림은 시중에서 휴대용 연료로 판매되는 뷰테인(C_4H_{10})의 분자 모형과 루이스 구조식을 나타낸 것이다.

$$H-\overset{\overset{\displaystyle H}{|}}{C}-\overset{\overset{\displaystyle H}{|}}{C}-\overset{\overset{\displaystyle H}{|}}{C}-\overset{\overset{\displaystyle H}{|}}{C}-H$$

(가) 분자 모형   (나) 루이스 구조식

뷰테인 기체를 전기장에 넣어 배열하는 실험을 하였더니 일정한 배열을 보이지 않았다. 이와 관련하여 뷰테인에 대한 설명으로 옳은 것만을 〈보기〉에서 있는 대로 고른 것은?

─┤ 보기 ├─
ㄱ. 물에 잘 녹는다.
ㄴ. 직선형 구조이다.
ㄷ. 대기압, 실온에서 기체이다.

① ㄱ   ② ㄷ   ③ ㄱ, ㄴ
④ ㄴ, ㄷ   ⑤ ㄱ, ㄴ, ㄷ

11 질소와 수소를 용기에 넣고 암모니아를 합성하는 실험을 수행하였다. 다음은 암모니아 합성 반응식과 반응시킨 반응물의 부피를 나타낸 것이다.

$$N_2(g) + 3H_2(g) \longrightarrow 2NH_3(g)$$

반응물	N_2	H_2
부피	5 L	12 L

이에 대한 설명으로 옳은 것만을 〈보기〉에서 있는 대로 고른 것은? (단, 반응은 100 % 진행된다.)

─┤ 보기 ├─
ㄱ. 반응 과정에서 수소는 모두 소모된다.
ㄴ. 반응이 완료된 후 용기에 남아 있는 분자들은 모두 입체 구조이다.
ㄷ. 반응이 완료된 후 용기에 다량의 물을 넣어 주면 반응물과 생성물을 분리할 수 있다.

① ㄱ   ② ㄷ   ③ ㄱ, ㄴ
④ ㄱ, ㄷ   ⑤ ㄴ, ㄷ

12 물속에서 매우 적은 양의 물 분자는 이온화하여 하이드로늄 이온과 수산화 이온으로 존재한다.

$$\underset{(가)}{2H_2O} \rightleftharpoons \underset{(나)}{H_3O^+} + \underset{(다)}{OH^-}$$

이에 대한 설명으로 옳은 것만을 〈보기〉에서 있는 대로 고른 것은?

─┤ 보기 ├─
ㄱ. (가), (나), (다)는 모두 극성 물질이다.
ㄴ. (가)와 (다)는 평면 구조이다.
ㄷ. (가)와 (나)의 결합각 크기는 같다.

① ㄱ   ② ㄷ   ③ ㄱ, ㄴ
④ ㄴ, ㄷ   ⑤ ㄱ, ㄴ, ㄷ

13 다음은 삼플루오린화 붕소가 플루오린화 이온과 반응하는 화학 반응식을 나타낸 것이다.

$$\underset{\text{(가)}}{BF_3} + F^- \rightleftharpoons \underset{\text{(나)}}{BF_4^-}$$

(가)에서 (나)로 바뀔 때의 변화로 옳은 것만을 〈보기〉에서 있는 대로 고른 것은?

┤ 보기 ├
ㄱ. 평면 구조에서 입체 구조로 바뀐다.
ㄴ. 무극성 공유 결합이 극성 공유 결합으로 바뀐다.
ㄷ. 공유 결합만 존재하던 분자에 이온 결합도 형성된다.

① ㄱ   ② ㄴ   ③ ㄱ, ㄷ
④ ㄴ, ㄷ   ⑤ ㄱ, ㄴ, ㄷ

14 그림은 수소 원자 모형 8개, 탄소 원자 모형 3개, 산소 원자 모형 1개를 모두 사용하여 각각 만든 세 가지 분자 모형을 나타낸 것이다.

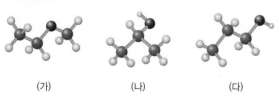

(가)   (나)   (다)

이에 대한 설명으로 옳은 것만을 〈보기〉에서 있는 대로 고른 것은?

┤ 보기 ├
ㄱ. (가)는 (다)보다 분자량이 크다.
ㄴ. (나)는 무극성 분자이다.
ㄷ. 모든 분자의 쌍극자 모멘트 값은 0이 아니다.

① ㄱ   ② ㄷ   ③ ㄱ, ㄴ
④ ㄴ, ㄷ   ⑤ ㄱ, ㄴ, ㄷ

15 그림은 화합물 A_2BC_3를 구조식으로 나타낸 것이다.

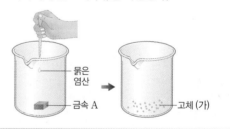

이에 대한 설명으로 옳은 것만을 〈보기〉에서 있는 대로 고른 것은? (단, A~C는 임의의 2주기 원소 기호이다.)

┤ 보기 ├
ㄱ. A는 실온에서 전기 전도성이 있는 고체이다.
ㄴ. BC_2 기체는 전기장에서 일정하게 배열한다.
ㄷ. BC_3^{2-}은 모든 원자가 한 평면에 존재한다.

① ㄱ   ② ㄴ   ③ ㄱ, ㄷ
④ ㄴ, ㄷ   ⑤ ㄱ, ㄴ, ㄷ

16 다음은 금속 A와 묽은 염산의 반응을 알아보는 실험과 이 반응의 화학 반응식이다.

1. 금속 A 조각에 염산을 조금씩 천천히 넣는다.
2. 금속 A 조각이 모두 반응하여 사라지면, 물을 증발시켜 생성된 고체 (가)를 확인한다.

묽은 염산 → 금속 A   고체 (가)

$$2A(s) + 2HCl(aq) \longrightarrow 2A^+(aq) + 2Cl^-(aq) + H_2(g)$$

이에 대한 설명으로 옳은 것만을 〈보기〉에서 있는 대로 고른 것은? (단, A는 임의의 원소 기호이다.)

┤ 보기 ├
ㄱ. 반응 중에 기포가 생기는 것을 볼 수 있다.
ㄴ. A와 (가)는 고체와 액체의 전기 전도성이 같다.
ㄷ. 고체 (가)를 망치로 때리면 얇게 퍼진다.

① ㄱ   ② ㄷ   ③ ㄱ, ㄴ
④ ㄴ, ㄷ   ⑤ ㄱ, ㄴ, ㄷ

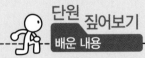

역동적인
화학 반응

IV

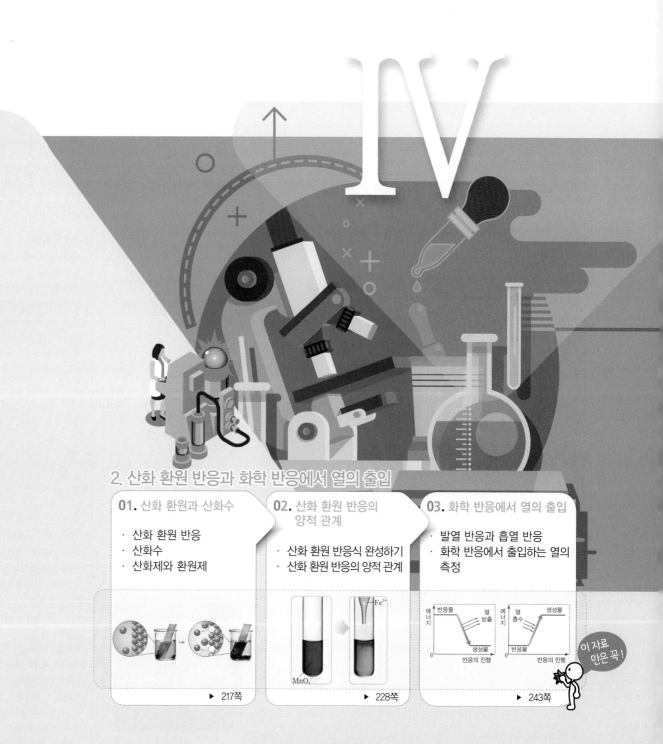

2. 산화 환원 반응과 화학 반응에서 열의 출입

01. 산화 환원과 산화수

· 산화 환원 반응
· 산화수
· 산화제와 환원제

▶ 217쪽

02. 산화 환원 반응의
양적 관계

· 산화 환원 반응식 완성하기
· 산화 환원 반응의 양적 관계

▶ 228쪽

03. 화학 반응에서 열의 출입

· 발열 반응과 흡열 반응
· 화학 반응에서 출입하는 열의
측정

▶ 243쪽

이 자료
만은 꼭!

01

IV. 역동적인 화학 반응 | 1. 동적 평형과 산 염기 반응

가역 반응과 동적 평형

내 교과서는 어디에?

천재 p.159~172 교학사 p.146~157 금성 p.144~153 동아 p.169~173 미래엔 p.156~163
비상 p.143~152 상상 p.160~170 지학사 p.157~167 YBM p.168~177

핵심 Point ─── ● 가역 반응과 비가역 반응을 이해하고, 그 예를 알아본다.
　　　　　　 ● 동적 평형을 상평형과 용해 평형을 예로 들어 이해한다.

1 가역 반응과 비가역 반응

1. 가역 반응 ┌─ 농도, 온도, 압력 등
반응 조건에 따라 정반응과 역반응이 모두 일어날 수 있는 반응

① **정반응**: 화학 반응식에서 반응물이 생성물로 변하는 반응(오른쪽으로 진행, $\longrightarrow$)

② **역반응**: 화학 반응식에서 생성물이 반응물로 변하는 반응(왼쪽으로 진행, $\longleftarrow$)

③ 가역 반응을 화학 반응식으로 나타낼 때 정반응($\longrightarrow$)과 역반응($\longleftarrow$)을 같이 묶어 $\rightleftarrows$ 로 나타낸다.

④ 가역 반응의 예

[물의 증발과 응축] $H_2O(l) \rightleftarrows H_2O(g)$

• 정반응: 물이 증발하여 기체 상태의 수증기가 된다.

• 역반응: 기체 상태의 수증기가 응축하여 액체 상태의 물이 된다. → 상태 변화는 가역 반응이다.

[염화 암모늄의 합성과 분해]
$HCl(g) + NH_3(g) \rightleftarrows NH_4Cl(s)$

• 정반응: 염화 수소(HCl)와 암모니아(NH_3)가 만나면 염화 암모늄(NH_4Cl)의 흰색 고체가 생긴다.

• 역반응: 염화 암모늄 고체를 가열하면 염화 수소와 암모니아 기체로 분해된다.

[염화 코발트 종이❶의 색 변화] $CoCl_2 + 6H_2O \rightleftarrows CoCl_2 \cdot 6H_2O$

• 정반응: 파란색 염화 코발트($CoCl_2$) 종이에 물을 떨어뜨리면 염화 코발트가 물과 결합하면서 붉은색 염화 코발트 육수화물($CoCl_2 \cdot 6H_2O$)이 된다.

• 역반응: 붉은색 염화 코발트 종이를 가열하면 염화 코발트 육수화물이 물을 잃고 파란색 염화 코발트가 된다.

[황산 구리(II) 오수화물의 분해와 생성]

$CuSO_4 \cdot 5H_2O \rightleftarrows CuSO_4 + 5H_2O$

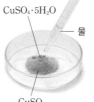
$CuSO_4 \cdot 5H_2O$
물
$CuSO_4$

• 정반응: 파란색 황산 구리(II) 오수화물($CuSO_4 \cdot 5H_2O$)을 가열하면 황산 구리(II) 오수화물이 물을 잃고 흰색 황산 구리(II)($CuSO_4$)가 된다.

• 역반응: 흰색 황산 구리(II)에 물을 떨어뜨리면 파란색 황산 구리(II) 오수화물이 된다.

[석회 동굴의 형성과 종유석, 석순의 생성]

$CaCO_3(s) + CO_2(g) + H_2O(l) \rightleftarrows Ca^{2+}(aq) + 2HCO_3^-(aq)$

• 정반응: 석회암의 주성분인 탄산 칼슘($CaCO_3$)이 이산화 탄소(CO_2)가 녹아 있는 지하수와 오랜 세월 동안 반응하여 물에 녹는 탄산수소 칼슘($Ca(HCO_3)_2$)을 생성하므로 석회 동굴이 만들어진다.

• 역반응: 탄산수소 칼슘 수용액에서 물이 증발하고 이산화 탄소가 빠져 나가면서 탄산 칼슘이 석출되면, 석회 동굴 천장에 종유석이, 바닥에 석순이 만들어진다.

---

❶ 염화 코발트 종이

염화 코발트 수용액을 묻힌 종이를 건조시켜 만든 것으로, 화학 반응에서 물의 생성을 확인할 때 사용한다. 파란색 염화 코발트 종이는 수분을 흡수하면 붉은색으로 변한다.

강의 콕 🔊

가역 반응은 정반응과 역반응이 모두 잘 일어나는 반응이고, 비가역 반응은 정반응에 비해 역반응이 무시할 수 있을 정도로 느리게 일어나는 반응이다. 즉, 비가역 반응은 겉보기에는 역반응이 일어나지 않는 것처럼 보이며, 한 번 일어난 반응은 돌이킬 수 없다.

─── 용어 ───

▶ **가역**: 물질의 상태가 한 번 바뀐 다음 다시 본래 상태로 돌아갈 수 있는 것

▶ **반응물**: 화학 반응을 할 때 반응에 참여하는 물질

▶ **생성물**: 물질이 화학 반응을 하여 생성되는 물질

▶ **증발**: 액체 표면의 분자들이 떨어져 나와 기체로 되는 현상

▶ **응축**: 액체 표면에 충돌한 기체 분자가 액체로 되는 현상

▶ **수화물**: 화합물 내에 물 분자를 포함하고 있는 물질

2. 비가역 반응 정반응만 일어나거나 역반응이 거의 일어나지 않는 반응

① 연소 반응[2]: $CH_4(g) + 2O_2(g) \longrightarrow CO_2(g) + 2H_2O(l)$

② 기체 발생 반응: $Zn(s) + 2HCl(aq) \longrightarrow ZnCl_2(aq) + H_2(g)\uparrow$ ← 생성된 기체가 날아가 버리면 역반응이 일어날 수 없다.

③ 강산과 강염기의 중화 반응: $HCl(aq) + NaOH(aq) \longrightarrow NaCl(aq) + H_2O(l)$

④ 앙금 생성 반응[3]: $AgNO_3(aq) + NaCl(aq) \longrightarrow NaNO_3(aq) + AgCl(s)\downarrow$

❷ 연소 반응

연소는 연료가 산소와 반응하여 열과 빛을 내는 반응으로, 생성물이 기체 상태로 공기 중으로 날아가므로 역반응이 일어나기 어렵다.

❸ 앙금 생성 반응

매우 적은 양의 앙금이 녹는 역반응이 일어날 수 있으나, 정반응이 역반응보다 훨씬 더 우세하게 일어나 역반응이 일어나지 않는 것처럼 보인다.

2 동적 평형

1. 동적 평형 가역 반응에서 정반응 속도와 역반응 속도가 같아서 겉보기에는 변화가 없는 것처럼 보이는 상태

➡ 동적 평형 상태에서는 반응물과 생성물이 함께 존재하며, 농도가 일정하게 유지된다.

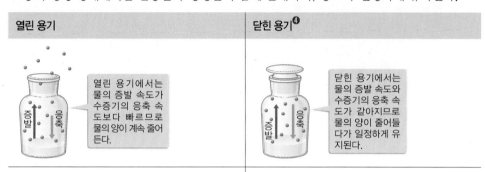

열린 용기	닫힌 용기[4]
열린 용기에서는 물의 증발 속도가 수증기의 응축 속도보다 빠르므로 물의 양이 계속 줄어든다.	닫힌 용기에서는 물의 증발 속도와 수증기의 응축 속도가 같아지므로 물의 양이 줄어들다가 일정하게 유지된다.
물의 증발 속도가 수증기의 응축 속도보다 빠르므로 물이 모두 증발한다. 따라서 동적 평형에 도달하지 않는다. → 언젠가는 물이 모두 증발하여 없어진다.	물의 양이 조금씩 줄다가 일정하게 유지된다. 이때 물의 증발과 응축이 계속 일어나지만, 증발 속도와 응축 속도가 같아 겉보기에 증발하지 않는 것처럼 보인다. → 반응이 멈춘 것이 아니다.

암기 콕 🖊

동적 평형 상태
• 정반응 속도＝역반응 속도
• 반응물과 생성물 함께 존재
• 물질의 양 일정

2. 상평형 물질의 세 가지 상태 중 두 가지 이상의 상태가 동적 평형을 유지하는 것을 상평형이라고 한다. ➡ 액체와 기체뿐만 아니라 고체와 기체, 고체와 액체 사이에서도 나타난다.

　　　　　　　　　　　　　　　　　　　　　　　　　　　| 자료 파헤치기 |

[밀폐된 용기에서 물의 증발과 응축] $H_2O(l) \underset{\text{응축}}{\overset{\text{증발}}{\rightleftharpoons}} H_2O(g)$

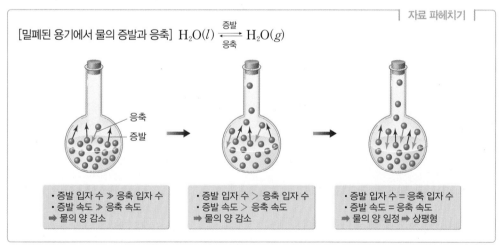

| • 증발 입자 수 ≫ 응축 입자 수
 • 증발 속도 ≫ 응축 속도
 ➡ 물의 양 감소 | • 증발 입자 수 ＞ 응축 입자 수
 • 증발 속도 ＞ 응축 속도
 ➡ 물의 양 감소 | • 증발 입자 수 ＝ 응축 입자 수
 • 증발 속도 ＝ 응축 속도
 ➡ 물의 양 일정 ➡ 상평형 |

❹ 닫힌 용기에서 시간에 따른 물의 증발과 응축 속도 변화

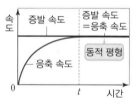

• 증발 속도: 일정한 온도에서 물의 증발 속도 일정
• 응축 속도: 용기 속 수증기 분자가 증가할수록 응축 속도 빨라짐
• 충분한 시간이 지나면(t 시간 후) 증발 속도와 응축 속도가 같아짐
➡ 수면의 높이 일정 ➡ 동적 평형

━━━ 용어 ━━━

▶ 강산: 수용액에서 대부분 이온화하는 산 예 HCl
▶ 강염기: 수용액에서 대부분 이온화하는 염기 예 NaOH
▶ 동적: 움직이고 있는 상태

개념 확인하기

1 반응 조건에 따라 정반응과 역반응이 모두 일어날 수 있는 반응을 (　　) 반응이라고 한다.

2 파란색 염화 코발트 종이에 물을 떨어뜨리면 붉은색으로 변하고, 붉은색 염화 코발트 종이를 가열하면 다시 파란색으로 변한다. (○, ×)

3 연소 반응, 앙금 생성 반응 등과 같이 한 방향으로만 진행되는 반응을 (　　) 반응이라고 한다.

4 물과 수증기의 동적 평형처럼 한 물질의 두 가지 이상의 상태 사이의 평형을 (　　)(이)라고 한다.

답 1. 가역 2. ○ 3. 비가역
4. 상평형

3. 용해 평형 용질이 용매에 용해될 때 용질의 ▸용해 속도와 ▸석출 속도가 같아서 겉보기에는 변화가 일어나지 않는 것처럼 보이는 동적 평형 상태이다.

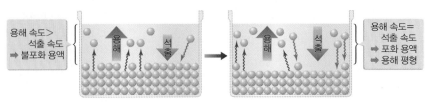

⑤ 용액
· 포화 용액: 용해 평형 상태의 용액으로, 용질이 최대로 녹아 있다.
· 불포화 용액: 포화 용액보다 용질이 적게 녹아 있는 용액이다.

[설탕의 용해와 석출]

· **현상:** 일정한 온도에서 일정량의 물에 설탕을 계속 넣으면 설탕이 녹아 들어가다가, 어느 순간부터 가라앉아 설탕이 더 이상 녹지 않는 것처럼 보인다. → 녹지 않고 가라앉은 설탕의 양이 일정하기 때문

$$\text{설탕(용질)} + \text{물(용매)} \underset{\text{석출}}{\overset{\text{용해}}{\rightleftharpoons}} \text{설탕물(용액)}⑤$$

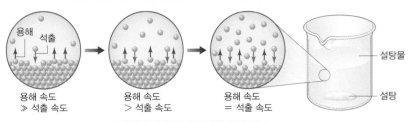

· **분석:** (a) 처음에는 용해 속도 ≫ 석출 속도 ➡ 설탕이 쉽게 녹는다.
  (b) 녹아 들어가는 설탕의 양이 많아질수록 석출 속도가 빨라진다.
  (c) 결국 용해 속도와 석출 속도가 같아지는 동적 평형에 도달한다.
  (d) 동적 평형 상태에서 설탕이 더 이상 녹지 않는 것처럼 보이지만 용해와 석출은 계속 일어난다.

[염화 나트륨 포화 수용액 속의 용해와 석출]

· **현상:** 물이 담긴 비커에 염화 나트륨($NaCl$)을 충분히 녹인 후 바닥에 가라앉은 고체 $NaCl$의 양이 더 이상 줄어들지 않을 때, ▸동위 원소 ^{24}Na이 포함된 $^{24}NaCl$을 한 숟가락 넣어 준다.

Na은 자연 상태에서 거의 대부분 ^{23}Na으로 존재하지만, 방사성을 띠는 ^{24}Na도 아주 적은 비율로 존재한다.

$$NaCl(s) \underset{\text{석출}}{\overset{\text{용해}}{\rightleftharpoons}} NaCl(aq)(Na^+(aq) + Cl^-(aq))$$

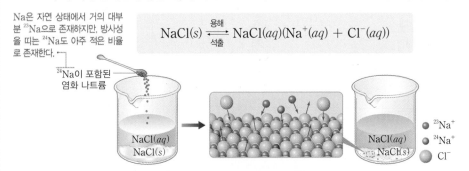

· **결과:** 바닥에 가라앉은 염화 나트륨 고체와 수용액에서 모두 ^{24}Na이 발견된다.
· **분석:** 반응이 멈춘 것처럼 보이는 포화 수용액에서도 염화 나트륨이 용해되는 반응과 석출되는 반응이 끊임없이 일어난다는 사실을 알 수 있다.

강의 콕

동적 평형이란 가역 반응에서 정반응 속도와 역반응 속도가 같아서 겉보기에는 변화가 없는 것처럼 보이는 상태를 말한다. 아무 변화가 없는 것처럼 보여도 정반응과 역반응이 끊임없이 일어나고 있는 것이다.

━━━ **용어** ━━━

▸ **용해:** 용질이 용매에 균일하게 섞이는 현상
▸ **석출:** 용액에서 결정 또는 고체 물질이 분리되어 나오는 현상. 또는 용해되었던 용질이 다시 고체로 되돌아가는 현상
▸ **동위 원소:** 원자 번호는 같으나 중성자수가 달라 질량수가 다른 원소

개념 확인하기

1 용질이 용매에 용해되는 속도와 석출되는 속도가 같아서 겉보기에 용해나 석출이 일어나지 않는 것처럼 보이는 동적 평형 상태를 (   )(이)라고 한다.

2 용해 평형을 이루고 있는 용액을 포화 용액이라고 한다. (○ , ×)

답 1. 용해 평형 2. ○

셀파 탐구

상평형 – 브로민의 증발과 응축

같은 주제 다른 탐구

[과정과 결과]

1. 그림과 같이 적갈색을 띠는 이산화 질소(NO_2) 기체를 밀폐 용기에 넣은 후 실온에 두었다.
2. 적갈색이 점점 옅어지다가 어느 순간부터 더 이상 옅어지지 않았다.

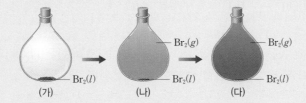

[정리]

1. 밀폐 용기 안에서는 다음과 같은 가역 반응이 일어난다.

$$2NO_2(g) \rightleftharpoons N_2O_4(g)$$
적갈색 　　　 무색

2. 처음에는 적갈색의 NO_2가 결합하여 무색의 N_2O_4로 되는 반응이 일어나 적갈색이 점점 옅어진다. 충분한 시간이 지나면 NO_2가 N_2O_4를 생성하는 반응과 N_2O_4가 NO_2로 분해되는 반응이 같은 속도로 일어나 동적 평형에 도달한다. 동적 평형 상태에서는 NO_2와 N_2O_4의 농도가 일정하게 유지되므로 색 변화가 더 이상 일어나지 않는다.

⊕ 유의점

브로민은 유독하므로 증기를 흡입하지 않도록 유의하며, 마스크와 보안경을 꼭 착용하고 후드 안에서 실험한다.

📋 시험 유형은?

❶ 브로민의 증발 속도와 응축 속도 그래프에서 동적 평형에 도달한 시간은 언제인가?
▸ t초 이후 증발 속도와 응축 속도가 일정하므로 t초에서 동적 평형에 도달하였다.
❷ NO_2와 N_2O_4 사이의 반응에서 동적 평형에 도달한 후 NO_2와 N_2O_4의 농도는 어떻게 될까?
▸ N_2O_4의 생성 반응 속도와 N_2O_4의 분해 반응 속도가 같으므로 NO_2와 N_2O_4의 농도는 일정하게 유지된다.

목표　가역 반응에서 동적 평형을 설명할 수 있다.

과정 및 결과

그림 (가)와 같이 일정한 온도에서 밀폐 용기에 액체 브로민($Br_2(l)$)을 넣었더니, 용기 내부의 색깔이 점점 진해지다가 어느 순간((다))부터 더 이상 색 변화가 없었다.

$$Br_2(l) \rightleftharpoons Br_2(g)$$

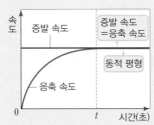

정리

1. (가)~(다) 각각에서 증발 속도와 응축 속도를 비교해 보자.
→ (가)와 (나)는 동적 평형 상태에 도달하기 전이므로 증발 속도>응축 속도이고, (다)는 동적 평형 상태이므로 증발 속도=응축 속도이다.

2. 시간에 따른 증발 속도와 응축 속도를 그래프로 나타내고, (가)~(다)와 관련지어 설명해 보자.

→ • 온도가 일정하므로 증발 속도는 일정하다. 응축 속도는 용기 속에 브로민 기체가 증가할수록 빨라지다가 동적 평형 상태에서는 증발 속도와 같아지며, 일정하게 유지된다.
• 증발 속도와 응축 속도가 같아지면 동적 평형 상태가 되므로 더 이상의 색 변화가 없다.
• (가)와 (나)는 동적 평형에 도달하기 전이므로 0에서 t초 사이에 해당하고, 색 변화가 없는 (다)는 동적 평형 상태이므로 t초 이후의 지점이다.

탐구 대표 문제 　정답과 해설 52쪽

01 NO_2와 N_2O_4의 반응에 대한 설명으로 옳지 <u>않은</u> 것은?

① N_2O_4의 생성과 분해는 가역 반응이다.
② 동적 평형 상태에서 역반응은 일어나지 않는다.
③ 동적 평형 상태에서 NO_2의 농도는 일정하게 유지된다.
④ 동적 평형 상태에서 N_2O_4의 농도는 일정하게 유지된다.
⑤ 색 변화가 더 이상 일어나지 않을 때가 동적 평형 상태이다.

③ 물의 자동 이온화와 pH

1. **물의 자동 이온화**[6] 순수한 물에서 매우 적은 양의 물 분자끼리 수소 이온(H^+)을 주고받아 하이드로늄 이온(H_3O^+)과 수산화 이온(OH^-)으로 이온화하는 현상이다.

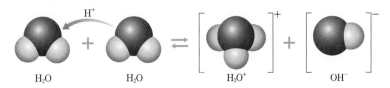

$$H_2O(l) + H_2O(l) \rightleftharpoons H_3O^+(aq) + OH^-(aq)$$ → H^+과 H_3O^+은 화학적으로 같은 이온이므로 $H_2O \rightleftharpoons H^+ + OH^-$로 나타내기도 한다.

2. **물의 이온화 상수(K_w)** 물의 자동 이온화 과정에서 생성된 하이드로늄 이온(H_3O^+)의 몰 농도와 수산화 이온(OH^-)의 몰 농도 곱을 물의 이온화 상수라고 한다.

$$K_w = [H_3O^+][OH^-]$$
$$([H_3O^+]: H_3O^+\text{의 몰 농도}, [OH^-]: OH^-\text{의 몰 농도})$$

① 물의 이온화 상수(K_w)는 온도가 일정하면 물뿐만 아니라 수용액에서도 일정하고, 온도가 높을수록 커진다. └ 수용액에서 H_3O^+의 농도를 알면 OH^-의 농도를 알 수 있다.

온도(℃)	0	10	25	30
K_w	1.14×10^{-15}	2.92×10^{-15}	1.01×10^{-14}	1.47×10^{-14}

② 순수한 물에는 H_3O^+과 OH^- 이외에 어떤 이온도 들어 있지 않으며, 전체적으로 전기적인 중성을 띠므로 H_3O^+과 OH^-은 같은 수로 존재한다.
   ➡ 25 ℃의 순수한 물에서 $K_w = [H_3O^+][OH^-] = 1.0 \times 10^{-14}$이므로 $[H_3O^+] = [OH^-]$ $= 1.0 \times 10^{-7}$ M이다.

3. **용액의 pH**[7]
① 수소 이온 농도 지수(pH): 수용액 속에 들어 있는 H_3O^+의 농도를 간단히 나타낸 것

$$pH = \log \frac{1}{[H_3O^+]} = -\log[H_3O^+]$$ → H_3O^+의 농도가 커지면 pH 값이 작아진다.

└ 25 ℃ 순수한 물의 $[H_3O^+] = 1.0 \times 10^{-7}$ M ➡ $pH = -\log(1.0 \times 10^{-7}) = 7$

· pH 값이 작을수록 산성이 강하고, pH 값이 클수록 염기성이 강하다.
· 수용액의 pH가 1씩 작아질수록 수용액 속의 $[H_3O^+]$는 10배씩 커진다.
   ⑩ pH가 2.0인 수용액은 pH가 3.0인 수용액에 비해 $[H_3O^+]$가 10배 크고, pH가 4.0인 수용액에 비해 $[H_3O^+]$가 100배 크다.
② 수산화 이온 농도 지수(pOH): 수용액 속에 들어 있는 OH^-의 농도를 간단히 나타낸 것

$$pOH = \log \frac{1}{[OH^-]} = -\log[OH^-]$$

└ 25 ℃ 순수한 물의 $[OH^-] = 1.0 \times 10^{-7}$ M ➡ $pOH = -\log(1.0 \times 10^{-7}) = 7$

③ pH와 pOH의 관계: 25 ℃에서 물의 이온화 상수 $K_w = [H_3O^+][OH^-] = 1.0 \times 10^{-14}$로 일정하므로 다음의 관계가 성립한다.

$$pH + pOH = 14(25 ℃)[8]$$

---

❻ 물의 자동 이온화

물은 대부분 분자 상태로 존재하지만, 매우 적은 양의 물은 이온화하여 동적 평형을 이룬다. 따라서 정밀하게 측정해 보면 순수한 물도 매우 약하게 전기를 통한다.

셀파 콕콕 🔍

물의 이온화 상수(K_w)는 온도에 의해서만 영향을 받고, 산이나 염기와 같은 다른 물질이 혼합된 수용액에서도 일정한 값을 갖는다.

❼ pH(power of Hydrogen)
$[H_3O^+]$나 $[OH^-]$는 값이 매우 작아서 사용하기 불편하므로, 이러한 불편함을 없애기 위해 덴마크의 생화학자 쇠렌센(Sørensen, S. P. L., 1868~1939)은 H_3O^+ 농도 값의 역수에 상용로그를 취해 간단하게 나타낸 pH(수소 이온 농도 지수)를 제안하였다.

❽ pH + pOH 값(25 ℃)
$K_w = [H_3O^+][OH^-] = 1.0 \times 10^{-14}$
위 식의 양변에 $-\log$를 취하면,
$-\log([H_3O^+][OH^-])$
$= -\log[H_3O^+] + (-\log[OH^-])$
$= pH + pOH$이고,
$-\log(1.0 \times 10^{-14}) = 14$이다.
따라서 $pH + pOH = 14$이다.

━━━ 용어 ━━━

▶ **이온화**: 물질이 물에 녹아 양이온과 음이온으로 나누어지는 현상
▶ **상수**(constant): 변하지 않고 항상 같은 값을 가지는 수

④ 수용액의 액성과 pH, pOH의 관계(25 ℃)

액성	H_3O^+과 OH^-의 농도	pH와 pOH
산성	$[H_3O^+]>1.0\times10^{-7}$ M, $[OH^-]<1.0\times10^{-7}$ M	pH<7, pOH>7
중성	$[H_3O^+]=[OH^-]=1.0\times10^{-7}$ M	pH=pOH=7
염기성	$[H_3O^+]<1.0\times10^{-7}$ M, $[OH^-]>1.0\times10^{-7}$ M	pH>7, pOH<7

자료 파헤치기

[생활 주변의 여러 가지 물질의 액성과 pH, pOH의 관계(25 ℃)]

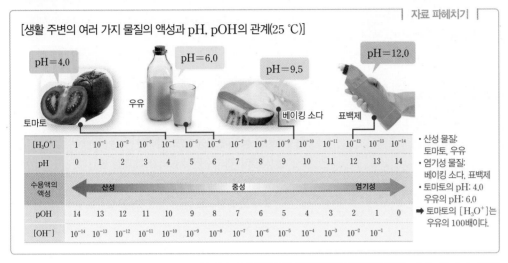

$[H_3O^+]$	1	10^{-1}	10^{-2}	10^{-3}	10^{-4}	10^{-5}	10^{-6}	10^{-7}	10^{-8}	10^{-9}	10^{-10}	10^{-11}	10^{-12}	10^{-13}	10^{-14}
pH	0	1	2	3	4	5	6	7	8	9	10	11	12	13	14
수용액의 액성	← 산성						중성						염기성 →		
pOH	14	13	12	11	10	9	8	7	6	5	4	3	2	1	0
$[OH^-]$	10^{-14}	10^{-13}	10^{-12}	10^{-11}	10^{-10}	10^{-9}	10^{-8}	10^{-7}	10^{-6}	10^{-5}	10^{-4}	10^{-3}	10^{-2}	10^{-1}	1

· 산성 물질: 토마토, 우유
· 염기성 물질: 베이킹 소다, 표백제
· 토마토의 pH: 4.0 우유의 pH: 6.0
➡ 토마토의 $[H_3O^+]$는 우유의 100배이다.

개념 적용하기

[예제] 25 ℃에서 pH가 3.0인 아세트산 수용액 속 OH^-의 농도는?

[풀이] pH=3.0인 용액의 $[H_3O^+]=1.0\times10^{-3}$ M이고, 25 ℃에서 $[H_3O^+][OH^-]=1.0\times10^{-14}$이 므로 $[OH^-]=1.0\times10^{-11}$ M이다.

⑤ 용액의 pH 측정: 지시약[9]을 사용하거나, pH 시험지 또는 pH 측정기를 사용하여 측정한다.

· 만능 지시약: 몇 가지 지시약을 적당한 비율로 혼합하여 만든 것으로, 에탄올에 티몰 블루, 메틸 레드, 브로모티몰 블루(BTB), 페놀프탈레인 용액을 함께 녹인 것이 많이 사용된다. → 4가지 지시약의 변색 범위에서 색 변화가 나타난다.

지시약	pH 1	2	3	4	5	6	7	8	9	10	11
티몰 블루	붉은색		노란색				노란색		푸른색		
메틸 오렌지		붉은색		노란색							
메틸 레드			붉은색		노란색						
브로모티몰 블루					노란색		푸른색				
페놀 레드						노란색		붉은색			
페놀프탈레인								무색	붉은색		

◀ 지시약의 변색 범위

· pH 시험지: 만능 지시약을 종이에 적셔 만든 것으로 대략적인 pH를 알 수 있다.

· pH 측정기: 수소 이온 농도($[H_3O^+]$)에 따른 전기 전도도 차이를 이용한 것으로 가장 정확하게 pH를 측정할 수 있다. → pH 측정기의 전극을 수용액에 담그면 H_3O^+의 농도가 전기적 신호로 바뀌어 pH 값이 나타난다.

암기 콕

용액의 액성과 pH(25 ℃)

pH	용액의 액성
pH<7	산성
pH=7	중성
pH>7	염기성

❾ 지시약

용액의 pH에 따라 색이 달라지는 물질이다. 지시약은 그 자체가 약산 또는 약염기이다. 약산성을 띠는 지시약의 경우, 산성형(HIn)과 짝염기형(In^-)이 평형을 이루고 있으며, HIn일 때와 In^-일 때 나타나는 색이 다르다.

$HIn(aq) + H_2O(l)$
$\rightleftharpoons In^-(aq) + H_3O^+(aq)$

산성 용액에서는 HIn의 색이, 염기성 용액에서는 In^-의 색이 나타난다.

▲ pH 시험지

▲ pH 측정기

용어

▶ 변색 범위: 산·염기 지시약의 색 변화가 관측되는 pH 범위

개념 확인하기

1 물의 이온화 상수 $K_w=[H_3O^+][OH^-]$이며, (　　)이/가 일정하면 항상 일정한 값을 가진다.

2 25 ℃에서 탄산음료에 들어 있는 H_3O^+의 농도가 0.00001 M일 때, 이 탄산음료의 pH는 (　　)이다.

3 수용액의 $[H_3O^+]$가 커지면 pH는 (커 , 작아)진다.

4 25 ℃에서 용액의 pH가 7보다 크면 산성, pOH가 7보다 크면 염기성이다. (○ , ×)

답 1 온도 2 5 3 작아 4 ×

기초 탄탄 문제

정답과 해설 52쪽

핵심용어_ 이 단원에서 내가 아는 것과 아직 모르는 것을 정리하며 나의 공부를 돌아보자.

☐ 가역 반응　　　　☐ 비가역 반응　　　　☐ 동적 평형
☐ 상평형　　　　　☐ 용해 평형　　　　　☐ 물의 자동 이온화
☐ 물의 이온화 상수　☐ pH

01 가역 반응과 비가역 반응에 대한 설명으로 옳은 것은?

① 염산과 마그네슘의 반응은 가역 반응이다.
② 얼음과 물의 상태 변화는 가역 반응이다.
③ 화학 반응식에서 가역 반응은 ⟶로 표시한다.
④ 메테인의 연소 반응은 역반응이 쉽게 일어난다.
⑤ 염화 나트륨 수용액과 질산 은 수용액의 앙금 생성 반응은 역반응이 쉽게 일어난다.

02 동적 평형에 대한 설명으로 옳지 <u>않은</u> 것은?

① 포화 용액은 용해 평형 상태에 있는 용액이다.
② 반응물과 생성물의 농도가 일정하게 유지된다.
③ 역반응은 일어나지 않는다.
④ 액체와 기체의 상평형에서는 증발 속도와 응축 속도가 같다.
⑤ 액체와 기체뿐만 아니라 고체와 기체, 고체와 액체 사이에서도 나타난다.

03 상평형과 용해 평형에 대한 설명으로 옳지 <u>않은</u> 것은?

① 용해 평형이 일어나는 반응은 가역 반응이다.
② 불포화 용액에서는 용해 속도가 석출 속도보다 느리다.
③ 포화 용액은 용해 평형 상태로 용질이 최대로 녹아 있다.
④ 고체와 액체 사이에서도 상평형이 일어날 수 있다.
⑤ 컵에 물을 담아 두면 물의 증발 속도가 응축 속도보다 빨라서 물이 줄어든다.

04 다음 중 동적 평형에 도달한 것으로 볼 수 있는 것은?

① 나무에 불을 붙였더니 모두 탔다.
② 그릇에 담긴 물이 모두 증발하였다.
③ 오래 둔 간장 종지의 바닥에 소금 결정만 남았다.
④ 시계에 넣은 건전지가 모두 방전되어 시계가 멈췄다.
⑤ 물에 소금을 넣어 녹였더니 더 이상 녹지 않고 바닥에 가라앉았다.

05 그림은 용기에 물을 넣고 밀폐한 후 충분한 시간이 지나 수면의 높이가 더 이상 변하지 않는 상태를 나타낸 것이다.
이에 대한 설명으로 옳지 <u>않은</u> 것은? (단, 온도는 일정하다.)

물

① 용기 안은 동적 평형 상태에 도달하였다.
② 용기 안 기체 입자의 수는 일정하게 유지된다.
③ 물의 증발 속도와 수증기의 응축 속도가 같다.
④ 증발과 응축이 더 이상 일어나지 않는다.
⑤ 액체와 기체 사이에 나타나는 상평형이다.

06 25 ℃ 순수한 물에 대한 설명으로 옳지 <u>않은</u> 것은?

① 물 분자의 일부가 이온화하여 동적 평형을 이룬다.
② H_3O^+과 OH^-의 몰 농도가 같다.
③ H_3O^+과 OH^-의 몰 농도 곱은 일정한 값을 갖는다.
④ pH와 pOH의 값이 같다.
⑤ 산을 가하면 H_3O^+의 농도가 감소한다.

07 pH에 대한 설명으로 옳은 것은?

① 25 ℃에서 순수한 물의 pH는 14이다.
② 수용액 속 H_3O^+의 농도가 클수록 pH가 커진다.
③ 수용액 속 OH^-의 농도를 간단히 나타낸 값이다.
④ pH가 9인 용액은 H_3O^+의 수가 OH^-의 수보다 많다.
⑤ pH가 1씩 작아질수록 수용액 속의 $[H_3O^+]$는 10배씩 커진다.

내신 만점 문제

정답과 해설 53쪽

* ▨▨▨ 난이도를 나타냅니다.

01 다음은 실생활과 관련된 현상 2가지를 나타낸 것이다.

> (가) 가스레인지에서 연료인 메테인이 연소한다.
> (나) 25 ℃의 물에 설탕을 녹였더니 일부가 녹지 않고 고체로 남았다.

이에 대한 설명으로 옳은 것만을 〈보기〉에서 있는 대로 고른 것은?

┤ 보기 ├
ㄱ. (가)는 가역 반응이다.
ㄴ. (나)에서 용해 속도와 석출 속도가 같다.
ㄷ. (나)에 설탕을 더 넣으면 용해 속도가 빨라진다.

① ㄱ ② ㄴ ③ ㄱ, ㄷ
④ ㄴ, ㄷ ⑤ ㄱ, ㄴ, ㄷ

02 그림은 실온에서 컵에 얼음이 들어 있는 것을 나타낸 것이다.
이에 대한 설명으로 옳은 것만을 〈보기〉에서 있는 대로 고른 것은? (단, 온도는 일정하며, 물의 증발은 무시한다.)

┤ 보기 ├
ㄱ. 시간이 지날수록 물의 질량이 증가한다.
ㄴ. 고체와 액체의 상평형 상태에 도달할 수 있다.
ㄷ. 얼음이 물이 되는 속도가 물이 얼음이 되는 속도보다 빠르다.

① ㄴ ② ㄷ ③ ㄱ, ㄴ
④ ㄱ, ㄷ ⑤ ㄱ, ㄴ, ㄷ

03 그림은 25 ℃에서 일정량의 물에 용질을 계속 넣었을 때, 충분한 시간이 지난 후 더 이상 용질이 녹지 않는 순간까지의 변화를 모형으로 나타낸 것이다.

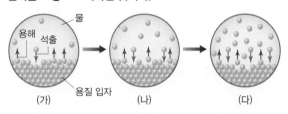

이에 대한 설명으로 옳은 것만을 〈보기〉에서 있는 대로 고른 것은?

┤ 보기 ├
ㄱ. 용질의 용해 속도는 (가)가 (다)보다 빠르다.
ㄴ. 용질의 석출 속도는 (다)>(나)>(가)이다.
ㄷ. (다)에서 용액의 농도는 일정하게 유지된다.

① ㄱ ② ㄷ ③ ㄱ, ㄴ
④ ㄴ, ㄷ ⑤ ㄱ, ㄴ, ㄷ

04 그림은 일정한 온도에서 밀폐된 용기에 물을 넣었을 때, 시간에 따른 물의 증발 속도와 수증기의 응축 속도를 나타낸 것이다. 단, (가)와 (나)는 각각 증발 속도와 응축 속도 중 하나이다.

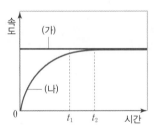

이에 대한 설명으로 옳은 것만을 〈보기〉에서 있는 대로 고른 것은?

┤ 보기 ├
ㄱ. (가)는 증발 속도이다.
ㄴ. t_1보다 t_2에서 물의 양이 더 많다.
ㄷ. t_2 이후에는 용기 속 수증기의 분자 수가 일정하게 유지된다.

① ㄱ ② ㄴ ③ ㄱ, ㄷ
④ ㄴ, ㄷ ⑤ ㄱ, ㄴ, ㄷ

05 다음은 두 가지 화학 반응식을 나타낸 것이다.

> (가) $HCl(aq) + NaOH(aq)$
> $\longrightarrow NaCl(aq) + H_2O(l)$
> (나) $Br_2(l) \rightleftharpoons Br_2(g)$

이에 대한 설명으로 옳은 것만을 〈보기〉에서 있는 대로 고른 것은?

┤ 보기 ├

ㄱ. (가)는 역반응이 일어날 수 있다.

ㄴ. $Br_2(g)$을 밀폐 용기에 넣어 두면 동적 평형에 도달할 수 있다.

ㄷ. 밀폐 용기에 $Br_2(l)$을 넣고 오래 두면 용기 속에 $Br_2(l)$과 $Br_2(g)$이 함께 존재한다.

① ㄱ ② ㄴ ③ ㄱ, ㄷ
④ ㄴ, ㄷ ⑤ ㄱ, ㄴ, ㄷ

06 다음은 순수한 물의 자동 이온화 반응 모형과 25 ℃에서 순수한 물의 이온화 상수(K_w)를 나타낸 것이다.

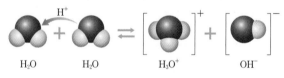

$$K_w = 1.0 \times 10^{-14}(25\,℃)$$

이에 대한 설명으로 옳은 것만을 〈보기〉에서 있는 대로 고른 것은?

┤ 보기 ├

ㄱ. 물의 자동 이온화는 가역 반응이다.

ㄴ. 25 ℃ 순수한 물에서 $[H_3O^+]$는 1.0×10^{-7} M이다.

ㄷ. 물의 자동 이온화 반응에서 반응물의 양(mol)은 생성물의 양(mol)보다 매우 적다.

① ㄱ ② ㄷ ③ ㄱ, ㄴ
④ ㄴ, ㄷ ⑤ ㄱ, ㄴ, ㄷ

다음은 황산 구리(Ⅱ) 오수화물의 분해와 생성에 대한 실험이다.

> (가) 파란색 황산 구리(Ⅱ) 오수화물($CuSO_4 \cdot 5H_2O$)을 증발 접시에 넣고 가열하면 흰색으로 변한다.
>
>
>
> (나) 흰색 결정에 물을 떨어뜨리면 다시 파란색으로 변한다.

이에 대한 설명으로 옳은 것만을 〈보기〉에서 있는 대로 고른 것은?

┤ 보기 ├

ㄱ. (가)의 흰색 결정은 $CuSO_4$이다.

ㄴ. (나)에서 파랗게 변한 결정을 가열하면 다시 흰색으로 변한다.

ㄷ. $CuSO_4 \cdot 5H_2O$의 분해와 생성은 가역 반응이다.

① ㄱ ② ㄴ ③ ㄱ, ㄷ
④ ㄴ, ㄷ ⑤ ㄱ, ㄴ, ㄷ

그림은 25 ℃에서 4가지 물질의 pH를 나타낸 것이다.

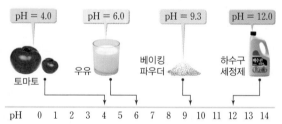

이에 대한 설명으로 옳은 것만을 〈보기〉에서 있는 대로 고른 것은?

┤ 보기 ├

ㄱ. pOH는 토마토가 가장 크다.

ㄴ. 우유의 $[H_3O^+]$는 토마토의 100배이다.

ㄷ. 하수구 세정제는 염기성이 가장 약한 물질이다.

① ㄱ ② ㄴ ③ ㄱ, ㄷ
④ ㄴ, ㄷ ⑤ ㄱ, ㄴ, ㄷ

09 다음은 25 ℃에서 (가)~(다) 수용액에 대한 자료이다.

> (가) 0.0001 M 식초
> (나) 0.01 M 수산화 나트륨(NaOH) 수용액
> (다) pOH가 3인 수산화 바륨(Ba(OH)$_2$) 수용액

수용액의 pH가 큰 것부터 순서대로 옳게 나열한 것은? (단, 25 ℃에서 물의 이온화 상수 $K_w = 1.0 \times 10^{-14}$이다.)

① (가)-(나)-(다) ② (나)-(가)-(다)
③ (나)-(다)-(가) ④ (다)-(가)-(나)
⑤ (다)-(나)-(가)

10 25 ℃ 수용액의 pH에 대한 설명으로 옳은 것만을 〈보기〉에서 있는 대로 고른 것은?

┤ 보기 ├

ㄱ. pH 8인 수용액은 강한 산성을 띤다.
ㄴ. pOH 3인 수용액의 [H$_3$O$^+$]는 1.0×10^{-11} M이다.
ㄷ. pH 2인 수용액의 [H$_3$O$^+$]는 pH 4인 수용액의 2배이다.

① ㄱ ② ㄴ ③ ㄱ, ㄷ
④ ㄴ, ㄷ ⑤ ㄱ, ㄴ, ㄷ

11 표는 25 ℃에서 수용액 A~D에 대한 자료이다.

수용액	A	B	C	D
[H$_3$O$^+$](M)			1.0×10^{-6}	
[OH$^-$](M)		1.0×10^{-6}		
pH				2
pOH	10			12

수용액 A~D에 대한 설명으로 옳은 것만을 〈보기〉에서 있는 대로 고른 것은?

┤ 보기 ├

ㄱ. A의 [H$_3$O$^+$]는 1.0×10^{-4} M이다.
ㄴ. B와 C는 중성 용액이다.
ㄷ. C의 pOH 값은 6이다.
ㄹ. D에서 [H$_3$O$^+$] > [OH$^-$]이다.

① ㄱ, ㄴ ② ㄱ, ㄹ ③ ㄴ, ㄷ
④ ㄴ, ㄹ ⑤ ㄱ, ㄷ, ㄹ

서술형 문제

12 그림은 비커에 물을 넣고 밀폐한 후 시간의 흐름에 따른 물 분자의 이동을 모형으로 나타낸 것이다. (다)에서 수면의 높이가 일정해졌다. (단, 온도는 일정하다.)

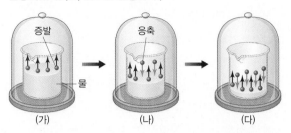

(1) (가)~(다)에서 물 분자의 증발 속도를 비교하고, 그 까닭을 서술하시오.

_____

(2) (가)~(다)에서 수증기 분자의 응축 속도를 비교하고, 그 까닭을 서술하시오.

_____

(3) (가)~(다) 중 동적 평형에 도달한 비커를 고르고, 그렇게 생각한 까닭을 서술하시오.

_____

13 아이오딘(I$_2$)은 밀폐된 용기에서 고체와 기체 사이에 평형을 이룬다. 그림은 ^{127}I$_2$과 동위 원소인 ^{131}I$_2$이 각각 들어 있는 용기를 나타낸 것이다. 꼭지를 열고 시간이 흐른 뒤 ^{131}I$_2$은 어디에서 발견될지 그 까닭과 함께 서술하시오.

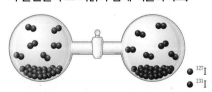

● ^{127}I
● ^{131}I

_____
_____
_____

02 산 염기와 중화 반응

내 교과서는 어디에?

천재 p.163~181 교학사 p.162~171 금성 p.156~167 동아 p.175~183 미래엔 p.164~173
비상 p.159~165 상상 p.172~180 지학사 p.168~174 YBM p.181~189

핵심 Point
- 산과 염기의 정의를 이해한다.
- 산과 염기의 **중화 반응**을 이해하고, 중화 반응에서 **양적 관계**를 알아본다.

1 산과 염기

1. 산과 염기의 성질

(1) 산과 염기의 공통적인 성질

① 산: 수용액에서 수소 이온(H^+)을 내놓는 물질
  예 염산(HCl), 질산(HNO_3), 황산(H_2SO_4), 탄산(H_2CO_3), 아세트산(CH_3COOH) 등

② 염기: 수용액에서 수산화 이온(OH^-)을 내놓는 물질
  예 수산화 나트륨($NaOH$), 수산화 칼륨(KOH), 수산화 칼슘($Ca(OH)_2$) 등

성질	산의 공통적인 성질(산성)	염기의 공통적인 성질(염기성)
맛	신맛 → 오렌지: 시트르산, 포도: 타타르산, 신 김치: 젖산	쓴맛
전기 전도성❶	수용액 상태에서 전류가 흐름	수용액 상태에서 전류가 흐름
금속과의 반응	마그네슘(Mg), 아연(Zn), 철(Fe) 등의 금속과 반응하여 수소 기체 발생 $Mg + 2HCl \longrightarrow MgCl_2 + H_2\uparrow$	└ 산, 염기 수용액에 이온이 존재하기 때문 대부분의 금속과 반응하지 않음
탄산 칼슘과의 반응	탄산 칼슘($CaCO_3$)과 반응하여 이산화 탄소(CO_2) 기체 발생❷	반응하지 않음
단백질과의 반응	변화 없음	단백질을 녹이므로 손으로 만지면 미끈거림 └ 하수구 세척액은 진한 $NaOH$ 수용액이므로 단백질 성분인 머리카락이나 때를 녹여 막힌 하수구를 뚫을 수 있다.

③ 지시약❸: 용액의 ▸액성을 구별하는 데 사용하는 물질로, 액성에 따라 색깔이 달라진다.

지시약	리트머스 종이	페놀프탈레인 용액	메틸 오렌지 용액	BTB 용액
산성	푸른색 → 붉은색	무색	빨간색	노란색
염기성	붉은색 → 푸른색	붉은색	노란색	파란색

(2) 산성과 염기성이 나타나는 까닭

① 산의 ▸이온화: 산(HA)을 물에 녹이면 수소 이온(H^+)과 음이온(A^-)으로 나누어진다.

산(HA)	→	수소 이온(H^+)	+	음이온(A^-)
염산(HCl)	→	H^+	+	Cl^-(염화 이온)
질산(HNO_3)	→	H^+	+	NO_3^-(질산 이온)
황산(H_2SO_4)	→	$2H^+$	+	SO_4^{2-}(황산 이온)
아세트산(CH_3COOH)	→	H^+	+	CH_3COO^-(아세트산 이온)

- 산의 공통적 성질: 산이 이온화하여 공통으로 수소 이온(H^+)을 내놓기 때문이다.
- 산의 특이성: 산의 종류에 따라 내놓는 음이온이 다르기 때문이다.

---

❶ **산과 염기 수용액의 전기 전도성**
산과 염기는 물에 녹아 양이온과 음이온으로 나누어져 양이온은 (−)극으로, 음이온은 (+)극으로 이동하면서 전하를 운반하므로 전류가 흐른다.

❷ **탄산 칼슘과 산의 반응**
탄산 칼슘($CaCO_3$)은 달걀 껍데기나 조개껍데기, 석회석, 대리석의 주성분이다. 이러한 물질이 산 수용액을 만나면 부글부글 끓어오르며 녹는데, 이때 발생하는 기체는 이산화 탄소(CO_2)이다. 산성비가 내리면 대리석으로 이루어진 건물이나 조각상이 훼손되는 까닭도 이때문이다.
$CaCO_3(s) + 2HCl(aq) \longrightarrow$
$CaCl_2(aq) + CO_2(g) + H_2O(l)$

셀파 콕콕
화학식에 H가 있다고 모두 산이 아니다. 산은 물에 녹아 H^+을 내놓을 수 있어야 한다. 예로, 메테인(CH_4)은 화학식에 H가 많지만 물에 녹아 H^+을 내놓을 수 없으므로 산이 아니다.

❸ **천연 지시약**
우리 주변의 물질에서도 지시약으로 사용할 수 있는 것이 있다. 자주색 양배추는 용액의 액성에 따라 색이 변하는 성질이 있어 천연 지시약으로 사용된다. 천연 지시약의 재료로는 이밖에도 포도 껍질, 블루베리, 장미꽃, 검은 콩 등이 있다.

== 용어 ==

▸ **액성**: 용액이 산성, 중성, 염기성으로 구분되는 성질
▸ **이온화**: 어떤 물질이 물에 녹아 양이온과 음이온으로 나누어지는 현상

② 염기의 이온화: 염기(BOH)를 물에 녹이면 양이온(B⁺)과 수산화 이온(OH⁻)으로 나누어진다.

염기(BOH)	→	양이온(B⁺)	+	수산화 이온(OH⁻)
수산화 나트륨(NaOH)	→	Na⁺(나트륨 이온)	+	OH⁻
수산화 칼륨(KOH)	→	K⁺(칼륨 이온)	+	OH⁻
수산화 칼슘(Ca(OH)₂)	→	Ca²⁺(칼슘 이온)	+	2OH⁻

- 염기의 공통적 성질: 염기가 이온화하여 공통으로 수산화 이온(OH⁻)을 내놓기 때문이다.
- 염기의 특이성: 염기의 종류에 따라 내놓는 양이온이 다르기 때문이다.

NaOH / 물 / Na⁺ / OH⁻

┏ 자료 파헤치기 ┓

구분	산성을 나타내는 이온의 확인	염기성을 나타내는 이온의 확인
과정	질산 칼륨 수용액에 적신[❹] 푸른색 리트머스 종이 위에 묽은 염산(HCl)에 적신 실을 올려놓고 전류를 흘려준다.	질산 칼륨 수용액에 적신 붉은색 리트머스 종이 위에 수산화 나트륨(NaOH) 수용액에 적신 실을 올려놓고 전류를 흘려준다.
결과 및 해석	(−)극 묽은 염산에 적신 실 (+)극 H⁺, K⁺ ← → Cl⁻, NO₃⁻ 질산 칼륨 수용액에 적신 푸른색 리트머스 종이	(−)극 수산화 나트륨 수용액에 적신 실 (+)극 Na⁺, K⁺ ← → OH⁻, NO₃⁻ 질산 칼륨 수용액에 적신 붉은색 리트머스 종이
	푸른색 리트머스 종이가 (−)극 쪽으로 붉게 변한다. ➡ 염산의 수소 이온(H⁺)이 (−)극 쪽으로 끌려가기 때문이다. → 산성을 나타내는 이온이 양이온임을 알 수 있다.	붉은색 리트머스 종이가 (+)극 쪽으로 푸르게 변한다. ➡ 수산화 나트륨의 수산화 이온(OH⁻)이 (+)극 쪽으로 끌려가기 때문이다. → 염기성을 나타내는 이온이 음이온임을 알 수 있다.

2. 산과 염기의 정의

(1) 아레니우스 정의 → 아레니우스(Arrhenius, S. A., 1859~1927)는 스웨덴의 화학자로, 1903년에 전해질 용액 이론으로 노벨 화학상을 받았다.

① 산: 수용액에서 수소 이온(H^+)을 내놓는 물질

예 $HCl(aq) \longrightarrow H^+(aq) + Cl^-(aq)$, $CH_3COOH(aq) \longrightarrow H^+(aq) + CH_3COO^-(aq)$

② 염기: 수용액에서 수산화 이온(OH^-)을 내놓는 물질

예 $NaOH(aq) \longrightarrow Na^+(aq) + OH^-(aq)$, $Ca(OH)_2(aq) \longrightarrow Ca^{2+}(aq) + 2OH^-(aq)$

③ 아레니우스 정의의 한계
- 수용액에서 일어나는 반응에만 적용 가능하다.
- 수소 이온(H^+)은 수용액에서 물과 결합하여 하이드로늄 이온(H_3O^+)으로 존재한다.
- 수용액에서 수소 이온(H^+)이나 수산화 이온(OH^-)을 직접 내놓지 않는 물질에는 적용할 수 없다. 예 암모니아(NH_3) → 암모니아(NH_3)는 분자 자체에 OH⁻을 가지고 있지 않지만 염기성을 나타낸다.

1 산은 금속 마그네슘과 반응하여 (　　) 기체를 발생한다.

2 염기는 (　　)을/를 녹이는 성질이 있어 피부에 묻으면 미끈거린다.

3 산의 공통적인 성질은 산이 내놓는 음이온 때문이다. 　　　　(○ , ×)

4 물에 녹아 (　　)을/를 내놓는 물질을 아레니우스 산이라고 한다.

답 1 수소 2 단백질 3 × 4 수소 이온(H⁺)

---

❹ 질산 칼륨(KNO₃) 수용액을 사용하는 까닭

리트머스 종이에 전류가 흐르게 하기 위해서이다. 질산 칼륨은 물에 녹아 질산 이온(NO_3^-)과 칼륨 이온(K^+)으로 이온화하여, 질산 이온은 (+)극으로, 칼륨 이온은 (−)극으로 이동하므로 전류가 흐른다. 또한 K^+과 NO_3^-은 자체 색깔이 없고 리트머스 종이의 색을 변화시키지 않으며, 시료로 사용하는 산이나 염기와 반응하지 않으므로 실험에 사용하기에 적합한 전해질이다.

암기 콕
- 물에 녹아 H^+을 내놓는 물질: 아레니우스 산
- 물에 녹아 OH^-을 내놓는 물질: 아레니우스 염기

━━━ 용어 ━━━

▶ **하이드로늄 이온(H_3O^+)**: 수소 이온(H^+)이 물 분자와 결합한 형태의 이온이다. 수소 이온(H^+)은 수소 원자가 전자를 잃은 양성자로, 반응성이 매우 커서 실제 수용액에서 H_3O^+으로 존재한다. 수용액에서 하이드로늄 이온(H_3O^+)은 간단하게 H^+으로 표현하기도 한다.

(2) 브뢴스테드·로리 정의[5]

① 산: 다른 물질에게 양성자(H^+)를 내놓는 물질 ➡ 양성자(H^+) 주개

② 염기: 다른 물질로부터 양성자(H^+)를 받는 물질 ➡ 양성자(H^+) 받개

③ 브뢴스테드·로리 정의의 장점

> • 수용액에서 일어나지 않는 반응에도 적용된다.
>
> 예 염화 수소와 암모니아의 반응[6]: $HCl(g) + NH_3(g) \longrightarrow NH_4Cl(s)$
>
>
>
> HCl(산)　　　NH₃(염기)　　　NH₄⁺　　　Cl⁻
>
> ➡ 염화 수소(HCl)는 H^+를 내놓으므로 산이고, 암모니아(NH_3)는 H^+를 받으므로 염기이다.
>
> ---
>
> • 하이드로늄 이온(H_3O^+)으로 존재하는 현상을 설명할 수 있다.
>
> 예 염화 수소와 물의 반응: $HCl(g) + H_2O(l) \longrightarrow H_3O^+(aq) + Cl^-(aq)$
>
>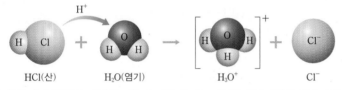
>
> HCl(산)　　　H₂O(염기)　　　H₃O⁺　　　Cl⁻
>
> ➡ 염화 수소(HCl)는 H^+를 내놓으므로 산이고, 물(H_2O)은 H^+를 받으므로 염기이다.
>
> ---
>
> • 암모니아가 OH^-을 가지고 있지 않아도 염기성을 띠는 까닭을 설명할 수 있다.
>
> 예 물과 암모니아의 반응: $H_2O(l) + NH_3(g) \longrightarrow NH_4^+(aq) + OH^-(aq)$
>
>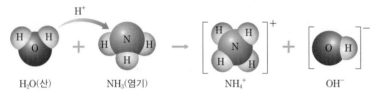
>
> H₂O(산)　　　NH₃(염기)　　　NH₄⁺　　　OH⁻
>
> ➡ 물(H_2O)은 H^+를 내놓으므로 산이고, 암모니아(NH_3)는 H^+를 받으므로 염기이다.

④ 양쪽성 물질: 조건에 따라 산으로 작용할 수도 있고, 염기로 작용할 수도 있는 물질

예 H_2O, HCO_3^-, $H_2PO_4^-$, HSO_4^- 등 → 양성자(H^+)를 내놓을 수도 있고 받을 수도 있는 물질이다.

$$NH_3(g) + H_2O(l) \longrightarrow NH_4^+(aq) + OH^-(aq) \cdots\cdots \ominus$$
염기　　　산

$$HCl(g) + H_2O(l) \longrightarrow H_3O^+(aq) + Cl^-(aq) \cdots\cdots \ominus$$
산　　　염기

➡ 물(H_2O)은 ㉠에서는 산으로 작용하고, ㉡에서는 염기로 작용한다. 따라서 물은 양쪽성 물질이다.

⑤ 짝산-짝염기[7]: 양성자(H^+)의 이동으로 산과 염기가 되는 한 쌍의 물질

➡ 정반응에서의 산-역반응에서의 염기, 정반응에서의 염기-역반응에서의 산의 관계

개념 확인하기

1 브뢴스테드·로리 정의에 의하면 (　　)을/를 주는 물질은 산, (　　)을/를 받는 물질은 염기이다.

2 $HCl(g)$와 $NH_3(g)$의 반응에서 HCl는 브뢴스테드·로리 (　　)이고, NH_3는 브뢴스테드·로리 (　　)이다.

답 1 양성자(H^+), 양성자(H^+)
2 산, 염기

---

[5] 브뢴스테드와 로리의 정의

1923년 덴마크의 과학자 브뢴스테드(Brönsted, J. N., 1879~1947)와 영국의 과학자 로리(Lowry, T. M., 1874~1936)는 H^+의 이동으로 산과 염기를 정의하여 아레니우스 정의가 수용액에서만 적용되는 한계를 해결하였다.

[6] 염화 수소와 암모니아의 반응

기체 상태의 HCl와 NH₃가 반응하여 흰색의 염화 암모늄(NH_4Cl) 고체가 생성되는 반응에서 HCl는 H^+를 내놓으므로 산, NH₃는 H^+를 받으므로 염기이다. 즉, 브뢴스테드·로리 정의로 수용액 이외의 상태에서 일어나는 반응에서도 산 염기 정의를 적용할 수 있다.

암기 콕

• H^+를 주는 물질: 브뢴스테드·로리 산
• H^+를 받는 물질: 브뢴스테드·로리 염기

[7] 짝산과 짝염기

짝산-짝염기

$$HF + H_2O \rightleftharpoons F^- + H_3O^+$$
산 1　염기 2　　염기 1　산 2

짝염기-짝산

HF-F⁻ 쌍	HF의 짝염기는 F⁻ F⁻의 짝산은 HF
H₂O-H₃O⁺ 쌍	H₂O의 짝산은 H₃O⁺ H₃O⁺의 짝염기는 H₂O

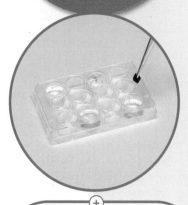

셀파 탐구

산과 염기의 공통적 성질

유의점

❶ 전기 전도성을 측정할 때 용액이 섞이지 않도록 용액을 바꿀 때마다 간이 전기 전도계의 전극을 증류수로 씻어 말린다.
❷ 시약이 피부나 옷에 묻지 않게 주의한다.
❸ 실험 후 홈판에 남아 있는 시약은 폐수 통에 버린다.

시험 유형은?

❶ 산에 마그네슘이나 아연과 같은 금속을 넣으면 어떻게 되는가?
▶ 수소 기체가 발생한다.
❷ 산에 탄산 칼슘(조개껍데기, 달걀 껍데기 등)을 넣으면 어떻게 되는가?
▶ 이산화 탄소 기체가 발생한다.
❸ 염기성 물질에 BTB 용액을 떨어뜨리면 색 변화는 어떠한가?
▶ 파란색을 띤다.
❹ 푸른색 리트머스 종이를 붉게 변화시키는 것은?
▶ 산성 물질
❺ 수용액의 전기 전도성 측정을 통해 산과 염기를 구분할 수 있는가?
▶ 없다. 산과 염기 모두 수용액에서 이온화하므로 전기 전도성이 있다.
❻ 묽은 염산(HCl)과 마그네슘(Mg), 묽은 염산(HCl)과 탄산 칼슘($CaCO_3$)의 반응을 화학 반응식으로 나타내 보자.
▶ $2HCl(aq)+Mg(s)$
  $\longrightarrow H_2(g)+MgCl_2(aq)$
▶ $2HCl(aq)+CaCO_3(s)$
  $\longrightarrow CO_2(g)+CaCl_2(aq)+H_2O(l)$

목표 산의 공통적인 성질과 염기의 공통적인 성질을 확인할 수 있다.

과정

❶ 그림과 같이 홈판의 가로줄에 묽은 염산, 레몬즙, 수산화 나트륨 수용액, 베이킹 소다 수용액을 각각 20방울씩 떨어뜨린다.
❷ 각 세로줄의 용액에 아래와 같이 실험하여 변화를 관찰한다.

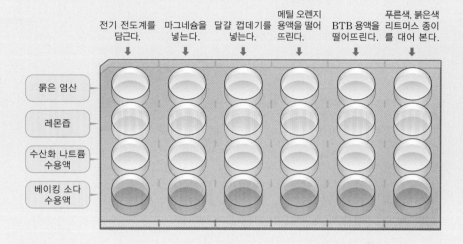

결과 및 정리

1. 위 물질을 공통적인 성질이 있는 것끼리 분류하고, 산성과 염기성으로 구분해 보자.
→ 묽은 염산과 레몬즙: 산성, 수산화 나트륨 수용액과 베이킹 소다 수용액: 염기성

2. 전류가 흐르는 용액은 어떤 것인가?
→ 모든 용액에서 전류가 흘렀다. 산과 염기는 수용액에서 이온화하므로 모두 전기 전도성이 있다.

3. 마그네슘을 넣었을 때 기체가 발생하는 용액은 어떤 것인가?
→ 묽은 염산과 레몬즙으로, 마그네슘과 반응하여 수소 기체를 발생한다.

4. 달걀 껍데기를 넣었을 때 기체가 발생하는 용액은 어떤 것인가?
→ 묽은 염산과 레몬즙으로, 이산화 탄소 기체를 발생한다.

5. 실험 결과로 보아 산성과 염기성에서 메틸 오렌지 용액의 색 변화는 어떠한가?
→ 산성에서 빨간색, 염기성에서 노란색을 띤다.

6. 실험 결과로 보아 산성과 염기성에서 BTB 용액의 색 변화는 어떠한가?
→ 산성에서 노란색, 염기성에서 파란색을 띤다.

7. 실험 결과로 보아 산성과 염기성에서 리트머스 종이의 색 변화는 어떠한가?
→ 산성에서 푸른색 리트머스 종이는 붉게, 염기성에서 붉은색 리트머스 종이는 푸르게 변한다.

탐구 대표 문제 정답과 해설 55쪽

01 산과 염기에 대한 설명으로 옳지 <u>않은</u> 것은?

① 산과 염기 수용액은 모두 전기 전도성이 있다.
② 레몬즙은 푸른색 리트머스 종이를 붉게 변화시킨다.
③ 염기성 물질에 마그네슘 조각을 넣으면 반응하지 않는다.
④ 베이킹 소다 수용액에 메틸 오렌지 용액을 떨어뜨리면 빨간색을 띤다.
⑤ 레몬즙에 마그네슘을 넣으면 마그네슘이 작아지면서 수소 기체가 발생한다.

2 산 염기의 중화 반응

1. 중화 반응

(1) **중화 반응**: 산과 염기가 반응하여 물과 염❽이 생성되는 반응

$$\text{산} + \text{염기} \longrightarrow \text{물} + \text{염}$$

(2) **중화 반응 모형과 화학 반응식**

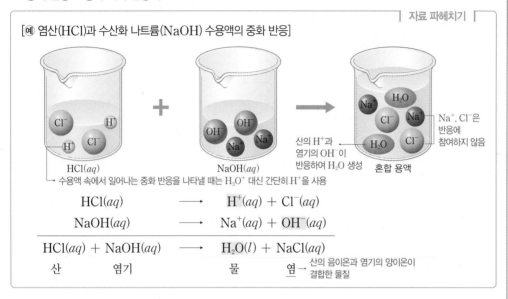

| 자료 파헤치기 |

[예] 염산(HCl)과 수산화 나트륨(NaOH) 수용액의 중화 반응]

HCl(aq) NaOH(aq) 혼합 용액

→ 수용액 속에서 일어나는 중화 반응을 나타낼 때는 H_3O^+ 대신 간단히 H^+을 사용

산의 H^+과 염기의 OH^-이 반응하여 H_2O 생성

Na^+, Cl^-은 반응에 참여하지 않음

$$HCl(aq) \longrightarrow H^+(aq) + Cl^-(aq)$$
$$NaOH(aq) \longrightarrow Na^+(aq) + OH^-(aq)$$
$$\overline{HCl(aq) + NaOH(aq) \longrightarrow H_2O(l) + NaCl(aq)}$$

산   염기   물   염 → 산의 음이온과 염기의 양이온이 결합한 물질

(3) **알짜 이온 반응식**: 실제 반응에 참여한 이온만으로 나타낸 화학 반응식

① 중화 반응의 ▶알짜 이온 반응: 산의 수소 이온(H^+)과 염기의 수산화 이온(OH^-)이 1 : 1의 몰비로 반응하여 물(H_2O)을 생성한다.

$$\text{중화 반응의 알짜 이온 반응식: } H^+(aq) + OH^-(aq) \longrightarrow H_2O(l)$$

➡ 산이나 염기의 종류에 관계없이 중화 반응의 알짜 이온 반응식은 동일하다.

② **구경꾼 이온**: 실제 반응에 참여하지 않고 반응 후에도 용액에 그대로 남아 있는 이온

예 염산과 수산화 나트륨 수용액의 중화 반응에서 구경꾼 이온은 Na^+과 Cl^-이다.

(4) **중화 반응의 이용**

- 곤충(개미나 꿀벌)에 물렸을 때 암모니아수를 바른다.
  산성   염기성
- 생선 요리에 레몬즙을 뿌리면 생선 비린내가 줄어든다.
  산성   염기성
- 산성화된 호수나 토양에 석회(CaO) 가루를 뿌려 중화시킨다.
  산성   염기성
- ▶위산이 지나치게 분비되어 속이 쓰릴 때 제산제❾를 복용한다.
  산성   염기성
- 신 김치에 달걀 껍데기나 조개껍데기를 넣어 주면 신맛이 줄어든다.
  산성   염기성
- 충치를 예방하기 위해서는 치약 속의 염기성 물질로 입 속의 산을 중화시킨다.
                        염기성   산성
- 탈황 시설❿에서는 공장 배기 가스에 포함된 이산화 황(SO_2)을 염기성 물질인 석회석으로 중화시켜 제거한다.
                                      산성   염기성

---

❽ 염

염은 이온 결합 화합물로, 산의 음이온과 염기의 양이온이 만나 생성되는 물질이다. 중화 반응 이외에도 산과 금속의 반응, 염과 염의 반응에서도 생성된다.

- 산과 금속의 반응
$$Mg + 2HCl \longrightarrow$$
$$\underline{MgCl_2}(염) + H_2$$
- 염과 염의 반응
$$NaCl + AgNO_3 \longrightarrow$$
$$\underline{NaNO_3}(염) + \underline{AgCl}\downarrow(염)$$

암기 콕

- 산의 H^+과 염기의 OH^-이 1 : 1의 몰비로 반응하여 H_2O 생성

❾ 제산제

수산화 마그네슘($Mg(OH)_2$), 수산화 알루미늄($Al(OH)_3$), 탄산수소 나트륨($NaHCO_3$) 등의 약염기성 물질이 들어 있어 과다하게 분비된 위산을 중화시켜 준다.

❿ 탈황 시설

탈황 시설 안에서는 산성비의 원인 물질인 황 산화물이 중화 반응에 의해 제거된다. 탈황 시설에서 석회석이 열분해되어 생성되는 산화 칼슘이 황 산화물과 반응하여 아황산 칼슘이나 황산 칼슘이 되어 황 산화물이 제거된다.

━━ 용어 ━━

▶ **알짜 이온**: 반응에 실제 참여하는 이온

▶ **위산**: 위액 속에 포함된 산. 염산(HCl)이 주성분이다.

---

2. 중화 반응[11]에서 수용액 속의 이온 수 및 액성의 변화

│ 자료 파헤치기 │

[예 0.1 M 수산화 나트륨(NaOH) 수용액 20 mL에 0.1 M 묽은 염산(HCl)을 10 mL씩 가하는 경우]

$$NaOH(aq) + HCl(aq) \longrightarrow H_2O(l) + NaCl(aq)$$

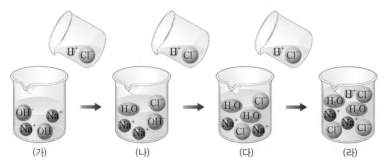

(가)   (나)   (다)   (라)

(가)~(라) 수용액 속에 들어 있는 이온 수(상댓값)와 이온 수 변화는 다음과 같다.

용액		(가)	(나)	(다)	(라)	비커 속 용액의 이온 수 변화
이온 수	Na⁺	2N	2N	2N	2N	
	OH⁻	2N	N	0	0	
	H⁺	0	0	0	N	
	Cl⁻	0	N	2N	3N	
전체 이온 수		4N	4N	4N	6N	
생성된 물 분자 수		0	N	2N	2N	
액성		염기성	염기성	중성	산성	
BTB 용액		파란색	파란색	초록색	노란색	

H^+과 OH^-이 모두 존재하지 않음 ➡ 중화점

- Na^+: 반응에 참여하지 않는 구경꾼 이온이므로 이온 수가 일정하다. → NaOH(aq)의 양이 일정하므로
- OH^-: 가해 준 H^+과 반응하므로 점점 감소하다가, 중화점부터는 존재하지 않는다.
- H^+: 처음에는 가해 주는 대로 OH^-과 반응하므로 존재하지 않다가, 중화점 이후 더 이상 반응할 OH^-이 없어지면 그때부터 증가한다.
- Cl^-: 반응에 참여하지 않는 구경꾼 이온이므로 가해 준 만큼 증가한다.
- 전체 이온 수: 처음에는 일정하다가 중화점 이후부터 증가한다.

- (가)~(다)에서 전체 이온 수는 일정하지만, (가)에서 (다)로 진행될수록 용액의 부피가 증가하므로 단위 부피당 전체 이온 수가 가장 많은 것은 (가)이다.
- (다)가 중화점이므로 혼합 용액의 액성은 (다) 이전에 염기성, (다)에서 중성, (다) 이후에 산성이다.

---

⑪ 중화열

산과 염기가 반응하여 물이 생성될 때 열이 방출되는데, 이를 중화열이라고 한다. 중화 반응이 일어나면 중화열이 발생하므로 혼합 용액의 온도가 올라가며, 물이 많이 생성될수록 중화열이 많이 발생하므로 혼합 용액의 온도도 더 높아진다.

암기 콕 🎯

이온 수 변화
[산에 염기를 조금씩 가할 때]
- H^+: 점점 감소, 중화점부터 0
- OH^-: 중화점까지 0, 그 이후부터 증가
- 산의 구경꾼 이온: 일정
- 염기의 구경꾼 이온: 점점 증가
[염기에 산을 조금씩 가할 때]
- OH^-: 점점 감소, 중화점부터 0
- H^+: 중화점까지 0, 그 이후부터 증가
- 염기의 구경꾼 이온: 일정
- 산의 구경꾼 이온: 점점 증가

━━━ 용어 ━━━

▶ **중화점**: 산과 염기가 남김없이 모두 반응한 지점

개념 확인하기

1 산과 염기가 반응하여 물과 염을 생성하는 반응을 (   )(이)라고 한다.
2 벌에 쏘였을 때 암모니아수를 바르는 것은 중화 반응을 이용한 것이다.   (○ , ×)
3 염산(HCl)과 수산화 칼륨(KOH) 수용액의 중화 반응에서 알짜 이온 반응식을 쓰시오.
4 일정량의 NaOH(aq)에 HCl(aq)을 조금씩 가할 때 (   )의 수는 점점 감소하다가 중화점부터 0이 된다.

답 1. 중화 반응 2. ○
3. H⁺(aq) + OH⁻(aq) ⟶ H₂O(l)
4. 수산화 이온(OH⁻)

3. 중화 반응의 양적 관계

(1) 중화 반응의 **양적 관계**: 산의 H^+과 염기의 OH^-은 항상 1 : 1의 몰비로 반응한다.

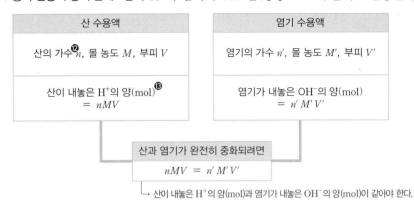

⎯⎯ 개념 적용하기 ⎯⎯

(2) 중화 반응의 양적 관계 계산

[예제 1] 0.1 M 염산(HCl) 100 mL를 완전히 중화하려면 0.1 M 수산화 나트륨(NaOH) 수용액이 얼마나 필요할까? 산과 염기가 1몰당 각각 H^+과 OH^-을 1몰씩 내놓는 중화 반응에서의 양적 관계

[풀이] 중화 반응이 완전히 일어나려면 H^+의 양(mol)과 OH^-의 양(mol)이 같아야 한다.

$$HCl(aq) + NaOH(aq) \longrightarrow H_2O(l) + NaCl(aq)$$

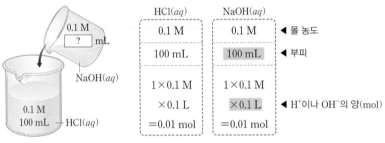

0.1 M HCl(aq) 100 mL에 들어 있는 H^+은 0.01몰이므로 OH^- 0.01몰을 넣어 주어야 완전 중화된다. 따라서 0.1 M NaOH 수용액 100 mL가 필요하다.

0.1 M × 100 mL = 0.1 M × x, x = 100 mL → 산 또는 염기의 가수는 모두 1이므로 계산에서 생략한다.

[예제 2] 0.1 M 황산(H_2SO_4) 100 mL를 완전히 중화하려면 0.1 M 수산화 나트륨(NaOH) 수용액이 얼마나 필요할까? 산 또는 염기 1몰당 H^+이나 OH^-을 2몰 이상 내놓는 중화 반응에서의 양적 관계

[풀이] $H_2SO_4(aq) + 2NaOH(aq) \longrightarrow Na_2SO_4(aq) + 2H_2O(l)$

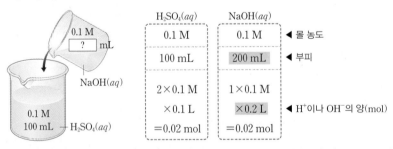

H_2SO_4 분자 1개는 물에 녹아 H^+을 2개 내놓으므로 0.1 M $H_2SO_4(aq)$ 100 mL에 들어 있는 H^+은 0.02몰이다. 즉, OH^- 0.02몰을 넣어 주어야 하므로 0.1 M NaOH 수용액 200 mL가 필요하다.

$\underset{\text{산의 가수}}{2} × 0.1\ M × 100\ mL = \underset{\text{염기의 가수}}{1} × 0.1\ M × x$, x = 200 mL

---

❶❷ **산과 염기의 가수**

산이나 염기 1몰이 내놓을 수 있는 H^+이나 OH^-의 양(mol)을 말한다.

가수	산	염기
1가	HCl, HNO_3, CH_3COOH	NaOH, KOH
2가	H_2SO_4, H_2CO_3	$Ca(OH)_2$, $Ba(OH)_2$
3가	H_3PO_4	$Al(OH)_3$

❶❸ **용액 속 용질의 양(mol)**

몰 농도는 용액 1 L에 들어 있는 용질의 양(mol)이므로, 몰 농도에 용액의 부피를 곱하면 용질의 양(mol)을 구할 수 있다.

· 몰 농도(mol/L)
$$= \frac{\text{용질의 양(mol)}}{\text{용액의 부피(L)}}$$
➡ 용질의 양(mol)
= 용액의 몰 농도(mol/L) × 용액의 부피(L)

암기 콕

산과 염기가 완전 중화하려면
산의 nMV = 염기의 $n'M'V'$
(n: 가수, M: 몰 농도, V: 부피)

⎯⎯ 용어 ⎯⎯

▶ **양적 관계**: 반응에 참여하는 반응물과 생성물들 사이의 양적 비의 관계

---

4. 중화 적정

(1) **중화 적정**: 중화 반응의 양적 관계를 이용하여 농도를 모르는 산 또는 염기의 농도를 알아내는 방법

① **표준 용액**: 중화 적정에서 농도를 알고 있는 산 수용액이나 염기 수용액

② **중화점[14]**: 중화 적정에서 산이 내놓은 H^+의 양(mol)과 염기가 내놓은 OH^-의 양(mol)이 같아져 완전히 중화되는 지점

(2) **중화 적정에 필요한 실험 기구[15]**

- 피펫: 액체의 부피를 정확히 취하여 옮길 때 사용
- 뷰렛: 가해지는 표준 용액의 부피를 측정할 때 사용
- 부피 플라스크: 정확한 몰 농도의 표준 용액을 만들 때 사용
- 삼각 플라스크: 농도를 모르는 용액을 넣은 후 반응시키는 용기로 사용

뷰렛
표준 용액
농도를 모르는 산이나 염기 수용액

중화 적정 실험 장치 ▶

(3) **중화 적정 과정**

[예] 농도를 모르는 염산(HCl)을 수산화 나트륨($NaOH$) 표준 용액으로 중화 적정하기

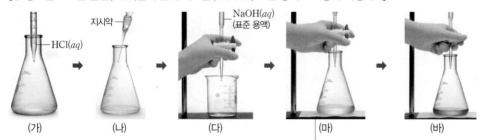

$HCl(aq)$ — 지시약 — $NaOH(aq)$ (표준 용액)

(가)　(나)　(다)　(마)　(바)

(가) 농도(M)를 모르는 $HCl(aq)$을 피펫으로 일정량(V) 정확하게 취하여 삼각 플라스크에 넣는다.
　↳ 삼각 플라스크 바닥에 흰 종이를 깔면 색 변화를 관찰하기 쉽다.

(나) $HCl(aq)$에 페놀프탈레인 지시약을 2~3방울 떨어뜨린다.

(다) 뷰렛에 농도가 M'인 $NaOH(aq)$ 표준 용액을 넣고, $NaOH(aq)$을 조금 흘려 뷰렛의 꼭지 아랫부분에도 용액이 채워지도록 한다.

(라) $NaOH(aq)$의 처음 부피를 정확하게 측정하여 기록한다. → 뷰렛의 눈금은 위에서부터 읽는다.

(마) $HCl(aq)$이 들어 있는 삼각 플라스크에 $NaOH(aq)$을 천천히 떨어뜨린다. 이때 삼각 플라스크를 흔들어 준다. → 부분적으로 분홍색이 생길 때 삼각 플라스크를 흔들어 주면 색이 다시 사라진다.

(바) 삼각 플라스크를 흔들어도 분홍색이 사라지지 않는 순간[16] 뷰렛의 꼭지를 잠그고 $NaOH(aq)$의 나중 부피를 측정한 후, 적정에 사용한 $NaOH(aq)$의 부피(V')를 구한다.

(사) $nMV = n'M'V'$를 이용하여 $HCl(aq)$의 몰 농도(M)를 구한다.

---

[14] 중화점의 확인

- **지시약의 색 변화**: 중화점을 확인하는 대표적인 방법으로, 지시약을 떨어뜨린 용액의 색이 변하는 지점이 중화점이다. 지시약의 종류에 따라 색이 변하는 pH 범위가 다르므로 중화점 부근에서 색이 변하는 지시약을 사용해야 한다.

지시약	변색 범위(pH)
페놀프탈레인 용액	8~10
메틸 오렌지 용액	3.1~4.4
BTB 용액	6~7.6

- **혼합 용액의 온도 변화**: 중화점에서 중화열이 가장 많이 발생하므로 혼합 용액의 온도가 가장 높은 지점이 중화점이다.

[15] 중화 적정에 필요한 기구

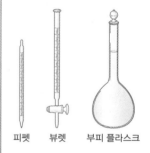

피펫　뷰렛　부피 플라스크

[16] 중화점과 종말점

중화 적정 실험에서 중화점에 도달하였다고 판단하여 표준 용액의 첨가를 멈추는 지점을 종말점이라고 한다. 종말점은 지시약의 색 변화로 찾아낸 대략적인 중화점으로, 실제 중화점과 차이가 나 실험 오차가 발생할 수 있다.

◼◼◼ 용어 ◼◼◼

▶ **적정**: 여러 가지 화학 반응을 이용하여 농도를 모르는 용액의 농도를 알아내는 방법

개념 확인하기

1 중화 반응에서 (산 수용액의 몰 농도×부피)와 (염기 수용액의 몰 농도×부피)가 같으면 산과 염기의 종류에 관계없이 항상 완전 중화된다. (○, ×)

2 중화 적정에서 농도를 알고 있는 산이나 염기의 수용액을 ( )(이)라고 한다.

3 중화 적정에 사용하는 실험 기구 중 액체의 부피를 정확히 취하여 옮길 때 사용하는 것은 ( )이고, 가해 주는 표준 용액의 부피를 측정할 때 사용하는 것은 ( )이다.

답 1 × 2 표준 용액 3 피펫, 뷰렛

식초 속 아세트산의 함량 구하기

과정

❶ 피펫으로 식초 10 mL를 취하여 삼각 플라스크에 넣는다.

❷ 과정 ❶의 식초에 페놀프탈레인 용액을 2~3방울 떨어뜨린다.

❸ 0.1 M 수산화 나트륨(NaOH) 수용액을 뷰렛에 넣고, 꼭지를 열어 용액을 흘려 보내 뷰렛의 꼭지 아랫부분에도 용액이 채워지도록 한다.

❹ 뷰렛 꼭지를 열어 아랫부분의 공기를 내보낸 후, 뷰렛의 눈금(V_1)을 읽는다.

❺ 삼각 플라스크의 바닥에 흰 종이를 깐 다음, 과정 ❹의 뷰렛에 들어 있는 수산화 나트륨 수용액을 조금씩 떨어뜨리면서 삼각 플라스크를 천천히 흔들어 준다.

❻ 삼각 플라스크 속 용액이 완전히 붉은색으로 변하는 순간 뷰렛의 꼭지를 잠그고, 뷰렛의 눈금(V_2)을 읽는다.

❼ 과정 ❶~❻을 2번 더 반복하여 적정에 사용한 NaOH 수용액 부피의 평균값을 구한다.

결과

• 적정에 사용한 수산화 나트륨 수용액 부피의 평균값: 90 mL

정리 및 해석

1. 식초 속 아세트산의 몰 농도를 구해 보자. (단, 식초 속에 산 성분은 아세트산 (CH₃COOH)만 들어 있다고 가정한다.)

→ 화학 반응식: $CH_3COOH(aq) + NaOH(aq) \longrightarrow CH_3COONa(aq) + H_2O(l)$
  식초 속 아세트산의 몰 농도를 x라고 하면, $nMV = n'M'V'$에서
  $1 \times x \times 10$ mL$= 1 \times 0.1$ M$\times 90$ mL이므로 $x = 0.9$이다.
  즉, 식초 속 CH_3COOH의 몰 농도는 0.9 M이다.

2. 식초 1병(500 mL)에 들어 있는 아세트산의 양(mol)을 구해 보자.

→ 식초 속 $CH_3COOH(aq)$의 몰 농도는 0.9 M이므로 식초 500 mL에 들어 있는 CH_3COOH의 양 (mol)은 0.9 mol/L × 0.5 L = 0.45 mol이다.

3. 식초 1병(500 mL) 속 아세트산의 함량(%)을 구해 보자. (단, CH_3COOH의 분자량은 60이며, 식초의 밀도는 1 g/mL라고 가정한다.)

→ 식초 500 mL에 들어 있는 CH_3COOH의 질량은 0.45 mol × 60 g/mol = 27 g이다.
  식초 500 mL의 질량은 500 mL × 1 g/mL = 500 g이다.
  식초 속 아세트산의 함량(%)은 $\dfrac{CH_3COOH의\ 질량}{식초의\ 질량} \times 100 = \dfrac{27\ g}{500\ g} \times 100 = 5.4$ %이다.

유의점

❶ 산, 염기 수용액의 양적 관계를 구하는 것이므로 물질의 양을 정확하게 측정해야 한다.

❷ 실험에 사용한 산과 염기의 세기에 따라 중화점에서의 pH가 달라지므로 지시약 선택에 유의해야 한다. 이 실험에서 지시약은 페놀프탈레인 용액을 사용한다.

❸ 지시약을 많이 넣으면 용액의 액성에 영향을 줄 수 있으므로 색 변화만 볼 수 있도록 소량(2~3방울)만 사용해야 한다.

❹ 수산화 나트륨 수용액과 공기 중의 CO_2가 반응하여 생긴 염(Na_2CO_3)이 굳어서 뷰렛의 꼭지가 열리지 않을 수 있으므로 실험 후에 뷰렛을 깨끗이 씻어 둔다.

탐구 돋보기

완전 중화하려면 산이 내놓은 H^+의 양 (mol)과 염기가 내놓은 OH^-의 양(mol)이 같아야 하므로 다음 식이 성립한다.

$nMV = n'M'V'$
(n, n': 가수, M, M': 몰 농도, V, V': 부피)

시험 유형은?

❶ 이 실험의 알짜 이온 반응식은?
▶ $H^+(aq) + OH^-(aq) \longrightarrow H_2O(l)$

❷ 이 중화 반응에서 생성되는 염의 화학식은?
▶ CH_3COONa

❸ 중화 적정에서 산이 내놓은 수소 이온의 양(mol)과 염기가 내놓은 수산화 이온의 양(mol)이 같아져 산과 염기가 완전히 중화되는 지점을 무엇이라고 하는가?
▶ 중화점

탐구 대표 문제 정답과 해설 55쪽

❶ 식초 10 mL가 완전히 중화될 때까지 넣어 준 0.2 M 수산화 나트륨(NaOH) 수용액의 부피가 25 mL였다. 식초 속 아세트산(CH₃COOH)의 몰 농도를 구하시오. (단, 식초 속에 산은 아세트산만 들어 있다고 가정한다.)

▶ 중화 반응에 관한 중요 유형을 파악하고 다양한 문제에 적용하여 시험에 대비하세요.

중화 반응에서의 양적 관계

★ 혼합 용액의 총 이온 수＝과량으로 들어간 용액의 총 이온 수
H^+과 OH^-은 1 : 1로 반응하므로
i) 혼합 후 용액이 산성일 때는 혼합 전 산 수용액의 총 이온 수가
ii) 혼합 후 용액이 염기성일 때는 혼합 전 염기 수용액의 총 이온 수가
혼합 용액의 총 이온 수와 같다.

★ 구경꾼 이온 수 일정
구경꾼 이온은 반응에 참여하지 않으므로 이온 수가 일정하게 유지된다.

★ 모든 용액은 전기적으로 중성, 즉 전하량의 총합은 0
예 염산(HCl)과 수산화 나트륨($NaOH$) 수용액의 반응에서
i) 혼합 후 산성일 때, H^+ 수 ＋ Na^+ 수＝Cl^- 수
ii) 혼합 후 중성일 때, Na^+ 수＝Cl^- 수 (구경꾼 이온만 존재)
iii) 혼합 후 염기성일 때, Na^+ 수＝OH^- 수＋Cl^- 수

★ 농도($=$단위 부피당 이온의 개수)$=\dfrac{\text{입자 수(이온 수)}}{\text{수용액의 부피}}$

➡ 이온의 수＝농도×부피

표는 염산($HCl(aq)$)과 수산화 나트륨 수용액($NaOH(aq)$)을 혼합한 용액 (가)와 (나)에 대한 자료이다. (단, 혼합 용액의 부피는 혼합 전 각 용액의 부피의 합과 같다.)

혼합 용액		(가)	(나)
혼합 전 용액의 부피(mL)	HCl(aq)	30	10
	NaOH(aq)	x	y
단위 부피당 이온 모형 ($\triangle$: Na^+, ●: Cl^-)			

1. 수용액의 전하량 총합은 0이어야 하므로 (가)에는 OH^-이 (　　)개 있다. 따라서 (가)의 액성은 (　　)이다.

2. 수용액의 전하량 총합은 0이어야 하므로 (나)에는 H^+이 (　　)개 있다. 따라서 (나)의 액성은 (　　)이다.

3. 혼합 전 용액의 Cl^- 수의 비는 (가) : (나)＝(　　)이어야 하므로 혼합 용액의 부피는 (가)가 (나)의 (　　)배이다.

4. 전체 혼합 용액에서 Na^+ 수의 비는 (가) : (나)＝(　　)이고, 혼합 용액의 부피비를 고려하면 x는 (　　), y는 (　　)이다.

5. 중화 반응에서 생성된 물 분자 수는 (가)가 (나)의 (　　)배이다.

| 해설 | (나)에는 Cl^- 4개, H^+ 2개가 존재하므로 H^+ 2개가 중화 반응을 하여 생성된 물 분자 수는 2이다. (가)에서 H^+ 2개가 중화 반응을 하고 (가) 부피가 (나)의 6배이므로 생성된 물 분자 수는 $2 \times 6 = 12$이다.

표는 염산($HCl(aq)$)에 수산화 나트륨 수용액($NaOH(aq)$)의 부피를 달리하여 혼합한 (가)와 (나)에 대한 자료이다. y는 x보다 크다. (단, 중화 반응에 의한 물의 부피 변화는 무시한다.)

혼합 용액		(가)	(나)
혼합 전 용액의 부피(mL)	HCl(aq)	100	100
	NaOH(aq)	x	y
단위 부피당 이온 수 모형			

1. ●은 (가)에는 없고 (나)에는 있으며, $NaOH(aq)$의 부피가 (가)보다 (나)에서 더 크므로 ●은 (　　)이다.

2. $\triangle$과 ■는 구경꾼 이온이며, (가)와 (나)에서 $HCl(aq)$의 부피는 같고 y가 x보다 크므로 (나)에서 이온 수가 증가한 ■은 (　　), $\triangle$은 (　　)이다.

3. 혼합 용액의 액성은 (가)는 (　　), (나)는 (　　)이다.

4. 혼합 용액의 Cl^- 수는 같으므로 용액의 부피는 (나)가 (가)의 (　　)배이며, 혼합 용액의 Na^+ 수는 (나)가 (가)의 (　　)배이다.

5. 중화 반응에서 생성된 물의 양(mol)은 (나)가 (가)의 (　　)배이다.

| 해설 | (가)에는 중화 반응하기 전에 있던 4개의 H^+ 중 3개가 남아 있으므로 생성된 물 분자 수는 1이고, (나)에서는 H^+이 모두 중화되어 없어졌으므로 생성된 물 분자 수는 4이다. 따라서 중화 반응에서 생성된 물의 양(mol)은 (나)가 (가)의 4배이다.

기초 탄탄 문제

정답과 해설 55쪽

핵심용어_ 이 단원에서 내가 아는 것과 아직 모르는 것을 정리하며 나의 공부를 돌아보자.
- 산
- 염기
- 아레니우스 산 염기
- 브뢴스테드 · 로리 산 염기
- 중화 반응
- 중화 반응의 양적 관계
- 중화 적정

01 산의 공통적인 성질로 옳지 <u>않은</u> 것은?

① 수용액에서 전류가 흐른다.

② 물에 녹아 이온화하여 H^+을 내놓는다.

③ Mg과 반응하여 수소 기체를 발생한다.

④ 단백질을 녹이므로 손으로 만지면 미끈거린다.

⑤ 달걀 껍데기와 반응하여 이산화 탄소 기체를 발생한다.

02 밑줄 친 물질이 아레니우스 염기로 작용한 것은?

① $HCl(aq)$ + $\underline{KOH}(aq)$ ⟶ $KCl(aq)$ + $H_2O(l)$

② $\underline{HI}(aq)$ + $H_2O(l)$ ⟶ $H_3O^+(aq)$ + $I^-(aq)$

③ $\underline{HCl}(aq)$ + $H_2O(l)$ ⟶ $H_3O^+(aq)$ + $Cl^-(aq)$

④ $\underline{H_2O}(l)$ + $HSO_4^-(aq)$
⟶ $OH^-(aq)$ + $H_2SO_4(aq)$

⑤ $\underline{NaCl}(aq)$ + $AgNO_3(aq)$
⟶ $AgCl(s)$ + $NaNO_3(aq)$

03 중화 반응에 대한 설명으로 옳지 <u>않은</u> 것은?

① 산과 염기가 반응하여 물과 염이 생성된다.

② 염은 산의 음이온과 염기의 양이온이 결합한 물질이다.

③ 알짜 이온 반응식은 산과 염기의 종류에 따라 달라진다.

④ 중화점의 용액에 BTB 용액을 떨어뜨리면 초록색을 띤다.

⑤ 비린내 나는 생선에 레몬즙을 뿌리는 것은 중화 반응을 이용한 예이다.

04 다음은 3가지 산 염기 반응의 화학 반응식이다. (가)~(다) 중 브뢴스테드 · 로리 산에 해당하는 물질만을 있는 대로 고른 것은?

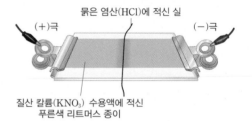

- $\boxed{\text{(가)}}$ + H_2O ⟶ H_3O^+ + F^-
- HBr + $\boxed{\text{(나)}}$ ⟶ $CH_3OH_2^+$ + Br^-
- $\boxed{\text{(다)}}$ + H_2O ⟶ NH_4^+ + OH^-

① (가) ② (다) ③ (가), (나)
④ (나), (다) ⑤ (가), (나), (다)

05 그림과 같이 질산 칼륨 수용액에 적신 푸른색 리트머스 종이 위에 묽은 염산에 적신 실을 올려놓고 전류를 흘려주었다.

묽은 염산(HCl)에 적신 실
(+)극   (−)극

질산 칼륨(KNO_3) 수용액에 적신
푸른색 리트머스 종이

이에 대한 설명으로 옳지 <u>않은</u> 것은?

① (+)극으로 이동하는 이온은 두 종류이다.

② 리트머스 종이의 붉은색은 (−)극으로 이동한다.

③ 수소 이온(H^+)에 의해 리트머스 종이의 색이 변한다.

④ K^+과 NO_3^-은 양쪽 극으로 이동하지 않는다.

⑤ 묽은 염산 대신 식초를 사용해도 실험 결과는 같다.

06 표와 같이 같은 몰 농도의 묽은 황산(H_2SO_4)과 수산화 나트륨(NaOH) 수용액을 부피를 달리하여 중화 반응시켰다.

시험관	(가)	(나)	(다)	(라)	(마)
$H_2SO_4(aq)$(mL)	100	80	60	40	20
NaOH(aq)(mL)	20	40	60	80	100

시험관 (가)~(마)의 혼합 용액에 대한 설명으로 옳은 것은?

① (가) 용액의 액성은 염기성이다.

② (나) 용액에는 OH^-이 남아 있다.

③ 용액의 액성이 중성인 시험관은 (다)이다.

④ 가장 많은 양의 물이 생성되는 시험관은 (라)이다.

⑤ (마) 용액에 BTB 용액을 떨어뜨리면 노란색을 띤다.

내신 만점 **문제**

정답과 해설 56쪽

* 난이도를 나타냅니다.

01 물(H_2O)이 브뢴스테드·로리 산으로 작용하는 것만을 〈보기〉에서 있는 대로 고른 것은?

―┃ 보기 ┃―

ㄱ. $H_2O(l) + HF(aq) \longrightarrow H_3O^+(aq) + F^-(aq)$

ㄴ. $NH_3(aq) + H_2O(l) \longrightarrow NH_4^+(aq) + OH^-(aq)$

ㄷ. $HCO_3^-(aq) + H_2O(l) \longrightarrow H_2CO_3(aq) + OH^-(aq)$

① ㄱ   ② ㄷ   ③ ㄱ, ㄴ

④ ㄴ, ㄷ   ⑤ ㄱ, ㄴ, ㄷ

 다음은 물질 X와 관련된 화학 반응식이다.

―――――――――――――――――

(가) ☐X☐ + NaOH ⟶ NaCl + H_2O

(나) NH_3 + ☐X☐ ⟶ NH_4^+ + Cl^-

(다) ☐X☐ + H_2O ⟶ H_3O^+ + Cl^-

―――――――――――――――――

이에 대한 설명으로 옳은 것만을 〈보기〉에서 있는 대로 고른 것은?

―┃ 보기 ┃―

ㄱ. X는 아레니우스 산이다.

ㄴ. (나)에서 NH_3는 브뢴스테드·로리 산이다.

ㄷ. (다)에서 H_2O은 브뢴스테드·로리 염기이다.

① ㄱ   ② ㄴ   ③ ㄱ, ㄷ

④ ㄴ, ㄷ   ⑤ ㄱ, ㄴ, ㄷ

 그림은 염화 수소(HCl)와 암모니아(NH_3)를 물에 녹였을 때 이온화하는 반응을 모형으로 나타낸 것이다.

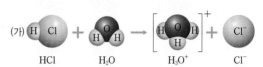

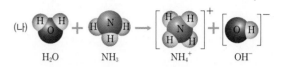

이에 대한 설명으로 옳은 것만을 〈보기〉에서 있는 대로 고른 것은? (단, 수용액은 25 ℃이다.)

―┃ 보기 ┃―

ㄱ. (가)에서 수용액의 pH는 7보다 크다.

ㄴ. (나)에서 암모니아는 아레니우스 염기로 작용한다.

ㄷ. 두 반응에서 물은 양쪽성 물질로 작용한다.

① ㄱ   ② ㄷ   ③ ㄱ, ㄴ

④ ㄴ, ㄷ   ⑤ ㄱ, ㄴ, ㄷ

04 그림은 25 ℃에서 같은 부피의 HA 수용액 (가)와 BOH 수용액 (나)를 입자 모형으로 나타낸 것이다. 단, 물 분자는 나타내지 않았다.

(가) HA 수용액   (나) BOH 수용액

이에 대한 설명으로 옳은 것만을 〈보기〉에서 있는 대로 고른 것은?

―┃ 보기 ┃―

ㄱ. (나)에서 BOH는 브뢴스테드·로리 염기로 작용하였다.

ㄴ. HA와 BOH를 완전 중화시키려면 (가) : (나) = 2 : 3의 부피비로 혼합해야 한다.

ㄷ. (가)와 (나)의 혼합 용액에 페놀프탈레인 용액을 떨어뜨리면 붉게 변한다.

① ㄱ   ② ㄴ   ③ ㄱ, ㄷ

④ ㄴ, ㄷ   ⑤ ㄱ, ㄴ, ㄷ

05 다음은 용액의 반응에 대한 설명이다.

> (가) 컵에 묽은 암모니아수를 넣고 BTB 용액을 1~2 방울 떨어뜨렸더니, 파란색이 나타났다.
> (나) 뚜껑 덮은 (가)의 용액에 빨대를 꽂고 날숨을 불어 넣었더니, 노란색으로 변했다.

이에 대한 설명으로 옳은 것만을 〈보기〉에서 있는 대로 고른 것은?

| 보기 |
> ㄱ. (가)의 용액은 염기성을 나타낸다.
> ㄴ. (나)에서 중화 반응이 일어났다.
> ㄷ. 날숨에는 산성 성분을 가진 기체가 존재한다.

① ㄱ   ② ㄷ   ③ ㄱ, ㄴ
④ ㄴ, ㄷ   ⑤ ㄱ, ㄴ, ㄷ

06 그림은 0.1 M 염산(HCl) 10 mL와 x M 수산화 나트륨 (NaOH) 수용액 15 mL를 혼합한 용액에 들어 있는 이온을 모형으로 나타낸 것이다.

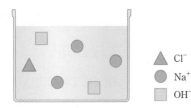

▲	Cl⁻
●	Na⁺
■	OH⁻

이에 대한 설명으로 옳은 것만을 〈보기〉에서 있는 대로 고른 것은?

| 보기 |
> ㄱ. x는 0.2이다.
> ㄴ. ▲와 ●는 알짜 이온이다.
> ㄷ. 혼합 용액에 0.1 M HCl(aq) 20 mL를 넣으면 완전히 중화된다.

① ㄴ   ② ㄷ   ③ ㄱ, ㄴ
④ ㄱ, ㄷ   ⑤ ㄱ, ㄴ, ㄷ

07 다음은 질산(HNO₃)을 수산화 나트륨(NaOH) 표준 용액으로 중화 적정하는 실험 과정을 순서 없이 나열한 것이다.

> [과정]
> (가) 뷰렛에 0.1 M NaOH 수용액을 넣고, HNO₃이 들어 있는 삼각 플라스크에 NaOH 수용액을 천천히 떨어뜨린다.
> (나) 농도를 모르는 HNO₃ 10 mL를 피펫으로 정확하게 취하여 삼각 플라스크에 넣고, 페놀프탈레인 용액을 2~3방울 떨어뜨린다.
> (다) 삼각 플라스크를 흔들어도 분홍색이 사라지지 않는 순간 뷰렛의 꼭지를 잠근 후, 실험에 사용한 NaOH 수용액의 부피를 구한다.
> [결과] 사용한 NaOH 수용액의 부피: 25 mL

이에 대한 설명으로 옳은 것만을 〈보기〉에서 있는 대로 고른 것은?

| 보기 |
> ㄱ. 실험 과정을 순서대로 하면 (나)-(가)-(다) 순이다.
> ㄴ. HNO₃의 몰 농도는 0.25 M이다.
> ㄷ. 중화점보다 더 많은 양의 NaOH 수용액을 가했다면 HNO₃의 농도는 실제보다 크게 나타날 것이다.

① ㄱ   ② ㄷ   ③ ㄱ, ㄴ
④ ㄴ, ㄷ   ⑤ ㄱ, ㄴ, ㄷ

08 그림은 강염기 BOH 수용액 20 mL에 강산 HA 수용액을 10 mL씩 2번 넣었을 때, 수용액 속의 이온을 모형으로 나타낸 것이다.

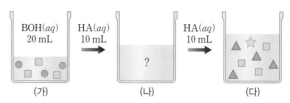

이에 대한 설명으로 옳은 것만을 〈보기〉에서 있는 대로 고른 것은?

| 보기 |
> ㄱ. ☆는 H⁺이다.
> ㄴ. (나)와 (다)에서 ▲의 개수비는 1 : 1이다.
> ㄷ. (다)에서 수용액은 염기성이다.

① ㄱ   ② ㄷ   ③ ㄱ, ㄴ
④ ㄴ, ㄷ   ⑤ ㄱ, ㄴ, ㄷ

그림은 25 °C에서 0.2 M 수산화 칼륨(KOH) 수용액 20 mL에 x M 황산(H_2SO_4)을 조금씩 넣을 때 용액에 들어 있는 이온 수를 나타낸 것이다.

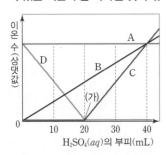

이에 대한 설명으로 옳은 것만을 〈보기〉에서 있는 대로 고른 것은?

┤ 보기 ├

ㄱ. x는 0.1이다.

ㄴ. A와 B는 구경꾼 이온이다.

ㄷ. (가)에서 생성된 물의 양은 2×10^{-3} mol이다.

① ㄱ　　　　② ㄷ　　　　③ ㄱ, ㄴ

④ ㄴ, ㄷ　　　⑤ ㄱ, ㄴ, ㄷ

10 그림과 같이 0.1 M 묽은 염산(HCl) 50 mL와 0.2 M 수산화 나트륨(NaOH) 수용액 50 mL를 혼합하였다.

0.1 M HCl(aq)　　0.2 M NaOH(aq)　　혼합 용액
50 mL　　　　　　　50 mL

이에 대한 설명으로 옳은 것만을 〈보기〉에서 있는 대로 고른 것은? (단, 혼합 용액의 온도는 25 °C이다.)

┤ 보기 ├

ㄱ. 혼합 용액 속 이온 수는 $Na^+ > Cl^- = OH^-$이다.

ㄴ. 혼합 용액에 BTB 용액을 떨어뜨리면 파란색을 띤다.

ㄷ. 혼합 용액을 완전 중화시키려면 0.05 mol의 HCl 이 더 필요하다.

① ㄱ　　　　② ㄷ　　　　③ ㄱ, ㄴ

④ ㄴ, ㄷ　　　⑤ ㄱ, ㄴ, ㄷ

서술형 문제

11 산과 염기의 중화 반응을 모형으로 나타내려고 한다. 0.1 M 수산화 나트륨(NaOH) 수용액 10 mL는 그림 (가)와 같다.

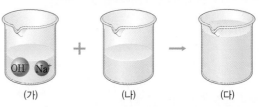

(가)　　　　(나)　　　　(다)

(1) 수산화 나트륨 수용액보다 농도가 2배 진한 염산 (HCl) 10 mL의 이온 모형을 그림 (나)에, 두 수용액을 섞었을 때의 모형을 그림 (다)에 각각 그리시오.

_____

(2) 혼합 용액 (다)의 액성을 쓰고, 그 까닭을 양적 관계를 이용하여 서술하시오.

_____

_____

_____

12 식초 10 mL가 완전히 중화될 때까지 넣어 준 0.1 M 수산화 나트륨(NaOH) 수용액의 부피가 50 mL이다.

(1) 식초 속 아세트산의 몰 농도를 구하는 식과 답을 쓰시오. (단, 식초 속에 산은 아세트산만 들어 있다고 가정한다.)

_____

(2) 식초 10 mL에 들어 있는 아세트산의 양(mol)을 구하는 식과 답을 쓰시오.

_____

13 0.3 M 묽은 염산(HCl) 50 mL와 0.1 M 수산화 나트륨 (NaOH) 수용액 50 mL를 혼합하였다. 이 혼합 용액의 pH 와 pOH를 구하는 과정을 서술하시오. (단, 혼합 용액의 부피는 혼합 전 각 용액의 부피의 합과 같다.)

_____

_____

_____

_____

_____

IV. 역동적인 화학 반응 | 2 산화 환원 반응과 화학 반응에서 열의 출입

내 교과서는 어디에?

천재 p.185~192 교학사 p.174~179 금성 p.168~171 동아 p.189~192 미래엔 p.176~183
비상 p.166~170 상상 p.182~187 지학사 p.175~178 YBM p.193~196

01 산화 환원과 산화수

핵심 Point
- 산소의 이동, 전자의 이동, 산화수의 변화로 산화 환원을 이해한다.
- 산화제와 환원제는 산화 환원 반응에서 상대적 세기에 의해 결정됨을 이해한다.

1 산소의 이동에 의한 산화 환원 반응

1. 산소의 이동과 산화 환원

- 산화: 물질이 산소를 얻는 반응
- 환원: 물질이 산소를 잃는 반응

예
$$2CuO(s) + C(s) \longrightarrow 2Cu(s) + CO_2(g)$$
산소를 얻음: 산화
산소를 잃음: 환원

2. 산화 환원 반응의 동시성❶
산화 환원 반응에서 어떤 물질이 산소를 얻으면 다른 물질은 산소를 잃는다. 즉, 산화와 환원은 항상 동시에 일어난다.

3. 산소의 이동에 의한 산화 환원 반응의 예
① 연소: 물질이 산소와 빠르게 반응하며 열과 빛을 내는 화학 반응이다.

숯(C)의 연소	천연가스(LNG)의 연소
$C(s) + O_2(g) \longrightarrow CO_2(g)$ 산소를 얻음: 산화 ➡ 탄소가 산소와 결합하여 이산화 탄소가 된다.	$CH_4(g) + 2O_2(g) \longrightarrow CO_2(g) + 2H_2O(g)$ 산소를 얻음: 산화 ➡ 메테인에 들어 있는 탄소가 산소와 결합하여 이산화 탄소가 된다.

② 광합성과 호흡: 광합성은 식물이 빛에너지를 이용하여 포도당과 산소를 만드는 반응이고, 호흡은 포도당과 산소를 반응시켜 생활하는 데 필요한 에너지를 만드는 반응이다. 이처럼 광합성과 호흡은 모두 산화 환원 반응이다.

광합성	호흡
$6CO_2(g) + 6H_2O(l) \longrightarrow C_6H_{12}O_6(s) + 6O_2(g)$ 환원 ➡ 이산화 탄소는 산소를 잃고 환원되어 포도당이 된다.	$C_6H_{12}O_6(s) + 6O_2(g) \longrightarrow 6CO_2(g) + 6H_2O(l)$ 산화 ➡ 포도당은 산소를 얻고 산화되어 이산화 탄소가 된다.

③ 철의 제련: 산화 철(Ⅲ)(Fe_2O_3)이 주성분인 철광석에서 순수한 철(Fe)을 얻는 방법이다.

| 자료 파헤치기 |

[철의 제련] → 자연 상태에서 철은 산화 철 상태로 존재하므로 순수한 철을 얻으려면 제련 과정을 거쳐야 한다.

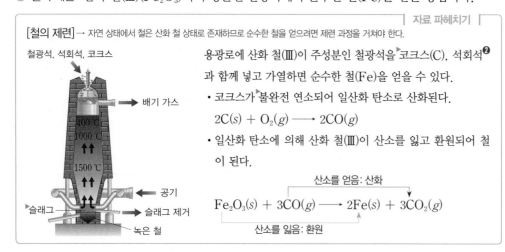

철광석, 석회석, 코크스

400 ℃
1000 ℃
1500 ℃

배기 가스
공기
슬래그
슬래그 제거
녹은 철

용광로에 산화 철(Ⅲ)이 주성분인 철광석을 코크스(C), 석회석❷과 함께 넣고 가열하면 순수한 철(Fe)을 얻을 수 있다.
- 코크스가 불완전 연소되어 일산화 탄소로 산화된다.
$$2C(s) + O_2(g) \longrightarrow 2CO(g)$$
- 일산화 탄소에 의해 산화 철(Ⅲ)이 산소를 잃고 환원되어 철이 된다.

$$Fe_2O_3(s) + 3CO(g) \longrightarrow 2Fe(s) + 3CO_2(g)$$
산소를 얻음: 산화
산소를 잃음: 환원

---

❶ 산화 환원 반응의 동시성

산화되는 물질이 얻은 산소 원자 수
= 환원되는 물질이 잃은 산소 원자 수

❷ 석회석의 역할

용광로에 넣어 주는 석회석의 주성분은 탄산 칼슘($CaCO_3$)이다. 탄산 칼슘은 용광로에서 열분해되어 산화 칼슘이 되고, 산화 칼슘은 철광석에 포함된 불순물인 이산화 규소와 반응하여 슬래그가 된다.
$CaCO_3(s) \longrightarrow CaO(s) + CO_2(g)$
$CaO(s) + SiO_2(s)$
$\longrightarrow CaSiO_3(l)$
슬래그

암기 콕 🎯

	산화	환원
산소	얻음	잃음

용어

▶ **제련**: 광석으로부터 순수한 금속을 얻는 과정
▶ **코크스**: 석탄을 열분해하여 만든 고체 연료로, 주성분은 탄소(C)이다.
▶ **불완전 연소**: 산소의 공급이 충분하지 않은 상태에서 물질이 타는 현상으로, 그을음이나 일산화 탄소가 생긴다.
▶ **슬래그**: 광석으로부터 금속을 빼내고 남은 찌꺼기로, 이를 자원화해 도로의 바닥 재료와 시멘트 원료로 사용한다.

2 전자의 이동에 의한 산화 환원 반응

1. 전자의 이동과 산화 환원

- 산화: 물질이 전자를 잃는 반응
- 환원: 물질이 전자를 얻는 반응

예

$$2Na(s) + Cl_2(g) \longrightarrow 2NaCl(2Na^+ + 2Cl^-)(s)\text{❸}$$

전자를 잃음: 산화 / 전자를 얻음: 환원

❸ 나트륨(Na)과 염소(Cl_2)의 반응

NaCl이 생성될 때 전자는 나트륨 원자에서 염소 원자로 이동한다.

2. 산화 환원 반응의 동시성❹
산화 환원 반응에서 어떤 물질이 전자를 잃으면 다른 물질은 전자를 얻는다. 즉, 산화와 환원은 항상 동시에 일어난다.

3. 산소가 이동하는 산화 환원 반응에서 전자의 이동
산소는 플루오린(F) 다음으로 ▸전기 음성도가 크므로 산소와 결합하여 산화되는 원자는 산소 원자에게 전자를 빼앗긴다고 볼 수 있다. 즉, 산소는 전자를 얻어 환원되고, 산소와 결합한 원자는 전자를 잃고 산화된다고 볼 수 있다.

❹ 산화 환원 반응의 동시성

산화되는 물질이 잃은 전자 수
＝환원되는 물질이 얻은 전자 수

[산화 마그네슘(MgO)의 생성] → MgO은 Mg^{2+}과 O^{2-}이 결합하여 이루어진 화합물이다.

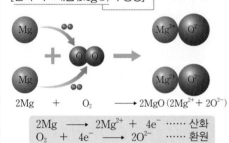

$$2Mg + O_2 \longrightarrow 2MgO(2Mg^{2+} + 2O^{2-})$$

$$2Mg \longrightarrow 2Mg^{2+} + 4e^- \quad \cdots\cdots \text{ 산화}$$
$$O_2 + 4e^- \longrightarrow 2O^{2-} \quad \cdots\cdots \text{ 환원}$$

- **산소의 이동으로 설명**: 마그네슘(Mg)은 산소를 얻어 산화 마그네슘(MgO)으로 산화된다.
- **전자의 이동으로 설명**: 마그네슘(Mg)은 산소에게 전자를 잃고 Mg^{2+}으로 산화되고, 산소(O)는 마그네슘으로부터 전자를 얻어 O^{2-}으로 환원된다.
  └ 이온 결합 화합물이 생성될 때 전자는 금속 원소에서 비금속 원소로 이동한다.

셀파 콕콕 🔎

여러 가지 산화 환원 반응에서 전자를 잃고 산화되는 물질과 전자를 얻어 환원되는 물질을 구분할 수 있어야 한다.

4. 전자의 이동에 의한 여러 가지 산화 환원 반응

① 황산 구리(II)($CuSO_4$) 수용액과 아연(Zn)의 반응: 황산 구리(II) 수용액에 아연판을 넣으면 수용액의 푸른색이 점점 옅어지고, 아연판 표면에 붉은색 구리가 석출된다.

┤ 자료 파헤치기 ├

[황산 구리(II)($CuSO_4$) 수용액과 아연(Zn)의 반응]

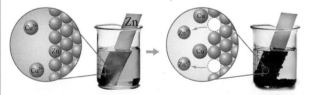

$$Zn(s) \longrightarrow Zn^{2+}(aq) + 2e^- \quad \text{(산화)}$$
$$Cu^{2+}(aq) + 2e^- \longrightarrow Cu(s) \quad \text{(환원)}$$

- **아연의 산화**: 아연(Zn)은 전자를 잃고 아연 이온(Zn^{2+})으로 산화되어 수용액에 녹아 들어간다.
- **구리 이온의 환원**: 수용액 속 구리 이온(Cu^{2+})은 전자를 얻어 구리(Cu)로 환원되어 석출된다.

$$Zn(s) + Cu^{2+}(aq) \longrightarrow Zn^{2+}(aq) + Cu(s)$$

산화 / 환원

└ 반응이 진행될수록 파란색을 나타내는 Cu^{2+}이 줄어들어 용액의 푸른색이 옅어진다.

암기 콕 ⏱

	산화	환원
산소	얻음	잃음
전자	잃음	얻음

════ 용어 ════

▸ **전기 음성도**: 공유 결합으로 형성된 분자에서 원자가 공유 전자쌍을 끌어당기는 능력을 상대적 값으로 나타낸 것

개념 확인하기

1. 산화 환원 반응이 일어날 때 산소를 얻는 물질이 있으면 산소를 잃는 물질이 있다. (○ , ×)
2. 용광로에 철광석과 코크스를 넣고 가열하면, 산화 철(III)(Fe_2O_3)은 산소를 잃고 철로 (산화 , 환원)되고, 코크스(C)는 산소를 얻어 이산화 탄소로 (산화 , 환원)된다.
3. 물질이 전자를 잃는 반응을 ( ), 전자를 얻는 반응을 ( )(이)라고 한다.
4. 황산 구리(II)($CuSO_4$) 수용액과 아연(Zn)의 반응에서 아연은 환원된다. (○ , ×)

답 1. ○ 2. 환원, 산화 3. 산화, 환원 4. ×

② 질산 은(AgNO₃) 수용액과 구리(Cu)의 반응❺: 질산 은 수용액에 구리줄을 넣으면 구리줄 표면에 은이 석출되고, 수용액의 색깔이 점점 푸르게 변한다.

자료 파헤치기

[질산 은(AgNO₃) 수용액과 구리(Cu)의 반응]

$$Cu(s) \longrightarrow Cu^{2+}(aq) + 2e^-$$
(산화)
$$Ag^+(aq) + e^- \longrightarrow Ag(s)$$
(환원)

→ 반응이 진행될수록 파란색을 띠는 Cu²⁺이 증가하여 용액이 점점 푸른색으로 변한다.

• 구리의 산화: 구리(Cu)는 전자를 잃고 구리 이온(Cu²⁺)으로 산화되어 수용액에 녹아 들어간다.
• 은 이온의 환원: 수용액 속 은 이온(Ag⁺)은 전자를 얻어 은(Ag)으로 환원되어 석출된다.

산화
$$Cu(s) + 2Ag^+(aq) \longrightarrow Cu^{2+}(aq) + 2Ag(s)$$
환원

③ 마그네슘(Mg)과 염산(HCl)의 반응❻: 묽은 염산에 마그네슘을 넣으면 마그네슘 표면에서 수소 기체가 발생한다.

자료 파헤치기

[마그네슘(Mg)과 염산(HCl)의 반응]

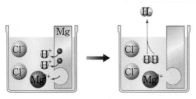

$$Mg(s) \longrightarrow Mg^{2+}(aq) + 2e^-$$
(산화)
$$2H^+(aq) + 2e^- \longrightarrow H_2(g)$$
(환원)

• 마그네슘의 산화: 마그네슘(Mg)은 전자를 잃고 마그네슘 이온(Mg²⁺)으로 산화되어 수용액에 녹아 들어간다.
• 수소 이온의 환원: 염산 속 수소 이온(H⁺)은 전자를 얻어 수소 기체(H₂)로 환원되어 날아간다.

산화
$$Mg(s) + 2H^+(aq) \longrightarrow Mg^{2+}(aq) + H_2(g)$$
환원

5. 금속의 이온화 경향과 산화 환원

[금속의 이온화 경향]
금속 원소가 전자를 잃고 양이온이 되려는 경향으로, 이온화 경향이 큰 금속일수록 전자를 잃고 산화되기 쉬우며, 반응성이 크다.

칼륨	칼슘	나트륨	마그네슘	알루미늄	아연	철	니켈	주석	납	수소	구리	수은	은	백금	금
K	Ca	Na	Mg	Al	Zn	Fe	Ni	Sn	Pb	H	Cu	Hg	Ag	Pt	Au

◀ 이온화 경향이 크다.   반응성이 크다.   산화되기 쉽다.

금속의 이온화 경향이 클수록 ➡ 전자를 잃기 쉽다. ➡ 양이온이 되기 쉽다. ➡ 산화되기 쉽다. ➡ 반응성이 크다.

⑲ 묽은 염산에 마그네슘 조각을 넣으면 격렬하게 반응하면서 기포(수소 기체)가 발생하지만, 구리 조각을 넣으면 아무 변화도 관찰할 수 없다(이온화 경향: Mg>H>Cu). → 이온화 경향이 클수록 양이온으로 존재한다.

---

❺ 금속과 금속 염 수용액의 반응

반응성이 작은 금속의 염 수용액에 반응성이 큰 금속을 넣으면, 반응성이 큰 금속이 산화되어 양이온으로 수용액에 녹아 들어가고, 반응성이 작은 금속의 양이온은 환원되어 금속으로 석출된다.

❻ 금속과 산의 반응

산 수용액에 수소(H)보다 반응성이 큰 금속을 넣으면, 금속은 산화되어 양이온이 되고, 수소 이온(H⁺)은 환원되어 수소 기체(H₂)로 발생한다.

강의 콕

산화 환원 반응이 산소의 이동으로만 일어나는 것은 아니다. 전자의 이동에 의한 산화 환원은 산소의 이동에 의한 반응을 포함하여 좀 더 넓은 범위에서 산화 환원을 정의하는 것이다.

산화수

1. 산화수[7] 어떤 물질에서 각 원자가 산화된 정도를 나타내는 가상적인 전하

① 이온 결합 물질에서의 산화수: 물질을 구성하는 각 이온의 전하와 같다.[8]

예 염화 나트륨(NaCl) ➡ Na의 산화수: +1, Cl의 산화수: −1

산화 마그네슘(MgO) ➡ Mg의 산화수: +2, O의 산화수: −2

② 공유 결합 물질에서의 산화수: 전기 음성도가 큰 원자가 공유 전자쌍을 모두 차지하는 것으로 가정할 때, 각 원자가 가지게 되는 전하이다. → 전자를 잃으면 '+'로, 전자를 얻으면 '−'로 나타낸다.

[공유 결합 물질에서 각 원자의 산화수]

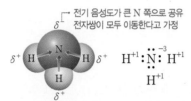

전기 음성도: O>H ➡ 전기 음성도가 작은 수소는 전자를 각각 1개씩 잃고, 전기 음성도가 큰 산소는 2개의 수소로부터 전자를 1개씩 얻었다고 가정하면, 수소의 산화수는 +1, 산소의 산화수는 −2이다.

전기 음성도: N>H ➡ 전기 음성도가 작은 수소는 전자를 각각 1개씩 잃고, 전기 음성도가 큰 질소는 3개의 수소로부터 전자를 1개씩 얻었다고 가정하면, 수소의 산화수는 +1, 질소의 산화수는 −3이다.

2. 산화수 결정 규칙

결정 규칙	예 ┌─ 전자가 어느 쪽으로도 치우치지 않는다.
① 원소를 구성하는 원자의 산화수는 0이다.	Na, H_2, O_2에서 각 원자의 산화수는 0
② 대부분의 화합물에서 수소의 산화수는 +1이다. (단, 금속의 수소 화합물에서는 −1이다.)	HCl, NH_3, H_2O에서 H의 산화수는 +1 (단, LiH, NaH, BeH_2에서 H의 산화수는 −1)
③ 대부분의 화합물에서 산소의 산화수는 −2이다. (단, 과산화물에서는 −1, 플루오린 화합물에서는 +2이다.) O보다 F의 전기 음성도가 크다.	H_2O, MgO, CO_2에서 O의 산화수는 −2 (단, H_2O_2, Na_2O_2, BaO_2에서 O의 산화수는 −1, OF_2에서 O의 산화수는 +2)
④ 단원자 이온의 산화수는 그 이온의 전하와 같다.	Na^+에서 Na의 산화수는 +1, Cu^{2+}에서 Cu의 산화수는 +2
⑤ 다원자 이온에서 각 원자의 산화수 합은 그 이온의 전하와 같다.	CO_3^{2-}에서 산화수의 총합: $\underset{C}{(+4)}+\underset{O}{(-2)\times3}=-2$
⑥ 화합물에서 각 원자의 산화수 총합은 0이다.	H_2O에서 산화수의 총합: $\underset{H}{(+1)\times2}+\underset{O}{(-2)}=0$
⑦ 화합물에서 F의 산화수는 −1, 1족 금속 원소의 산화수는 +1, 2족 금속 원소의 산화수는 +2이다.	LiF에서 F의 산화수는 −1, Li의 산화수는 +1, MgO에서 Mg의 산화수는 +2

 개념 확인하기

1 은 이온(Ag^+)이 전자를 얻어 은(Ag)으로 석출되는 것은 (산화 , 환원) 반응이다.

2 묽은 염산에 마그네슘을 넣으면 ( ) 기체가 발생하는데, 이때 마그네슘은 (산화 , 환원)된다.

3 공유 결합 물질에서의 산화수는 전기 음성도가 (큰 , 작은) 원자가 공유 전자쌍을 모두 차지하는 것으로 가정할 때, 각 원자가 가지게 되는 전하이다.

4 모든 화합물에서 산소의 산화수는 −2이다. (○ , ×)

답 1. 환원 2. 수소, 산화 3. 큰 4. ×

[7] 산화수

전자의 이동이 불분명하거나 원자 사이에 전자가 공유되는 공유 결합 물질이 생성되는 반응에서의 산화와 환원을 설명하기 위해 사용한다.

산소와의 결합에 의한 정의

전자의 이동이나 산화수의 변화에 의한 정의

[8] 산화수의 표시

산화수는 가상적인 전하로, 실제 전하와 구별하여 원소 기호 위쪽에 +1, −1과 같이 표시한다.

산화수: $\overset{+1\ -1}{NaCl}$, $\overset{+2\ -2}{MgO}$

실제 전하: Na^+, Cl^-, Mg^{2+}, O^{2-}

셀파 콕콕

주의해야 할 산화수

· NaH, MgH_2에서 H의 산화수는 −1
· H_2O_2에서 O의 산화수는 −1
· OF_2에서 O의 산화수는 +2

━━━ 용어 ━━━

▶ **과산화물**: 산화물에서 산소(O) 원자가 더해진 화합물. O_2^{2-}을 포함하고 있는 물질로 H_2O_2, Na_2O_2 등이 있다.

▶ **단원자 이온**: 원자 한 개로 이루어진 이온

▶ **다원자 이온**: 여러 개의 원자로 이루어진 이온

[예제1] 황산 이온(SO_4^{2-})에서 황(S) 원자의 산화수를 구해 보자.

[풀이] 산화수 규칙 ③에 따라 산소의 산화수는 -2, 산화수 규칙 ⑤에 따라 황산 이온에 들어 있는 원자의 산화수 총합은 -2이다. 황의 산화수를 x라고 하면, $x+(-2)\times4=-2$이므로 $x=+6$이다.

[예제2] 탄산 나트륨(Na_2CO_3)에서 탄소(C) 원자의 산화수를 구해 보자.

[풀이] 산화수 규칙 ③에 따라 산소의 산화수는 -2, 산화수 규칙 ⑦에 따라 나트륨의 산화수는 $+1$, 산화수 규칙 ⑥에 따라 모든 원자의 산화수 총합은 0이다. 탄소의 산화수를 x라고 하면, $(+1)\times2+x+(-2)\times3=0$이므로 $x=+4$이다.

3. 여러 가지 산화수 같은 원자라도 화합물에서 결합하는 원자의 종류에 따라 여러 가지 산화수를 가질 수 있다.

물질	크로뮴(Cr)	산화 크로뮴(Ⅲ)(Cr_2O_3)	다이크로뮴산 칼륨($K_2Cr_2O_7$)
Cr의 산화수	0	$+3$	$+6$

[산화수의 주기성] → 원자는 비활성 기체의 전자 배치를 이루기 위해 전자를 얻거나 잃는다.
➡ 산화수는 원자의 전자 배치와 관련이 있기 때문에 주기성을 나타낸다.

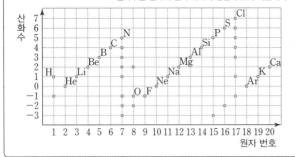

- 화합물에서 1족, 2족, 13족 원소의 산화수는 각각 $+1$, $+2$, $+3$이다.
- 비금속 원소에서 각 원자가 가지는 가장 작은 산화수는 (원자가 전자 -8)이다.
- 원자가 가지는 가장 큰 산화수는 그 원자의 원자가 전자 수와 같다.

4. 산화수 변화와 산화 환원 반응❾

- 산화: 산화수가 증가하는 반응
- 환원: 산화수가 감소하는 반응

예
$$\underset{+3}{2Fe_2O_3(s)} + \underset{0}{3C(s)} \longrightarrow \underset{0}{4Fe(s)} + \underset{+4}{3CO_2(g)}$$

산화수 증가: 산화
산화수 감소: 환원

5. 산화 환원 반응의 동시성 산화 환원 반응에서 한 원자의 산화수가 증가하면 다른 원자의 산화수는 감소한다. 즉, 산화와 환원은 항상 동시에 일어난다.

④ 산화제와 환원제

1. 산화제와 환원제

산화제	환원제
자신은 환원되면서 다른 물질을 산화시키는 물질	자신은 산화되면서 다른 물질을 환원시키는 물질
[산화제로 주로 작용하는 물질] • 전자를 얻기 쉬운 비금속 원소 예 F_2, Cl_2 • 산화수가 큰 원자가 들어 있는 화합물 예 $\overset{+7}{K}MnO_4$, $H\overset{+7}{Cl}O_4$, $H\overset{+5}{N}O_3$ 등	[환원제로 주로 작용하는 물질] • 전자를 잃기 쉬운 금속 원소 예 Li, Na, K • 산화수가 작은 원자가 들어 있는 화합물 예 $\overset{+2}{Sn}Cl_2$, $\overset{+2}{C}O$, $H_2\overset{-2}{S}$ 등

└ 산화수가 큰 원자는 전자를 얻으면서 산화수가 작아지므로 자신은 환원되고 다른 물질을 산화시킨다.

---

❾ 산화 환원 반응의 구분

화학 반응 전후에 산화수가 변하는 원자가 있어야 산화 환원 반응이다. 반응 전후에 산화수가 변하는 원자가 없으면 산화 환원 반응이 아니다. 즉, 아래와 같이 앙금 생성 반응과 중화 반응은 산화 환원 반응이 아니다.

- 앙금 생성 반응
$$\overset{+1-1}{KCl}(aq) + \overset{+1+5-2}{AgNO_3}(aq)$$
$$\longrightarrow \overset{+1-1}{AgCl}(s) + \overset{+1+5-2}{KNO_3}(aq)$$

- 중화 반응
$$\overset{+1-1}{HCl}(aq) + \overset{+1-2+1}{NaOH}(aq)$$
$$\longrightarrow \overset{+1-2}{H_2O}(l) + \overset{+1\ -1}{NaCl}(aq)$$

암기 콕

	산화	환원
산소	얻음	잃음
전자	잃음	얻음
산화수	증가	감소

암기 콕

소화제: 소화시키는
산화제: 산화시키는 ─┐ 물질
환원제: 환원시키는 ─┘

용어

▶ **비금속**: 전자를 얻어 음이온이 되기 쉬운 원소. 열전도성이나 전기 전도성이 매우 작고 실온에서 대부분 기체나 고체로 존재한다.

▶ **금속**: 전자를 잃고 양이온이 되기 쉬운 원소. 열전도성이나 전기 전도성이 크고 실온에서 대부분 고체 상태로 존재한다.

$$\overset{+3}{2Fe_2O_3}(s) + \overset{0}{3C}(s) \longrightarrow \overset{0}{4Fe}(s) + \overset{+4}{3CO_2}(g)$$

산화수 증가: 산화

산화수 감소: 환원

산화제 (2Fe₂O₃) 환원제 (3C)

➡ 탄소(C)는 자신은 산화되면서 산화 철(III)(Fe_2O_3)을 환원시키는 환원제이고, Fe_2O_3은 자신은 환원되면서 C를 산화시키는 산화제이다.

2. **산화제와 환원제의 상대적 세기**[10] 같은 물질이라도 반응에 따라 산화제로 작용할 수도 있고, 환원제로 작용할 수도 있다. ➡ 산화 환원 반응에서 전자를 잃거나 얻는 정도가 서로 상대적이기 때문이다.

─────── | 자료 파헤치기 | ───────

[이산화 황(SO_2)이 산화제로 작용]

산화

$$\overset{+4}{SO_2}(g) + \overset{-2}{2H_2S}(g) \longrightarrow 2H_2O(l) + \overset{0}{3S}(s)$$

산화제 환원제

환원

[이산화 황(SO_2)이 환원제로 작용]

산화

$$\overset{+4}{SO_2}(g) + 2H_2O(l) + \overset{0}{Cl_2}(g) \longrightarrow \overset{+6}{H_2SO_4}(aq) + \overset{-1}{2HCl}(aq)$$

환원제 산화제

환원

- 이산화 황(SO_2)은 황화 수소(H_2S)와 반응할 때는 산화제로 작용하고, 상대적으로 더 강한 산화제인 염소(Cl_2)와 반응할 때는 환원제로 작용한다.
- 산화되기 쉬운 정도: $H_2S > SO_2 > Cl_2$ • 환원되기 쉬운 정도: $Cl_2 > SO_2 > H_2S$

[항산화제]

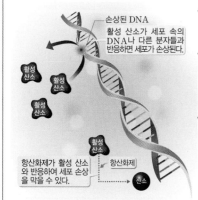

손상된 DNA
활성 산소가 세포 속의 DNA나 다른 분자들과 반응하면 세포가 손상된다.

활성 산소

항산화제가 활성 산소와 반응하여 세포 손상을 막을 수 있다.

항산화제

산소

- 항산화제: 자신이 먼저 산화되어 다른 물질이 산화되는 것을 방해하는 물질
- 원리: 활성 산소와 먼저 반응하여 세포 손상을 막는 물질로, 다른 물질보다 더 빨리 산화되므로 환원제로 작용한다.
  예 비타민 C, 비타민 E, 플라보노이드, 카로티노이드 등
- 항산화제가 많이 들어 있는 식품: 포도나 베리류의 과일이나 짙푸른 채소, 견과류, 콩, 생선 등

⓾ 산화제와 환원제의 상대적 세기

쥐를 쫓던 고양이가 힘센 개에게는 쫓기는 신세가 되는 것처럼, 산화제로 작용하는 물질이 더 강한 산화제와 반응할 때에는 환원제로 작용한다.

──────── 용어 ────────

▶ **활성 산소**: 우리 몸이 에너지를 얻는 호흡 과정에서 발생하며, 반응성이 매우 커서 세포를 손상시키고 노화를 유발한다.

개념 확인하기

1 산화수가 ( )하는 반응을 산화, 산화수가 ( )하는 반응을 환원이라고 한다.
2 자신이 산화되면서 다른 물질을 환원시키는 물질을 ( )(이)라고 한다.
3 같은 물질이라도 반응에 따라 산화제로 작용할 수도 있고, 환원제로 작용할 수도 있다. (○ , ×)
4 항산화제는 다른 물질이 산화되는 것을 방해하는 물질로 자신은 산화제로 작용한다. (○ , ×)

답 1. 증가, 감소 2. 환원제 3. ○ 4. ×

목표 금속과 금속 이온의 반응 실험을 통해 산화 환원 반응을 전자의 이동으로 설명할 수 있다.

과정 및 결과

❶ 아연(Zn)판 표면을 사포로 깨끗이 닦아 황산 구리(II)($CuSO_4$) 수용액에 담근 후 반응을 관찰한다.

➡ 아연판 표면에 구리가 석출되면서 용액의 푸른색이 옅어진다.

❷ 질산 은($AgNO_3$) 수용액에 구리(Cu)줄을 넣은 후 반응을 관찰한다.

➡ 구리줄 표면에 은이 석출되고 용액의 색이 점점 푸른색으로 변한다.

정리

1. 과정 ❶을 화학 반응식으로 나타내고, 산화되는 물질과 환원되는 물질을 구분해 보자.

$$\overset{+2}{Cu}SO_4(aq) + \overset{0}{Zn}(s) \longrightarrow \overset{0}{Cu}(s) + \overset{+2}{Zn}SO_4(aq)$$

산화수 증가: 산화

산화수 감소: 환원

→ 산화되는 물질: Zn, 환원되는 물질: $CuSO_4$

2. 과정 ❶에서 산화제와 환원제는 각각 무엇인가?

→ 산화제: $CuSO_4$, 환원제: Zn

3. 과정 ❷를 화학 반응식으로 나타내고, 산화되는 물질과 환원되는 물질을 구분해 보자.

$$2\overset{+1}{Ag}NO_3(aq) + \overset{0}{Cu}(s) \longrightarrow 2\overset{0}{Ag}(s) + \overset{+2}{Cu}(NO_3)_2(aq)$$

산화수 증가: 산화

산화수 감소: 환원

→ 산화되는 물질: Cu, 환원되는 물질: $AgNO_3$

4. 과정 ❷에서 산화제와 환원제는 각각 무엇인가?

→ 산화제: $AgNO_3$, 환원제: Cu

5. 과정 ❶과 ❷에서 수용액의 색 변화에 대해 설명해 보자.

→ 과정 ❶에서는 Cu^{2+}이 환원되어 Cu로 되므로 Cu^{2+}의 수가 줄어들어 용액의 푸른색이 옅어진다. 반면, 과정 ❷에서는 Cu가 산화되어 Cu^{2+}으로 되므로 Cu^{2+}의 수가 증가하여 용액이 점점 푸른색으로 변한다.

탐구 대표 문제 정답과 해설 58쪽

01 이 실험에 대한 설명으로 옳지 않은 것은?

① 과정 ❶에서 아연의 산화수는 증가한다.

② 과정 ❶에서 $CuSO_4$는 산화제로 작용한다.

③ 과정 ❷에서 Ag^+은 전자를 얻어 환원된다.

④ 과정 ❶과 ❷에서 음이온은 반응에 참여하지 않는다.

⑤ 과정 ❶과 ❷에서 수용액의 양이온 수는 모두 반응 전과 후가 같다.

셀파 세미나 ——————— S·H·E·R·P·A

▶ 산화수를 구하는 훈련을 해
보고, 산화 환원 반응에서 산화
와 환원, 산화제와 환원제를 구
분해 보아요.

산화수와 산화 환원 반응

01 산화수 구하기

1. 각 물질에서 밑줄 친 원자의 산화수를 각각 구해 보자.

(1) $K\underline{Mn}O_4$ (2) $\underline{Fe}_2O_3$ (3) $K_2\underline{Cr}_2O_7$

(4) $H\underline{N}O_3$ (5) $Na\underline{H}$ (6) $\underline{O}F_2$

답 (1) $(+1)+Mn+(-2)\times4=0, Mn=+7$ (2) $Fe\times2+(-2)\times3=0, Fe=+3$ (3) $(+1)\times2+Cr\times2+(-2)\times7=0, Cr=+6$ (4) $(+1)+N+(-2)\times3=0, N=+5$ (5) $(+1)+H=0, H=-1$ (6) $O+(-1)\times2=0, O=+2$

2. 탄소 원자를 포함하는 다음 화합물에서 각 탄소 원자의 산화수를 구해 보자.

(1) $\underline{C}H_4$ (2) $\underline{C}_2H_6$ (3) $\underline{C}H_3OH$ (4) $\underline{C}_6H_6$

답 (1) $C+(+1)\times4=0, C=-4$ (2) $C\times2+(+1)\times6=0, C=-3$ (3) $C+(+1)\times4+(-2)=0, C=-2$ (4) $C\times6+(+1)\times6=0, C=-1$

3. 염소 원자를 포함하는 다음 화합물에서 각 염소 원자의 산화수를 구해 보자.

(1) $H\underline{Cl}$ (2) $H\underline{Cl}O$ (3) $H\underline{Cl}O_2$

(4) $H\underline{Cl}O_3$ (5) $H\underline{Cl}O_4$

답 (1) $(+1)+Cl=0, Cl=-1$ (2) $(+1)+Cl+(-2)=0, Cl=+1$ (3) $(+1)+Cl+(-2)\times2=0, Cl=+3$ (4) $(+1)+Cl+(-2)\times3=0, Cl=+5$ (5) $(+1)+Cl+(-2)\times4=0, Cl=+7$

Plus 자료

산화수의 결정 규칙
대부분의 화합물에서 수소의 산화수는
$+1$, 산소의 산화수는 -2이며, 화합물에
서 각 원자들의 산화수 총합은 0이다.

02 산화와 환원, 산화제와 환원제 구분하기

1. 다음 반응식에서 ( ) 안에 산화 또는 환원을 쓰고, 산화제와 환원제를 구분해 보자.

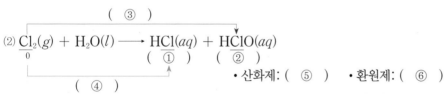

(1)
$$2\underset{0}{H_2}(g) + \underset{0}{O_2}(g) \longrightarrow \underset{+1\ -2}{2H_2O}(g)$$

     • 산화제: (③)   • 환원제: (④)

(2)
$$\underset{0}{Cl_2}(g) + H_2O(l) \longrightarrow H\underset{(①)}{Cl}(aq) + H\underset{(②)}{Cl}O(aq)$$

     • 산화제: (⑤)   • 환원제: (⑥)

답 (1) ① 산화 ② 환원 ③ O_2 ④ H_2 (2) ① -1 ② $+1$ ③ 환원 ④ 산화 ⑤ Cl_2 ⑥ Cl_2

03 산화제와 환원제의 상대적 세기

1. 다음 두 반응에서 물(H_2O)이 산화제와 환원제 중 어떤 역할을 하였는지 말해 보자.

(가) $2Na + 2H_2O \longrightarrow 2NaOH + H_2$

(나) $2F_2 + 2H_2O \longrightarrow O_2 + 4HF$

| 해설 | (가)에서는 물 분자의 수소가 환원되었고, (나)에서는 물 분자의 산소가 산화되었다.

답 (가) 산화제 (나) 환원제

2. 다음 두 반응에서 산화제로 작용한 물질을 각각 고르고, 두 물질의 산화력을 비교해 보자.

(가) $H_2O_2 + 2H^+ + 2I^- \longrightarrow 2H_2O + I_2$

(나) $2KMnO_4 + 5H_2O_2 + 6H^+ \longrightarrow 2Mn^{2+} + 5O_2 + 2K^+ + 8H_2O$

답 (가) H_2O_2, (나) $KMnO_4$, 산화력의 세기: $KMnO_4 > H_2O_2$

강의 콕
산화 환원 반응에서 전자를 잃거나
얻으려는 경향이 상대적이므로 산화
제와 환원제의 세기도 상대적이다.

기초 탄탄 문제

정답과 해설 58쪽

핵심용어_ 이 단원에서 내가 아는 것과 아직 모르는 것을 정리하며 나의 공부를 돌아보자.

☐ 산화   ☐ 환원   ☐ 산화 환원 반응의 동시성
☐ 산화수   ☐ 산화수 결정 규칙   ☐ 산화제
☐ 환원제

01 산화 환원 반응에 대한 설명으로 옳지 않은 것은?

① 전자의 이동으로 일어나는 반응이다.
② 산화수가 증가하는 반응은 산화이다.
③ 산화와 환원은 항상 동시에 일어난다.
④ 화학 반응에서 산화되는 물질은 환원제이다.
⑤ 전기 음성도가 큰 원소일수록 산화되기 쉽다.

02 그림은 묽은 염산(HCl)에 마그네슘(Mg) 조각을 넣었을 때 일어나는 반응을 모형으로 나타낸 것이다. 이에 대한 설명으로 옳은 것은?

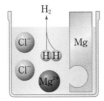

① Mg은 산화된다.
② Cl^-은 환원된다.
③ H^+은 전자를 잃는다.
④ 전자는 Mg에서 Cl^-으로 이동한다.
⑤ Mg 1개가 산화될 때 H^+ 1개가 환원된다.

03 산화수에 대한 설명으로 옳지 않은 것은?

① 원소를 구성하는 원자의 산화수는 0이다.
② 단원자 이온의 산화수는 그 이온의 전하와 같다.
③ 화합물에서 수소 원자의 산화수는 항상 +1이다.
④ 화합물을 이루는 각 원자의 산화수 총합은 0이다.
⑤ 같은 원자라도 결합하는 원자의 종류에 따라 산화수가 달라질 수 있다.

04 다음 중 밑줄 친 원소의 산화수가 가장 큰 것은?

① $N\underline{H}_3$ ② $O\underline{F}_2$ ③ $Na\underline{H}$
④ $H\underline{Cl}O$ ⑤ $\underline{S}O_4^{2-}$

05 다음 중 산화 환원 반응이 아닌 것은?

① $2H_2 + O_2 \longrightarrow 2H_2O$
② $2Na + Cl_2 \longrightarrow 2NaCl$
③ $CO + H_2O \longrightarrow CO_2 + H_2$
④ $Fe_2O_3 + 3CO \longrightarrow 2Fe + 3CO_2$
⑤ $Ca(OH)_2 + CO_2 \longrightarrow CaCO_3 + H_2O$

06 다음은 천연가스(LNG)의 주성분인 메테인의 연소 반응을 나타낸 것이다.

$$CH_4(g) + 2O_2(g) \longrightarrow CO_2(g) + 2H_2O(g)$$

이 반응에 대한 설명으로 옳지 않은 것은?

① CH_4은 산화된다.
② O의 산화수는 감소한다.
③ H의 산화수는 감소한다.
④ O_2는 산화제이다.
⑤ H_2O에서 각 원자의 산화수 총합은 0이다.

07 다음은 이산화 황과 관련된 2가지 화학 반응을 나타낸 것이다.

(가) $SO_2(g) + 2H_2S(g) \longrightarrow 2H_2O(l) + 3S(s)$
(나) $SO_2(g) + 2H_2O(l) + Cl_2(g)$
$\qquad\qquad \longrightarrow H_2SO_4(aq) + 2HCl(aq)$

(가)와 (나)에서 산화제로 작용하는 것을 옳게 짝 지은 것은?

	(가)	(나)		(가)	(나)
①	H_2S	H_2O	②	H_2S	Cl_2
③	SO_2	H_2O	④	SO_2	Cl_2
⑤	SO_2	SO_2			

내신 만점 문제

정답과 해설 59쪽

* ▮▮▮ 난이도를 나타냅니다.

01 다음은 마그네슘 리본이 공기 중에서 연소하는 반응의 화학 반응식을 나타낸 것이다.

$$2Mg(s) + O_2(g) \longrightarrow 2MgO(s)$$

이 반응에 대한 설명으로 옳지 <u>않은</u> 것은?

① 마그네슘은 산화된다.
② 산소는 산화수가 감소한다.
③ 산소는 환원제로 작용한다.
④ 마그네슘은 전자를 잃고 양이온이 된다.
⑤ 산화 마그네슘은 이온 결합 물질이다.

02 그림은 용광로를 이용한 철의 제련 과정과 그 반응을 화학 반응식으로 나타낸 것이다.

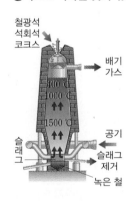

철광석
석회석
코크스

배기 가스

400 °C
1000 °C
1500 °C

공기

슬래그 제거

녹은 철

(가) $2C(s) + O_2(g)$
$\longrightarrow 2CO(g)$
(나) $Fe_2O_3(s) + 3CO(g)$
$\longrightarrow 2Fe(s) + 3CO_2(g)$
(다) $CaCO_3(s)$
$\longrightarrow CaO(s) + CO_2(g)$
(라) $CaO(s) + SiO_2(s)$
$\longrightarrow CaSiO_3(l)$

이에 대한 설명으로 옳은 것만을 〈보기〉에서 있는 대로 고른 것은?

─┤ 보기 ├─
ㄱ. (가)에서 C는 환원제로 작용한다.
ㄴ. (나)에서 Fe의 산화수는 증가한다.
ㄷ. (가)~(라) 모두 산화 환원 반응이다.

① ㄱ   ② ㄷ   ③ ㄱ, ㄴ
④ ㄴ, ㄷ   ⑤ ㄱ, ㄴ, ㄷ

03 다음은 망가니즈(Mn)가 포함된 몇 가지 화합물의 화학식을 나타낸 것이다.

MnO_2 $MnCl_2$ Mn_2O_3 $KMnO_4$

이에 대한 설명으로 옳은 것만을 〈보기〉에서 있는 대로 고른 것은?

─┤ 보기 ├─
ㄱ. $KMnO_4$에서 Mn의 산화수는 +3이다.
ㄴ. 위 화합물에서 O의 산화수는 모두 같다.
ㄷ. Mn의 산화수가 가장 작은 화합물은 MnO_2이다.

① ㄱ   ② ㄴ   ③ ㄱ, ㄷ
④ ㄴ, ㄷ   ⑤ ㄱ, ㄴ, ㄷ

04 그림과 같이 아연(Zn)판을 황산 구리(Ⅱ)($CuSO_4$) 수용액에 넣었더니, 아연판 표면에 붉은색 구리가 석출되었다.
이에 대한 설명으로 옳은 것만을 〈보기〉에서 있는 대로 고른 것은?

아연판

$CuSO_4$ 수용액

─┤ 보기 ├─
ㄱ. Zn의 산화수는 증가한다.
ㄴ. 수용액 속 SO_4^{2-}의 수가 증가한다.
ㄷ. 수용액의 푸른색이 점점 옅어진다.

① ㄱ   ② ㄴ   ③ ㄱ, ㄷ
④ ㄴ, ㄷ   ⑤ ㄱ, ㄴ, ㄷ

05 다음은 숯(C)과 천연가스의 주성분인 메테인(CH_4)의 완전 연소 반응을 화학 반응식으로 나타낸 것이다.

(가) $C + O_2 \longrightarrow (\ ㉠ \ )$
(나) $CH_4 + 2O_2 \longrightarrow (\ ㉡ \ ) + 2H_2O$

이에 대한 설명으로 옳은 것만을 〈보기〉에서 있는 대로 고른 것은? (단, 전기 음성도는 C > H이다.)

─┤ 보기 ├─
ㄱ. ㉠과 ㉡은 같은 물질이다.
ㄴ. (가)에서 O_2는 산화제이다.
ㄷ. (나)의 CH_4에서 C의 산화수는 +4이다.

① ㄱ   ② ㄷ   ③ ㄱ, ㄴ
④ ㄴ, ㄷ   ⑤ ㄱ, ㄴ, ㄷ

06 그림은 구리의 산화와 구리 산화물의 제련 과정을 모식도로 나타낸 것이다.

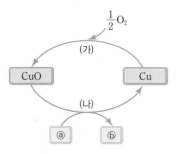

이에 대한 설명으로 옳은 것만을 〈보기〉에서 있는 대로 고른 것은?

┤ 보기 ├

ㄱ. (가), (나) 모두 산화 환원 반응이다.

ㄴ. (가) 과정에서 Cu의 산화수는 감소한다.

ㄷ. ⓐ는 구리보다 산화되기 쉬운 물질이다.

① ㄱ   ② ㄴ   ③ ㄱ, ㄷ

④ ㄴ, ㄷ   ⑤ ㄱ, ㄴ, ㄷ

07 그림은 포도당을 루이스 구조식으로 나타낸 것이다.

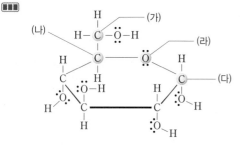

포도당을 구성하는 원자 중 (가)~(라)에 대한 설명으로 옳은 것만을 〈보기〉에서 있는 대로 고른 것은? (단, 전기 음성도는 O>C>H이다.)

┤ 보기 ├

ㄱ. (가)와 (다)의 산화수는 같다.

ㄴ. (나)의 산화수는 0이다.

ㄷ. (라)의 산화수가 가장 작다.

① ㄱ   ② ㄷ   ③ ㄱ, ㄴ

④ ㄴ, ㄷ   ⑤ ㄱ, ㄴ, ㄷ

08 다음은 산성비와 관련된 화학 반응식이다.

(가) 자동차에서 배출된 일산화 질소(NO)가 공기 중에서 산소와 반응한다.
$$2NO + O_2 \longrightarrow 2NO_2$$
(나) 이산화 질소(NO_2)가 빗물에 녹아 질산을 생성한다.
$$3NO_2 + H_2O \longrightarrow 2HNO_3 + \boxed{\ ㉠\ }$$

이에 대한 설명으로 옳은 것만을 〈보기〉에서 있는 대로 고른 것은?

┤ 보기 ├

ㄱ. ㉠은 NO이다.

ㄴ. (가)에서 NO는 산화제이다.

ㄷ. (나)는 산화 환원 반응이다.

① ㄱ   ② ㄴ   ③ ㄱ, ㄷ

④ ㄴ, ㄷ   ⑤ ㄱ, ㄴ, ㄷ

09 다음은 마그네슘(Mg) 리본을 연소시키는 실험과 결과를 나타낸 것이다.

(가) 마그네슘 리본에 불을 붙인다.

(나) 불이 붙은 마그네슘 리본을 드라이아이스로 만든 통 속에 넣고 덮개로 덮었더니 계속 탔다.

(다) 불이 꺼진 후 뚜껑을 열었더니 산화 마그네슘과 검은색 가루가 생겼다.

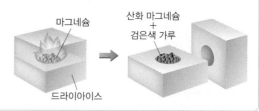

이에 대한 설명으로 옳은 것만을 〈보기〉에서 있는 대로 고른 것은?

┤ 보기 ├

ㄱ. (가)와 (나)에서 Mg은 산화된다.

ㄴ. (가)와 (나)에서 같은 물질이 산화제로 작용한다.

ㄷ. (다)에서 검은색 가루는 드라이아이스가 환원되어 생긴 것이다.

① ㄱ   ② ㄴ   ③ ㄱ, ㄷ

④ ㄴ, ㄷ   ⑤ ㄱ, ㄴ, ㄷ

10 황화 수소(H_2S)는 달걀 썩는 냄새가 나는 무색의 유독한 기체이다. 다음은 H_2S와 관련된 몇 가지 화학 반응이다.

> (가) H_2S는 반응성이 커서 다른 물질들과 반응하여 황이 생성된다.
> $$2H_2S + SO_2 \longrightarrow 2H_2O + 3S$$
> (나) 황화 철에 염산을 반응시키면 H_2S가 발생한다.
> $$FeS + 2HCl \longrightarrow FeCl_2 + H_2S\uparrow$$
> (다) H_2S는 카드뮴 이온과 반응하여 독특한 색깔의 앙금을 생성하므로 카드뮴 이온의 검출에 이용된다.
> $$Cd^{2+} + S^{2-} \longrightarrow CdS\downarrow(노란색)$$

이에 대한 설명으로 옳은 것만을 〈보기〉에서 있는 대로 고른 것은?

> ┤ 보기 ├
> ㄱ. (가)의 H_2S에서 S의 산화수는 증가한다.
> ㄴ. (나)에서 HCl은 환원제로 작용한다.
> ㄷ. (가)~(다)는 모두 산화 환원 반응이다.

① ㄱ 　　② ㄷ 　　③ ㄱ, ㄴ
④ ㄴ, ㄷ 　　⑤ ㄱ, ㄴ, ㄷ

 그림과 같이 ASO_4 수용액에 금속 B를 넣었더니, 수용액 속 양이온의 수가 증가하였다.

금속 B
ASO_4 수용액

이에 대한 설명으로 옳은 것만을 〈보기〉에서 있는 대로 고른 것은? (단, A, B는 임의의 원소 기호이며, 음이온은 반응에 참여하지 않는다.)

> ┤ 보기 ├
> ㄱ. A의 이온은 B의 이온보다 환원되기 쉽다.
> ㄴ. B의 산화수는 증가한다.
> ㄷ. 이온의 전하는 A가 B보다 크다.

① ㄱ 　　② ㄷ 　　③ ㄱ, ㄴ
④ ㄴ, ㄷ 　　⑤ ㄱ, ㄴ, ㄷ

서술형 문제

12 그림은 메테인(CH_4) 분자를 분자 모형으로 나타낸 것이다.

탄소(C)와 수소(H)의 산화수를 전기 음성도와 관련하여 서술하시오. (단, 전기 음성도는 C > H이다.)

_____

_____

_____

13 수영장의 물을 소독할 때 염소 기체를 사용한다. 염소 기체는 물과 반응하여 하이포염소산(HClO)을 형성하는데, 이 반응을 화학 반응식으로 나타내면 다음과 같다.

> $$Cl_2(g) + H_2O(l) \longrightarrow HClO(aq) + HCl(aq)$$

이 반응에서 산화되는 물질과 환원되는 물질을 각각 쓰고, 그 까닭을 산화수 변화를 이용하여 서술하시오.

_____

_____

_____

14 철은 강도가 높아 다리나 건물, 철도 레일, 자동차 차체 등의 재료로 사용된다. 그런데 철의 단점은 쉽게 산화되어 녹이 슨다는 것이다. 철이 녹이 슬면 강도가 떨어진다.

(1) 철이 녹스는 반응을 화학 반응식으로 나타내시오. (단, 반응 후 철의 산화수는 +3이다.)

_____

(2) 철의 산화를 막는 방법 한 가지와 그 까닭을 서술하시오.

_____

_____

_____

02

Ⅳ. 역동적인 화학 반응 | 2 산화 환원 반응과 화학 반응에서 열의 출입

내 교과서는 어디에?

천재 p.194~196 교학사 p.179~181 금성 p.171~173 동아 p.193~196 미래엔 p.184~186
비상 p.171~171 상상 p.188~189 지학사 p.179~180 YBM p.197~199

산화 환원 반응의 양적 관계

핵심 Point
- 산화수 변화를 이용하여 **산화 환원 반응식**을 완성한다.
- **산화 환원 반응**에서 양적 관계를 이해한다.

---

1 **산화 환원 반응식 완성하기** → 화학 반응에서 반응물과 생성물 사이의 양적 관계를 알기 위해 화학 반응식의 계수비를 이용한다.

1. 산화수법으로 산화 환원 반응식 완성하기 산화 환원 반응에서 증가한 총 산화수와 감소한 총 산화수는 항상 같으므로 이를 이용하여 산화 환원 반응식을 완성한다.

> **증가한 산화수＝감소한 산화수** → 한 물질이 산화되어 잃은 전자를 다른 물질이 환원되면서 얻는다.

예 철(Ⅱ) 이온(Fe^{2+})과 과망가니즈산 이온(MnO_4^-)의 산화 환원 반응식 완성하기 ❶

$$Fe^{2+} + MnO_4^- + H^+ \longrightarrow Fe^{3+} + Mn^{2+} + H_2O$$

[1단계] 각 원자의 산화수를 구하여 그 원자 위에 쓴다.

$$\overset{+2}{Fe^{2+}} + \overset{\boxed{+7}\ -2}{MnO_4^-} + \overset{+1}{H^+} \longrightarrow \overset{\boxed{+3}}{Fe^{3+}} + \overset{+2}{Mn^{2+}} + \overset{+1\ -2}{H_2O}$$

[2단계] 반응 전후 산화수가 증가하거나 감소한 원자의 산화수 변화를 계산한다.

$$\boxed{1}\ 증가$$
$$\overset{+2}{Fe^{2+}} + \overset{+7}{MnO_4^-} + H^+ \longrightarrow \overset{+3}{Fe^{3+}} + \overset{+2}{Mn^{2+}} + H_2O$$
$$\boxed{5}\ 감소$$

[3단계] 증가한 산화수와 감소한 산화수가 같도록 계수를 맞춘다.

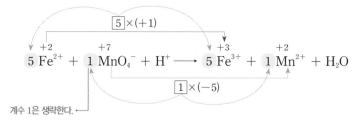

$$\boxed{5} \times (+1)$$
$$5\ \overset{+2}{Fe^{2+}} + 1\ \overset{+7}{MnO_4^-} + H^+ \longrightarrow 5\ \overset{+3}{Fe^{3+}} + 1\ \overset{+2}{Mn^{2+}} + H_2O$$
$$\boxed{1} \times (-5)$$

계수 1은 생략한다.

→ 반응 전후 수소와 산소의 개수를 맞춘다.

[4단계] 산화수 변화가 없는 원자들의 수가 같아지도록 계수를 맞춘다. ➡ 완성

$$5Fe^{2+} + MnO_4^- + \boxed{8}\ H^+ \longrightarrow 5Fe^{3+} + Mn^{2+} + \boxed{4}\ H_2O$$

[반응식 확인] $5Fe^{2+} + MnO_4^- + 8H^+ \longrightarrow 5Fe^{3+} + Mn^{2+} + 4H_2O$

① 반응 전후 원자의 종류와 수가 같은지 확인한다.

   Fe: 5개, Mn: 1개, O: 4개, H: 8개

② 반응 전후 총 전하량이 같은지 확인한다.

   • 반응 전 총 전하량: $5 \times (+2) + (-1) + 8 \times (+1) = +17$

   • 반응 후 총 전하량: $5 \times (+3) + (+2) + 4 \times 0 = +17$

③ Fe^{2+}과 MnO_4^-의 반응 몰비는 5 : 1이다.

   ➡ Fe^{2+} 1몰을 완전히 산화시키려면 MnO_4^- 0.2몰이 필요하다.

---

❶ 철(Ⅱ) 이온과 과망가니즈산 이온(MnO_4^-)의 반응

적자색을 띠는 과망가니즈산 이온(MnO_4^-)은 철(Ⅱ) 이온(Fe^{2+})에 의해 망가니즈 이온(Mn^{2+})으로 환원되면서 노란색을 띤다.

셀파 콕콕

산화 환원 반응에서는 증가한 산화수와 감소한 산화수가 같음을 이용하여 계수를 맞춘다.

--- 용어 ---

▶ **계수**: 기호 문자와 숫자로 된 식에서 숫자를 기호 문자에 대하여 이르는 말. 화학 반응식에서 각 화학식 앞의 숫자를 말한다.

2. 이온−전자법으로 산화 환원 반응식 완성하기

산화수법으로 계수를 맞추기 어렵거나 산이나 염기 용액에서 산화 환원 반응이 일어날 때 사용한다. 산화 환원 반응을 산화 반응과 환원 반응으로 분리한 뒤, 두 반쪽 반응에서 잃거나 얻은 전자의 양이 같아지도록 계수를 맞춘다.

㈎ 과망가니즈산 이온(MnO_4^-)과 염산의 산화 환원 반응식 완성하기

$$MnO_4^- + H^+ + Cl^- \longrightarrow Mn^{2+} + Cl_2 + H_2O$$

[1단계] 각 원자의 산화수를 구하여 그 원자 위에 쓴다.

$$\overset{+7\ -2}{MnO_4^-} + \overset{+1}{H^+} + \overset{-1}{Cl^-} \longrightarrow \overset{+2}{Mn^{2+}} + \overset{0}{Cl_2} + \overset{+1\ -2}{H_2O}$$

[2단계] 산화 환원 반응을 산화 반응과 환원 반응의 반쪽 반응으로 나눈다.
- 산화 반응: $Cl^- \longrightarrow Cl_2$
- 환원 반응: $MnO_4^- + H^+ \longrightarrow Mn^{2+} + H_2O$

[3단계] 각 반쪽 반응의 반응 전후 원자 수가 같아지도록 계수를 맞춘다. ❷
- 산화 반응 : $2Cl^- \longrightarrow Cl_2$
- 환원 반응 : $MnO_4^- + 8H^+ \longrightarrow Mn^{2+} + 4H_2O$

[4단계] 각 반쪽 반응의 반응 전후 전하량이 같도록 전자를 더해 준다.
- 산화 반응 : $2Cl^- \longrightarrow Cl_2 + 2e^-$
- 환원 반응 : $MnO_4^- + 8H^+ + 5e^- \longrightarrow Mn^{2+} + 4H_2O$

[5단계] 잃은 전자 수와 얻은 전자 수가 같도록 계수를 맞춘다.
- 산화 반응 : $(2Cl^- \longrightarrow Cl_2 + 2e^-) \times 5$
- 환원 반응 : $(MnO_4^- + 8H^+ + 5e^- \longrightarrow Mn^{2+} + 4H_2O) \times 2$

[6단계] 두 반쪽 반응을 더한다. ➡ 완성

$$2MnO_4^- + 16H^+ + 10Cl^- \longrightarrow 2Mn^{2+} + 5Cl_2 + 8H_2O$$

---

2 산화 환원 반응의 양적 관계

산화 환원 반응식의 계수를 통해 산화된 물질과 환원된 물질의 양적 관계를 알 수 있다.

➡ 산화나 환원에 필요한 산화제와 환원제의 양을 알 수 있다.

㈎ 철의 제련 과정에서 산화 철(Ⅲ)과 코크스(C) 반응의 양적 관계

$$2Fe_2O_3(s) + 3C(s) \longrightarrow 4Fe(s) + 3CO_2(g)$$

- 화학 반응식에서 Fe_2O_3과 C가 2 : 3의 몰비로 반응한다. 따라서 산화 철(Ⅲ)(Fe_2O_3) 2몰을 제련할 때 환원제인 코크스(C) 3몰이 필요하다.
- 화학 반응식에서 Fe_2O_3과 Fe의 계수비가 1 : 2이다. 따라서 산화 철(Ⅲ)(Fe_2O_3) 1몰을 제련하면 철(Fe) 2몰을 얻을 수 있다.

개념 확인하기

1 산화 반응에서 잃는 총 전자 수와 환원 반응에서 얻는 총 전자 수가 같으므로 산화 환원 반응 전후에 증가한 산화수와 감소한 산화수는 (   ).

2 다음은 황산 구리(Ⅱ)($CuSO_4$) 수용액과 아연(Zn)의 반응을 화학 반응식으로 나타낸 것이다.
$$CuSO_4(aq) + Zn(s) \longrightarrow Cu(s) + ZnSO_4(aq)$$
$CuSO_4$ 1몰을 환원시키는 데 필요한 환원제와 그 양(mol)을 구하시오.

답 1. 같다 2. Zn 1몰

강의 콕콕
대부분의 교과서에서는 산화수법을 이용하여 산화 환원 반응식을 완성하는 방법을 다루고 있다. 하지만 종종 산화 반응과 환원 반응을 따로 제시하는 문제도 나오므로 반쪽 반응을 이용한 이온−전자법도 이해하고 있는 것이 좋다.

❷ 반쪽 반응의 반응 전후 원자 수 맞추기
원자의 종류와 수가 같아지도록 하기 위해 필요한 경우 이온이나 화합물을 활용한다. 산성 수용액에서 일어난다는 조건이 있으면 H^+과 H_2O을 이용하여 맞추고, 염기성 수용액에서 일어난다는 조건이 있으면 OH^-과 H_2O을 이용하여 맞춘다.

셀파 콕콕
완성된 산화 환원 반응식으로부터 계수비가 몰비임을 활용하여 산화 환원 반응의 양적 관계를 구한다.

━━ 용어 ━━
▶ 반쪽 반응: 주로 산화 환원 반응에서 이용되는 것으로, 산화 반응과 환원 반응을 따로 분리한 반응을 말한다.
▶ 코크스: 석탄을 공기를 차단한 채 1000 ℃ 정도의 온도로 가열하면 기체 성분은 빠져 나가고 주로 탄소 성분만 남는데, 이를 코크스라고 한다.

[예제 1] 다이크로뮴산 칼륨($K_2Cr_2O_7$)과 황(S)의 산화 환원 반응식을 완성해 보자.

$$K_2Cr_2O_7(aq) + H_2O(l) + S(s) \longrightarrow KOH(aq) + Cr_2O_3(s) + SO_2(g)$$ → 산화수 변화를 이용

[1단계] 각 원자의 산화수를 구하여 그 원자 위에 쓰고, 산화수가 증가하거나 감소한 원자의 산화수 변화를 계산한다.

산화수 4 증가

$$\overset{+1\,+6\,-2}{K_2Cr_2O_7}(aq) + \overset{+1\,-2}{H_2O}(l) + \overset{0}{\underline{S}}(s) \longrightarrow \overset{+1\,-2\,+1}{KOH}(aq) + \overset{+3\,-2}{\underline{Cr_2O_3}}(s) + \overset{+4\,-2}{\underline{SO_2}}(g)$$

산화수 3 감소

[2단계] 반응 전후 산화되는 원자 수와 환원되는 원자 수를 각각 맞추고, 증가한 산화수와 감소한 산화수를 각각 계산한다. → 산화되는 원자 수와 환원되는 원자 수가 같을 경우 이 과정은 생략한다.

산화되는 S 원자 수는 같다. ➡ 증가한 산화수는 4

$$K_2Cr_2O_7(aq) + H_2O(l) + \underline{S}(s) \longrightarrow KOH(aq) + \underline{Cr_2O_3}(s) + \underline{SO_2}(g)$$

환원되는 Cr 원자 수는 같다. ➡ 감소한 산화수는 $3 \times 2 = 6$

[3단계] 증가한 산화수와 감소한 산화수가 같도록 계수를 맞춘다.

산화수 4×3 증가

$$2K_2Cr_2O_7(aq) + H_2O(l) + 3S(s) \longrightarrow KOH(aq) + 2Cr_2O_3(s) + 3SO_2(g)$$

산화수 6×2 감소

[4단계] 산화수 변화가 없는 원자들의 수가 같아지도록 계수를 맞춘다. ➡ 완성

$$2K_2Cr_2O_7(aq) + 2H_2O(l) + 3S(s) \longrightarrow 4KOH(aq) + 2Cr_2O_3(s) + 3SO_2(g)$$

[예제 2] 구리(Cu)와 질산(HNO_3)이 반응하여 이산화 질소(NO_2) 기체가 발생하는 반응식을 완성하고, 구리 0.5몰이 충분한 양의 질산과 완전히 반응할 때 발생하는 이산화 질소 기체는 몇 g인지 구해 보자.

$$Cu(s) + H^+(aq) + NO_3^-(aq) \longrightarrow Cu^{2+}(aq) + NO_2(g) + H_2O(l)$$

[1, 2단계] 각 원자의 산화수를 구하고 반응 전후 산화수의 변화를 확인한다.

$$\overset{0}{\underline{Cu}}(s) + H^+(aq) + \overset{+5}{\underline{N}O_3^-}(aq) \longrightarrow \overset{+2}{\underline{Cu}^{2+}}(aq) + \overset{+4}{\underline{N}O_2}(g) + H_2O(l)$$

[3단계] 증가한 산화수와 감소한 산화수가 같도록 계수를 맞춘다.

산화수 증가: 2×1

$$\overset{0}{Cu}(s) + H^+(aq) + \overset{+5}{2NO_3^-}(aq) \longrightarrow \overset{+2}{Cu^{2+}}(aq) + \overset{+4}{2NO_2}(g) + H_2O(l)$$

산화수 감소: 1×2

[4단계] 산화수 변화가 없는 원자들의 수가 같아지도록 계수를 맞춘다. ➡ 완성

$$Cu(s) + 4H^+(aq) + 2NO_3^-(aq) \longrightarrow Cu^{2+}(aq) + 2NO_2(g) + 2H_2O(l)$$

[양적 관계] Cu와 NO_2의 계수비는 1 : 2이므로 Cu 0.5몰이 반응하면 NO_2 기체 1몰이 발생한다. 따라서 발생하는 NO_2 기체는 1 mol × 46 g/mol = 46 g이다.

용어

▶ **몰**: 원자, 분자, 이온 등과 같이 매우 작은 입자의 양을 나타내는 묶음 단위. 입자 1몰은 6.02×10^{23}개이며, 질량(g)=몰(mol)×몰 질량(g/mol)이다.

개념 확인하기

1 다음은 산화 환원 반응식을 단계적으로 완성하는 과정이다. $a \sim f$에 알맞은 숫자를 쓰시오.

산화수 a 증가

$$Fe_2O_3 + \underline{C}O \longrightarrow Fe + \underline{C}O_2 \Rightarrow$$

산화수 b 감소

증가한 산화수와 감소한 산화수가 같도록 계수를 맞춘다.

$$cFe_2O_3 + dCO(g) \longrightarrow eFe + fCO_2$$

답 1. a:2, b:3, c:1, d:3, e:2, f:3

산화 환원 반응

| 생활 속의 산화 환원 반응 |

비커 바닥에 알루미늄박을 깐 다음 소금을 조금 녹인 물을 넣는다. 검게 녹슨 은 숟가락을 알루미늄박에 올려놓고 물이 끓을 정도로 가열한다. 은 숟가락을 꺼낸 후 흐르는 물에 씻어 주면 검은 녹이 사라지고 은색으로 되돌아온다.

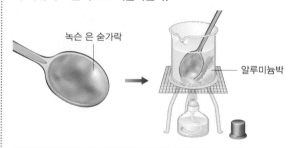

녹슨 은 숟가락 / 알루미늄박

$$aAg_2S(s) + bAl(s) \longrightarrow cAg(s) + dAl_2S_3(aq)$$

(단, Al, S, Ag의 원자량은 각각 27, 32, 108이다.)

1. 은 숟가락의 검은 녹은 (   )이다.

2. Ag_2S에서 S의 산화수는 (   ), Ag의 산화수는 (   )이다.

3. Al_2S_3에서 S의 산화수는 (   ), Al의 산화수는 (   )이다.

4. Ag의 산화수는 (증가 , 감소)한다.

5. Al의 산화수는 (증가 , 감소)한다.

6. Ag_2S은 (산화제 , 환원제)로, Al은 (산화제 , 환원제)로 작용한다.

7. $a=($ $)$, $b=($ $)$, $c=($ $)$, $d=($ $)$이다.

8. 충분한 양의 Ag_2S에 Al 0.1몰을 반응시키면 Ag (   )몰을 얻을 수 있다.

9. Ag_2S 0.1몰을 Ag으로 모두 환원시키는 데 필요한 Al의 최소 질량은 (   )g이다.

10. Ag_2S 2.48 g을 모두 환원시키면 Ag (   )g을 얻는다.

| 해설 | Ag의 산화수가 +1에서 0으로 감소하므로 Ag_2S은 환원되고, Al의 산화수가 0에서 +3으로 증가하므로 Al은 산화된다. Ag_2S과 Al은 3 : 2의 몰비로 반응한다.

| 시험에 자주 나오는 산화 환원 반응 |

다음은 과망가니즈산 칼륨($KMnO_4$)과 진한 염산(HCl)이 반응하는 산화 환원 반응식이다.

$$aKMnO_4(aq) + bHCl(aq) \longrightarrow$$
$$cKCl(aq) + dMnCl_2(l) + 8H_2O(aq) + 5Cl_2(g)$$

(단, $a{\sim}d$는 반응 계수이며, 0 ℃, 1 기압에서 기체 1몰의 부피는 22.4 L이다.)

1. $KMnO_4$에서 Mn의 산화수는 (   )이다.

2. HCl에서 Cl의 산화수는 (   )이다.

3. $MnCl_2$에서 Mn의 산화수는 (   )이다.

4. Cl_2에서 Cl의 산화수는 (   )이다.

5. Mn의 산화수는 (   )에서 (   )(으)로 (감소 , 증가)한다.

6. $KMnO_4$은 (산화 , 환원)되므로 (산화제 , 환원제)로 작용한다.

7. Cl의 산화수는 (   )에서 (   )(으)로 (감소 , 증가)한다.

8. HCl은 (산화 , 환원)되므로 (산화제 , 환원제)로 작용한다.

9. $a=($ $)$, $b=($ $)$, $c=($ $)$, $d=($ $)$이다.

10. $KMnO_4$ 1몰이 반응할 때 발생하는 Cl_2의 양(mol)은 (   )몰이다.

11. 0 ℃, 1기압에서 $KMnO_4$ 0.1몰이 반응할 때 발생하는 Cl_2의 부피는 (   )L이다.

12. $KMnO_4$ 1몰이 반응할 때 이동하는 전자는 (   )몰이다.

| 해설 | $KMnO_4$에서 $(+1)+Mn+(-2)×4=0$이므로 Mn의 산화수는 +7이다. Cl의 산화수가 −1에서 0으로 증가하므로 HCl은 산화되면서 환원제로 작용하며, Mn의 산화수가 +7에서 +2로 감소하므로 $KMnO_4$은 환원되면서 산화제로 작용한다. 반응 몰비가 $KMnO_4$: Cl_2=2 : 5이므로 $KMnO_4$ 1몰이 반응하면 2.5몰의 Cl_2가 생성된다. 0 ℃, 1기압에서 $KMnO_4$ 0.1몰이 반응하면 0.25몰의 Cl_2, 즉 22.4 L/mol × 0.25 mol =5.6 L가 발생한다.

| 정답 |
1. 황화 은(Ag_2S) 2. −2, +1 3. −2, +3 4. 감소 5. 증가 6. 환원제, 산화제 7. 3, 2, 6, 1 8. 0.15 9. 2.7 10. 2.16

| 정답 |
1. +7 2. −1 3. +2 4. 0 5. +7, +2 6. 환원, 산화제 7. −1, 0, 증가 8. 산화, 환원제 9. 2, 16, 2, 2 10. 2.5 11. 5.6 12. 5

기초 탄탄 문제

정답과 해설 61쪽

핵심용어_ 이 단원에서 내가 아는 것과 아직 모르는 것을 정리하며 나의 공부를 돌아보자.

☐ 산화 환원 반응식   ☐ 산화수법
☐ 이온−전자법   ☐ 산화 환원 반응의 양적 관계

01 질산(HNO_3)과 황화 수소(H_2S) 기체를 반응시키면 다음과 같은 반응이 일어난다.

$$H_2S(g) + 2HNO_3(aq)$$
$$\longrightarrow S(s) + 2H_2O(l) + 2NO_2(g)$$

이에 대한 설명으로 옳은 것은?

① HNO_3은 환원제이다.
② S의 산화수는 감소한다.
③ O의 산화수는 증가한다.
④ NO_2에서 N의 산화수는 $+2$이다.
⑤ HNO_3 1몰이 반응할 때 이동한 전자는 1몰이다.

02 다음은 Sn^{2+}과 MnO_4^-의 산화 환원 반응식을 완성하는 과정의 일부를 나타낸 것이다.

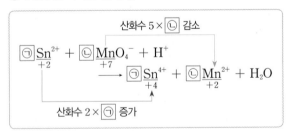

이에 대한 설명으로 옳은 것은?

① ㉠<㉡이다.
② MnO_4^-은 산화된다.
③ H^+은 환원제이다.
④ Sn^{2+}은 산화제이다.
⑤ 화학 반응 전후에 증가한 산화수와 감소한 산화수가 같다.

03 그림은 푸른색 황산 구리(Ⅱ)($CuSO_4$) 수용액에 철못(Fe)을 넣었을 때 일어나는 반응을 모형으로 나타낸 것이다. 이 반응에 대한 설명으로 옳은 것은?

① 푸른색이 점점 진해진다.
② 황산 이온은 전자를 잃고 산화된다.
③ 용액 속 양이온의 수는 증가한다.
④ 구리 이온은 전자를 얻어 환원된다.
⑤ 철 1몰이 반응할 때 전자는 1몰 이동한다.

04 다음은 아연(Zn)과 염산(HCl)의 산화 환원 반응을 화학 반응식으로 나타낸 것이다.

$$Zn(s) + 2HCl(aq) \longrightarrow ZnCl_2(aq) + H_2(g)$$

0.1 M $HCl(aq)$ 200 mL를 모두 환원시키는 데 필요한 Zn의 최소 질량(g)은 얼마인가? (단, Zn의 원자량은 65이다.)

① 0.10 g   ② 0.33 g   ③ 0.65 g
④ 1.30 g   ⑤ 6.5 g

05 다음은 구리(Cu)와 질산(HNO_3)이 반응하는 산화 환원 반응의 화학 반응식을 나타낸 것이다.

$$aCu(s) + 8HNO_3(aq)$$
$$\longrightarrow bCu(NO_3)_2(aq) + cNO(g) + 4H_2O(l)$$

이에 대한 설명으로 옳지 <u>않은</u> 것은? (단, a~c는 반응 계수이다.)

① $a=b>c$이다.
② Cu는 환원제이다.
③ N의 산화수는 $+2$에서 $+5$로 증가한다.
④ HNO_3과 H_2O에 포함된 H의 산화수는 같다.
⑤ HNO_3은 환원된다.

내신 만점 문제

정답과 해설 61쪽

* ▮▮▮ 난이도를 나타냅니다.

01 그림은 암모니아(NH_3)의 합성 과정을 모식도로 나타낸 것이다.

N_2
H_2 ──→ 합성 ──→ NH_3

이 반응에 대한 설명으로 옳은 것만을 〈보기〉에서 있는 대로 고른 것은?

┤ 보기 ├
ㄱ. H의 산화수는 증가한다.
ㄴ. N_2는 산화되고, H_2는 환원된다.
ㄷ. N_2와 H_2는 1 : 3의 몰비로 반응한다.

① ㄱ　　　　② ㄴ　　　　③ ㄱ, ㄷ
④ ㄴ, ㄷ　　　⑤ ㄱ, ㄴ, ㄷ

02 그림은 철광석을 제련하여 철을 얻는 과정을 간단하게 나타낸 것이다.

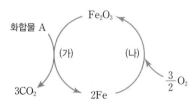

이에 대한 설명으로 옳은 것만을 〈보기〉에서 있는 대로 고른 것은?

┤ 보기 ├
ㄱ. (가)에서 화합물 A는 산화된다.
ㄴ. (나)에서 철의 산화수는 감소한다.
ㄷ. (가)에서 Fe_2O_3 1몰을 제련할 때 이동하는 전자는 3몰이다.

① ㄱ　　　　② ㄷ　　　　③ ㄱ, ㄴ
④ ㄴ, ㄷ　　　⑤ ㄱ, ㄴ, ㄷ

03 다음은 알루미늄박을 이용하여 은 숟가락에 생긴 녹인 황화은(Ag_2S)을 제거하는 반응을 나타낸 것이다.

$$3Ag_2S(s) + 2Al(s) \longrightarrow 6Ag(s) + Al_2S_3(s)$$

은 108 g을 얻기 위해 필요한 알루미늄의 질량(g)은 얼마인가? (단, Al, Ag의 원자량은 각각 27, 108이다.)

① 3 g　　　　② 9 g　　　　③ 27 g
④ 36 g　　　　⑤ 108 g

04 다음은 금속을 이용한 산화 환원 반응 실험을 나타낸 것이다.

(가) 0.1 M 묽은 염산 200 mL에 충분한 양의 아연(Zn)을 반응시켰더니 기체가 발생하였다.
(나) 더 이상 기체가 발생하지 않을 때, (가)의 수용액에 마그네슘(Mg) 막대를 넣었더니 Mg 막대에 금속이 석출되었다.

이에 대한 설명으로 옳은 것만을 〈보기〉에서 있는 대로 고른 것은? (단, Zn의 원자량은 65이고, 원자량은 Zn > Mg이다.)

┤ 보기 ├
ㄱ. (가)에서 반응한 Zn의 질량은 0.65 g이다.
ㄴ. (가)에서 수소(H_2) 기체 0.01몰이 발생한다.
ㄷ. (나)에서 금속 막대의 질량은 감소한다.

① ㄱ　　　　② ㄷ　　　　③ ㄱ, ㄴ
④ ㄴ, ㄷ　　　⑤ ㄱ, ㄴ, ㄷ

05 다음은 질산(HNO_3)이 생성되는 반응을 화학 반응식으로 나타낸 것이다.

$$aNO_2(g) + bH_2O(l) \longrightarrow cHNO_3(aq) + dNO(g)$$

이에 대한 설명으로 옳은 것만을 〈보기〉에서 있는 대로 고른 것은? (단, $a \sim d$는 반응 계수이다.)

┤ 보기 ├
ㄱ. $a+b < c+d$이다.
ㄴ. H_2O은 산화된다.
ㄷ. HNO_3과 NO에서 N의 산화수는 다르다.

① ㄱ　　　　② ㄷ　　　　③ ㄱ, ㄴ
④ ㄴ, ㄷ　　　⑤ ㄱ, ㄴ, ㄷ

A

다음은 일산화 질소(NO)와 관련된 반응의 화학 반응식을 나타낸 것이다.

> (가) $2NO(g) + F_2(g) \longrightarrow 2NOF(g)$
> (나) $2NO(g) + 2H_2(g) \longrightarrow N_2(g) + 2H_2O(l)$
> (다) $2NO(g) + O_2(g) \longrightarrow 2NO_2(g)$

이에 대한 설명으로 옳은 것만을 〈보기〉에서 있는 대로 고른 것은?

> ┤ 보기 ├
> ㄱ. (가)의 NOF에서 N의 산화수는 -1이다.
> ㄴ. (나)에서 N_2 1몰이 생성될 때 이동하는 전자는 4몰이다.
> ㄷ. NO는 (나)에서 산화제로, (다)에서 환원제로 작용한다.

① ㄱ   ② ㄷ   ③ ㄱ, ㄴ
④ ㄴ, ㄷ   ⑤ ㄱ, ㄴ, ㄷ

07

다음은 산성 용액에서 옥살산 이온($C_2O_4^{2-}$)과 과망가니즈산 이온(MnO_4^-)의 반응을 산화 환원 반응식으로 나타낸 것이다.

> $aC_2O_4^{2-}(aq) + bMnO_4^-(aq) + 16H^+(aq)$
> $\longrightarrow cCO_2(g) + dMn^{2+}(aq) + 8H_2O(l)$

이에 대한 설명으로 옳은 것만을 〈보기〉에서 있는 대로 고른 것은? (단, $a \sim d$는 반응 계수이다.)

> ┤ 보기 ├
> ㄱ. $b = d$이다.
> ㄴ. H^+은 산화된다.
> ㄷ. MnO_4^- 0.1몰을 모두 환원시키는 데 필요한 최소한의 $C_2O_4^{2-}$의 양은 0.5몰이다.

① ㄱ   ② ㄷ   ③ ㄱ, ㄴ
④ ㄴ, ㄷ   ⑤ ㄱ, ㄴ, ㄷ

08

다음은 산화 환원 반응식을 단계적으로 완성하는 과정을 나타낸 것이다.

> (가) 각 원자의 산화수 변화를 구한다.
> 산화수 b 감소
> $\underline{Cu}(s) + H\underline{N}O_3(aq) \longrightarrow$
> $\underline{Cu}(NO_3)_2(aq) + \underline{N}O(g) + H_2O(l)$
> 산화수 a 증가
>
> (나) 증가한 산화수와 감소한 산화수가 같도록 계수를 맞춘다.
> $3Cu(s) + 2HNO_3(aq) \longrightarrow$
> $3Cu(NO_3)_2(aq) + 2NO(g) + H_2O(l)$
>
> (다) 산화수 변화가 없는 원자들의 수가 같도록 계수를 맞춘다.
> $3Cu(s) + cHNO_3(aq) \longrightarrow$
> $3Cu(NO_3)_2(aq) + 2NO(g) + dH_2O(l)$

$a+b+c+d$의 값으로 옳은 것은? (단, c, d는 반응 계수이다.)

① 5   ② 7   ③ 10   ④ 15   ⑤ 17

09

그림과 같이 금속 아연(Zn) 조각 1.3 g을 0.2 M 염산(HCl) 100 mL에 넣었더니, 아연 조각 표면에서 기포가 발생하였다.

기포가 더 이상 발생하지 않을 때에 대한 설명으로 옳은 것만을 〈보기〉에서 있는 대로 고른 것은? (단, Zn의 원자량은 65이다.)

> ┤ 보기 ├
> ㄱ. 발생한 수소 기체의 양은 0.01몰이다.
> ㄴ. Zn과 HCl은 1 : 1의 몰비로 반응한다.
> ㄷ. Zn 조각 0.01몰은 반응하지 않고 남는다.

① ㄱ   ② ㄴ   ③ ㄱ, ㄷ
④ ㄴ, ㄷ   ⑤ ㄱ, ㄴ, ㄷ

다음은 다이크로뮴산 칼륨이 산화 크로뮴으로 되는 반응의 화학 반응식을 나타낸 것이다.

$$2K_2Cr_2O_7 + 2H_2O + 3S \longrightarrow 4KOH + 2Cr_2O_3 + 3SO_2$$

이에 대한 설명으로 옳은 것만을 〈보기〉에서 있는 대로 고른 것은?

| 보기 |

ㄱ. 산화수가 변하지 않는 원소는 3가지이다.

ㄴ. Cr의 산화수는 $+6$에서 $+3$으로 감소한다.

ㄷ. Cr_2O_3 1몰을 얻기 위해 S은 최소한 1.5몰이 필요하다.

① ㄱ   ② ㄷ   ③ ㄱ, ㄴ

④ ㄴ, ㄷ   ⑤ ㄱ, ㄴ, ㄷ

11 다음은 산화 환원 반응식을 단계적으로 완성하는 과정을 나타낸 것이다.

(가) 각 원자의 산화수 변화를 구한다.

산화수 ⓒ 감소

$$SO_2 + H_2O + Cl_2 \longrightarrow H_2SO_4 + HCl$$

산화수 ㉠ 증가

(나) 산화되는 원자 수와 환원되는 원자 수를 각각 맞추고, 증가한 산화수와 감소한 산화수가 같도록 계수를 맞춘다.

$$(\quad)SO_2 + (\quad)H_2O + Cl_2 \longrightarrow (\quad)H_2SO_4 + (\quad)HCl$$

(다) 산화수 변화가 없는 원자들의 수가 같도록 계수를 맞춘다.

$$aSO_2 + bH_2O + Cl_2 \longrightarrow cH_2SO_4 + dHCl$$

이에 대한 설명으로 옳은 것만을 〈보기〉에서 있는 대로 고른 것은? (단, $a \sim d$는 반응 계수이다.)

| 보기 |

ㄱ. ㉠ < ⓒ이다.

ㄴ. SO_2은 산화제로 작용한다.

ㄷ. $a + b = c + d$이다.

① ㄱ   ② ㄷ   ③ ㄱ, ㄴ

④ ㄴ, ㄷ   ⑤ ㄱ, ㄴ, ㄷ

서술형 문제

12 다음은 철의 제련 과정을 설명한 것이다.

철광석과 코크스를 용광로에 넣고 뜨거운 공기를 불어넣으면, 철광석의 주성분인 ㉠ 산화 철(Ⅲ) (Fe_2O_3)이 코크스(C)와 반응하여 철(Fe)과 이산화 탄소(CO_2)가 생성된다.

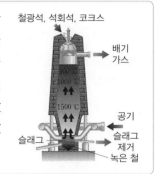

(1) ㉠을 화학 반응식으로 나타내시오.

(2) 산화 철(Ⅲ)(Fe_2O_3) 1몰을 완전히 환원시키는 데 필요한 코크스(C)의 양(mol)을 쓰시오.

13 자동차 사고가 났을 때 운전자를 보호하려면 0.05초 안에 에어백이 터져 부풀어야 한다. 에어백이 터질 때 에어백 안에서는 아자이드화 나트륨(NaN_3)이 분해되어 질소(N_2) 기체가 만들어진다.

$$2NaN_3(s) \longrightarrow 2Na(s) + 3N_2(g)$$

에어백이 충분히 부풀기 위해 30 ℃, 1기압에서 N_2 기체 50 L가 발생해야 한다면, 몇 몰의 NaN_3이 필요한지 구하고, 구하는 과정을 서술하시오. (단, 30 ℃, 1 기압에서 기체 1몰의 부피는 25 L이다.)

03

IV. 역동적인 화학 반응 | 2. 산화 환원 반응과 화학 반응에서 열의 출입

내 교과서는 어디에?

천재 p.197~199 교학사 p.184~189 금성 p.174~176 동아 p.201~208 미래엔 p.188~193
비상 p.172~175 상상 p.192~197 지학사 p.187~189 YBM p.203~209

화학 반응에서 열의 출입

핵심 Point
- 화학 반응에서 **발열 반응**과 **흡열 반응**을 이해하고 구분할 수 있다.
- 화학 반응에서 **열의 출입**을 측정하는 실험을 수행할 수 있다.
- 화학 반응에서 출입하는 열을 계산할 수 있다.

1 발열 반응과 흡열 반응

1. 발열 반응 화학 반응이 일어날 때 열을 방출하는 반응

① 생성물의 에너지 합이 반응물의 에너지 합보다 작으므로 반응이 일어날 때 열을 방출한다.

② 반응물과 생성물의 에너지 차이만큼 열을 방출하므로 주변의 온도가 높아진다.

발열 반응

→ 반응물과 생성물의 에너지 차이만큼이 열로 방출된다.

③ 발열 반응의 예: 연소, 금속과 산의 반응, 산과 염기의 중화 반응, 수산화 나트륨의 용해 반응, 진한 황산을 묽히는 반응❶, 상태 변화(기체 → 액체 → 고체) 등

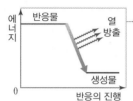

[마그네슘과 염산의 반응]
→ 염산에 마그네슘을 넣으면 수소 기체가 발생하므로 기포가 발생한다.

$$Mg(s) + 2HCl(aq) \longrightarrow MgCl_2(aq) + H_2(g) + 열$$

[철의 산화 반응]
→ 철이 공기 중의 산소와 반응하여 산화된다.

$$4Fe(s) + 3O_2(g) \longrightarrow 2Fe_2O_3(s) + 열$$

2. 흡열 반응 화학 반응이 일어날 때 열을 흡수하는 반응

① 생성물의 에너지 합이 반응물의 에너지 합보다 크므로 반응이 일어날 때 열을 흡수한다.

② 반응물과 생성물의 에너지 차이만큼 열을 흡수하므로 주변의 온도가 낮아진다.

흡열 반응

→ 반응물과 생성물의 에너지 차이만큼이 열로 흡수된다.

③ 흡열 반응의 예: 열분해, 광합성, 물의 전기 분해, 질산 암모늄의 용해 반응, 수산화 바륨과 염화 암모늄의 반응, 상태 변화(고체 → 액체 → 기체) 등

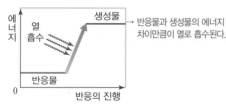

[탄산수소 나트륨❷의 열 분해]

$$2NaHCO_3(s) + 열$$
$$\longrightarrow Na_2CO_3(s) + CO_2(g) + H_2O(g)$$

[질산 암모늄의 용해]
→ 질산 암모늄이 물에 녹을 때 열을 흡수하므로 나무판에 묻힌 물이 얼어 플라스크에 나무판이 달라붙는다.

$$NH_4NO_3(s) + 열$$
$$\longrightarrow NH_4^+(aq) + NO_3^-(aq)$$

❶ 진한 황산을 묽히는 반응

진한 황산을 묽히는 반응은 발열 반응으로, 반응이 일어날 때 열이 많이 발생하므로 많은 양의 증류수에 진한 황산을 조금씩 넣으며 잘 저어 주어야 한다.

❷ 탄산수소 나트륨

빵을 부풀리는 데 사용하는 베이킹파우더의 주성분이다. 밀가루 반죽에 베이킹파우더를 넣고 가열하면 탄산수소 나트륨이 열분해될 때 발생하는 이산화 탄소에 의해 빵이 부풀어 오른다.

암기 콕 🎯
- 발열 반응
  반응물의 에너지 > 생성물의 에너지
- 흡열 반응
  생성물의 에너지 > 반응물의 에너지

━━━ 용어 ━━━

▶ **상태 변화**: 물질이 고체, 액체, 기체 중의 어느 상태에서 다른 상태로 변하는 현상
▶ **열분해**: 외부에서 열을 가해 한 가지 화합물을 두 가지 이상의 새로운 물질로 만드는 반응
▶ **광합성**: 엽록체에서 빛에너지를 이용하여 이산화 탄소와 물로 포도당과 산소를 만드는 반응

[화학 반응에서 열의 출입]

| 실험 1: 아연과 묽은 염산의 반응 | 실험 2: 수산화 바륨과 염화 암모늄의 반응 |

• 실험 1: 아연과 묽은 염산의 반응

① 비커에 묽은 염산(HCl) 25 mL를 넣고 온도를 측정한다.

② 이 비커에 아연(Zn) 조각을 넣고 저으면서 온도 변화를 관찰한다.

• 결과: 반응 후 온도가 올라간다.

➡ 아연과 산이 반응할 때 주위로 열을 방출한다 (발열 반응).

• 실험 2: 수산화 바륨과 염화 암모늄의 반응

① 수산화 바륨 팔수화물(Ba(OH)₂·8H₂O) 25 g 과 염화 암모늄(NH₄Cl) 10 g을 삼각 플라스크에 넣고 온도를 측정한다.

② 두 물질을 잘 섞으면서 온도 변화를 관찰한다.

• 결과: 반응 후 온도가 내려간다.

➡ 수산화 바륨과 염화 암모늄이 반응할 때 주위에서 열을 흡수한다(흡열 반응).

❸ 조리용 발열 팩

가열 기구 없이도 음식을 간편하게 조리할 수 있어 등산용 음식이나 전투 식량을 데울 때 쓰인다.

3. 화학 반응에서 출입하는 열의 이용

① 발열 반응의 이용

연료의 연소	$CH_4 + 2O_2 \longrightarrow CO_2 + 2H_2O + 열$	연료가 연소될 때 방출하는 열로 음식을 익히거나 공기를 따뜻하게 한다.
휴대용 손난로	$4Fe + 3O_2 \longrightarrow 2Fe_2O_3 + 열$	철가루가 산소와 반응할 때 열을 방출하므로 따뜻해진다.
조리용 발열 팩❸	$CaO + H_2O \longrightarrow Ca(OH)_2 + 열$	산화 칼슘과 물이 반응할 때 발생하는 열을 이용한다.
제설제	$CaCl_2(s) \longrightarrow CaCl_2(aq) + 열$	염화 칼슘이 물에 용해될 때 열을 방출하므로 눈을 녹인다.

② 흡열 반응의 이용

휴대용 냉각 팩	$NH_4NO_3 + 열 \longrightarrow NH_4^+ + NO_3^-$	질산 암모늄이 물에 용해될 때 열을 흡수하여 시원해짐을 이용한다.
물의 기화	$H_2O(l) + 열 \longrightarrow H_2O(g)$	더운 여름날 마당에 물을 뿌리면 물이 증발하면서 열을 흡수하여 시원해진다.
탄산수소 나트륨의 열 분해	$2NaHCO_3 + 열 \longrightarrow Na_2CO_3 + CO_2 + H_2O$	베이킹파우더의 주성분인 탄산수소 나트륨이 열에 의해 분해되면 이산화 탄소가 발생하여 빵이 부푼다.
광합성	$6CO_2 + 6H_2O + 빛 \longrightarrow C_6H_{12}O_6 + 6O_2$	식물이 빛에너지를 흡수하여 양분을 만든다.

암기 콕

• 발열 반응 ➡ 열 방출 ➡ 주위의 온도 올라감
• 흡열 반응 ➡ 열 흡수 ➡ 주위의 온도 내려감

━━ 용어 ━━

▶ 제설제: 눈의 어는점을 낮춰 얼지 않고 녹도록 하는 것으로, 염화 칼슘이 주로 쓰인다.

▶ 기화: 액체가 기체로 되는 상태 변화 현상

개념 확인하기

1 열을 흡수하는 반응을 (　　) 반응, 열을 방출하는 반응을 (　　) 반응이라고 한다.

2 흡열 반응이 일어날 때 주위의 온도가 높아진다. (○ , ×)

3 발열 반응에서 반응물의 에너지 합은 생성물의 에너지 합보다 크다. (○ , ×)

4 휴대용 손난로는 흡열 반응을 이용한 예이고, 냉각 팩은 발열 반응을 이용한 예이다. (○ , ×)

답 1. 흡열, 발열 2. × 3. ○ 4. ×

2 화학 반응에서 출입하는 열의 측정

1. 비열과 열용량

① 비열(c): 물질 1 g의 온도를 1 ℃ 높이는 데 필요한 열량으로, 단위는 J/g·℃이다.

② 열용량(C)❹: 물질의 온도를 1 ℃ 높이는 데 필요한 열량으로, 단위는 J/℃이다.

③ 열량(Q): 물질이 방출하거나 흡수하는 총 열량은 그 물질의 비열에 질량과 온도 변화를 곱하여 구한다.

$$열량(Q)=비열(c)\times질량(m)\times온도\ 변화(\Delta t)\ (단위:\ J\ 또는\ kJ)$$

❹ 열용량(C)

물질의 종류와 양에 따라 달라지며, 열용량이 클수록 물질의 온도를 높이는 데 필요한 열량이 크다. 열용량은 비열과 질량을 곱한 값과 같다.

열용량(C)=비열(c)× 질량(m)

2. 열량계 화학 반응에서 방출하거나 흡수하는 열량을 측정하는 장치로, 간이 열량계와 통열량계가 있다.

구분	간이 열량계	통열량계
장치	온도계 — 젓개 / 물 / 스타이로폼 컵	젓개 점화선 온도계 / 단열 용기 / 강철 용기 / 물 / 강철통 / 시료 접시
특징	• 구조가 간단하여 쉽게 사용할 수 있으나 열 손실이 있어 정밀한 실험에는 사용할 수 없다. • 주로 기체가 발생하지 않는 용해 과정이나 중화 반응에서 출입하는 열량을 간단히 측정하는 데 사용된다.	• 용기의 단열로 인해 열량계 안과 밖 사이에 열의 출입이 거의 없어 열 손실이 거의 없다. 따라서 열량을 비교적 정확하게 측정할 수 있다. • 주로 연소 반응에서 출입하는 열량을 측정하는 데 사용된다.

암기 콕

$Q=c\times m\times\Delta t$

"Q=씨엔트"로 암기하자.

3. 화학 반응에서 출입하는 열량의 측정 및 계산

구분	간이 열량계	통열량계
가정	화학 반응에서 발생한 열을 열량계 속의 용액이 모두 흡수한다고 가정	화학 반응에서 발생한 열을 통열량계 속의 물과 통열량계가 모두 흡수한다고 가정
측정값	• 용액의 질량 • 용액의 온도 변화	• 물의 질량 • 물의 온도 변화
발생한 열량 (Q) 계산	Q=용액이 흡수한 열량 $\quad=c\times m\times\Delta t$ (c: 용액의 비열, m: 용액의 질량, Δt: 용액의 온도 변화)	Q=물이 흡수한 열량＋통열량계가 흡수한 열량 $\quad=(c\times m\times\Delta t)+(C_{통열량계}\times\Delta t)$ (c: 물의 비열, m: 물의 질량, Δt: 물(열량계)의 온도 변화, C: 통열량계의 열용량)

━━━ 용어 ━━━

▶ **단열**: 물체와 물체 사이 또는 물체와 외부 사이에서 열이 서로 전달되지 않도록 막는 것. 열량계 안과 밖의 열 출입이 거의 없다는 것은 단열이 잘 되어 있다는 것이다.

개념 확인하기

1 ( )은/는 화학 반응에서 출입하는 열량을 측정하는 장치이다.

2 간이 열량계는 열 손실이 거의 없어 화학 반응에서 출입하는 열량을 비교적 정확하게 측정할 수 있다. (○ , ×)

3 통열량계에서는 '발생한 열량=물이 흡수한 열량+( )이/가 흡수한 열량'이다.

답 1 열량계 2 × 3 통열량계

목표 염화 칼슘이 물에 용해될 때 출입하는 열량을 간이 열량계로 측정할 수 있다.

과정

❶ 간이 열량계 또는 스타이로폼 열량계에 증류수 200 g을 넣고 온도(t_1)를 측정한다.

❷ 과정 ❶의 증류수에 염화 칼슘($CaCl_2$) 10 g을 넣고 젓개로 계속 저어 완전히 녹인 후, 용액의 최고 온도(t_2)를 측정한다.

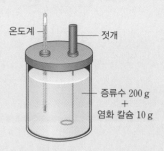

온도계 · 젓개
증류수 200 g + 염화 칼슘 10 g

결과

• 측정한 온도는 다음과 같다.

처음 온도(t_1)	최고 온도(t_2)
23 ℃	31 ℃

정리

1. 염화 칼슘이 물에 녹는 반응은 흡열 반응인가, 발열 반응인가?

→ 반응 후 수용액의 온도가 올라갔으므로 발열 반응이다.

2. 염화 칼슘이 물에 용해될 때 방출한 열량(J/g)을 구해 보자. (단, 용액의 비열은 4.2 J/g·℃이고, 방출한 열이 모두 용액에 흡수되어 열 손실이 없다고 가정한다.)

→ 방출한 열량(Q)=용액이 흡수한 열량=용액의 비열(c)×용액의 질량(m)×용액의 온도 변화(Δt)
= 4.2 J/g·℃ × (200+10) g × (31-23) ℃ = 7056 J

따라서 염화 칼슘($CaCl_2$) 1 g을 물에 녹였을 때 방출한 열량 = $\dfrac{7056\,J}{10\,g}$ = 705.6 J/g이다.

3. 이론적으로 염화 칼슘 1 g이 용해될 때 방출하는 열량은 732.4 J/g이다. 정리 2에서 구한 값과 비교해 보고, 차이가 생긴 까닭을 토의해 보자.

→ 실험에서 구한 값(705.6 J/g)이 이론값(732.4 J/g)보다 작으며, 그 까닭은 다음과 같다.

• 염화 칼슘이 물에 용해될 때 방출한 열이 공기 중으로 빠져 나가거나 실험 기구의 온도를 높이는 데 사용되는 등의 열 손실이 생겼을 수 있다.

• 최고 온도가 낮게 측정되거나 질량을 측정할 때 오차가 발생했을 수 있다.

• 물이 증발하는 데 열을 소모했을 수 있다.

탐구 대표 문제 정답과 해설 63쪽

01 이 실험에 대한 설명으로 옳지 <u>않은</u> 것은?

① 위에서 사용된 장치를 열량계라고 한다.

② 염화 칼슘은 제설제로 사용할 수 있다.

③ 염화 칼슘이 물에 용해되는 반응은 발열 반응이다.

④ 실험 기구의 온도를 높이는 데 사용되는 열이 많을수록 발생한 열량은 크게 측정된다.

⑤ 염화 칼슘의 화학식량을 알면 염화 칼슘 1몰이 물에 용해될 때 출입하는 열량(J/mol)을 구할 수 있다.

⊕ 유의점

❶ 보안경을 착용하고 실험복을 입어 시약이 피부나 옷에 묻지 않도록 하며, 시약이 피부에 묻었을 경우 즉시 씻어낸다.

❷ 염화 칼슘은 공기 중의 수분을 흡수하는 성질이 있으므로 오븐으로 건조하여 사용한다.

❸ 온도를 측정할 때 스타이로폼 컵의 뚜껑을 꼭 닫아 열 손실을 최소화한다.

시험 유형은?

❶ 염화 칼슘을 물에 녹이면 용액의 온도가 올라간다. 이처럼 화학 반응이 일어날 때 열을 방출하는 반응을 무엇이라고 하는가?
▶ 발열 반응

❷ 간이 열량계를 이용하여 화학 반응에서 출입한 열량(J/g)을 구하고자 할 때 측정하거나 조사해야 할 자료는?
▶ 용액의 비열, 용액의 질량, 용액의 온도 변화(처음 온도와 반응 후 온도)

기초 탄탄 문제

정답과 해설 63쪽

핵심용어_ 이 단원에서 내가 아는 것과 아직 모르는 것을 정리하며 나의 공부를 돌아보자.

☐ 발열 반응　　☐ 흡열 반응
☐ 비열　　☐ 열용량
☐ 열량계

01 화학 반응에서 열의 출입에 대한 설명으로 옳은 것은?

① 흡열 반응이란 열을 방출하는 반응이다.
② 물이 기화할 때 주위의 온도는 올라간다.
③ 산과 염기의 중화 반응은 발열 반응의 예이다.
④ 발열 반응이 일어나면 주위의 온도가 내려간다.
⑤ 흡열 반응에서 반응물의 에너지 합은 생성물의 에너지 합보다 크다.

02 그림은 어떤 화학 반응이 일어날 때의 에너지 변화를 나타낸 것이다.
이에 대한 설명으로 옳지 <u>않은</u> 것은?

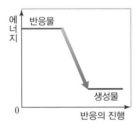

① 열을 방출하는 반응이다.
② 반응이 일어나면 주위의 온도가 높아진다.
③ 생성물의 에너지 합이 반응물의 에너지 합보다 작다.
④ 이 원리를 이용하여 냉각 팩을 만들 수 있다.
⑤ 산과 염기가 중화 반응할 때의 에너지 출입과 같다.

03 흡열 반응을 이용한 것으로 옳지 <u>않은</u> 것은?

① 눈이 내린 도로에 염화 칼슘을 뿌린다.
② 식물이 빛에너지를 흡수하여 양분을 만든다.
③ 더운 여름날 마당에 물을 뿌리면 시원해진다.
④ 냉장고는 냉매가 기화하면서 내부가 시원해진다.
⑤ 베이킹파우더의 주성분인 탄산수소 나트륨이 열에 의해 분해되어 이산화 탄소가 발생하므로 빵이 부푼다.

04 화학 반응에서 출입하는 열을 이용한 예가 나머지와 <u>다른</u> 것은?

① 광합성　　② 휴대용 손난로
③ 메테인의 연소　　④ 제설제의 사용
⑤ 조리용 발열 팩

05 다음은 빵을 만들 때 사용하는 베이킹파우더의 주성분인 탄산수소 나트륨($NaHCO_3$)의 분해 반응의 화학 반응식을 나타낸 것이다.

$$2NaHCO_3(s) \longrightarrow Na_2CO_3(s) + CO_2(g) + H_2O(l)$$

이에 대한 설명으로 옳은 것은?

① 열을 방출하는 반응이다.
② 빵이 부푸는 것은 CO_2 때문이다.
③ 반응물의 에너지 합이 생성물의 에너지 합보다 크다.
④ 주위의 온도가 올라간다.
⑤ 연소 반응과 열의 출입이 같다.

06 다음은 질산 암모늄(NH_4NO_3)을 물에 녹일 때 온도 변화를 알아보는 실험의 과정과 결과이다.

[실험 과정]
(가) 간이 열량계에 92 g의 물을 넣은 후 물의 온도(t_1)를 측정한다.
(나) NH_4NO_3 고체 8 g을 완전히 녹인 후 수용액의 온도(t_2)를 측정한다.
[실험 결과]
$t_1 = 24.2$ ℃, $t_2 = 18.7$ ℃

위 실험에 대한 설명으로 옳은 것은? (단, 수용액의 비열은 4.0 J/g・℃이고, 외부로 빠져 나간 열 손실은 없다고 가정한다.)

① 이 반응은 발열 반응이다.
② 이 반응에서 출입한 열량은 2200 J이다.
③ 이 반응이 일어나면 주위의 온도가 올라간다.
④ 이 원리를 이용하여 손난로를 만들 수 있다.
⑤ 반응물의 에너지 합은 생성물의 에너지 합보다 크다.

내신 만점 문제

정답과 해설 64쪽

* ▮▮▮ 난이도를 나타냅니다.

01 다음은 주방에서 일어나는 상황을 설명한 것이다.
▮▯▯

> 가스레인지에서 (가) 메테인을 연소시켜 (나) 주전자의 물을 끓였더니 주전자 입구에서 (다) 김이 뿜어져 나왔다.

(가)~(다)에서 일어나는 반응에 대한 설명으로 옳은 것만을 〈보기〉에서 있는 대로 고른 것은?

> ─┤ 보기 ├─
> ㄱ. (가)는 산화 환원 반응이다.
> ㄴ. (나)는 흡열 반응이다.
> ㄷ. (다)에서 주위로 열을 방출한다.

① ㄱ   ② ㄷ   ③ ㄱ, ㄴ
④ ㄴ, ㄷ   ⑤ ㄱ, ㄴ, ㄷ

02 화학 반응에서 열의 출입을 측정하기 위해 다음과 같은 실험
▮▮▯ 을 하였다.

> (가) 비커에 묽은 염산을 넣고 온도(t_1)를 측정한다.
> (나) (가)에 아연 조각을 넣고 유리 막대로 저은 뒤 온도(t_2)를 측정한다.

이에 대한 설명으로 옳은 것만을 〈보기〉에서 있는 대로 고른 것은?

> ─┤ 보기 ├─
> ㄱ. t_2가 t_1보다 높다면 이 반응은 발열 반응이다.
> ㄴ. (나)에서 수소 기체가 발생한다.
> ㄷ. (나)에서 아연은 산화된다.

① ㄱ   ② ㄷ   ③ ㄱ, ㄴ
④ ㄴ, ㄷ   ⑤ ㄱ, ㄴ, ㄷ

다음은 고체 X가 물에 용해될 때 출입하는 열량을 구하는 실험이다.

> [실험 과정]
> (가) 간이 열량계에 물 100 g을 넣고 물의 온도(t_1)를 측정한다.
> (나) (가)의 물에 고체 X 10 g을 넣고 완전히 녹인 뒤 용액의 온도(t_2)를 측정한다.

> [실험 결과] $t_1 = 25.5$ ℃, $t_2 = 30.5$ ℃

이에 대한 설명으로 옳은 것만을 〈보기〉에서 있는 대로 고른 것은? (단, 용액의 비열은 4.2 J/g·℃이며, 고체 X 1 g이 물에 용해될 때 출입하는 열량의 이론값은 310.2 J/g이다.)

> ─┤ 보기 ├─
> ㄱ. 고체 X의 용해 반응은 흡열 반응이다.
> ㄴ. 눈이 내린 도로에 고체 X를 뿌리면 눈이 녹는다.
> ㄷ. 실제 실험 결과와 이론값을 비교한 결과로 보아, 실험 중 열의 일부가 공기 중으로 빠져 나갔다.

① ㄱ   ② ㄴ   ③ ㄱ, ㄷ
④ ㄴ, ㄷ   ⑤ ㄱ, ㄴ, ㄷ

서술형 문제

04 산화 칼슘(CaO)은 소나 돼지에게 치명적인 전염병인 구제역을 방역할 때 사용한다. 구제역이 발생한 지역에 물을 뿌린 뒤 산화 칼슘을 뿌리는데, 이 방법으로 구제역을 방역할 수 있는 원리를 열의 출입과 관련하여 서술하시오.

_____

_____

_____

05 간이 열량계에 물 96 g과 수산화 나트륨(NaOH) 4 g을 넣고 완전히 녹인 뒤 온도를 측정하였더니, 용해 전보다 10 ℃만큼 올라갔다. 수산화 나트륨이 물에 용해될 때 방출하는 열량(J/g)을 구하시오. (단, 용액의 비열은 4.2 J/g·℃이다.)

_____

1. 가역 반응과 비가역 반응

구분	가역 반응	비가역 반응
정의	조건에 따라 정반응과 역반응이 모두 일어날 수 있는 반응	정반응만 일어나거나 역반응이 거의 일어나지 않는 반응
예	물의 증발과 응축, 염화 암모늄의 합성과 분해, 염화 코발트 종이의 색 변화, 석회 동굴과 종유석, 석순의 생성	연소 반응, 기체 발생 반응, 강산과 강염기의 중화 반응, 앙금 생성 반응

2. 동적 평형

① 동적 평형: 가역 반응에서 정반응 속도와 역반응 속도가 같아서 겉보기에는 변화가 없는 것처럼 보이는 상태

② 동적 평형 상태에서 반응물과 생성물이 함께 존재한다.

③ 반응물과 생성물의 농도가 일정하게 유지된다.

상평형	액체의 증발 속도와 기체의 응축 속도가 같아서 겉보기에는 변화가 일어나지 않는 것처럼 보이는 상태 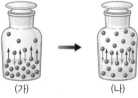 (가) (나) (가) 증발 속도 > 응축 속도 ➡ 물의 양 감소 (나) 동적 평형 상태: 증발 속도 = 응축 속도 ➡ 물의 양 일정
용해 평형	용질의 용해 속도와 석출 속도가 같아서 겉보기에는 변화가 일어나지 않는 것처럼 보이는 동적 평형 상태 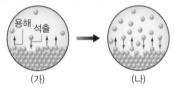 (가) (나) (가) 용해 속도 > 석출 속도 ➡ 설탕이 계속 녹아 들어감 (나) 동적 평형 상태: 용해 속도 = 석출 속도 ➡ 녹지 않고 남아 있는 설탕의 양 일정

3. 물의 자동 이온화

① 물의 자동 이온화: 순수한 물에서 매우 적은 양의 물 분자끼리 H^+을 주고받아 H_3O^+과 OH^-으로 이온화하는 현상

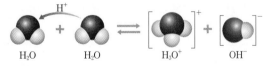

H_2O + H_2O ⇌ H_3O^+ + OH^-

② 물의 이온화 상수(K_w)

$$K_w = [H_3O^+][OH^-] = 1.0 \times 10^{-14}(25\,℃)$$

4. pH(수소 이온 농도 지수)와 용액의 액성

① pH: 수용액 속 H_3O^+의 농도를 간단히 나타낸 것

$$pH = \log\frac{1}{[H_3O^+]} = -\log[H_3O^+]$$

② pH와 pOH의 관계: $pH + pOH = 14(25\,℃)$

③ 수용액의 액성과 pH, pOH의 관계(25 ℃)

산성	$[H_3O^+] > 1.0 \times 10^{-7}\,M > [OH^-]$ ➡ pH < 7, pOH > 7
중성	$[H_3O^+] = 1.0 \times 10^{-7}\,M = [OH^-]$ ➡ pH = 7, pOH = 7
염기성	$[H_3O^+] < 1.0 \times 10^{-7}\,M < [OH^-]$ ➡ pH > 7, pOH < 7

5. 산과 염기의 성질

산의 공통적인 성질(산성)	염기의 공통적인 성질(염기성)
• 신맛이 남 • 수용액 상태에서 전류가 흐름 • 금속과 반응하여 수소 기체 발생 • 탄산 칼슘($CaCO_3$)과 반응하여 이산화 탄소 기체 발생 • 푸른색 리트머스 종이를 붉게 변화시킴	• 쓴맛이 남 • 수용액 상태에서 전류가 흐름 • 단백질을 녹이므로 손으로 만지면 미끈거림 • 붉은색 리트머스 종이를 푸르게 변화시킴

6. 산과 염기의 정의

① 아레니우스 정의

산	수용액에서 수소 이온(H^+)을 내놓는 물질
염기	수용액에서 수산화 이온(OH^-)을 내놓는 물질

② 브뢴스테드·로리 정의

산	다른 물질에게 H^+를 내놓는 물질(양성자 주개)
염기	다른 물질로부터 H^+를 받는 물질(양성자 받개)
양쪽성 물질	조건에 따라 산으로 작용할 수도 있고, 염기로 작용할 수도 있는 물질 예 H_2O, HCO_3^- 등
짝산– 짝염기	H^+의 이동으로 산과 염기가 되는 한 쌍의 물질 짝염기-짝산 $HF + H_2O \rightleftharpoons F^- + H_3O^+$ 산　염기　염기　산 짝산–짝염기

7. 중화 반응

① 중화 반응: 산과 염기가 반응하여 물과 염이 생성되는 반응

예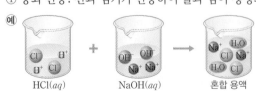

HCl(aq) + NaOH(aq) ➡ 혼합 용액

② 알짜 이온 반응식: $H^+(aq) + OH^-(aq) \longrightarrow H_2O(l)$

8. 중화 반응의 양적 관계

① H^+과 OH^-은 항상 1 : 1의 몰비로 반응한다.
② 산과 염기가 완전히 중화되기 위한 양적 관계

> 산이 내놓은 H^+의 양(mol)=염기가 내놓은 OH^-의 양(mol)
> $$nMV = n'M'V'$$
> (n, n': 가수, M, M': 몰 농도, V, V': 부피)

9. 중화 적정

① 중화 적정: 중화 반응의 양적 관계를 이용하여 농도를 모르는 산 또는 염기의 농도를 알아내는 방법
② 중화 적정 방법

> (가) 일정량의 농도를 모르는 산 또는 염기 수용액을 삼각 플라스크에 넣고 지시약을 2~3방울 떨어뜨린다.
> (나) 뷰렛에 표준 용액을 넣고, 삼각 플라스크에 천천히 떨어뜨리면서 삼각 플라스크를 흔들어 준다.
> (다) 삼각 플라스크 용액의 색깔이 전체적으로 변하면 뷰렛의 꼭지를 잠그고 사용한 표준 용액의 부피를 구한다.
> (라) $nMV = n'M'V'$를 이용하여 농도를 모르는 산 또는 염기 수용액의 몰 농도를 구한다.

10. 산화 환원 반응

	산화	환원
산소의 이동과 산화 환원	물질이 산소를 얻는 반응	물질이 산소를 잃는 반응

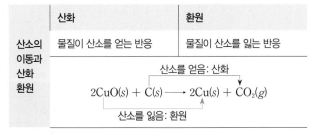

산소를 얻음: 산화
$$2CuO(s) + C(s) \longrightarrow 2Cu(s) + CO_2(g)$$
산소를 잃음: 환원

	산화	환원
전자의 이동과 산화 환원	물질이 전자를 잃는 반응	물질이 전자를 얻는 반응

전자를 잃음: 산화
$$2Na(s) + Cl_2(g) \longrightarrow 2NaCl(2Na^+ + 2Cl^-)(s)$$
전자를 얻음: 환원

	산화	환원
산화수 변화와 산화 환원	산화수가 증가하는 반응	산화수가 감소하는 반응

산화수 증가: 산화
$$\underset{+3}{2Fe_2O_3}(s) + \underset{0}{3C}(s) \longrightarrow \underset{0}{4Fe}(s) + \underset{+4}{3CO_2}(g)$$
산화수 감소: 환원

• 산화 환원 반응은 항상 동시에 일어난다.

11. 산화수 결정 규칙

① 원소를 구성하는 원자의 산화수는 0이다.
예 Na, H_2: 각 원자의 산화수는 0

② 대부분의 화합물에서 수소의 산화수는 $+1$이다. (단, 금속의 수소 화합물에서는 -1이다.)
예 HCl, NH_3: H의 산화수 $+1$ (단, LiH, NaH: H의 산화수 -1)

③ 대부분의 화합물에서 산소의 산화수는 -2이다. (단, 과산화물에서는 -1, 플루오린 화합물에서는 $+2$이다.)
예 H_2O: O의 산화수 -2 (단, H_2O_2: O의 산화수 -1, OF_2: O의 산화수 $+2$)

④ 단원자 이온의 산화수는 그 이온의 전하와 같다.
예 Na^+: Na의 산화수 $+1$, Cu^{2+}: Cu의 산화수 $+2$

⑤ 다원자 이온에서 각 원자의 산화수 합은 그 이온의 전하와 같다.
예 CO_3^{2-}에서 산화수의 총합: $(+4)+(-2)\times3=-2$

⑥ 화합물에서 각 원자의 산화수 총합은 0이다.
예 H_2O에서 산화수의 총합: $(+1)\times2+(-2)=0$

⑦ 화합물에서 F의 산화수는 -1, 1족 금속 원자의 산화수는 $+1$, 2족 금속 원자의 산화수는 $+2$이다.
예 LiF: F의 산화수 -1, Li의 산화수 $+1$, MgO: Mg의 산화수 $+2$

12. 산화 환원 반응식 완성하기(산화수법)

> (가) 각 원자의 산화수를 구하여, 반응 전후 산화수가 증가하거나 감소한 원자의 산화수 변화를 계산한다.
> (나) 증가한 산화수와 감소한 산화수가 같도록 계수를 맞춘다.
> (다) 산화수 변화가 없는 원자들의 수가 같아지도록 계수를 맞춘다.

13. 발열 반응과 흡열 반응

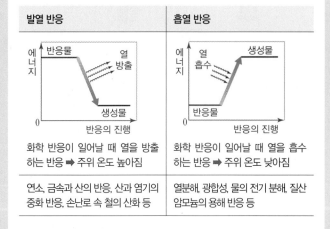

발열 반응	흡열 반응
화학 반응이 일어날 때 열을 방출하는 반응 ➡ 주위 온도 높아짐	화학 반응이 일어날 때 열을 흡수하는 반응 ➡ 주위 온도 낮아짐
연소, 금속과 산의 반응, 산과 염기의 중화 반응, 손난로 속 철의 산화 등	열분해, 광합성, 물의 전기 분해, 질산 암모늄의 용해 반응 등

14. 화학 반응에서 출입하는 열

> 열량(Q)=열량계 속 용액이 얻거나 잃은 열량=$c \times m \times \Delta t$
> (c: 용액의 비열, m: 용액의 질량, Δt: 용액의 온도 변화)

01 일정한 온도의 밀폐 용기 속에서 적갈색의 이산화 질소(NO_2)와 무색의 사산화 이질소(N_2O_4)는 다음과 같은 동적 평형에 도달한다.

$$2NO_2(g) \underset{(나)}{\overset{(가)}{\rightleftharpoons}} N_2O_4(g)$$

이 상태에 대한 설명으로 옳은 것만을 〈보기〉에서 있는 대로 고른 것은?

| 보기 |

ㄱ. (가)와 (나)의 속도는 같다.

ㄴ. 용기 속에 NO_2와 N_2O_4가 모두 존재한다.

ㄷ. 용기 속의 N_2O_4의 농도는 일정하게 유지된다.

① ㄱ ② ㄷ ③ ㄱ, ㄴ

④ ㄴ, ㄷ ⑤ ㄱ, ㄴ, ㄷ

02 삼각 플라스크에 수면의 높이가 h_1이 되도록 물을 넣고 밀폐하였더니(가), 수면의 높이가 낮아지다가 h_2가 되면서 일정하게 유지되었다(나).

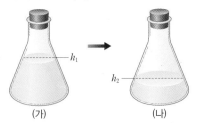

(가)   (나)

이 상태에 대한 설명으로 옳은 것만을 〈보기〉에서 있는 대로 고른 것은? (단, 온도는 일정하게 유지된다.)

| 보기 |

ㄱ. 수증기 분자 수는 (가)보다 (나)에서 더 많다.

ㄴ. 물의 증발은 (가)보다 (나)에서 더 빠르다.

ㄷ. 고무마개를 열어 두어도 h_1과 h_2의 차이는 밀폐했을 때와 같다.

① ㄱ ② ㄷ ③ ㄱ, ㄴ

④ ㄴ, ㄷ ⑤ ㄱ, ㄴ, ㄷ

03 다음은 물의 자동 이온화 반응식과 온도에 따른 물의 이온화 상수(K_w)를 나타낸 것이다.

$$2H_2O(l) \rightleftharpoons H_3O^+(aq) + OH^-(aq)$$

온도(℃)	0	10	25	60
K_w	1.1×10^{-15}	2.9×10^{-15}	1.0×10^{-14}	9.6×10^{-14}

이에 대한 설명으로 옳은 것만을 〈보기〉에서 있는 대로 고른 것은?

| 보기 |

ㄱ. 25 ℃ 순수한 물의 pH＝7이다.

ㄴ. 온도가 높아지면 순수한 물의 pH는 작아진다.

ㄷ. 60 ℃ 순수한 물의 $[H_3O^+]$와 $[OH^-]$는 같다.

① ㄱ ② ㄷ ③ ㄱ, ㄴ

④ ㄴ, ㄷ ⑤ ㄱ, ㄴ, ㄷ

04 표는 염산(HCl)과 수산화 칼륨(KOH) 수용액을 서로 다른 부피로 혼합한 용액에 대한 자료이다.

혼합 용액		(가)	(나)
혼합 전 용액의 부피(mL)	HCl(aq)	20	20
	KOH(aq)	10	20
전체 이온 수		4N	6N

이에 대한 설명으로 옳은 것만을 〈보기〉에서 있는 대로 고른 것은?

| 보기 |

ㄱ. (가) 용액의 액성은 산성이다.

ㄴ. (가)에서 $\dfrac{\text{양이온 수}}{\text{음이온 수}}$ 는 1이다.

ㄷ. (나)에서 $\dfrac{Cl^-}{K^+} = \dfrac{2}{3}$이다.

① ㄱ ② ㄷ ③ ㄱ, ㄴ

④ ㄴ, ㄷ ⑤ ㄱ, ㄴ, ㄷ

05 그림은 나트륨(Na)과 관련된 몇 가지 반응을 나타낸 것이다.

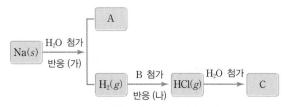

이에 대한 설명으로 옳은 것만을 〈보기〉에서 있는 대로 고른 것은?

┤ 보기 ├
ㄱ. A에 BTB 용액을 넣으면 노란색을 띤다.
ㄴ. 용액 C의 pH는 용액 A보다 작다.
ㄷ. 반응 (가)와 (나)는 산화 환원 반응이다.

① ㄱ ② ㄷ ③ ㄱ, ㄴ
④ ㄴ, ㄷ ⑤ ㄱ, ㄴ, ㄷ

06 그림은 일정량의 염산(HCl)에 A(aq), B(aq)을 순서대로 넣었을 때 용액 속의 양이온만을 모형으로 나타낸 것이다. 단, A, B는 각각 수산화 칼륨(KOH), 수산화 칼슘 (Ca(OH)$_2$) 중 하나이다.

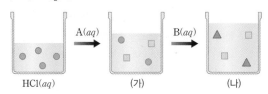

이에 대한 설명으로 옳은 것만을 〈보기〉에서 있는 대로 고른 것은?

┤ 보기 ├
ㄱ. ▲는 K$^+$이다.
ㄴ. (가) 용액의 액성은 산성이다.
ㄷ. (나) 용액 속의 전체 양이온과 음이온 수의 비는 2 : 3이다.

① ㄱ ② ㄷ ③ ㄱ, ㄴ
④ ㄴ, ㄷ ⑤ ㄱ, ㄴ, ㄷ

07 다음은 염산과 수산화 칼슘 수용액의 반응을 화학 반응식으로 나타낸 것이다.

$$2HCl(aq) + Ca(OH)_2(aq)$$
$$\longrightarrow CaCl_2(aq) + 2H_2O(l)$$

이에 대한 설명으로 옳은 것만을 〈보기〉에서 있는 대로 고른 것은?

┤ 보기 ├
ㄱ. 산화 환원 반응이다.
ㄴ. H$^+$과 OH$^-$은 2 : 1의 몰비로 반응한다.
ㄷ. 반응이 일어나면 수용액의 온도가 올라간다.

① ㄱ ② ㄷ ③ ㄱ, ㄴ
④ ㄴ, ㄷ ⑤ ㄱ, ㄴ, ㄷ

08 다음은 식초 속 아세트산(CH$_3$COOH)의 농도를 알아보기 위한 실험이다.

[과정]
(가) $\frac{1}{10}$로 묽힌 식초 20 mL를 삼각 플라스크에 넣고 페놀프탈레인 지시약을 1~2방울 떨어뜨린다.
(나) ㉠ 에 0.1 M NaOH 수용액을 넣고 눈금을 읽는다.
(다) (나)의 용액을 식초가 들어 있는 삼각 플라스크에 천천히 떨어뜨리면서 흔들어 섞는다.
(라) 삼각 플라스크를 흔들어도 색깔이 사라지지 않는 순간 ㉠ 의 꼭지를 잠그고, 눈금을 읽는다.
[결과]
(나)와 (라)의 눈금 차이는 ㉡ 40 mL이다.

이에 대한 설명으로 옳은 것만을 〈보기〉에서 있는 대로 고른 것은? (단, 식초에 산은 아세트산만 들어 있다고 가정한다.)

┤ 보기 ├
ㄱ. ㉠은 피펫이다.
ㄴ. 묽히기 전 아세트산의 몰 농도는 2 M이다.
ㄷ. 0.2 M NaOH 수용액을 사용하면 ㉡은 증가한다.

① ㄱ ② ㄴ ③ ㄱ, ㄷ
④ ㄴ, ㄷ ⑤ ㄱ, ㄴ, ㄷ

09 다음의 산화 환원 반응식 중 밑줄 친 원소의 산화수 변화가 가장 큰 것은?

① $\underline{C} + O_2 \longrightarrow CO_2$

② $2\underline{H}_2 + O_2 \longrightarrow 2H_2O$

③ $4\underline{Fe} + 3O_2 \longrightarrow 2Fe_2O_3$

④ $\underline{C}H_4 + 2O_2 \longrightarrow CO_2 + 2H_2O$

⑤ $6\underline{C}O_2 + 6H_2O \longrightarrow C_6H_{12}O_6 + 6O_2$

10 다음은 식물이 질소를 얻는 과정을 설명한 것이다.

> 콩과식물의 뿌리에 공생하는 뿌리혹박테리아는 대기 중의 ㉠ 질소(N_2)를 ㉡ 암모니아(NH_3)로 만들어 준다. 암모니아는 토양 속 물에 녹아 ㉢ 암모늄 이온(NH_4^+)이 되거나 질산화 세균에 의해 ㉣ 아질산 이온(NO_2^-)을 거쳐 ㉤ 질산 이온(NO_3^-)이 되어 식물의 뿌리에 흡수된 후 단백질 합성에 이용된다.

㉠~㉤ 중 질소(N)의 산화수가 가장 큰 값과 가장 작은 값의 차이는?

① 0   ② 2   ③ 3

④ 6   ⑤ 8

11 이산화 황을 적갈색의 아이오딘 용액에 통과시키면 아이오딘 용액이 무색으로 변한다.

> $a\mathrm{SO}_2(g) + \mathrm{I}_2(l) + b\mathrm{H}_2\mathrm{O}(l)$
> $\longrightarrow c\mathrm{H}_2\mathrm{SO}_4(aq) + d\mathrm{HI}(aq)$

이에 대한 설명으로 옳은 것만을 〈보기〉에서 있는 대로 고른 것은? (단, $a \sim d$는 반응 계수이다.)

┤ 보기 ├

ㄱ. a와 b는 같다.

ㄴ. 반응 후 S의 산화수는 2 증가한다.

ㄷ. SO_2과 I_2은 1 : 1의 몰비로 반응한다.

① ㄱ   ② ㄷ   ③ ㄱ, ㄴ

④ ㄴ, ㄷ   ⑤ ㄱ, ㄴ, ㄷ

12 다음은 구리의 가열 실험을 설명한 것이다.

> (가) 도가니에 붉은색 구리 가루 1 g을 넣고 충분히 가열한 후 식혔더니 가루가 검게 변하였다.
> (나) (가)의 검은색 가루와 충분한 양의 탄소 가루를 혼합하여 시험관에 넣고 가열하였더니 석회수가 뿌옇게 되었다.

구리 가루   (가)의 검은색 가루 + 탄소 가루   석회수

(가)   (나)

이에 대한 설명으로 옳은 것만을 〈보기〉에서 있는 대로 고른 것은?

┤ 보기 ├

ㄱ. (가)와 (나) 모두에서 Cu는 산화된다.

ㄴ. (나)에서 시험관 속 물질의 질량은 감소한다.

ㄷ. (나)의 석회수가 들어 있는 비커 속에서 산화 환원 반응이 일어난다.

① ㄱ   ② ㄴ   ③ ㄱ, ㄷ

④ ㄴ, ㄷ   ⑤ ㄱ, ㄴ, ㄷ

13 다음은 코크스(C)에 의한 산화 철(III)(Fe_2O_3)의 환원 반응을 화학 반응식으로 나타낸 것이다.

> $a\mathrm{Fe}_2\mathrm{O}_3(s) + b\mathrm{C}(s) \longrightarrow c\mathrm{Fe}(s) + d\mathrm{CO}_2(g)$

이에 대한 설명으로 옳은 것만을 〈보기〉에서 있는 대로 고른 것은? (단, $a \sim d$는 반응 계수이며, C의 원자량은 12이다.)

┤ 보기 ├

ㄱ. $a + b < c + d$이다.

ㄴ. Fe의 산화수는 +3에서 0으로 감소한다.

ㄷ. 코크스(C) 18 g이 산화될 때 반응한 산화 철(III)(Fe_2O_3)의 양은 1몰이다.

① ㄱ   ② ㄷ   ③ ㄱ, ㄴ

④ ㄴ, ㄷ   ⑤ ㄱ, ㄴ, ㄷ

14 철(Fe)못을 질산 은(AgNO₃) 수용액에 넣으면 다음과 같이 못 표면에 은이 석출된다.

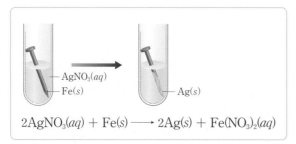

$$2AgNO_3(aq) + Fe(s) \longrightarrow 2Ag(s) + Fe(NO_3)_2(aq)$$

이에 대한 설명으로 옳은 것만을 〈보기〉에서 있는 대로 고른 것은?

┤ 보기 ├
ㄱ. Fe은 Ag보다 산화되기 쉽다.
ㄴ. Ag⁺ 1몰을 환원시키려면 0.5몰의 Fe이 필요하다.
ㄷ. Fe 0.1몰을 넣어 완전히 반응시켰을 때 이동한 전자는 0.2몰이다.

① ㄱ ② ㄷ ③ ㄱ, ㄴ
④ ㄴ, ㄷ ⑤ ㄱ, ㄴ, ㄷ

15 폭탄먼지벌레는 위협을 느끼면 몸속에 저장해 두었던 하이드로퀴논과 과산화 수소를 반응시켜 고온의 벤조퀴논이라는 독성 물질을 뿜는다. 다음은 이와 관련된 화학 반응식을 나타낸 것이다.

(가) $C_6H_4(OH)_2(aq) \longrightarrow C_6H_4O_2(aq) + H_2(g)$
(나) $2H_2O_2(aq) \longrightarrow 2H_2O(l) + O_2(g)$

이에 대한 설명으로 옳은 것만을 〈보기〉에서 있는 대로 고른 것은?

┤ 보기 ├
ㄱ. (가)에서 $C_6H_4(OH)_2$이 H_2가 될 때 H의 산화수는 증가한다.
ㄴ. (나)에서 H_2O_2는 산화되면서 동시에 환원된다.
ㄷ. 이 반응은 발열 반응이다.

① ㄱ ② ㄷ ③ ㄱ, ㄴ
④ ㄴ, ㄷ ⑤ ㄱ, ㄴ, ㄷ

16 다음은 일상생활에서 일어나는 물질의 변화를 나타낸 것이다.

(가) 연료가 연소하면서 물이 끓는다.	(나) 얼음이 녹으면서 음료수가 시원해진다.	(다) 철가루와 산소가 반응하여 따뜻해진다.

밑줄 친 (가)~(다) 반응에 대한 설명으로 옳은 것만을 〈보기〉에서 있는 대로 고른 것은?

┤ 보기 ├
ㄱ. (가)와 (나)는 주위로 열을 방출하는 반응이다.
ㄴ. (나)에서 H의 산화수는 증가한다.
ㄷ. (다)에서 철가루는 산화된다.

① ㄱ ② ㄷ ③ ㄱ, ㄴ
④ ㄴ, ㄷ ⑤ ㄱ, ㄴ, ㄷ

17 묽은 염산(HCl)과 수산화 나트륨(NaOH) 수용액이 반응하여 1몰의 물이 생성되면 56.0 kJ의 열이 발생한다. 진아는 0.1 M 묽은 염산 100 mL와 0.1 M 수산화 나트륨 수용액 100 mL를 반응시켰다.

$$HCl(aq) + NaOH(aq) \longrightarrow NaCl(aq) + H_2O(l)$$

이 반응에 대한 설명으로 옳은 것만을 〈보기〉에서 있는 대로 고른 것은? (단, 수용액의 비열은 4.0 J/g·℃, 수용액의 밀도는 1.0 g/mL이다.)

┤ 보기 ├
ㄱ. 수용액의 온도는 0.7 ℃ 높아진다.
ㄴ. 반응물의 에너지 합이 생성물의 에너지 합보다 크다.
ㄷ. NaOH 대신 KOH을 사용해도 발생한 열은 위 실험에서와 같다.

① ㄱ ② ㄷ ③ ㄱ, ㄴ
④ ㄴ, ㄷ ⑤ ㄱ, ㄴ, ㄷ

Memo

Memo

Memo

무겁고 뻐근한 다리에 시원함을!
다리 스트레칭

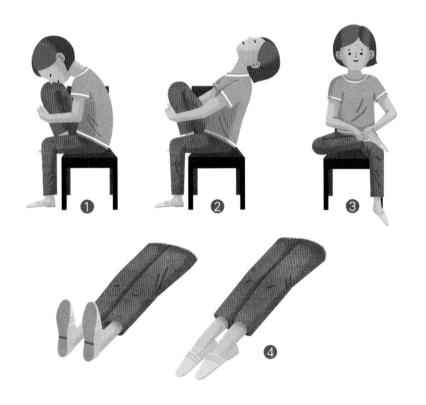

의자에 오래 앉아 있다 보면 다리가 뻐근하고 붓는 느낌이 들 때가 많아요. 실제로 의자에 오래 앉아 있게 되면 우리 몸을 건강하게 지켜 주는 엉덩이, 허벅지 근육이 손실된다고 합니다. 의자에 앉아서도 쉽게 할 수 있는 다리 스트레칭을 통해 소중한 건강을 지켜 주세요.

❶ 의자에 한쪽 다리를 접어서 올리고 두 손으로 정강이 부분을 잡은 후
   고개를 자연스럽게 숙이며 가슴 쪽으로 당겨 주세요.

❷ 같은 자세에서 허리를 쭉 펴고 고개와 등을 뒤로 젖혀 줍니다.
   이때 넘어지지 않게 주의하세요.

❸ 다시 앞을 보고 의자에 바른 자세로 앉은 다음,
   한쪽 다리를 접어 반대쪽 다리 위에 올리고 발목을 돌려 주세요.

❹ 두 발을 앞으로 쭉 뻗어 발목을 몸 쪽으로 꺾어 줍니다.
   10초 정도 유지 후 반대쪽으로 발목을 펴 주면 다리 피로 안녕~!

Sherpa

개념을 쌓아가는 기본서

고등 **셀파**

화학 I

김필수·권은주·손혜연·조민진·조형훈

BOOK 1

개념 기본서 | **정답과 해설**

천재교육

Sherpa

I 화학의 첫걸음

1. 생활 속의 화학
01 | 우리 생활과 화학

기초 탄탄 문제   p. 12

01 ④   **02** ①   **03** ①   **04** ②   **05** ⑤   **06** ③
07 ③

01 원시시대에는 사냥, 채집, 천연 소재의 그물을 활용한 낚시 등을 하여 식량을 얻었고, 산업 혁명으로 인해 인구가 급격히 증가하여 식량이 부족해졌다. 식량 생산량을 늘리기 위해 비료, 살충제, 제초제 등이 개발되었다.

오답 피하기

④ 독일의 화학자 하버가 암모니아를 합성하여 비료의 원료로 사용할 수 있게 됨으로써 식량 생산량이 크게 증가하였다.

> **문제 속 자료**   **암모니아 합성**
>
> **질소 비료의 필요성**
> • 급격한 인구 증가에 따른 식량 부족으로, 농업 생산량을 높이기 위해 질소 비료의 대량 생산이 필요
> • 자연에서 얻을 수 있는 질소 비료의 양이 매우 적어 인공적 질소 비료의 대량 생산이 필요
>
> **하버-보슈법**: 20세기 초 하버에 의해 암모니아 합성법(하버-보슈법) 개발. 질소(N_2) 기체와 수소(H_2) 기체를 이용하여 질소 비료의 원료인 암모니아를 대량으로 합성하는 공정
> $$N_2 + 3H_2 \longrightarrow 2NH_3$$
> $$질소 + 수소 \longrightarrow 암모니아$$
>
> **암모니아 합성의 의미**
> 하버-보슈법으로 합성된 암모니아를 원료로 하여 질소 비료를 대량 생산할 수 있게 되어 식량 증산에 크게 기여 ➡ 인구 증가에 따른 식량 문제 해결에 기여하였다.

02 ② 천연 섬유는 인체에 부작용이 없지만 대량 생산이 어려웠다. 산업 혁명 이후 인구 증가에 따른 섬유 부족 문제를 해결하기 위해 합성 섬유가 개발되어 의류를 대량으로 공급할 수 있게 되었다.
③ 대표적인 합성 섬유인 나일론은 의류뿐만 아니라 스타킹, 밧줄 등의 산업용으로도 쓰인다.
④ 영국의 과학자 퍼킨은 보라색 합성염료인 모브를 발견하여 다양한 색깔의 옷을 입을 수 있는 계기가 되었다.
⑤ 나일론과 폴리에스터는 대표적인 합성 섬유이다.

오답 피하기

① 천연 섬유는 식물뿐만 아니라 동물에서도 얻을 수 있다. 모와 견은 동물에서 얻는다.

03 ② 산업 혁명 이후 농업 생산량의 증대를 위해서는 질소 비료가 필요했고, 이를 위해 암모니아를 합성하였다.
③ 암모니아를 질산, 황산과 반응시켜 질산 암모늄이나 황산 암모늄으로 만들어 비료로 사용한다.
④ 암모니아의 구성 원소는 질소와 수소인데, 질소는 공기의 78 %를 차지하는 물질로 단백질과 핵산을 이루는 주요 성분 원소이다.
⑤ 질소는 매우 안정한 물질이므로 식물이나 동물이 직접 사용할 수 없고 질소 화합물의 형태로 동식물에게 활용된다.

오답 피하기

① 암모니아의 화학식은 NH_3이다.

04 사진은 목화로, 목화에서 천연 섬유인 면을 얻을 수 있다. 면은 환경 친화적인 섬유이다.

오답 피하기

② 캐러더스는 1937년 매우 질기고 잘 구겨지지 않는 나일론을 합성하였다.

05 과거에는 나무, 돌, 흙 등을 사용하여 집을 지어서 화재에 취약하고 오래가지 않았다. 철의 제련 기술과 콘크리트가 개발되면서 대규모 건축물을 지을 수 있게 되었고, 단열재로 스타이로폼을 사용하게 되었다.

오답 피하기

⑤ 가벼우면서도 단단하며 창틀이나 건물 외벽에 사용되는 것은 알루미늄이다.

06 과거에는 난방에 주로 나무를 사용하였고, 현재에는 화석 연료인 석탄, 석유, 천연가스 등을 사용한다. 그러나 화석 연료의 고갈과 환경 문제 때문에 새로운 대체 에너지를 개발하고 있다.

오답 피하기

③ 천연가스의 주성분은 메테인이다.

07 최초의 항생제로 플레밍에 의해 발견되었으며, 푸른곰팡이에서 추출하여 만드는 의약품은 페니실린이다.

내신 만점 문제   p. 13~15

01 ⑤   **02** ③   **03** ④   **04** ②   **05** ④   **06** ⑤
07 ①   **08** ④   **09** ③   **10** ⑤   **11** ③   **12** ③
13~14 해설 참조

01 ㄱ, ㄴ, ㄷ. 화학으로 인해 의, 식, 주가 발달하기 이전에는 식물이나 동물에서 섬유를 얻어 옷을 해결하였다. 동물의 분뇨나 퇴비를 비료로 사용하여 농작물을 재배하였으며, 나무나 돌 등을 이용해 집을 지었으므로 오래가지 않았다.

02 ㄱ, ㄴ. 화학으로 인해 암모니아의 대량 생산이 가능해져 식량 생산량이 크게 증가하였고, 나일론, 폴리에스터 등 다양한 합성 섬유로 의류를 대량 생산할 수 있게 되었다.

[오답 피하기]

ㄷ. 철근 콘크리트가 개발되어 크고 높은 건물, 다리, 댐 등의 대규모 건축물을 지을 수 있게 되었다.

03 ㄱ, ㄷ. 산업 혁명 이후 하버-보슈법의 개발로 암모니아를 대량으로 합성할 수 있게 되어 인류의 식량 문제가 개선되었다.

[오답 피하기]

ㄴ. 공기 중의 질소는 원자 간 강한 결합을 하고 있어 매우 안정한 물질이므로, 다른 물질로 잘 변하지 않고 반응성이 작아 쉽게 암모니아로 만들 수 없다.

04 ㄴ. 천연 섬유는 인체에 무해하고, 합성 섬유는 대량 생산이 쉽다.

ㄷ. 폴리에스터는 구김이 잘 생기지 않으며 빨리 마른다.

[오답 피하기]

ㄱ. (가)는 누에고치로 만든 천연 섬유인 비단이고, (나)는 폴리에스터로 합성 섬유이다.

05 ㄴ. 고어텍스는 합성 섬유이므로 대량 생산이 가능하다.

ㄷ. 고어텍스는 공기가 잘 통하고 땀이 잘 마르는 소재로 등산복에 많이 사용된다.

[오답 피하기]

ㄱ. 고어텍스는 합성 섬유이다.

[문제 속 자료] **고어텍스의 원리**

땀으로 인한 수증기 / 바람 / 비(물방울) / 겉감 / 고어텍스 멤브레인 / 안감

1969년 밥 고어가 발명한 고어텍스 섬유는 수많은 미세한 구멍이 있어서 땀이 증발한 수증기는 통과시키지만 빗방울과 같이 흐르는 물은 통과하지 못하게 막아서 옷이 쉽게 젖지 않으며 방풍 기능도 뛰어나다. 따라서 고어텍스를 다른 섬유와 혼합해 방수복, 운동복 등과 같은 기능성 의류에 사용한다.

이러한 고어텍스 섬유의 특징을 잘 활용하여 생명구호 활동이나 우주 개발을 위한 물품에도 고어텍스 섬유를 사용하기 위한 연구가 지속적으로 이루어지고 있다.

06 (가)는 철의 제련 과정, (나)는 합성 섬유인 나일론, (다)는 암모니아를 재료로 한 비료의 그림이다.

ㄱ. 철의 제련으로 인해 농기구가 발달하였고, 철을 건축물 재료로도 이용할 수 있다.

ㄴ. 나일론은 합성 섬유로 매우 질기고 구겨지지 않아 의류뿐만 아니라 밧줄, 전선 등에 사용된다.

ㄷ. 암모니아를 대량으로 합성하게 되면서 비료를 대량 생산하여 인류의 식량 문제 해결에 도움을 주었다.

07 (가)는 주거 문제, (나)는 의류 문제, (다)는 식량 문제와 관련있다.

ㄱ. 콘크리트는 주거 문제 해결과 관련 있다.

ㄴ. 합성염료는 합성 섬유와 함께 의류 문제를 해결하였다.

ㄷ. 하버-보슈법은 합성 비료와 관련있다.

08 ㄱ. X는 암모니아, Y는 알루미늄이다.

ㄷ. 암모니아를 대량으로 합성하여 식량 문제를 해결하였고, 알루미늄은 가벼우면서도 단단한 성질이 있어 창틀이나 건물 외벽에 이용하여, 주거 환경이 개선되었다.

[오답 피하기]

ㄴ. Y는 알루미늄 제련 과정이다.

09 ㄱ. 이산화 탄소 배출 증가의 주 원인은 화석 연료가 연소할 때 발생하는 이산화 탄소이다.

ㄴ. 온실가스의 증가가 지구 온난화 현상의 주요 원인이므로 이산화 탄소 배출 증가율이 계속 증가한다면 지구 온난화는 가속화될 것이다.

[오답 피하기]

ㄷ. 화석 연료를 대체할 수 있는 새로운 연료에는 바이오 디젤, 바이오 에탄올, 메테인 하이드레이트 등이 있다.

[문제 속 자료] **이산화 탄소 배출 증가율 그래프**

전년 대비 (%) / 약 2 % 증가 전망 (0.8 %~3.0 %추정) / 매년 2.3 % 증가 2004~2013 / 3년간 별다른 변화 없음

- 전 세계적으로 이산화 탄소 발생 감축을 위해 노력하고 있는데, 우리나라는 3년간 변화가 없다가 최근 증가하기 시작하였다.
- 이산화 탄소는 온실가스들 중 그 양이 60 %로 기여도가 가장 크다. 지구 온난화란 지구 표면의 평균 온도가 상승하는 현상으로 온실가스의 증가가 온난화 현상의 주요 원인으로 여겨지고 있다.
- 이산화 탄소는 석유, 천연가스, 석탄 등의 화석 연료를 공장이나 주거지에서 태울 때 발생하여 대기 중에 첨가되며, 자동차가 가솔린을 연소할 때나 사람들이 쓰레기를 소각할 때에도 발생한다.

10 ㄱ, ㄷ. 공기 중의 질소는 원자 간에 매우 강한 결합을 하고 있어 안정하므로, 수소와 반응시켜 암모니아를 만들기 위해서는 고온, 고압의 조건과 촉매(산화 철)가 필요하다.

ㄴ. 일반적으로 암모니아는 물에 잘 녹는 질산 암모늄이나 황산 암모늄의 형태로 바꾸어 비료로 사용한다.

11 ㄱ. X는 화석 연료이다.

ㄷ. 화석 연료가 완전 연소할 때 이산화 탄소와 수증기(물)가 발생한다.

오답 피하기

ㄴ. 화석 연료의 주성분은 탄소와 수소이다.

12 ㄱ. 합성 의약품의 개발로 인간의 수명이 과거보다 늘어나고 질병의 예방 및 치료가 쉬워졌다.

ㄷ. 1928년 플레밍이 푸른곰팡이에서 페니실린을 발견하였으며, 페니실린은 최초의 항생제이다.

오답 피하기

ㄴ. 아스피린은 최초의 합성 의약품이다.

ㄹ. 아세틸 살리실산의 제품명은 아스피린이다.

13 [모범 답안] (1) H_2

(2) 질소는 단백질을 이루는 주요 성분이다. 식물은 질소 성분을 질소 비료로부터 공급받는데, 암모니아의 합성은 질소 비료의 대량 생산을 가능하게 하여 식량 생산을 획기적으로 늘려 식량 문제를 해결하는 데 큰 공헌을 하였다.

해설 (1) 암모니아는 질소 원자와 수소 원자로 이루어진 화합물로, 질소 분자와 수소 분자가 반응하여 생성된다.

(2) 암모니아는 비료의 원료가 되는 주요 물질로, 식물은 비료 중의 질소 성분을 이용하여 단백질을 합성한다.

	채점 기준	배점
(1)	(가)의 분자식을 옳게 쓴 경우	20 %
(2)	주어진 용어를 모두 사용하여 옳게 서술한 경우	80 %
	주어진 용어는 모두 사용하였으나 서술 내용이 충분하지 못한 경우	60 %
	주어진 용어를 일부만 사용하여 서술한 경우	40 %

14 [모범 답안] (1) CO_2

(2) (나)는 산화 철의 제련 반응으로 순수한 철은 철근을 만들어 콘크리트와 함께 대규모 건물을 만드는 데에 사용된다. (다)는 알루미늄의 제련 반응으로, 알루미늄의 제련으로 얻은 알루미늄은 가볍고 단단하여 창틀이나 건물 외벽에 사용된다.

해설 (1) (다)는 천연가스의 주성분인 메테인의 연소 반응으로 천연가스는 난방과 조리용 연료로 사용된다. 메테인 연소 시 산소 기체와 반응하여 이산화 탄소와 물이 생성되고 열에너지가 발생한다.

(2) (나)는 철의 제련, (다)는 알루미늄 제련이다.

	채점 기준	배점
(1)	㉠의 분자식을 옳게 쓴 경우	30 %
(2)	(나)가 철의 제련 과정, (다)가 알루미늄 제련 과정임을 알고 철과 알루미늄의 사용을 옳게 서술한 경우	70 %
	(가)와 (나) 중 하나만 옳게 서술한 경우	30 %

02 | 탄소 화합물

기초 탄탄 **문제** p. 24

01 ④ **02** ③ **03** ② **04** ⑤ **05** ④ **06** ②

01 탄소 화합물은 탄소를 포함하는 화합물로, 정사면체, 평면 삼각형, 직선형 등의 여러 가지 모양을 하고 있으며 동물과 식물은 대부분 탄소 화합물로 이루어져 있다.

오답 피하기

④ 탄소 원자 1개는 최대 4개의 다른 원자와 공유 결합을 한다.

02 에탄올(CH_3CH_2OH), 아세트산(CH_3COOH), 폼알데하이드($HCHO$), 아세톤(CH_3COCH_3)에는 모두 산소가 포함되어 있다.

오답 피하기

③ 메테인의 분자식은 CH_4로 산소 포함되지 않은 탄소 화합물이다.

03 ② 에탄올의 화학식은 C_2H_5OH이다.

오답 피하기

①은 에테인, ③은 아세트산, ④는 폼알데하이드, ⑤는 아세톤이다.

04 그림은 폼알데하이드로 화학식은 $HCHO$이다. 모든 원자가 같은 평면에 있고, 평면 삼각형 구조이며 자극성이 강한 물질로 방부제에 쓰이고, 새집 증후군을 유발하는 유해 물질로도 알려져 있다.

오답 피하기

⑤ 살균 효과가 있어 소독약이나 손 소독제로 이용하는 것은 에탄올이다.

05 탄화수소는 탄소와 수소만으로 이루어진 화합물로, 원유를 이루는 주성분이며, 압축 천연가스와 액화 석유가스의 주성분도 탄화수소에 속한다.

오답 피하기

④ 탄화수소가 완전 연소하면 이산화 탄소와 물이 생성된다.

06 그림은 메테인으로 분자식은 CH_4이다. 정사면체 구조를 가지고, 완전 연소하였을 때 이산화 탄소와 수증기(물)을 생성한다.

오답 피하기

② 에테인은 탄소 원자 2개에 H 원자 6개가 단일 결합한 것이다.

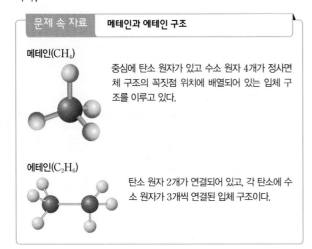

문제 속 자료 | **메테인과 에테인 구조**

메테인(CH_4)

중심에 탄소 원자가 있고 수소 원자 4개가 정사면체 구조의 꼭짓점 위치에 배열되어 있는 입체 구조를 이루고 있다.

에테인(C_2H_6)

탄소 원자 2개가 연결되어 있고, 각 탄소에 수소 원자가 3개씩 연결된 입체 구조이다.

내신 만점 문제   p. 25~27

01 ④   **02** ②   **03** ③   **04** ④   **05** ①   **06** ④
07 ③   **08** ⑤   **09** ⑤   **10** ③   **11~12** 해설 참조

01 탄소 화합물은 탄소를 포함하는 화합물로 한 탄소에 최대 4개의 결합이 가능하여 입체 구조, 평면 구조 등의 다양한 구조를 가질 수 있다.

오답 피하기

서영: 탄소 화합물은 2중 결합과 3중 결합을 가질 수 있는데 이에 따라 평면 삼각형 구조나 직선형 구조를 가질 수 있다.

02 CH_3CH_3는 에테인, $CH_3CH_2CH_3$은 프로페인이다.

ㄱ. 둘 다 탄소와 수소로만 이루어진 탄화수소로, 탄소 화합물이다.

ㄴ. 완전 연소할 경우 이산화 탄소와 수증기(물)가 생성된다.

오답 피하기

ㄷ. 에테인은 탄소 1개당 결합한 수소가 3개이고, 프로페인은 탄소 1개당 결합한 수소가 $\frac{8}{3}$개이다.

03 (가)는 메테인으로 화학식은 CH_4이고, (나)는 아세트산으로 화학식은 CH_3COOH이다.

04 (가)는 에탄올, (나)는 아세트산이다.

ㄱ. 탄소의 개수는 (가)와 (나)가 각각 2개이다.

ㄴ. 탄소 하나가 3개의 수소 원자와 결합한 부분이 사면체 구조를 가진다.

오답 피하기

ㄷ. 에탄올을 발효시키면 아세트산을 만들 수 있다. 따라서 (가)를 발효시켜 (나)를 만들 수 있다.

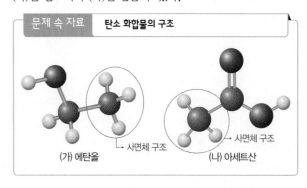

문제 속 자료 | **탄소 화합물의 구조**

사면체 구조   사면체 구조

(가) 에탄올   (나) 아세트산

05 ㄱ. (가)는 아세톤, (나)는 아세트산이다. 두 탄소 화합물 모두 C 원자와 O 원자 사이에 2중 결합을 포함하고 있다.

오답 피하기

ㄴ. 아세톤은 수소 원자가 6개이고, 아세트산은 수소 원자가 4개이다.

ㄷ. 아세트산은 실온에서 액체 상태이나 온도가 약간 더 낮아져 어는점인 17 ℃에 도달하면 고체 상태가 된다. 아세톤은 실온에서 액체 상태이다.

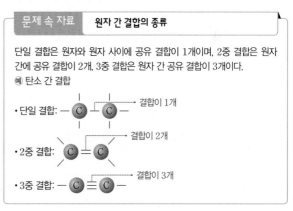

문제 속 자료 | **원자 간 결합의 종류**

단일 결합은 원자와 원자 사이에 공유 결합이 1개이며, 2중 결합은 원자 간에 공유 결합이 2개, 3중 결합은 원자 간 공유 결합이 3개이다.

예 탄소 간 결합

• 단일 결합: 결합이 1개

• 2중 결합: 결합이 2개

• 3중 결합: 결합이 3개

06 (가)는 에탄올, (나)는 폼알데하이드이다.

ㄴ. 에탄올은 살균 효과가 있어 손 소독제로 이용한다.

ㄷ. 폼알데하이드는 접착제, 도료, 방부제 등의 성분으로 쓰이며 가격이 싸기 때문에 건축 자재에 널리 이용된다.

오답 피하기

ㄱ. 폼알데하이드는 모든 원자가 같은 평면에 있지만, 에탄올은 사면체 구조 2개가 붙어 있는 입체 구조이다.

07 (가)는 식초로 주성분은 아세트산(CH_3COOH)이고, (나)는 메니큐어 제거제로 주성분은 아세톤(CH_3COCH_3)이다.

②의 (나)는 프로페인, ④의 (가)는 프로판올이다.

08 ㄱ. 플라스틱은 탄소 화합물로서 천개 이상의 분자가 결합한 고분자 물질이다.

ㄴ. 플라스틱은 가볍고 녹이 슬지 않으며, 대량 생산이 가능하여 값이 싸다.

ㄷ. 플라스틱은 주로 원유에서 분리되는 나프타를 원료로 합성하는 탄소 화합물이다.

09 ㄱ. 비누와 합성 세제는 세탁을 위한 계면 활성제이다.

ㄴ. 플라스틱은 원유에서 얻어낸 나프타를 원료로 만들어졌고, LPG의 주성분은 프로페인과 뷰테인이다.

ㄷ. LNG의 주성분은 메테인(CH_4)이며, 탄소 원자 1개에 수소 원자 4개가 결합한 정사면체의 입체 구조이다.

10 ㄱ, ㄴ. 아세트아미노펜의 화학식은 $C_8H_9NO_2$로 탄소 화합물이다.

오답 피하기

ㄷ. 모든 탄소 원자는 최대 4개의 다른 원자와 결합할 수 있고, 탄소 원자 1개당 결합선이 4개이다. 결합선이 3개만 있는 탄소 원자는 존재하지 않는다.

11 [모범 답안] (1) (가) 사슬 모양, (나) 고리 모양

(2) 탄소의 원자가 전자가 4개이므로, 탄소 원자 사이에는 사슬 모양, 고리 모양, 단일 결합, 2중 결합, 3중 결합 등 다양한 결합 방식이 가능하여 탄소 화합물의 종류가 매우 많다.

해설 탄소 화합물은 구성 원소의 종류는 적으나 다양한 결합을 할 수 있다. 탄소는 원자가 전자 수가 4개이므로 탄소 원자 1개가 최대 4개의 다른 원자와 결합할 수 있기 때문에 화합물의 종류가 많다.

	채점 기준	배점
(1)	(가), (나)에서 탄소 원자 사이의 결합 모양을 옳게 쓴 경우	30 %
(2)	탄소 원자 사이의 다양한 결합 방식에 대해 구체적으로 옳게 서술한 경우	70 %
	탄소 원자 사이의 결합 방식이 다양하다는 것만 옳게 서술한 경우	30 %

12 [모범 답안] (1) (가) 메테인, (나) 아세트산, (다) 에탄올

(2) (가) CH_4, (나) CH_3COOH, (다) C_2H_5OH 또는 C_2H_6O 또는 CH_3CH_2OH

해설 탄소와 수소만으로 이루어진 화합물은 메테인이므로 (가)는 메테인이다. 물에 녹아 산성을 나타내는 것은 아세트산이므로 (나)는 아세트산, (다)는 에탄올이다.

	채점 기준	배점
(1)	(가)~(다)를 모두 옳게 쓴 경우	40 %
	(가)~(다) 중 한 개만 옳게 쓴 경우	20 %
(2)	(가)~(다)의 화학식을 모두 옳게 쓴 경우	60 %
	(가)~(다)의 화학식 중 두 개만 옳게 쓴 경우	40 %
	(가)~(다)의 화학식 중 한 개만 옳게 쓴 경우	20 %

2. 물질의 양과 화학 반응식

01 | 몰

탐구 대표 문제 p. 34

01 ③ **02** 해설 참조

01 고체 물질이 가루라면 약포지와 약숟가락, 저울이 필요하다. 액체의 질량을 측정할 때는 저울과 비커를 사용하거나, 눈금 실린더를 사용하여 부피를 측정하고 물질의 밀도를 이용하여 질량을 구한다. 기체 물질 1 mol을 측정할 때는 풍선과 줄자를 사용한다.

오답 피하기

③ 저울 위에 비커를 올려놓고 영점을 맞춘 후, 액체를 넣고 질량을 측정한다.

02 [모범 답안] 기체의 부피는 입자의 개수와 관련이 있으므로 기체 1 mol의 질량은 다르지만 부피는 0 ℃, 1 기압에서 22.4 L로 같다.

기초 탄탄 문제 p. 36

01 ③ **02** ② **03** ① **04** ⑤ **05** ④ **06** ②

01 몰(mol) $= \dfrac{\text{질량(g)}}{\text{몰 질량(g/mol)}}$ 이다.

① 수소 기체 2 g은 $\dfrac{2}{2}=1$몰이다.

② 질소 기체 14 g은 $\dfrac{14}{28}=0.5$몰이고 포함된 원자의 수는 $0.5 \times 2 = 1$몰이다.

④ 암모니아 분자 6.02×10^{23}개는 1몰이고, 그 속의 질소 원자는 1개이므로 $1 \times 1 = 1$몰이다.

⑤ 0 ℃, 1 기압에서 22.4 L의 기체는 1몰이므로 산소 분자의 수는 1몰이다.

오답 피하기

③ 물 18 g은 1몰이고 원자가 3개 있으므로 포함된 전체 원자의 수는 $1 \times 3 = 3$몰이다.

02 A는 부피가 11.2 L이므로 0.5몰이고, 질량 (가)는 $28 \times 0.5 = 14$ g이다. B는 분자량과 질량이 같으므로 1몰이고, 부피는 (나) 22.4 L이다. C는 질량이 16이고, 분자량이 32이므로 물질의 양(mol)은 $\frac{16}{32} = 0.5$몰이다. D는 부피가 5.6 L이므로 0.25몰이고, 질량이 4 g이므로 분자량 (라)는 $4 \times 4 = 16$이다.

03 0 ℃, 1 기압에서 22.4 L의 기체는 1몰이므로, 기체의 밀도를 이용해 기체 1몰의 질량을 구하면 1.25 g/L$\times 22.4$ L$= 28$ g이다. 따라서 분자량이 28이며, 분자량이 28인 것은 질소(N_2)이다.

> **오답 피하기**
> ② O_2의 분자량은 32이다.
> ③ H_2O의 분자량은 18이다.
> ④ CH_4의 분자량은 16이다.
> ⑤ C_2H_6의 분자량은 30이다.

04 붕소의 평균 원자량은 $10 \times \frac{20}{100} + 11 \times \frac{80}{100} = 10.8$이다.

> **문제 속 자료 평균 원자량**
>
> 질량수가 A, B인 동위 원소의 존재 비율이 a %, b %일 때 평균 원자량은 $\frac{A \times a + B \times b}{100}$이다.

05 CH_4에 들어 있는 원자 수는 C 1개, H 4개로 총 5개이므로 원자 수는 5몰이다. KCl 1몰에는 K^+ 1몰과 Cl^- 1몰이 들어 있다. 따라서 (가)=1, (나)=5, (다)=1이다.

> **문제 속 자료 원자, 분자, 이온 수**
>
> H_2O 1몰에 들어 있는 분자 수: (가)$\times 6.02 \times 10^{23}$
> CH_4 1몰에 들어 있는 원자 수: (나)$\times 6.02 \times 10^{23}$
> KCl 1몰에 들어 있는 양이온 수: (다)$\times 6.02 \times 10^{23}$
>
> (가는 1몰의 분자 수가 1, (나)는 1몰에 포함된 원자 수가 5몰이므로 5, KCl 1몰에는 양이온인 K^+이 1몰 포함되어 있으므로 (다)는 1이다. 문제에서 원자 수와 분자 수 중 무엇을 묻는지 잘 읽도록 한다.

06 0 ℃, 1 기압에서 22.4 L의 기체는 1몰이므로 67.2 L 용기에는 에테인(C_2H_6) 기체가 3몰 포함되어 있다. 에테인 1몰의 질량은 $(12 \times 2) + (1 \times 6) = 30$이므로 에테인 3몰의 질량은 30 g$\times 3 = 90$ g이다. 에테인 1몰에 포함된 수소 원자는 6몰이므로 에테인 3몰에는 수소 원자 6몰$\times 3 = 18$몰이 포함되어 있다. 따라서 수소 원자의 수는 $18 \times 6.02 \times 10^{23}$이다.

> **내신 만점 문제** p. 37~39
>
> **01** ⑤ **02** ④ **03** ① **04** ⑤ **05** ⑤ **06** ⑤
> **07** ⑤ **08** ③ **09** ③ **10** ③ **11** ③ **12** ③
> **13~14** 해설 참조

01 ㄱ, ㄷ. 칼슘 1몰의 질량은 원자량에 g을 붙인 값이므로 40 g이고, 칼슘 8 g은 $\frac{8\ g}{40\ g/mol} = 0.2$ mol이다.
ㄴ. 칼슘 원자 1개의 질량은 $\frac{40\ g}{6.02 \times 10^{23}} \fallingdotseq 6.64 \times 10^{-23}$ g이다.

02 ㄴ, ㄷ. 산소는 $\frac{1}{16}$몰이고, 수소는 1몰이다. 수소의 양(mol)이 산소보다 16배 많으므로 부피도 16배이다.

> **오답 피하기**
> ㄱ. 산소와 수소의 질량은 같지만 물질의 양(mol)과 입자 수는 다르다. 물질의 양(mol)은 분자 수에 비례하므로 산소의 분자 수와 수소의 분자 수가 다르다.

03 ㄱ. 원자량의 기준이 바뀌면 기존의 원자량 및 분자량, 화학식량은 바뀐다.

> **오답 피하기**
> ㄴ, ㄷ. 원자량의 기준이 바뀌어도 실제적인 양인 질량, 부피, 밀도는 바뀌지 않는다.

04 ㄱ. 같은 온도와 압력에서 같은 부피에는 물질의 양(mol)이 같다. 따라서 A 용기와 B 용기 속의 기체 분자 수는 같다.
ㄴ. 용기의 무게가 100 g이므로 A 용기에 메테인은 16 g이 포함되어 있고, $\frac{16}{16} = 1$ mol이다. A와 B 용기의 크기가 같으므로 용기 B 속의 입자 수도 1 mol이다. 메테인 1 mol 속에는 수소 원자가 $1 \times 4 = 4$ mol이 포함되어 있다. A 용기와 B 용기의 수소 원자 수가 같으므로 프로페인이 0.5 mol 들어 있고, 헬륨이 0.5 mol 들어 있다. 프로페인의 분자량은 44이므로 0.5 mol의 질량은 $44 \times 0.5 = 22$ g이고, 헬륨 0.5 mol의 질량은 $\frac{4}{2} = 2$ g이므로 용기 B의 전체 질량(용기+혼합 기체)은 $100 + 22 + 2 = 124$ g이다.
ㄷ. 메테인 1 mol 속에 탄소 원자는 $1 \times 1 = 1$ mol, 프로페인 0.5 mol 속 탄소 원자는 $0.5 \times 3 = 1.5$ mol이므로 탄소의 원자 수의 비는 2 : 3이다.

05 ㄱ. 피스톤까지 높이의 비는 부피비와 같고, 부피비는 몰비와 같지만 질량비와는 다르다.

ㄴ. 부피비=몰비이므로 두 실린더에서 기체의 질량을 w g라 하고, A의 분자량을 a라 하면, $16 : 9 = \dfrac{w}{18} : \dfrac{w}{a}$, $a=32$이다.

ㄷ. H_2O와 기체 A가 1몰이 있다면, 질량비는 $18 : 32 = 9 : 16$이다.

06 아보가드로수(N_A)는 1 mol을 의미한다.

ㄱ. 물(H_2O) 18 g은 1몰이며, 수소 원자 수가 2이므로 수소 원자는 2 mol이다.

ㄴ. 흑연(C)은 원자량이 12이므로 1 g에 있는 탄소 원자 수는 $\dfrac{N_A}{12}$이다.

ㄷ. 수소 분자는 2 g이 1몰이고, 아보가드로수만큼의 입자를 가지므로 수소 분자(H_2) 1개의 질량은 $\dfrac{2}{N_A}$이다.

07 ① 0 °C, 1 기압에서 수소(H_2) 기체 11.2 L는 0.5몰이므로 11.2 L의 용기에 수소 기체를 채우면 1 g이 된다.

② 0 °C, 1 기압에서 기체 1몰의 부피가 22.4 L이므로 0 °C, 1 기압의 NH_3 11.2 L는 $\dfrac{11.2}{22.4} = 0.5$몰이다.

③ NH_3 1몰의 질량은 17 g이므로 0.5몰은 8.5 g이다.

④ NH_3 0.5몰에는 N 원자가 0.5몰 들어 있으므로 원자 수는 $0.5 \times 6.02 \times 10^{23}$개 $= 3.01 \times 10^{23}$개이다.

오답 피하기

⑤ NH_3 0.5몰에는 H 원자가 1.5몰 들어 있고, C_2H_6 1몰에는 H 원자가 6몰 들어 있다. 따라서 H 원자 1.5몰이 들어 있는 C_2H_6의 양(mol)은 0.25몰이므로 0 °C, 1 기압에서 H 원자 1.5몰이 들어 있는 C_2H_6의 부피는 5.6 L가 된다.

08 ^{13}C의 존재 비율(%)을 x라고 하면,

탄소의 평균 원자량 $= \dfrac{12 \times (100-x) + 13x}{100} = 12.011$,

$x = 1.10$이다.

평균 원자량은 동위 원소의 존재 비율을 고려해서 구한 원자량으로 각 동위 원소의 원자량에 존재 비율을 곱해서 구한다.

09 ㄱ. 온도, 압력, 부피가 같은 기체에는 같은 수의 분자가 포함되어 있으므로 용기 속에 넣은 산소 분자(O_2)와 기체 X의 분자 수는 같다.

ㄴ. 온도, 압력, 부피가 같을 때 기체의 질량비=밀도비이므로 산소 기체와 기체 X의 밀도비는 $0.16 : 0.22 = 8 : 11$이다.

오답 피하기

ㄷ. 온도, 압력, 부피가 같은 기체에는 같은 수의 분자가 포함되어 있으므로 기체의 질량비=기체의 분자량비이다. 따라서

기체 X의 분자량을 x라고 하면 온도, 압력, 부피가 같으므로 질량비=분자량비=O_2 : X $= 0.16 : 0.22 = 32 : x$에서 $x = 44$이다.

10 (가)는 2원자 분자이므로 AB이고, (나)는 3원자 분자이므로 A_2B 또는 AB_2이다. A의 분자량을 a, B의 분자량을 b라고 하면,

(가) $a+b=36$이고, (가)와 (나)의 분자량의 차이 12는 a 또는 b인데 $a<b$이므로 $a=12$, $b=24$이다. 따라서 (가)는 AB이고, (나)는 A_2B이다.

ㄷ. A_2B_2의 분자량은 $24+48=72$로 성분 원소의 질량비는 A : B $= \dfrac{24}{72} : \dfrac{48}{72}$이므로 1 : 2이다.

오답 피하기

ㄱ. (나)의 분자식은 3원자 분자로 A_2B이다.

ㄴ. 원자량비는 A가 12, B가 24이므로 A : B $= 1 : 2$이다.

11 ㄱ. 온도와 압력이 같을 때, 기체의 양(mol)은 부피에 비례하므로 실린더 속 혼합 기체의 양(mol)은 (가) : (나) $= V$ L : $2V$ L $= 1 : 2$이다. 따라서 실린더 속 혼합 기체의 전체 양은 (나)가 (가)의 2배이다.

ㄷ. (가)와 (나)의 He의 양(mol)이 같으므로 A와 B의 양(mol)은 B$>$A이다. 수소 원자의 양(mol)이 같을 때 분자의 양(mol)은 C_2H_2 : $C_3H_8 = 4 : 1$이므로, A는 C_3H_8이고 B는 C_2H_2이다. B의 양(mol)은 A 양(mol)의 4배이므로 $y=4x$이고 (He 1몰+A x몰) : (He 1몰+B y몰) $= (1+x) : (1+y)$ $= 1$ L : 2 L이다. 따라서 $x=0.5$, $y=2$이므로 $xy=0.5 \times 2 = 1$이다.

오답 피하기

ㄴ. A의 수소 원자의 양(mol)은 $0.5 \times 8 = 4$몰이다.

12 ㄱ. 1 g당 분자 수는 분자량에 반비례하므로 분자량이 클수록 1 g당 분자 수가 작다. (가)가 (나)보다 분자량이 크므로, (가)는 AB_3, (나)는 AB_2이다. 따라서 같은 양(mol)의 A와 결합한 B의 양(mol)은 (가) : (나) $= 3 : 2$이다.

ㄴ. (가)는 AB_3이고, (나)는 AB_2이므로 분자 1개에 포함된 원자 수는 (가)가 4개, (나)가 3개이다. 따라서 분자 1몰에 포함된 원자 수는 (가)$>$(나)이다.

오답 피하기

ㄷ. (가)와 (나)의 분자량비는 $\dfrac{1}{4N} : \dfrac{1}{5N} = 5 : 4$이다. 같은 온도와 압력에서 기체의 부피는 같으므로 밀도는 분자량에 비례한다. 따라서 (가)가 (나)보다 밀도가 크다.

13 [모범 답안] (1) (가) XY_2, (나) X_2Y, (다) XY

(2) (가)는 NO_2이므로 밀도는 $\frac{46}{22.4} \fallingdotseq 2.05$ g/L이고, (나)는 N_2O 이므로 밀도는 $\frac{44}{22.4} \fallingdotseq 1.96$ g/L

해설

- (가)~(다)는 각각 실험식과 분자식 이 같다.
- (다)를 구성하는 X 원자의 수와 Y 원자의 수는 같다.

(1) (다)를 구성하는 질량비는 X : Y = 21 : 24이고, X와 Y의 원자 수가 같다. 원자량의 비가 X : Y = 7 : 8이므로, X의 원자량을 $7a$라 하면, Y의 원자량은 $8a$이다. (가)에서 질량비가 X : Y = 7 : 16이므로, X와 Y의 몰비는 $\frac{7}{7a} : \frac{16}{8a} = 1 : 2$이므로 (가)의 실험식은 XY_2이다. 실험식과 분자식이 같으므로 (가)는 XY_2이다.

(나)에서 질량비가 X : Y = 14 : 8이므로, $\frac{14}{7a} : \frac{8}{8a} = 2 : 1$이다. 따라서 (나)의 실험식은 X_2Y이다. 실험식과 분자식이 같으므로 (나)는 X_2Y이다.

(2) X와 Y는 질소와 산소 중 하나이므로, (가)는 NO_2이고, (나)는 N_2O이다. 0 ℃, 1 기압에서 1 mol의 부피가 22.4 L이므로, (가)의 밀도는 $\frac{46}{22.4} \fallingdotseq 2.05$ g/L이고, (나)의 밀도는 $\frac{44}{22.4} \fallingdotseq 1.96$ g/L이다.

서술형 Tip

밀도 = $\frac{질량}{부피}$이므로 분자를 이루는 원자량의 합에서 부피를 나누면 분자의 밀도를 구할 수 있다.

	채점 기준	배점
(1)	(가)~(다)의 분자식을 모두 옳게 쓴 경우	60 %
	(가)~(다)의 분자식 중 두 가지만 옳게 쓴 경우	40 %
	(가)~(다)의 분자식 중 한 가지만 옳게 쓴 경우	20 %
(2)	(가)와 (나)의 밀도를 모두 옳게 구한 경우	40 %
	(가)와 (나)의 밀도 중 하나만 옳게 구한 경우	20 %

14 [모범 답안] (1) B > D > C > A

(2) (가) 13, (나) 44, (다) 11.25, (라) 0.5

(가): 기체 A는 부피가 22.4 L이므로 1 mol이다. 따라서 질량 (가)는 13 g이다.

(나): 기체 B는 밀도가 1.96 g/L이므로, 부피 22.4 L를 곱하면 분자량 (나)는 44이다.

(다): 기체 C는 밀도가 0.8 g/L이므로 부피는 11.25 L이다.

부피가 11.25 L에 9 g이므로 22.4 L에는 약 18 g이 되고, 1 몰의 분자량은 18이다.

(라): 기체 D는 부피가 11.2 L이므로 $\frac{11.2}{22.4} = 0.5$ mol이다.

	채점 기준	배점
(1)	분자량을 순서대로 옳게 나열한 경우	20 %
(2)	(가)~(라)를 계산 과정을 포함하여 모두 옳게 쓴 경우	80 %
	(가)~(라) 중 계산 과정을 포함하여 세 가지를 옳게 쓴 경우	60 %
	(가)~(라) 중 계산 과정을 포함하여 두 가지를 옳게 쓴 경우	40 %
	(가)~(라) 중 계산 과정을 포함하여 한 가지만 옳게 쓴 경우	20 %

02 | 화학 반응식

탐구 대표 문제 .... p. 47

01 ④

01 ④ 이 실험에서 이산화 탄소의 양은 이산화 탄소가 발생하여 삼각 플라스크 밖으로 빠져 나가 질량이 감소하는 것을 이용하여 측정하므로 이산화 탄소는 물에 잘 녹지 않는 기체이다.

오답 피하기

① 일정량의 묽은 염산과 반응하는 탄산 칼슘의 양은 일정하므로, 탄산 칼슘의 양이 정해지면 묽은 염산의 양을 늘려 주어도 생성되는 이산화 탄소의 양은 일정하다.

② 염산의 농도가 진해지면 반응이 더 빨리 진행되지만, 생성되는 이산화 탄소의 양은 동일하다.

③ 화학 반응식에서 계수비는 물질의 질량비가 아닌 몰비와 같다. 물질의 양(mol)이 같아도 각 물질의 화학식량이 다르므로 계수비와 질량비는 같지 않다.

⑤ 실험에서 사용한 염산과 같은 농도와 부피의 묽은 황산을 사용하면 묽은 황산이 탄산 칼슘과 반응하여 이산화 탄소를 발생하며, 발생하는 이산화 탄소의 양도 같다.

$CaCO_3(s) + H_2SO_4(aq)$

$\longrightarrow CaSO_4(s) + H_2O(l) + CO_2(g)$

01 ④   **02** ④   **03** ⑤   **04** ②   **05** ②   **06** ⑤

01 반응물과 생성물 사이는 화살표를 연결한다. 왼쪽에는 반응물을, 오른쪽에는 생성물을 쓰고, 계수를 맞출 때에는 미정 계수를 사용하기도 한다. 반응물이 생성물이 될 때는 생성되거나 없어지는 원자가 없다는 점을 고려하여 계수를 맞춘다.

오답 피하기

④ 고체는 s, 액체는 l, 기체는 g, 수용액은 aq로 상태를 표시한다.

02 ④ 뷰테인 4.48 L는 0.2몰이므로, 물은 1몰(18 g) 생성된다.

오답 피하기

① 반응 전 분자는 15 mol이고, 반응 후 분자는 18 mol이다.
② 화학 반응에서는 새로 생성되거나 소멸되는 원자가 없다.
③ 뷰테인과 이산화 탄소의 계수비가 1 : 4이므로 뷰테인 1 mol이 반응할 때, 이산화 탄소는 4 mol 생성된다.
⑤ 생성된 CO_2와 H_2O의 계수비는 질량비와 같지 않으므로 질량비는 4 : 5가 아니다.

03

	X_2	Y_2	A
반응 전 부피(mL)	20	40	0
반응한 부피(mL)	-20	-30	$+20$
반응 후 부피(mL)	0	10	20

반응 부피비는 X_2 : Y_2 : A=2 : 3 : 2이고 화학 반응식의 계수비와 같다. 반응 전후에 원자는 소멸하거나 생성되지 않는다. 따라서 화학 반응식은 $2X_2 + 3Y_2 \longrightarrow 2X_2Y_3$이고, A는 X_2Y_3이다.

04 반응 전후에 반응하지 않고 남아 있는 분자를 확인하여 반응식을 만든다. 반응하지 않고 남아 있는 분자는 B_2가 2개이므로, $4AB+2B_2 \longrightarrow 4AB_2$이고, 계수를 정리하면 $2AB+B_2 \longrightarrow 2AB_2$이다.

05 생성된 기체 C가 22.4 L이므로 1몰이다. A, B, C의 화학 반응식의 계수비=몰비=1 : 2 : 2이므로, 반응한 A는 0.5몰, B는 1몰이므로 A의 분자량은 28, B의 분자량은 4이다. C의 분자량은 질량 보존 법칙에 의해 14+4=18이다.
① 질량 보존 법칙에 의해 기체 C의 질량은 기체 A와 B의 질량의 합이다. A 14 g과 B 4 g의 합은 18 g이므로 생성된 기체 C의 질량은 18 g이다.
③ 기체 A는 0.5몰이므로 부피가 11.2 L이고, B는 1몰이므로 22.4 L이다. 따라서 반응 전 기체 A와 B의 총 부피는 11.2+22.4=33.6 (L)이다.

④ 기체 C는 1몰이므로 질량 보존 법칙에 의해 14+4=18이 분자량이다.
⑤ 반응한 A는 0.5몰이다.

오답 피하기

② 기체 A 14 g이 0.5몰이므로 A의 분자량은 28이고, B 4 g이 1몰이므로 B의 분자량은 4이다. 따라서 분자량의 비는 A : B=7 : 1이다.

06 $aCH_3OH + bO_2 \longrightarrow cCO_2 + dH_2O$에서 계수를 맞추면, $a=2$, $b=3$, $c=2$, $d=4$이므로 화학 반응식은 $2CH_3OH + 3O_2 \longrightarrow 2CO_2 + 4H_2O$ 이다.
① $a+b+c+d=2+3+2+4=11$이다.
② 메탄올 1몰이 반응할 때 수증기는 2몰이 생성되므로 질량은 $18 \times 2=36$ g이다.
③ 메탄올의 분자량이 32이므로 메탄올 32 g은 1몰이고 반응하는 산소는 1.5몰이므로 부피는 33.6 L이다.
④ 화학 반응식에서 계수비=분자 수비이므로 메탄올 1분자가 반응하면 이산화 탄소 1분자가 생성된다.

오답 피하기

⑤ 화학 반응식에서 계수비=몰비이므로 산소 3몰이 반응할 때 이산화 탄소는 2몰이 생성된다.

01 ③   **02** ④   **03** ④   **04** ③   **05** ③   **06** ④
07 ③   **08** ①   **09** ⑤   **10** ⑤   **11~12** 해설 참조

01 ㄱ, ㄴ. 화학 반응식의 계수비=몰비=분자 수비=부피비(기체인 경우)이다. 화학 반응식에서 계수비가 H_2 : O_2 : H_2O= 2 : 1 : 2이므로 부피비와 몰비도 H_2 : O_2 : H_2O=2 : 1 : 2이다.

오답 피하기

ㄷ. 화학 반응식의 계수로 부피비와 몰비를 알 수 있지만, 질량비는 알 수 없다. 원자량을 이용하여 질량비를 구하면 H_2 : O_2 : H_2O=1 : 8 : 9이다.

02 ㄴ, ㄷ. 메테인의 분자량을 통해 메테인의 양(mol)을 구할 수 있다. 이를 통해 생성된 이산화 탄소의 양(mol)을 구한 후, 실험 온도와 압력에서 기체 1몰의 부피를 이용해 이산화 탄소의 부피를 구할 수 있다.

오답 피하기

ㄱ. 메테인의 분자량을 통해 메테인의 양(mol)을 구하고, 계수비는 몰비와 같으므로 메테인의 양(mol)과 이산화 탄소의

양(mol)이 같다는 것을 알 수 있다. 이산화 탄소의 양(mol)을 알면 부피는 알 수 있으므로 이산화 탄소의 분자량은 필요 없다.

03 ㄱ. 반응에 참여하지 않은 분자 XY가 1개 있으므로, 화학 반응식은 $2XY + Y_2 \longrightarrow 2XY_2$이다. 따라서 Y_2가 1몰 반응하면 생성물은 2몰 생성된다.

ㄴ. 질량 보존 법칙에 의해 용기에 존재하는 물질의 총 질량은 반응 전과 후가 같다.

오답 피하기

ㄷ. XY가 1개 남아 있고, $XY : Y_2 = 2 : 1$의 몰비로 반응하므로, Y_2가 반응하지 못하고 남을 것이다.

04 기준 I을 적용한 탄소 1몰의 질량은 12.000 g이고, 기준 Ⅱ를 적용한 탄소의 질량은 다음과 같다.

12.000 g : 15.995 g = x : 16.000 g,

$x = 12.000 \times \dfrac{16.000}{15.995}$, $x \fallingdotseq 12.003$ g

따라서 기준 I을 적용한 탄소 1몰의 탄소 원자 수보다 기준 Ⅱ를 적용한 탄소 1몰의 원자 수가 더 많다.

ㄷ. 기준 Ⅱ의 탄소 1몰에 포함된 탄소 원자 수가 더 많으므로 완전 연소시켰을 때 산소가 기준 I보다 더 많이 소모된다. 따라서 소모된 산소의 질량이 더 크다.

오답 피하기

ㄱ. 원자량을 정하는 기준이 달라져도 원자의 실제 질량은 변하지 않고, 온도와 압력이 같을 때 일정량의 분자가 차지하는 부피도 변하지 않기 때문에 밀도는 같다.

ㄴ. 기준 Ⅱ는 기준 I보다 탄소의 질량이 더 크다. 따라서 1몰에 포함된 원자 수도 많아지므로 생성된 이산화 탄소의 분자 수는 기준 I을 적용한 탄소 1몰을 완전 연소시킬 때보다 기준 Ⅱ를 적용한 탄소 1몰을 완전 연소시킬 때가 더 많다.

05 ㄱ, ㄴ. 반응물과 생성물의 원자 수가 같아야 하므로 $a=2$, $b=6$, $c=2$, $d=3$이다. 따라서 반응식은 $2Al + 6HCl \longrightarrow 2AlCl_3 + 3H_2$이다. Al의 원자량이 27이므로 Al 2.7 g은 0.1몰이다. 계수비=몰비=Al : HCl = 2 : 6 = 1 : 3이므로 Al 2.7 g은 HCl 0.3몰과 반응한다.

오답 피하기

ㄷ. 몰비=Al : H_2 = 2 : 3이므로 Al 2.7 g(0.1몰)이 반응하면 H_2 0.15몰이 발생하므로 0.15 × 22.4 L = 3.36 L가 발생한다.

06 ㄱ. 프로페인 연소 반응의 화학 반응식에서 먼저 C의 개수를 맞추기 위해 생성물인 CO_2 앞에 3을 붙인다.

$C_3H_8 + aO_2 \longrightarrow \underline{3}CO_2 + cH_2O$

다음으로 H의 개수를 맞추기 위해 생성물인 H_2O 앞에 4를 붙인다.

$C_3H_8 + aO_2 \longrightarrow 3CO_2 + \underline{4}H_2O$

마지막으로 O의 개수를 맞추기 위해 반응물인 O_2 앞에 5를 붙인다.

$C_3H_8 + \underline{5}O_2 \longrightarrow 3CO_2 + 4H_2O$

따라서 $a=5$, $b=3$, $c=4$이므로 $a+c=3b$이다.

ㄷ. (나)에는 C_3H_8 4.4 g이 완전 연소하여 생성된 CO_2와 H_2O 및 연소 후 남은 O_2 3.2 g이 들어 있다. C_3H_8의 분자량이 44이므로 4.4 g은 0.1몰이다. C_3H_8 0.1몰은 O_2와 반응하여 CO_2 0.3몰과 H_2O 0.4몰을 생성한다. 연소 후 남은 O_2 3.2 g은 $\dfrac{3.2}{32} =$ 0.1몰이다. 따라서 (나)에서 물질의 총 양(mol)은 0.3+0.4+0.1=0.8(몰)이다.

오답 피하기

ㄴ. C_3H_8 0.1몰은 0.5몰의 O_2와 반응한다. 따라서 반응한 O_2의 질량은 0.5 × 32 = 16 g이다. (나)에서 반응 후 남은 O_2의 질량이 3.2 g이므로 (가)에서 반응 전 O_2의 질량 x는 반응한 질량과 반응 후 남은 질량을 더한 16 g + 3.2 g = 19.2 g이다.

07 ㄱ. $C(s) + O_2(g) \longrightarrow CO_2(g)$에서 탄소 12 g은 탄소 1 mol이므로 산소 1 mol과 반응하여 이산화 탄소 1 mol이 생성되므로 A의 부피는 변하지 않는다. 따라서 실린더의 높이도 변하지 않는다.

ㄷ. $2Mg(s) + O_2(g) \longrightarrow 2MgO(s)$에서 마그네슘 12 g은 0.5 mol이고, 산소 0.25 mol과 반응하므로 다음과 같이 나타낼 수 있다.

	$2Mg(s)$	$+$	$O_2(g)$	$\longrightarrow$	$2MgO(s)$
반응 전 양(mol)	0.5		1		0
반응한 양(mol)	−0.5		−0.25		+0.5
반응 후 양(mol)	0		0.75		0.5

반응 전 실린더 안에는 산소 기체 1몰이 있었고, 반응 후에는 산소 기체 0.75몰이 남아 있으므로 (나)의 반응 전후 실린더 안 기체의 부피비는 1 : 0.75 = 4 : 3이다.

오답 피하기

ㄴ. (나)에서 산소 기체는 0.25몰 반응한다.

08 ㄱ. 반응 전후 원자 수는 변하지 않으므로 메테인의 연소 반응식을 완성하면 메테인 1몰과 산소 2몰이 반응하여 완전 연소되므로 a는 2이다.

	CH_4	$+$	$2O_2$	$\longrightarrow$	CO_2	$+$	$2H_2O$
반응 전(mol)	1		2				
반응(mol)	−1		−2		+1		+2
반응 후(mol)	0		0		1		2

따라서 생성된 물질의 질량의 비율은 $CO_2 : H_2O = 44 : 36 = 11 : 9$이다. 따라서 (가)는 H_2O이고, (나)는 CO_2이다.

오답 피하기

ㄴ. (가)의 산소 원자 수는 $2H_2O$이므로 2개이고, (나)의 산소 원자 수는 CO_2이므로 2개이다. 따라서 (가)와 (나)의 산소 원자 수는 같다.

ㄷ. 반응 전과 후의 기체의 양(mol)이 같으므로 기체의 부피도 반응 전후에 같다.

09 ㄱ. 몰비＝계수비＝$M : H_2 = 2 : 1$이므로 금속 1몰이 반응하면 H_2가 0.5몰 생성된다. 따라서 0 ℃, 1 기압에서 H_2 11.2 L가 발생한다.

ㄴ. 0 ℃, 1 기압에서 기체 1몰의 부피가 22400 mL이므로 실험 I에서 발생한 수소 기체의 양(mol)은 $\frac{1120}{22400} = 0.05$몰이다.

ㄷ. 몰비는 $M : H_2 = 2 : 1$이므로 M의 원자량을 x라고 하면 반응한 M의 양(mol)은 $\frac{2.4}{x}$이므로 몰비는 $M : H_2 = \frac{2.4}{x} : 0.05 = 2 : 1$에서 $x = 24$이다.

10 ㄱ. 부피비와 질량비는 관계 없다. 실험 (가)에서 반응 후 질량비가 $B : C = 10 : 11$이고, 반응 전 질량비 $A : B = 1 : 2$이므로 반응하는 질량비는 $A : B = 7 : 4$이다.

ㄴ. 반응하는 질량비는 $A : B : C = 7 : 4 : 11$이며 (나)에서 반응 후 질량비가 $A : C = 1 : 2$이므로 반응 전 질량비는 $A : B = 12.5 : 4 = 25 : 8$이다.

ㄷ. 질량 보존 법칙에 의해 반응 전후의 질량은 보존된다.

> **문제 속 자료** A, B, C의 질량비 구하기
>
> | 실험 | 반응 전 | 반응 후 |
> |---|---|---|
> | (가) | $A : B = 1 : 2$ | $B : C = 10 : 11$ |
> | (나) | $A : B = x : y$ | $A : C = 1 : 2$ |
>
> 실험 (가)에서 반응 후 질량비가 $10 : 11$이므로, 전체를 21로 생각하면 반응 전은 $A : B = 1 : 2$이므로 $7 : 14$로 볼 수 있다.
>
> $$2A + B \longrightarrow 2C$$
>
> | | | 1 : 2 | |
> |---|---|---|---|
> | 반응 전 질량 | 7 | 14 | |
> | 반응 | -7 | -4 | $+11 \to 7 : 4 : 11$ |
> | 반응 후 질량 | 0 | 10 | $+11$ |
>
> 따라서 반응 질량비는 $A : B : C = 7 : 4 : 11$이다.
> 실험 (나)에서 반응 후 질량비가 $A : C = 1 : 2$이므로 다음과 같이 나타낼 수 있다.
>
> 반응 질량비는 같다.
>
> $$2A + B \longrightarrow 2C$$
>
> | 반응 전 질량 | 12.5(x) | 4(y) | |
> |---|---|---|---|
> | 반응 | -7 | -4 | $+11$ |
> | 반응 후 질량 | 5.5 | 0 | $+11$ |
> | | | 1 : 2 | |
>
> 따라서 반응 전 $A : B = 12.5 : 4 = 25 : 8$이다.

11 [모범 답안] (1) $C_3H_8(g) + 5O_2(g) \longrightarrow 3CO_2(g) + 4H_2O(g)$

(2) 프로페인의 분자량이 44이므로, 프로페인 22 g은 $\frac{22}{44} = 0.5$몰이다. 반응 몰비는 프로페인 : 수증기＝$1 : 4$이므로 수증기는 2몰 생성된다. 따라서 $18 \times 2 = 36$ g이다.

해설 (1) 프로페인이 산소와 반응하여 연소하면 이산화 탄소와 물을 생성한다. 반응 전후의 원자의 종류와 수가 같으므로 화학 반응식은 $C_3H_8(g) + 5O_2(g) \longrightarrow 3CO_2(g) + 4H_2O(g)$이다.

(2) 프로페인의 분자량이 44이므로 프로페인 22 g은 0.5몰이다. 프로페인과 수증기의 부피비는 $1 : 4$이므로 수증기는 2몰이 생성된다. 따라서 생성되는 수증기의 질량은 $18 \times 2 = 36$ g이다.

	채점 기준	배점
(1)	화학 반응식을 옳게 쓴 경우	40 %
(2)	수증기의 질량과 계산 과정을 모두 옳게 쓴 경우	60 %
	수증기의 질량만 옳게 쓴 경우	30 %

12 [모범 답안] (1) 분자식은 CO_2이고, 분자량은 $\dfrac{M(w_1 + w_2 - w_3)}{w_1}$이다.

(2) (가)에서 탄산 칼슘 가루의 질량 w_1을 크게 측정하였을 때, (나)에서 삼각 플라스크의 질량 w_2를 작게 측정하였을 때, (라)에서 반응 후 삼각 플라스크의 질량(w_3)을 크게 측정하였을 때, 분자량이 작게 측정된다.

해설 (1) 기체 X는 이산화 탄소(CO_2)이다. 탄산 칼슘의 양(mol)은 $\dfrac{w_1}{M}$이고, 이산화 탄소의 질량은 $(w_1 + w_2 - w_3)$이다. 따라서 이산화 탄소의 분자량을 x라고 하면 $\dfrac{w_1}{M} = \dfrac{(w_1 + w_2 - w_3)}{x}$이므로, $x = \dfrac{M(w_1 + w_2 - w_3)}{w_1}$이다.

(2) 분자량이 작게 측정되는 경우는 분모인 w_1이 크게 측정되는 경우이다.

	채점 기준	배점
(1)	기체 X의 분자식과 분자량을 모두 옳게 쓴 경우	40 %
	기체 X의 분자식과 분자량 중 한 가지만 옳게 쓴 경우	20 %
(2)	분자량이 작게 측정되는 경우를 세 가지 모두 옳게 서술한 경우	60 %
	분자량이 작게 측정되는 경우를 두 가지만 서술한 경우	40 %
	분자량이 작게 측정되는 경우를 한 가지만 서술한 경우	20 %

03 | 용액의 농도

탐구 대표 문제   p. 56~57

01 ③   **02** 2.925 g, 부피 플라스크

01 황산 구리(Ⅱ)는 수화물의 형태로 존재하므로 황산 구리(Ⅱ) 오수화물의 분자량을 사용하여야 한다. 용질의 질량을 정확하게 잰 후, 비커에 넣어 증류수로 녹인다. 증류수로 녹인 용액을 부피 플라스크에 넣고, 비커를 증류수로 씻어낸 용액도 부피 플라스크에 넣어야 정확한 농도의 용액을 만들 수 있다. 부피 플라스크의 표선 가까이에서는 스포이트를 사용한다.

오답 피하기

스포이트는 소량의 액을 흘려 내는 기구로, 용액을 정확하게 표선까지 채워지게 하려고 한 방울씩 떨어뜨린다.

02 0.1 M NaCl 수용액 0.5 L를 만드는 것으로 필요한 NaCl의 양(mol)(x)은 $0.1\,\text{M}=\dfrac{x\,\text{mol}}{0.5\,\text{L}}$, $x=0.05$ mol이다. NaCl 0.05 mol의 질량(y)은 $0.05\,\text{mol}=\dfrac{y\,\text{g}}{58.5\,\text{g/mol}}$, $y=2.925$ g 이다. 표준 용액을 만들 때에는 부피 플라스크를 사용해야 한다.

문제 속 자료   0.1 M NaCl **수용액** 500 mL **만들기**

실험 준비물
500 mL 부피 플라스크, 전자저울, 약포지, 약숟가락, 스포이트, 비커

필요한 용질 양
0.1 M NaCl 수용액 0.5 L를 만들기 위해서 용질은 0.05 mol 필요하므로 2.925 g를 필요하다.

실험 과정
① 전자저울 위에 약포지를 올리고 영점을 맞춘 후 NaCl 2.925 g을 측정한다.
② 측정한 NaCl을 비커에 넣고 증류수를 넣어 녹인다.
③ 비커의 용액을 500 mL 부피 플라스크에 넣고, 비커를 증류수로 씻은 용액도 넣는다.
④ 증류수를 표선 근처까지 부어주고 잘 섞어준 후, 스포이트를 이용하여 표선을 맞춘다.

기초 탄탄 문제   p. 58

01 ②   **02** ①   **03** ②   **04** ②   **05** ③   **06** ③

01 퍼센트 농도를 구하기 위해서는 용액의 질량이 필요하며, 용액의 질량을 구하기 위해서는 밀도가 필요하다.

퍼센트 농도(%)$=\dfrac{\text{용질의 질량(g)}}{\text{용액의 질량(g)}}\times 100$이므로,

$\dfrac{160\,\text{g}}{500\,\text{mL}\times 1.5\,\text{g/mL}}\times 100=21.3\,\%$이다.

02 ① (가)와 (나)는 용액과 용질의 비율이 같으므로 퍼센트 농도가 같다.

오답 피하기

②, ③, ④, ⑤ 용액의 온도가 증가하면 용액의 부피가 증가하므로 몰 농도는 작아지고, 밀도도 작아진다.

03 염화 나트륨 수용액의 밀도가 1.1 g/mL이므로 퍼센트 농도는 다음과 같이 구한다.

$\dfrac{9\,\text{g}}{100\,\text{mL}\times 1.1\,\text{g/mL}}\times 100 ≒ 8.18\,\%$

염화 나트륨의 화학식량이 58.5이므로, 몰 농도는 다음과 같이 구한다.

$\dfrac{\dfrac{9}{58.5}\,\text{mol}}{0.1\,\text{L}} ≒ 1.54\,\text{M}$

04 처음 NaOH 수용액의 몰 농도는 $\dfrac{\dfrac{20\,\text{g}}{40\,\text{g/mol}}}{0.5\,\text{L}}=1\,\text{M}$이고, 이 중 200 mL만 취했으므로 $1\,\text{M}\times 0.2\,\text{L}=0.2$ mol의 NaOH을 포함한다. 이를 1 L로 묽혔으므로, 몰 농도는 $\dfrac{0.2\,\text{mol}}{1\,\text{L}}=0.2$ M 이다.

05 저울에 비커를 올려놓고 NaCl을 정확히 측정하여 넣는다. NaCl이 들어 있는 비커에 증류수를 넣어 유리 막대로 저으면서 녹인다. 깔때기를 사용하여 비커의 용액을 부피 플라스크에 넣고 증류수로 비커를 씻어 그 용액도 넣는다. 부피 플라스크의 표선이 넘지 않도록 증류수를 넣다가, 스포이트를 이용하여 정확히 500 mL까지 채워지도록 한다. 측정 → 녹이기 → 옮기기 → 표선 맞추기를 기억하도록 한다.

06 ③ 수산화 나트륨 10 g은 $\dfrac{10}{40}=0.25$몰이고, 용액이 0.5 L이므로 몰 농도는 $\dfrac{0.25}{0.5}=0.5$ M이다.

오답 피하기

①, ② 용매의 부피를 맞추고 용질을 넣으면, 용질에 의해 용액 전체의 부피가 변한다. 따라서 물 500 mL에 수산화 나트륨 40 g을 넣으면 용액의 부피는 500 mL가 아니다. 같은 까닭으로 물 1 L에 수산화 나트륨 20 g을 녹여도 0.5 M이 될 수 없다.

④ 수산화 나트륨 40 g은 $\dfrac{40}{40}=1$몰이고, 용액이 1 L이므로 몰 농도는 1 M이다.

⑤ 수산화 나트륨 0.5몰이 용액 500 mL에 녹아 있으므로 $\dfrac{0.5}{0.5}=1$ M이다.

내신 만점 **문제**   p. 59~61

01 ③   **02** ②   **03** ①   **04** ③   **05** ⑤   **06** ⑤
07 ③   **08** ⑤   **09** ②   **10** ⑤   **11~12** 해설 참조

01 ①, ②, ④, ⑤ (가)와 (나) 모두 용액 500 g에 용질의 양은 25 g이고, 물의 질량이 475 g으로 같으므로 물 분자 수도 같다. 설탕의 분자량이 더 크므로, 용질의 입자 수와 양(mol)은 모두 (나)가 더 크다.

[오답 피하기]

③ 두 용액의 밀도가 같아서 용액의 부피가 같으므로, 몰 농도는 (나)가 더 크다.

02 ㄴ. (나)에서 녹아 있는 포도당의 질량을 x라고 하면,

$1\,M = \dfrac{\dfrac{x}{180}}{0.5\,L}$이므로 $x=90$ g이다. 즉, 포도당은 90 g이 녹아 있다.

[오답 피하기]

ㄱ. (가)는 1 % 포도당 수용액이므로,

$1\,\% = \dfrac{\dfrac{y}{1000\,mL \times 1.0\,g/mL}}{} \times 100$이므로 $y=10$으로 포도당이 10 g 녹아 있다. 따라서 (가)의 포도당의 양(mol)은 $\dfrac{1}{18}$ 몰이고, (나)의 포도당의 양(mol)은 0.5몰이므로 녹아 있는 포도당의 분자 수는 (가)<(나)이다.

ㄷ. (가)를 몰 농도로 환산하면 $\dfrac{\dfrac{1}{18}\,mol}{1\,L} ≒ 0.056\,M$이므로 (나)의 몰 농도보다 작다.

03 용질의 질량을 몰로, 용액의 밀도를 이용하여 용액의 부피를 질량으로 환산하여 용질의 질량을 구한다. HA 수용액 V mL 의 질량은 V mL $\times d$ g/mL $=Vd$ g이고, 용질의 질량을 구하면 $100:c=dV:x$, $x=\dfrac{cdV}{100}$이다.

용질의 질량을 몰로 환산하면 다음과 같다.

용질의 양(mol) $= \dfrac{\text{용질의 질량}}{\text{용질의 화학식량}} = \dfrac{\dfrac{cdV}{100}}{a} = \dfrac{cdV}{100a}$

용액의 부피를 500 mL로 만들었으므로 몰 농도는 다음과 같다.

몰 농도 $= \dfrac{\text{용질의 양(mol)}}{\text{용액의 부피}} = \dfrac{\dfrac{cdV}{100a}}{0.5} = \dfrac{cdV}{50a}$

04 ㄱ. $0.01\,M \times 0.5\,L = 0.5\,M \times x\,L$이므로 x는 0.01 L이다. 0.01 L=10 mL이므로 A는 10이다. 따라서 0.5 M 염산 10 mL를 부피 플라스크에 넣고, 증류수를 넣어 500 mL 표선을 맞추어 준다.

ㄷ. 염산 0.01 M 0.5 L에는 $0.01 \times 0.5 = 0.005$ mol의 염산이 포함되어 있다.

[오답 피하기]

ㄴ. 표준 용액을 만들 때는 부피 플라스크를 사용한다.

05 ㄱ. (가)에서 용질 40 g에 용액 200 g이므로 용액의 퍼센트 농도는 $\dfrac{40}{160+40} \times 100 = 20\,\%$이다.

ㄴ. (가) 용액 100 g에는 용질 20 g이 포함되어 있으므로, 용액의 몰 농도는 $\dfrac{\dfrac{20}{50}\,mol}{1\,L} = 0.4\,M$이다.

ㄷ. (다)에서 (가) 용액 20 g에는 용질이 4 g, (나) 용액 0.5 L에는 용질이 10 g 녹아 있으므로 A는 $\dfrac{14}{50}\,mol = 0.28\,moL$이 있다.

06 ㄱ, ㄴ. 시약포지를 포함하지 않은 설탕의 질량을 측정해야 하고, 비커에 남은 설탕까지 부피 플라스크에 넣어야 설탕 34.2 g을 정확하게 넣을 수 있다.

ㄷ. 표선을 넘긴 용액 속에도 설탕 분자가 포함되어 있으므로 용액을 덜어내면 1 L 속의 설탕의 양이 감소하여 농도가 낮아진다.

07 (가)는 30 % 수용액이므로 그 속에 포함된 수산화 나트륨의 질량(x)은 $\dfrac{x}{120} \times 100 = 30\,\%$, $x=36$ g이다.

(나)는 2.6 M 수용액이므로, 그 속에 포함된 수산화 나트륨 양(mol)을 y라고 하면, $2.6\,M = \dfrac{y}{\dfrac{120\,g}{1.3\,g/mL} \div 1000}$

$y=0.24$ mol이다. 따라서 수산화 나트륨의 질량은 $0.24 \times 40 = 9.6$ g이다.

(다)에서 물의 양이 6몰이므로, 물의 질량은 $18 \times 6 = 108$ g이고, 수산화 나트륨의 질량은 $120-108=12$ g이다.

따라서 수산화 나트륨의 질량은 (가)>(다)>(나)이다.

08 용질의 양(mol)=몰 농도×부피이므로 1 M A 수용액 50 mL에 포함된 용질의 양(mol)과 0.5 M A 수용액 100 mL에 포함된 용질의 양(mol)은 같다.

09 표준 용액을 만들 때 사용하는 실험 기구는 부피 플라스크이다. 황산의 밀도가 1.4 g/mL이므로 50 % 황산 7 mL에 포함된 황산의 질량은 $1.4\,g/mL \times 7\,mL \times \dfrac{50}{100} = 4.9$ g이다. 따라서 몰 농도는 $\dfrac{\dfrac{4.9\,g}{98\,g/mol}}{1\,L} = 0.05\,M$이다.

10 몰 농도(M)=$\dfrac{용질의 양(mol)}{용액의 부피(L)}$으로 (가)는 $\dfrac{8}{100}$, (나)는 $\dfrac{4}{50}$, (다)는 $\dfrac{2}{25}$로 용액의 몰 농도는 모두 같다.

11 [모범 답안] (1) $\dfrac{\dfrac{100\,g}{40\,g/mol}}{0.5\,L}=5\,M$

(2) 5 M NaOH 수용액 0.5 L 속에는 5 M×0.5 L=2.5 mol의 수산화 나트륨이 들어 있다. 따라서 2.5 M NaOH 수용액은 1 L까지 만들 수 있다.

(3) 처음 만든 NaOH 수용액을 모두 1 L 부피 플라스크에 넣는다. 용액이 담겨 있던 용기를 증류수로 씻어 부피 플라스크에 넣고, 1 L 부피 플라스크의 표선까지 증류수를 넣고, 잘 흔들어서 섞어 준다.

[해설] 용액의 몰 농도를 구하면 $\dfrac{\dfrac{100\,g}{40\,g/mol}}{0.5\,L}=5\,M$이므로 용액의 농도는 5 M이다. 묽힌 용액과 처음 용액에 포함된 수산화 나트륨의 양(mol)이 같다. 5 M 용액 0.5 L에는 수산화 나트륨이 5 M×0.5 L=2.5 mol 포함되어 있다. 2.5 M 용액은 2.5 mol=2.5 M×x L이므로 x=1 L이다.

	채점 기준	배점
(1)	옳게 계산하고, 정답을 옳게 쓴 경우	20 %
	정답만 옳게 쓴 경우	10 %
(2)	옳게 계산하고, 정답을 옳게 쓴 경우	20 %
	정답만 옳게 쓴 경우	10 %
(3)	실험 과정을 옳게 서술한 경우	60 %
	실험 과정에서 1 L 부피 플라스크를 사용하여 용액을 담는 것까지만 서술한 경우	30 %

12 [모범 답안] (1) 0.02 mol의 HCl과 0.06 mol의 HCl이 녹아 있는 용액 50 mL이므로 $\dfrac{(0.02+0.06)mol}{0.05\,L}=1.6\,M$이다.

(2) 0.08 mol의 HCl의 녹아 있는 용액 100 mL이므로 용액의 몰 농도는 $\dfrac{0.08\,mol}{0.1\,L}=0.1\,L \times x\,M$, =0.8 M이다.

(3) (나) 용액 100 mL를 부피 플라스크에 넣고 물을 넣어 500 mL까지 표선을 맞춘 후 잘 섞어 준다. 농도는 0.8 M × 0.1 L = y M × 0.5 L, y=0.16 M이다.

[해설] (1) 1.0 M HCl(aq) 20 mL에는 0.02 mol의 HCl이, 2.0 M HCl(aq) 30 mL에는 0.06 mol의 HCl이 포함되어 있고, 전체 부피는 50 mL이므로, $\dfrac{(0.02+0.06)\,mol}{0.05\,L}=1.6\,M$이다.

(2) 이 용액을 희석하면 부피가 100 mL가 되고 용질의 양(mol)은 같으므로, 1.6 M×0.05 L=0.1 L×x M, x=0.8 M이다.

(3) 이 용액을 500 mL로 묽히려면 500 mL 부피 플라스크가 필요하고, (나)의 용액을 모두 넣은 후, 증류수를 넣어 500 mL 부피 플라스크의 표선에 맞추고 잘 섞어 준다. 이 과정에서 용질의 양(mol)은 변하지 않으므로 0.8 M×0.1 L=y M×0.5 L이므로 y=0.16 M이다.

[서술형 Tip] 용액에 물을 넣어 희석하거나, 두 용액을 섞을 때 용액의 부피와 농도는 변하지만 용질이 반응하지 않는다면, 용질의 전체 양(mol)은 변하지 않고 일정하다.

	채점 기준	배점
(1)	계산 과정이 정확하고 정답을 옳게 쓴 경우	20 %
	정답만 쓴 경우	10 %
(2)	계산 과정이 정확하고 정답을 옳게 쓴 경우	20 %
	정답만 쓴 경우	10 %
(3)	실험 과정을 옳게 서술하고 정답을 옳게 쓴 경우	60 %
	둘 중 하나만 쓴 경우	30 %

단원 마무리하기 p. 64~69

01 ③	02 ④	03 ③	04 ⑤	05 ①	06 ④
07 ④	08 ④	09 ④	10 ⑤	11 ③	12 ③
13 ②	14 ①	05 ③	16 ④	17 ①	18 ③
19 ④	20 ②	21 ①	22 ③	23 ③	24 ②

01 ㄱ. 나일론과 폴리에스터는 합성 섬유로 의류 문제 해결에 기여하였다.

ㄴ. 암모니아는 하버에 의해 대량으로 합성되었고, 화학 반응식은 $N_2 + 3H_2 \longrightarrow 2NH_3$이다.

[오답 피하기] ㄷ. 철은 제련 기술 개발로 대량으로 생산되어 기계, 운송 수단, 건축물 등 다양한 분야의 기초 재료로 이용되고, 알루미늄은 가벼우면서도 단단한 성질을 이용하여 창틀이나 건물 외벽에 이용된다. 따라서 철과 알루미늄은 주거 문제 해결에 기여하였다.

02 ㄴ, ㄷ. 원유의 분별 증류는 탄화수소의 끓는점 차이에 따라 분리하는 방법이다. 석유 가스는 석유 분해에서 30 ℃ 이하에서 생기는 프로페인과 뷰테인을 주성분으로 하고 석유 분해 과정에서는 프로펜과 뷰텐도 포함된다. 실온에서는 기체이지만 가압, 냉각으로 쉽게 액화되므로 LPG(Liquefied petroleum gas)라고도 한다. 중유는 석유 제품 중 가장 많이 유출되며 그 수율은 40 %에 이른다. 탄소 수 18~40인 탄

화수소들이다. 중유는 다시 가공하면 윤활유, 아스팔트, 석유, 코크스 등을 만들 수 있다.

오답 피하기

ㄱ. 원유의 분별 증류 탄화수소의 끓는점 차를 이용한 분리 방법이다. 탄소의 수가 작을수록 끓는점이 낮아 먼저 분리된다.

03 ㄱ. (가)는 에탄올, (나)는 아세트알데하이드, (다)는 아세트산이다. (가)가 산화되면 (나)가 되고, (나)가 산화되면 (다)가 된다. 산화 과정에서는 산소나 수소의 출입만이 있으므로 탄소의 개수는 같다.

ㄷ. (가)~(다) 분자 1 mol이 완전 연소할 때 생성되는 이산화탄소의 양(mol)은 같고, 생성되는 H_2O의 양(mol)은 (가)가 3 mol, (나)가 2 mol, (다)가 2 mol이다. 따라서 생성되는 H_2O의 양(mol)이 가장 큰 것은 (가)이다.

오답 피하기

ㄴ. 폼알데하이드는 탄소가 1개이고 화학식은 $HCHO$이다.

04 ㄱ. 수소 기체 1 g은 0.5 mol이고, 부피가 $2V$ L라 하였으므로, $2V$ L=11.2 L, V=5.6 L이다. 산소가 V L이므로 0.25 mol이 있다. 따라서 질량은 8 g이므로 w는 8이다.

ㄴ. XO_3는 11.2 L이고 0.5몰이 40 g이므로 분자량은 80이다. 따라서 X의 원자량은 32이다.

ㄷ. X_2의 분자량은 $32\times2=64$이고, XO_2의 분자량은 $32+(16\times2)=64$이다. 따라서 X_2와 XO_2의 분자량은 같다.

05 수소 2 g은 1 mol로 ⓒ 6.02×10^{23}개이고, 산소는 16 g으로 0.5 mol이고 ⓑ 11.2 L이다. 수소 1 mol과 산소 0.5 mol은 완전 연소하여 수증기 ⓓ 1 mol을 생성하므로 질량은 ⓐ 18 g이다. 반응 전후의 질량이 변하지 않는 것은 질량 보존 법칙이다.

06 화학 반응식을 세우면
$$C_mH_n + 5O_2 \longrightarrow 2CO_2 + 2x\,H_2O + x\,O_2$$
이다. 반응 전후 없어지거나 새로 생성되는 물질이 없으므로 산소 원자의 개수를 계산하면 $5\times2=(2\times2)+(2x+2x)$이다. 따라서 x는 $\frac{3}{2}$이며 m은 2, n은 6이다. 화학 반응식의 계수를 정수로 맞추면 $2C_2H_6 + 10O_2 \longrightarrow 4CO_2 + 6H_2O + 3O_2$이다.

ㄱ. 탄화수소의 분자식이 C_2H_6이므로 실험식은 CH_3이다.

ㄷ. 계수비=부피비이므로 연소 전 부피는 $(2+10)=12$ L이고, 때 연소 후 부피는 $(4+6+3)=13$ L이다.

오답 피하기

ㄴ. 반응 전후의 산소의 원자 개수를 계산하면 $5\times2=(2\times2)+(2x+2x)$이므로 $x=\frac{3}{2}$이다.

07 XZ_2 12 L를 기준으로 하여 1몰로 정하고, 나머지 XY_4, Y_2Z의 양(mol)은 $\frac{1}{4}$몰, $\frac{1}{3}$몰로 둔다.

ㄴ. X의 원자량을 x, Y의 원자량을 y, Z의 원자량을 z라고 할 때 x, y, z는 각각 6, $\frac{1}{2}$, 8이다. XY_4의 분자량은 $6+\left(4\times\frac{1}{2}\right)=8$이고, Z의 원자량이 8이므로 XY_4의 분자량과 Z의 원자량은 같다.

ㄷ. XY_2Z의 분자량은 $6+\left(2\times\frac{1}{2}\right)+8=15$이므로 15 g은 1몰이다. 1몰의 부피는 12 L이므로 12 L이다.

오답 피하기

ㄱ. X의 원자량을 x, Y의 원자량을 y, Z의 원자량을 z라고 할 때 x, y, z는 각각 6, $\frac{1}{2}$, 8이다. 따라서 X : Z의 원자량비는 3 : 4이다.

문제 속 자료 **실린더 속 기체의 분자량 구하기**

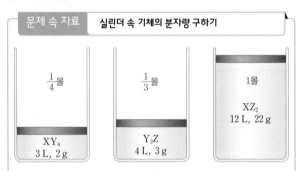

같은 온도와 압력에서 같은 부피에는 같은 수의 분자가 들어 있으므로, XZ_2가 12 L일 때를 기준으로 하여 1로 계산하면, $XY_4 : Y_2Z : XZ_2$의 몰비는 $\frac{1}{4} : \frac{1}{3} : 1$이다. XZ_2의 분자량은 22이고, XY_4는 $\frac{1}{4}$몰이므로 분자량은 8, Y_2Z는 $\frac{1}{3}$몰이므로 분자량이 9라고 할 수 있다. 따라서 X의 원자량을 x, Y의 원자량을 y, Z의 원자량을 z라 하면,
$$x+4y=8$$
$$2y+z=9$$
$$x+2z=22$$
이므로 $x=6$, $y=\frac{1}{2}$, $z=8$이다. 따라서 X : Z의 원자량비는 6 : 8=3 : 4이다.

08 1몰의 부피가 22.4 L이고, 11.2 L는 0.5몰이므로 탄화수소 A의 1몰 질량은 30 g, 탄화수소 B의 1몰 질량은 40 g이다.

ㄴ. B의 질량 백분율을 통한 C와 H의 몰비는
$$C : H=\frac{90}{12} : \frac{10}{1}=3 : 4$$이다.

ㄷ. 1 g 속에 포함된 수소 원자의 수는 A가 B보다 많으므로, 생성되는 물의 양(mol)도 A가 더 많다.

오답 피하기

ㄱ. A의 질량 백분율을 통해 실험식을 구하면
$$C : H=\frac{80}{12} : \frac{20}{1}=1 : 3$$이므로 실험식은 CH_3이고, 분자량이 30이므로 A의 분자식은 C_2H_6이다.

문제 속 자료 — A와 B의 실험식과 분자식 구하기

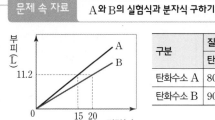

구분	질량 백분율(%)	
	탄소	수소
탄화수소 A	80	20
탄화수소 B	90	10

탄화수소 A와 B 11.2 L(=0.5 mol)의 질량이 각각 15 : 20이므로 A의 분자량은 30, B의 분자량은 40이다.

탄화수소 A의 질량 백분율을 통해 실험식을 구하면,

$C : H = \dfrac{80}{12} : \dfrac{20}{1} = 1 : 3$이므로, 실험식은 CH_3이고, 분자량이 30이므로 A의 분자식은 C_2H_6이다.

탄화수소 B의 질량 백분율을 통해 실험식을 구하면,

$C : H = \dfrac{90}{12} : \dfrac{10}{1} = 3 : 4$이므로, 실험식은 C_3H_4이고, 분자량이 40이므로 B의 분자식은 C_3H_4이다.

---

09 용기 내 전체 원자 수를 이용하여 a g의 X_2Y의 분자 수를 a', b g의 X_2Y_2의 분자 수를 b'라 하면

$3a' + 8b' = 19N$

$6a' + 4b' = 14N$

이고, $a' = N$, $b' = 2N$이므로, 분자 수는 다음과 같다.

분자 수	X_2Y	X_2Y_2
(가)	N	$4N$
(나)	$2N$	$2N$

ㄴ. X_2Y a g에는 N개의 분자가, X_2Y_2 $2b$ g에는 $4N$개의 분자가 있다. 따라서 $\dfrac{(가)에서 X 원자 수}{(나)에서 X 원자 수} = \dfrac{2N + 8N}{4N + 4N} = \dfrac{5}{4}$ 이다.

ㄷ. (나)에서 용기 내 전체 분자 수는 X_2Y가 $2N$개, X_2Y_2가 $2N$개이므로 총 $4N$개이다.

오답 피하기

ㄱ. (나)에서 X_2Y와 X_2Y_2의 분자 수는 같고 (가)에서는 X_2Y_2가 X_2Y의 4배이다.

---

10 ㄱ. (가)는 $Mg + 2HCl \longrightarrow MgCl_2 + H_2\uparrow$이고, (나)는 $CaCO_3 + 2HCl \longrightarrow CaCl_2 + H_2O + CO_2\uparrow$로 $a = 2$, $b = 1$, $c = 2$이다.

ㄴ. X는 이산화 탄소이고, 분자량은 44이다.

ㄷ. Mg 24 g은 1 mol이므로, 충분한 양의 염산과 반응했을 때 수소 기체 1 mol이 생성된다. (나)에서 탄산 칼슘 100 g은 1 mol이므로 충분한 양의 염산과 반응했을 때 이산화 탄소 1 mol이 생성된다. 따라서 0 °C, 1 기압에서 발생하는 기체의 부피는 22.4 L로 같다.

---

11 ㄱ. (가)의 성분 원소의 질량비가 $C : H = 6 : 1$이므로 분자량에 맞추어 보았을 때 질량비는 $C : H = 48 : 8$이고, 분자식은 $C : H = \dfrac{48}{12} : \dfrac{8}{1} = 4 : 8$에서 C_4H_8이므로 (가)를 구성하는 C와 H의 몰비는 1 : 2이다.

ㄷ. (나)의 분자량이 44이고 (가)와 수소의 개수가 같으려면, (가)의 분자식이 C_4H_8이므로 (나)는 C_3H_8이다. 따라서 $x : y = 36 : 8$이므로 9 : 2이다.

오답 피하기

ㄴ. (나)는 분자식이 C_3H_8이므로 C 원자 수는 3이다.

---

12 일정량의 A가 들어 있는 실린더에 B를 넣어가면서 반응시켰다. B가 0 g일 때 부피가 24 L인 것을 통해 A 1 mol이 실린더에 들어 있었음을 알 수 있다.

B를 16 g 넣은 (가)에서 A와 B가 모두 반응하여 C 24 L, 1 mol이 생성되었다는 것을 알 수 있다.

반응이 완결된 (가) 이후에 B 16 g을 더 넣었을 때 발생한 기체의 부피가 12 L인 것으로 보아 B 16 g이 12 L로 B의 분자량이 32임을 알 수 있다.

따라서 (가)에서는 A 1 mol과 B 0.5 mol이 반응하여 C 1 mol이 생성되었으므로 화학 반응식은 $2A(g) + B(g) \longrightarrow 2C(g)$이다.

ㄷ. 화학 반응식은 $2A(g) + B(g) \longrightarrow 2C(g)$이며 화학 반응에서 반응 전후의 원자의 종류와 개수가 같으므로 A가 X_2, B가 Y_2라고 했을 때, C는 X_2Y이다.

오답 피하기

ㄱ. 화학 반응식이 $2A(g) + B(g) \longrightarrow 2C(g)$이므로 부피비는 $A : B : C = 2 : 1 : 2$인 것을 알 수 있다. 하지만 질량비는 화학 반응식의 계수로 알 수 없다.

ㄴ. 넣어 준 B의 질량이 32 g일 때는 반응이 완결된 (가) 이후에 B 16 g을 더 넣은 것으로 부피가 12 L 증가한 것으로 보아 생성된 C와 반응하지 않은 B가 남아 있는 것을 알 수 있다.

---

13 ㄱ, ㄴ. (나)가 일정한 질량의 A와 넣어 준 B가 모두 반응한 지점으로, 이때 반응한 질량은 다음과 같다.

$$A(g) + 2B(g) \longrightarrow 2C(g) + D(g)$$
$$x \text{ g} \qquad 32 \text{ g} \qquad 18 \text{ g} \qquad 22 \text{ g}$$

반응 전과 후의 질량은 일정하므로, $x + 32 = 18 + 22$, $x = 8$이다. 따라서 분자량의 비는 $A : B : C : D = 8 : 16 : 9 : 22$라고 할 수 있다.

오답 피하기

ㄷ. (가)에서는 A가 8 g, B가 16 g 있으므로 B가 한계 반응물로 작용하여 다음과 같이 반응한다.

$$A(g) \ + \ 2B(g) \ \longrightarrow \ 2C(g) \ + \ D(g)$$

반응 전(g)	8	16		
반응 (g)	-4	-16	$+9$	$+11$
반응 후(g)	4	0	9	11

따라서 A가 4 g 남는다. A, B, C, D의 분자량을 각각 8, 16, 9, 22라고 하면 A는 0.5몰이 남는다.

(나)에서는 3몰이 반응하고 3몰이 생성되었으므로 반응 후 전체 분자 수는 3몰이고, (가)에서는 남아 있는 A 0.5몰과 생성물 1.5몰이 있으므로 반응 후 전체 분자 수는 (나)가 (가)의 1.5배이다.

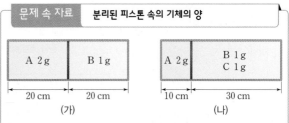

기체의 부피는 몰비와 같고, 피스톤에서 너비와도 같다. 따라서 (가)에서 A와 B의 몰비는 A : B=1 : 1이다.
(나)에서는 A : (B+C)의 부피비가 1 : 3이므로, 몰비는 A : B : C=1 : 1 : 2이다.
A, B, C의 분자량을 각각 M_a, M_b, M_c라고 할 때, 물질의 양(mol)=$\dfrac{\text{질량}}{\text{분자량}}$
이므로, $M_a : M_b : M_c = \dfrac{2}{1} : \dfrac{1}{1} : \dfrac{1}{2} = 4 : 2 : 1$이다.

14 수소 원자의 전체 질량이 같다는 정보를 바탕으로 기체의 양, 물질의 양(mol), 부피를 구하면 다음과 같다.

기체	(가)	(나)	(다)
분자식	H_2	NH_3	CH_4
분자의 개수	N_A개	$\dfrac{2}{3}N_A$	$\dfrac{1}{2}N_A$
물질의 양(mol)	1 mol	$\dfrac{2}{3}$ mol	$\dfrac{1}{2}$ mol
수소의 질량	$\boxed{2\text{ g}}$	2 g	2 g _수소 원자의 전체 질량은 같다._
전체 질량	2 g	11.3 g	x g=8 g
부피	$\dfrac{3}{2}V$ L	V L	$\dfrac{3}{4}V$ L

ㄱ. CH_4의 화학식량은 16이고, 물질의 양(mol)은 $\dfrac{1}{2}$ mol이므로 전체 질량은 $16 \times \dfrac{1}{2} = 8$ g이다.

오답 피하기

ㄴ. (가)의 부피는 $\dfrac{3}{2}V$ L이다.

ㄷ. (다)에 있는 총 원자의 수는 $\dfrac{5}{2}N_A$이다.

15 ㄱ. 부피비=몰비이다. (가)에서 A와 B의 부피가 같으므로 A와 B의 양(mol)도 같다.

ㄷ. A, B, C 분자량을 각각 M_a, M_b, M_c라고 할 때 물질의 양(mol)=$\dfrac{\text{질량}}{\text{분자량}}$이므로 $M_a : M_b : M_c = \dfrac{2}{1} : \dfrac{1}{1} : \dfrac{1}{2} =$ 4 : 2 : 1이다.

오답 피하기

ㄴ. (가)의 A와 B의 부피비가 1 : 1이고 (나)의 A : (B+C)의 부피비가 1 : 3이므로 A : B : C=1 : 1 : 2이다. 따라서 (가)의 전체 분자의 양은 (1+1)이고, (나)의 전체 분자의 양은 (1+2)이므로 (가) : (나)=2 : 3이다.

16 ㄴ, ㄷ. 0 °C, 1 기압에서 22.4 L는 1몰이므로, 실험 Ⅰ의 부피를 통해 기체의 양(mol)을 알아보면 다음과 같음을 알 수 있다. Y_2의 분자량을 M_{Y_2}라고 한다.

$$X_2(g) \ + \ 2Y_2(g) \ \longrightarrow \ aA(g)$$

반응 전 양(mol)	0.5	?	
반응 양(mol)	-0.5	-1	$\dfrac{a}{2}$
반응 후 양(mol)	0	$\dfrac{0.5}{M_{Y_2}}$	$\dfrac{a}{2}$

이때 $\dfrac{0.5}{M_{Y_2}} + \dfrac{a}{2} = \dfrac{16.8\text{ L}}{22.4\text{ L}} = \dfrac{3}{4}$ mol이다.

미지수 a는 1 이상인데 a가 2 이상이면 식이 성립되지 않으므로, $a=1$이다. 따라서 $M_{Y_2}=2$이고, 처음 Y_2는 1.25몰이므로 $V_1=28$ L이다.

실험 Ⅱ에서는 반응비=계수비=몰비를 알고 있으므로, X_2의 분자량을 M_{X_2}라고 하면,

$$X_2(g) \ + \ 2Y_2(g) \ \longrightarrow \ A(g)$$

반응 전 양(mol)	?	0.5	
반응 양(mol)	-0.25	-0.5	$+0.25$
반응 후 양(mol)	$\dfrac{21}{M_{X_2}}$	0	$\dfrac{1}{4}$

ㄷ. 따라서 $\dfrac{21}{M_{X_2}} + \dfrac{1}{4} = \dfrac{22.4\text{ L}}{22.4\text{ L}} = 1$(전체 기체의 부피가 22.4 L이므로 1몰)이고 $M_{X_2}=28$이다. 처음 X_2는 1몰이므로 $V_2=22.4$ L이다.

오답 피하기

ㄱ. $X_2(g) \ + \ 2Y_2(g) \ \longrightarrow \ A(g)$이므로 A의 분자식은 X_2Y_4이다. 따라서 실험식은 XY_2이다.

17 그래프에서 Mg의 질량이 증가하여도 수소 기체의 부피는 72 mL로 일정한 부분이 염산이 모두 반응한 구간이다.
H_2 1몰의 부피가 24 L이므로, 72 mL는 0.003 mol이다.

$Mg(s) + 2HCl(aq) \longrightarrow MgCl_2(aq) + H_2(g)$

화학 반응식에서 수소 기체가 0.003 mol이 생성되려면 HCl는 0.006 mol이 필요하고, 이때 염산은 0.2 L가 사용되었으므로, 염산의 몰 농도는 $\dfrac{0.006 \text{ mol}}{0.2 \text{ L}} = 0.03$ M이다.

18 ㄱ. 0.1 M NaOH 수용액 300 mL에는 0.03 mol의 NaOH이 포함되어 있고, NaOH의 화학식량이 40이므로 질량으로 환산했을 때 1.2 g이다.

ㄴ. 8 g의 NaOH이 추가되면 총 9.2 g이 되므로, 용액의 농도는 $\dfrac{\frac{9.2 \text{ g}}{40 \text{ g/mol}}}{0.3 \text{ L}} \fallingdotseq 0.77$ M이다.

오답 피하기

ㄷ. 용질이 늘어났는데 용액의 농도가 0.1 M이 되려면 물을 추가해야 한다. 이때 용액의 부피를 x라고 하면 $\dfrac{\frac{9.2}{40}}{x} = 0.1$ M이므로, $x = 2.3$ L이고, 처음 용액이 300 mL였으므로 2 L의 물을 추가하여야 한다.

19 수산화 나트륨의 몰 농도는 $\dfrac{\frac{8 \text{ g}}{40 \text{ g/mol}}}{0.25 \text{ L}} = 0.8$ M이다. 중화 반응에서 H^+과 OH^-은 1 : 1 몰비로 반응하므로 반응한 0.4 M $HCl(aq)$의 부피 x는 0.8 M × 250 mL = 0.4 M × x mL, $x = 500$ mL이다. 화학 반응식에서 생성물인 H_2O라 NaCl의 몰비는 1 : 1이므로 물 0.2 mol이 생성될 때 염화 나트륨도 0.2 mol이 생성되며, 용액의 총 부피가 250+500 = 750 mL이므로, 염화 나트륨 수용액의 몰 농도는 $\dfrac{0.2 \text{ mol}}{0.75 \text{ L}} \fallingdotseq 0.27$ M이다.

20 ㄱ, ㄷ. 퍼센트 농도를 몰 농도로 환산하기 위해서는 용액의 부피를 알아야 하므로 용액의 밀도가 필요하고, 용질의 양(mol)이 필요하므로 황산의 화학식량이 필요하다.

오답 피하기

ㄴ, ㄹ, ㅁ. 용액의 화학식량과 밀도만 있으면 된다. 물의 분자량과 밀도는 필요하지 않다. 황산 용액의 온도도 필요하지 않다.

21 0.1 M 염화 나트륨 수용액 100 mL를 만들기 위해서는 0.1 M × 0.1 L = 0.01 mol의 염화 나트륨이 필요하므로 이 양을 저울로 측정하여 비커의 증류수에 넣고 녹인다. 100 mL 부피 플라스크에 비커의 용액을 넣고, 증류수로 비커를 세척하여 그 용액도 부피 플라스크에 넣고 표선까지 증류수를 채운다.

오답 피하기

① 0.1 M NaCl 수용액 100 mL를 만들기 위해서는 용질이

0.01 mol이 있어야 하므로 0.01 × (23+35.5) = 0.585 g이 필요하다.

22 ㄱ. 0.1 M NaOH 수용액 500 mL를 만들기 위해서는 0.1 M × 0.5 L = 0.05 mol의 NaOH이 필요하다. 0.05 mol의 질량은 $\dfrac{\text{NaOH의 질량}}{40} = 0.05$ mol이므로 NaOH 질량은 2 g인데, 순도가 99 %이므로 $\dfrac{200}{99}$ g이 필요하다.

ㄷ. 0.1 M NaOH 수용액의 퍼센트 농도를 구하기 위해서는 밀도를 이용하여 용액의 질량을 구한다.

$\dfrac{2 \text{ g}}{500 \text{ mL} \times 1 \text{ g/mL}} \times 100 = 0.4$ %이다.

오답 피하기

ㄴ. 0.1 M 용액을 0.01 M로 묽히기 위해서는 용액의 $\dfrac{1}{10}$을 취해 10배로 묽히면 된다. 따라서 $y = 50$ mL이다.

23 ㄷ. (가)와 (나)를 각각 200 mL씩 섞은 용액의 농도는 $\dfrac{(0.1 \times 0.2) \text{ mol} + (0.3 \times 0.2) \text{ mol}}{0.4 \text{ L}} = 0.2$ M이다.

오답 피하기

ㄱ. (가)에서 HCl은 0.1 M × 0.5 L = 0.05 mol이고, (나)에서 HCl은 0.3 M × 0.2 L = 0.06 mol이므로 (가)보다 (나)가 용질의 양(mol)이 더 많다.

ㄴ. (가)와 (나)를 모두 섞으면 용질은 0.05 mol + 0.06 mol = 0.11 mol이고 용액의 부피는 500 mL + 200 mL = 700 mL이므로, 용액의 농도는 $\dfrac{0.11 \text{ mol}}{0.7 \text{ L}} \fallingdotseq 0.16$ M이다.

24 ㄱ. 희석된 용액의 농도(x)는 0.1 × 0.3 = x × 0.5에서 $x = 0.06$ M이다.

ㄴ. 용액이 희석되더라도 용질의 양(mol)은 같다.

오답 피하기

ㄷ. 용액의 농도가 다시 0.1 M이 되려면 NaOH을 추가로 넣어 주어야 한다. 다시 0.1 M로 만들었을 때 들어 있는 NaOH의 질량을 x라고 하면, $0.1 \text{ M} = \dfrac{\frac{x}{40 \text{ g/mol}}}{0.5 \text{ L}}$이므로 $x = 2$ g이고, 이미 0.03 mol, 즉 40 × 0.03 = 1.2 g의 NaOH이 포함되어 있으므로 0.8 g만 더 넣어 주면 된다.

II 원자의 세계

1. 원자의 구조
01 | 원자의 구성 입자

탐구 대표 문제 p. 75

01 ④

01 ④ 음극선 실험 결과 음극선은 (−)전하를 띠고 질량을 가진 입자의 흐름이라는 것이 밝혀졌다. 또한 음극선은 원자로부터 나왔기 때문에 원자 내부에 (−)전하를 띠고 질량을 가지는 입자, 즉 전자가 존재함을 알 수 있다.

오답 피하기

① 음극선 실험 이전에는 사람들이 원자가 쪼개질 수 없다는 돌턴의 원자설을 믿었다.

② 원자는 질량을 가진 입자이지만, 음극선 실험으로 알게 된 것은 아니다.

③ 음극선 실험 결과, 원자 내부에는 (−)전하를 띠는 전자가 존재함을 알 수 있었다.

⑤ 알파(α) 입자 산란 실험 이후 원자핵의 존재가 알려졌다.

기초 탄탄 문제 p. 82

01 ⑤   **02** ③   **03** ②   **04** ④   **05** ⑤

01 ⑤ 음극선은 질량을 가지므로 음극선의 경로에 바람개비를 두면 바람개비를 회전시킬 수 있다.

오답 피하기

① 음극선은 (−)극에서 방출된다.

② 유리관 내부가 진공이어야 음극선을 관찰할 수 있다.

③, ④ 진공 유리관 내부에 높은 전압을 걸어 주면 (−)극에서 (+)극으로 흐르는 빛이 나타나는데, 이를 음극선이라고 한다. 음극선은 (−)전하를 띠며 질량을 가지는데, 이를 통해 원자 내 전자가 존재함을 알 수 있다.

02 (가)는 양성자와 중성자 발견 이후의 모형, (나)는 전자 발견 이후의 모형, (다)는 원자핵 발견 이후의 모형이므로, 시간 순서대로 배열하면 (나) → (다) → (가) 순서이다.

03 ①, ④ 원자는 양성자와 중성자로 이루어진 원자핵이 중심에 있고, 그 주위에 전자가 존재한다. 원자의 크기에 비해 원자핵과 전자는 매우 작으므로 원자의 대부분은 빈 공간이다.

③ 양성자와 중성자는 질량이 비슷하다.

⑤ 양성자는 (+)전하를 띠고 전자는 (−)전하를 띠지만 전하량의 크기는 같으며, 중성자는 전하를 띠지 않는다.

오답 피하기

② 전자는 양성자와 중성자에 비해 질량이 매우 작다.

04 ① X와 Y는 양성자수가 같고 중성자수가 다르므로 동위 원소 관계이다.

② 질량수는 양성자수와 중성자수의 합과 같으므로 X는 12, Y는 13, Z는 14로 X<Y<Z이다.

③ 원자 번호는 양성자수와 같으므로 X와 Y는 6, Z는 7로 Z가 가장 크다.

⑤ 원자를 표시할 때 원자 번호(양성자수)는 원소 기호 왼쪽 아래에, 질량수는 원소 기호 왼쪽 위에 작은 글씨로 나타낸다. 따라서 Y를 원자의 표시법으로 나타내면 $^{13}_{6}$Y이다.

오답 피하기

④ 동위 원소는 양성자수가 같고 중성자수가 다른 원소로, 화학적 성질이 같다. Y와 Z는 양성자수가 달라 서로 다른 원소이므로 화학적 성질이 다르다.

05 원소 X의 평균 원자량은 $35 \times \dfrac{x}{100} + 37 \times \dfrac{y}{100} = 35.5$이고 $x+y=100$이므로, $x=75$, $y=25$이다.

내신 만점 문제 p. 83~85

01 ⑤   **02** ①   **03** ③   **04** ④   **05** ②   **06** ①
07 ④   **08** ⑤   **09** ④   **10** ②   **11~12** 해설 참조

01 ㄱ. 실험에서 나온 빛을 내는 선이 바람개비를 회전시키므로 이 선은 질량을 가진 입자의 흐름임을 알 수 있다.

ㄴ. 실험에서 나온 빛을 내는 선이 전기장에서 (+)극 쪽으로 휘어지므로 음극선은 (−)전하를 띰을 알 수 있다.

ㄷ. 이 실험을 통해 전자가 발견되었으며, (+)전하를 띤 공에 전자가 박혀 있는 푸딩 모형이 제안되었다.

문제 속 자료 **톰슨의 음극선 실험**

실험	결과 해석
유리관 내부에 물체를 놓아두면 (−)극의 반대쪽에 그림자가 생긴다.	음극선은 직진한다.
음극선의 진행 경로에 전기장을 걸어 주면 음극선이 (+)극 쪽으로 휘어진다.	음극선은 (−)전하를 띤 입자의 흐름이다.
음극선의 진행 경로에 바람개비를 놓아두면 바람개비가 돌아간다.	음극선은 질량을 가진 입자의 흐름이다.

02 ㄱ. (가)는 톰슨이 음극선 실험 결과 제시한 푸딩 모형으로, (+)전하를 띤 공에 전자가 박혀 있는 모형이다. 푸딩 모형에서는 질량을 가지는 입자가 전자밖에 없으므로, 상대적으로 질량이 큰 알파(α) 입자의 운동에 영향을 줄 수 없다. 따라서 모든 α 입자가 거의 휘어지거나 튕겨 나가지 않고 그대로 직진하게 된다. 추후 α 입자 산란 실험을 통해 푸딩 모형에서 존재하지 않는 원자핵의 존재가 밝혀지게 되었다.

오답 피하기
ㄴ. 수소 원자의 선 스펙트럼은 보어 원자 모형으로 설명할 수 있다.
ㄷ. 전자의 존재를 확률 분포로 설명하는 모형은 오비탈 모형이다.

03 ㄱ. 알파(α) 입자 산란 실험에서 대부분의 α 입자는 휘어지지 않고 금박을 통과했으므로 원자는 대부분 빈 공간임을 알 수 있다.
ㄴ. 실험 결과 크게 휘어지거나 튕겨 나온 α 입자가 있으므로 원자 내부에 (+)전하를 띠고 질량이 큰 입자가 존재함을 알 수 있는데, 이 입자가 원자핵이다.

오답 피하기 ㄷ. 이 실험을 통해 발견된 입자는 원자핵이므로 모든 원자에 1개 존재한다. 원자 번호와 같은 것은 양성자수이다.

04 $^3_1\text{H}^+$의 양성자수는 1, 중성자수는 2이므로 모형에서 ●이 중성자, ○이 양성자임을 알 수 있다.
ㄱ, ㄷ. X의 양성자수는 3, 전자 수는 2이므로 X는 +1가 양이온이고, Y의 양성자수는 4, 전자 수는 3이므로 Y도 +1가 양이온이다. 또한 X와 Y는 양성자수와 중성자수의 합이 모두 7이므로 질량수가 같다.

오답 피하기
ㄴ. 원자 번호는 양성자수와 같다. X의 원자 번호는 3, Y의 원자 번호는 4로 X는 Y보다 원자 번호가 작다.

05 ㄷ. 중성자수=질량수−양성자수이므로 Ar의 중성자수는 22, K의 중성자수는 21이다.

오답 피하기
ㄱ, ㄴ. 질량수는 Ar과 K 모두 40이고, 전자 수와 양성자수는 Ar이 18, K이 19이다.

06 ㄱ. A는 원자이므로 양성자수와 전자 수가 같다. 따라서 (가)와 (나)는 각각 양성자와 전자 중 하나이며, (다)는 중성자이다. B와 C는 양이온이므로 양성자수가 전자 수보다 많다. 따라서 (가)가 양성자, (나)가 전자이다.

오답 피하기
ㄴ. 동위 원소는 양성자수가 같고 중성자수가 다른 원소이다. 따라서 B와 C는 양성자수가 다르므로 동위 원소가 아니며, 서로 다른 원소이다.
ㄷ. 질량수=양성자수+중성자수이므로 A가 13, C가 24로 C가 A의 2배가 아니다.

07 (가)는 양전하를 띠므로 양성자이고, (나)는 전하를 띠지 않으므로 중성자이며, (다)는 양성자에 비해 질량이 매우 작으므로 전자이다.
ㄴ. 전자의 전하량인 y는 양성자의 전하량과 크기가 같고 부호는 다르므로 -1.60×10^{-19}이다.
ㄷ. 수소의 양성자수는 1이므로 질량수가 1인 수소(^1_1H)에는 중성자가 존재하지 않는다.

오답 피하기
ㄱ. 중성자의 질량인 x는 양성자의 질량인 1.67×10^{-24}와 비슷한 값이다.

문제 속 자료 **원자를 구성하는 입자**

입자		상대적 질량	상대적 전하량
원자핵	양성자	1	+1
	중성자	1	0
전자		$\dfrac{1}{1837}$	−1

08 세 가지 이온을 구성하고 있는 입자 수를 표로 나타내면 다음과 같다.

구분	$^{15}_{8}\text{X}^{2-}$	$^{19}_{9}\text{Y}^{-}$	$^{26}_{13}\text{Z}^{3+}$
양성자수	8	9	13
중성자수	15−8=7	19−9=10	26−13=13
전자 수	8+2=10	9+1=10	13−3=10

ㄱ, ㄴ. 세 이온은 전자 수가 모두 같으며, 중성자수는 X<Y<Z이다.
ㄷ. $\dfrac{중성자수}{양성자수}$는 X가 $\dfrac{7}{8}$, Y가 $\dfrac{10}{9}$, Z가 1이므로 X<Z<Y이다.

09 ㄴ. X_2의 분자량이 158(79+79), 160(79+81), 162(81+81) 3가지가 가능하므로 X의 동위 원소는 2가지이고, 원자량은 각각 79, 81이다.
ㄷ. 평균 분자량은 평균 원자량을 구할 때와 마찬가지로 분자량과 존재 비율을 곱한 후 더하면 구할 수 있다.
$$158 \times \dfrac{25}{100} + 160 \times \dfrac{50}{100} + 162 \times \dfrac{25}{100} = 160$$

오답 피하기
ㄱ. X_2의 분자량이 3가지이므로 X의 동위 원소는 2가지이다.

10 ㄴ, ㄷ. 원소의 평균 원자량을 구하기 위해서는 각 동위 원소의 원자량과 존재 비율을 알아야 한다. 예를 들어, 질소의 두 가지 동위 원소의 원자량과 존재 비율이 주어진다면, 평균 원자량을 다음과 같이 계산할 수 있다.

동위 원소	원자량	존재 비율(%)
질소−a	a	x
질소−b	b	y

$$평균\ 원자량 = a \times \frac{x}{100} + b \times \frac{y}{100}$$

오답 피하기

ㄱ. 질량수와 원자량은 비슷한 값을 가지지만, 약간의 차이가 있다. 따라서 평균 원자량을 구할 때에는 질량수가 아닌 원자량을 사용해야 한다.

ㄹ. 양성자수는 평균 원자량과 관계 없으며, 동위 원소끼리는 양성자수가 동일하다.

11 [모범 답안] (1) 전자가 전하를 띤다.

(2) 전자가 전하를 띠기 때문에 자기장에서 힘을 받아 경로가 휘어지며, 이에 따라 자석 주위의 화면이 휘어진다.

해설 브라운관 TV에서는 음극선 실험에서와 같이 전자가 나오므로 전자의 성질에 따른 현상이 나타난다. 자석을 갖다 대었을 때 전자가 영향을 받는 것은 전자가 전하를 띠기 때문이다. 전하를 띠는 입자는 전기장 또는 자기장에서 힘을 받아 경로가 휘어진다.

서술형 Tip

음극선 실험에서 발견된 전자의 성질과 관련하여 서술한다.

	채점 기준	배점
(1)	전자가 전하를 띤다는 내용을 서술한 경우	20 %
(2)	전자가 전하를 띠기 때문에 자석이 만드는 자기장에서 힘을 받아 경로가 휘어진다는 내용을 포함한 경우	80 %
	전자가 자석에 의해 휘어진다는 내용은 포함하지만, 전자가 전하를 가진다는 내용이 포함되지 않은 경우	40 %

12 [모범 답안] (1) $x \times \frac{4}{5} + y \times \frac{1}{5} = x + 0.4$, $y - x = 2$

(2) 원소 A의 동위 원소 원자량은 각각 x, $x+2$이므로, 분자 A$_2$의 분자량은 $2x$, $2x+2$, $2x+4$이다. 각 분자량에 따른 존재 비율은 구성하는 동위 원소의 존재 비율을 곱하여 계산할 수 있다.

분자량	구성 동위 원소의 원자량	존재 비율
$2x$	x, x	$\frac{80}{100} \times \frac{80}{100} = \frac{64}{100}$
$2x+2$	$x, x+2$	$2 \times \frac{80}{100} \times \frac{20}{100} = \frac{32}{100}$
$2x+4$	$x+2, x+2$	$\frac{20}{100} \times \frac{20}{100} = \frac{4}{100}$

따라서 분자량에 따른 존재 비율은

$2x : (2x+2) : (2x+4) = 16 : 8 : 1$이다.

해설 분자량에 따른 존재 비율은 구성하는 동위 원소의 존재 비율 곱과 같음을 이용한다.

서술형 Tip

평균 원자량 구하는 식을 이용해서 방정식을 세울 수 있다.

	채점 기준	배점
(1)	평균 원자량 구하는 식을 이용하여 방정식을 세우고, $y-x$의 값을 옳게 계산한 경우	40 %
	평균 원자량 구하는 식을 이용하여 방정식을 세웠으나 $y-x$의 값을 구하지 못한 경우	20 %
(2)	가능한 분자량을 모두 x를 이용하여 나타내고, 동위 원소의 존재 비율을 이용하여 분자량에 따른 존재비를 옳게 계산한 경우	60 %
	가능한 분자량을 모두 x를 이용하여 나타냈으나, 분자량에 따른 존재비를 계산하지 못한 경우	30 %

02 | 현대 원자 모형과 전자 배치

기초 탄탄 문제　　　　p. 96

01 ⑤　　**02** ②　　**03** ⑤　　**04** ④　　**05** ③

01 ⑤ 선 스펙트럼을 설명하기 위해서는 전자가 불연속적인 에너지 준위를 가지는 전자 껍질 모형이 필요하다.

오답 피하기

①은 돌턴의 원자 모형이며, 원자는 더 이상 쪼갤 수 없는 입자임을 나타낸다.

②는 톰슨의 푸딩 모형이며, (+)전하를 띠는 공에 전자가 박혀 있는 것을 나타낸다.

③은 러더퍼드의 행성 모형이며, 원자핵 주위에 전자가 운동함을 나타낸다.

④는 원자핵이 양성자와 중성자로 이루어졌다는 것이 밝혀진 이후의 원자 모형이다.

02 C: 모든 원자에서 선 스펙트럼을 관찰할 수 있으며, 이를 통해 전자의 에너지 준위가 불연속적이라는 것을 알 수 있다.

오답 피하기

A: 수소 원자뿐 아니라 다전자 원자에서도 선 스펙트럼이 관찰된다. 단, 다전자 원자에서는 전자 간 반발 등으로 인하여 수소 원자보다 더 많은 수의 선이 관찰된다.

B: 전자가 에너지 준위가 더 높은 전자 껍질로 이동할 때에는 그 차이만큼 에너지를 흡수하고, 에너지 준위가 더 낮은 전자 껍질로 이동할 때에는 그 차이만큼 에너지를 방출한다.

03 ⑤ 다전자 원자에서 주 양자수가 클수록 에너지 준위가 높으므로 에너지 준위는 (가)가 (나)보다 낮다.

오답 피하기

① 방위 양자수는 (가)가 0, (나)가 1이다.

② 모든 오비탈에는 전자가 최대 2개까지 채워질 수 있다.

③ (나)에서는 원자핵으로부터의 방향에 따라서도 전자의 발견 확률이 다르다.

④ 수소 원자에서 주 양자수가 클수록 에너지 준위가 높으므로 에너지 준위는 (가)가 (나)보다 낮다.

04 주 양자수가 n일 때 방위 양자수는 0부터 $n-1$까지의 정수가 가능하고, 방위 양자수가 l일 때 자기 양자수는 $-l$부터 $+l$까지의 정수가 가능하다. 스핀 자기 양자수는 $+\dfrac{1}{2}$과 $-\dfrac{1}{2}$만 가능하다. 이를 만족하는 것은 ④뿐이다.

오답 피하기

① 주 양자수가 1일 때 방위 양자수가 1(p 오비탈)일 수 없다.

② 방위 양자수가 0(s 오비탈)일 때 자기 양자수는 0만 가능하다.

③ 스핀 자기 양자수가 0일 수 없다.

⑤ 방위 양자수가 1(p 오비탈)일 때 자기 양자수는 -1, 0, $+1$만 가능하다.

05 바닥상태 전자 배치는 쌓음 원리, 파울리 배타 원리, 훈트 규칙을 모두 만족해야 한다. 질소의 경우 $1s$, $2s$ 오비탈을 모두 채우고 $2p$ 오비탈을 채워야 하며, 각 오비탈에는 최대 2개의 전자가 스핀 방향이 다르게 들어가야 한다. 또한 훈트 규칙에 따라 홀전자 수가 최대가 되도록 채워야 한다. 이를 모두 만족하는 전자 배치는 ③이다.

오답 피하기

① $2p$ 오비탈 1개에 전자가 쌍으로 들어가 있고 1개는 비어 있으므로 훈트 규칙을 만족하지 않는다.

② $1s$와 $2s$ 오비탈이 채워지지 않았으므로 쌓음 원리를 만족하지 않는다.

④ $1s$와 $2s$ 오비탈이 채워지지 않았으므로 쌓음 원리를 만족하지 않으며, 한 오비탈에 들어 있는 전자의 스핀 방향이 같으므로 파울리 배타 원리를 만족하지 않는다.

⑤ 한 오비탈에 들어 있는 전자의 스핀 방향이 같으므로 파울리 배타 원리를 만족하지 않는다.

내신 만점 문제　　　　　　　　　p. 97~99

01 ④　　02 ④　　03 ①　　04 ③　　05 ⑤　　06 ①

07 ③　　08 ③　　09 ①　　10 ④　　11~12 해설 참조

---

01 ㄱ. 수소 원자는 전자가 1개이며, 이 전자가 가장 에너지 준위가 낮은 $n=1$인 전자 껍질에 배치되어 있으므로 가장 안정한 바닥상태의 전자 배치이다.

ㄷ. K 전자 껍질의 전자가 M 전자 껍질로 전이할 때가 L 전자 껍질로 전이할 때보다 더 큰 에너지를 흡수하므로 에너지의 파장은 더 짧다.

오답 피하기

ㄴ. K 전자 껍질의 전자가 L 전자 껍질로 전이할 때 흡수하는 빛은 L 전자 껍질에서 K 전자 껍질로 전이할 때 방출하는 빛과 동일하므로, 이때 자외선을 흡수한다.

02 ㄴ. 가시광선 영역은 높은 에너지 준위에서 $n=2$로 전자 전이할 때 방출하는 빛이다. 따라서 a~c 모두 $n\geq3 \rightarrow n=2$로 전자가 전이할 때 방출되는 선이다.

ㄷ. a는 $n=5 \rightarrow n=2$ 전자 전이이므로 $\dfrac{21}{100}k$의 에너지를 방출하고, b는 $n=4 \rightarrow n=2$ 전자 전이이므로 $\dfrac{3}{16}k$의 에너지를 방출한다. 따라서 a의 에너지는 b의 에너지의 1.12배이다. 파장과 에너지는 반비례하므로 b의 파장은 a의 파장의 1.12배이다.

오답 피하기

ㄱ. 파장과 에너지는 반비례하므로 파장이 짧을수록 에너지가 크다. 따라서 c의 에너지 크기가 가장 작다.

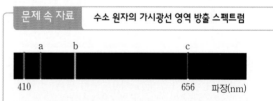

문제 속 자료　　**수소 원자의 가시광선 영역 방출 스펙트럼**

　　　　a　　　b　　　　　　　　　c

410　　　　　　　　　　　　656　　파장(nm)

• 가시광선 영역은 발머 계열에 해당하며, 에너지 준위가 더 높은 전자 껍질에서 $n=2$인 전자 껍질로 전자가 전이할 때 방출된다.

• 파장과 에너지는 반비례하므로 파장이 길수록 더 작은 에너지를 방출한다. 따라서 가장 긴 파장인 656 nm(c)에 해당하는 것은 $n=3$에서 $n=2$로의 전자 전이이다.

• 파장이 짧을수록 에너지가 커지므로, a~c의 전자 전이는 다음과 같다.

　a: $n=5 \rightarrow n=2$의 전자 전이

　b: $n=4 \rightarrow n=2$의 전자 전이

　c: $n=3 \rightarrow n=2$의 전자 전이

03 ㄱ. 전자가 에너지 준위가 더 높은 전자 껍질로 전이할 때 빛을 흡수하며, 더 낮은 전자 껍질로 전이할 때 빛을 방출한다. 따라서 빛을 흡수하는 전자 전이는 a 1가지이다.

오답 피하기

ㄴ. a는 라이먼 계열이고, b와 c는 발머 계열이므로 적외선을 흡수하거나 방출하는 전자 전이는 없다.

ㄷ. 각 전자 전이에 해당하는 에너지의 크기는 a가 k, b가 $\frac{k}{4}$, c가 $\frac{5}{36}k$이다. b와 c에 해당하는 에너지 합은 $\frac{14}{36}k$로 a에 해당하는 에너지인 k보다 작다.

04 ㄱ. (가)는 $n=3$의 전자 껍질에 전자가 들어 있는 것을 나타내고, (나)는 $2p$ 오비탈을 나타낸다. 수소 원자에서 에너지 준위는 n이 클수록 높으므로 (가)에서 전자가 들어 있는 오비탈은 (나)보다 에너지 준위가 높다.

ㄴ. 수소 원자는 쌓음 원리에 따라 $n=1$일 때 바닥상태이므로 (가)와 (나) 모두 들뜬상태에 해당한다.

오답 피하기

ㄷ. $n=3$일 때 전자는 s, p, d 오비탈이 가능하므로 (가)의 전자가 항상 구형의 오비탈에 존재하는 것은 아니다.

05 ㄱ. Ⅱ와 Ⅲ은 모두 전이 후 주 양자수가 $n=1$이고 $E_\mathrm{Ⅱ}<E_\mathrm{Ⅲ}$이므로 x는 2이다.

ㄴ. Ⅰ은 발머 계열로 가시광선 영역에 해당하고, Ⅱ와 Ⅲ은 라이먼 계열로 자외선 영역에 해당한다.

ㄷ. E_I은 $n=4$에서 $n=2$로 전이할 때, $E_\mathrm{Ⅱ}$는 $n=2$에서 $n=1$로 전이할 때 방출되는 에너지이므로 두 에너지의 합은 $n=4$에서 $n=1$로의 전이 시 방출되는 에너지와 같다. 따라서 $n=3$에서 $n=1$로 전이할 때 방출되는 $E_\mathrm{Ⅲ}$보다 크다.

06 ㄴ. (가)보다 (나)의 주 양자수가 더 크므로 (나)의 주 양자수는 2 이상이다. 수소 원자의 바닥상태 전자 배치는 $1s$ 오비탈에 전자가 채워지는 것이므로 (나)에 전자가 존재할 때는 들뜬상태이다.

오답 피하기

ㄱ. 오비탈의 크기가 클수록 핵으로부터 더 먼 곳에서 전자가 존재할 확률이 높으므로 주 양자수가 크다. 따라서 (가)보다 (나)의 주 양자수가 더 크고, 에너지 준위가 더 높다.

ㄷ. 파울리 배타 원리에 따르면 양자수에 관계 없이 한 오비탈에 들어갈 수 있는 최대 전자 수는 2이다.

07 ㄱ. 방위 양자수(l)는 오비탈의 모양을 나타낸다. ㉠은 s 오비탈이므로 방위 양자수가 0, ㉡은 p 오비탈이므로 방위 양자수가 1로 ㉠이 ㉡보다 작다.

ㄷ. 주어진 탄소 원자의 전자 배치는 쌓음 원리, 파울리 배타 원리, 훈트 규칙을 모두 만족하므로 바닥상태이다.

오답 피하기

ㄴ. 자기 양자수(m_l)는 오비탈의 방향을 나타낸다. ㉡과 ㉢은 p 오비탈로 서로 다른 방향이므로 자기 양자수가 다르다.

08 ㄱ. 다전자 원자의 경우 같은 전자 껍질에서는 $s<p<d<f$ 순서로 에너지 준위가 높다. 따라서 주 양자수가 같을 때 방위

양자수가 클수록 에너지 준위가 높다.

ㄴ. 오비탈의 모양이 같을 때에는 전자 껍질의 주 양자수가 클수록 에너지 준위가 높다. 따라서 방위 양자수가 같을 때 주 양자수가 클수록 에너지 준위가 높다.

오답 피하기

ㄷ. 자기 양자수는 오비탈의 방향을 나타내므로 에너지 준위에 영향을 주지 않는다.

09 ㄱ. X는 $2p$ 오비탈을 채우지 않고 $3s$ 오비탈에 전자가 들어 있으므로 쌓음 원리를 만족하지 않는 들뜬상태이다.

오답 피하기

ㄴ. Y는 에너지 준위가 낮은 $2p$ 오비탈에 전자를 3개만 채운 후 $3s$ 오비탈에 전자가 들어 있으므로 쌓음 원리를 만족하지 않는다.

ㄷ. 원자가 전자 수는 바닥상태의 전자 배치를 기준으로 판단해야 한다. X는 전자 수가 6이므로 원자 번호가 6인 14족 원소, Y는 전자 수가 9이므로 원자 번호가 9인 17족 원소, Z는 전자 수가 12이므로 원자 번호가 12인 2족 원소이다. 따라서 X, Y, Z는 모두 다른 족 원소이다.

10 X의 전자 배치는 $1s^2\,2s^2\,2p^2$, Y의 전자 배치는 $1s^2\,2s^2\,2p^5$, Z의 전자 배치는 $1s^2\,2s^2\,2p^6\,3s^2\,3p^2$이다.

ㄴ, ㄷ. X는 2주기 14족, Y는 2주기 17족, Z는 3주기 14족 원소이다. 즉, X와 Y는 같은 주기 원소이고, X와 Z는 같은 족 원소이다.

오답 피하기

ㄱ. 원자가 전자 수는 X가 4, Y가 7, Z가 4로 Y가 가장 크다.

11 [모범 답안] (1) $E_n=-\dfrac{E}{n^2}$ (kJ/mol)

(2) $E_\mathrm{a}=\left(-\dfrac{E}{9}\right)-\left(-\dfrac{E}{4}\right)=\dfrac{5}{36}E$,

$E_\mathrm{b}=\left(-\dfrac{E}{4}\right)-\left(-\dfrac{E}{1}\right)=\dfrac{3}{4}E$

따라서 $E_\mathrm{a}:E_\mathrm{b}=5:27$이다.

해설 그림으로부터 주 양자수가 n일 때 에너지 준위(E_n)는 $-\dfrac{E}{n^2}$라는 규칙성을 알 수 있다. 또한 전자가 전이할 때 흡수 또는 방출하는 에너지의 크기는 각 에너지 준위의 차이와 같으므로 $E_\mathrm{a}=E_3-E_2$, $E_\mathrm{b}=E_2-E_1$이다.

	채점 기준	배점
(1)	주 양자수에 따른 에너지 준위 관계식인 $-\dfrac{E}{n^2}$를 옳게 쓴 경우	20 %
(2)	E_a와 E_b를 구하는 식을 옳게 쓰고, $E_\mathrm{a}:E_\mathrm{b}$의 비를 정확히 구한 경우	80 %
	E_a와 E_b를 구하는 식을 옳게 썼으나, $E_\mathrm{a}:E_\mathrm{b}$의 비를 구하지 못한 경우	40 %

12 [모범 답안] Ⅰ: $2p$ 오비탈이 채워질 때 홀전자 수가 최대가 되지 않았으므로 훈트 규칙을 만족하지 않는다.

Ⅲ: $1s$와 $2s$ 오비탈을 모두 채우지 않고 $2p$ 오비탈을 채웠으므로 쌓음 원리를 만족하지 않는다.

해설 바닥상태는 쌓음 원리, 파울리 배타 원리, 훈트 규칙을 모두 만족해야 하며, 쌓음 원리나 훈트 규칙을 만족하지 않으면 불안정한 들뜬상태가 된다.

[서술형 Tip]
세 가지 전자 배치 규칙을 정확히 알고, 각 전자 배치가 각 규칙에 만족하는지 위배되는지를 서술할 수 있어야 한다.

채점 기준	배점
두 가지 들뜬상태의 전자 배치와 불안정한 까닭을 각각 옳게 서술한 경우	100 %
두 가지 들뜬상태의 전자 배치 중 한 가지에 대해서만 불안정한 까닭을 옳게 서술한 경우	50 %

2. 원소의 주기적 성질

01 | 원소의 분류와 주기율

탐구 대표 문제 p. 105

01 $y=\dfrac{x+z}{2}$ **02** 금속 원소: 8가지, 준금속 원소: 4가지, 비금속 원소: 14가지

01 칼슘(Ca), 스트론튬(Sr), 바륨(Ba)의 쌍은 화학적 성질이 비슷한 세 쌍 원소이다. 따라서 가운데 원소인 스트론튬의 원자량은 칼슘과 바륨의 원자량의 평균값을 가지므로 스트론튬의 원자량 $y=\dfrac{x+z}{2}$이다.

02 금속 원소는 Li, Be, Na, Mg, Al, K, Ca, Ga 8가지이고, 준금속 원소는 B, Si, Ge, As 4가지이며, 비금속 원소는 H, He, C, N, O, F, Ne, P, S, Cl, Ar, Se, Br, Kr 14가지이다.

기초 탄탄 문제 p. 106

01 ⑤ **02** ④ **03** ③ **04** ② **05** ①

01 ① 주기율은 원소를 나열할 때 성질이 비슷한 원소가 주기적으로 나타나는 현상을 말한다.
② 뉴랜즈는 원소들을 원자량 순서로 나열하면 화학적 성질이 비슷한 원소가 8번째마다 나타나는 규칙성을 발견하여 이를 옥타브설이라 하였다.

③ 멘델레예프는 원소들을 원자량 순으로 배열하여 성질이 비슷한 원소가 주기적으로 나타나는 것을 발견하였으며, 새로운 원소의 발견을 예측하였다.
④ 라부아지에는 당시에 원소로 알려진 33종의 물질을 성질에 따라 네 그룹으로 분리하였다.

[오답 피하기]
⑤ 모즐리는 원소들을 양성자수, 즉 원자 번호 순으로 나열하여 현재 사용하고 있는 것과 비슷한 주기율표를 완성하였다.

02 ① (가)에서 Li, Na, K은 알칼리 금속으로 화학적 성질이 비슷하고, (나)에서 Ca, Sr, Ba은 알칼리 토금속으로 화학적 성질이 비슷하다.
② 중간 원소인 Na의 원자량$=\dfrac{7+39}{2}=23$이고, Sr의 원자량 $=\dfrac{40+137}{2}=88.5$이다.
③ 세 쌍 원소는 원자량이 커짐에 따라 녹는점, 끓는점, 밀도 등의 물리적 성질이 규칙적으로 변한다.
⑤ Cl-Br-I도 화학적 성질이 비슷하고 물리적 성질이 규칙적으로 변하는 세 쌍 원소에 속한다.

[오답 피하기]
④ 세 쌍 원소는 화학적 성질이 비슷한 원소의 쌍으로, 현대 주기율표에서 같은 족 원소에 해당한다.

03 ③ 주기율표에서 같은 족에 속하는 원소는 원자가 전자 수가 같아서 화학적 성질이 비슷하다.

[오답 피하기]
① 양성자수는 원자마다 다르다.
② 18족 비활성 기체에서 He의 최외각 전자 수는 2이고, 나머지는 8이다.
④, ⑤ 주기율표에서 같은 주기에 속하는 원소들은 전자가 들어 있는 전자 껍질 수 또는 원자가 전자의 주 양자수가 같다.

04 (가)는 1족 원소 중 유일한 비금속 원소인 수소, (나)는 금속 원소, (다)는 준금속 원소, (라)는 비금속 원소, (마)는 비금속 원소 중 비활성 기체이다.
② (나)는 금속 원소로 전자를 잃고 양이온이 되기 쉽다.

[오답 피하기]
① (가)는 1족 원소이지만 알칼리 금속은 아니다.
③ (다)는 준금속 원소로, 금속과 비금속의 중간 성질을 나타낸다. 반응성이 거의 없는 원소는 (마) 비활성 기체이다.
④ (라)는 비금속 원소로, 대부분 전기 전도성이 없다. 대부분 전기 전도성이 있는 것은 (나) 금속 원소이다.
⑤ (마)는 비활성 기체로, 헬륨을 제외하면 최외각 전자 수가 모두 8이지만 헬륨은 2이다.

문제 속 자료 원소의 분류

구분	금속 원소	비금속 원소	준금속 원소
주기율표에서의 위치	주로 왼쪽	주로 오른쪽	금속과 비금속의 경계
이온화	양이온이 되기 쉽다.	음이온이 되기 쉽다.	
전기 전도성	좋다.	대부분 없다.	금속과 비금속의 중간적 성질

05 ① X는 3주기 15족 원소인 인(P)이다.

오답 피하기

② 가장 바깥 전자 껍질에 들어 있는 전자 수가 5이므로 15족 원소이다.

③ X는 (라)에 속한다.

④ 원자가 전자는 $3s^2 3p^3$의 전자이므로 원자가 전자 수는 5이다.

⑤ X는 비금속 원소이므로 전자를 얻어 음이온이 되기 쉽다.

내신 만점 문제   p. 107~109

01 ③	02 ①	03 ④	04 ②	05 ③	06 ①
07 ⑤	08 ②	09 ②	10 ②	11 ②	

12~13 해설 참조

---

01 라부아지에는 당시에 원소로 알려진 33종의 물질을 성질에 따라 4가지 그룹으로 분류하였으나, 이 방법에는 한계점이 있었다.

ㄱ. 동식물 및 광물계에 포함된 원소 중 빛과 열은 원소가 아니다.

ㄷ. 생석회(CaO)는 원소가 아니고 화합물이다.

오답 피하기

ㄴ. 코발트(Co), 구리(Cu), 주석(Sn)은 금속 원소이다.

02 멘델레예프는 원소들을 원자량 순서대로 배열하였기 때문에 몇몇 원소들이 주기성에 맞지 않았다. 그러나 모즐리는 X선 연구를 통해 원소의 성질이 주기적으로 나타나는 것은 원자량이 아니라 양성자수와 관련이 있다는 것을 발견하고, 원소들을 양성자수(원자 번호)에 따라 배열하여 현재 사용하고 있는 것과 비슷한 주기율표를 완성하였다.

03 (가)는 멘델레예프의 주기율표(1869년), (나)는 되베라이너의 세 쌍 원소설(1828년), (다)는 뉴랜즈의 옥타브설(1864년), (라)는 모즐리의 주기율표(1913년)에 대한 설명이다. 이를 시대 순으로 배열하면 (나) → (다) → (가) → (라)이다.

04 A는 수소(H), B는 플루오린(F), C는 나트륨(Na), D는 염소(Cl), E는 아르곤(Ar)이다.

ㄴ. 주기율표에서 오른쪽 위로 갈수록 비금속성이 커지므로 (18족 제외) 비금속성은 B가 가장 크다.

오답 피하기

ㄱ. C는 알칼리 금속이지만, A는 비금속 원소이다.

ㄷ. 음이온이 되기 쉬운 원소는 B와 D 2가지이다. E는 비활성 기체이므로 이온이 되기 어렵다.

05 (가)는 알칼리 금속, (나)는 3주기 원소, (다)는 비활성 기체이다.

ㄱ. 주기율표에서 왼쪽 아래로 갈수록 금속성이 커지므로 (가)에서 원자 번호가 커질수록 금속성이 커진다.

ㄴ. 같은 주기에서 18족을 제외하고, 원자 번호가 커질수록 원자가 전자 수는 증가한다. 따라서 (나)에서 원자 번호가 증가할수록 원자가 전자 수는 증가한다.

오답 피하기

ㄷ. (다)에서 최외각 전자 수는 1주기 원소인 He은 2이고, 2, 3주기 원소는 8이다.

06 A는 전자 수가 5이므로 원자 번호 5인 붕소(B)이다. A는 2주기 13족 원소이므로 B는 3주기 13족 원소인 알루미늄(Al)이다. C는 전자가 들어 있는 전자 껍질 수가 A와 같은 2이고, 홀전자 수가 3이므로 전자 배치는 $1s^2 2s^2 2p^3$이다. 따라서 C는 원자 번호 7인 질소(N)이다.

ㄱ. A는 붕소이므로 준금속 원소이다.

오답 피하기

ㄴ. C가 −3의 음이온이 되면 전자 수가 10이 되므로 네온(Ne)과 같은 전자 배치를 갖는다.

ㄷ. 원자 번호는 B가 13, C가 7이므로 원자 번호는 B가 C보다 크다.

07 A는 전자 수가 7이므로 원자 번호 7인 질소(N)이고, B는 전자 수가 11이므로 원자 번호 11인 나트륨(Na)이다.

① A는 전자 껍질 수가 2이므로 2주기 원소이다.

② B는 3주기 1족 원소이므로 알칼리 금속이다.

③ 원자가 전자 수는 A가 5, B가 1로 A가 B보다 크다.

④ B는 전자 1개를 잃으면 옥텟 규칙을 만족하므로 +1가의 양이온이 되기 쉽다.

오답 피하기

⑤ A의 바닥상태 전자 배치는 $1s^2 2s^2 2p_x^1 2p_y^1 2p_z^1$이므로 홀전자 수가 3이다. B의 바닥상태 전자 배치는 $1s^2 2s^2 2p^6 3s^1$이므로 홀전자 수가 1이다. 따라서 홀전자 수는 A가 B보다 2만큼 크다.

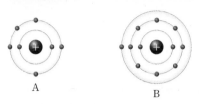

A   B

- 보어 모형에 의한 원자의 바닥상태 전자 배치를 통해 주기율표에서 원자의 주기와 족을 알 수 있다.
- 보어 원자 모형에 의한 A와 B의 전자 배치는 다음과 같다.
 A: K(2) L(5), B: K(2) L(8) M(1)
 ➡ A는 2주기 15족 원소, B는 3주기 1족 원소이다.

08 A는 리튬(Li), B는 플루오린(F), C는 네온(Ne), D는 나트륨(Na), E는 염소(Cl)이다.

② -1가 음이온의 바닥상태 전자 배치에서 가장 바깥 전자 껍질의 전자 배치가 $2s^2\ 2p^6$이면, 음이온의 바닥상태 전자 배치는 $1s^2\ 2s^2\ 2p^6$이고, 음이온의 전자 수는 10이다. 따라서 이 원자는 전자 수가 9이고, 원자 번호가 9인 B(F)이다.

09 A는 전자 수가 7이므로 원자 번호 7인 질소(N)이고, B는 전자 수가 15이므로 원자 번호 15인 인(P)이다.

ㄴ. A의 원자가 전자 수는 5이고, B의 바닥상태 전자 배치는 $1s^2\ 2s^2\ 2p^6\ 3s^2\ 3p^3$이므로 B의 원자가 전자 수도 5이다. A와 B는 원자가 전자 수가 같으므로 같은 족의 원소이다.

오답 피하기

ㄱ. B의 전자 배치에서 $3s$ 오비탈에 전자가 1개 들어 있고 $3p$ 오비탈에 전자가 들어 있으므로 B는 들뜬상태이다.

ㄷ. A의 전자 배치에서 원자가 전자가 들어 있는 전자 껍질의 주 양자수가 2이므로 A는 2주기 원소이다. B의 전자 배치에서 원자가 전자가 들어 있는 전자 껍질의 주 양자수가 3이므로 B는 3주기 원소이다.

10 바닥상태 전자 배치에서 전자가 들어 있는 전자 껍질 수는 (나)가 (가)보다 크므로 (가)는 2주기 원소, (나)는 3주기 원소이다. 원자가 전자 수는 (가)가 (나)의 2배이므로 (가)는 14족 원소, (나)는 2족 원소이다. 따라서 (가)는 B, (나)는 D이다.

오답 피하기

④ 18족 원소인 C의 원자가 전자 수는 0이므로 (가)는 C, (나)는 E가 될 수 없다.

문제 속 자료 **족에 따른 원자가 전자 수**

족	1	2	13	14	15	16	17	18
원자가 전자 수	1	2	3	4	5	6	7	0

11 보어 원자 모형에 의한 원자 A~D의 전자 배치는 다음과 같다.

A: K(1)

B: K(2) L(6)

C: K(2) L(2)

D: K(2) L(8) M(8) N(2)

따라서 A는 수소(H), B는 산소(O), C는 베릴륨(Be), D는 칼슘(Ca)이다.

ㄴ. 금속 원소는 2족 원소인 C와 D 2가지이다.

오답 피하기

ㄱ. B는 16족 원소, C는 2족 원소로 동족 원소가 아니므로 화학적 성질이 다르다.

ㄷ. A~D의 바닥상태 전자 배치는 다음과 같다.

A: $1s^1$

B: $1s^2\ 2s^2\ 2p_x^2\ 2p_y^1\ 2p_z^1$

C: $1s^2\ 2s^2$

D: $1s^2\ 2s^2\ 2p^6\ 3s^2\ 3p^6\ 4s^2$

따라서 홀전자 수는 A가 1, B가 2, C가 0, D가 0으로 B가 가장 크다.

12 [모범 답안] (1) F

(2) F, Cl이다. 그 까닭은 F, Cl, Br은 원소의 화학적 성질을 결정하는 원자가 전자 수가 같기 때문이다.

해설 주기율표의 왼쪽에는 주로 금속 원소가, 오른쪽에는 비금속 원소가 위치한다. 주기율표에서 왼쪽 아래로 갈수록 금속성이 커지며, 오른쪽 위로 갈수록 비금속성이 커진다(18족 제외).

	채점 기준	배점
(1)	F을 쓴 경우	20 %
(2)	Br과 화학적 성질이 비슷한 원소를 모두 고르고, 화학적 성질이 비슷한 까닭을 원자가 전자를 이용하여 서술한 경우	80 %
	Br과 화학적 성질이 비슷한 원소를 모두 골랐지만, 화학적 성질이 비슷한 까닭을 원자가 전자를 이용하여 서술하지 못한 경우	40 %

13 [모범 답안] (1)

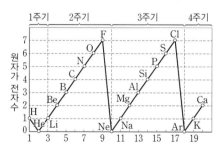

(2) 원소의 화학적 성질을 결정하는 원자가 전자 수가 원자 번호에 따라 주기적으로 변하기 때문이다.

해설 원자가 전자는 1족에서 1개이며, 같은 주기에서 원자 번호가 1 증가할수록 1개씩 증가하여 17족에서 7개로 가장 크다. 비활성 기체인 18족 원소는 화학 결합을 하지 않으므로 원자가 전자 수가 0이다. 원자가 전자 수가 원자 번호에 따라 주기적으로 변하므로 성질이 비슷한 원소가 주기적으로 나타난다.

	채점 기준	배점
(1)	원자 번호에 따른 원자가 전자 수를 18족을 포함하여 그래프로 정확히 나타낸 경우	50 %
	원자 번호에 따른 원자가 전자 수를 그래프로 나타냈지만, 일부가 틀린 경우	25 %
(2)	원소의 주기적 성질을 원자가 전자 수의 변화와 관련지어 옳게 서술한 경우	50 %

02 | 원소의 주기적 성질

탐구 대표 문제 p. 114

01 ⑤

01 ① 같은 주기에서 유효 핵전하는 원자 번호가 커짐에 따라 증가한다.
② Na의 핵전하가 Li의 핵전하보다 크므로 유효 핵전하는 Na이 Li보다 크다.
③, ④ 원자 반지름은 같은 주기에서는 원자 번호가 커짐에 따라 감소하고, 같은 족에서는 원자 번호가 커짐에 따라 증가한다.

오답 피하기
⑤ 2주기 원소인 네온에서 3주기 원소인 나트륨으로 원자 번호가 커질 때 가려막기 효과가 크게 증가하여 유효 핵전하는 크게 감소한다.

탐구 대표 문제 p. 118

01 ③

01 ①, ② 이온화 에너지는 같은 주기에서 원자 번호가 커짐에 따라 대체로 증가하고, 같은 족에서 원자 번호가 커짐에 따라 감소한다.
④, ⑤ 같은 주기에서 원자 번호가 커짐에 따라 이온화 에너지가 대체로 증가하지만, 예외적으로 2족 원소가 13족 원소보다 크고, 15족 원소가 16족 원소보다 크다.

오답 피하기
③ 같은 주기에서 원자 번호가 클수록 이온화 에너지는 대체로 증가하므로 이온화 에너지는 18족 원소가 가장 크다.

기초 탄탄 문제 p. 120

01 (1) B<F<Ne (2) Al<P<S **02** (1) N<C<Na
(2) Be<Mg<Ca (3) Mg^{2+}<Na^+<O^{2-} **03** (가) 3주기
(나) 2주기 **04** (1) 3 (2) 6890 kJ/mol **05** (가) 2주기
(나) 3주기 **06** ④ **07** (1) K (2) He

01 같은 주기에서는 원자 번호가 커질수록 전자에 작용하는 유효 핵전하가 증가한다. B, F, Ne은 같은 주기 원소이고, Al, P, S도 같은 주기 원소이므로 유효 핵전하는 B<F<Ne, Al<P<S이다.

02 (1) 주기율표의 왼쪽 아래로 갈수록 원자 반지름이 증가한다. C, N, Na 중 3주기 원소인 Na의 원자 반지름이 가장 크고, 2주기 원소인 C와 N 중에서는 원자 번호가 작은 C의 반지름이 N보다 크다. 따라서 원자 반지름의 크기는 N<C<Na이다.
(2) 같은 족에서는 원자 번호가 커질수록 전자 껍질 수가 증가하므로 원자 반지름이 증가한다. 따라서 원자 반지름의 크기는 Be<Mg<Ca이다.
(3) 전자 수가 같은 등전자 이온의 경우에는 양성자수에 의한 핵전하가 클수록 유효 핵전하가 크므로 원자 번호가 커질수록 이온 반지름이 감소한다. 따라서 이온 반지름의 크기는 Mg^{2+}<Na^+<O^{2-}이다.

03 같은 족에서는 원자 번호가 클수록 전자 껍질 수가 증가하므로 원자 반지름이 증가한다. 따라서 (가)는 3주기 원소, (나)는 2주기 원소이다.

04 (1) X의 순차 이온화 에너지가 $E_1<E_2<E_3≪E_4$이므로 원자가 전자 수는 3이다.
(2) X의 원자가 전자 수가 3이므로 X가 안정한 양이온이 되는 데 필요한 최소 에너지는 $E_1+E_2+E_3$=800+2430+3660=6890(kJ/mol)이다.

05 같은 족에서는 원자 번호가 클수록 전자 껍질 수가 커져 원자핵과 전자 사이의 인력이 작아지므로 이온화 에너지는 감소한다. 따라서 (가)는 2주기 원소, (나)는 3주기 원소이다.

06 ④ 2주기 원소인 네온(Ne)에서 3주기 원소인 나트륨(Na)으로 원자 번호가 커질 때 가려막기 효과가 크게 증가하여 유효 핵전하는 크게 감소한다.

오답 피하기
① 같은 족에서 원자 번호가 클수록 원자 반지름은 증가한다.
② 같은 주기에서 원자 번호가 클수록 이온화 에너지는 대체로 증가한다.

③ 할로젠 원자가 전자를 얻어 안정한 음이온이 되면 전자 사이의 반발력이 커져서 유효 핵전하가 감소하므로 원자 반지름이 증가한다.

⑤ 같은 주기에서 원자 번호가 커질수록 유효 핵전하는 증가한다.

07 (1) 주기율표에서 왼쪽 아래로 갈수록 원자 반지름이 증가하므로 원자 반지름이 가장 큰 원소는 칼륨(K)이다.

(2) 같은 족에서는 원자 번호가 작을수록, 같은 주기에서는 원자 번호가 클수록 이온화 에너지가 증가하므로 이온화 에너지가 가장 큰 원소는 헬륨(He)이다.

내신 만점 문제   p. 121~123

01 ④	02 ③	03 ②	04 ③	05 ④	06 ①
07 ①	08 ⑤	09 ②	10 ⑤	11~12 해설 참조	

01 A는 플루오린(F), B는 네온(Ne), C는 나트륨(Na), D는 염소(Cl)이다.

ㄴ. A는 전자 1개를 얻어 안정한 이온인 A$^-$(F$^-$)이 된다. 따라서 A의 안정한 이온은 B(Ne)와 전자 배치가 같다.

ㄷ. C의 안정한 이온인 C$^+$(Na$^+$)과 A의 안정한 이온인 A$^-$(F$^-$)은 전자 수가 같은 등전자 이온이다. 전자 수가 같을 때에는 양성자수가 작을수록 이온 반지름이 증가하므로 이온 반지름은 A$^-$(F$^-$)이 C$^+$(Na$^+$)보다 크다.

오답 피하기

ㄱ. 주기율표에서 왼쪽 아래로 갈수록 원자 반지름이 증가하므로 원자 반지름이 가장 큰 원소는 C이다.

02 X$^+$의 전자 배치는 K(2) L(8)이므로 X의 전자 배치는 K(2) L(8) M(1)이다.

ㄱ. X의 전자 껍질 수가 3이므로 X는 3주기 원소이다.

ㄷ. X가 X$^+$이 될 때 전자 껍질 수가 감소하므로 원자 X의 반지름이 이온 X$^+$의 반지름보다 크다.

오답 피하기

ㄴ. X의 원자가 전자 수는 1이므로 X는 1족 원소이다.

03 같은 족에서 원자 번호가 커질수록 양성자수가 증가하므로 유효 핵전하가 증가한다. 따라서 (가)는 3주기 원소, (나)는 2주기 원소이고, A는 질소(N), B는 황(S), C는 산소(O)이다.

ㄴ. 같은 주기에서 유효 핵전하가 클수록 원자 반지름이 작다. 따라서 원자 반지름은 A가 C보다 크다.

오답 피하기

ㄱ. 같은 족에서 유효 핵전하가 큰 (가)는 3주기 원소, 유효 핵

전하가 작은 (나)는 2주기 원소이다.

ㄷ. 같은 족에서 원자 번호가 클수록 전자 껍질 수가 증가하여 원자핵과 전자 사이의 인력이 작아지므로 이온화 에너지가 감소한다. 따라서 이온화 에너지는 B가 C보다 작다.

문제 속 자료   **유효 핵전하와 이온화 에너지**

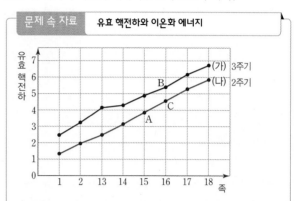

B와 C를 비교하면 유효 핵전하는 B가 C보다 크므로 이온화 에너지는 B가 C보다 클 것이라고 생각할 수 있다. 그러나 이온화 에너지는 원자핵이 전자를 잡아당기는 힘(인력)에 의해 영향을 받으므로 핵전하뿐만 아니라 원자핵과 전자 사이의 거리도 고려해야 한다. 즉, 전자 껍질 수가 큰 B에서 원자핵과 전자 사이의 거리가 멀어지므로 이온화 에너지는 B가 C보다 작다.

---

04 A는 질소(N), B는 산소(O), C는 플루오린(F), D는 나트륨(Na)이다.

ㄱ. 원자 반지름은 주기율표의 왼쪽 아래로 갈수록 증가하므로 3주기 1족 원소인 D가 가장 크다.

ㄷ. 같은 주기에서 원자 번호가 증가할수록 유효 핵전하가 증가하므로 A~C 중 유효 핵전하는 C가 가장 크다.

오답 피하기

ㄴ. 이온화 에너지는 같은 주기에서 원자 번호가 클수록 대체로 증가하지만, 예외가 있다. A와 B는 같은 주기의 원소로, A의 바닥상태 전자 배치는 $1s^2\,2s^2\,2p_x^1\,2p_y^1\,2p_z^1$이고, B의 바닥상태 전자 배치는 $1s^2\,2s^2\,2p_x^2\,2p_y^1\,2p_z^1$이다. 그런데 B는 $2p_x$ 오비탈의 전자가 쌍을 이루고 있어 전자 사이의 반발력 때문에 A보다 전자를 떼어 내기 쉽다. 따라서 이온화 에너지는 원자 번호가 더 큰 B가 A보다 작다.

05 금속 원소는 원자 반지름이 이온 반지름보다 크고, 비금속 원소는 이온 반지름이 원자 반지름보다 크다. 따라서 B는 금속 원소이고, C와 D는 비금속 원소이다. 그런데 같은 주기에서 원자 번호가 클수록 원자 반지름이 감소하므로 B보다 원자 반지름이 더 큰 A는 B보다 원자 번호가 더 작은 금속 원소임을 알 수 있다.

ㄴ. A와 B의 이온은 전자 수가 같은 등전자 이온이다. 양성자 수는 A가 B보다 작으므로 이온 반지름은 A가 B보다 크고, 따라서 x는 72보다 크다.

ㄷ. A와 B는 금속 원소이고, C와 D는 비금속 원소이다.

ㄱ. 같은 주기에서 원자 번호가 클수록 원자 반지름이 감소하므로 원자 반지름이 가장 큰 A의 원자 번호가 가장 작다.

06 A는 E_2가 급격히 증가하므로 원자가 전자 수가 1인 나트륨(Na), B는 E_4가 급격히 증가하므로 원자가 전자 수가 3인 알루미늄(Al), C는 E_3가 급격히 증가하므로 원자가 전자 수가 2인 마그네슘(Mg)이다.

ㄱ. 같은 주기에서 원자 반지름은 원자 번호가 클수록 감소하므로 원자 반지름은 1족 원소인 A가 가장 크다.

ㄴ. B의 바닥상태 전자 배치는 $1s^2\,2s^2\,2p^6\,3s^2\,3p^1$이고, C의 바닥상태 전자 배치는 $1s^2\,2s^2\,2p^6\,3s^2$이다. $3p$ 오비탈의 에너지가 $3s$ 오비탈의 에너지보다 높으므로 $3s$ 오비탈보다 $3p$ 오비탈에서 전자를 떼어 내기가 더 쉽다. 따라서 이온화 에너지는 B가 C보다 작고, x는 738보다 작다.

ㄷ. C의 원자가 전자 수가 2이므로 C가 안정한 이온이 되는 데 필요한 최소 에너지는 $E_1+E_2=738+1451=2189(kJ/mol)$이다.

07 X와 Y는 모두 제5 이온화 에너지가 급격히 증가하므로 원자가 전자 수가 각각 4인 14족 원소이다. 같은 족에서 원자 번호가 클수록 이온화 에너지는 감소하므로 X는 2주기 14족 원소인 탄소(C), Y는 3주기 14족 원소인 규소(Si)이다.

ㄱ. X와 Y는 원자가 전자 수가 각각 4이므로 둘 다 14족 원소이다.

ㄴ. 이온화 차수가 같을 때 이온화 에너지는 X가 Y보다 크므로 원자핵과 전자 사이의 인력은 X가 Y보다 크다. 따라서 X는 2주기 원소, Y는 3주기 원소이며, 원자 반지름은 Y가 X보다 크다.

ㄷ. X는 2주기 원소, Y는 3주기 원소이므로 유효 핵전하는 Y가 X보다 크다.

08 A~D가 네온과 같은 전자 배치를 갖는 이온이 되면 전자 수가 같은 등전자 이온이 된다. 등전자 이온은 원자 번호(양성자 수)가 클수록 이온 반지름이 작으므로 A는 나트륨(Na), B는 마그네슘(Mg), C는 산소(O), D는 플루오린(F)이다.

ㄱ. 등전자 이온에서 원자 번호가 클수록 이온 반지름이 작으므로 원자 번호는 B가 가장 크다.

ㄴ. 원자 반지름은 3주기 원소가 2주기 원소보다 크고, 같은 주기에서는 원자 번호가 작을수록 크므로 원자 반지름은 A가 가장 크다.

ㄷ. 같은 주기에서 원자 번호가 클수록 유효 핵전하가 크므로 유효 핵전하는 D가 C보다 크다.

09 원자 번호가 연속이므로 이온화 에너지가 가장 큰 D는 18족 원소인 네온(Ne)이고, 가장 작은 E는 3주기 1족 원소인 나트륨(Na)이다. 따라서 A는 붕소(B), B는 질소(N), C는 산소(O)이다.

ㄷ. B와 C가 D와 같은 전자 배치를 갖는 이온이 되면 등전자 이온이 된다. 등전자 이온은 원자 번호가 클수록 이온 반지름이 작으므로 이온 반지름은 B 이온이 C 이온보다 크다.

ㄱ. A(B)는 13족 원소, E(Na)는 1족 원소로 서로 다른 족 원소이다.

ㄴ. B(N)의 바닥상태 전자 배치는 $1s^2\,2s^2\,2p_x^1\,2p_y^1\,2p_z^1$이고, C(O)의 바닥상태 전자 배치는 $1s^2\,2s^2\,2p_x^2\,2p_y^1\,2p_z^1$이므로 B의 홀전자 수는 3, C의 홀전자 수는 2이다.

10 같은 주기에서는 원자 번호가 커질수록 유효 핵전하가 증가하고, 2주기 원소 네온(Ne)에서 3주기 원소 나트륨(Na)으로 주기가 바뀔 때에는 가려막기 효과 때문에 유효 핵전하가 크게 감소한다. 따라서 A는 플루오린(F), B는 네온(Ne), C는 나트륨(Na), D는 마그네슘(Mg)이다.

ㄱ. 금속 원소는 3주기 원소인 C와 D 2가지이다.

ㄴ. 원자 반지름은 3주기 원소가 2주기 원소보다 크고, 같은 주기에서는 원자 번호가 작을수록 크므로 원자 반지름은 C가 가장 크다.

ㄷ. 이온화 에너지는 같은 주기에서는 원자 번호가 커질수록 대체로 증가하고, 같은 족에서는 원자 번호가 커질수록 감소한다. 따라서 이온화 에너지는 2주기 18족 원소인 B가 가장 크다.

11 [모범 답안] (1) Ar, 같은 주기에서 원자 번호가 커질수록 양성자수가 증가하여 유효 핵전하가 증가하므로 3주기 원소 중에서는 18족 원소의 유효 핵전하가 가장 크다.

(2) K, 같은 족에서는 원자 번호가 커질수록 전자 껍질 수가 증가하여 원자 반지름이 증가하며, 같은 주기에서는 원자 번호가 작을수록 유효 핵전하가 작아 원자 반지름이 증가한다. 따라서 원자 반지름은 4주기 1족 원소인 K이 가장 크다.

(3) He, 같은 주기에서는 원자 번호가 커질수록 유효 핵전하가 증가하므로 이온화 에너지가 대체로 증가하고, 같은 족에서는 원자 번호가 작을수록 전자 껍질 수가 감소하므로 이온화 에너지가 증가한다. 따라서 이온화 에너지는 1주기 18족 원소인 He이 가장 크다.

해설 유효 핵전하는 같은 주기에서 원자 번호가 커질수록 증가하고, 원자 반지름은 주기율표에서 왼쪽 아래로 갈수록 증가하며, 이온화 에너지는 주기율표에서 오른쪽 위로 갈수록 대체로 증가한다. 원자 반지름과 이온화 에너지의 주기성은 다음과 같다.

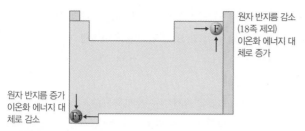

원자 반지름 감소
(18족 제외)
이온화 에너지 대
체로 증가

원자 반지름 증가
이온화 에너지 대
체로 감소

서술형 Tip

주기율표에서 유효 핵전하, 원자 반지름, 이온화 에너지의 주기성을 설명할 수 있어야 한다.

	채점 기준	배점
(1)	유효 핵전하가 가장 큰 원소를 쓰고, 그 까닭을 옳게 서술한 경우	30 %
	유효 핵전하가 가장 큰 원소를 썼지만, 그 까닭을 옳게 서술하지 못한 경우	15 %
(2)	원자 반지름이 가장 큰 원소를 쓰고, 그 까닭을 옳게 서술한 경우	40 %
	원자 반지름이 가장 큰 원소를 썼지만, 그 까닭을 옳게 서술하지 못한 경우	20 %
(3)	이온화 에너지가 가장 큰 원소를 쓰고, 그 까닭을 옳게 서술한 경우	30 %
	이온화 에너지가 가장 큰 원소를 썼지만, 그 까닭을 옳게 서술하지 못한 경우	15 %

12 [모범 답안]

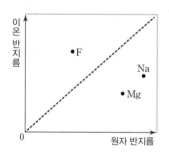

해설 원자 반지름은 3주기 원소가 2주기 원소보다 크고, 같은 주기에서는 원자 번호가 작을수록 원자 반지름이 크므로 원자 반지름의 크기는 Na>Mg>F이다.

F, Na, Mg이 네온(Ne)과 같은 전자 배치를 갖는 이온이 되면 등전자 이온이 된다. 등전자 이온은 원자 번호가 클수록 이온 반지름이 작으므로 이온 반지름은 $F^->Na^+>Mg^{2+}$이다.

또한 F은 비금속 원소이므로 이온 반지름이 원자 반지름보다 크고, Na과 Mg은 금속 원소이므로 이온 반지름이 원자 반지름보다 작다.

이 모든 것을 종합하면 F은 점선보다 위쪽에, Na과 Mg은 점선 아래쪽에 나타내야 한다.

채점 기준	배점
원자 반지름과 이온 반지름의 크기, 점선을 고려하여 그래프에 옳게 나타낸 경우	100 %

단원 마무리하기 p. 126~131

01 ①	02 ⑤	03 ②	04 ④	05 ④	06 ①
07 ②	08 ②	09 ②	10 ⑤	11 ①	12 ②
13 ②	14 ④	15 ③	16 ①	17 ④	18 ②
19 ⑤	20 ①	21 ④	22 ⑤	23 ②	24 ③

01 (가)의 알파(α) 입자 산란 실험으로 원자핵이 발견되었고, (나)의 음극선 실험으로 전자가 발견되었다.

ㄱ. (가)에서 발견된 원자핵은 (+)전하를 띤다.

오답 피하기

ㄴ. 원자 질량의 대부분은 원자핵이 차지한다. 전자의 질량은 양성자와 중성자의 질량에 비해 매우 작다.

ㄷ. 모든 원자에는 원자핵이 1개 존재한다. 중성 원자에서는 전자 수와 원자핵을 구성하는 양성자수가 같다.

02 ㄱ. (가)는 알파(α) 입자 산란 실험 결과 제시된 행성 모형, (나)는 보어의 원자 모형, (다)는 음극선 실험 결과 제시된 푸딩 모형이다. 원자 모형이 제시된 시대적 순서는 (다) → (가) → (나) 순서이다.

ㄴ. (가) 모형에는 원자핵이 있으므로 α 입자 산란 실험에서 α 입자 경로의 휘어짐을 설명할 수 있다.

ㄷ. (나) 모형은 전자가 전자 껍질에만 존재할 수 있으므로 에너지 준위가 불연속적임을 설명할 수 있다.

03 이온의 전하를 통해 양성자수와 전자 수의 차이를 알 수 있으며, (가)는 전자, (나)는 중성자, (다)는 양성자임을 알 수 있다. 따라서 각 이온의 입자 수는 다음과 같다.

이온	A$^+$	B^{2-}	C^{2+}
(가)(전자)의 수	10	10	10
(나)(중성자)의 수	12	9	12
(다)(양성자)의 수	11	8	12

ㄷ. 질량수는 양성자수와 중성자수의 합이므로 A는 23, B는 17, C는 24로 C가 가장 크다.

오답 피하기

ㄱ. 입자 (나)는 중성자이다.

ㄴ. 원자 번호는 양성자수와 같으므로 B<A<C이다.

04 ㄴ. 동위 원소의 존재 비율을 고려하여 평균 원자량을 계산하면, Y의 평균 원자량은 $79 \times \dfrac{a}{100} + 81 \times \dfrac{b}{100} = 79.9$이고, $a+b=100$이므로 $a=55$, $b=45$이다.

ㄷ. 분자 XY의 분자량에 따른 존재 비율은 다음과 같이 구할 수 있다.

분자량	구성 동위 원소	존재 비율(%)
114	$^{35}X, \, ^{79}Y$	$\frac{75}{100} \times \frac{55}{100}$
116	$^{35}X, \, ^{81}Y$	$\frac{75}{100} \times \frac{45}{100}$
	$^{37}X, \, ^{79}Y$	$\frac{25}{100} \times \frac{55}{100}$
118	$^{37}X, \, ^{81}Y$	$\frac{25}{100} \times \frac{45}{100}$

따라서 분자 XY의 분자량에 따른 존재비는 $114 : 116 : 118$ $= 33 : 38 : 9$이다.

오답 피하기

ㄱ. X의 평균 원자량은 $35 \times \frac{75}{100} + 37 \times \frac{25}{100} = 35.5$이다.

05 (나)에서 파장이 짧을수록 에너지가 크므로 파장이 짧은 영역이 자외선, 파장이 긴 영역이 가시광선이다. 따라서 λ_1은 에너지 준위가 더 높은 전자 껍질에서 $n=1$로 전이할 때 방출되는 빛이며, 그 중 가장 에너지가 작으므로 $n=2$에서 $n=1$로 전이할 때 방출된다. λ_2, λ_3는 에너지 준위가 더 높은 전자 껍질에서 $n=2$로 전이할 때 방출되는 빛이며, 그 중 λ_3는 가장 에너지가 작으므로 $n=3$에서 $n=2$로 전이할 때, λ_2는 그 다음으로 에너지가 작으므로 $n=4$에서 $n=2$로 전이할 때 방출된다.

ㄱ. 가시광선 영역의 빛은 $n \geq 3$에서 $n=2$로 전이할 때 방출되므로 λ_2, λ_3는 가시광선 영역의 빛이다.

ㄷ. B는 $n=2$에서 $n=1$로의 전자 전이이므로 이때 방출되는 빛은 λ_1이다.

오답 피하기

ㄴ. A는 $n=3$에서 $n=2$로의 전자 전이이므로 이때 방출되는 빛은 λ_3이다.

06 ㄱ. 전자 a는 주 양자수가 1인 K 전자 껍질의 전자이므로 $1s$ 오비탈을 점유한다.

ㄴ. 전자 b는 주 양자수가 2인 L 전자 껍질의 전자이며, L 전자 껍질에는 최대 8개의 전자가 채워질 수 있다.

오답 피하기

ㄷ. 오비탈 모형은 전자의 파동성에 기반한 모형으로, 불확정성 원리에 따르면 전자의 위치와 운동을 정확히 알 수 없다. 따라서 전자가 원운동한다고 말할 수 없으며, $2s$ 오비탈은 구형이지만 전자의 위치는 확실히 알 수 없다.

ㄹ. 원자 번호가 9인 원자는 다전자 원자이므로 $2p$ 오비탈이 $2s$ 오비탈보다 에너지 준위가 높다.

07 (가)에서 a는 라이먼 계열, b와 c는 발머 계열, d는 파셴 계열이다.

ㄷ. (가)의 전자 전이에서 발머 계열에 해당하는 빛은 전자가 $n \geq 3$에서 $n=2$인 L 전자 껍질로 전이될 때이며, b와 c 2가지이다.

오답 피하기

ㄱ. (가)의 c는 전자가 $n=\infty$에서 $n=2$로 전이할 때 방출하는 빛으로 발머 계열 중 에너지가 가장 크다. I은 발머 계열 중 에너지가 가장 작은 빛이므로 (가)의 c가 아니다.

ㄴ. (가)의 d는 전자가 $n=\infty$에서 $n=3$으로 전이할 때 방출하는 적외선 영역의 빛으로 파셴 계열이다.

08 (나)의 그래프를 정리하면 a~e의 전자 전이는 다음과 같다.

a: $n=1 \rightarrow n=4$

b: $n=2 \rightarrow n=3$

c: $n=2 \rightarrow n=1$

d: $n=3 \rightarrow n=2$

e: $n=4 \rightarrow n=2$

ㄴ. 656 nm의 빛은 가시광선 영역의 선 스펙트럼 중 파장이 가장 길고 에너지는 가장 작으며, 다음으로 긴 파장은 486 nm이다. 656 nm의 전자 전이는 $n=3 \rightarrow n=2$이고, 486 nm의 전자 전이는 $n=4 \rightarrow n=2$이다. 따라서 486 nm의 선은 (나)의 e에 해당한다.

오답 피하기

ㄱ. 수소의 이온화 에너지는 전자를 흡수하는 에너지에 해당하며 $n=1 \rightarrow n=\infty$로의 전자 전이이다. a는 $n=1 \rightarrow n=4$로의 전자 전이이다.

ㄷ. c는 $n=2 \rightarrow n=1$로의 전자 전이로, 방출되는 에너지는 $\Delta E \propto \frac{1}{n_1{}^2} - \frac{1}{n_2{}^2} = \frac{1}{1^2} - \frac{1}{2^2} = \frac{3}{4}$에 비례한다. d는 $n=3 \rightarrow n=2$로의 전자 전이로, 방출되는 에너지는 $\Delta E \propto \frac{1}{n_2{}^2} - \frac{1}{n_3{}^2} = \frac{1}{2^2} - \frac{1}{3^2} = \frac{5}{36}$에 비례한다. 빛의 파장은 방출되는 에너지에 반비례하므로 방출되는 에너지가 작은 d에서가 방출되는 빛의 에너지가 큰 c에서보다 길다.

09 a는 자외선 영역의 빛을 방출하고, b는 가시광선 영역의 빛을 방출한다. d는 적외선 영역의 빛을 방출하므로 눈으로 볼 수 없다.

ㄴ. 파장과 에너지는 반비례하므로 파장이 길수록 에너지는 작아진다. a에서 방출되는 에너지가 b에서 방출되는 에너지보다 더 크므로 b는 a보다 더 긴 파장의 빛을 방출한다.

오답 피하기

ㄱ. a는 자외선 영역의 빛을 방출하므로 빛의 파장이 가장 짧다.

ㄷ. c에서 흡수하는 에너지와 d에서 방출하는 에너지의 크기는 서로 다르다.

문제 속 자료 — 보어의 수소 원자 모형과 수소 원자의 선 스펙트럼

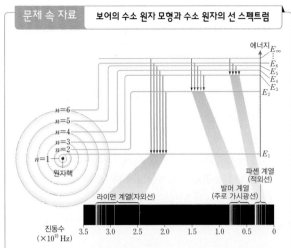

수소 원자 내 전자의 에너지 준위는 불연속적이므로 수소 원자에서 방출되는 빛의 파장은 위의 그림과 같이 불연속적으로 나타난다. 빛의 파장의 크기에 따라 자외선 영역, 가시광선 영역, 적외선 영역으로 나눌 수 있으며, 발견자의 이름을 따서 각각 라이먼 계열, 발머 계열, 파셴 계열이라고 한다.

- 라이먼 계열(자외선 영역): 들뜬상태의 전자($n \geq 2$ 전자 껍질) → K($n=1$) 전자 껍질
- 발머 계열(가시광선 영역): 들뜬상태의 전자($n \geq 3$ 전자 껍질) → L($n=2$) 전자 껍질
- 파셴 계열(적외선 영역): 들뜬상태의 전자($n \geq 4$ 전자 껍질) → M($n=3$) 전자 껍질

10 ㄱ. 원자 A의 전자 배치는 $1s^2\,2s^2\,2p^6\,3s^2\,3p^5$이므로 3주기 17족 원소이다.

ㄴ. (가)는 $3s$, (나)는 $3p$, (다)는 $3d$ 오비탈이므로 주 양자수는 같다.

ㄷ. (나)와 (다)는 각각 $3p$와 $3d$ 오비탈로 같은 전자 껍질에 있으므로 (나)와 (다) 사이의 전자 이동으로 최외각 전자 껍질의 전자 수는 변하지 않는다.

11 (가)~(다)의 오비탈 전자 배치는 다음과 같다.

(가) $1s^2\,2s^2\,2p^4(2p_x^2\,2p_y^1\,2p_z^1)$

(나) $1s^2\,2s^2\,2p^6(2p_x^2\,2p_y^2\,2p_z^2)$

(다) $1s^2\,2s^2\,2p^6\,3s^2\,3p^5(3p_x^2\,3p_y^2\,3p_z^1)$

ㄱ. (가)에서 전자가 들어 있는 오비탈 수는 $1s$ 1, $2s$ 1, $2p$ 3이므로 총 5이다. (나)에서 전자가 들어 있는 오비탈 수는 $1s$ 1, $2s$ 1, $2p$ 3이므로 총 5이다. 따라서 (가)와 (나)는 전자가 들어 있는 오비탈 수가 같다.

오답 피하기

ㄴ. 홀전자 수는 (가)가 2, (나)가 0이다. 따라서 홀전자 수는 (가)가 (나)보다 크다.

ㄷ. 원자가 전자 수는 (가)가 6, (다)가 7이다. 따라서 원자가 전자 수는 (다)가 (가)보다 크다.

12 p 오비탈의 전자 수와 s 오비탈의 전자 수가 같은 2, 3주기 원소는 O와 Mg이다. O의 전자 배치는 $1s^2\,2s^2\,2p_x^2\,2p_y^1\,2p_z^1$

이므로 s 오비탈의 전자 수와 p 오비탈의 전자 수가 각각 4로 같다. Mg의 전자 배치는 $1s^2\,2s^2\,2p^6\,3s^2$이므로 s 오비탈의 전자 수와 p 오비탈의 전자 수 각각 6으로 같다. C에는 홀전자가 존재한다고 하였으므로 C는 O이다. A : B의 양성자 수 비가 4 : 1인 원자는 $_3$Li과 $_{12}$Mg, $_4$Be과 $_{16}$S이다. A~C에서 같은 족에 속하는 원자가 2개이므로 C(O)와 같은 족인 $_{16}$S은 A이고, $_4$Be은 B이다.

ㄴ. 같은 족에서는 주기가 커질수록 원자 반지름이 증가하고, 같은 주기에서는 원자 번호가 커질수록 원자 반지름이 감소한다. B와 C는 같은 주기 원소이고 C의 원자 번호가 더 크므로 C가 B보다 원자 반지름이 더 작다. 같은 족인 A와 C 중에서 C의 원자 번호가 작기 때문에 C의 원자 반지름이 더 작으므로, A~C 중 원자 반지름은 C가 가장 작다.

오답 피하기

ㄱ. 2주기 원자는 B(Be)와 C(O)이다.

ㄷ. 같은 주기에서 원자 번호가 클수록 전기 음성도가 커지고, 같은 족에서 원자 번호가 클수록 전기 음성도가 작아진다. 같은 주기인 B와 C 중에서 C의 원자 번호가 크므로 C의 전기 음성도가 더 크고, 같은 족인 A와 C 중에서 C의 원자 번호가 작으므로 C의 전기 음성도가 더 크다. 따라서 A~C 중 전기 음성도가 가장 큰 원자는 C이다.

13 ㄷ. 파울리 배타 원리에 따르면 하나의 오비탈에는 최대 2개의 전자가 채워질 수 있으며, 두 전자의 스핀 방향이 서로 달라야 한다. 세 전자 배치 모두 이를 만족한다.

오답 피하기

ㄱ. A는 2주기 원소로 원자가 전자 수는 두 번째 전자 껍질에 있는 전자 수이다. 따라서 원자가 전자 수는 6이다.

ㄴ. B$^+$의 전자 수가 10이므로 원자 B는 전자 수가 11인 3주기 원소이고, C$^-$의 전자 수가 10이므로 원자 C는 전자 수가 9인 2주기 원소이다. 따라서 B와 C의 주기가 다르다.

14 ㄱ. 제1 이온화 에너지가 가장 큰 원소는 가장 안정한 전자 배치를 하는 18족 원소이다. 따라서 G는 18족 원소이다. 3주기에서 17족 원소의 전기 음성도가 가장 크므로 F의 전기 음성도가 가장 크다.

ㄴ. E의 제1 이온화 에너지가 D보다 작은 까닭은 D의 원자가 전자의 전자 배치가 $3s^2 3p^3$, E의 원자가 전자의 전자 배치가 $3s^2\,3p^4$로, E의 경우 같은 p 오비탈을 차지하는 전자 사이에 반발력이 작용하기 때문이다.

오답 피하기

ㄷ. A와 I는 같은 2족 원소이고, I의 원자 번호가 A보다 더 크므로 I의 전자 껍질 수가 더 많다. 따라서 같은 족에서 원자 번호가 커질수록 원자핵과 전자 사이의 인력이 작아지므로 I의 이온화 에너지가 더 작다.

15 ㄱ. A~D의 전자 배치는 에너지 준위가 낮은 오비탈부터 채우는 쌓음 원리, 각 오비탈에 최대 2개의 전자가 스핀이 다르게 채워지는 파울리 배타 원리, 같은 에너지 준위에서 홀전자 수가 최대로 채워지는 훈트 규칙을 모두 만족하므로 바닥상태의 전자 배치이다.

ㄷ. A의 홀전자 3개는 모두 $2p$ 오비탈을 점유하는데, 각각 다른 방향의 오비탈에 있으므로 자기 양자수(m_l)가 모두 다르다.

[오답 피하기]

ㄴ. 원자가 전자는 1~17족에서 가장 바깥 전자 껍질의 전자 수와 같으므로 A는 5, B는 7, C는 1, D는 2이다. 따라서 원자가 전자 수는 B가 C의 7배이다.

16 주어진 자료에 따르면 각 원자의 전자 배치는 W가 $1s^2\, 2s^2\, 2p^2$, X는 $1s^2\, 2s^2\, 2p^5$, Y는 $1s^2\, 2s^2\, 2p^4$, Z는 $1s^2\, 2s^2\, 2p^6\, 3s^1$이다.

ㄱ. W는 $2p$ 오비탈에 홀전자를 2개 가지므로 a는 2이다.

[오답 피하기]

ㄴ. 원자 번호는 W가 6, X가 9, Y가 8, Z가 11이므로 W<Y<X<Z이다.

ㄷ. Z의 홀전자는 s 오비탈에 있으므로 방위 양자수(l)가 0이다.

17 세 쌍 원소는 화학적 성질이 비슷하므로 같은 족에 속해야 한다. (가)는 2족 원소, (나)는 2주기 원소, (다)는 17족 원소이므로 세 쌍 원소로 가능한 것은 (가)와 (다)이다.

18 같은 주기에서 원자 번호가 커질수록 이온화 에너지는 대체로 증가한다. 그러나 2족과 13족, 15족과 16족 사이에서는 예외적으로 원자 번호가 커져도 이온화 에너지가 감소한다. 따라서 A는 붕소(B), B는 베릴륨(Be), C는 탄소(C), D는 산소(O), E는 질소(N)이다.

ㄱ. 같은 주기에서는 원자 번호가 커질수록 원자 반지름이 감소한다. 따라서 원자 반지름은 원자 번호가 가장 작은 B(Be)가 가장 크다.

[오답 피하기]

ㄴ. A~E의 바닥상태 전자 배치와 홀전자 수는 다음과 같다.

원소	바닥상태 전자 배치	홀전자 수
A(B)	$1s^2\, 2s^2\, 2p_x^1$	1
B(Be)	$1s^2\, 2s^2$	0
C(C)	$1s^2\, 2s^2\, 2p_x^1\, 2p_y^1$	2
D(O)	$1s^2\, 2s^2\, 2p_x^2\, 2p_y^1\, 2p_z^1$	2
E(N)	$1s^2\, 2s^2\, 2p_x^1\, 2p_y^1\, 2p_z^1$	3

따라서 홀전자 수는 E가 가장 크다.

ㄷ. 제2 이온화 에너지는 +1가 양이온에서 두 번째 전자를 떼어 내는 데 필요한 에너지이다. A⁺의 전자 배치는 $1s^2\, 2s^2$, C⁺의 전자 배치는 $1s^2\, 2s^2\, 2p_x^1$이다. 그런데 $2p$ 오비탈의 에너지 준위가 $2s$ 오비탈의 에너지 준위보다 높으므로 $2s$ 오비탈보다 $2p$ 오비탈에서 전자를 떼어 내기가 더 쉽다. 따라서 제2 이온화 에너지는 A가 C보다 크다.

19 A는 제2 이온화 에너지가 급격히 증가하므로 원자가 전자 수가 1인, 1족 원소 나트륨(Na)이다. 또한 제1 이온화 에너지는 C가 B보다 크므로 B는 3주기 원소인 마그네슘(Mg), C는 2주기 원소인 플루오린(F)이다.

ㄱ. A는 1족 원소인 나트륨(Na)이다.

ㄴ. 제2 이온화 에너지는 +1가의 양이온에서 전자를 1개 더 떼어 내는 데 필요한 에너지이다. A⁺의 전자 배치는 $1s^2\, 2s^2\, 2p^6$, B⁺의 전자 배치는 $1s^2\, 2s^2\, 2p^6\, 3s^1$이다. A의 제2 이온화 에너지는 주 양자수가 2인 오비탈에서, B의 제2 이온화 에너지는 주 양자수가 3인 오비탈에서 전자를 떼어 내므로 제2 이온화 에너지는 A가 B보다 크다.

ㄷ. A~C가 네온(Ne)과 같은 전자 배치를 갖는 이온이 되면 등전자 이온이 된다. 등전자 이온은 원자 번호가 작을수록 이온 반지름이 크므로 이온 반지름은 C 이온이 가장 크다.

20 A는 제4 이온화 에너지가 급격히 증가하므로 원자가 전자 수가 3인 13족 원소이고, B는 제3 이온화 에너지가 급격히 증가하므로 원자가 전자 수가 2인 2족 원소이다. 만약 B가 2주기 2족 원소라면 A는 2주기 원소이든, 3주기 원소이든 제1 이온화 에너지가 B보다 작아야 한다. 이는 자료에 위배되므로 B는 2주기 원소가 아니다. B가 3주기 2족 원소라면 제1 이온화 에너지가 B보다 더 큰 A는 2주기 원소여야 한다. 따라서 A는 붕소(B), B는 마그네슘(Mg)이다.

ㄱ. 원자가 전자 수는 A가 3, B가 2로 A가 B보다 크다.

[오답 피하기]

ㄴ. A는 2주기 원소, B는 3주기 원소이므로 원자 번호는 B가 A보다 크다.

ㄷ. A는 준금속 원소, B는 금속 원소이므로 금속성은 B가 A보다 크다.

21 2주기에서 원자 번호가 커질수록 원자핵과 전자 사이의 인력이 증가하므로 제1 이온화 에너지가 대체로 증가한다. 그러나 예외적으로 베릴륨(Be)에서 붕소(B), 질소(N)에서 산소(O) 사이에서는 원자 번호가 커져도 제1 이온화 에너지가 감소한다. 만약 A가 리튬(Li), B가 베릴륨(Be), C가 붕소(B)라고 한다면, A의 제2 이온화 에너지는 A⁺의 바닥상태 전자 배치인 $1s^2$, B의 제2 이온화 에너지는 B⁺의 바닥상태 전자 배치

인 $1s^2\ 2s^1$에서 전자 1개를 각각 떼어 내므로 A가 B보다 커야 하는데, 이는 자료와 일치하지 않는다. 따라서 A는 리튬이 아니다. 만약 A가 탄소(C), B가 질소(N), C가 산소(O)라고 한다면, A의 제2 이온화 에너지는 A^+의 바닥상태 전자 배치인 $1s^2\ 2s^2\ 2p_x{}^1$, B의 제2 이온화 에너지는 B^+의 바닥상태 전자 배치인 $1s^2\ 2s^2\ 2p_x{}^1\ 2p_y{}^1$에서 전자 1개를 각각 떼어 내므로 B가 A보다 크다. 따라서 A는 탄소, B는 질소, C는 산소이다.

ㄴ. B의 바닥상태 전자 배치는 $1s^2\ 2s^2\ 2p_x{}^1\ 2p_y{}^1\ 2p_z{}^1$이므로 B의 홀전자 수는 3이다.

ㄷ. 원자가 전자 수는 A가 4, B가 5, C가 6이므로 A와 B의 원자가 전자 수의 합은 C의 원자가 전자 수보다 크다.

[오답 피하기]

ㄱ. A는 탄소(C)이다.

22 A는 제4 이온화 에너지가 급격히 증가하므로 원자가 전자 수가 3, B는 제2 이온화 에너지가 급격히 증가하므로 원자가 전자 수가 1, C는 제3 이온화 에너지가 급격히 증가하므로 원자가 전자 수가 2이다. 따라서 A는 13족 원소인 알루미늄(Al), B는 1족 원소인 나트륨(Na), C는 2족 원소인 마그네슘(Mg)이다.

ㄱ. 같은 주기에서 원자 번호가 커질수록 유효 핵전하가 증가한다. 따라서 유효 핵전하는 A가 가장 크다.

ㄴ. 같은 주기에서 원자 번호가 커질수록 원자 반지름이 감소한다. 따라서 원자 반지름은 원자 번호가 가장 작은 B가 가장 크다.

ㄷ. 같은 주기에서 원자 번호가 커질수록 이온화 에너지는 대체로 증가한다. 그러나 예외적으로 13족 원소의 이온화 에너지는 2족 원소보다 작으므로 제1 이온화 에너지는 C > A > B이다.

23 바닥상태 전자 배치에서 홀전자 수가 1인 원소는 Na, Al, Cl이다. A는 금속 원소이므로 Na과 Al 중 하나이고, B는 비금속 원소이므로 Cl이다. A는 바닥상태 전자 배치에서 $\dfrac{\text{전자가 들어 있는 } p \text{ 오비탈 수}}{\text{전자가 들어 있는 } s \text{ 오비탈 수}}$가 1보다 크므로 A는 Al이다.

ㄷ. 안정한 A 이온의 전자 배치는 K(2) L(8)로 전자 껍질 수가 2이고, 안정한 B 이온의 전자 배치는 K(2) L(8) M(8)로 전자 껍질 수가 3이다. 따라서 안정한 이온의 반지름은 B 이온이 A 이온보다 크다.

[오답 피하기]

ㄱ. A의 바닥상태 전자 배치는 K(2) L(8) M(3)이므로 원자가 전자 수는 3이다.

ㄴ. A의 안정한 이온은 Al^{3+}이므로 네온(Ne)과 전자 배치가 같고, B의 안정한 이온은 Cl^-이므로 아르곤(Ar)과 전자 배치가 같다.

문제 속 자료 3주기 원소의 바닥상태 전자 배치

원소	바닥상태 전자 배치	홀전자 수	$\dfrac{\text{전자가 들어 있는 } p \text{ 오비탈 수}}{\text{전자가 들어 있는 } s \text{ 오비탈 수}}$
$_{11}$Na	$1s^2\ 2s^2\ 2p^6\ 3s^1$	1	1
$_{12}$Mg	$1s^2\ 2s^2\ 2p^6\ 3s^2$	0	1
$_{13}$Al	$1s^2\ 2s^2\ 2p^6\ 3s^2\ 3p_x{}^1$	1	$\dfrac{4}{3}$
$_{14}$Si	$1s^2\ 2s^2\ 2p^6\ 3s^2\ 3p_x{}^1\ 3p_y{}^1$	2	$\dfrac{5}{3}$
$_{15}$P	$1s^2\ 2s^2\ 2p^6\ 3s^2\ 3p_x{}^1\ 3p_y{}^1\ 3p_z{}^1$	3	2
$_{16}$S	$1s^2\ 2s^2\ 2p^6\ 3s^2\ 3p_x{}^2\ 3p_y{}^1\ 3p_z{}^1$	2	2
$_{17}$Cl	$1s^2\ 2s^2\ 2p^6\ 3s^2\ 3p_x{}^2\ 3p_y{}^2\ 3p_z{}^1$	1	2
$_{18}$Ar	$1s^2\ 2s^2\ 2p^6\ 3s^2\ 3p_x{}^2\ 3p_y{}^2\ 3p_z{}^2$	0	2

24 A와 B는 원자 반지름이 이온 반지름보다 크므로 금속 원소이고, C와 D는 이온 반지름이 원자 반지름보다 크므로 비금속 원소이다. 그런데 B의 원자 반지름이 A보다 크므로 B는 나트륨(Na), A는 마그네슘(Mg)이며, D의 원자 반지름이 C보다 크므로 D는 산소(O), C는 플루오린(F)이다.

ㄱ. A의 이온은 $_{12}Mg^{2+}$, B의 이온은 $_{11}Na^+$이다. 이온의 반지름이 $_{11}Na^+ > {}_{12}Mg^{2+}$인 까닭은 $_{11}Na^+$의 핵전하가 $_{12}Mg^{2+}$의 핵전하보다 작기 때문이다.

ㄴ. 비금속성은 같은 주기에서 18족을 제외하고 원자 번호가 클수록, 같은 족에서는 원자 번호가 작을수록 크므로 C(F)가 가장 크다.

[오답 피하기]

ㄷ. 같은 주기에서 원자 번호가 커질수록 원자핵의 전하가 커져서 이온화 에너지가 대체로 증가한다. 원자핵의 전하는 C(F)가 D(O)보다 크므로 이온화 에너지는 C가 D보다 크다.

Ⅲ 화학 결합과 분자의 세계

1. 화학 결합

01 | 화학 결합의 성질

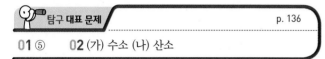

탐구 대표 문제   p. 136

01 ⑤   **02** (가) 수소 (나) 산소

01 ⑤ 물의 전기 분해 실험을 통해 물 분자의 화학 결합에 전자가 관여함을 알 수 있다.

오답 피하기

① (+)극에서는 산소 기체가 발생한다. 산소는 위험한 기체가 아니다.

② 교류 전원을 사용하면 (+)극과 (−)극이 계속 바뀌게 되므로 하나의 플라스틱 빨대에 수소와 산소를 각각 모을 수 없다.

③ (+)극에 연결된 빨대의 용액은 산성이 되고, (−)극에 연결된 빨대의 용액은 염기성이 된다. 페놀프탈레인 용액은 염기성 용액에서 붉은색을 나타내므로 (−)극에서 붉은색으로 변하는 것을 관찰할 수 있다.

④ 물을 전기 분해할 때 발생하는 수소와 산소의 부피비는 2 : 1로 일정하다.

02 물 분자(H_2O)는 수소 원자 2개와 산소 원자 1개로 이루어져 있다. 전기에 의해 물은 분해되어 수소 기체와 산소 기체가 2 : 1의 부피비로 발생한다. 양쪽 시험관에 발생한 기체의 부피를 통해 (가)극에 연결된 시험관에서는 수소 기체가, (나)극에 연결된 시험관에서는 산소 기체가 발생했음을 알 수 있다.

기초 탄탄 문제   p. 140

01 ②   **02** ③, ④   **03** ①   **04** ③   **05** ④   **06** ⑤

01 염화 나트륨 용융액의 전기 분해와 물의 전기 분해는 화학 결합이 형성될 때 전자가 관여한다는 것을 확인할 수 있는 실험이다.

02 ③, ④ 물(H_2O) 분자는 수소 원자 2개와 산소 원자 1개로 구성된 화합물이며, 물을 구성하는 수소와 산소의 화학 결합에 전자가 관여한다.

오답 피하기

① 원소는 한 종류의 성분으로만 이루어진 물질이다. 물은 수소와 산소로 이루어져 있으므로 원소가 아니라 화합물이다.

② 순수한 물은 전자를 전달하는 매개체(이온)가 거의 없으므로 전기가 잘 통하지 않는다.

⑤ 물은 공유 결합에 의해 형성되고, 염화 나트륨은 이온 결합에 의해 형성된다.

03 ① 옥텟 규칙은 가장 바깥 전자 껍질에 8개의 전자가 채워질 때 안정하다는 이론이다. 네온은 2주기 18족 원소로 최외각 전자가 8이므로 안정한 전자 배치를 이루고 있다.

오답 피하기

② 비활성 기체를 제외한 모든 원자들은 옥텟 규칙을 만족하고 있지 않다.

③ 가장 바깥 전자 껍질에 전자가 8개 배치되어야 옥텟 규칙을 만족한다. 안정한 전자 배치를 갖는 원자의 총 전자 수로는 2, 10, 18이다.

④ 원자는 전자를 잃거나 얻어서 옥텟 규칙을 만족하거나, 전자쌍을 공유하여 옥텟 규칙을 만족한다.

⑤ 네온, 아르곤의 최외각 전자 수는 8이지만 헬륨의 최외각 전자 수는 2이다. 반면, 반응에 참여하는 전자인 원자가 전자 수는 헬륨, 네온, 아르곤 모두 0이다.

04 ①, ②, ④ 비활성 기체는 주기율표에서 18족 원소로 대부분 옥텟 규칙을 만족하고 있어 화학 반응을 거의 하지 않는다.

⑤ 비활성 기체의 최외각 전자 수는 헬륨이 2, 네온과 아르곤이 8이지만, 원자가 전자 수는 모두 0이다.

오답 피하기

③ 비활성 기체는 다른 물질과 반응하지 않는 성질을 활용하여 실생활과 산업 현장에서 널리 사용되고 있다. 예를 들어 전구의 필라멘트가 산소와 만나 연소하는 것을 막기 위해 전구 내부를 아르곤 기체로 가득 채운다.

05 Ne은 $1s^2\,2s^2\,2p^6$의 전자 배치로 총 10개의 전자를 갖는다. Ca은 $1s^2\,2s^2\,2p^6\,3s^2\,3p^6\,4s^2$의 전자 배치로 총 20개의 전자를 갖지만, Ca^{2+}은 Ca이 전자 2개를 잃어 Ar과 같은 $1s^2\,2s^2\,2p^6\,3s^2\,3p^6$의 전자 배치를 갖는다.

Na은 $1s^2\,2s^2\,2p^6\,3s^1$의 전자 배치로 총 11개의 전자를 갖지만, Na^+은 Na이 전자 1개를 잃어 Ne과 같은 $1s^2\,2s^2\,2p^6$의 전자 배치를 갖는다.

F은 $1s^2\,2s^2\,2p^5$의 전자 배치로 총 9개의 전자를 갖지만, F^-은 F이 전자 1개를 얻어 Ne과 같은 $1s^2\,2s^2\,2p^6$의 전자 배치를 갖는다.

O는 $1s^2\,2s^2\,2p^4$의 전자 배치로 총 8개의 전자를 갖지만, O^{2-}은 O가 전자 2개를 얻어 Ne과 같은 $1s^2\,2s^2\,2p^6$의 전자 배치를 갖는다.

따라서 Ne의 전자 배치와 같은 이온은 3개이다.

06 알루미늄은 가장 바깥 전자 껍질에 전자 3개가 있으므로, 이 전자 3개를 잃으면 옥텟 규칙을 만족하게 된다. 따라서 알루미늄의 안정한 이온 상태는 Al^{3+}이다.

01 ㄱ. 공유 결합, 이온 결합과 같은 화학 결합은 전자를 통해 결합이 이루어지므로 전자가 관여한다.

[오답 피하기]

ㄴ. 비활성 기체는 안정하여 다른 원소와 화학 결합을 거의 형성하지 않는다.

ㄷ. 비활성 기체와 같은 전자 배치를 가지려는 것이 옥텟 규칙이다. 할로젠 원소는 최외각 전자 수가 7로 옥텟 규칙을 만족하기에는 전자가 1개 부족하다.

02 ① 실험 보고서의 제목은 '물의 전기 분해 실험'으로, 공유 결합에 전자가 관여함을 알아보는 실험이다.

② 순수한 물은 전류가 잘 흐르지 않아 전기 분해가 일어나지 않는다. 따라서 전류가 잘 흐르게 하기 위해 이온 결합 물질을 넣어 전해질 역할을 하게 한다. 이때 수산화 나트륨을 사용할 수 있다.

④ 물을 전기 분해하면 ($-$)극에서 수소, ($+$)극에서 산소 기체가 발생한다. 산소 기체가 발생하는 전극 (라)는 ($+$)극이다.

⑤ 물의 전기 분해 실험을 통해 공유 결합에는 전자가 관여함을 알 수 있다.

[오답 피하기]

③ 실험에서 산소가 10 mL 발생했으므로 수소는 산소의 2배인 20 mL가 발생한다.

03 ㄷ. 물을 전기 분해하는 실험의 전체 반응식은 $2H_2O \longrightarrow 2H_2 + O_2$이다.

[오답 피하기]

ㄱ. (가)와 (나)는 $4e^-$로, 이동하는 전자 수가 서로 같아야 한다.

ㄴ. 반응이 진행되면 수소가 발생하는 ($-$)극은 OH^-이 생성되어 염기성으로 변하고, 산소가 발생하는 ($+$)극은 H^+이 생성되어 산성으로 변하게 된다.

문제 속 자료	물의 전기 분해 반응

- ($-$)극: $4H_2O + 4e^- \longrightarrow 2H_2 + 4OH^-$
- ($+$)극: $2H_2O \longrightarrow O_2 + 4H^+ + 4e^-$

$$6H_2O + 4e^- \longrightarrow 2H_2 + O_2 + \underline{4OH^- + 4H^+} + 4e^-$$
$$\quad {}_{2H_2O} \qquad\qquad\qquad\qquad {}_{4H_2O}$$

- 전체 반응: $2H_2O \longrightarrow 2H_2 + O_2$

04 ㄴ. 염화 나트륨 용융액의 전기 분해 실험의 전체 반응식은 $2NaCl(l) \longrightarrow 2Na(l) + Cl_2(g)$이다. 따라서 염화 나트륨 2몰을 전기 분해하면 염소 기체 1몰이 발생한다.

ㄷ. 실험을 통해 이온 결합에 전자가 관여하고 있음을 확인할 수 있다.

[오답 피하기]

ㄱ. 가열을 하는 것은 염화 나트륨을 액체로 만들기 위해서이다. 염화 나트륨은 이온 결합 화합물로 고체 상태에서는 전류가 흐르지 않아 전기 분해가 불가능하며, 가열하여 액체 상태가 되어야 전류가 흘러 전기 분해가 가능해진다.

05 ㄱ. (가)는 염화 나트륨 용융액의 전기 분해 실험 장치로 ($+$)극에서는 염소 기체, ($-$)극에서는 나트륨이 생성된다. (나)는 물의 전기 분해 실험 장치로 ($+$)극에서는 산소 기체, ($-$)극에서는 수소 기체가 생성된다.

ㄷ. 전기 분해 실험을 통해 화학 결합에 전자가 관여함을 확인할 수 있다.

[오답 피하기]

ㄴ. (가)의 ($-$)극에서는 나트륨이 생성된다. 하지만 (나)에서 수산화 나트륨은 전해질로 물에 전류가 잘 흐르게 돕는 역할을 할 뿐 전기 분해가 되지는 않으므로, (나)의 ($-$)극에서는 나트륨이 아닌 수소 기체가 발생한다.

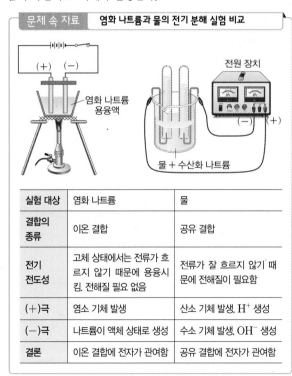

문제 속 자료	염화 나트륨과 물의 전기 분해 실험 비교	

실험 대상	염화 나트륨	물
결합의 종류	이온 결합	공유 결합
전기 전도성	고체 상태에서는 전류가 흐르지 않기 때문에 용융시킴. 전해질 필요 없음	전류가 잘 흐르지 않기 때문에 전해질이 필요함
($+$)극	염소 기체 발생	산소 기체 발생, H^+ 생성
($-$)극	나트륨이 액체 상태로 생성	수소 기체 발생, OH^- 생성
결론	이온 결합에 전자가 관여함	공유 결합에 전자가 관여함

06 ㄱ. 산화 이온과 네온 원자는 양성자수가 다르고 중성자수도 다르지만, 전자 배치가 똑같이 옥텟 규칙을 만족하고 있다.

[오답 피하기]

ㄴ. 산화 이온과 네온 원자의 최외각 전자 수는 8로 동일하며, 총 전자 수도 10으로 동일하다.

ㄷ. 산화 이온은 옥텟 규칙을 만족하고 있으나 (-)전하를 띠고 있어 (+)전하를 띠고 있는 물질과 잘 반응한다. 네온은 옥텟 규칙을 만족하고 전기적으로 중성이므로 다른 물질과 거의 반응하지 않는다.

07 중성 원자 X는 총 전자 수가 3이므로 원자 번호 3번인 리튬 (Li)이고, 중성 원자 Y는 총 전자 수가 8이므로 원자 번호 8번인 산소(O)이다.

ㄷ. X의 안정한 이온은 X^+이고, Y의 안정한 이온은 Y^{2-}이므로 이온이 띠는 전하의 부호가 서로 반대이다.

[오답 피하기]

ㄱ. X는 금속 원소이므로 비금속 원소인 Y와 이온 결합을 형성한다.

ㄴ. X는 전자 1개를 잃어 첫 번째 전자 껍질에 전자가 2개 채워진 He과 같은 전자 배치를 가지고, Y는 전자 2개를 얻어 두 번째 전자 껍질에 전자가 8개 채워진 Ne과 같은 전자 배치를 가진다.

08 2, 3주기 원자들이 옥텟 규칙을 만족하기 위해서는 최소의 전자를 잃거나 얻어서 비활성 기체와 같은 전자 배치를 가져야 한다. 즉, 옥텟 규칙을 만족하기 위해 A는 전자 2개를 얻고, B는 전자 3개를 잃고, C는 전자 2개를 잃으며, D는 전자를 잃거나 얻지 않는다. 따라서 잃거나 얻는 전자의 개수 합은 $2+3+2+0=7$이다.

> **문제 속 자료** 옥텟 규칙을 만족하기 위해 잃거나 얻는 전자 수
>
> A(O): $1s^2\,2s^2\,2p^4$ ➡ 전자 2개 얻음
> ➡ $1s^2\,2s^2\,2p^6$=[Ne]
> B(Al): $1s^2\,2s^2\,2p^6\,3s^2\,3p^1$ ➡ 전자 3개 잃음
> ➡ $1s^2\,2s^2\,2p^6$=[Ne]
> C(Mg): $1s^2\,2s^2\,2p^6\,3s^2$ ➡ 전자 2개 잃음
> ➡ $1s^2\,2s^2\,2p^6$=[Ne]
> D(Ar): $1s^2\,2s^2\,2p^6\,3s^2\,3p^6$ ➡ 전자 출입 없음

09 A, B, C, D는 각각 He, Be, O, Na이다.

ㄱ. A(He)는 비활성 기체이므로 단원자 상태에서 매우 안정하기 때문에 다른 원자와 화학 결합을 형성하지 않는다.

ㄴ. B와 D는 전자를 얻어 옥텟 규칙을 만족하는 것보다 전자를 잃어 옥텟 규칙을 만족하는 것이 훨씬 유리하기 때문에 양이온이 되기 쉽다.

ㄷ. C는 전자 2개를 얻어 C^{2-}이 되어 Ne의 전자 배치를 가지게 되고, D는 전자 1개를 잃어 D^+이 되어 마찬가지로 Ne의 전자 배치를 가지게 된다.

10 ㄱ. 비활성 기체는 18족 원소로 1주기 He은 최외각 전자 수가 2이고, 2주기 Ne과 3주기 Ar은 최외각 전자 수가 8이다. 하지만 원자가 전자 수는 반응에 참여하는 전자의 수로 18족

비활성 기체 모두 0이다.

ㄴ. 비활성 기체는 모두 안정한 전자 배치를 이루므로 반응성이 거의 없다.

ㄷ. 이름에서 알 수 있듯이 비활성 기체는 실온에서 기체이다.

11 [모범 답안] (1) 아르곤

(2) 아르곤은 18족 원소로 가장 바깥 전자 껍질의 전자 수가 8로 안정한 전자 배치를 이루므로 반응성이 거의 없다. 따라서 아르곤은 산소와 반응하지 않는다. 이러한 성질을 이용하여 전구 필라멘트의 산화 방지를 위해 전구 안을 아르곤 기체로 채워 놓는다.

[해설] 수소와 메테인은 가연성 물질로 불꽃을 대면 공기 중의 산소와 빠르게 반응하여 '펑' 하는 소리가 난다. 아르곤은 비활성 기체로 반응성이 없어 아무런 변화 없이 비눗 방울만 터진다.

[서술형 Tip] 아르곤의 안정성을 전자 배치와 연관지어 설명할 수 있어야 한다.

	채점 기준	배점
(1)	아르곤이라고 쓴 경우	20 %
(2)	비활성 기체가 안정한 전자 배치를 이루고 있어 반응성이 없음을 밝히고, 실생활에서 이용되는 적절한 예를 한 가지 서술한 경우	80 %
	비활성 기체의 전자 배치를 설명하지 않고 비활성 기체이기 때문에 반응성이 없다고만 설명하며, 실생활에서 이용되는 적절한 예를 한 가지 서술한 경우	60 %
	비활성 기체가 안정한 전자 배치를 이루고 있어 반응성이 없음을 설명했지만, 실생활에서 이용되는 적절한 예를 한 가지 서술하지 못한 경우	60 %
	비활성 기체의 전자 배치를 설명하지 않고 비활성 기체이기 때문에 반응성이 없다고만 설명하며, 실생활에서 이용되는 적절한 예를 한 가지 서술하지 못한 경우	40 %

12 [모범 답안] (1) 전자

(2) 물에 전자를 공급하면 물 분자가 수소 분자와 산소 분자로 분해된다. 이것으로부터 물 분자를 이루는 수소와 산소의 화학 결합에 전자가 관여하고 있음을 알 수 있다.

[해설] 물의 전기 분해 실험은 물 분자를 구성하고 있는 수소와 산소 간의 공유 결합에 전자가 관여하고 있음을 확인하는 실험이다. 물 분자에 전자를 공급함으로써 수소와 산소 간의 결합이 깨지고 수소와 수소 간의 공유 결합과 산소와 산소 간의 공유 결합이 새롭게 형성된다.

	채점 기준	배점
(1)	전자라고 쓴 경우	20 %
(2)	실험의 결과와 전자 사이의 관계를 설명하고 화학 결합에 전자가 관여하고 있음을 서술한 경우	80 %
	다른 설명 없이 바로 화학 결합에 전자가 관여하고 있음을 서술한 경우	40 %

02 | 화학 결합의 종류

탐구 대표 문제
p. 153

01 ④   **02** 설탕

01 ④ 흑연도 다이아몬드와 마찬가지로 공유 결정으로 녹는점이 매우 높다.

오답 피하기

① 공유 결합 물질 중 분자 결정은 녹는점이 낮고, 공유 결정은 녹는점이 매우 높다.

② 주어진 물질 중 이온 결합 물질은 염화 마그네슘, 염화 나트륨 2가지이다.

③ 포도당과 설탕에서 원자 간의 공유 결합력은 강하지만, 포도당과 설탕의 분자 간의 인력은 약하므로 녹는점이 낮다.

⑤ 이온 결합, 공유 결합, 금속 결합 중 공유 결합(다이아몬드)의 결합력이 가장 강하다.

02 설탕은 분자 결정, 질산 구리(Ⅱ)는 이온 결정, 흑연은 공유 결정이다. 설탕은 분자 간의 결합력이 가장 약하여 녹는점이 가장 낮다. 따라서 녹는점이 낮은 설탕, 질산 구리(Ⅱ), 흑연 순으로 녹는다.

기초 탄탄 문제
p. 154

01 ⑤   **02** ③   **03** ③   **04** ③   **05** ②   **06** ①

01 A는 전자 수가 3인 리튬 원자이고, B는 전자 수가 17인 염소 원자이다. 리튬은 금속 원소이고, 염소는 비금속 원소이다. 따라서 리튬은 전자 1개를 잃어 양이온이 되고, 염소는 전자 1개를 얻어 음이온이 되며, 이들 이온은 정전기적 인력에 의한 이온 결합을 한다.

문제 속 자료 **화학 결합의 종류**

구분	원리	물질 예
이온 결합	금속 원소의 양이온과 비금속 원소의 음이온 사이의 정전기적 인력으로 형성	NaCl, MgO
공유 결합	비금속 원소의 원자 사이에 전자쌍을 공유하여 형성	H_2, H_2O, HCl, CO_2
배위 결합	전자쌍을 한 원자가 일방적으로 제공하는 공유 결합	NH_4^+, NH_3BF_3
금속 결합	금속 양이온과 자유 전자의 정전기적 인력으로 형성	Na, Fe, Cu

02 반발력과 인력에 의한 에너지가 최소 상태가 되는 거리인 c에서 이온 결합이 형성된다.

오답 피하기   a, b는 반발력이 우세하여 이온 사이의 거리가 멀어지려고 하는 위치이고, d, e는 인력이 우세하여 이온 사이의 거리가 가까워지려고 하는 위치이다.

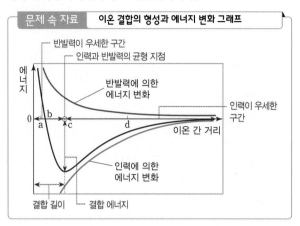

문제 속 자료 **이온 결합의 형성과 에너지 변화 그래프**

03 ① 일반적으로 금속 원소는 금속 결합, 금속 원소와 비금속 원소는 이온 결합, 비금속 원소와 비금속 원소는 공유 결합을 형성한다.

② 두 원자가 각각 전자를 내놓아 만든 전자쌍을 서로 공유하기도 하고, 한 원자가 일방적으로 전자쌍을 제공하여 서로 공유(배위 결합)하기도 한다.

④ 붕소와 같이 공유 결합을 형성할 때 옥텟 규칙을 만족하지 않는 경우가 있지만, 대부분의 경우에는 옥텟 규칙을 만족한다.

⑤ 결합 길이는 결합하는 원자 간의 반발력과 인력에 의한 에너지가 최소가 되는 지점에서 원자핵 간 거리이다. 반발력이 우세하면 원자는 서로 멀어지려 하고, 인력이 우세하면 원자는 서로 가까워지려 한다.

오답 피하기

③ 공유 결합은 두 원자가 전자쌍을 공유하여 결합하는 것이다. 전자쌍 1개를 공유하여 단일 결합을 형성하기도 하지만 2개나 3개의 전자쌍을 공유하는 다중 결합도 존재한다. 다중 결합을 하는 대표적인 물질로 산소 분자($O=O$), 질소 분자($N\equiv N$)가 있다.

04 ③ 공유 결합 물질은 대부분 고체나 액체 상태에서 전기 전도성이 없다.

오답 피하기

① 분자 결정에서 원자 간의 결합력은 강하지만 분자 간의 인력은 약하다.

② 모든 원자가 공유 결합으로 이루어져 있는 공유 결정은 녹는점과 끓는점이 매우 높다. 하지만 공유 결합으로 이루어진 분자(분자 결정)는 분자 간의 인력이 약해서 녹는점과 끓는점이 낮은 편이다.

④ 양이온과 음이온으로 이루어져 있어 물에 잘 녹는 것은 이온 결정에 대한 설명이다.

⑤ 원자들이 공유 결합하여 그물처럼 연결되어 형성된 것은 공유 결합 물질 중 공유 결정에 대한 설명이다.

05 그림은 금속 결합을 보여 주는 전자 바다 모형이고, (가)는 자유 전자이다.
자유 전자로 인해 금속은 전성과 연성이 좋고, 열 전도성과 전기 전도성이 우수하다.

오답 피하기

⑤ 자유 전자와 금속의 밀도는 관련이 없다.

06 ① 금속에 열을 가하면 금속 내부에 있는 자유 전자가 열에너지를 얻어 진동하게 되고, 진동을 통해 열을 전달하게 되므로 열전도성이 좋다.

오답 피하기

② 금속 결합은 금속 양이온과 자유 전자 간의 인력에 의한 결합이다. 금속 양이온과 비금속 음이온 간의 인력에 의한 결합은 이온 결합이다.

③ 금속에 전압을 걸면 자유 전자가 (+)극으로 이동하여 전기가 통한다. 전압을 걸어도 금속 양이온은 이동하지 않는다.

④ 금속에 힘을 가하면 양이온들의 층이 미끄러져 이동하지만, 자유 전자들이 층 사이의 결합을 유지시켜 주므로 깨지거나 쪼개지지 않는다.

⑤ 금속은 녹는점이 높아 실온에서 대부분 고체 상태로 존재하지만, 예외로 수은은 실온에서 액체 상태로 존재한다.

내신 만점 **문제**				p. 155~157	
01 ⑤	02 ③	03 ④	04 ④	05 ①	06 ⑤
07 ①	08 ⑤	09 ①	10 ④	11~12 해설 참조	

01 ㄱ. X^-과 Y^-은 Na^+과 각각 1 : 1의 개수비로 결합하고 있으며, 에너지가 가장 낮은 지점에서 이온 사이의 거리는 NaY가 NaX보다 더 멀기 때문에 Y^-의 반지름이 X^-의 반지름보다 크다는 것을 알 수 있다. 즉, Y가 X보다 더 큰 주기의 원소이므로 X가 Y보다 원자 번호가 작다.

ㄴ. 이온 결합이 형성되는 지점에서 $NaX(g)$의 에너지가 $NaY(g)$의 에너지보다 낮으므로 NaX가 더 강한 결합을 한다고 예측할 수 있다. 따라서 이온 간에 더 강한 결합을 하고 있는 $NaX(s)$의 녹는점이 $NaY(s)$의 녹는점보다 더 높다.

ㄷ. 결합 길이는 $NaX(g)$가 $NaY(g)$보다 짧으므로 이온 간 반발력이 우세하게 작용하는 이온 간 거리 구간은 $NaX(g)$가 $NaY(g)$보다 짧다.

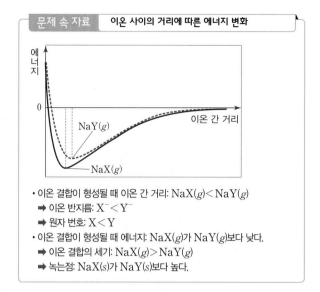

문제 속 자료 이온 사이의 거리에 따른 에너지 변화

- 이온 결합이 형성될 때 이온 간 거리: $NaX(g) < NaY(g)$
  ➡ 이온 반지름: $X^- < Y^-$
  ➡ 원자 번호: X < Y
- 이온 결합이 형성될 때 에너지: $NaX(g)$가 $NaY(g)$보다 낮다.
  ➡ 이온 결합의 세기: $NaX(g) > NaY(g)$
  ➡ 녹는점: $NaX(s)$가 $NaY(s)$보다 높다.

02 이온 결합 물질의 녹는점은 전하량이 클수록, 이온 간 거리가 짧을수록 높다. NaF, NaBr, MgO 중 MgO만 +2가 양이온과 −2가 음이온이 결합한 물질이고, 나머지는 +1가 양이온과 −1가 음이온이 결합한 물질이므로 녹는점이 월등히 높은 (다)는 MgO이다. NaF과 NaBr은 전하량은 같지만 F^-의 반지름이 Br^-의 반지름보다 작으므로 이온 간 거리는 NaF이 NaBr보다 짧다. 따라서 NaF의 녹는점이 NaBr보다 더 높으며, 이로부터 (가)는 NaBr, (나)는 NaF임을 알 수 있다.

03 ㄴ. 염화 나트륨 고체는 전류가 흐르지 않지만 염화 나트륨 용융액은 전류가 흐른다.

ㄹ. 염화 나트륨이 고체에서 액체로 변하면 이온 사이의 거리가 조금 멀어지게 된다.

오답 피하기

ㄱ, ㄷ. 염화 나트륨 고체를 가열하여 용융시켜도 질량은 변하지 않으며, 이온들의 결합 배열만 달라질 뿐 전하량의 총합은 변화가 없다.

04 녹는점, 끓는점으로 보아 AB는 실온에서 고체이며, 고체 상태에서는 전기 전도성이 없고 액체 상태에서는 전기 전도성이 있으므로 이온 결합 물질이다.

①, ② AB는 이온 결합 물질이므로 A와 B_2는 각각 금속과 비금속 중 하나인데, 이원자 분자인 B_2가 비금속 원소로 이루어진 분자로 실온에서 기체이고, A가 금속 원소로 실온에서 고체이다.

③ 생성물인 AB의 원자 수비가 A : B=1 : 1이므로 A와 B가 주고받는 전자의 수는 같다.

⑤ AB는 이온 결합 물질이므로 물에 녹아 전류를 흐르게 할 수 있다.

오답 피하기

④ AB는 이온 결합 물질이므로 힘을 가하면 쉽게 쪼개지거나 부서진다. 힘을 가했을 때 휘어지는 것은 금속 결합 물질의 특징이다.

문제 속 자료	이온 결합 물질의 특징
구분	성질
물질의 상태	실온에서 고체
녹는점, 끓는점	높음
전기 전도성	고체 상태에서 부도체 액체, 수용액 상태에서 도체
외부로부터 충격	깨지거나 쪼개짐
물에 대한 용해성	매우 잘 녹음

05 ㄱ. 이산화 탄소에서 탄소와 산소는 모두 옥텟 규칙을 만족하여 최외각 전자 수는 8로 같다.

오답 피하기

ㄴ. (나) 드라이아이스는 분자 결정으로 고체 상태에서 전기 전도성이 없다.

ㄷ. (나)에서 분자 내의 원자 사이에는 공유 결합이 존재하지만, 각 분자 사이에는 분산력이라고 하는 매우 약한 인력이 작용하여 결정을 이룬다. 분산력은 분자와 분자 사이에 작용하는 힘의 한 종류로, 순간적으로 무극성 분자와 무극성 분자 사이에 전기적 힘이 작용하여 생기는 분자 간 힘이다.

06 강철솜을 공기 중에서 연소시키면 철이 공기 중의 산소와 반응하여 산화 철(Ⅲ)(Fe_2O_3)을 생성한다.

$$4Fe(s) + 3O_2(g) \longrightarrow 2Fe_2O_3(s)$$

ㄱ. 강철솜이 산소와 결합하므로 반응한 산소의 질량만큼 질량이 증가한다.

ㄴ. 금속인 강철솜은 전기 전도성이 있으나, 산화 철(Ⅲ)은 이온 결합 물질이므로 전기 전도성을 잃게 된다.

ㄷ. 금속인 강철솜은 탄성이 있으나, 이온 결합 물질인 산화 철(Ⅲ)은 충격을 가하면 쉽게 부스러진다.

07 ㄱ. 핵 간 거리가 $X_2 < Y_2 < Z_2$ 순서로 커지므로 원자 반지름도 $X < Y < Z$ 순서로 커진다. 세 원자 모두 할로젠 원소이므로 원자 반지름이 가장 작은 X의 주기가 가장 작고, Y, Z 순으로 주기가 증가한다.

오답 피하기

ㄴ. 최소 에너지는 Y_2가 X_2보다 낮으므로 결합 에너지는 Y_2가 X_2보다 크다.

ㄷ. 결합의 최소 에너지가 모두 0 이하의 값을 가지므로 할로젠 원소가 이원자 분자를 형성할 때 에너지를 방출함을 알 수 있다.

08 A, B, C는 각각 질소(N), 산소(O), 플루오린(F)이다.

ㄱ. $A_2(N_2)$는 3중 결합, $B_2(O_2)$는 2중 결합을 한다.

ㄴ. $C_2(F_2)$와 $BC_2(OF_2)$는 둘 다 공유 결합 물질이다.

ㄷ. A(N)가 중심 원자로 B(O)와 2중 결합, C(F)와 단일 결합을 하면 모두 옥텟 규칙을 만족하는 분자 NOF가 된다.

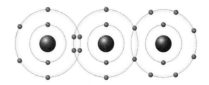

▲ NOF의 전자 배치 (O=N—F)

09 A와 B는 3주기 금속 원소이므로 A는 나트륨(Na), B는 마그네슘(Mg)이다.

ㄱ. 같은 주기 금속 원소에서 금속 양이온의 전하량이 커지면 자유 전자와의 인력이 증가하여 녹는점이 높아진다. 따라서 금속 A의 녹는점은 금속 B의 녹는점보다 낮다.

오답 피하기

ㄴ. 나트륨은 산소와 반응하여 Na_2O이 되므로 원자 수비는 Na : O=2 : 1이고, 마그네슘은 산소와 반응하여 MgO이 되므로 원자 수비는 Mg : O=1 : 1이다. 즉, 1몰의 산소(O_2)와 반응하는 양(mol)은 나트륨 : 마그네슘=2 : 1이다.

ㄷ. 금속에 전류를 흘려 주면 금속 양이온은 움직이지 않고, 자유 전자만 (+)극 쪽으로 이동하여 전류를 흐르게 한다.

10 고체 상태의 전기 전도성 유무로 C(흑연), Fe과 $CuCl_2$, C(다이아몬드)로 구분할 수 있다. 따라서 (가)에는 "고체일 때 전류가 흐르는가?"가 적당하다. 힘을 가하면 부스러지는지의 여부로 원자 결정인 C(흑연)과 금속 결정인 Fe을 구분할 수 있고, 이온 결정인 $CuCl_2$와 원자 결정인 C(다이아몬드)를 구분할 수 있다. 따라서 (나)에는 "힘을 가하면 쉽게 부스러지는가?"가 적당하다.

문제 속 자료	흑연과 다이아몬드의 비교	

흑연과 다이아몬드는 둘 다 공유 결정이지만, 매우 다른 성질을 가지고 있다.

구분	흑연	다이아몬드
구조		
녹는점, 끓는점	매우 높다.	
색	검은색	흰색, 투명색
굳기	층을 구성하는 원자 간의 결합은 공유 결합으로 매우 단단하나, 층과 층의 결합은 분산력으로 약한 결합을 하여 쉽게 쪼개진다.	매우 단단하다.
전기 전도성	중심 탄소 원자에 3개의 주변 탄소가 결합하고 1개의 전자가 남아 전류가 흐르게 도와준다.	전류가 흐르지 않는다.

11 [모범 답안] (1) 이온 결합, 공유 결합

(2) 물질 ABC는 이온 결합 물질이다. 따라서 고체 상태에서는 전기 전도성이 없지만, 가열하여 용융시키거나 물에 녹여 수용액 상태를 만들면 전기 전도성을 나타낸다.

해설 A는 Na, B는 O, C는 H이고, 물질 ABC는 NaOH이다. NaOH에서 OH^-은 공유 결합으로 형성되어 있고, Na^+과 OH^-은 이온 결합으로 형성되어 있으므로 전체적으로 이온 결합 물질이 된다. 이온 결합 물질은 고체일 때는 전류가 흐르지 않지만, 액체나 수용액 상태에서는 전류가 흐른다.

	채점 기준	배점
(1)	이온 결합, 공유 결합을 둘 다 쓴 경우	40 %
	둘 중 하나만 쓴 경우	20 %
(2)	물질 ABC가 이온 결합 물질임을 밝히고, 이온 결합 물질의 전기적 성질을 옳게 서술한 경우	60 %
	물질 ABC가 이온 결합 물질임을 밝히지 않고, 이온 결합 물질의 전기적 성질을 옳게 서술한 경우	40 %
	물질 ABC가 이온 결합 물질임을 밝혔지만, 이온 결합 물질의 전기적 성질을 옳게 서술하지 못한 경우	20 %

문제 속 자료 결합의 종류에 따른 물질의 전기 전도성 비교

구분	전기 전도성
이온 결합 물질	고체 상태에서 부도체 액체, 수용액 상태에서 도체
공유 결합 물질	고체, 액체 상태에서 부도체 (단, 흑연, 그래핀, 탄소 나노 튜브, C_{60} 등은 도체)
금속 결합 물질	도체

12 [모범 답안] (1) 금속 나트륨은 전구에 불이 켜졌으므로 전기 전도성이 있고, 고체 염화 나트륨은 전기 전도성이 없다.

(2) 나트륨은 반응성이 큰 금속이므로 공기 중에 노출되면 표면이 공기 중의 산소와 반응하여 산화 나트륨이 된다. 산화 나트륨은 이온 결합 물질로 고체 상태에서 전류가 흐르지 않기 때문이다.

해설 금속 나트륨은 전류가 잘 흐르는 도체이다. 하지만 나트륨을 공기 중에 방치해 두면 나트륨이 공기 중의 산소와 반응하여 나트륨 표면에 산화 나트륨이 형성된다. 산화 나트륨은 이온 결합 물질이므로 전류가 흐르지 않게 된다. 산화 나트륨 표면을 뚫고 깊숙이 전극을 꽂으면 반응하지 않은 나트륨에서 전류가 흐르게 된다. 염화 나트륨은 이온 결합 물질로 고체 상태에서는 전류가 흐르지 않는다.

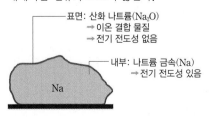

	채점 기준	배점
(1)	금속 나트륨과 고체 염화 나트륨의 전기 전도성을 모두 옳게 서술한 경우	30 %
(2)	공기 중에서 나트륨과 산소의 반응을 언급하고, 나트륨 표면이 이온 결합 물질로 바뀌었음을 서술한 경우	70 %
	나트륨 표면의 변화를 설명하지 않고, 이온 결합 물질로 바뀌었다는 결론만 서술한 경우	30 %

2. 분자의 구조와 성질
01 | 결합의 극성

기초 탄탄 문제 p. 164

01 ② **02** ③ **03** ③ **04** ④ **05** ⑤ **06** ②

01 ① 전기 음성도는 원자가 공유 전자쌍을 끌어당기는 능력을 수치로 나타낸 값이다.

③, ④ 같은 주기에서는 원자 번호가 증가할수록 전기 음성도 값이 대체로 증가하고, 같은 족에서는 원자 번호가 증가할수록 전기 음성도 값이 대체로 감소한다.

⑤ 전기 음성도는 주기율표의 오른쪽 위로 갈수록, 즉 비금속성이 증가할수록 값이 커진다.

오답 피하기

② 전기 음성도는 플루오린(F)을 기준(4.0)으로 정한 상대적인 세기를 나타낸 값이다. 탄소를 기준으로 하여 상대적인 값을 정한 것은 원자량이다.

02 두 원자의 전기 음성도 차이에 따라 결합의 극성을 비교할 수 있다.

③ A-D의 경우 전기 음성도 차이가 2.5-2.0=0.5로 가장 작으므로 극성이 가장 작은 결합으로 예측되고, B-C의 경우 전기 음성도 차이가 3.5-0.9=2.6으로 가장 크므로 극성이 가장 큰 결합으로 예측된다.

03 결합한 원자보다 밑줄 친 원자의 전기 음성도가 더 작은 경우 밑줄 친 원자는 부분적인 양전하를 띠게 된다. 전기 음성도는 H가 2.1, C가 2.5, Cl가 3.0, F이 4.0이다. 따라서 ③에서 C가 부분적인 양전하를 띤다.

오답 피하기

① H-H 결합은 같은 원자끼리 결합한 것이므로 무극성 결합으로 부분 전하를 띠지 않는다.

②, ④, ⑤ H-C̲, C̲l-F̲, C-C̲l에서는 밑줄 친 원자가 부분적인 음전하를 띤다.

04 같은 주기에서 원자 번호가 클수록 전기 음성도가 대체로 증가한다. 다만, 18족 비활성 기체는 전기 음성도 값을 측정할 수 없으므로 제외한다. 따라서 3주기 원소 중 전기 음성도가 가장 큰 원소는 염소(Cl)이다.

05 ⑤ 쌍극자 모멘트의 크기는 전하량과 두 전하 사이의 거리의 곱으로 나타낸다.

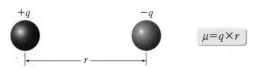

$$\mu = q \times r$$

[오답 피하기]

① 쌍극자 모멘트는 크기와 방향을 갖는 벡터량이다.
② 결합의 쌍극자 모멘트 값이 0이면 그 결합은 무극성 공유 결합이다.
③ 쌍극자 모멘트를 나타낼 때 화살표가 향하는 방향이 부분적인 음전하(δ^-)를 띤다.
④ 쌍극자 모멘트 값이 클수록 극성은 커진다.

06 중심 원자인 탄소(C)와 전기 음성도 차이가 가장 큰 원자가 결합한 경우 쌍극자 모멘트가 가장 크다. H, F, Br, Cl 중 플루오린(F)의 전기 음성도가 4.0으로 가장 크므로 쌍극자 모멘트 값이 가장 큰 결합은 C-F 결합이다.

내신 만점 문제 p. 165~167

| 01 ③ | 02 ③ | 03 ③ | 04 ① | 05 ④ | 06 ⑤ |
| 07 ③ | 08 ④ | 09 ② | 10 ② | 11~12 해설 참조 |

01 N-H 결합의 전기 음성도 차이는 0.9이다. 〈보기〉에서 각 결합의 전기 음성도 차이는 N-F가 1.0, O-H가 1.4, Li-F가 3.0인데, Li-F는 금속과 비금속의 결합이므로 이온 결합이다. 따라서 N-F와 O-H만 N-H 결합보다 극성이 큰 공유 결합이다.

02 ㄱ, ㄷ. 흑연은 탄소로만 이루어진 홀원소 물질이다. 중심 탄소에 3개의 탄소가 공유 결합을 하며, 이는 탄소와 탄소의 결합이므로 무극성 공유 결합이다. 즉, 흑연은 탄소로만 이루어져 있기 때문에 모든 결합이 무극성 공유 결합이며, 쌍극자 모멘트는 모든 위치에서 0이 된다.

[오답 피하기]

ㄴ. A는 무극성 공유 결합이고, B는 공유 결합이 아니라 분자 사이의 약한 힘(분산력)이다. 흑연은 같은 층을 이루고 있는 탄소들이 모두 공유 결합(A)을 하고 있어 결합이 강하다. 하지만 층 사이의 탄소는 분산력(B)으로 결합되어 결합력이 매우 약하다.

문제 속 자료 **흑연의 구조 및 성질**

흑연은 공유 결합 물질이지만, 일반적인 공유 결합 물질과 매우 다른 성질을 가진다.

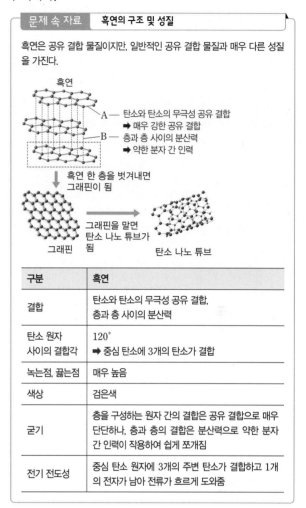

구분	흑연
결합	탄소와 탄소의 무극성 공유 결합, 층과 층 사이의 분산력
탄소 원자 사이의 결합각	120° ➡ 중심 탄소에 3개의 탄소가 결합
녹는점, 끓는점	매우 높음
색상	검은색
굳기	층을 구성하는 원자 간의 결합은 공유 결합으로 매우 단단하나, 층과 층의 결합은 분산력으로 약한 분자 간 인력이 작용하여 쉽게 쪼개짐
전기 전도성	중심 탄소 원자에 3개의 주변 탄소가 결합하고 1개의 전자가 남아 전류가 흐르게 도와줌

03 ㄱ, ㄴ. Cl_2는 같은 종류의 원자끼리 공유 결합하므로 무극성 공유 결합을 하며, 쌍극자 모멘트가 0이다.

[오답 피하기]

ㄷ. 무극성 공유 결합은 부분 전하를 띠지 않는다. 극성 공유 결합의 경우 한쪽 원자는 부분적인 양전하(δ^+)를, 다른 한쪽 원자는 부분적인 음전하(δ^-)를 띤다.

04 CO_2와 BCl_3는 모두 극성 공유 결합을 하고 있는 무극성 분자이다.

ㄱ. CO_2와 BCl_3를 이루는 분자 내 모든 결합은 극성 공유 결합이므로 결합의 쌍극자 모멘트는 0이 아니다.

[오답 피하기]

ㄴ. CO_2에서 C와 O는 옥텟 규칙을 만족하고 있지만, BCl_3에서 중심 원소 B는 가장 바깥 전자 껍질의 전자가 6개로 옥텟 규칙을 만족하지 않는다.

ㄷ. CO_2는 C=O 결합만 2개이고, BCl_3는 B-Cl 결합만 3개이므로 모두 다른 종류의 원자끼리 결합하였다. 따라서 두 분자 모두 극성 공유 결합만 있다.

05 AC가 부분 전하의 크기와 전기 음성도 차이 모두 가장 크므로 HF이며, BC가 분자량이 가장 크므로 FCl이다. 이로부터 A, B, C가 각각 H, Cl, F임을 알 수 있다.

ㄴ. AB(HCl)와 AC(HF)에는 비공유 전자쌍이 3개씩 존재하고, BC(F-Cl)에는 비공유 전자쌍이 6개 존재한다.

ㄷ. 전기 음성도는 C(F)>B(Cl)>A(H) 순이다.

오답 피하기

ㄱ. 전기 음성도 차이가 가장 큰 AC의 쌍극자 모멘트가 가장 크다.

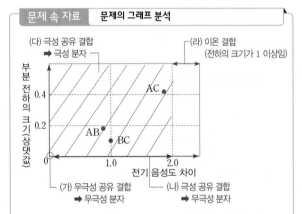

구분	조건	분자의 종류
(가)	전기 음성도 차이=0 부분 전하의 크기=0	무극성 공유 결합 무극성 분자
(나)	0<전기 음성도 차이<2.0 부분 전하의 크기=0	극성 공유 결합 무극성 분자
(다)	0<전기 음성도 차이<2.0 0<부분 전하의 크기<1.0	극성 공유 결합 극성 분자
(라)	전기 음성도 차이>2.0	이온 결합 물질

AC는 전기 음성도 차이가 크고 부분 전하의 크기도 크지만, AB와 BC의 경우 전기 음성도 차이는 BC가 더 크고, 부분 전하의 크기는 AB가 더 크다. 일반적으로는 전기 음성도 차이가 크면 쌍극자 모멘트 값이 크지만, 결합하는 원자의 종류나 분자의 구조에 따라 차이가 있을 수 있다.

06 ㄱ, ㄷ. 수소에는 공유 전자쌍 1개가 있고, 산소에는 공유 전자쌍 2개와 비공유 전자쌍 2개가 있다. 따라서 중심 원자인 산소는 옥텟 규칙을 만족한다.

ㄴ. 산소와 산소의 결합은 같은 종류의 원소 사이의 결합이므로 무극성 공유 결합이다.

$$H-\ddot{\underset{\cdot\cdot}{O}}-\ddot{\underset{\cdot\cdot}{O}}-H$$

07 ㄱ. (가)의 C와 H, (나)의 C와 F는 둘 다 서로 다른 종류의 원자끼리 공유 결합을 하고 있으므로 전기 음성도 차이에 의해 극성 공유 결합을 한다.

ㄷ. 탄소는 수소보다 전기 음성도가 크므로 (가)에서 탄소는 부분적인 음전하를 띤다. 또 탄소는 플루오린보다 전기 음성도가 작으므로 (나)에서 탄소는 부분적인 양전하를 띤다. 따라서 (가)와 (나)에서 탄소의 부분 전하의 부호는 반대이다.

오답 피하기

ㄴ. 탄소의 전기 음성도는 탄소 고유의 값이므로 다른 원소와 결합하더라도 변하지 않는다. 즉, (가)와 (나)의 탄소는 전기 음성도가 같다.

08 전자의 개수를 통해 각 원소를 파악하면 A는 질소, B는 수소, C는 플루오린이다.

ㄴ. A는 2주기 15족 원소, C는 2주기 17족 원소이므로 A는 C보다 전기 음성도가 작다.

ㄷ. BC는 HF로 공유 결합 화합물이다.

오답 피하기

ㄱ. AB_4^+에서 A와 B의 결합은 공유 결합이지만, AB_4^+과 C^-의 결합은 이온 결합이다.

09 A, B, C, D, E는 각각 He, C, O, Na, Cl이다.

ㄷ. 같은 주기에서 원자 번호가 클수록 전기 음성도가 대체로 점점 증가하므로 3주기의 1족(D), 17족 원소(E)가 2주기의 14족(B), 16족(C)보다 전기 음성도 차이가 더 클 것이다.

오답 피하기

ㄱ. A(He)는 비활성 기체로 다른 원자와 결합을 형성하지 않으므로 전기 음성도 값이 없다.

ㄴ. B(C)와 C(O)는 비금속 원소이며 서로 다른 원소로 전기 음성도 값이 다르므로 극성 공유 결합을 한다.

10 (가)는 다이아몬드, (나)는 그래핀의 결정 구조이다.

ㄷ. (가)와 (나)는 무극성 공유 결합으로만 이루어져 있기 때문에 모든 결합의 쌍극자 모멘트 값이 0이다.

오답 피하기

ㄱ. (가)의 다이아몬드는 정사면체 구조가 그물처럼 연결되어 있는 형태이므로 결합각은 $109.5°$이고, (나)의 그래핀은 정육각형이 연결되어 있는 형태이므로 결합각은 $120°$이다.

ㄴ. (가)는 전류가 흐르지 않지만 (나)는 전류가 흐른다. 공유 결정을 이루는 물질은 일반적으로 전류가 흐르지 않으나, 흑연, 그래핀, 탄소 나노 튜브 등과 같이 탄소 1개에 3개의 탄소가 단일 결합하는 구조에서는 전류가 흐른다.

11 [모범 답안] (1) 전기 음성도

(2) 원소들의 전기 음성도가 모두 같은 값이라면 모든 원자들이 무극성 공유 결합을 하게 된다. 따라서 원자 사이에 공유 전자쌍이 한쪽으로 치우치지 않아 쌍극자 모멘트가 모두 0이 되고, 분자가 부분 전하를 띠지 않게 된다.

해설 원자들의 전기 음성도가 서로 다르기 때문에 쌍극자 모멘트가 발생하고, 전자쌍이 한쪽으로 치우치게 되어 부분 전하가 발생한다. 전기 음성도가 모두 같다면 무극성 공유 결합만 형성되고, 무극성 분자만 존재하게 된다. 무극성 분자는 분자 간에 인력이 매우 작은 편이므로 분자량이 작은 물질들은 모두 기체로만 존재하게 될 것이다.

	채점 기준	배점
(1)	전기 음성도라고 쓴 경우	20 %
(2)	무극성 공유 결합만 존재하게 됨을 밝히고, 쌍극자 모멘트와 부분 전하의 변화를 서술한 경우	80 %
	무극성 공유 결합의 존재만 밝힌 경우	40 %

12 [모범 답안] 탄소는 전기 음성도가 2.5로, 가장 큰 값을 갖는 플루오린과는 1.5, 가장 작은 값을 갖는 프랑슘과는 1.8 차이가 나므로 나머지 다른 원소들과는 더 작은 전기 음성도 차이를 가진다. 따라서 탄소는 대부분의 원소와 공유 결합을 하게 된다.

해설 탄소는 생명체를 구성하는 아주 중요한 원소이다. 탄소의 화학 결합이 중요한 까닭은 여러 가지가 있는데, 그 중 한 가지가 대부분의 원소들과 공유 결합을 한다는 것이다. 탄소는 전기 음성도 값이 중간 정도의 크기를 가지고 있어 모든 원소와 전기 음성도 차이가 그다지 크지 않기 때문에 대부분의 원소들과 공유 결합을 할 수 있다. 공유 결합은 강한 결합이므로 공유 결합에 의해 형성된 물질들은 생명체가 안정적으로 생활할 수 있게 한다.

문제 속 자료	생명 현상에서 중요한 탄소
특성	**기능**
원자가 전자 수 4	4개의 공유 결합이 가능하여 다양한 구조 형성이 가능하다.
사슬 형태의 결합	사슬 형태가 무한대로 이어지는 결합으로 생명체의 몸을 이루는 고분자 유기물을 만든다.
전기 음성도 2.5	대부분의 원소와 공유 결합하여 매우 안정한 분자를 만든다.

서술형 Tip 그림에 나타낸 전기 음성도 값을 이용하여 서술하도록 한다.

채점 기준	배점
전기 음성도의 최댓값과 최솟값을 인용하여 탄소는 다른 원소들과 전기 음성도 차이가 크지 않음을 이용하여 서술한 경우	100 %

02 | 분자의 구조

01 ⑤

01 ①, ②, ③ CO_2 분자는 중심 원자인 탄소 원자가 두 산소 원자와 각각 2중 결합을 이루고 있다.

④ 각 산소 원자 주위에는 공유 전자쌍 2개, 비공유 전자쌍 2개가 있고, 탄소 원자 주위에는 공유 전자쌍 4개가 있어 모두 옥텟 규칙을 만족한다.

오답 피하기

⑤ CO_2 분자에서 두 산소 원자에는 비공유 전자쌍이 2개씩 있지만, 중심 원자인 탄소 원자는 두 산소 원자와 각각 2중 결합을 이루므로 비공유 전자쌍이 존재하지 않는다.

01 ①　　**02** 극성 물질

01 ① 털가죽으로 문지른 고무풍선은 (−)전하를 띠고, 명주 헝겊으로 문지른 유리 막대는 (+)전하를 띤다.

오답 피하기

② 대전체가 띠는 전하가 바뀌어도 물줄기는 대전체 쪽으로 휜다. 단, 물 분자를 이루는 수소와 산소 원자 중 대전체 쪽으로 향하는 원자의 위치가 바뀐다.

③ 물과 에탄올은 대전체와의 정전기적 인력에 의해 대전체에 끌려간다.

④ 물 대신 식용유를 사용하면 식용유는 무극성 물질이므로 극성 물질인 물의 경우와 같은 결과가 나타나지 않는다.

⑤ 무극성 물질에 (−)전하로 대전된 플라스틱 자를 가까이해도 액체 줄기가 휘지 않는다. 무극성 물질은 전하의 영향을 받지 않는다.

02 시료 X가 극성 물질인 물에 잘 용해되었으므로 시료 X도 극성 물질임을 알 수 있다.

기초 탄탄 문제　　p. 180

01 ⑤　　**02** ⑤　　**03** ③　　**04** ①　　**05** ⑤　　**06** ④

01 ① C와 O 사이의 결합은 2중 결합이다.

② 구성 원자는 C 1개, H 2개, O 1개로 총 4개이다.

③ 탄소는 중심 원자이다.

④ 폼알데하이드의 분자 구조는 평면 삼각형으로 모든 원자들이 한 평면에 존재한다.

⑤ C-H 단일 결합에 비해 C=O 2중 결합의 전자 밀도가 높기 때문에 2중 결합과 단일 결합 사이의 반발력이 단일 결합들 사이의 반발력보다 크다. 따라서 H-C=O 결합각은 약 122°이고, H-C-H 결합각은 약 116°이다.

02 (가)는 두 개의 탄소 사이에 2중 결합이 있는 에텐(C_2H_4)이고, (나)는 두 개의 탄소 사이에 3중 결합이 있는 에타인(C_2H_2)이다.

⑤ (가)와 (나)는 모든 원자가 한 평면에 존재하는 평면 구조이다.

[오답 피하기]
① 두 분자 모두 무극성 분자이다.
② (가)의 분자식은 C_2H_4이고, (나)의 분자식은 C_2H_2이다.
③ (가)는 결합각이 약 120°이고, (나)는 직선형 구조로 결합각이 180°이다.
④ (가)는 탄소 사이에 2중 결합이 있고, (나)는 탄소 사이에 3중 결합이 있다.

03 ① 결합의 쌍극자 모멘트 합이 클수록 분자의 극성은 커진다.
② 분자량이 비슷할 경우 극성이 큰 분자일수록 끓는점이 높다.
④ 분자 구조가 비대칭이면 분자는 극성을 나타내며, 극성 공유 결합으로 이루어져 있어도 분자 구조가 대칭이면 분자는 무극성을 나타낸다.
⑤ 극성 분자는 극성 용매에, 무극성 분자는 무극성 용매에 잘 용해된다.

[오답 피하기]
③ 전기 음성도가 같은 원자끼리 결합한 이원자 분자는 무극성 분자이다.

04 A(H_2O)는 굽은 형, B(BeH_2)는 직선형, C(NH_3)는 삼각뿔형, D(BCl_3)는 평면 삼각형이다.
① A, B, C, D의 결합각은 각각 104.5°, 180°, 107°, 120°이므로 결합각의 크기는 A<C<D<B가 된다.

[오답 피하기]
② C는 삼각뿔형으로 입체 구조이나, A는 굽은 형으로 평면 구조이다.
③, ④ A~D 모두 극성 공유 결합을 하며, 그 중 B와 D는 대칭 구조를 이루어 쌍극자 모멘트 합이 0이 되는 무극성 분자이다.
⑤ A(굽은 형)와 C(삼각뿔형)의 중심 원자에는 비공유 전자쌍이 존재하지만, B(직선형)와 D(평면 삼각형)의 중심 원자에는 비공유 전자쌍이 존재하지 않는다.

05 ⑤ 입체 구조이면서 무극성 분자인 것은 CH_4뿐이다. CH_4은 극성 공유 결합으로 이루어져 있지만, 분자 구조가 대칭 구조이므로 결합의 쌍극자 모멘트 합이 0인 무극성 분자이다.

[오답 피하기]
① N_2는 평면 구조이면서 무극성 분자이다.
② OF_2는 평면 구조이면서 극성 분자이다.
③ NH_3는 입체 구조이면서 극성 분자이다.
④ BCl_3는 평면 구조이면서 무극성 분자이다.

06 기체 상태의 물질에 전기장을 걸어 주면 극성 분자는 전기장에서 일정한 배열을 한다. 주어진 물질 중 극성 분자는 H_2O, NH_3, SO_2, HF이다.
④ CO_2는 무극성 분자이므로 전기장을 걸어 주어도 일정한 배열을 하지 않는다.

내신 만점 문제 p. 181~183

01 ④ **02** ④ **03** ② **04** ② **05** ① **06** ③
07 ① **08** ⑤ **09** ④ **10** ② **11~12** 해설 참조

01 (가), (나), (다)의 분자 구조는 각각 평면 삼각형, 평면 삼각형, 삼각뿔형이다.
ㄴ. (가)와 (나)는 평면 구조이고, (다)는 입체 구조이다.
ㄷ. (가)와 (다)는 극성 분자이고, (나)는 대칭 구조로 결합의 쌍극자 모멘트 합이 0이 되는 무극성 분자이다.

[오답 피하기]
ㄱ. (나)의 중심 원자에는 전자쌍이 3개 존재하지만, (가)와 (다)의 중심 원자에는 전자쌍이 4개 존재한다.

02 〈조건〉에 가장 많이 해당하는 분자는 BCl_3로 분자의 구조는 평면 삼각형이다.

조건	분자
모든 원자가 한 평면에 존재한다.	HCN, H_2O, BCl_3
결합의 쌍극자 모멘트 합이 0이다.	BCl_3, CH_4
중심 원자에 비공유 전자쌍이 존재한다.	H_2O, NH_3
다중 결합을 포함한다.	HCN
중심 원자가 옥텟 규칙을 만족하지 못한다.	BCl_3

제시된 분자들의 구조는 아래와 같다.

HCN – 직선형	H_2O – 굽은 형	BCl_3 – 평면 삼각형
NH_3 – 삼각뿔형	CH_4 – 정사면체형	

03 중심 원자가 C, N, O인 수소 화합물은 각각 CH_4, NH_3, H_2O이다.

ㄴ. $CH_4 \rightarrow NH_3 \rightarrow H_2O$로 갈수록 분자의 극성은 증가한다.

[오답 피하기]

ㄱ. CH_4, NH_3, H_2O에서 중심 원자의 공유 전자쌍 수는 각각 4, 3, 2이다.

ㄷ. CH_4, NH_3, H_2O에서 중심 원자의 비공유 전자쌍 수는 각각 0, 1, 2이므로 수소와 중심 원자 간의 결합각은 109.5°, 107°, 104.5°로 감소한다.

문제 속 자료	메테인(CH_4), 암모니아(NH_3), 물(H_2O)의 분자 구조 비교		
분자	메테인(CH_4)	암모니아(NH_3)	물(H_2O)
분자 모형	정사면체형	삼각뿔형	굽은 형
구조	입체 구조	입체 구조	평면 구조
분자의 극성	무극성	극성	극성
결합각	109.5°	107°	104.5°
비공유 전자쌍 수	0	1	2

04 ㄷ. Be은 금속이지만 비금속 원소와 공유 결합을 하는 특수한 경우이다. 따라서 $BeCl_2$은 대칭 구조인 직선형 분자로 무극성 분자이다. $MgCl_2$과 $CaCl_2$은 이온 결합 물질이다.

[오답 피하기]

ㄱ. $BeCl_2$은 공유 결합 물질이고, $MgCl_2$과 $CaCl_2$은 이온 결합 물질이므로 루이스 구조식은 다르다.

$BeCl_2$ $:\ddot{C}l - Be - \ddot{C}l:$

$MgCl_2$ $\left[:\ddot{\ddot{C}}l: \right]^{-} \left[Mg \right]^{2+} \left[:\ddot{\ddot{C}}l: \right]^{-}$

$CaCl_2$ $\left[:\ddot{\ddot{C}}l: \right]^{-} \left[Ca \right]^{2+} \left[:\ddot{\ddot{C}}l: \right]^{-}$

ㄴ. $BeCl_2$은 극성 공유 결합을 하지만, $MgCl_2$과 $CaCl_2$은 이온 결합을 한다.

05 H, C, O로 만들 수 있는 원자 수 5 이하의 화합물을 원자 수 비율과 함께 유추해 보면 (가)는 CO_2, (나)는 H_2O, (다)는 CH_2O이며, X, Y, Z는 각각 C, O, H이다.

ㄱ. (가)는 CO_2로 2중 결합을 하고 있다.

[오답 피하기]

ㄴ. (나)는 H_2O로 중심 원자 O에 비공유 전자쌍이 2개 있는 극성 분자이므로 쌍극자 모멘트가 0이 아니다.

ㄷ. (다)는 CH_2O로 평면 삼각형 구조이다.

06 루이스 전자점식으로 보아, 2주기 원소인 X는 질소(N), Y는 산소(O), Z는 플루오린(F)이다.

ㄱ. $X_2(N_2)$는 3중 결합을 하며, 비공유 전자쌍이 총 2개 존재한다.

ㄴ. $XZ_3(NF_3)$는 중심 원자에 공유 전자쌍이 3개, 비공유 전자쌍이 1개 존재하는 구조이고, $YZ_2(OF_2)$는 중심 원자에 공유 전자쌍이 2개, 비공유 전자쌍이 2개 존재하는 구조이다. 따라서 $XZ_3(NF_3)$ 분자와 $YZ_2(OF_2)$ 분자는 모두 극성 분자이다.

[오답 피하기]

ㄷ. X, Y, Z 1개씩으로 이루어진 분자는 $Y = X - Z$ 형태로 옥텟 규칙을 만족한다.

$\ddot{Y} :: \ddot{X} : \ddot{Z} :$

07 BCl_3, CF_4, H_2S, CH_2Cl_2 중 극성 분자는 H_2S, CH_2Cl_2이고, 무극성 분자는 BCl_3, CF_4이다. 또 CH_2Cl_2와 CF_4는 입체 구조이고, H_2S와 BCl_3는 평면 구조이다. 따라서 (가), (나), (다), (라)는 각각 CH_2Cl_2, H_2S, CF_4, BCl_3이다.

ㄱ. (가) CH_2Cl_2와 (다) CF_4는 공유 전자쌍 수가 모두 4이다.

[오답 피하기]

ㄴ. (나) H_2S에서 H는 1주기 원소, S은 3주기 원소이며, (라) BCl_3에서 B는 2주기 원소, Cl는 3주기 원소이다.

ㄷ. 결합각은 (다) CF_4가 109.5°, (라) BCl_3가 120°이므로 (다)가 (라)보다 작다.

08 ㄱ, ㄴ. 반응 전 BF_3에서는 B가 3개의 공유 전자쌍을 가지고 있어 옥텟 규칙을 만족하지 못하며, BF_3는 평면 삼각형 구조로 결합각(F−B−F)은 120°이다. 반응 후에는 B가 NH_3의 비공유 전자쌍과 배위 결합을 하여 4개의 공유 전자쌍을 가지게 되므로 옥텟 규칙을 만족하고, NH_3BF_3는 사면체의 입체 구조를 가지므로 결합각(F−B−F)은 약 109.5°이다.

ㄷ. 생성물인 NH_3BF_3은 비대칭 구조로 극성 분자이다.

결합각		
B의 공유 전자쌍	3개	4개
구조	평면 삼각형의 평면 구조	B를 중심으로 사면체형 입체 구조

09 실험식과 분자 내 공유 전자쌍 수로 유추해 보면, (가), (나), (다)는 각각 NH_3, HCN, C_2H_2이고, X, Y, Z는 각각 질소, 탄소, 수소이다.

ㄴ. (가) NH_3와 (다) C_2H_2은 분자당 구성 원자 수가 4로 같다.

ㄷ. (나) HCN와 (다) C_2H_2의 분자 구조는 모두 직선형이다.

오답 피하기

ㄱ. (가) NH_3와 (나) HCN는 극성 분자이지만, (다) C_2H_2은 무극성 분자이다.

10 ㄴ. 비공유 전자쌍은 산소 원자에 2개, 2개의 질소 원자에 각각 1개씩 총 4개가 존재한다.

오답 피하기

ㄱ. 요소 분자에서 탄소를 중심 원자로 하면 3개의 주변 원자가 결합하므로 평면 삼각형 구조이다. 하지만 질소를 중심 원자로 하면 3개의 주변 원자와 1개의 비공유 전자쌍이 있으므로 삼각뿔형 구조이다. 따라서 전체적으로 입체 구조이다.

ㄷ. α는 평면 삼각형 구조의 결합각, β는 삼각뿔형 구조의 결합각이므로 α가 β보다 더 크다.

구분	탄소를 중심 원자로 볼 경우	질소를 중심 원자로 볼 경우
루이스 구조	(O=C, H_2N, NH_2 구조)	(N 중심, H, CONH₂ 구조)
중심 원자의 비공유 전자쌍	0	1
결합 수	4	3
분자 구조	평면 삼각형	삼각뿔형

11 **[모범 답안]** (1) 물과 에탄올은 섞여서 용액 전체에 붉은색이 퍼지지만, 물과 노말헥세인은 섞이지 않고 층을 이루며 위에는 노말헥세인, 아래에는 물이 위치한다.

(2) 물은 극성 물질로 극성 물질과는 잘 섞이지만 무극성 물질과는 잘 섞이지 않는다. 에탄올은 극성 물질이므로 물과 잘 섞이고, 노말헥세인은 무극성 물질이므로 물과 잘 섞이지 않기 때문이다.

물+에탄올
잘 섞임

물+노말헥세인
노말헥세인
물
잘 섞이지 않고 층이 생김

해설 이 실험은 물질의 극성과 용해에 관한 실험이다. 극성 물질은 극성 용매에 용해되고 무극성 용매에는 용해되지 않는다. 반대로 무극성 물질은 무극성 용매에 용해되고 극성 용매에는 용해되지 않는다.

	채점 기준	배점
(1)	물과 에탄올은 섞이고, 노말헥세인은 물 층 위에 구분되어 존재한다고 서술한 경우	40 %
(2)	극성 물질끼리, 무극성 물질끼리는 잘 섞이고, 극성 물질과 무극성 물질은 잘 섞이지 않는다는 것을 물, 에탄올, 노말헥세인의 극성 여부와 관련지어 서술한 경우	60 %
	물, 에탄올, 노말헥세인의 극성 여부와 관련짓지 않고 극성 물질과 무극성 물질의 용해성만 서술한 경우	40 %

12 **[모범 답안]** (1) (가)는 평면 구조이고 쌍극자 모멘트가 0인 무극성 분자이며, (나)는 입체 구조이고 쌍극자 모멘트가 0이 아닌 극성 분자이다.

(2) 전기장 내에서 NH_3 분자의 배열 모양을 알아본다. NH_3 기체의 물에 대한 용해도를 조사해 본다.

해설 중심 원자에 3개의 공유 전자쌍이 존재하는 경우에 평면 구조와 입체 구조가 가능하다. 평면 구조일 경우 쌍극자 모멘트가 0이 되어 무극성 분자의 성질을 가지게 되고, 입체 구조일 경우 쌍극자 모멘트가 0이 아니므로 극성 분자의 성질을 가지게 된다.

	채점 기준	배점
(1)	(가)와 (나)를 구조 차이와 극성의 차이로 옳게 서술한 경우	50 %
(2)	극성 분자의 성질과 무극성 분자의 성질을 이용하여 확실하게 구분할 수 있는 방법을 1가지 이상 제시한 경우	50 %

01 ㄱ. 염화 나트륨 고체는 전류가 흐르지 않지만, 염화 나트륨 용융액은 전류가 흐른다. 따라서 물의 전기 분해와 달리 전해질이 필요하지 않다.

ㄷ. 이 실험으로부터 이온 결합에 전자가 관여함을 확인할 수 있다.

[오답 피하기]

ㄴ. (+)극과 (−)극에서 이동하는 전자 수가 같으므로 전체 반응식에서 전자의 이동이 상쇄되어 표시되지 않는다.

(−)극: $2Na^+(l) + 2e^- \longrightarrow 2Na(l)$

(+)극: $2Cl^-(l) \longrightarrow Cl_2(g) + 2e^-$

전체: $2NaCl(l) \longrightarrow 2Na(l) + Cl_2(g)$

02 ㄱ, ㄴ. (가)와 (나)는 탄소를 중심으로 4개의 주변 원자가 결합하는 모양으로 둘 다 정사면체형 입체 구조를 이루고 있다. 4개의 결합이 극성 공유 결합을 하지만, 중심 탄소를 기준으로 대칭 구조이므로 결합의 쌍극자 모멘트 합이 0이 된다. 따라서 (가)와 (나) 모두 무극성 분자이다.

[오답 피하기]

ㄷ. 전기 음성도는 플루오린(4.0)>탄소(2.5)>수소(2.1)이다. 따라서 메테인에서는 전자쌍이 수소에서 탄소 쪽으로 치우쳐 탄소가 부분적인 음전하를 띠고, 사플루오린화 탄소에서는 전자쌍이 탄소에서 플루오린 쪽으로 치우쳐 탄소가 부분적인 양전하를 띠게 된다.

문제 속 자료	메테인(CH_4), 사플루오린화 탄소(CF_4) 분자 비교	
구분	메테인(CH_4)	사플루오린화 탄소(CF_4)
화학 결합	C−H 극성 공유 결합	C−F 극성 공유 결합
분자 극성	무극성	무극성
분자 구조	정사면체형	정사면체형
결합각	109.5°	109.5°
중심 탄소의 부분 전하	부분적인 음전하(δ^-)	부분적인 양전하(δ^+)

03 원자 A는 첫 번째 전자 껍질에 전자가 2개 채워져 있으므로 비활성 기체인 헬륨이고, 원자 B는 가장 바깥 전자 껍질에 전자가 8개 모두 채워져 있으므로 비활성 기체인 네온이다.

ㄱ. 최외각 전자 수는 A가 2, B가 8이지만, 비활성 기체의 원자가 전자 수는 0으로 모두 같다.

[오답 피하기]

ㄴ. 비활성 기체는 전자를 잃거나 얻지 않는다.

ㄷ. 비활성 기체는 실온에서 안정한 기체로 존재한다.

문제 속 자료	비활성 기체의 전자 수 비교		
구분	He	Ne	Ar
총 전자 수	2	10	18
최외각 전자 수	2	8	8
원자가 전자 수	0	0	0

최외각 전자는 가장 바깥 전자 껍질에 존재하는 전자를 의미하고, 원자가 전자는 화학 결합에 참여할 수 있는 전자를 의미한다. 1족부터 17족까지는 최외각 전자 수와 원자가 전자 수가 일치하지만, 18족 비활성 기체는 최외각 전자 수와 원자가 전자 수가 다르다.

04 금속 (가)와 이온 결합 화합물 (나)에 공통으로 포함된 A는 금속 양이온이고, 금속 (가)에 포함된 B는 자유 전자, 이온 결합 화합물 (나)에 포함된 C는 비금속 음이온이다.

ㄱ. A는 양이온이므로 (+)전하를 띤다.

[오답 피하기]

ㄴ. 금속에서 B(자유 전자)는 이동이 자유롭지만, 실온의 이온 결합 물질은 고체 상태이므로 A(양이온)와 C(음이온)는 단단히 결합되어 있어 움직이지 못한다.

ㄷ. 외부에서 충격을 가할 때 금속 (가)는 얇게 펴지거나 휘어지지만, (나)는 깨지거나 쪼개진다.

문제 속 자료	금속 결합 물질과 이온 결합 물질의 비교	
구분	금속 결합 물질	이온 결합 물질
입자 모형		
실온에서 상태	고체(수은은 액체)	고체
끓는점, 녹는점	높음	높음
입자 간 인력	금속 양이온과 자유 전자 사이의 강한 인력 작용	양이온과 음이온 사이의 강한 인력 작용
외부 충격에 의한 성질	전성과 연성	쪼개짐, 깨짐
전기 전도성	고체 ○ 액체 ○	고체 × 액체 ○

05 ㄱ. (가)는 수산화 이온이므로 OH^-이고, (나)는 사이안화 이온이므로 CN^-이다. 따라서 $a=b$이다.

ㄴ. (가)는 비공유 전자쌍이 산소에 3개 있고, (나)는 비공유 전자쌍이 질소에 1개, 탄소에 1개로 총 2개 있으므로 (가)가 (나)보다 비공유 전자쌍이 더 많다.

구분	(가) OH^-	(나) CN^-
루이스 전자점식	$\left[\,:\!\overset{\cdot\cdot}{\underset{\cdot\cdot}{O}}\!:\!H\,\right]^-$	$\left[\,:\!C\!::\!N\!:\,\right]^-$
비공유 전자쌍 수	3	2
공유 전자쌍 수	1	3

오답 피하기

ㄷ. (가)가 H^+과 결합한 분자는 H_2O로 굽은 형이고, (나)가 H^+과 결합한 분자는 HCN로 직선형이다.

06 녹는점이 가장 낮은 (가)는 +1가 양이온과 −1가 음이온이 결합한 것 중 이온 간 거리가 먼 NaBr이고, (나)는 +1가 양이온과 −1가 음이온이 결합한 것 중 이온 간 거리가 짧은 NaF이며, 녹는점이 가장 높은 (다)는 +2가 양이온과 −2가 음이온이 결합한 MgO이다.

ㄱ. (가)와 (나)에는 Na^+이 공통으로 포함되어 있으므로 (가)와 (나)의 불꽃 반응색은 같다.

ㄴ. (나)는 (가)보다 녹는점이 높으므로 결합력이 더 강하다.

ㄷ. MgO은 +2가 양이온과 −2가 음이온이 결합한 것이므로 +1가 양이온과 −1가 음이온이 결합한 NaF보다 이온 결합력이 훨씬 강하다.

07 NH_3와 HCl는 공유 결합 물질이지만, 반응 후 생성물인 NH_4Cl은 이온 결합 물질이다.

ㄴ. NH_4Cl은 이온 결합 물질이므로 물에 녹인 수용액 상태에서 전류가 흐른다.

ㄷ. HCl에서 H와 Cl는 공유 결합을 하고, NH_4Cl에서 NH_4^+과 Cl^-은 이온 결합을 한다. 따라서 두 물질에서 H−Cl, NH_4−Cl의 결합 종류는 서로 다르다.

오답 피하기

ㄱ. NH_3는 중심 원자 N에 공유 전자쌍 3개와 비공유 전자쌍 1개가 있으므로 삼각뿔형 구조이지만, NH_4^+은 중심 원자 N에 공유 전자쌍 4개가 있으므로 정사면체형 구조가 된다.

문제 속 자료 NH_3와 NH_4^+의 비교

구분	NH_3	NH_4^+
모형	$H-\overset{\overset{\cdot\cdot}{N}}{\underset{H}{\,}}-H$	$\left[\,H-\overset{\overset{H}{\vert}}{\underset{\underset{H}{\vert}}{N}}-H\,\right]^+$
구조	삼각뿔형	정사면체형
결합각	107°	109.5°
비공유 전자쌍 수	1	0

08 ㄴ. 루이스 구조식을 통해 CO_2는 무극성 분자, H_2CO_3은 극성 분자인 것을 알 수 있다. 즉, CO_2와 H_2CO_3의 극성은 다르다.

오답 피하기

ㄱ. CO_2에서 탄소는 2개의 산소와 각각 2중 결합을 하므로 결합 수가 4이다. H_2CO_3에서 탄소는 1개의 산소와 2중 결합을 하고, 다른 2개의 산소와 각각 단일 결합을 하므로 총 4개의 결합을 하고 있어 결합 수가 4이다. 따라서 탄소의 결합 수는 달라지지 않는다.

ㄷ. CO_2는 탄소를 중심으로 산소 원자가 2개 결합하여 180°의 결합각을 갖지만, H_2CO_3이 되면서 탄소에 산소 원자가 3개 결합하여 결합각이 120° 정도로 작아지게 된다.

문제 속 자료 이산화 탄소(CO_2)와 탄산(H_2CO_3)의 비교

구분	CO_2	H_2CO_3
구조식	$O=C=O$	$H\underset{\diagdown}{\,}\overset{\overset{O}{\parallel}}{\underset{O}{C}}\underset{\diagup}{\,}H$
분자의 극성	무극성	극성
분자 구조	직선형	평면 구조
탄소와 결합한 원자 수	2	3
결합각	180°	120°

09 (가)는 나트륨 원자의 원자가 전자이고, (나)는 자유 전자이다. 나트륨은 이온화 에너지가 작아서 원자가 전자가 쉽게 전자 궤도에서 떨어져 나올 수 있다. 이 전자는 나트륨 금속 내부를 자유롭게 이동하는 자유 전자가 된다.

10 ㄷ. 전기장에서의 분자 배열 실험을 통해 뷰테인 기체는 무극성 분자임을 알 수 있다. 무극성 분자는 분자 간의 인력이 작아서 끓는점이 낮으므로 실온에서 기체로 존재한다.

오답 피하기

ㄱ. 무극성 물질은 극성 용매인 물에 잘 녹지 않는다.

ㄴ. 뷰테인은 탄소 원자 주위에 4개의 원자가 결합하고 있으므로 직선형 구조가 아니다.

11 ㄱ. 질소와 수소의 반응 부피비는 1 : 3으로 수소 12 L는 모두 반응하고, 질소는 5 L 중에 4 L가 반응한다. 반응 후 암모니아 8 L가 생성되고, 반응하지 못한 질소 1 L가 남게 된다.

	N_2	+	$3H_2$	$\longrightarrow$	$2NH_3$
반응 전	5 L		12 L		0
반응	−4 L		−12 L		+8 L
반응 후	1 L		0 L		8 L

ㄷ. 생성물인 암모니아는 극성 분자로 극성 용매인 물에 잘 녹지만, 반응하고 남은 질소는 무극성 분자로 물에 잘 녹지 않는다. 따라서 물을 넣어 주면 생성물인 암모니아와 반응물인 질소를 분리할 수 있다.

[오답 피하기]

ㄴ. 반응 후 생성된 암모니아는 삼각뿔형으로 입체 구조이지만, 반응하지 않고 남은 질소는 직선형으로 평면 구조이다.

12 ㄱ. (가)는 극성 분자이고, (나), (다)는 전하를 띠고 있는 이온이므로 모두 극성 물질이다.

ㄴ. (가)는 굽은 형 구조, (다)는 직선형 구조로 둘 다 평면 구조이다.

[오답 피하기]

ㄷ. (가)는 중심 원자인 산소에 2개의 수소 원자가 결합되어 있고 2개의 비공유 전자쌍이 있으며, (나)는 중심 원자인 산소에 3개의 수소 원자가 결합되어 있고 1개의 비공유 전자쌍이 있다. 따라서 (가)와 (나)의 결합각 크기는 다르다.

13 ㄱ. (가)는 평면 삼각형 구조로 평면 구조이고, (나)는 정사면체형 구조로 입체 구조이다.

[오답 피하기]

ㄴ. (가)와 (나)에서 B와 F 사이의 결합은 모두 극성 공유 결합이다.

ㄷ. (나)는 배위 결합을 통해 이온이 된 것이지 이온 결합을 한 것은 아니다.

14 (가)~(다)를 이루고 있는 원자의 종류와 수가 같으므로 분자식이 모두 같다.

ㄷ. 모든 분자는 비대칭 구조이므로 극성 분자이고, 쌍극자 모멘트 값이 0이 아니다.

문제 속 자료	에틸 메틸 에테르, 1-프로판올, 2-프로판올의 비교		
구분	에틸 메틸 에테르	2-프로판올	1-프로판올
분자 모형			
분자식	C_3H_8O	C_3H_8O	C_3H_8O
분자량	60	60	60
구조 대칭성	비대칭	비대칭	비대칭
끓는점 (℃)	7.4	82.6	97

• 1-프로판올의 끓는점이 2-프로판올보다 높은 까닭은 분자 구조의 비대칭성이 더 크기 때문이다.
• 에틸 메틸 에테르의 끓는점이 프로판올에 비해 매우 낮은 까닭은 1-프로판올과 2-프로판올이 수소 결합을 하기 때문이다.

[오답 피하기]

ㄱ. (가)~(다)는 분자식이 C_3H_8O로 모두 같은 구조 이성질체이므로 분자량이 모두 같다.

ㄴ. (나)는 비대칭 구조로, 두 번째 탄소를 중심 원자로 산소 방향으로 전자가 치우쳐 쌍극자 모멘트가 존재하는 극성 분자이다.

15 화합물 A_2BC_3는 이온 결합 화합물이다. A는 1족 원소인 Li이고, B는 14족 원소인 C, C는 16족 원소인 O이다.

ㄱ. A(Li)는 금속이므로 실온에서 전기 전도성이 있는 고체이다.

ㄷ. $BC_3^{2-}(CO_3^{2-})$은 평면 삼각형 구조로 모든 원자가 한 평면에 존재한다.

[오답 피하기]

ㄴ. $BC_2(CO_2)$는 무극성 분자이므로 기체 상태로 전기장에서 일정한 배열을 하지 않는다.

16 ㄱ. 금속 A와 묽은 염산이 반응하여 수소 기체가 생성되므로 반응 중에 기포가 생기는 것을 볼 수 있다.

[오답 피하기]

ㄴ. 금속 A와 염산이 반응하여 생성된 고체 (가)는 이온 결합 물질이다. 금속 A는 고체나 액체 상태에서 전류가 흐르지만, 고체 (가)는 이온 결합 물질이므로 고체 상태에서는 전류가 흐르지 않고 액체 상태에서만 전류가 흐른다.

ㄷ. 고체 (가)는 이온 결합 물질이므로 외부 충격을 가하면 깨지거나 쪼개지는 성질이 나타난다.

Ⅳ 역동적인 화학 반응

1. 동적 평형과 산 염기 반응
01 | 가역 반응과 동적 평형

탐구 대표 문제   p. 195

01 ②

01 ① NO_2와 N_2O_4 사이의 반응은 적갈색의 NO_2가 결합하여 무색의 N_2O_4로 되는 반응과 N_2O_4가 분해되어 NO_2로 되는 반응이 모두 일어나는 가역 반응이다.
③, ④, ⑤ 동적 평형 상태에서는 정반응 속도와 역반응 속도가 같으므로 NO_2와 N_2O_4의 농도가 일정하게 유지되며, 따라서 색 변화도 더 이상 일어나지 않는다.

오답 피하기
② 동적 평형 상태에서도 정반응과 역반응은 계속 일어나고 있다.

기초 탄탄 문제   p. 198

01 ②   **02** ③   **03** ②   **04** ⑤   **05** ④   **06** ⑤
07 ⑤

01 ② 얼음은 녹아 물이 되고, 물이 얼면 얼음이 된다. 즉, 얼음의 융해와 물의 응고는 가역 반응이다.

오답 피하기
① 염산과 마그네슘의 반응 결과 수소 기체가 발생한다. 기체가 발생하는 반응은 생성물인 기체가 날아가면 역반응이 일어나기 어려우므로 비가역 반응이다.
③ 가역 반응은 ⇌로 표시한다.
④ 연소는 연료가 산소와 반응하여 열과 빛을 내는 반응으로, 생성물이 기체 상태로 공기 중으로 날아가므로 역반응이 일어나기 어렵다.
⑤ 앙금이 생성되는 반응은 역반응이 일어나기 어려운 비가역 반응이다.

02 ① 포화 용액은 용질의 용해 속도와 석출 속도가 같아 겉보기에 용질이 더 이상 녹지 않는 것처럼 보이는 상태로, 용해 평형 상태이다.
② 동적 평형 상태에서는 반응물과 생성물이 함께 존재하며, 물질의 양이 일정하므로 농도가 일정하게 유지된다.
④ 상평형은 액체의 증발 속도와 기체의 응축 속도가 같은 동적 평형 상태이다.

⑤ 동적 평형은 한 물질의 액체와 기체뿐만 아니라 고체와 기체, 고체와 액체 사이에서도 나타나는데, 이를 상평형이라고 한다.

오답 피하기
③ 동적 평형 상태에서는 정반응과 역반응이 동시에 일어난다. 단, 정반응 속도와 역반응 속도가 같아 반응이 일어나지 않는 것처럼 보일 뿐이다.

03 ① 상평형, 용해 평형과 같은 동적 평형은 가역 반응에서 일어난다.
③ 용질의 용해 속도와 석출 속도가 같아 겉보기에 용질이 더 이상 녹지 않는 것처럼 보이는 상태를 용해 평형이라 하고, 이때의 용액을 포화 용액이라고 한다. 용해 평형 상태에서는 용질이 최대로 녹아 있다.
④ 온도와 압력 조건을 조절하면 고체와 액체 사이, 액체와 기체 사이, 고체와 기체 사이에서도 상평형이 가능하다.
⑤ 컵에 물을 담아 두면 물의 증발 속도가 응축 속도보다 빨라서 증발하는 물 분자 수가 더 많으므로 물이 줄어든다.

오답 피하기
② 불포화 용액은 포화 용액보다 용질이 적게 녹아 있어 용질이 더 녹을 수 있는 용액으로, 용해 속도가 석출 속도보다 빠르다.

04 ⑤ 소금이 더 이상 녹지 않고 바닥에 가라앉은 것은 소금이 물에 녹는 용해 속도와 소금이 석출되는 속도가 같아져 더 이상 변화가 일어나지 않는 것처럼 보이는 동적 평형 상태이다.

오답 피하기
① 연소 반응은 비가역 반응이다.
②, ③ 밀폐된 용기에서는 물의 증발 속도와 응축 속도가 같을 때 동적 평형에 도달하여 물의 양이 더 이상 줄어들지 않고 일정하게 유지된다. 반면, 그릇에 담긴 물이 모두 증발하는 경우나 간장 종지의 물이 모두 증발하고 소금 결정만 남는 경우는 증발 속도가 응축 속도보다 커서 평형에 도달하지 못한 상태이다.
④ 건전지가 모두 방전되어 시계가 멈췄으므로 더 이상 정반응과 역반응이 일어나지 않는다.

05 ①, ②, ③ 수면의 높이가 더 이상 변하지 않으므로 물의 증발 속도와 수증기의 응축 속도가 같은 동적 평형 상태에 도달한 것이다. 즉, 동적 평형 상태에서는 증발하는 입자 수와 응축하는 입자 수가 같으므로 수면의 높이와 용기 안 기체 입자 수는 일정하게 유지된다.
⑤ 물질의 세 가지 상태 중 두 가지 이상의 상태가 동적 평형을 유지하는 것을 상평형이라고 한다.

오답 피하기
④ 동적 평형 상태에서도 물의 증발과 수증기의 응축이 계속 일어나고 있다.

06 ① 순수한 물은 매우 적은 양의 물 분자끼리 수소 이온을 주고 받아 하이드로늄 이온과 수산화 이온으로 이온화하여 동적 평형을 이룬다.

② 순수한 물은 H_3O^+과 OH^- 이외에 어떤 이온도 들어 있지 않으며, 전체적으로 전기적인 중성을 띠므로 H_3O^+과 OH^-의 몰 농도는 같다.

③, ④ 25 °C에서 $[H_3O^+][OH^-]=1.0\times10^{-14}$로 일정하므로 $[H_3O^+]$와 $[OH^-]$는 1.0×10^{-7} M로 같고, pH와 pOH는 7로 같다.

[오답 피하기]

⑤ 순수한 물에 산을 가하면 H_3O^+의 농도가 증가한다.

07 ⑤ pH는 H_3O^+의 몰 농도의 역수에 상용로그를 취한 값으로, pH가 1씩 작아질수록 수용액 속의 $[H_3O^+]$는 10배씩 커진다.

[오답 피하기]

① 25 °C에서 순수한 물의 pH는 7이다.

② $pH=-\log[H_3O^+]$이므로 H_3O^+의 농도가 클수록 pH는 작아진다.

③ pH는 수용액 속 H_3O^+의 농도를 간단히 나타낸 값이고, 수용액 속 OH^-의 농도를 간단히 나타낸 값은 pOH이다.

④ pH가 9인 용액은 염기성 용액으로 OH^-의 수가 H_3O^+의 수보다 많다.

내신 만점 문제   p. 199~201

01 ②   **02** ④   **03** ④   **04** ③   **05** ④   **06** ③
07 ⑤   **08** ①   **09** ③   **10** ②   **11** ②
12~13 해설 참조

---

01 ㄴ. (나)에서 설탕이 더 이상 녹지 않고 바닥에 가라앉는 것은 설탕이 물에 녹는 용해 속도와 설탕이 석출되는 속도가 같아져 더 이상 변화가 일어나지 않는 것처럼 보이는 동적 평형 상태에 도달했기 때문이다.

[오답 피하기]

ㄱ. 연소는 비가역 반응이다.

ㄷ. (나)는 용해 평형 상태로 온도가 변하지 않는 한 용해 속도는 일정하다.

02 ㄱ, ㄷ. 실온(25 °C)에서는 얼음이 녹아 물이 되는 속도(융해 속도)가 물이 얼음이 되는 속도(응고 속도)보다 빠르므로 시간이 지날수록 얼음의 질량은 점점 감소하고 물의 질량은 점점 증가한다.

[오답 피하기]

ㄴ. 실온(25 °C)에서는 용해 속도가 응고 속도보다 빠르므로 상평형에 도달할 수 없다.

03 ㄴ. 용질 입자가 녹아 들어감에 따라 용질의 석출 속도는 빨라지므로 (다)>(나)>(가) 순이다.

ㄷ. (다)는 용해 속도와 석출 속도가 같아 더 이상 용질이 녹아 들어가지 않는 것처럼 보이는 순간인 동적 평형 상태이다. 동적 평형 상태에서는 용액의 농도가 더 이상 변하지 않고 일정하게 유지된다.

[오답 피하기]

ㄱ. 온도가 일정하면 용질의 용해 속도는 일정하다.

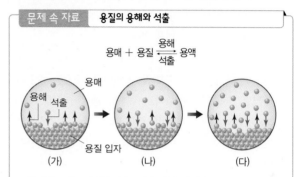

| **문제 속 자료** | **용질의 용해와 석출** |

(가)	(나)	(다)
용해 속도≫석출 속도	용해 속도>석출 속도	용해 속도=석출 속도
불포화 용액	불포화 용액	포화 용액 ➡ 동적 평형

• 용해 속도: 온도의 영향 받음 ➡ (가)=(나)=(다)
• 석출 속도: 용매에 녹아 들어가는 용질의 양이 많아질수록 빨라짐 ➡ (가)<(나)<(다)
• (다): 용해 속도와 석출 속도가 같은 동적 평형에 도달

04 ㄱ. 증발 속도는 온도의 영향을 받는다. 즉, 일정한 온도에서 증발 속도는 일정하므로 (가)가 증발 속도이고 (나)가 응축 속도이다.

ㄷ. 시간이 지날수록 증발이 일어나 수증기의 양이 증가하므로 응축 속도도 점점 증가한다. t_2에서는 증발 속도와 응축 속도가 같아지므로 동적 평형에 도달하며, 이때부터는 수증기의 분자 수가 일정하게 유지된다.

[오답 피하기]

ㄴ. 동적 평형이 이루어지기 전까지는 증발 속도가 응축 속도보다 빠르므로 t_1보다 t_2에서 물의 양이 더 적다.

05 ㄴ, ㄷ. Br_2의 상변화는 가역적으로 일어난다. 즉, 밀폐 용기에 기체 상태의 $Br_2(g)$을 넣어 두면 충분한 시간이 지나 동적 평형에 도달한다. 마찬가지로 밀폐 용기에 액체 상태의 $Br_2(l)$을 넣어도 가역 반응이 일어나 용기 속에는 $Br_2(l)$과 $Br_2(g)$이 함께 존재한다.

[오답 피하기]

ㄱ. (가)는 중화 반응으로 비가역 반응이므로 역반응이 일어나기 어렵다.

06 ㄱ. 순수한 물이라도 극히 일부분이 H_3O^+과 OH^-으로 자동 이온화하여 평형을 이루고 있는데, 이 반응은 가역 반응이다.

ㄴ. 물은 자동 이온화하여 H_3O^+과 OH^-을 1 : 1로 내놓으므로 순수한 물의 $[H_3O^+]$와 $[OH^-]$는 같다. 이때 25 ℃에서 $K_w = [H_3O^+][OH^-] = 1.0 \times 10^{-14}$이므로 25 ℃의 순수한 물에서 $[H_3O^+] = [OH^-] = 1.0 \times 10^{-7}$ M이다.

오답 피하기
ㄷ. 물의 이온화 상수가 매우 작은 것으로 보아 물은 매우 일부만 이온화함을 알 수 있다. 따라서 생성물의 양(mol)이 반응물의 양(mol)보다 매우 적다.

07 ㄱ, ㄷ. 파란색 황산 구리(Ⅱ) 오수화물($CuSO_4 \cdot 5H_2O$)을 가열하면 물이 떨어져 나가면서 흰색 황산 구리(Ⅱ)($CuSO_4$)가 되고, 흰색 황산 구리(Ⅱ)($CuSO_4$) 결정에 물을 가하면 다시 파란색 황산 구리(Ⅱ) 오수화물($CuSO_4 \cdot 5H_2O$)로 변한다. 이와 같이 $CuSO_4 \cdot 5H_2O$의 분해와 생성은 가역 반응이다.

ㄴ. (나)의 파란색 결정은 $CuSO_4 \cdot 5H_2O$이므로 이것을 가열하면 다시 흰색 $CuSO_4$가 된다.

08 ㄱ. 25 ℃에서 pH+pOH=14로 일정하므로 pH가 작을수록 pOH는 크다. 따라서 주어진 물질 중 pH가 가장 작은 토마토의 pOH가 가장 크다.

오답 피하기
ㄴ. pH가 작을수록 $[H_3O^+]$가 크며, pH 1 차이는 $[H_3O^+]$ 10배 차이가 난다. 우유의 pH는 토마토보다 2 크므로 우유의 $[H_3O^+]$는 토마토의 $\frac{1}{100}$배이다.

ㄷ. pH가 작을수록 산성이 강하고, pH가 클수록 염기성이 강하다. 하수구 세정제는 pH가 가장 크므로 염기성이 가장 강한 물질이다.

09 (가) 0.0001 M 식초 속 $[H_3O^+] = 1.0 \times 10^{-4}$ M이다. 따라서 pH$= -\log(1.0 \times 10^{-4}) = 4$이다.

(나) 0.01 M 수산화 나트륨(NaOH) 수용액 속 $[OH^-] = 1.0 \times 10^{-2}$ M이고, 25 ℃에서 $[H_3O^+][OH^-] = 1.0 \times 10^{-14}$이므로 $[H_3O^+] = 1.0 \times 10^{-12}$ M이다. 따라서 pH$= -\log(1.0 \times 10^{-12}) = 12$이다.

(다) 25 ℃에서 pH+pOH=14이므로 pH=11이다.

10 25 ℃ 수용액에서 pH가 7보다 작으면 산성, pH가 7보다 크면 염기성을 띠며, pH가 작을수록 산성이 강하고, pH가 클수록 염기성이 강하다.

ㄴ. 25 ℃에서 pH+pOH=14이므로 pOH 3인 수용액의 pH는 11이고, $[H_3O^+]$는 1.0×10^{-11} M이다.

오답 피하기
ㄱ. pH>7이면 염기성이고, pH가 14에 가까울수록 강한 염기성을 띤다. 따라서 pH 8인 수용액은 약한 염기성을 띤다.

ㄷ. pH 2인 수용액의 $[H_3O^+]$는 pH 4인 수용액의 10^2배, 즉 100배이다.

문제 속 자료	수용액의 액성과 pH, pOH의 관계(25 ℃)	
액성	$[H_3O^+]$와 $[OH^-]$	pH와 pOH
산성	$[H_3O^+] > 1.0 \times 10^{-7}$ M $> [OH^-]$	pH<7, pOH>7
중성	$[H_3O^+] = 1.0 \times 10^{-7}$ M $= [OH^-]$	pH=7, pOH=7
염기성	$[H_3O^+] < 1.0 \times 10^{-7}$ M $< [OH^-]$	pH>7, pOH<7

11 ㄱ. 25 ℃ 수용액에서 pH+pOH=14이므로 pOH가 10인 A의 pH는 4이고, $[H_3O^+]$는 1.0×10^{-4} M이다.

ㄹ. D에서 pH<pOH이므로 $[H_3O^+] > [OH^-]$이다.

문제 속 자료	수용액 A~D의 pH 및 pOH의 관계(25 ℃)			
25 ℃에서 $[H_3O^+][OH^-] = 1.0 \times 10^{-14}$, pH+pOH=14				
수용액	A	B	C	D
$[H_3O^+]$(M)	1.0×10^{-4}	1.0×10^{-8}	1.0×10^{-6}	1.0×10^{-2}
$[OH^-]$(M)	1.0×10^{-10}	1.0×10^{-6}	1.0×10^{-8}	1.0×10^{-12}
pH	4	8	6	2
pOH	10	6	8	12

오답 피하기
ㄴ. B는 $[OH^-] > 1.0 \times 10^{-7}$ M이므로 염기성 용액, C는 $[H_3O^+] > 1.0 \times 10^{-7}$ M이므로 산성 용액이다.

ㄷ. $[H_3O^+][OH^-] = 1.0 \times 10^{-14}$이므로 C에서 $[OH^-] = 1.0 \times 10^{-8}$ M이다. 따라서 pOH$= -\log(1.0 \times 10^{-8}) = 8$이다.

12 **[모범 답안]** (1) (가)=(나)=(다), 온도가 일정하므로 증발 속도는 모두 같다.

(2) (가)<(나)<(다), 물 분자가 증발함에 따라 수증기 분자가 증가하므로 (가)에서 (다)로 갈수록 수증기 분자의 응축 속도는 커진다.

(3) (다), 동적 평형 상태에서는 증발 속도와 응축 속도가 같기 때문이다.

해설 증발 속도는 온도의 영향을 받는데, 온도가 일정하므로 증발 속도는 모두 같다. 물 분자가 증발함에 따라 수증기 분자 수가 증가하므로 (가)에서 (다)로 갈수록 수증기 분자의 응축 속도는 커진다. (다)에서 수면의 높이가 일정해졌으므로 증발 속도와 응축 속도가 같은 동적 평형에 도달하였다.

	채점 기준	배점
(1)	(가)~(다)의 증발 속도가 모두 같다고 쓰고, 온도가 일정하기 때문이라고 서술한 경우	35 %
	(가)~(다)의 증발 속도가 모두 같다고 썼으나, 그 까닭을 온도와 관련하여 서술하지 않은 경우	15 %
(2)	(가)~(다)의 응축 속도를 옳게 비교하고, 그 까닭을 옳게 서술한 경우	35 %
	(가)~(다)의 응축 속도를 옳게 비교하였으나, 그 까닭을 옳게 서술하지 않은 경우	15 %
(3)	(다)를 고르고, 그렇게 생각한 까닭을 옳게 서술한 경우	30 %
	(다)를 골랐으나, 그렇게 생각한 까닭을 옳게 서술하지 않은 경우	10 %

13 [모범 답안] 기체 상태의 아이오딘이 두 용기 사이를 이동하여 $^{127}I_2$과 $^{131}I_2$이 섞이게 되고, 각 용기에서 동적 평형을 이루므로 $^{131}I_2$이 두 용기의 기체와 고체에서 모두 발견된다.

해설 아이오딘(I_2)은 승화성 고체로 밀폐된 용기에서 고체와 기체 사이에 상평형을 이룬다. 꼭지를 열고 시간이 흐르면 기체 상태의 아이오딘이 두 용기 사이를 이동하여 $^{127}I_2$과 $^{131}I_2$이 섞이게 되고, 각 용기에서 동적 평형을 이룬다.

채점 기준	배점
기체의 혼합 과정과 동적 평형에 관한 언급과 함께 두 용기의 기체와 고체에서 모두 발견된다고 서술한 경우	100 %
기체의 혼합 과정과 동적 평형에 관한 언급 없이 두 용기의 기체와 고체에서 모두 발견된다고만 서술한 경우	40 %

02 | 산 염기와 중화 반응

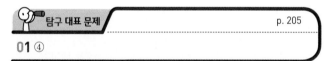

탐구 대표 문제   p. 205

01 ④

01 ① 산과 염기는 수용액에서 이온화하여 각각 H^+과 OH^-을 내놓으므로 모두 전기 전도성이 있다.
② 산성인 레몬즙은 푸른색 리트머스 종이를 붉게 변화시킨다.
③ 염기성 물질은 금속 마그네슘과 반응하지 않는다.
⑤ 레몬즙은 산성 물질이므로 금속 마그네슘을 넣으면 수소 기체를 발생한다.

오답 피하기
④ 베이킹 소다 수용액은 염기성 용액으로 메틸 오렌지 용액을 떨어뜨리면 노란색을 띤다.

탐구 대표 문제   p. 210

01 0.5 M

01 산과 염기가 남김없이 완전히 중화하려면 산이 내놓은 H^+의 양(mol)과 염기가 내놓은 OH^-의 양(mol)이 같아야 하므로 다음 식이 성립한다.

$1 \times x \times 10$ mL $= 1 \times 0.2$ M $\times 25$ mL

따라서 식초 속 아세트산의 몰 농도(x)는 0.5 M이다.

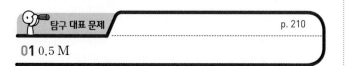

기초 탄탄 문제   p. 212

01 ④   **02** ①   **03** ③   **04** ①   **05** ④   **06** ④

01 ①, ② 산은 물에 녹아 H^+과 음이온으로 이온화하므로 수용액에서 전류가 통한다.
③, ⑤ 산은 금속 Mg과 반응하여 수소 기체를 발생하며, 탄산 칼슘이 주성분인 달걀 껍데기와 반응하여 이산화 탄소 기체를 발생한다.

오답 피하기
④ 단백질을 녹이는 성질은 염기의 공통적인 성질이다.

02 아레니우스 산은 물에 녹아 H^+을 내놓는 물질이고, 아레니우스 염기는 물에 녹아 OH^-을 내놓는 물질이다.
① KOH은 물에 녹아 OH^-을 내놓으므로 아레니우스 염기이다.

오답 피하기
② HI는 아레니우스 산(또는 브뢴스테드 · 로리 산)으로 작용한다.
③ HCl는 아레니우스 산(또는 브뢴스테드 · 로리 산)으로 작용한다.
④ H_2O은 양성자(H^+)를 주므로 브뢴스테드 · 로리 산이다.
⑤ 염화 나트륨과 질산 은이 반응하여 흰색의 염화 은 앙금을 생성하는 반응은 산, 염기가 관여하는 반응이 아니다.

03 ① 중화 반응이란 산과 염기가 반응하여 물과 염이 생성되는 반응이다.
② 염은 이온 결합 화합물로, 산의 음이온과 염기의 양이온이 결합하여 생성되는 물질이다.
④ 중화점의 용액은 중성이므로 BTB 용액은 초록색을 띤다.
⑤ 생선 비린내 성분은 염기성이므로 산성인 레몬즙을 뿌리는 것은 중화 반응을 이용한 예이다.

오답 피하기
③ 중화 반응의 알짜 이온 반응식은 산과 염기의 종류에 관계없이 $H^+(aq) + OH^-(aq) \longrightarrow H_2O(l)$로 같다.

04 (가)는 HF, (나)는 CH_3OH, (다)는 NH_3이다.
(가)는 H^+를 내놓으므로 브뢴스테드 · 로리 산이다.

(나), (다)는 H^+를 받으므로 브뢴스테드 · 로리 염기이다.

05 ① (+)극으로 이동하는 이온은 NO_3^-과 Cl^-으로 두 종류이다.
②, ③ 묽은 염산은 이온화하여 H^+을 내놓아 푸른색 리트머스 종이를 붉게 변화시킨다. H^+은 (−)극으로 이동하므로 붉은색은 (−)극 쪽으로 이동한다.
⑤ 식초 속 아세트산(CH_3COOH)은 이온화하여 H^+을 내놓으므로 식초를 사용해도 실험 결과는 같다.

④ K^+과 NO_3^-은 리트머스 종이의 색을 변화시키지는 않고, K^+은 (−)극으로, NO_3^-은 (+)극으로 이동하며 전류를 통하게 한다.

06 황산은 2가 산이므로 단위 부피당 들어 있는 H^+ 수는 수산화 나트륨 수용액 속 OH^- 수의 2배이다. 따라서 농도가 같은 황산과 수산화 나트륨 수용액은 1 : 2의 부피비일 때 완전히 반응한다.
④ (라)에서 가장 많은 양의 물이 생성된다.

① (가), (나), (다) 용액은 산성, (라) 용액은 중성, (마) 용액은 염기성을 띤다.
② (나) 용액은 산성이므로 H^+이 남아 있다.
③ 용액의 액성이 중성인 시험관은 황산 : 수산화 나트륨 수용액=1 : 2의 부피비로 반응한 (라)이다.
⑤ (마) 용액은 염기성을 띠므로 BTB 용액을 떨어뜨리면 파란색을 나타낸다.

문제 속 자료 **각 용액 속에 존재하는 이온 수**

수산화 나트륨(NaOH) 수용액 20 mL에 들어 있는 Na^+ 수와 OH^- 수를 각각 N이라고 하면, 같은 농도의 묽은 황산(H_2SO_4) 20 mL에 들어 있는 H^+ 수는 2N, SO_4^{2-} 수는 N이다.

시험관		(가)	(나)	(다)	(라)	(마)
혼합 전	$H_2SO_4(aq)$(mL)	100	80	60	40	20
	H^+/SO_4^{2-} 수	10N/5N	8N/4N	6N/3N	4N/2N	2N/N
	NaOH(aq)(mL)	20	40	60	80	100
	Na^+/OH^- 수	N/N	2N/2N	3N/3N	4N/4N	5N/5N
혼합 후	H^+/SO_4^{2-} 수	9N/5N	6N/4N	3N/3N	0/2N	0/N
	Na^+/OH^- 수	N/0	2N/0	3N/0	4N/0	5N/3N
	생성된 H_2O 분자 수	N	2N	3N	4N	2N
	액성	산성	산성	산성	중성	염기성

내신 만점 문제 p. 213~215

01 ④	02 ③	03 ②	04 ②	05 ⑤	06 ④
07 ⑤	08 ①	09 ③	10 ③	11~13 해설참조	

01 H^+를 주는 물질은 브뢴스테드 · 로리 산, H^+를 받는 물질은 브뢴스테드 · 로리 염기이다.
ㄴ과 ㄷ에서 H_2O은 양성자(H^+)를 내놓으므로 브뢴스테드 · 로리 산으로 작용한다.

ㄱ에서 H_2O은 양성자(H^+)를 받으므로 브뢴스테드 · 로리 염기로 작용한다.

02 ㄱ. X는 HCl이고, HCl는 수용액에서 H^+을 내놓으므로 아레니우스 산이다.
ㄷ. (다)에서 H_2O은 H^+를 받아 H_3O^+이 되므로 브뢴스테드 · 로리 염기이다.

ㄴ. (나)에서 NH_3는 H^+를 받으므로 브뢴스테드 · 로리 염기이다.

03 ㄷ. 물(H_2O)은 (가)에서 H^+를 받으므로 브뢴스테드 · 로리 염기로 작용하고, (나)에서 H^+를 주므로 브뢴스테드 · 로리 산으로 작용한다. 따라서 물은 산으로도 작용할 수 있고, 염기로도 작용할 수 있는 양쪽성 물질이다.

ㄱ. (가)에서 수용액은 산성 용액으로 pH는 7보다 작다.
ㄴ. (나)에서 암모니아는 H^+를 받으므로 브뢴스테드 · 로리 염기로 작용한다.

04 ㄴ. 같은 부피의 수용액에 들어 있는 HA(aq)과 BOH(aq)의 이온 수비가 3 : 2이다. 따라서 완전 중화하려면 HA(aq)과 BOH(aq)을 2 : 3의 부피비로 혼합해야 한다.

ㄱ. (나)에서 BOH는 수용액에서 OH^-을 내놓으므로 아레니우스 염기이다.
ㄷ. (가)와 (나)의 혼합 용액은 산성을 띠므로 페놀프탈레인 용액을 떨어뜨리면 색 변화가 없다.

05 ㄱ. BTB 용액은 산성에서 노란색, 중성에서 초록색, 염기성에서 파란색을 나타낸다. 따라서 (가) 용액은 염기성을 나타낸다.
ㄴ, ㄷ. (가)의 암모니아수는 염기성을 띤다. 날숨 속에는 이산화 탄소가 들어 있고, 이산화 탄소는 물에 녹으면 탄산이 되므로 산성을 띤다. 따라서 (나)에서 날숨 속 산성 기체인 이산화 탄소와 염기성 물질인 암모니아가 중화 반응을 한다.

06 ㄱ. 혼합 용액 속에 남아 있는 Cl^-의 수를 N으로 놓으면, Na^+의 수는 3N, OH^-의 수는 2N이다. 이를 통해 0.1 M $HCl(aq)$ 10 mL 속에는 H^+과 Cl^-이 각각 N개씩 있었고, x M NaOH 수용액 15 mL 속에는 Na^+과 OH^-이 각각 3N개씩 있었음을 알 수 있다. 따라서 3×0.1 M $\times 10$ mL$= x$ M $\times 15$ mL, $x = 0.2$이다.

ㄷ. 혼합 용액 속에 남아 있는 OH^- 수는 2N이므로 0.1 M $HCl(aq)$ 20 mL를 넣으면 완전히 중화된다.

오답 피하기

ㄴ. H^+과 OH^-은 알짜 이온, ▲(Cl^-)와 ●(Na^+)는 구경꾼 이온이다.

문제 속 자료   혼합 전과 후 수용액 속의 이온 수

이온	이온 수	
	혼합 전	혼합 후
H^+	N	0
Cl^-(▲)	N	N
Na^+(●)	3N	3N
OH^-(■)	3N	2N

- $HCl(aq)$의 양(mol)$\times 3 =$NaOH(aq)의 양(mol)이므로 1×0.1 M $\times 10$ mL $\times 3 = 1 \times x \times 15$ mL, $x = 0.2$ 따라서 NaOH(aq)의 몰 농도는 0.2 M이다.
- 혼합한 산의 $H^+ = 1 \times 0.1$ M $\times 0.01$ L$=0.001$ mol 혼합한 염기의 $OH^- = 1 \times 0.2$ M $\times 0.015$ L$=0.003$ mol 0.1 M $HCl(aq)$ 20 mL를 더 넣으면 완전히 중화된다.

07 ㄱ. 농도를 모르는 용액을 삼각 플라스크에 넣고 지시약을 넣은 후, 농도를 아는 표준 용액을 뷰렛에 넣는다. 뷰렛의 꼭지를 열어 용액을 삼각 플라스크에 떨어뜨리면서 색 변화를 관찰하여 변한 색이 사라지지 않는 순간 뷰렛의 꼭지를 잠근다. 따라서 실험 과정의 순서는 (나)−(가)−(다)이다.

ㄴ. 중화점에서 산이 내놓은 H^+의 양(mol)과 염기가 내놓은 OH^-의 양(mol)이 같아야 한다. 따라서 $1 \times x \times 10$ mL$=1 \times 0.1$ M $\times 25$ mL에서 $HNO_3(aq)$의 몰 농도(x)는 0.25 M이다.

ㄷ. 중화점보다 더 많은 양의 NaOH 수용액을 가했다면 실제 완전 중화되는 H^+의 양이 많게 측정되므로 $HNO_3(aq)$의 농도는 실제보다 크게 나타날 것이다.

08 ㄱ. (다)에 가장 적게 존재하는 ☆은 HA 수용액 속 이온 중 중화 반응에 참여한 이온이므로 H^+이다.

오답 피하기

ㄴ. ▲는 HA 수용액 속 이온 중 중화 반응에 참여하지 않은 구경꾼 이온이므로 A^-이다. A^-은 (나)에는 HA 수용액 10 mL에 해당하는 양만큼, (다)에는 HA 수용액 20 mL에 해당하는 양만큼 존재하므로 (나) : (다)에서 1 : 2의 개수비로

존재한다.

ㄷ. (다)에는 H^+이 존재하므로 (다) 수용액의 액성은 산성이다.

문제 속 자료   중화 반응 진행에 따른 이온 수 변화

- ● (다)에 존재하지 않음 ➡ 알짜 이온인 OH^-
- ■ (가)와 (다)에서 개수가 같음 ➡ 구경꾼 이온인 B^+
- ☆ (다)에 조금 존재 ➡ 알짜 이온인 H^+
- ▲ (다)에 가장 많이 존재 ➡ 구경꾼 이온인 A^-

혼합 용액	(가)	(나)	(다)	이온 모형
H^+	0	0	1	☆
A^-	0	2	4	▲
B^+	3	3	3	■
OH^-	3	1	0	●

09 ㄱ. 중화점까지 소모된 $H_2SO_4(aq)$의 부피가 20 mL이므로 1×0.2 M $\times 20$ mL$= 2 \times x \times 20$ mL, H_2SO_4의 몰 농도(x)$=0.1$ M이다.

ㄴ. A는 K^+, B는 SO_4^{2-}, C는 H^+, D는 OH^-이다. 따라서 A와 B는 구경꾼 이온, C와 D는 알짜 이온이다.

오답 피하기

ㄷ. (가)는 중화점이므로 0.2 M $KOH(aq)$ 20 mL에 들어 있는 OH^-의 양(mol)만큼 물이 생성된다. 즉, 생성된 물의 양(mol)은 0.2 mol/L $\times 0.02$ L$=0.004$ mol$=4 \times 10^{-3}$ mol이다.

문제 속 자료   중화 반응에서의 이온 수 변화

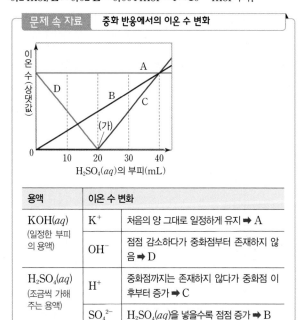

용액		이온 수 변화
$KOH(aq)$ (일정한 부피의 용액)	K^+	처음의 양 그대로 일정하게 유지 ➡ A
	OH^-	점점 감소하다가 중화점부터 존재하지 않음 ➡ D
$H_2SO_4(aq)$ (조금씩 가해 주는 용액)	H^+	중화점까지는 존재하지 않다가 중화점 이후부터 증가 ➡ C
	SO_4^{2-}	$H_2SO_4(aq)$을 넣을수록 점점 증가 ➡ B

10 ㄱ. Na^+과 Cl^-은 구경꾼 이온으로 처음과 변함없이 혼합 용액에도 각각 Na^+ 0.01몰, Cl^- 0.005몰 존재하고, OH^-은 중화 반응하고 남은 양인 0.005몰이 존재한다. 따라서 혼합 용액 속 이온 수는 $Na^+>Cl^-=OH^-$이다.

ㄴ. 0.1 M $HCl(aq)$ 50 mL에는 H^+이 0.1 mol/L$\times$0.05 L $=0.005$ mol 존재한다. 또 0.2 M $NaOH(aq)$ 50 mL에는 OH^-이 0.2 mol/L$\times$0.05 L$=0.01$ mol 존재한다. 두 수용액을 혼합하면 OH^-이 0.01 mol$-$0.005 mol$=$0.005 mol 남으므로 혼합 용액은 염기성을 띤다. 따라서 혼합 용액에 BTB 용액을 떨어뜨리면 파란색을 띤다.

[오답 피하기]

ㄷ. 혼합 용액에 반응하지 않고 남은 OH^-의 양(mol)은 0.005 mol이므로 완전 중화하려면 0.005 mol의 HCl이 더 필요하다.

11 [모범 답안] (1)
 (나) (다)

(2) 산성, 수산화 나트륨(NaOH) 수용액 속의 OH^-의 양 $=1\times0.1$ mol/L$\times0.01$ L$=0.001$ mol이고, 묽은 염산 (HCl) 속 H^+의 양$=1\times0.2$ mol/L$\times0.01$ L$=0.002$ mol 이므로 혼합 용액은 산성이다.

[해설] (1) 같은 부피의 수용액의 농도가 2배 진할 경우 이온 수는 2배로 증가한다. (가)에 Na^+과 OH^-이 각각 1개씩 존재하므로 (나)에는 H^+과 Cl^-을 각각 2개씩 그린다. 또 H^+과 OH^-이 1 : 1로 반응하므로 (다)에서 OH^-과 H^+은 각각 1개씩 반응하여 소모되고 나머지는 그대로 존재한다.

(2) (다)에는 반응하지 않고 남아 있는 H^+이 있으므로 산성을 나타낸다.

	채점 기준	배점
(1)	(나)와 (다)의 이온 모형을 모두 옳게 표현한 경우	50 %
	(나)와 (다)의 이온 모형 중 한 가지만 옳게 표현한 경우	25 %
(2)	혼합 용액의 액성과 그 까닭을 옳게 서술한 경우	50 %
	혼합 용액의 액성이 산성이라고만 쓴 경우	20 %

12 [모범 답안] (1) $1\times x\times10$ mL$=1\times0.1$ M$\times50$ mL, $x=0.5$ M

(2) 0.5 mol/L$\times0.01$ L$=0.005$ mol

[해설] (1) 식초 10 mL를 적정하는 데 사용한 0.1 M 수산화 나트륨(NaOH) 수용액의 부피가 50 mL이므로 식초 속 아세트산의 몰 농도를 x라 하면 중화 반응의 양적 관계에 의해 $1\times x\times10$ mL$=1\times0.1$ M$\times50$ mL, $x=0.5$ M이다.

(2) 식초 10 mL에 들어 있는 아세트산의 양(mol)은 0.5 mol/L$\times0.01$ L$=0.005$ mol이다.

	채점 기준	배점
(1)	식과 답을 모두 옳게 쓴 경우	50 %
	식은 쓰지 않고 답만 옳게 쓴 경우	20 %
(2)	식과 답을 모두 옳게 쓴 경우	50 %
	식은 쓰지 않고 답만 옳게 쓴 경우	20 %

13 [모범 답안] pH=1, pOH=13, 0.3 M $HCl(aq)$ 50 mL에 들어 있는 H^+의 양(mol)은 1×0.3 mol/L$\times0.05$ L$=0.015$ mol이고, 0.1 M $NaOH(aq)$ 50 mL에 들어 있는 OH^-의 양(mol)은 1×0.1 mol/L$\times0.05$ L$=0.005$ mol이다. 따라서 혼합 용액에는 H^+ 0.01 mol이 남아 있고 부피가 100 mL이므로 $[H_3O^+]=0.1$ M이며, pH=1, pOH $=14-1=13$이다.

채점 기준	배점
pH, pOH의 값과 구하는 과정을 옳게 서술한 경우	100 %
pH, pOH의 값만 옳게 구하고, 구하는 과정을 서술하지 않은 경우	40 %

2. 산화 환원 반응과 화학 반응에서 열의 출입
01 l 산화 환원과 산화수

탐구 대표 문제 · · · · · · · · · · · · · p. 222

01 ⑤

01 ① 과정 ❶에서 Zn이 Zn^{2+}으로 되므로 아연의 산화수는 0에서 $+2$로 증가한다.

② 과정 ❶에서 $CuSO_4$는 환원되므로 산화제로 작용한다.

③ 과정 ❷에서 Ag^+은 전자를 얻어 Ag으로 환원된다.

④ 과정 ❶과 ❷에서 음이온은 반응에 참여하지 않는다.

[오답 피하기]

⑤ 과정 ❶에서는 양이온 수가 변하지 않지만, 과정 ❷에서는 2개의 Ag^+이 Ag으로 환원될 때 1개의 Cu가 Cu^{2+}으로 산화되므로 수용액의 양이온 수가 감소한다.

기초 탄탄 문제 · · · · · · · · · · · · · p. 224

01 ⑤ **02** ① **03** ③ **04** ⑤ **05** ⑤ **06** ③
07 ④

01 ① 전자의 이동으로 산화 환원이 일어나며, 전자를 잃으면 산화, 전자를 얻으면 환원된 것이다.

② 산화수가 증가하면 산화, 산화수가 감소하면 환원된 것이다.

③ 전자를 얻는 물질이 있으면 전자를 잃는 물질이 있으므로 산화와 환원은 항상 동시에 일어난다.

④ 자신이 산화되는 물질은 다른 물질을 환원시키므로 환원제이다.

오답 피하기

⑤ 전기 음성도가 큰 원소일수록 전자를 얻어 환원되기 쉽다.

02 ① Mg이 전자를 잃고 산화되고, H^+이 전자를 얻어 환원된다.

$$Mg(s) + 2HCl(aq) \longrightarrow H_2(g) + MgCl_2(aq)$$

오답 피하기

② Cl^-은 산화되지도 환원되지도 않는다.

③, ④, ⑤ Mg 1개가 산화될 때 H^+ 2개가 전자를 얻어 수소 기체(H_2)로 환원된다.

03 ① 원소를 구성하는 원자의 산화수는 0이다.

② 단원자 이온의 산화수는 그 이온의 전하와 같다.

④ 화합물은 전기적으로 중성이므로 화합물을 이루는 각 원자의 산화수 총합은 0이다.

⑤ 같은 원자라도 결합하는 원자의 종류에 따라 산화수가 달라질 수 있다. 예로, 산소의 경우 대부분 -2이지만, 전기 음성도가 산소보다 큰 플루오린과 화합물을 이룬 OF_2의 경우 $+2$가 된다.

오답 피하기

③ 화합물에서 수소 원자의 산화수는 대부분 $+1$이지만, 금속 수소화물의 경우 수소의 산화수는 -1이다.

04 ①에서 N는 -3, ②에서 O는 $+2$, ③에서 H는 -1, ④에서 Cl는 $+1$, ⑤에서 S은 $+6$이다. 따라서 산화수가 가장 큰 경우는 ⑤ $\underline{S}O_4^{2-}$이다.

05 물질이 전자를 잃는 반응이 산화, 물질이 전자를 얻는 반응이 환원이다. 즉, 전자의 이동에 의한 산화수의 변화가 있어야 산화 환원 반응이다.

⑤ 중화 반응은 원자들의 산화수가 변하지 않으므로 산화 환원 반응이 아니다.

06 ① CH_4에서 C의 산화수가 -4에서 $+4$로 증가하므로 CH_4은 산화된다.

②, ④ O의 산화수는 0에서 -2로 감소하므로 O_2는 환원된다. O_2는 자신은 환원되면서 다른 물질을 산화시키므로 산화제이다.

⑤ H_2O에서 각 원자의 산화수 총합은 $(+1) \times 2 + (-2) = 0$이다.

오답 피하기

③ H의 산화수는 반응 전과 후에 $+1$로 일정하다.

07 (가)에서 SO_2이 S으로 환원(S의 산화수: $+4 \to 0$)되었고, (나)에서는 Cl_2가 HCl으로 환원(Cl의 산화수: $0 \to -1$)되었으므로 산화제는 (가)에서 SO_2, (나)에서 Cl_2이다.

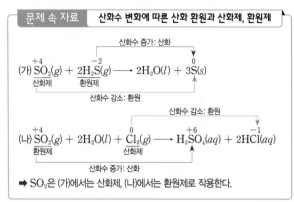

문제 속 자료 | **산화수 변화에 따른 산화 환원과 산화제, 환원제**

산화수 증가: 산화

$$(가)\ \overset{+4}{SO_2}(g) + 2\overset{-2}{H_2S}(g) \longrightarrow 2H_2O(l) + 3\overset{0}{S}(s)$$
산화제   환원제

산화수 감소: 환원

산화수 감소: 환원

$$(나)\ \overset{+4}{SO_2}(g) + 2H_2O(l) + \overset{0}{Cl_2}(g) \longrightarrow \overset{+6}{H_2SO_4}(aq) + 2\overset{-1}{HCl}(aq)$$
환원제   산화제

산화수 증가: 산화

➡ SO_2은 (가)에서는 산화제, (나)에서는 환원제로 작용한다.

내신 만점 문제   p. 225~227

01 ③   **02** ①   **03** ②   **04** ③   **05** ③   **06** ③

07 ④   **08** ③   **09** ③   **10** ①   **11** ⑤

12~14 해설 참조

01 ①, ④ 마그네슘은 전자를 잃고 산화되어 양이온이 되고, 산소는 전자를 얻어 환원되어 음이온이 된다.

② 산소는 산화수가 0에서 -2로 감소하므로 환원된다.

⑤ 산화 마그네슘은 이온 결합 물질이다.

오답 피하기

③ 산소는 자신은 환원되면서 마그네슘을 산화시키는 산화제로 작용한다.

02 ㄱ. (가)에서 C의 산화수는 0에서 $+2$로 증가하므로 자신은 산화되면서 다른 물질을 환원시키는 환원제로 작용한다.

오답 피하기

ㄴ. (나)에서 Fe의 산화수는 $+3$에서 0으로 감소한다.

ㄷ. (다)와 (라)는 산화수의 변화가 없으므로 산화 환원 반응이 아니다.

03 ㄴ. MnO_2, Mn_2O_3, $KMnO_4$에서 O의 산화수는 -2로 모두 같다.

오답 피하기

ㄱ. $KMnO_4$에서 Mn의 산화수를 x라 하면 $(+1) + x + (-2) \times 4 = 0$이므로 $x = +7$이다.

ㄷ. 각 화합물에서 Mn의 산화수는 $\underline{Mn}O_2$: $+4$, $\underline{Mn}Cl_2$: $+2$, $\underline{Mn}_2O_3$: $+3$, $K\underline{Mn}O_4$: $+7$이므로 Mn의 산화수가 가장 작은 화합물은 $MnCl_2$이다.

04 Zn이 전자를 잃고 Zn^{2+}으로 산화되고, Cu^{2+}이 전자를 얻어 Cu로 석출된다.

$$CuSO_4(aq) + Zn(s) \longrightarrow Cu(s) + ZnSO_4(aq)$$

ㄱ. Zn의 산화수는 0에서 +2로 증가한다.

ㄷ. 파란색의 Cu^{2+}이 붉은색의 Cu로 석출되므로 수용액의 푸른색은 점점 옅어진다.

오답 피하기

ㄴ. SO_4^{2-}은 구경꾼 이온으로 반응에 참여하지 않으므로 그 수가 변하지 않는다.

05 ㄱ. C가 완전 연소하면 CO_2가 생성되고, H가 완전 연소하면 H_2O이 생성된다. 따라서 ㉠과 ㉡은 CO_2로 같다.

ㄴ. (가)에서 O의 산화수는 0에서 -2로 감소하므로 O_2 자신은 환원되면서 C를 산화시키는 산화제이다.

오답 피하기

ㄷ. (나)의 CH_4에서 C의 전기 음성도가 H보다 크므로 C의 산화수는 -4이다.

06 ㄱ. (가)는 Cu가 산소와 결합하는 반응, (나)는 CuO가 산소를 잃는 반응으로 모두 산소가 관여하는 산화 환원 반응이다.

ㄷ. (나)에서 ⓐ는 CuO로부터 산소를 얻어 산화되고, CuO는 산소를 잃고 Cu로 환원되므로 ⓐ는 구리보다 산화되기 쉬운 물질이다.

오답 피하기

ㄴ. (가) 과정에서 Cu의 산화수는 0에서 +2로 증가한다.

07 ㄴ, ㄷ. 전기 음성도 크기가 O>C>H이므로 산화수는 각각 (가) C: -1, (나) C: 0, (다) C: $+1$, (라) O: -2이다. 따라서 (라)의 산화수가 가장 작다.

오답 피하기

ㄱ. (가)의 산화수는 -1, (다)의 산화수는 $+1$로 서로 다르다.

문제 속 자료 **포도당을 구성하는 원자의 산화수** ▶

공유 결합 물질에서의 산화수는 전기 음성도가 큰 원자가 공유 전자쌍을 모두 차지하는 것으로 가정할 때, 각 원자가 가지게 되는 전하이다.

➡ 전기 음성도가 O>C>H이므로, C와 O 사이의 전자는 모두 O 쪽으로 끌려가고, C와 H 사이의 전자는 모두 C 쪽으로 끌려가며, C와 C 사이의 전자는 하나씩 나눠 갖는다고 가정한다.

08 ㄱ. 반응 전후의 원자의 종류와 수를 맞추면 ㉠은 NO이다.

ㄷ. (나)에서 N의 산화수는 NO_2에서 HNO_3이 될 때 $+4 \rightarrow +5$로 증가하고, NO_2에서 NO가 될 때 $+4 \rightarrow +2$로 감소한다. 따라서 (나)는 산화수가 변하는 산화 환원 반응이다.

오답 피하기

ㄴ. (가)에서 NO는 자신은 산화되면서 O_2를 환원시키는 환원제이다.

09 (가) $2Mg(s) + O_2(g) \longrightarrow 2MgO(s)$

(나) $2Mg(s) + CO_2(g) \longrightarrow 2MgO(s) + C(s)$

ㄱ. (가)와 (나)에서 Mg은 산화되어 MgO이 된다.

ㄷ. (다)에서 검은색 가루는 드라이아이스(CO_2)가 환원되어 생긴 탄소(C)이다.

오답 피하기

ㄴ. (가)에서는 산소가, (나)에서는 이산화 탄소(드라이아이스)가 산화제로 작용한다.

10 ㄱ. (가)에서 H_2S가 S으로 되면서 S의 산화수는 -2에서 0으로 증가한다.

오답 피하기

ㄴ. (나)는 원자들의 산화수 변화가 없으므로 산화제나 환원제가 존재하지 않는다.

ㄷ. (나)와 (다)는 원자들의 산화수 변화가 없으므로 산화 환원 반응이 아니다.

11 수용액 속 양이온의 수가 증가하였으므로 전체 반응식은 $ASO_4 + 2B \longrightarrow B_2SO_4 + A$와 같이 나타낼 수 있다. 따라서 A의 이온은 A^{2+}, B의 이온은 B^+임을 알 수 있다.

ㄱ. A^{2+}은 전자를 얻어 A로 환원되었고 B는 전자를 잃고 B^+으로 산화되었으므로 A의 이온이 B의 이온보다 환원되기 쉽다.

ㄴ. B의 산화수는 0에서 +1로 증가한다.

ㄷ. A 이온의 전하는 +2, B 이온의 전하는 +1이므로 이온의 전하는 A가 B보다 크다.

12 [모범 답안] C가 H보다 전기 음성도가 크므로 공유 전자쌍이 모두 C 쪽으로 이동한다고 가정한다. 따라서 C는 4개의 H로부터 각각 전자를 1개씩 얻어 산화수가 -4가 되고, 각 H는 전자를 1개 잃어 산화수가 +1이 된다.

채점 기준	배점
C의 산화수와 H의 산화수를 옳게 나타내고, 전기 음성도 차이에 의한 전자의 이동으로 옳게 서술한 경우	100 %
C의 산화수와 H의 산화수만 옳게 나타내고, 그 까닭을 옳게 서술하지 못한 경우	40 %

13 [모범 답안] Cl_2는 산화되는 물질이면서 동시에 환원되는 물질이다. Cl_2는 HClO으로 될 때 Cl의 산화수가 0에서 +1로 증가하므로 산화되고, HCl으로 될 때 Cl의 산화수가 0에서 −1로 감소하므로 환원된다.

채점 기준	배점
산화되는 물질과 환원되는 물질을 옳게 쓰고, 그 까닭을 산화수 변화를 이용하여 옳게 서술한 경우	100 %
산화되는 물질과 환원되는 물질은 옳게 썼으나, 그 까닭을 옳게 서술하지 못한 경우	40 %

14 [모범 답안] (1) $4Fe(s) + 3O_2(g) \longrightarrow 2Fe_2O_3(s)$
(2) 철이 산화되는 것을 막기 위해서는 산소와의 반응을 차단해야 한다. 따라서 표면에 페인트를 칠하거나, 도금을 하거나, 다른 금속을 소량 섞어 새로운 성질을 띠는 합금(스테인리스스틸)을 만들어 녹을 방지할 수 있다.

	채점 기준	배점
(1)	철이 녹스는 반응의 화학 반응식을 옳게 나타낸 경우	50 %
(2)	철이 녹스는 것을 막는 방법을 그 까닭과 함께 옳게 서술한 경우	50 %
	철이 녹스는 것을 막는 방법만 서술한 경우	30 %

02 | 산화 환원 반응의 양적 관계

기초 탄탄 문제 p. 232

01 ⑤   **02** ⑤   **03** ④   **04** ③   **05** ③

01 ⑤ N의 산화수는 +5(HNO_3)에서 +4(NO_2)로 감소하므로 HNO_3 1몰이 반응할 때 이동한 전자는 1몰이다.

【오답 피하기】
① HNO_3에서 N의 산화수는 +5에서 +4로 감소하므로 자신은 환원되면서 H_2S를 산화시키는 산화제이다.
② S의 산화수는 −2에서 0으로 증가한다.
③ O의 산화수는 −2로 변함없다.
④ NO_2에서 N의 산화수를 x라 하면 $x+(-2)\times2=0$이므로 $x=+4$이다.

02 ⑤ 산화 환원 반응에서 반응 전후에 증가한 산화수와 감소한 산화수가 같음을 이용하여 계수를 맞추면 다음과 같다.
$$5Sn^{2+} + 2MnO_4^- + 16H^+ \longrightarrow 5Sn^{4+} + 2Mn^{2+} + 8H_2O$$

【오답 피하기】
① ㉠=5, ㉡=2이므로 ㉠>㉡이다.
② Mn의 산화수가 +7에서 +2로 감소하므로 MnO_4^-은 환원된다.

③ 반응 전후 H의 산화수는 변하지 않으므로 H^+은 산화제도 환원제도 아니다.
④ Sn의 산화수가 +2에서 +4로 증가하므로 Sn^{2+}은 산화되고, 자신은 산화되면서 다른 물질을 환원시키므로 환원제이다.

03 황산 구리(Ⅱ) 수용액에 철못을 넣으면 다음의 반응이 일어난다.
$$CuSO_4(aq) + Fe(s) \longrightarrow FeSO_4(aq) + Cu(s)$$
④ Fe은 전자를 잃고 Fe^{2+}으로 산화되고, Cu^{2+}은 전자를 얻어 Cu로 환원된다.

【오답 피하기】
① Cu^{2+}이 Cu로 환원되어 그 수가 줄어들기 때문에 용액의 푸른색이 점점 옅어진다.
② SO_4^{2-}은 구경꾼 이온으로 반응에 참여하지 않는다.
③ 구리 이온과 철 이온의 전하량이 같으므로 용액 속 양이온의 수는 일정하다.
⑤ Fe이 전자 2개를 잃고 Fe^{2+}으로 되므로 철 1몰이 반응할 때 전자는 2몰 이동한다.

04 0.1 M HCl(aq) 200 mL에 들어 있는 HCl의 양(mol)은 0.1 mol/L×0.2 L=0.02 mol이다. Zn과 HCl은 1 : 2의 몰비로 반응하므로 필요한 Zn의 최소 양(mol)은 0.01 mol이고, 최소 질량(g)은 0.01 mol×65 g/mol=0.65 g이다.

05 증가한 산화수와 감소한 산화수가 같도록 계수를 맞추면 화학 반응식은 다음과 같다.
$$3Cu(s) + 8HNO_3(aq)$$
$$\longrightarrow 3Cu(NO_3)_2(aq) + 2NO(g) + 4H_2O(l)$$
① $a=3$, $b=3$, $c=2$로 $a=b>c$이다.
② Cu의 산화수는 0에서 +2로 증가하므로 Cu는 자신은 산화되면서 HNO_3을 환원시키는 환원제이다.
④ HNO_3과 H_2O에 포함된 H의 산화수는 둘 다 +1이다.
⑤ HNO_3에서 N의 산화수가 +5에서 +2로 감소한 것을 통해 HNO_3이 환원된 것을 알 수 있다.

【오답 피하기】
③ N의 산화수는 +5에서 +2로 감소한다.

내신 만점 문제 p. 233~235

01 ③   **02** ①   **03** ②   **04** ③   **05** ②   **06** ④
07 ①   **08** ⑤   **09** ③   **10** ⑤   **11** ②
12~13 해설 참조

01 ㄱ. 암모니아 합성 과정의 화학 반응식은
$$N_2(g) + 3H_2(g) \longrightarrow 2NH_3(g)$$이다. N의 산화수는 0(N_2)에서 −3(NH_3)으로 감소하고, H의 산화수는 0(H_2)에서 +1

(NH_3)로 증가한다.

ㄷ. N_2와 H_2는 $1 : 3$의 몰비로 반응한다.

오답 피하기

ㄴ. N의 산화수는 감소하므로 N_2는 환원되고, H의 산화수는 증가하므로 H_2는 산화된다.

02 (가)는 철의 제련 과정이고, (나)는 철의 산화 과정이다.

(가) $Fe_2O_3 + 3CO$(화합물 A) $\longrightarrow$ $2Fe + 3CO_2$

(나) $2Fe + \dfrac{3}{2}O_2 \longrightarrow Fe_2O_3$

ㄱ. (가)에서 화합물 A는 산소를 얻어 산화되고, Fe_2O_3은 산소를 잃고 환원되어 Fe이 된다.

오답 피하기

ㄴ. (나)에서 Fe의 산화수는 0에서 $+3$으로 증가한다.

ㄷ. (가)에서 Fe의 산화수가 $+3$에서 0으로 3만큼 감소한다. Fe_2O_3 1몰에는 Fe이 2몰 존재하므로, Fe_2O_3 1몰을 제련할 때 이동하는 전자는 $3 \times 2 = 6$(몰)이다.

03 은 $108\,g$은 1몰이다. 반응하는 알루미늄과 생성되는 은의 몰비는 $1 : 3$이므로, 은 1몰을 얻기 위해 필요한 Al의 양은 $\dfrac{1}{3}$ 몰이다. 따라서 필요한 Al의 질량(g)은 $\dfrac{1}{3}$ mol $\times$ 27 g/mol $=$ $9\,g$이다.

04 (가) $2HCl(aq) + Zn(s) \longrightarrow H_2(g) + ZnCl_2(aq)$

(나) $Zn^{2+}(aq) + Mg(s) \longrightarrow Zn(s) + Mg^{2+}(aq)$

ㄱ. 0.1 M $HCl(aq)$ 200 mL에 들어 있는 HCl의 양(mol)은 0.1 mol/L $\times$ 0.2 L $=$ 0.02 mol이며, Zn의 양은 충분하다. HCl과 Zn의 반응 몰비는 $2 : 1$이므로 반응한 Zn의 양은 0.01 mol, 즉 0.01 mol $\times$ 65 g/mol $=$ $0.65\,g$이다.

ㄴ. (가)에서 HCl과 H_2의 반응 몰비는 $2 : 1$이므로 H_2 0.01몰이 발생한다.

오답 피하기

ㄷ. (나)에서 Mg은 산화되어 수용액에 녹아 들어가고 Zn^{2+}이 환원되어 마그네슘 막대에 금속으로 석출된다. 이때 Zn의 원자량이 Mg보다 크므로 금속 막대의 질량은 증가한다.

05 주어진 화학 반응식의 반응 계수를 구하여 완성하면 다음과 같다.

$3NO_2(g) + H_2O(l) \longrightarrow 2HNO_3(aq) + NO(g)$

ㄷ. HNO_3에서 N의 산화수는 $+5$, NO에서 N의 산화수 $+2$이다.

오답 피하기

ㄱ. $a = 3$, $b = 1$, $c = 2$, $d = 1$이므로 $a + b(=4) > c + d(=3)$이다.

ㄴ. H_2O을 구성하는 원자의 산화수는 변하지 않으므로 H_2O은 산화되거나 환원되지 않는다.

06 ㄴ. (나)에서 NO가 N_2로 될 때 N의 산화수는 2 감소하며 N_2 1몰이 생성될 때 환원되는 N 원자의 양이 2몰이므로 이동하는 전자는 4몰이다.

ㄷ. (나)에서는 N의 산화수가 $+2(NO) \to 0(N_2)$으로 감소하므로 NO는 환원되고, (다)에서는 N의 산화수가 $+2(NO) \to +4(NO_2)$로 증가하므로 NO는 산화된다. 따라서 NO는 (나)에서는 산화제로, (다)에서는 환원제로 작용한다.

오답 피하기

ㄱ. (가)의 NOF에서 N의 산화수를 x라 하면 $x + (-2) + (-1) = 0$이므로 $x = +3$이다.

07 ㄱ. 증가한 산화수와 감소한 산화수가 같음을 이용하여 화학 반응식의 계수를 구하면 $a = 5$, $b = 2$, $c = 10$, $d = 2$이므로 $b = d$이다.

오답 피하기

ㄴ. H의 산화수는 변하지 않으므로 H^+은 산화되거나 환원되지 않는다.

ㄷ. MnO_4^-과 $C_2O_4^{2-}$은 $2 : 5$의 몰비로 반응하므로 MnO_4^- 0.1몰을 모두 환원시키는 데 필요한 $C_2O_4^{2-}$의 최소 양은 0.25몰이다.

문제 속 자료 | **산화 환원 반응식 완성하기**

$C_2O_4^{2-} + MnO_4^- + H^+ \longrightarrow CO_2 + Mn^{2+} + H_2O$

[1단계] 산화수 변화를 계산한다.

산화수 1 증가

$\underset{+3}{C_2}O_4^{2-} + \underset{+7}{Mn}O_4^- + H^+ \longrightarrow \underset{+4}{C}O_2 + \underset{+2}{Mn}^{2+} + H_2O$

산화수 5 감소

[2단계] 산화되는 원자 수와 환원되는 원자 수를 맞추고, 증가한 산화수와 감소한 산화수를 계산한다.

C의 원자 수를 맞춘다. ➡ 증가한 산화수는 $1 \times 2 = 2$

$C_2O_4^{2-} + MnO_4^- + H^+ \longrightarrow 2CO_2 + Mn^{2+} + H_2O$

감소한 산화수는 5

[3단계] 증가한 산화수와 감소한 산화수가 같도록 계수를 맞춘다.

산화수 2 × 5 증가

$5\underset{+3}{C_2}O_4^{2-} + 2\underset{+7}{Mn}O_4^- + H^+ \longrightarrow 10\underset{+4}{C}O_2 + 2\underset{+2}{Mn}^{2+} + H_2O$

산화수 5 × 2 감소

[4단계] 산화수 변화가 없는 원자의 개수를 맞춘다.

$5C_2O_4^{2-} + 2MnO_4^- + 16H^+ \longrightarrow 10CO_2 + 2Mn^{2+} + 8H_2O$

---

08 Cu의 산화수는 0에서 $+2$로 2 증가하고, N의 산화수는 $+5$에서 $+2$로 3 감소하므로 $a = 2$, $b = 3$이다. (나)에서 증가한 산화수와 감소한 산화수가 같도록 계수를 맞추고, (다)에서 N

자의 수가 같도록 계수를 맞추면, $c=3\times2+2$에서 $c=8$이다. 마지막으로 H 원자의 수가 같도록 계수를 맞추면, $8=2\times d$에서 $d=4$이다. 따라서 $a=2$, $b=3$, $c=8$, $d=4$로 $a+b+c+d=2+3+8+4=17$이다.

09 주어진 반응을 화학 반응식으로 나타내면 다음과 같다.

$$Zn(s) + 2HCl(aq) \longrightarrow H_2(g) + ZnCl_2(aq)$$

ㄱ, ㄷ. 0.2 M $HCl(aq)$ 100 mL에는 HCl 0.02몰이 녹아 있으며, Zn 1.3 g은 0.02몰이다. Zn과 HCl은 1 : 2의 몰비로 반응하므로 Zn 0.02몰 중 0.01몰은 HCl 0.02몰과 반응하여 H_2 0.01몰을 발생하며, Zn 0.01몰은 남는다.

오답 피하기

ㄴ. Zn과 HCl은 1 : 2의 몰비로 반응한다.

10 ㄱ. 산화수가 변하지 않는 원소는 K, O, H로 3가지이다.

ㄴ. Cr의 산화수는 $K_2Cr_2O_7$에서 $+6$, Cr_2O_3에서 $+3$이므로 3 감소한다.

ㄷ. S과 Cr_2O_3은 3 : 2의 몰비로 반응한다. 따라서 Cr_2O_3 1몰을 얻기 위해 S은 최소한 1.5몰이 필요하다.

11 SO_2에서 H_2SO_4이 될 때 S의 산화수는 $+4 \rightarrow +6$으로 2 증가한다. 또 Cl_2에서 HCl이 될 때 Cl의 산화수는 $0 \rightarrow -1$로 각 Cl당 1씩 감소한다. 따라서 ㉠$=2$, ㉡$=1$이며, 산화수 변화가 없는 원자들의 수까지 맞춰 계수를 구하면 화학 반응식은 다음과 같다.

$$SO_2 + 2H_2O + Cl_2 \longrightarrow H_2SO_4 + 2HCl$$

ㄷ. $a=1$, $b=2$, $c=1$, $d=2$로 $a+b+c+d=3$이다.

오답 피하기

ㄱ. ㉠$=2$, ㉡$=1$이므로 ㉠$>$㉡이다.

ㄴ. SO_2에서 S의 산화수는 증가하므로 SO_2은 산화되며, 환원제로 작용한다.

12 [모범 답안] (1) $2Fe_2O_3(s) + 3C(s) \longrightarrow 4Fe(s) + 3CO_2(g)$
(2) 1.5몰

해설 Fe_2O_3과 C의 반응 몰비는 2 : 3이다. Fe_2O_3 1몰을 완전히 환원시키는 데 필요한 C의 양(mol)을 x라 하면 2 : 3$=1 : x$, $x=1.5$(mol)이다.

채점 기준		배점
(1)	철의 제련 과정을 화학 반응식으로 옳게 나타낸 경우	50 %
	철의 제련 과정을 화학 반응식으로 옳게 나타내지 못한 경우	0 %
(2)	필요한 코크스의 양을 옳게 계산한 경우	50 %
	필요한 코크스의 양을 옳게 계산하지 못한 경우	0 %

13 [모범 답안] $\dfrac{4}{3}$몰. NaN_3과 N_2의 반응 몰비는 2 : 3이다. N_2 50 L는 2몰이며, N_2 2몰을 발생시키기 위해 필요한 NaN_3의 양(mol)(x)은 2 : 3 $= x$: 2, $x=\dfrac{4}{3}$(mol)이다.

해설 계수비$=$반응비$=$몰비이므로 $2 : 3=x : \dfrac{50\ \text{L}}{25\ \text{L/mol}}$
에서 $x=\dfrac{4}{3}$(mol)이다.

채점 기준	배점
필요한 NaN_3의 양(몰)을 옳게 구하고, 반응 몰비를 이용하여 구하는 과정을 옳게 서술한 경우	100 %
필요한 NaN_3의 양(몰)을 옳게 구했으나, 반응 몰비를 이용하여 구하는 과정을 옳게 서술하지 못한 경우	50 %

03 | 화학 반응에서 열의 출입

탐구 대표 문제 p. 239

01 ④

01 ① 화학 반응에서 방출되거나 흡수되는 열량을 측정하는 장치를 열량계라고 한다.

②, ③ 염화 칼슘이 물에 녹으면 용액의 온도가 올라가므로 이 반응은 발열 반응이다. 이러한 염화 칼슘은 제설제로 사용할 수 있다.

⑤ 실험에서 구한 열량은 염화 칼슘 1 g이 물에 용해될 때 방출하는 열량(J/g)이므로, 이 값에 1몰의 질량(화학식량)을 곱하면 1몰이 물에 용해될 때 출입하는 열량(J/mol)을 구할 수 있다.

오답 피하기

④ 실험 기구의 온도를 높이는 데 사용되는 열이 많을수록, 즉 열 손실이 많을수록 발생한 열량은 작게 측정된다.

기초 탄탄 문제 p. 240

01 ③ **02** ④ **03** ① **04** ① **05** ② **06** ②

01 ③ 산과 염기의 중화 반응은 발열 반응의 예이다.

오답 피하기

① 흡열 반응이란 열을 흡수하는 반응이다.

② 물이 기화할 때는 열을 흡수하므로 주위의 온도가 내려간다.

④ 발열 반응이 일어나면 열을 방출하므로 주위의 온도가 올라간다.

⑤ 흡열 반응에서는 생성물의 에너지 합이 반응물의 에너지 합보다 커서 그 차이만큼을 열로 흡수한다.

02 ①, ②, ③ 생성물의 에너지 합이 반응물의 에너지 합보다 작아 열을 방출하는 발열 반응의 그래프이다. 발열 반응이 일어나면 주위의 온도가 올라간다.

⑤ 산과 염기의 중화 반응은 열을 방출하는 발열 반응이다.

[오답 피하기]

④ 냉각 팩은 주위의 열을 흡수하는 흡열 반응을 이용한 예이다.

03 ② 식물이 빛에너지를 흡수하여 양분을 만들고, ③ 더운 여름날 마당에 물을 뿌리면 시원해지는 것, ④ 냉장고가 냉매를 기화시켜 내부를 시원하게 하여 음식물을 보관하는 것, ⑤ 탄산수소 나트륨이 열에 의해 분해되면서 이산화 탄소가 발생하여 빵이 부푸는 것은 모두 흡열 반응을 이용한 예이다.

[오답 피하기]

① 염화 칼슘이 물에 용해될 때 열을 방출하므로 눈을 녹이며, 이는 발열 반응을 이용한 예이다.

04 휴대용 손난로, 메테인의 연소, 제설제의 사용, 조리용 발열 팩은 발열 반응을 이용한 예이고, 광합성은 흡열 반응을 이용한 예이다.

05 ② 탄산수소 나트륨에 열을 가하면 분해되어 이산화 탄소가 발생한다. 이 이산화 탄소에 의해 빵이 부풀게 된다.

[오답 피하기]

①, ④ 탄산수소 나트륨의 분해 반응은 열을 흡수하는 흡열 반응으로 주위의 온도가 내려간다.

③ 이 반응은 흡열 반응으로 반응물의 에너지 합이 생성물의 에너지 합보다 작다.

⑤ 이 반응은 흡열 반응이고 연소 반응은 발열 반응이므로 열의 출입이 다르다.

06 ② 이 반응에서 처음 온도는 24.2 ℃, 나중 온도는 18.7 ℃로 온도가 낮아졌으므로 열을 흡수했으며, 흡수한 열량은
$Q=cm\Delta t=4.0 \text{ J/g·℃} \times (92+8) \text{ g} \times (24.2-18.7) \text{ ℃}$
$=2200 \text{ J}$이다.

[오답 피하기]

① 용해 반응 후 온도가 내려간 것으로 보아 이 반응은 흡열 반응이다.

③, ⑤ 흡열 반응은 생성물의 에너지 합이 반응물의 에너지 합보다 커 그 차이만큼을 열로 흡수하므로 흡열 반응이 일어나면 주위의 온도는 내려간다.

④ 손난로는 발열 반응을 이용한 예이다.

내신 만점 문제   p. 241

01 ⑤   **02** ⑤   **03** ④   **04~05** 해설 참조

---

01 ㄱ. (가)에서 메테인이 공기 중의 산소와 반응하여 열과 빛을 내는 반응은 산화 환원 반응이다.

ㄴ. (나)에서 물이 끓어 수증기가 되는 반응은 흡열 반응이다.

ㄷ. (다)에서 김이 뿜어져 나오는 현상은 수증기가 액화되어 물방울로 되는 현상이므로 이때에는 열을 방출한다.

02 ㄱ, ㄴ. 묽은 염산에 아연이 녹아 들어가면서 수소 기체가 발생하는데, 이때 열을 방출하므로 t_2가 t_1보다 높다. 따라서 이 반응은 발열 반응이다.

ㄷ. (나)에서 아연은 전자를 잃고 아연 이온으로 산화된다.

03 ㄴ. 눈이 내린 도로에 고체 X를 뿌리면 X가 녹으며 열이 발생하므로 눈이 녹는다.

ㄷ. 실험 결과로 출입한 열량은 $Q=cm\Delta t=4.2 \text{ J/g·℃} \times (100+10) \text{ g} \times (30.5-25.5) \text{ ℃}=2310 \text{ J}$이며, 용해된 X의 질량이 10 g이므로 고체 X가 물에 용해될 때 방출하는 열량 (J/g)은 $\frac{2310 \text{ J}}{10 \text{ g}}=231 \text{ J/g}$이다. 이 실험값(231 J/g)이 이론값(310.2 J/g)보다 작은 것으로 보아, 실험 중 열의 일부가 손실되었음을 알 수 있다.

[오답 피하기]

ㄱ. 고체 X가 물에 녹은 후 용액의 온도가 올라가므로 고체 X의 용해는 발열 반응이다.

04 [모범 답안] 산화 칼슘(CaO)이 물에 녹는 반응은 많은 열을 방출하는 발열 반응이다. 구제역 바이러스는 높은 온도에서 죽으므로 산화 칼슘과 물이 반응할 때 방출하는 많은 열을 이용하여 바이러스를 살균할 수 있다.

채점 기준	배점
산화 칼슘이 구제역을 방역할 수 있는 원리를 열의 출입과 관련하여 옳게 서술한 경우	100 %
산화 칼슘이 구제역을 방역할 수 있는 원리를 열의 출입과 관련하여 옳게 서술하지 않은 경우	0 %

05 [모범 답안] 1050 J/g

[해설] $Q=cm\Delta t=4.2 \text{ J/g·℃} \times (96+4) \text{ g} \times 10 \text{ ℃}=4200 \text{ J}$, 용해된 NaOH의 질량이 4 g이므로 NaOH이 물에 용해될 때 방출하는 열량(J/g)은 $\frac{4200 \text{ J}}{4 \text{ g}}=1050 \text{ J/g}$이다.

채점 기준	배점
수산화 나트륨이 물에 용해될 때 방출하는 열량(J/g)을 옳게 구한 경우	100 %
수산화 나트륨이 물에 용해될 때 방출하는 열량(J/g)을 옳게 구하지 못한 경우	0 %

단원 마무리하기   p. 244 ~ 247

01 ⑤	02 ①	03 ⑤	04 ⑤	05 ④	06 ④
07 ②	08 ②	09 ④	10 ⑤	11 ④	12 ②
13 ⑤	14 ⑤	15 ④	16 ②	17 ⑤	

01 ㄱ. 동적 평형 상태에서는 정반응 속도와 역반응 속도가 같아 겉으로 보기에는 반응이 정지한 것처럼 보인다.

ㄴ, ㄷ. 동적 평형 상태에서는 반응물(NO_2)과 생성물(N_2O_4)이 함께 존재하고, 반응물과 생성물의 농도가 일정하게 유지된다.

02 (가)에서는 증발 속도가 응축 속도보다 빠르며, 수증기 분자 수가 점점 늘어날수록 응축 속도도 점점 빨라지다가, 증발 속도와 응축 속도가 같을 때 수면의 높이는 h_2가 되면서 일정하게 유지된다. 즉, (나)에서 동적 평형에 도달하였다.

ㄱ. 수증기 분자 수는 (가)보다 (나)가 더 많다.

오답 피하기

ㄴ. 증발 속도는 온도의 영향을 받으므로 (가)와 (나)가 같다.

ㄷ. 고무마개를 열어 두면 h_1과 h_2의 차이는 밀폐했을 때와 같지 않다. 증발 속도가 응축 속도보다 항상 빠르므로 오랜 시간이 지난 후 물은 모두 증발할 것이다.

03 ㄱ. 25 °C에서 $K_w = [H_3O^+][OH^-] = 1.0 \times 10^{-14}$이므로, $[H_3O^+]$와 $[OH^-]$는 1.0×10^{-7} M로 같고, pH=7이 된다.

ㄴ. 온도가 높아지면 순수한 물의 K_w가 커져 $[H_3O^+]$도 커진다. 그러나 $pH = -\log[H_3O^+]$이므로 $[H_3O^+]$가 커지면 pH는 작아진다.

ㄷ. 순수한 물은 중성이므로 모든 온도에서 $[H_3O^+] = [OH^-]$이다.

04 중화 반응으로 감소하는 H^+이나 OH^-의 수만큼 염기의 양이온이나 산의 음이온이 증가한다. 따라서 혼합 용액에 들어 있는 전체 이온 수는 혼합 용액의 액성이 산성이면 혼합 전 산 수용액에 들어 있는 이온 수와 같고, 혼합 용액이 염기성이면 혼합 전 염기 수용액에 들어 있는 이온 수와 같다.

ㄱ. (가) 용액의 액성은 산성이다.

ㄴ. 양이온과 음이온의 전하량의 합은 항상 0, 즉 중성이어야 하므로 이온의 전하량이 같을 경우 양이온 수와 음이온 수도 항상 같아야 한다. HCl와 KOH의 경우 모두 1가 양이온과 1가 음이온을 생성하므로 $\dfrac{양이온\ 수}{음이온\ 수} = \dfrac{H^+\ 수 + K^+\ 수}{Cl^-\ 수 + OH^-\ 수} = \dfrac{0.5N + 1.5N}{2N + 0} = 1$이다.

ㄷ. (나)에서 $\dfrac{Cl^-}{K^+} = \dfrac{2N}{3N} = \dfrac{2}{3}$이다.

문제 속 자료 **1가 산과 1가 염기의 중화 반응**

예 염산(HCl)과 수산화 칼륨(KOH) 수용액의 중화 반응

① (가) 용액의 액성이 염기성일 경우
전체 이온 수가 4N이므로 혼합 전 KOH(aq) 10 mL 속 이온 수는 4N이다. 그렇다면 (나)의 혼합 전 KOH(aq) 20 mL 속 이온 수는 8N이므로 (나)의 전체 이온 수가 8N이 되어야 하므로 모순이다.

혼합 용액		(가) 염기성일 경우	(나)
혼합 전 용액의 부피(mL)	HCl(aq)	20	20
	KOH(aq)	10 4N	20 8N
전체 이온 수		4N	6N → 8N이어야 함

② (가) 용액의 액성이 중성일 경우
전체 이온 수가 4N이므로 혼합 전 HCl(aq) 20 mL와 KOH(aq) 10 mL 속 이온 수는 각각 4N이다. 그렇다면 (나)의 혼합 전 KOH(aq) 20 mL 속 이온 수는 8N이므로 (나)의 전체 이온 수가 8N이 되어야 하므로 모순이다.

혼합 용액		(가) 중성일 경우	(나)
혼합 전 용액의 부피(mL)	HCl(aq)	20 4N	20
	KOH(aq)	10 4N	20 8N
전체 이온 수		4N	6N → 8N이어야 함

③ (가) 용액의 액성이 산성일 경우
혼합 전 HCl(aq) 20 mL 속 이온 수는 4N이므로 혼합 전 KOH(aq) 20 mL 속 이온 수는 6N이 되어야 한다. 따라서 KOH(aq) 10 mL 속 이온 수는 3N이다. 모순 없이 모든 조건을 만족하므로 (가)는 산성 용액이다.

혼합 용액		(가) 산성일 경우	(나)
혼합 전 용액의 부피(mL)	HCl(aq)	20 4N	20 4N
	KOH(aq)	10 3N	20 6N
전체 이온 수		4N	6N

05 반응 (가)는 $2Na(s) + 2H_2O(l) \longrightarrow 2NaOH(aq) + H_2(g)$이고, 반응 (나)는 $H_2(g) + Cl_2(g) \longrightarrow 2HCl(g)$이다.

ㄴ. 용액 C는 HCl(aq)으로 pH가 7보다 작고, 용액 A는 NaOH(aq)으로 pH가 7보다 크다.

ㄷ. (가), (나) 모두 반응 전후에 산화수가 변하는 산화 환원 반응이다.

오답 피하기

ㄱ. A는 NaOH(aq)이므로 A에 BTB 용액을 넣으면 파란색을 띤다.

06 처음 HCl(aq)에는 H^+ 4개, Cl^- 4개가 들어 있다. 따라서 (가)에는 H^+ 2개, Cl^- 4개, K^+ 2개가 들어 있고, (나)에는 Cl^- 4개, K^+ 2개, Ca^{2+} 2개, OH^- 2개가 들어 있다.

ㄴ. (가)는 H⁺이 들어 있으므로 산성, (나)는 OH⁻이 들어 있으므로 염기성을 띤다.

ㄷ. (나) 용액 속에는 양이온인 K^+ 2개, Ca^{2+} 2개가 들어 있고, 음이온인 Cl^- 4개, OH^- 2개가 들어 있다. 따라서 양이온과 음이온 수의 비는 4 : 6 = 2 : 3이다.

[오답 피하기]

ㄱ. ▲는 $HCl(aq)$과 (가)에는 존재하지 않고 (나)에만 존재하므로 Ca^{2+}이다.

07 ㄷ. 주어진 반응은 중화 반응으로 발열 반응이다. 따라서 반응이 일어나면 수용액의 온도가 올라간다.

[오답 피하기]

ㄱ. 중화 반응은 산화수의 변화가 없으므로 산화 환원 반응이 아니다.

ㄴ. 수소 이온(H^+)과 수산화 이온(OH^-)은 1 : 1의 몰비로 반응한다.

08 ㄴ. $\frac{1}{10}$로 묽힌 식초 20 mL를 모두 중화하는 데 소모된 $NaOH(aq)$의 부피가 40 mL이므로, $1 \times x \times 20$ mL$=$ 1×0.1 M$\times 40$ mL에서 묽힌 식초 속 CH_3COOH의 몰 농도(x)$=0.2$ M이다. 따라서 묽히기 전 CH_3COOH의 몰 농도(x)$=0.2$ M$\times 10=2$ M이다.

[오답 피하기]

ㄱ. ㉠은 가해지는 표준 용액의 부피를 측정할 때 사용하는 뷰렛이다.

ㄷ. 2배 진한 0.2 M $NaOH(aq)$을 사용할 경우 소모되는 $NaOH(aq)$의 부피는 40 mL의 절반인 20 mL이다.

09 각 반응에서 밑줄 친 원소의 산화수 변화는 다음과 같다.
① C: 0 → +4, ② H: 0 → +1, ③ Fe: 0 → +3,
④ C: −4 → +4, ⑤ C: +4 → 0
따라서 산화수 변화가 가장 큰 것은 ④이다.

10 ㉠ N_2에서 N의 산화수는 0, ㉡ NH_3에서 N의 산화수는 −3, ㉢ NH_4^+에서 N의 산화수는 −3, ㉣ NO_2^-에서 N의 산화수는 +3, ㉤ NO_3^-에서 N의 산화수는 +5이다. 따라서 N의 산화수가 가장 큰 값과 가장 작은 값의 차이는 +5−(−3)=8이다.

11 주어진 반응을 산화수 변화를 이용하여 계수를 맞추면 화학 반응식은 다음과 같다.
$SO_2(g) + I_2(l) + 2H_2O(l) \longrightarrow H_2SO_4(aq) + 2HI(aq)$
ㄴ. S의 산화수는 +4에서 +6으로 2 증가한다.
ㄷ. 화학 반응식에서 계수비=반응 몰비이므로 SO_2과 I_2은 1 : 1의 몰비로 반응한다.

[오답 피하기]

ㄱ. a는 1, b는 2이므로 서로 같지 않다.

12 ㄴ. (가)에서 생긴 검은색 산화 구리(Ⅱ)에 탄소 가루를 넣고 가열하면 CuO는 Cu로 환원되고, C는 산화되어 CO_2가 되어 빠져 나간다. 따라서 (나) 시험관 속 물질의 질량은 감소한다.

[오답 피하기]

ㄱ. (가)에서는 Cu가 산화되고, (나)에서는 C가 산화, CuO가 환원된다.

ㄷ. (나)에서는 시험관을 빠져 나간 이산화 탄소가 비커 속 석회수와 반응하여 탄산 칼슘 앙금을 생성한다. 이때 산화수의 변화가 없으므로 이 반응은 산화 환원 반응이 아니다.

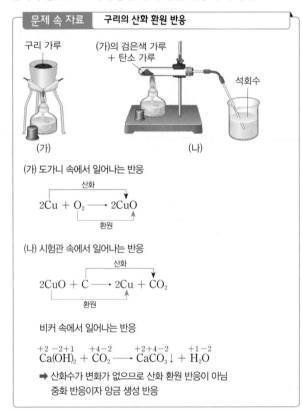

문제 속 자료	구리의 산화 환원 반응

(가) 도가니 속에서 일어나는 반응

$$\underset{환원}{\overset{산화}{2Cu + O_2 \longrightarrow 2CuO}}$$

(나) 시험관 속에서 일어나는 반응

$$\underset{환원}{\overset{산화}{2CuO + C \longrightarrow 2Cu + CO_2}}$$

비커 속에서 일어나는 반응

$$\overset{+2\ -2+1}{Ca(OH)_2} + \overset{+4-2}{CO_2} \longrightarrow \overset{+2+4-2}{CaCO_3}\!\downarrow + \overset{+1-2}{H_2O}$$

➡ 산화수가 변화가 없으므로 산화 환원 반응이 아님
중화 반응이자 앙금 생성 반응

13 주어진 반응을 산화수 변화를 이용하여 계수를 맞추면 화학 반응식은 다음과 같다.
$2Fe_2O_3(s) + 3C(s) \longrightarrow 4Fe(s) + 3CO_2(g)$
ㄱ. $a=2$, $b=3$, $c=4$, $d=3$이므로 $a+b < c+d$이다.
ㄴ. Fe의 산화수는 +3에서 0으로 3 감소한다.
ㄷ. Fe_2O_3과 C는 2 : 3의 몰비로 반응하며, 코크스(C) 18 g은 1.5몰이다. 따라서 C 18 g과 반응하는 Fe_2O_3의 양 x는 2 : 3 $= x : 1.5$이므로 $x=1$(몰)이다.

14 ㄱ. 질산 은 수용액에 철못을 넣으면 못 표면에 은이 석출되는 현상을 통해, Fe이 Fe^{2+}으로 산화되고 Ag^+이 Ag로 환원됨을 알 수 있다. 즉, Fe은 Ag보다 산화되기 쉽다.

ㄴ. $AgNO_3$과 Fe이 2 : 1의 몰비로 반응하므로 Ag^+ 1몰을 환원시키려면 0.5몰의 Fe이 필요하다.

ㄷ. Fe은 산화되어 Fe^{2+}으로 되므로 Fe 1몰당 2몰의 전자가 이동한다. 따라서 Fe 0.1몰을 넣어 완전히 반응시켰을 때 이동한 전자는 0.2몰이다.

15 ㄴ. (나)의 H_2O_2에서 O의 산화수는 -1이고, H_2O에서 O의 산화수는 -2, O_2에서 O의 산화수는 0이다. 따라서 H_2O_2는 O_2로 산화되면서 동시에 H_2O로 환원된다.

ㄷ. 하이드로퀴논과 과산화 수소가 반응하여 고온의 벤조퀴논을 생성하므로 이 반응은 발열 반응이다.

오답 피하기

ㄱ. (가)에서 H의 산화수는 $+1(C_6H_4(OH)_2) \rightarrow 0(H_2)$으로 감소한다.

16 ㄷ. (다)에서 철가루는 산소와 반응하여 산화 철이 되면서 열을 발생하는데, 이때 철가루는 산화된다.

오답 피하기

ㄱ. (가) 연료의 연소는 열을 방출하는 반응이고, (나) 얼음이 녹는 반응은 열을 흡수하는 반응이다.

ㄴ. (나)는 상태 변화로 물리 변화이므로 원자의 산화수 변화가 없다.

17 HCl(aq)과 NaOH(aq)이 반응하여 1몰의 H_2O이 생성될 때 56.0 kJ의 열이 발생한다. 0.1 M 묽은 염산 100 mL와 0.1 M 수산화 나트륨 수용액 100 mL를 반응시키면 0.1 mol/L × 0.1 L = 0.01 mol의 물이 생성되며, 이때 560 J의 열이 발생한다.

ㄱ. $Q = cm\varDelta t = 4.0$ J/g·℃ × (200 mL × 1.0 g/mL) × $\varDelta t$ = 560 J에서 $\varDelta t$ = 0.7 ℃로, 수용액의 온도는 0.7 ℃ 높아진다.

ㄴ. 이 반응은 열이 발생하는 발열 반응이므로 반응물의 에너지 합이 생성물의 에너지 합보다 크다.

ㄷ. NaOH 대신 KOH을 사용해도 중화 반응의 알짜 이온 반응식은 동일하므로 발생한 열은 같다.

Memo
S·H·E·R·P·A

Memo
S·H·E·R·P·A

Memo
S·H·E·R·P·A

Memo
S·H·E·R·P·A

배움으로 행복한 내일을 꿈꾸는
천재교육 커뮤니티 안내 · · ·

교재 안내부터 구매까지 한 번에!
천재교육 홈페이지

자사가 발행하는 참고서, 교과서에 대한 소개는 물론
도서 구매도 할 수 있습니다. 회원에게 지급되는 별을 모아
다양한 상품 응모에도 도전해 보세요!

다양한 교육 꿀팁에 깜짝 이벤트는 덤!
천재교육 인스타그램

천재교육의 새롭고 중요한 소식을 가장 먼저 접하고 싶다면?
천재교육 인스타그램 팔로우가 필수!
깜짝 이벤트도 수시로 진행되니 놓치지 마세요!

수업이 편리해지는
천재교육 ACA 사이트

오직 선생님만을 위한, 천재교육 모든 교재에 대한 정보가 담긴
아카 사이트에서는 다양한 수업자료 및 부가 자료는 물론
시험 출제에 필요한 문제도 다운로드하실 수 있습니다.

https://aca.chunjae.co.kr

천재교육을 사랑하는 샘들의 모임
천사샘

학원 강사, 공부방 선생님이시라면 누구나 가입할 수 있는 천사샘!
교재 개발 및 평가를 통해 교재 검토진으로 참여할 수 있는 기회는 물론
다양한 교사용 교재 증정 이벤트가 선생님을 기다립니다.

아이와 함께 성장하는 학부모들의 모임공간
튠맘 학습연구소

튠맘 학습연구소는 초·중등 학부모를 대상으로 다양한 이벤트와 함께
교재 리뷰 및 학습 정보를 제공하는 네이버 카페입니다.
초등학생, 중학생 자녀를 둔 학부모님이라면 튠맘 학습연구소로 오세요!

개념을 쌓아가는 기본서

고등 **셀파**

BOOK 1
개념 기본서 | 정답과 해설

화학 I

개 념 을 쌓 아 가 는 **기 본 서**

고등 **셀파**

미래를 바꾸는 긍정의 한마디

나는 똑똑한 것이 아니라 단지 문제를 더 오래 연구할 뿐이다.

알베르트 아인슈타인(Albert Einstein)

어떤 목표를 이루려 할 때 가장 중요한 것은 무엇이라고 생각하나요?

천부적인 재능, 타이밍, 조력자의 도움… 다양한 것들이 있지만 가장 중요한 것은

바로 '노력'입니다. 우리가 흔히 천재라고 생각하는 아인슈타인과 에디슨, 빌 게이츠와

같은 사람들도 수많은 실수를 하였지만 포기하지 않고 끊임없이 노력한 끝에 목표를

이룰 수 있었던 것을 잊지 마세요.

포기하지 않는 마음, 성취의 첫걸음입니다.

개 념 을 쌓 아 가 는 기 본 서

고등 **셀파**

BOOK 1
개념 기본서

화학 I

개념을 쌓아가는 기본서

고등 **셸파**

Sherpa

화학 I

김필수·권은주·손혜연·조민진·조형훈

BOOK 2

문제 기본서

천재교육

개념을 쌓아가는 **기본서**

고등 **셀파**

Sherpa

화학 I

STRUCTURE

S · H · E · R · P · A

고등 셀파 화학 I 문제 기본서의 52유형은 최근 10년간 기출 문제 중 다음과 같은 과정을 거쳐 선정하였습니다. 시험에 잘 나오는 유형을 학습하고 학교 시험에 대비하도록 하세요.

교육청
기출문제

6월
모의평가 문제

수능
기출문제

9월
모의평가 문제

15개정 교육과정의 내용에
따라 문제 분류

▼

고등 셀파 화학 I 의 목차에 따라
대단원별/중단원별/소단원별/유형별로 문제 분류

▼

시험에 자주 출제되는 문제 유형을
52가지로 선정

매주 1유형+추가 4문항씩 학습

▼

자세한 설명이 필요한 문제는 고등 셀파 질문방(유튜브 ▶)에 올리기

52

유형 │ 한눈에 짚어보기

기출 분석

01 유형

❓ 출제 의도
식량 문제 해결에 기여한 대표적인 물질인 암모니아에 대해 알고 있는지 묻는 문제이다.

🐚 이렇게 대비하자!
암모니아 합성이 질소 비료의 원료가 되는 과정을 이해하고, 암모니아의 구성 원소, 암모니아의 대량 생산이 가지는 의의를 알고 있어야 한다.

■ 연관 기출 문제 키워드

#암모니아 합성#질소#하버-보슈법
#질소 비료

문제 분석

❶ 암모니아의 합성

20세기 초 하버에 의해 암모니아 합성법 (하버-보슈법) 개발

$$N_2(g) + 3H_2(g) \xrightarrow{\text{촉매}} 2NH_3(g)$$

질소 분자는 매우 안정하여 암모니아를 합성하려면 고온·고압에서 촉매를 이용하여 N_2와 H_2를 반응시켜야 한다.

❷ 암모니아 합성의 의미

하버-보슈법으로 합성된 암모니아를 원료로 하여 질소 비료를 대량 생산할 수 있게 되어 식량 생산량 증가에 크게 기여
➡ 인구 증가에 따른 식량 문제를 해결

다음은 암모니아의 합성 반응에 대한 설명이다.

> 대기 중에서 매우 안정한 질소를 500 ℃, 200 기압 정도에서 촉매를 넣고 수소와 반응시켜 암모니아를 공업적으로 대량 생산하는 방법을 하버-보슈법이라 하고, 화학 반응식은 다음과 같다.
>
> $$N_2(g) + 3H_2(g) \xrightarrow{\text{촉매}} 2NH_3(g)$$

이에 대한 설명으로 옳은 것만을 〈보기〉에서 있는 대로 고른 것은?

┤ 보기 ├

ㄱ. 암모니아는 2원자 분자이다.

ㄴ. 암모니아는 실온(25 ℃)에서 질소와 수소를 반응시켜 쉽게 얻을 수 있다.

ㄷ. 암모니아로부터 얻은 질소 비료는 인류의 식량 부족 문제를 해결하는 데 기여하였다.

① ㄱ　　② ㄷ　　③ ㄱ, ㄴ　　④ ㄴ, ㄷ　　⑤ ㄱ, ㄴ, ㄷ

■ 문항별 해설

ㄱ. 암모니아(NH_3)의 구성 원소는 질소(N)와 수소(H)이며, 4개의 원자로 이루어진 4원자 분자이다. (×)

ㄴ. 질소 기체(N_2)와 수소 기체(H_2)가 반응하여 암모니아(NH_3)가 합성되지만, 이 반응은 질소 분자에서 질소 원자 사이의 강한 결합 때문에 쉽게 일어나지 않는다. 따라서 질소는 실온(25 ℃)에서 안정하므로 수소와 쉽게 반응하지 않는다. (×)

ㄷ. 20세기 초 하버는 수소 기체(H_2)와 공기 중의 질소 기체(N_2)를 촉매와 함께 반응시켜 암모니아를 합성하였으며, 그 후 보슈와 함께 암모니아 합성에 필요한 최적의 온도, 압력, 촉매를 찾아 암모니아(NH_3)를 대량으로 합성하는 하버-보슈법을 개발하였다. 암모니아로부터 얻은 질소 비료는 농업 생산량 증가에 큰 영향을 주었고, 식량 부족 문제를 해결하는 데 기여하였다. (○)

답 ②

🐚 배경 지식

질소 비료의 필요성

• 급격한 인구 증가에 따른 식량 부족으로, 농업 생산량을 높이기 위해 질소 비료를 사용해야 하였다.

• 자연에서 얻을 수 있는 질소 비료의 양이 너무 적어 인공적 질소 비료의 대량 생산이 필요하였다.

■ 오류 피하기

⋯⋯ 구성 원소가 2가지이므로 2원자 분자로 생각하지 말자. 2원자 분자는 2개의 원자로 이루어진 분자이다.

기출 문제

정답과 해설 **3**쪽

001 다음은 물질 X에 대한 자료이다.

- 구성 원소: 수소, 질소
- 최초의 대량 합성 제조법: 하버 — 보슈법
- 인류 문명에 미친 영향: 농업 생산량 증가에 기여

X로 옳은 것은?

① 석유 ② 질산 ③ 메테인

④ 철광석 ⑤ 암모니아

002 다음은 인류 문명에 영향을 준 암모니아에 대한 자료이다.

20세기 초 ㉠ 암모니아의 대량 합성 방법이 개발되어 질소 비료의 대량 생산이 가능해졌다. 암모니아는 약품의 제조나 토양의 산성화 방지 등 여러 분야에 이용되고 있다.

이에 대한 설명으로 옳은 것만을 〈보기〉에서 있는 대로 고른 것은?

┤ 보기 ├

ㄱ. 암모니아의 구성 원소는 질소와 수소이다.
ㄴ. 암모니아 수용액은 염기성이다.
ㄷ. ㉠은 인류의 식량 부족 문제를 해결하는 데 기여하였다.

① ㄱ ② ㄴ ③ ㄱ, ㄷ

④ ㄴ, ㄷ ⑤ ㄱ, ㄴ, ㄷ

003 다음은 인류 문명 발전에 기여한 물질 A에 관한 자료이다.

20세기 초 독일의 화학자 하버는 공기 중의 성분 기체를 이용하여 물질 A를 생산하는 합성법을 고안하였다. 물질 A는 비료, 화약, 도료 등을 만드는 데 유용하게 쓰인다. 하버는 물질 A의 합성법으로 1918년 노벨 화학상을 받았으며, '공기로 빵을 만든 과학자'라고 불린다.

물질 A에 해당되는 것은?

① 나일론 ② 이산화 황 ③ 플라스틱

④ 암모니아 ⑤ 합성고무

004 다음은 암모니아의 합성과 관련된 내용이다.

공기 중의 78 %를 차지하는 질소는 식물의 생장에 필수적인 원소이지만, 물에 잘 녹지 않아 식물이 공기 중의 질소를 직접 사용하기는 어렵다. 하버는 ㉠ 질소와 수소로부터 암모니아를 합성하는 방법을 연구하면서 고온, 고압에서 촉매를 사용하여 ㉡ 암모니아를 대량으로 생산하는 데 성공하였다.

이에 대한 옳은 설명만을 〈보기〉에서 있는 대로 고른 것은?

┤ 보기 ├

ㄱ. 질소는 반응성이 매우 크다.
ㄴ. ㉠의 화학 반응식은 $N_2 + 3H_2 \longrightarrow 2NH_3$이다.
ㄷ. ㉡은 식량 생산량을 늘리는 데 크게 기여하였다.

① ㄱ ② ㄷ ③ ㄱ, ㄴ

④ ㄴ, ㄷ ⑤ ㄱ, ㄴ, ㄷ

기출 분석

02 유형

❓ 출제 의도

화학 반응이 인류의 문명에 영향을 끼친 사실을 파악하고, 이와 관련된 화학 반응과 관련된 개념을 이해하고 있는지 물어본다.

🐛 이렇게 대비하자!

인류 문명에 기여한 대표적인 화학 반응인 철의 제련, 암모니아 합성, 화석 연료의 이용에 대한 화학 반응식 및 관련 개념을 익혀 두어야 한다.

■ 연관 기출 문제 키워드

#인류 문명 발달 #화학 반응
#철의 제련 #암모니아 #몰비

문제 분석

❶ 철의 제련

철을 이용하기 위해 철광석(Fe_2O_3)에서 산소를 제거하여 순수한 철(Fe)을 얻는다.

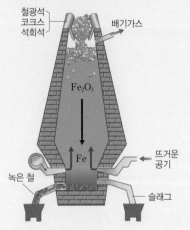

철광석
코크스
석회석

배기가스

Fe_2O_3

Fe

뜨거운 공기

녹은 철

슬래그

용광로에 철광석과 코크스(C)를 넣고 반응시켜 철(Fe)을 얻는다.

❷ 코크스(C)의 역할

코크스는 용광로 속 고온의 공기와 반응하여 불완전 연소되어 일산화 탄소를 생성하고, 일산화 탄소는 철광석을 철로 환원시킨다.

$$2C + O_2 \longrightarrow 2CO$$
$$Fe_2O_3 + 3CO \longrightarrow 2Fe + 3CO_2$$

다음은 인류 문명의 발달에 기여한 물질을 얻기 위한 화학 반응에 대한 설명이다.

> (가) 용광로에 철광석과 코크스(C)를 넣고 반응시켜 철(Fe)을 얻는다.
> (나) 질소(N_2)와 수소(H_2)를 반응시켜 암모니아(NH_3)를 얻는다.

이에 대한 옳은 설명만을 〈보기〉에서 있는 대로 고른 것은?

┤ 보기 ├

ㄱ. (가)에서 코크스(C)는 환원된다.
ㄴ. (나)에서 화합물은 2가지이다.
ㄷ. (나)에서 N_2와 H_2는 1 : 3의 몰비로 반응한다.

① ㄱ   ② ㄷ   ③ ㄱ, ㄴ   ④ ㄴ, ㄷ   ⑤ ㄱ, ㄴ, ㄷ

■ 문항별 해설

ㄱ. (가)는 철의 제련으로, 화학 반응식은 다음과 같다.
$$2C + O_2 \longrightarrow 2CO$$
$$Fe_2O_3 + 3CO \longrightarrow 2Fe + 3CO_2$$
코크스가 산소와 반응하여 일산화 탄소(CO)가 되고, 산화 철(Ⅲ)이 일산화 탄소(CO)와 반응하여 철(Fe)로 환원된다. 따라서 코크스(C)는 산화된다. (×)

ㄴ. (나)는 암모니아 합성으로, 화학 반응식은 $N_2 + 3H_2 \longrightarrow 2NH_3$이다. 반응식에서 화합물은 NH_3 1가지이다. (×)

ㄷ. 암모니아 합성 반응에서 N_2와 H_2의 몰비는 계수비로 확인할 수 있다. 화학 반응식이 $N_2 + 3H_2 \longrightarrow 2NH_3$이므로 N_2와 H_2의 계수비가 1 : 3이다. 따라서 N_2와 H_2는 1 : 3의 몰비로 반응한다. (○)

답 ②

🖥 배경 지식

· 철은 자연 상태에서 산소와 결합한 형태인 철광석으로 존재한다.
· **산화**: 어떤 물질이 산소와 결합하는 반응
· **환원**: 어떤 물질이 산소를 잃는 반응

■ 오류 피하기

⋯⟩ 물질이 산소와 결합하는 반응을 산화라고 하고, 물질이 산소를 잃는 반응을 환원이라고 한다. 따라서 코크스(C)는 산소와 결합하여 일산화 탄소(CO)가 되므로 산화된다.

⋯⟩ 화합물은 두 가지 이상의 서로 다른 종류의 원소들이 일정한 비율로 결합하여 만들어진 순물질이다. NH_3는 N 1개와 H 3개가 결합하여 만들어진 순물질이므로 (나)에서 화합물은 NH_3 1개이다. N_2와 H_2는 각각 2개의 질소 원자, 2개의 수소 원자가 결합하여 이루어진 입자로, 물질의 고유한 성질을 가지므로 분자이다.

기출 문제

005 다음은 인류 문명과 관련된 화학 반응을 나타낸 것이다.

> (가) 화석 연료의 연소:
>
> $$화석 연료 A + 산소 \longrightarrow B + 물$$
>
> (나) 철의 제련: 산화 철 + 일산화 탄소 $\longrightarrow$ B + 철

이에 대한 설명으로 옳은 것만을 〈보기〉에서 있는 대로 고른 것은?

── 보기 ──
ㄱ. (가)와 (나)는 모두 불의 이용과 관련이 있다.
ㄴ. A는 수소 원소를 포함하고 있다.
ㄷ. B는 지구 온난화의 원인이 된다.

① ㄱ   ② ㄷ   ③ ㄱ, ㄴ
④ ㄴ, ㄷ   ⑤ ㄱ, ㄴ, ㄷ

006 다음은 인류 문명에 영향을 준 화학 반응을 나타낸 것이다.

> • 암모니아(A)의 합성
>   질소 + 수소 $\longrightarrow$ (A)
> • 화석 연료(메테인)의 연소
>   메테인 + (B) $\longrightarrow$ 이산화 탄소 + 물

이에 대한 설명으로 옳은 것만을 〈보기〉에서 있는 대로 고른 것은?

── 보기 ──
ㄱ. A의 합성은 인류의 농업 생산량 증가에 기여하였다.
ㄴ. B는 홑원소 물질이다.
ㄷ. 물은 2가지 원소로 이루어진 화합물이다.

① ㄴ   ② ㄷ   ③ ㄱ, ㄴ
④ ㄱ, ㄷ   ⑤ ㄱ, ㄴ, ㄷ

007 그림 (가)는 암모니아의 합성과 이용을, (나)는 철의 제련과 이용을 나타낸 것이다.

(가) | 질소 | $\longrightarrow$ | 암모니아 | $\longrightarrow$ | 질소 비료 |

(나) | 철광석 | $\longrightarrow$ | 철 | $\longrightarrow$ | 농기구 |

이에 대한 설명으로 옳은 것만을 〈보기〉에서 있는 대로 고른 것은?

── 보기 ──
ㄱ. 암모니아는 하버-보슈법에 의해 대량 생산되기 시작하였다.
ㄴ. 철의 제련은 화학적 변화이다.
ㄷ. (가)와 (나)는 식량 생산 증대에 기여하였다.

① ㄱ   ② ㄴ   ③ ㄱ, ㄷ
④ ㄴ, ㄷ   ⑤ ㄱ, ㄴ, ㄷ

008 다음은 인류 문명에 기여한 화학 반응에 관련된 글이다.

> • ㉠ 석탄, 석유, 천연가스 등의 화석 연료는 지질 시대의 생물이 땅속에 묻혀 특정 환경에서 분해되어 만들어진 에너지이다.
> • ㉡ 암모니아의 합성과 ㉢ 철의 제련 등은 인류 문명의 발달에 영향을 준 대표적인 화학 반응이다.

㉠~㉢에 대한 설명으로 옳은 것만을 〈보기〉에서 있는 대로 고른 것은?

── 보기 ──
ㄱ. ㉠의 주요 구성 원소는 탄소와 수소이다.
ㄴ. ㉡은 식량 생산량 증가에 크게 기여하였다.
ㄷ. ㉢은 산화 환원 반응을 이용한다.

① ㄱ   ② ㄴ   ③ ㄱ, ㄷ
④ ㄴ, ㄷ   ⑤ ㄱ, ㄴ, ㄷ

기출 유형 분석   **7**

기출 분석

03 유형

? 출제 의도

탄소 화합물의 구조를 모형으로 이해하고 성질을 비교할 수 있는지 묻는 문제이다.

이렇게 대비하자!

탄소 화합물의 화학식과 모형을 통해 분자량, 원자의 질량을 구할 수 있어야 하며, 탄소 화합물 연소 시 이산화 탄소가 생성됨을 알고 있어야 한다.

■ 연관 기출 문제 키워드

#탄소 화합물 #분자량 #몰 #원자량
#연소 #질량

문제 분석

❶ 포도당의 연소

포도당을 충분한 양의 산소와 반응시켰을 때 이산화 탄소와 물이 생성된다.

$$C_6H_{12}O_6 + 6O_2 \longrightarrow 6CO_2 + 6H_2O$$

❷ 포도당과 아스피린의 수소 질량 백분율(%)

포도당과 아스피린의 수소 질량 백분율(%)은 각각 $\dfrac{\text{포도당의 H 질량}}{\text{포도당 분자량}} \times 100$과

$\dfrac{\text{아스피린의 H 질량}}{\text{아스피린 분자량}} \times 100$이다. 두 분자량 모두 180이므로, 포도당과 아스피린의 수소 원자량을 넣어 계산하면 두 탄소 화합물의 수소 질량 백분율(%)을 알 수 있다.

그림은 포도당($C_6H_{12}O_6$)과 아스피린($C_9H_8O_4$)의 분자 모형을 나타낸 것이다.

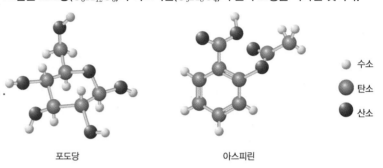

수소
탄소
산소

포도당   아스피린

포도당이 아스피린보다 큰 값을 갖는 것만을 〈보기〉에서 있는 대로 고른 것은? (단, 원자량은 H=1, C=12, O=16이다.) [3점]

┌ 보기 ┐
ㄱ. 분자량
ㄴ. 수소(H)의 질량 백분율(%)
ㄷ. 1몰을 완전 연소시킬 때 생성되는 이산화 탄소의 질량
└─────┘

① ㄱ   ② ㄴ   ③ ㄷ   ④ ㄱ, ㄴ   ⑤ ㄴ, ㄷ

■ 문항별 해설

ㄱ. 포도당의 분자식은 $C_6H_{12}O_6$이므로 분자량은 $(6 \times 12) + (12 \times 1) + (6 \times 16) = 180$이다. 아스피린의 분자식은 $C_9H_8O_4$이므로 분자량은 $(9 \times 12) + (8 \times 1) + (4 \times 16) = 180$이다. 따라서 포도당과 아스피린의 분자량이 180으로 같다. (×)

ㄴ. 분자량이 같으므로 분자식에 H의 개수가 더 많은 포도당의 H 질량 백분율(%)이 더 크다. (○)

ㄷ. 1몰을 완전 연소시킬 때 C의 개수가 더 많은 분자가 이산화 탄소를 더 많이 생성한다. 포도당의 C 수가 6이고, 아스피린의 C 수가 9이므로 C의 개수가 더 많은 아스피린이 완전 연소 시 발생하는 CO_2의 질량이 더 크다. (×)

답 ②

배경 지식

• 분자량: 분자를 구성하는 모든 원자들의 원자량을 합한 값이다.

• 탄소 화합물의 연소: 탄소 화합물을 연소시키면 화합물 속의 탄소(C) 원자와 수소(H) 원자가 산소(O_2)와 반응하여 이산화 탄소(CO_2)와 물(H_2O)이 생성된다.

■ 오류 피하기

⋯ 화합물의 1몰을 완전 연소시킬 때 탄소의 개수가 많으면 이산화 탄소가 많이 생성된다. 그러므로 포도당과 아스피린의 탄소 수를 비교하면, 탄소 원자가 더 많은 화합물인 아스피린이 이산화 탄소를 더 많이 생성하므로 이산화 탄소의 질량이 포도당보다 더 크다.

기출 문제

정답과 해설 3~4쪽

009 그림은 포도당($C_6H_{12}O_6$)의 분자 모형을 나타낸 것이다.

포도당에 대한 옳은 설명만을 〈보기〉에서 있는 대로 고른 것은? (단, 포도당의 분자량은 180이다.)

┤ 보기 ├
ㄱ. 포도당은 화합물이다.
ㄴ. 분자 1개의 질량은 180 g이다.
ㄷ. 포도당 1몰에 들어 있는 원자는 24몰이다.

① ㄱ   ② ㄴ   ③ ㄱ, ㄷ
④ ㄴ, ㄷ   ⑤ ㄱ, ㄴ, ㄷ

010 그림은 아세트산(CH_3COOH)과 포도당($C_6H_{12}O_6$)의 분자 모형을 나타낸 것이다.

아세트산   포도당

○ 수소
● 탄소
○ 산소

아세트산과 포도당이 같은 값을 갖는 것만을 〈보기〉에서 있는 대로 고른 것은? [3점]

┤ 보기 ├
ㄱ. 탄소(C)의 질량 백분율(%)
ㄴ. 1 g 속에 들어 있는 산소 원자의 양(mol)
ㄷ. 1몰을 완전 연소시킬 때 생성되는 물의 질량

① ㄱ   ② ㄷ   ③ ㄱ, ㄴ
④ ㄱ, ㄷ   ⑤ ㄴ, ㄷ

011 그림은 풀러렌 C_{60}과 C_{70}의 분자 모형을 나타낸 것이다.

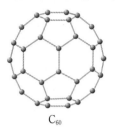 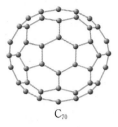

C_{60} C_{70}

C_{60}과 C_{70}이 같은 값을 가지는 것만을 〈보기〉에서 있는 대로 고른 것은?

┤ 보기 ├
ㄱ. 1몰의 질량
ㄴ. 탄소 원자 1개와 결합한 탄소 원자의 수
ㄷ. 1 g이 완전 연소할 때 생성되는 CO_2의 양(mol)

① ㄱ   ② ㄴ   ③ ㄱ, ㄷ
④ ㄴ, ㄷ   ⑤ ㄱ, ㄴ, ㄷ

012 그림 (가)와 (나)는 다이아몬드(C)와 풀러렌(C_{60})을 모형으로 나타낸 것이다.

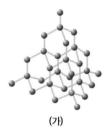 

(가)   (나)

이에 대한 설명으로 옳은 것만을 〈보기〉에서 있는 대로 고른 것은?

┤ 보기 ├
ㄱ. (가)와 (나)는 모두 공유 결합 물질이다.
ㄴ. 물질 1몰에 포함된 탄소 원자 수는 (가)와 (나)가 같다.
ㄷ. 물질 1 g에 포함된 탄소-탄소 결합 수는 (가)가 (나)보다 많다.

① ㄴ   ② ㄷ   ③ ㄱ, ㄴ
④ ㄱ, ㄷ   ⑤ ㄱ, ㄴ, ㄷ

기출 분석

04 유형

출제 의도
기체의 분자량, 질량, 양(mol), 부피 사이의 관계를 이해하고 있는지 묻는 문제이다.

이렇게 대비하자!
기체 분자량, 질량, 양(mol), 부피의 개념을 완벽히 이해하고 상호 환산할 수 있어야 한다.

■ 연관 기출 문제 키워드

#분자량#질량#물질의 양(mol)#부피

문제 분석

기체의 몰 부피 이용

0 ℃, 1 기압에서 기체의 종류에 관계없이 모든 기체 1몰의 부피는 22.4 L이므로, 기체의 부피와 질량을 알면 분자량을 구할 수 있다.

분자량 : 22.4 L = 질량 : 부피

$$분자량 = \frac{질량}{부피} \times 22.4\ L$$

(가)~(다)는 각각 다음 식을 이용하여 간단하게 풀 수 있다.

(가): $\dfrac{질량}{분자량}$

(나): 물질의 양(mol) $= \dfrac{부피(L)}{22.4(L)}$,

　　　질량 = 물질의 양(mol) × 분자량

(다): 분자량 $= \dfrac{질량}{물질의\ 양(mol)}$

배경 지식

질량, 몰, 부피, 입자 수의 관계

$$물질의\ 양(mol) = \frac{입자\ 수}{6.02 \times 10^{23}/mol}$$

$$= \frac{질량(g)}{몰\ 질량(g/mol)}$$

$$= \frac{기체의\ 부피(L)}{22.4(L/mol)}(0\ ℃,\ 1\ 기압)$$

표는 0 ℃, 1 기압에서 기체 X~Z에 대한 자료를 나타낸 것이다.

기체	분자량	질량(g)	양(mol)	부피(L)
X	16	4	(가)	—
Y	44	(나)	—	16.8
Z	(다)	29	0.5	—

이에 대한 설명으로 옳은 것만을 〈보기〉에서 있는 대로 고른 것은? (단, 0 ℃, 1 기압에서 기체 1몰의 부피는 22.4 L이다.)

┤ 보기 ├

ㄱ. (가)는 0.25이다.

ㄴ. (나)는 33이다.

ㄷ. (다)는 58이다.

① ㄱ　　　② ㄷ　　　③ ㄱ, ㄴ　　　④ ㄴ, ㄷ　　　⑤ ㄱ, ㄴ, ㄷ

■ 문항별 해설

ㄱ. 기체 X의 양(mol)은 $\dfrac{질량}{분자량}$ 이므로 $\dfrac{4}{16} = 0.25$몰이다. (○)

ㄴ. 기체 Y의 부피는 16.8이고 1몰의 부피는 22.4 L이므로 Y의 양(mol)은 $\dfrac{16.8\ L}{22.4\ L} = 0.75$ 몰이다. 분자량이 44이므로 질량은 0.75몰 × 44 g/몰 = 33 g이다. (○)

ㄷ. 기체 Z의 양(mol)은 0.5몰이므로 1몰의 질량은 29 g × 2 = 58 g이다. 따라서 분자량은 58이다. (○)

답 ⑤

■ 오류 피하기

… 분자 1몰의 질량은 분자량 뒤에 g을 붙인 값과 같다. 즉, 분자량을 구할 때는 1몰의 질량을 구한 후 질량의 단위인 g을 떼면 된다.

기출 문제

정답과 해설 **4~5**쪽

013 표는 0 ℃, 1 기압의 기체 A와 B에 관한 자료이다.

기체	A	B
분자량	(가)	32
부피(L)	5.6	(나)
질량(g)	4	16

(가)와 (나)에 해당하는 값이 모두 옳은 것은? (단, 0 ℃, 1 기압에서 기체 1몰의 부피는 22.4 L이다.)

	(가)	(나)		(가)	(나)
①	4	5.6	②	8	5.6
③	8	11.2	④	16	5.6
⑤	16	11.2			

014 표는 두 가지 물질에 대한 자료이다.

물질	분자의 양(몰)	질량(g)	원자 수(개)
O_2	a	32	—
NH_3	3	—	$b\,N_A$

$a+b$의 값으로 옳은 것은? (단, O의 원자량은 16이고, N_A는 6.02×10^{23}이다.)

① 4 ② 5 ③ 12 ④ 13 ⑤ 20

015 표는 용기 (가)~(다)에 들어 있는 기체에 대한 자료이다. 기체의 압력은 모두 1 기압이다.

용기	기체	온도(℃)	부피(L)	질량(g)
(가)	H_2	30	25	2
(나)	N_2	30	12.5	㉠
(다)	He	50	25	

이에 대한 설명으로 옳은 것만을 〈보기〉에서 있는 대로 고른 것은? (단, H, N의 원자량은 각각 1, 14이고, 아보가드로수는 6×10^{23}이다.)

—| 보기 |—

ㄱ. (가)에서 수소 분자 수는 6×10^{23}이다.

ㄴ. ㉠은 7이다.

ㄷ. (가)와 (다)에서 기체의 양(mol)은 같다.

① ㄱ ② ㄴ ③ ㄱ, ㄷ
④ ㄴ, ㄷ ⑤ ㄱ, ㄴ, ㄷ

016 다음은 3가지 물질의 질량 또는 부피이다.

(가) NaOH(s) 20 g
(나) H_2O(l) 18 g
(다) H_2(g) 12 L (20 ℃, 1 기압)

이에 대한 설명으로 옳은 것만을 〈보기〉에서 있는 대로 고른 것은? (단, H, O, Na의 원자량은 각각 1, 16, 23이고, 기체 1몰의 부피는 20 ℃, 1 기압에서 24 L이다.) [3점]

—| 보기 |—

ㄱ. (가)에서 NaOH의 양(mol)은 0.5몰이다.

ㄴ. (다)에서 H_2의 질량은 2 g이다.

ㄷ. (나)의 H_2O(l) 18 g과 (다)의 H_2(g) 12 L에 포함된 H 원자 수는 같다.

① ㄱ ② ㄴ ③ ㄷ
④ ㄱ, ㄴ ⑤ ㄱ, ㄷ

기출 분석

05 유형

❓ 출제 의도
화학식량과 물질의 양(mol) 사이의 관계를 이해하고 있는지 물어보는 문제이다.

〰 이렇게 대비하자!
같은 온도와 압력에서 몰과 부피, 질량의 관계에 대해 완벽히 이해하고 있어야 하며 주어진 조건을 이용하여 상호 변환할 수 있어야 한다.

■ **연관 기출 문제 키워드**

#기체의 양(mol)#질량비#부피

문제 분석

기체의 부피와 질량을 통해 한 눈에 물질의 양(mol)을 파악할 수 있다.

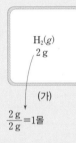
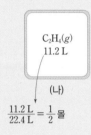

$\frac{2\,g}{2\,g}=1$몰 $\frac{11.2\,L}{22.4\,L}=\frac{1}{2}$ 몰

그림은 0 ℃, 1 기압의 2가지 기체가 용기에 각각 들어 있는 것을 나타낸 것이다.

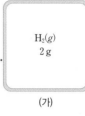

이에 대한 설명으로 옳은 것만을 〈보기〉에서 있는 대로 고른 것은? (단, H, C의 원자량은 각각 1, 12이고, 0 ℃, 1 기압에서 기체 1몰의 부피는 22.4 L이다.) [3점]

┤ 보기 ├
ㄱ. (가)에서 기체의 양(mol)은 1몰이다.
ㄴ. (나)에서 기체에 포함된 C의 양(mol)은 1몰이다.
ㄷ. 용기 속 기체의 질량비는 (가) : (나)=1 : 14이다.

① ㄱ   ② ㄷ   ③ ㄱ, ㄴ   ④ ㄴ, ㄷ   ⑤ ㄱ, ㄴ, ㄷ

🐙 배경 지식

몰과 질량

1몰의 질량은 그 물질의 화학식량(원자량, 분자량, 실험식량)에 g을 붙인 것과 같다.

$$물질의 양(mol)=\frac{질량}{화학식량}$$

⇨ 1몰 : 화학식량=x몰 : 질량,

$x=\dfrac{질량}{화학식량}$

㉠ CO_2 88 g의 양(mol)

$=\dfrac{88}{CO_2\ 분자량(=44)}=2$몰

■ 문항별 해설

ㄱ. H_2의 분자량은 2이고, 2 g이 용기에 들어 있다. 물질의 양(mol)=$\dfrac{질량}{화학식량}$이므로 식을 대입하면 $\dfrac{2}{2}=1$몰이다. (○)

ㄴ. 0 ℃, 1 기압에서 C_2H_4 11.2 L는 $\dfrac{11.2}{22.4}=0.5$몰이므로 (나)에서 기체에 포함된 C의 양(mol)은 0.5몰×2=1몰이다. (○)

ㄷ. (나) 용기 속 기체의 양(mol)은 0.5몰이고, 이 기체의 질량은 $\dfrac{(12\times2)+(1\times4)}{2}=\dfrac{28}{2}=14\ (g)$이다. (가) 용기 속 기체의 질량은 2 g이므로 질량비는 (가) : (나)=2 : 14=1 : 7이다. (×)

답 ③

■ 오류 피하기

⋯ C_2H_4의 양(mol)은 0.5몰이나 C 원자가 2개이므로 C의 양(mol)을 구할 때는 0.5몰에 2배를 해 주어야 한다.

기출 문제

정답과 해설 **5**쪽

017 그림은 같은 온도에서 부피가 서로 다른 용기에 헬륨(He) 기체와 기체 X가 들어 있는 것을 나타낸 것이다.

He 3 L
1 기압
0.6 g

X 6 L
1 기압
12.0 g

기체 X의 분자량은? (단, He의 원자량은 4이다.) [3점]

① 18　② 20　③ 30　④ 36　⑤ 40

018 그림은 0 ℃, 1 기압에서 3가지 기체가 용기에 각각 들어 있는 것을 나타낸 것이다.

O_2
2.24 L
(가)

CO_2
2.24 L
(나)

CH_4
2.24 L
(다)

(가)~(다)에 대한 설명으로 옳은 것만을 〈보기〉에서 있는 대로 고른 것은? (단, 0 ℃, 1 기압에서 기체 1몰의 부피는 22.4 L이고, 원자량은 C=12, O=16 이다.) [3점]

┤ 보기 ├
ㄱ. (가)에서 O_2의 양(mol)은 0.01몰이다.
ㄴ. (나)에서 CO_2의 질량은 4.4 g이다.
ㄷ. 총 원자 수는 (다)가 가장 많다.

① ㄱ　② ㄴ　③ ㄱ, ㄷ
④ ㄴ, ㄷ　⑤ ㄱ, ㄴ, ㄷ

019 그림은 같은 온도와 압력에서 2가지 기체의 부피와 질량을 각각 나타낸 것이다.

1 L
A_2B
w g
(가)

9 L
A_2
w g
(나)

이에 대한 설명으로 옳은 것만을 〈보기〉에서 있는 대로 고른 것은? (단, A와 B는 임의의 원소 기호이다.) [3점]

┤ 보기 ├
ㄱ. 분자 수의 비는 (가) : (나) = 1 : 9이다.
ㄴ. 분자 1개의 질량비는 (가) : (나) = 1 : 9이다.
ㄷ. 원자량 비는 A : B = 1 : 8이다.

① ㄱ　② ㄴ　③ ㄱ, ㄷ
④ ㄴ, ㄷ　⑤ ㄱ, ㄴ, ㄷ

020 그림은 0 ℃, 1 기압에서 같은 부피의 플라스크에 들어 있는 기체 O_2와 XO_2의 밀도를 나타낸 것이다.

O_2
d g/L
(가)

XO_2
$2d$ g/L
(나)

이에 대한 설명으로 옳은 것만을 〈보기〉에서 있는 대로 고른 것은? (단, X는 임의의 원소 기호이다.) [3점]

┤ 보기 ├
ㄱ. 원자량은 X가 O의 2배이다.
ㄴ. (가)와 (나)에 들어 있는 기체 분자 수는 같다.
ㄷ. (가)와 (나)에 들어 있는 기체의 전체 원자 수비
는 2 : 3이다.

① ㄴ　② ㄷ　③ ㄱ, ㄴ
④ ㄱ, ㄷ　⑤ ㄱ, ㄴ, ㄷ

기출 분석

06 유형

? 출제 의도

화학 반응식의 의미를 이해하고 화학 반응식을 완성할 수 있는지 물어보는 문제이다.

🔁 이렇게 대비하자!

화학 반응식을 통해 반응물과 생성물의 종류를 파악하고, 계수비와 몰비가 같음을 이용하여 분자 수비와 질량을 예상할 수 있어야 한다.

■ 연관 기출 문제　키워드

#화학 반응식#반응물과 생성물#몰
#질량#계수비

문제 분석

화학 반응식 만들기

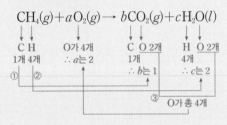

반응 전과 후의 원자의 종류와 개수가 같도록 계수를 맞춰야 한다.

❶ 반응 전 C의 개수가 1개이므로 반응 후 C의 개수도 1개 ➡ $b=1$

❷ 반응 전 H의 개수가 4개이므로 반응 후 H의 개수도 4개 ➡ $c=2$

❸ 반응 후 O의 개수가 4개이므로 반응 전 O의 개수도 4개 ➡ $a=2$

다음은 메테인(CH_4)의 연소 과정을 나타낸 화학 반응식이다.

$$CH_4(g) + aO_2(g) \longrightarrow bCO_2(g) + cH_2O(l)$$

이를 통해 알 수 있는 옳은 내용만을 〈보기〉에서 있는 대로 고른 것은?

┤ 보기 ├

ㄱ. 화학 반응식의 $a+b+c=3$이다.

ㄴ. 생성된 CO_2와 H_2O의 분자 수비는 1 : 2이다.

ㄷ. 반응물의 질량의 합과 생성물의 질량의 합은 같다.

① ㄱ　　② ㄷ　　③ ㄱ, ㄴ　　④ ㄴ, ㄷ　　⑤ ㄱ, ㄴ, ㄷ

■ 문항별 해설

ㄱ. 화학 반응식을 완성하면 $CH_4(g) + 2O_2 \longrightarrow CO_2(g) + 2H_2O(l)$이므로 a는 2, b는 1, c는 2이다. 따라서 $a+b+c=5$이다. (✕)

ㄴ. 생성된 이산화 탄소와 물의 계수비가 1 : 2이므로 분자 수의 비도 1 : 2이다. (○)

ㄷ. 질량 보존 법칙에 의해 반응물의 질량의 합과 생성물의 질량의 합은 같다. (○)

답 ④

💻 배경 지식

화학 반응식 만들기

❶ 화학 반응의 반응물과 생성물을 화학식으로 나타내기

❷ 반응물은 화살표 왼쪽에, 생성물은 화살표 오른쪽에 쓴다.

❸ 반응 전후 원자의 종류와 개수가 같도록 계수 맞추기

❹ 물질의 상태를 (　) 안에 기호를 써서 표시하기 (고체: s, 액체: l, 기체: g)

■ 오류 피하기

⋯➡ 화학 반응식에서 계수비와 분자 수비는 같다. 계수비=몰비=분자 수비=부피비(기체의 경우)≠질량비이다.

기출 문제

정답과 해설 5~6쪽

021 다음은 철의 제련 과정과 관련된 화학 반응식이다.

$$a\,Fe_2O_3(s) + b\,CO(g) \longrightarrow c\,Fe(s) + d\,CO_2(g)$$

$a+b+c+d$의 값은? (단, $a{\sim}d$는 화학 반응식의 계수이다.) [3점]

① 4 ② 6 ③ 7 ④ 8 ⑤ 9

022 다음은 에탄올(C_2H_6O) 연소 반응의 화학 반응식이다.

$$C_2H_6O + a\,O_2 \longrightarrow b\,CO_2 + c\,H_2O$$
$$(a{\sim}c\text{는 반응 계수})$$

$a \times b$ 는?

① 4 ② 6 ③ 7 ④ 8 ⑤ 9

023 다음은 암모니아 기체가 생성되는 화학 반응식이다.

$$a\,N_2(g) + b\,H_2(g) \longrightarrow 2NH_3(g)$$

이에 대한 설명으로 옳은 것은? (단, a, b는 임의의 계수이다.)

① $a+b=2$이다.
② 생성물은 수소와 질소이다.
③ 원자의 종류와 개수는 반응 후 감소한다.
④ 암모니아 분자는 2종류의 원소로 이루어져 있다.
⑤ 암모니아 2분자를 생성하기 위해서는 질소 원자 1개가 필요하다.

024 다음은 탄소(C)의 2가지 연소 반응의 화학 반응식이다.

(가) $a\,C(s) + O_2(g) \longrightarrow b\,CO_2(g)$ (a, b는 반응 계수)
(나) $2C(s) + O_2(g) \longrightarrow 2\boxed{\ ㉠\ }(g)$

이에 대한 설명으로 옳은 것만을 〈보기〉에서 있는 대로 고른 것은?

▮ 보기 ▮
ㄱ. $a+b=2$이다.
ㄴ. ㉠은 CO이다.
ㄷ. 같은 온도와 압력에서 1몰의 C가 모두 반응할 때 필요한 O_2의 최소 부피비는 (가) : (나)=1 : 1이다.

① ㄱ ② ㄷ ③ ㄱ, ㄴ
④ ㄴ, ㄷ ⑤ ㄱ, ㄴ, ㄷ

025 다음은 탄산 칼슘($CaCO_3$)과 묽은 염산(HCl)의 반응을 화학 반응식으로 나타낸 것이다.

$$CaCO_3(s) + x\,HCl(aq)$$
$$\longrightarrow CaCl_2(aq) + H_2O(l) + \boxed{\ (가)\ }$$
$$(x\text{는 반응식의 계수})$$

이에 대한 설명으로 옳은 것만을 〈보기〉에서 있는 대로 고른 것은? [3점]

▮ 보기 ▮
ㄱ. x는 2이다.
ㄴ. (가)는 $CO_2(g)$이다.
ㄷ. 생성물의 총 질량은 반응물의 총 질량보다 크다.

① ㄱ ② ㄷ ③ ㄱ, ㄴ
④ ㄴ, ㄷ ⑤ ㄱ, ㄴ, ㄷ

기출 분석

07 유형

출제 의도
화학 반응을 모형으로 이해할 수 있는지 묻는 문제이다.

이렇게 대비하자!
분자 모형을 통해 화학 반응식을 예측하고, 반응물과 생성물의 변화를 이해하고 있어야 한다.

■ **연관 기출 문제 키워드**

#분자 모형 #화학 반응식 #몰 #질량
#반응물과 생성물 #계수비

문제 분석

화학 반응식 완성하기

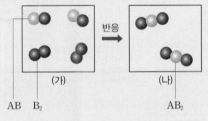

2AB + 2B₂ ⟶ 2AB₂ + ㉠

모형을 보고 (나)에서 남아 있는 반응물을 구할 수 있다. 모형에서 화학 반응식을 완성한 후 반응 전후의 원자의 종류와 개수가 같도록 계수를 맞추면 ㉠ 은 B₂가 된다.

그림 (가)는 AB와 B_2가 반응하여 AB_2를 생성하는 반응에서 반응물을, (나)는 생성물 AB_2를 나타낸 것이다. (나)에서 남아 있는 반응물은 나타내지 않았다.

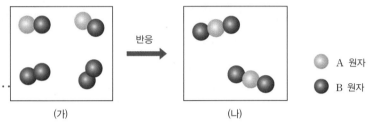

(가)   (나)

○ A 원자
● B 원자

이에 대한 설명으로 옳은 것만을 〈보기〉에서 있는 대로 고른 것은? (단, A와 B는 임의의 원소 기호이다.) [3점]

┤ 보기 ├

ㄱ. AB와 B_2는 2 : 1의 개수비로 반응한다.
ㄴ. 전체 분자의 수는 (가)가 (나)보다 많다.
ㄷ. (나)에서 생성물 AB_2의 질량은 남아 있는 반응물의 질량의 2배보다 작다.

① ㄱ   ② ㄷ   ③ ㄱ, ㄴ   ④ ㄴ, ㄷ   ⑤ ㄱ, ㄴ, ㄷ

■ **문항별 해설**

ㄱ. 화학 반응식은 2AB + B_2 ⟶ $2AB_2$이다. 따라서 AB와 B_2는 2 : 1의 개수비로 반응한다. (○)

ㄴ. (가)에 있는 4개의 분자 중에서 2개의 AB와 1개의 B_2가 반응하여 2개의 AB_2가 생기고 반응에 참여하지 않는 1개의 B_2가 남는다. 따라서 (가)의 전체 분자 수는 4개이고, (나)의 전체 분자 수는 남아 있는 반응물까지 포함하면 3개이다. 따라서 전체 분자의 수는 (가) : (나)＝4 : 3으로 (가)가 (나)보다 많다. (○)

ㄷ. (나)에서 생성된 AB_2가 2개일 때, 남아 있는 B_2는 1개이다. AB_2의 분자량은 B_2의 분자량보다 크므로 생성물 AB_2의 질량은 남아 있는 B_2 질량의 2배보다 크다. (×)

답 ③

 배경 지식

모형을 이용한 화학 반응

❶ 모형을 통해 화학식을 쓴다.

❷ 계수를 맞추어 화학 반응식을 완성한다.

❸ 반응물과 생성물에 대해 물질의 양(mol), 분자 수, 부피, 분자량 등을 구한다.

■ **오류 피하기**

⋯ (나)에서 남아 있는 반응물은 나타내지 않았으므로 남아 있는 B_2를 그려 넣고 AB_2의 분자량과 B_2의 분자량을 생각해 본다. (나)에 2개의 생성물 AB_2와 1개의 B_2가 남아 있으므로 생성물 AB_2의 질량은 2개의 A 원자와 4개의 B 원자의 질량의 합이고, 남아 있는 반응물의 질량은 2개의 B 원자 질량이므로 2개의 AB_2 질량이 남아 있는 B_2 질량의 2배보다 크다.

기출 문제

정답과 해설 **6**쪽

026 그림은 어떤 화학 반응을 모형으로 나타낸 것이다.

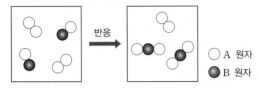

이 반응의 화학 반응식으로 옳은 것은? (단, A와 B는 임의의 원소 기호이다.) [3점]

① $A + AB \longrightarrow A_2B$

② $A_2 + 2AB \longrightarrow 2A_2B$

③ $A_2 + 2AB \longrightarrow 3AB_2$

④ $B_2 + 2AB \longrightarrow AB_2$

⑤ $B_2 + 2AB \longrightarrow 2AB_2$

027 그림은 어떤 기체들의 화학 반응을 모형으로 나타낸 것이다.

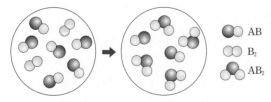

이 반응에 대한 설명으로 옳은 것만을 〈보기〉에서 있는 대로 고른 것은? (단, A와 B 는 임의의 원소 기호이다.) [3점]

┤ 보기 ├

ㄱ. 생성물은 2가지이다.

ㄴ. 화학 반응식은 $2AB(g) + B_2(g) \longrightarrow 2AB_2(g)$ 이다.

ㄷ. 반응 후 B_2를 더 넣으면 생성물의 양이 증가한다.

① ㄱ   ② ㄴ   ③ ㄱ, ㄷ

④ ㄴ, ㄷ   ⑤ ㄱ, ㄴ, ㄷ

028 그림은 실린더 속에서 기체 A와 B가 반응하여 기체 C를 생성하는 과정을 모형으로 나타낸 것이다.

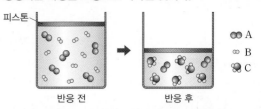

이에 대한 설명으로 옳은 것만을 〈보기〉에서 있는 대로 고른 것은? (단, 온도와 압력은 일정하다.) [3점]

┤ 보기 ├

ㄱ. 화학 반응식은 $A + 3B \longrightarrow 2C$이다.

ㄴ. C의 분자량은 $\dfrac{A의 \; 분자량 + B의 \; 분자량}{2}$이다.

ㄷ. 실린더 속 혼합 기체의 밀도는 반응 후가 반응 전보다 작다.

① ㄱ   ② ㄷ   ③ ㄱ, ㄴ

④ ㄴ, ㄷ   ⑤ ㄱ, ㄴ, ㄷ

029 그림은 용기에 XY, Y_2를 넣고 반응시켰을 때, 반응 전과 후 용기에 존재하는 물질을 모형으로 나타낸 것이다.

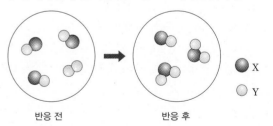

이 반응에 대한 설명으로 옳은 것만을 〈보기〉에서 있는 대로 고른 것은? (단, X, Y는 임의의 원소 기호이다.) [3점]

┤ 보기 ├

ㄱ. 생성물의 종류는 2가지이다.

ㄴ. 반응하는 XY와 Y_2의 몰비는 3 : 1이다.

ㄷ. 용기에 존재하는 물질의 총 질량은 반응 전과 후가 같다.

① ㄱ   ② ㄷ   ③ ㄱ, ㄴ

④ ㄴ, ㄷ   ⑤ ㄱ, ㄴ, ㄷ

기출 분석

08 유형

I. 화학의 첫걸음 | 2. 물질의 양과 화학 반응식   원자량 구하기

❓ 출제 의도

화학 반응을 통해 생성된 기체의 양(mol) 및 원자량을 이용하여 반응 전 금속의 원자량을 구할 수 있는지 묻는 문제이다.

💮 이렇게 대비하자!

화학 반응식에서 계수비는 몰비와 같다는 것을 이해하고, 생성된 기체의 부피로부터 몰, 부피, 질량의 관계를 이용하여 원자량을 구할 수 있어야 한다.

■ 연관 기출 문제   키워드

#화학 반응식#원자량#계수비#몰비
#기체의 부피#질량

문제 분석

❶ 실험 과정 분석

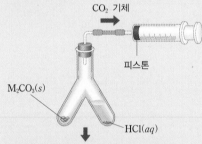

Y자관을 기울이면 M_2CO_3와 HCl이 반응하여
기체가 발생 → 주사기로 기체 포집

❷ 화학 반응식을 통해 주사기에 포집된 기체가 CO_2임을 알 수 있다. ➡ 화학 반응식에서 상태로 확인

$$M_2CO_3(s) + 2HCl(aq)$$
$$\longrightarrow 2MCl(aq) + H_2O(l) + \underline{CO_2(g)}$$

CO_2만 기체 상태(g)가 표시되어 있으므로 주사기 속 기체는 CO_2일 것이다.

다음은 $M_2CO_3(s)$과 $HCl(aq)$이 반응하는 화학 반응식과 금속 M의 원자량을 구하는 실험 과정이다.

> • 화학 반응식: $M_2CO_3(s) + 2HCl(aq) \longrightarrow 2MCl(aq) + H_2O(l) + CO_2(g)$
>
> [실험 과정]
> (가) 25 ℃, 1 기압에서 Y자관 한쪽에는 $M_2CO_3(s)$ 1 g을, 다른 한쪽에는 충분한 양의 $HCl(aq)$을 넣는다.
> (나) Y자관을 기울여 $M_2CO_3(s)$과 $HCl(aq)$을 반응시킨다.
> (다) $M_2CO_3(s)$이 모두 반응한 후, 주사기의 눈금 변화를 측정한다.

이 실험으로부터 금속 M의 원자량을 구하기 위해 반드시 이용해야 할 자료만을 〈보기〉에서 있는 대로 고른 것은? (단, M은 임의의 원소 기호이고, 온도와 압력은 일정하며, 피스톤의 마찰은 무시한다.) [3점]

> ┤ 보기 ├
> ㄱ. HCl 1몰의 질량
> ㄴ. C와 O의 원자량
> ㄷ. 25 ℃, 1 기압에서 기체 1몰의 부피

① ㄱ   ② ㄴ   ③ ㄱ, ㄷ   ④ ㄴ, ㄷ   ⑤ ㄱ, ㄴ, ㄷ

🧑 배경 지식

원자량: 질량수가 12인 탄소 원자의 질량을 12.00으로 정하고, 이것을 기준으로 한 다른 원자의 상대적 질량 값 ➡ 원자량은 단위가 없다.

화학 반응식의 계수

• 계수비=몰비=분자 수의 비=기체의 부피비
• 화학 반응식에서 '계수비=부피비'의 관계는 기체의 경우에만 성립하고, 고체나 액체 상태에서는 성립하지 않는다.

■ 문항별 해설

화학 반응식을 통해 실험에서 생성된 기체는 $CO_2(g)$이며 주사기의 눈금 변화를 통해 CO_2 부피를 측정했다는 것을 알 수 있다. $CO_2(g)$의 부피로부터 CO_2의 양(mol)을 계산하고, 화학 반응식의 계수로부터 M_2CO_3 1 g의 양(mol)을 구한다.

이때 CO_2의 양(mol)$=\dfrac{CO_2(g)의\ 부피}{25\ ℃,\ 1\ 기압에서\ 기체\ 1몰의\ 부피}$이다. 화학 반응식의 계수비와 몰비는 같으므로 $M_2CO_3 : CO_2 = 1 : 1$이며, M_2CO_3 1 g의 양(mol)은 $\dfrac{1}{M_2CO_3\ 화학식량}$로, 생성된 CO_2의 양(mol)과 같다. 따라서 M_2CO_3의 화학식량을 구한 후 C와 O의 원자량을 이용하여 M의 원자량을 알 수 있다.

ㄱ. 생성된 $CO_2(g)$의 부피로부터 CO_2의 양(mol)을 알아내어 M_2CO_3 1 g의 양(mol)을 구하였으므로 HCl 1몰의 질량은 필요하지 않다. (×)

ㄴ. $\dfrac{1}{M_2CO_3\ 화학식량}=CO_2$의 양(mol)으로부터 M_2CO_3의 화학식량을 구한 후, C와 O의 원자량을 이용하여 M의 원자량을 구할 수 있다. (○)

ㄷ. 25 ℃, 1 기압에서 기체 1몰의 부피를 알아야 CO_2의 양(mol)을 구할 수 있다. (○)

답 ④

기출 문제

정답과 해설 **6~7**쪽

030 다음은 금속 M(s)과 HCl(aq)이 반응하여 MCl$_n$(aq)과 H$_2$(g)를 생성하는 반응의 화학 반응식을 완성하기 위해 수행한 실험이다.

[실험]

t ℃, 1 기압에서 M(s) w g을 충분한 양의 HCl(aq)과 반응시켰을 때 발생하는 H$_2$(g)의 부피를 측정하였더니 V mL이었다.

화학 반응식을 완성하기 위해 반드시 이용해야 할 자료만을 〈보기〉에서 있는 대로 고른 것은? (단, M은 임의의 원소 기호이다.) [3점]

┃ 보기 ┃

ㄱ. M의 원자량

ㄴ. t ℃, 1 기압에서 기체 1몰의 부피

ㄷ. 반응한 HCl(aq)의 부피

① ㄱ ② ㄷ ③ ㄱ, ㄴ ④ ㄴ, ㄷ ⑤ ㄱ, ㄴ, ㄷ

031 다음은 M(s)+2HCl(aq) ⟶ MCl$_2$(aq)+H$_2$(g)의 반응을 이용하여 금속 M의 원자량을 구하는 실험을 나타낸 것이다.

[실험 과정]

그림과 같이 일정량의 금속 M에 충분한 양의 묽은 염산을 반응시켜 발생하는 수소 기체를 수상 치환으로 모은 다음 부피를 측정한다.

[실험 결과]

• 금속 M의 질량: 1.2 g

• 발생한 수소 기체의 0 ℃, 1 기압에서의 부피: 1.12 L

금속 M의 원자량으로 옳은 것은? (단, 0 ℃, 1 기압에서 기체 1몰의 부피는 22.4 L이다.) [3점]

① 12 ② 24 ③ 32 ④ 44 ⑤ 48

032 다음은 금속 M(s)과 염산(HCl(aq))이 반응하는 화학 반응식과 0 ℃, 1 기압에서 6 g의 M(s)을 충분한 양의 HCl(aq)과 반응시켰을 때 생성되는 수소(H$_2$) 기체의 부피를 시간에 따라 나타낸 것이다.

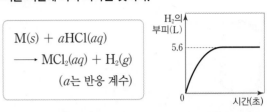

$$M(s) + aHCl(aq)$$
$$\longrightarrow MCl_2(aq) + H_2(g)$$
(a는 반응 계수)

이에 대한 설명으로 옳은 것만을 〈보기〉에서 있는 대로 고른 것은? (단, M은 임의의 원소 기호이고, H의 원자량은 1이며, 기체 1몰의 부피는 0 ℃, 1 기압에서 22.4 L이다.) [3점]

┃ 보기 ┃

ㄱ. $a=2$이다.

ㄴ. M의 원자량은 48이다.

ㄷ. 12 g의 M(s)을 충분한 양의 HCl(aq)과 반응시키면 생성되는 H$_2$(g)의 질량은 2 g이다.

① ㄱ ② ㄴ ③ ㄷ ④ ㄱ, ㄴ ⑤ ㄱ, ㄷ

033 다음은 2가지 화학 반응식과 실험이다.

[화학 반응식]

• M(s) + 2HCl(aq) ⟶ MCl$_2$(aq) + H$_2$(g)

• C(s) + 2H$_2$(g) ⟶ CH$_4$(g)

[실험 Ⅰ]

(가) 금속 M(s) w mg을 충분한 양의 HCl(aq)과 모두 반응시킨다.

(나) (가)의 H$_2$(g)와 a mg의 C(s)를 혼합하여 어느 한 반응물이 모두 소모될 때까지 반응시킨다.

[실험 Ⅱ]

• M(s) 2w mg에 대하여 (가), (나)를 수행한다.

[실험 결과 및 자료]

• 실험 Ⅰ에서 C(s)는 12 mg 남았고, CH$_4$(g)이 t ℃, 1 기압에서 48 mL 생성되었다.

• 실험 Ⅱ에서 CH$_4$(g)이 $x \times 10^{-3}$몰 생성되었다.

• t ℃, 1 기압에서 기체 1몰의 부피: 24 L

$\dfrac{a}{x} \times$ (M의 원자량)은? (단, C의 원자량은 12이다.) [3점]

① 3w ② 2w ③ $\dfrac{3}{2}w$ ④ w ⑤ $\dfrac{1}{2}w$

기출 분석

09 유형

? 출제 의도

일정한 온도와 압력에서 기체의 분자량을 구할 수 있는지 묻는 문제이다.

이렇게 대비하자!

기체의 질량을 측정하는 과정을 이해하고 공기의 밀도와 이산화 탄소의 밀도를 이용하여 이산화 탄소의 분자량을 구할 수 있어야 한다.

■ 연관 기출 문제   키워드

#이산화 탄소(CO_2) 분자량#밀도#질량

문제 분석

❶ 실험 분석

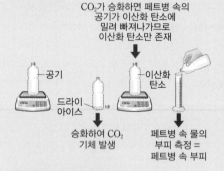

CO_2가 승화하면 페트병 속의 공기가 이산화 탄소에 밀려 빠져나가므로 이산화 탄소만 존재

공기 / 드라이아이스 / 이산화 탄소

승화하여 CO_2 기체 발생 / 페트병 속 물의 부피 측정 = 페트병 속 부피

❷ 질량에 포함된 물질

w_1: 페트병＋공기

w_2: 페트병＋이산화 탄소

❸ 페트병 안의 이산화 탄소만의 질량

{(페트병＋이산화 탄소)－(페트병＋공기)}＋(공기의 질량)＝24.9－24.6＋0.6 ＝0.9 g이다.

❹ 기체의 밀도비＝분자량 비

같은 온도와 압력에서 기체의 밀도비는 분자량 비와 같다.

$$\frac{\text{공기의 밀도}}{\text{이산화 탄소의 밀도}} = \frac{\text{공기의 평균 분자량}}{\text{이산화 탄소의 분자량(M)}}$$

다음은 일정한 온도와 압력에서 이산화 탄소의 분자량을 알아보는 실험이다.

[실험 과정]

(가) 마개를 닫은 빈 페트병의 질량(w_1)을 측정한다.

(나) 페트병에 드라이아이스를 넣고 모두 승화하면 마개를 닫고, 페트병 표면의 물기를 닦아낸 후 질량(w_2)을 측정한다.

(다) 페트병에 물을 가득 채운 후 눈금실린더를 이용하여 페트병의 부피(V)를 측정한다.

(라) 같은 온도와 압력에서 기체 밀도의 비는 분자량의 비와 같다는 것을 이용하여 이산화 탄소의 분자량을 계산한다.

[실험 결과]

공기 / 드라이아이스 / 이산화 탄소

[실험 결과]

w_1	w_2	V	계산한 이산화 탄소의 분자량
24.6 g	24.9 g	0.5 L	M

이 실험 결과에 대한 설명으로 옳은 것만을 〈보기〉에서 있는 대로 고른 것은? (단, 실험실 조건에서 공기의 밀도는 1.2 g/L이다.) [3점]

┤ 보기 ├

ㄱ. w_1에 포함된 공기의 질량은 0.3 g이다.

ㄴ. 이산화 탄소의 밀도는 1.8 g/L이다.

ㄷ. M은 $\dfrac{\text{이산화 탄소의 밀도×공기의 평균 분자량}}{\text{공기의 밀도}}$이다.

① ㄱ   ② ㄷ   ③ ㄱ, ㄴ   ④ ㄴ, ㄷ   ⑤ ㄱ, ㄴ, ㄷ

■ 문항별 해설

ㄱ. (가)에서 측정한 w_1에 포함된 공기의 질량은 1.2 g/L×0.5 L＝0.6 g이다. (×)

ㄴ. 페트병 안의 이산화 탄소만의 질량은 $w_2-w_1+0.6＝0.9$ g이므로 이산화 탄소의 밀도는 $\dfrac{0.9 \text{ g}}{0.5 \text{ L}}＝1.8$ g/L이다. (○)

ㄷ. 기체의 밀도비는 분자량 비와 같으므로 M＝$\dfrac{\text{이산화 탄소의 밀도×공기의 평균 분자량}}{\text{공기의 밀도}}$ 이다. (○)

답 ④

기출 문제

정답과 해설 **7**쪽

034 다음은 이산화 탄소(CO_2)의 분자량을 구하는 실험 과정이다.

[실험 과정]

(가) 공기가 들어 있는 페트병을 마개로 막고 질량을 측정한다.

(나) 페트병의 마개를 열어 잘게 부순 드라이아이스를 한 숟가락 정도 넣는다.

(다) 드라이아이스가 모두 없어지면 마개를 막고, 페트병 표면의 물기를 닦은 후 질량을 측정한다.

(라) 페트병에 물을 가득 채운 다음 눈금실린더를 이용하여 물의 부피를 측정한다.

(마) 실험실의 온도와 압력을 측정한다.

(바) 페트병에 채워진 이산화 탄소의 질량을 구한다.

(사) 다음 식을 이용해 이산화 탄소의 분자량을 구한다.

$$분자량 = \frac{질량 \times 온도}{압력 \times 부피} \times R$$

(단, 기체 상수 $R = 0.08$ 기압·L / 몰·K이다.)

(바)에서 이산화 탄소의 질량을 구하기 위해 반드시 추가로 필요한 값만을 〈보기〉에서 있는 대로 고른 것은? [3점]

┤ 보기 ├

ㄱ. 실험실 조건에서의 공기의 밀도

ㄴ. (나)에서 넣어 준 드라이아이스의 부피

ㄷ. (라)에서 물을 채운 페트병의 질량

① ㄱ   ② ㄴ   ③ ㄷ

④ ㄱ, ㄴ   ⑤ ㄱ, ㄷ

035 다음은 이산화 탄소(CO_2)의 분자량을 알아보는 실험이다.

[실험 과정]

(가) 공기가 들어 있는 페트병의 마개를 막고 질량(w_1)을 측정한다.

(나) 페트병의 마개를 열어 잘게 부순 드라이아이스를 한 숟가락 정도 넣는다.

(다) 드라이아이스가 모두 없어지면 마개를 막고, 페트병 표면의 물기를 닦은 후 질량(w_2)을 측정한다.

(라) 실험실의 온도와 압력을 측정한다.

(마) 페트병에 물을 가득 채운 다음 눈금실린더를 이용하여 물의 부피를 측정한다.

(바) 다음 식을 이용해 CO_2의 분자량을 계산한다.

$$분자량 = \frac{질량 \times 온도}{압력 \times 부피} \times R$$

(단, 기체 상수 $R = 0.08$기압·L/몰·K이다.)

[실험 결과]

w_1(g)	w_2(g)	압력(기압)	부피(L)	온도(K)
a	b	1	0.2	300

CO_2의 분자량은? (단, 실험실 조건에서 공기의 밀도는 1.2g/L이다.) [3점]

① $12(b-a)$ ② $12(b-a+0.24)$

③ $120(b-a)$ ④ $120(b-a+0.24)$

⑤ $120(b-a+2.4)$

기출 분석

10. 유형

? 출제 의도
화학 반응식에서 몰과 질량, 몰과 부피, 질량 과 부피 등의 양적 관계를 자유롭게 다룰 수 있는지 묻는 문제이다.

이렇게 대비하자!
생성된 기체의 질량과 화학식량을 이용하여 생성물의 양(mol)을 계산하고, 화학 반응식을 통해 반응물의 양(mol)도 구할 수 있어야 한다.

■ **연관 기출 문제 키워드**

#화학 반응식 #반응물과 생성물 #몰
#질량 #계수비

문제 분석

❶ 생성된 CO_2의 질량만큼 반응 후 총 질량이 감소한다.

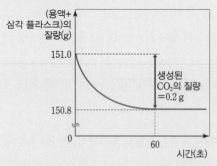

0초의 (용액＋삼각 플라스크)의 질량에서 반응이 완전히 끝난 후인 60초의 (용액＋삼각 플라스크)의 질량을 빼면 생성된 CO_2의 질량을 구할 수 있다.

❷ 계수비

계수비＝몰비＝부피비(기체일 때)이다. 화학 반응식에서 반응한 탄산 칼슘과 생성된 이산화 탄소의 계수비가 1 : 1이므로 두 물질의 몰비도 1 : 1이다. 따라서 이산화 탄소의 양(mol)과 탄산 칼슘의 양(mol)은 같다.

❸ 계수비＋질량비

질량(g)＝물질의 양(mol)×1몰의 질량(g/mol)인데, 1몰의 질량은 화학식량에 따라 다르므로 질량비는 계수비와 같지 않다. 따라서 생성된 CO_2의 질량은 반응 전 $CaCO_3$의 질량에 비례하지 않는다.

다음은 탄산 칼슘($CaCO_3$)과 묽은 염산(HCl)의 반응에서 양적 관계를 알아보기 위한 실험이다.

[화학 반응식]

$$CaCO_3(s) + 2HCl(aq) \longrightarrow CaCl_2(aq) + H_2O(l) + \boxed{X}$$

[실험 과정]

(가) 그림과 같이 묽은 염산 50 mL가 들어 있는 삼각 플라스크의 질량을 측정하였더니 150 g이었다.

(나) 탄산 칼슘 1 g을 (가)의 삼각 플라스크에 넣은 후 시간에 따라 질량을 측정한다.

[실험 결과]

시간이 지남에 따라 용액이 담긴 삼각 플라스크의 질량이 점점 감소하다가 60초 이후에 더 이상 질량 변화가 없었다.

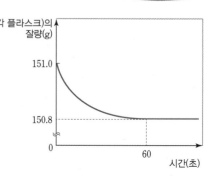

이에 대한 설명으로 옳은 것만을 〈보기〉에서 있는 대로 고른 것은? (단, 원자량은 C＝12, O＝16이고, $CaCO_3$의 화학식량은 100이다.) [3점]

┤ 보기 ├

ㄱ. X는 $CO_2(g)$이다.

ㄴ. 생성된 X는 $\dfrac{0.2}{44}$몰이다.

ㄷ. 반응한 탄산 칼슘은 0.01몰이다.

① ㄱ   ② ㄷ   ③ ㄱ, ㄴ   ④ ㄴ, ㄷ   ⑤ ㄱ, ㄴ, ㄷ

■ **문항별 해설**

ㄱ. 화학 반응식에서 반응 전후의 원자의 개수를 비교하면 X는 $CO_2(g)$이다. (○)

ㄴ. 생성된 CO_2의 질량은 0.2 g이고, 분자량이 44이므로 $\dfrac{0.2}{44}$몰이다. (○)

ㄷ. $CaCO_3$과 CO_2의 계수비가 1 : 1이므로 반응한 $CaCO_3$은 $\dfrac{0.2}{44}$몰이다. (×)

답 ③

기출 문제

정답과 해설 7~8쪽

036 다음은 화학 반응에서 양적 관계를 알아보는 실험이다.

[실험 과정]
(가) 탄산 칼슘($CaCO_3$)의 질량(w_1)을 측정한다.
(나) 묽은 염산(HCl) 100 mL를 삼각 플라스크에 넣은 후, 질량(w_2)을 측정한다.
(다) (가)에서 측정한 탄산 칼슘을 (나)의 삼각 플라스크에 천천히 넣으면서 반응시킨다.
(라) 반응이 완전히 끝나면 용액이 들어 있는 삼각 플라스크의 질량(w_3)을 측정한다.
(마) 탄산 칼슘의 질량을 변화시키면서 (가)~(라)를 반복한다.

탄산 칼슘   묽은 염산

[실험 결과]

실험	I	II	III	IV	V
탄산 칼슘의 질량(g)	1.00	2.00	3.00	4.00	5.00
생성된 기체의 질량(g)	0.44	0.88	1.32	1.44	x

이에 대한 설명으로 옳은 것만을 〈보기〉에서 있는 대로 고른 것은? (단, C, O, Ca의 원자량은 각각 12, 16, 40이며, 물의 증발과 물에 대한 기체의 용해는 무시한다.)

보기
ㄱ. x는 1.56이다.
ㄴ. 생성된 기체의 질량은 ($w_1 + w_2 - w_3$)으로 구한다.
ㄷ. 반응한 탄산 칼슘과 생성된 기체의 몰비는 1:1이다.

① ㄱ   ② ㄴ   ③ ㄱ, ㄴ
④ ㄱ, ㄷ   ⑤ ㄴ, ㄷ

037 다음은 이산화 탄소(CO_2)의 생성에 관한 실험이다.

[실험 과정]
(가) 탄산 칼슘($CaCO_3$)의 질량을 측정한다.
(나) 삼각 플라스크에 충분한 양의 묽은 염산(HCl)을 넣고, 질량을 측정한다.
(다) 삼각 플라스크에 과정 (가)에서 측정한 탄산 칼슘을 넣으면서 반응시킨 후, 반응이 완전히 끝나면 삼각 플라스크의 질량을 측정한다.

위의 실험으로 화학 반응에서의 몰 관계를 비교하기 위해 추가적으로 필요한 자료만을 〈보기〉에서 있는 대로 고른 것은?

보기
ㄱ. 묽은 염산의 농도
ㄴ. 탄산 칼슘의 화학식량
ㄷ. 이산화 탄소의 분자량

① ㄱ   ② ㄷ   ③ ㄱ, ㄴ
④ ㄱ, ㄷ   ⑤ ㄴ, ㄷ

038 다음은 탄산 칼슘($CaCO_3$)과 묽은 염산(HCl)의 반응에서 양적 관계를 알아보기 위한 실험이다.

[화학 반응식]
$$CaCO_3(s) + 2HCl(aq) \longrightarrow CaCl_2(aq) + H_2O(l) + CO_2(g)$$

[실험]
(가) 그림과 같이 묽은 염산 100 mL를 담은 삼각 플라스크의 질량을 측정하였더니 w_1 g이었다.

(나) 탄산 칼슘 1.0 g을 (가)의 삼각 플라스크에 넣었더니 탄산 칼슘이 모두 반응하였다.
(다) 반응이 끝난 후 용액이 담긴 삼각 플라스크의 질량을 측정하였더니 w_2 g이었다.

이에 대한 옳은 설명만을 〈보기〉에서 있는 대로 고른 것은? (단, $CaCO_3$의 화학식량은 100이다.)

보기
ㄱ. $w_1 + 1.0 = w_2$이다.
ㄴ. 반응한 $CaCO_3$의 양(mol)은 0.01몰이다.
ㄷ. 생성된 CO_2의 양(mol)은 0.02몰이다.

① ㄴ   ② ㄷ   ③ ㄱ, ㄴ
④ ㄱ, ㄷ   ⑤ ㄱ, ㄴ, ㄷ

기출 분석

11. 유형

? 출제 의도

화학 반응식에서 질량, 물질의 양(mol), 부피의 관계를 알고 있는지 묻는 문제이다.

🐛 이렇게 대비하자!

아보가드로 법칙, 기체 반응 법칙, 질량 보존의 법칙, 일정 성분비 법칙을 이용하여 반응 전후 물질들의 질량으로 분자량, 물질의 양(mol)을 구할 수 있어야 한다.

■ **연관 기출 문제　키워드**

#화학 반응식 #반응물과 생성물 #몰
#질량 #계수비

문제 분석

❶ 실험 Ⅰ에서 반응 전후의 각 물질의 질량

반응한 몰비 A : B : C＝a : 1 : 2

$$aA \; + \; B \longrightarrow \; 2C$$

반응 전 질량(g)　18　　4 → 질량 보존 법칙: 총 22 g

반응한 질량(g)　−16　−4　＋20

반응 후 질량(g)　2　　0　　20
→ B가 모두 소모되므로 0

남아 있는 A의 질량: $22 \, g \times \dfrac{1}{11} = 2 \, g$

반응한 질량을 통한 A와 C의 분자량 비
⇓
$$\dfrac{16}{a} : \dfrac{20}{2} = 4 : 5$$
$$a = 2$$

❷ 실험 Ⅱ에서 반응 전후의 각 물질의 질량

$$2A \; + \; B \longrightarrow \; 2C$$

반응 전 질량(g)　8　　12 → 질량 보존 법칙: 총 20 g

반응한 질량(g)　−8　−2　＋10

반응 후 질량(g)　0　　10　　10
→ A가 모두 소모되므로 0

다음은 기체 A와 B가 반응하는 화학 반응식이다.

$$aA(g) + B(g) \longrightarrow 2C(g) \; (a\text{는 반응 계수})$$

표는 반응 전과 후의 기체에 관한 자료이며, 실험 Ⅰ에서는 B가, Ⅱ에서는 A가 모두 소모되었다. A와 C의 분자량비는 4 : 5이다.

실험	반응 전		반응 후	
	A의 질량(g)	B의 질량(g)	분자의 몰비	전체 기체의 부피(L)
Ⅰ	18	4	A : C＝1 : 8	V_1
Ⅱ	8	12	B : C＝5 : 2	V_2

이에 대한 설명으로 옳은 것만을 〈보기〉에서 있는 대로 고른 것은? (단, 온도와 압력은 일정하다.) [3점]

┌ 보기 ┐

ㄱ. a는 2이다.

ㄴ. 분자량은 A가 B의 4배이다.

ㄷ. $V_1 : V_2 = 9 : 14$이다.

① ㄱ　　② ㄷ　　③ ㄱ, ㄴ　　④ ㄱ, ㄷ　　⑤ ㄴ, ㄷ

■ **문항별 해설**

ㄱ. 실험 Ⅰ에서 반응 후 분자의 몰비 A : C＝1 : 8이고, A와 C의 분자량비는 4 : 5이다. 질량은 (물질의 양(mol)×분자량)이므로 반응 후 질량비는 A : C＝4 : 40＝1 : 10이다. 반응 전후 기체의 총 질량은 변하지 않으므로 반응 후 남아 있는 A의 질량은 $22 \, g \times \dfrac{1}{11} = 2 \, g$이고, 생성된 C의 질량은 $22 \, g - 2 \, g = 20 \, g$이다. 실험 Ⅰ에서 반응 전후 각 물질의 질량을 구하고 반응한 질량과 몰비를 통해 A와 C의 분자량($=\dfrac{질량}{물질의 양(mol)}$)비를 구하면 $\dfrac{16}{a} : \dfrac{20}{2} = 4 : 5$이므로 a는 2이다. (○)

ㄴ. A와 B의 분자량비는 $\dfrac{16}{2} : \dfrac{4}{1} = 2 : 1$이다. 따라서 분자량은 A가 B의 2배이다. (×)

ㄷ. 전체 기체의 부피는 전체 물질의 양(mol)에 비례한다. 실험 Ⅱ에서 반응 전후 각 물질의 질량을 구하고 실험 Ⅰ과 실험 Ⅱ의 전체 물질의 양(mol)을 구한다. A와 C의 분자량비가 4 : 5이고, A와 B의 분자량비가 2 : 1이므로 A, B, C의 분자량비는 4M : 2M : 5M＝4 : 2 : 5이다. 실험 Ⅰ의 반응 후 전체 물질의 양(mol)은 $(\dfrac{2}{4M} + \dfrac{20}{5M})$이고, 실험 Ⅱ의 반응 후 전체 물질의 양(mol)은 $(\dfrac{10}{2M} + \dfrac{10}{5M})$이다. 따라서 전체 물질의 양(mol)의 비는 실험 Ⅰ : 실험 Ⅱ＝9 : 14이므로 $V_1 : V_2 = 9 : 14$이다. (○)

답 ④

039 다음은 기체 A와 B가 반응하여 기체 C를 생성하는 화학 반응식이다.

$$A(g) + 2B(g) \longrightarrow 2C(g)$$

표는 밀폐 용기에서 A와 B의 질량을 달리하여 넣고, 반응 후에 존재하는 분자의 몰비를 나타낸 것이다. 실험 I에서는 반응물 A가, II에서는 반응물 B가 모두 반응하였다.

실험	반응 전		반응 후에 존재하는 분자의 몰비
	A의 질량(g)	B의 질량(g)	
I	0.7	3.2	B : C=1 : 1
II	x	1.6	A : C=1 : 1

이에 대한 설명으로 옳은 것만을 〈보기〉에서 있는 대로 고른 것은? (단, C의 분자량은 46이다.) [3점]

- 보기 -
ㄱ. 실험 I에서 반응 후 남아 있는 B의 질량은 1.6 g 이다.
ㄴ. A의 분자량은 28이다.
ㄷ. x는 1.4이다.

① ㄱ   ② ㄷ   ③ ㄱ, ㄴ
④ ㄴ, ㄷ   ⑤ ㄱ, ㄴ, ㄷ

040 다음은 기체 A와 B가 반응하여 기체 C를 생성하는 반응의 화학 반응식이다.

$$A(g) + 2B(g) \longrightarrow cC(g) \text{ (}c\text{는 반응 계수)}$$

표는 용기에 기체 A와 B를 넣고 반응시켰을 때, 반응 전후 용기 속 기체에 대한 자료이다. 실험 I에서는 A가 모두 소모되었고, 실험 II에서는 B가 모두 소모되었다.

실험	반응 전	반응 후	
	전체 기체 양(mol)	전체 기체 양(mol)	전체 기체 질량(g)
I	$4n$	$2n$	34
II	$5n$	$2n$	62

이에 대한 설명으로 옳은 것만을 〈보기〉에서 있는 대로 고른 것은? [3점]

- 보기 -
ㄱ. 실험 I과 II에서 반응 전 B의 양(mol)은 같다.
ㄴ. 반응 후 C의 질량은 실험 II에서가 I에서의 2배이다.
ㄷ. 분자량은 A가 B의 7배이다.

① ㄱ   ② ㄴ   ③ ㄱ, ㄴ
④ ㄴ, ㄷ   ⑤ ㄱ, ㄴ, ㄷ

041 다음은 기체 A와 B가 반응하여 기체 C를 생성하는 화학 반응식이다.

$$2A(g) + B(g) \longrightarrow 2C(g)$$

그림은 실험 I에서 반응 전 전체 기체의 부피를 나타낸 것이다. 표는 반응 전후의 기체에 대한 자료이며, 실험 I과 II에서 반응 후 기체 A는 남지 않았다.

피스톤

14.4 L
A(g), B(g)

실험	반응 전		반응 전과 후의 부피비
	A 질량(g)	B 질량(g)	
I	9.0	9.6	4 : 3
II	6.0	22.4	$x : y$

이에 대한 설명으로 옳은 것만을 〈보기〉에서 있는 대로 고른 것은? (단, 온도와 압력은 20 °C, 1 기압으로 일정하며, 기체 1몰의 부피는 24.0 L이다. 피스톤의 질량과 마찰은 무시한다.) [3점]

- 보기 -
ㄱ. 실험 I에서 반응 후 남은 B의 질량은 4.8 g이다.
ㄴ. C의 분자량은 46이다.
ㄷ. $x : y = 9 : 8$이다.

① ㄱ   ② ㄷ   ③ ㄱ, ㄴ
④ ㄴ, ㄷ   ⑤ ㄱ, ㄴ, ㄷ

기출 분석

12 유형

■ 연관 기출 문제　키워드

#화학 반응식#분자량#부피비

? 출제 의도

기체 반응에서 화학 반응식을 통해 몰, 분자 수, 질량, 분자량의 관계를 이해하고 있는지 물어보는 문제이다.

이렇게 대비하자!

화학 반응식과 반응 전 후의 부피비, 몰, 질량을 통해 문제에서 요구하는 분자 수비, 질량, 분자량을 구할 수 있어야 한다.

다음은 기체 A와 B가 반응하는 화학 반응식이다.

$$2A(g) + B(g) \longrightarrow 2C(g)$$

그림은 실린더에 A와 B의 혼합 기체 2몰을 넣고 반응시켰을 때, 반응 전과 후의 모습을 나타낸 것이다. B는 모두 반응하였고, C의 분자량은 46이다.

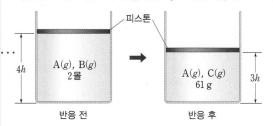

이에 대한 설명으로 옳은 것만을 〈보기〉에서 있는 대로 고른 것은? (단, 기체의 온도와 압력은 일정하고, 피스톤의 질량과 마찰은 무시한다.) [3점]

┤ 보기 ├
ㄱ. 반응 전 분자 수비는 A : B=2 : 1이다.
ㄴ. 반응 후 실린더에 들어 있는 A의 질량은 15 g이다.
ㄷ. B의 분자량은 16이다.

① ㄱ　　② ㄴ　　③ ㄱ, ㄷ　　④ ㄴ, ㄷ　　⑤ ㄱ, ㄴ, ㄷ

문제 분석

실린더의 반응 전과 반응 후 부피비

실린더의 높이비 = 부피비

실린더의 높이비는 부피비와 같다. 실린더의 부피는 '원넓이×높이'이고 반응 전과 후의 원넓이가 같으므로 높이비가 부피비와 같다. 따라서 실린더의 높이를 통해 반응 전후의 부피비가 4 : 3인 것을 알 수 있다.

■ 문항별 해설

ㄱ. 반응 전의 B의 양(mol)를 x로 두면, 반응 전후의 각 물질의 양(mol)은 다음과 같다.

	2A	+	B	$\longrightarrow$	2C
반응 전 양(mol)	$2-x$		x		
반응한 양(mol)	$-2x$		$-x$		$+2x$
반응 후 양(mol)	$2-3x$		0		$2x$

반응 전 물질의 양(mol)은 2몰이고, 반응 후 남은 물질의 양(mol)은 $(2-3x)+2x=2-x$이므로 $4:3=2:(2-x)$이다. 따라서 x는 0.5이다. 따라서 반응 전 양(mol)은 B가 0.5몰, A는 1.5몰이므로 반응 전 분자 수비는 A : B=3 : 1이다. (×)

ㄴ. 반응 후 A와 C의 양(mol)은 각각 0.5몰, 1몰이다. C의 분자량이 46이므로 실린더에 들어 있는 A의 질량은 61 g−46 g=15 g이다. (○)

ㄷ. A 0.5몰의 질량이 15 g이므로 A의 분자량은 30이다. 반응 전과 후의 총 질량은 변하지 않으므로 반응 전의 기체의 질량은 61 g이다. 반응 전 A는 1.5몰, B는 0.5몰이 들어 있으므로 $(1.5×30)+(0.5×B의 분자량)=61$이다. 따라서 B의 분자량은 32이다. (×)

답 ②

배경 지식

기체의 부피비=몰비

아보가드로 법칙에 따라 모든 기체는 온도와 압력이 같을 때, 같은 부피 속에 같은 수의 분자가 들어 있으므로, 부피비=몰비의 관계가 성립한다.

042 그림 (가)는 기체 A가 실린더에 들어 있는 모습을, (나)는 (가)의 실린더에 기체 B를 넣은 모습을 나타낸 것이다. 온도와 압력은 일정하고, (나)에서 A와 B의 질량은 같다.

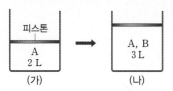

이에 대한 설명으로 옳은 것만을 〈보기〉에서 있는 대로 고른 것은? (단, 피스톤의 마찰과 질량은 무시하고, A와 B는 서로 반응하지 않는다.) [3점]

보기

ㄱ. A의 분자량은 B의 2배이다.
ㄴ. 단위 부피당 기체 분자 수는 (가)와 (나)가 같다.
ㄷ. 실린더 속 기체의 밀도비는 (가) : (나)=3 : 4이다.

① ㄱ ② ㄴ ③ ㄱ, ㄷ ④ ㄴ, ㄷ ⑤ ㄱ, ㄴ, ㄷ

043 그림은 $A(g) + 2B(g) \longrightarrow C(g)$ 반응에서 같은 질량의 기체 A와 B를 실린더에 넣고 반응시켰을 때, 반응 전후의 모습을 나타낸 것이다. 반응 후 A는 완전히 소모되었고, 남은 B와 생성된 C의 질량비는 3 : 4이었다.

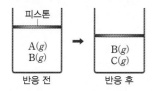

이에 대한 설명으로 옳은 것만을 〈보기〉에서 있는 대로 고른 것은? (단, 반응 전후 온도와 압력은 일정하며, 피스톤의 마찰과 질량은 무시한다.) [3점]

보기

ㄱ. A와 B의 분자량비는 7 : 1이다.
ㄴ. 반응 후 실린더에서 B와 C의 몰비는 12 : 1이다.
ㄷ. 반응 전과 후 실린더 속 전체 기체의 밀도비는 13 : 15이다.

① ㄱ ② ㄷ ③ ㄱ, ㄴ ④ ㄴ, ㄷ ⑤ ㄱ, ㄴ, ㄷ

044 다음은 기체 X와 산소(O_2)가 반응하여 기체 Y를 생성하는 화학 반응식이다.

$$2X(g) + O_2(g) \longrightarrow aY(g) \ (a는 \ 반응 \ 계수)$$

그림은 X와 O_2를 실린더에 넣고 반응시켰을 때 반응 전후의 모습을 나타낸 것이다.

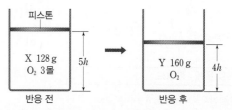

이에 대한 설명으로 옳은 것만을 〈보기〉에서 있는 대로 고른 것은? (단, O의 원자량은 16이고, 온도와 압력은 일정하며, 피스톤의 마찰과 질량은 무시한다.) [3점]

보기

ㄱ. $a=2$이다.
ㄴ. Y의 분자량은 160이다.
ㄷ. 반응 후 남아 있는 O_2를 모두 반응시키기 위해 추가로 필요한 X의 최소 질량은 256 g이다.

① ㄴ ② ㄷ ③ ㄱ, ㄴ ④ ㄱ, ㄷ ⑤ ㄱ, ㄴ, ㄷ

045 다음은 A_2와 B_2가 반응하는 화학 반응식과 같은 온도와 압력에서 반응물의 양(mol)을 달리하여 반응시킨 실험 I과 II에서의 반응 전과 후에 존재하는 실린더 내 기체의 모습을 나타낸 것이다.

$$A_2(g) + 3B_2(g) \longrightarrow 2AB_3(g)$$

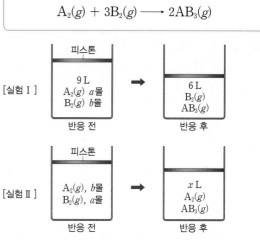

x는? (단, A, B는 임의의 원소 기호이고, 온도와 압력은 일정하며, 피스톤의 질량과 마찰은 무시한다.) [3점]

① $\dfrac{16}{3}$ ② 8 ③ $\dfrac{25}{3}$ ④ $\dfrac{26}{3}$ ⑤ 9

기출 분석

13. 유형

■ 연관 기출 문제　키워드

#화학 반응식 #콕 #분자량 #부피 #밀도

출제 의도

화학 반응에서 생성물의 양(mol)과 반응하지 않은 기체 양(mol)의 관계를 이해했는지 묻는 문제이다.

이렇게 대비하자!

일정한 온도와 압력에서 기체의 밀도비는 분자량비와 같다는 것을 이해하고 밀도를 통해 분자량비를 예측할 수 있어야 한다.

문제 분석

❶ 화학 반응식 완성하기

주사기에 남아 있는 B의 부피(L)	0.4	0.3	0.2	0.1
실린더 내 기체의 부피(L)	0.4	0.4	0.4	x

부피 변화가 없음

A가 들어 있는 실린더에 B를 넣어 반응이 일어나면 C가 생성된다. B를 넣어 주어도 부피 변화가 없는 것으로 보아 반응한 A의 양(mol)과 생성된 C의 양(mol)이 같다. $2A + B \longrightarrow 2C$이다. a는 2이다.

❷ 실험 결과

일정한 온도와 압력에서 기체의 양(mol)은 부피에 비례한다.

주사기 내 B의 부피(L)		0.4	0.3	0.2	0.1
실린더에 주입한 B의 전체 부피(L)		0	0.1	0.2	0.3
실린더 내 기체의 양 (mol)	A	0.04	0.02	0	0
	B	0	0	0	0.01
	C	0	0.02	0.04	0.04
실린더 내 기체의 밀도(상댓값)		7		11	

다음은 기체 A와 B가 반응하는 화학 반응식이다.

[화학 반응식]

$a A(g) + B(g) \longrightarrow 2C(g)$ (a는 반응 계수)

[실험 과정]

(가) 그림과 같이 콕으로 연결된 실린더와 주사기에 기체 A와 B를 각각 넣고, 실린더 내 기체의 부피와 밀도를 구한다.

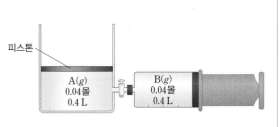

(나) 콕을 열고 주사기를 밀어 실린더에 B 0.1 L를 주입하고 콕을 닫은 후, 반응이 완결되었을 때 실린더 내 기체의 부피와 밀도를 구한다.

(다) 과정 (나)를 2회 반복한다.

[실험 결과]

주사기에 남아 있는 B의 부피(L)	0.4	0.3	0.2	0.1
실린더 내 기체의 부피(L)	0.4	0.4	0.4	x
실린더 내 기체의 밀도(상댓값)	7		11	

이에 대한 설명으로 옳은 것만을 〈보기〉에서 있는 대로 고른 것은? (단, 기체의 온도와 압력은 일정하고, 피스톤의 질량과 마찰은 무시한다.) [3점]

보기

ㄱ. a는 2이다.

ㄴ. x는 0.4이다.

ㄷ. 분자량비는 B : C = 8 : 11이다.

① ㄱ　　　② ㄷ　　　③ ㄱ, ㄴ　　　④ ㄱ, ㄷ　　　⑤ ㄴ, ㄷ

■ 문항별 해설

ㄱ. 실린더에 B를 넣어 주어도 부피 변화가 없으므로 화학 반응식은 $2A + B \longrightarrow 2C$이다. a는 2이다. (○)

ㄴ. x는 A가 모두 반응한 후에 B를 넣어 준 것으로 반응이 일어나지 않으므로 C가 더 이상 생성되지 않는다. 따라서 B와 C의 양(mol)이 더해지므로 x의 부피는 0.4가 아니다. (×)

ㄷ. A와 C의 분자량비가 7 : 11이고, $(2 \times A$ 분자량) + B 분자량 = $(2 \times C$ 분자량)에 분자량비를 대입하면 B 분자량은 8이다. (○)

답 ④

기출 문제

정답과 해설 **11**쪽

046 다음은 일정한 온도와 압력에서 기체 X_2와 Y_2가 반응하여 기체 XY가 생성되는 실험이다.

[실험 과정]

(가) 그림과 같이 동일한 실린더에 기체 X_2와 Y_2를 넣는다.

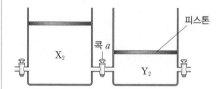

(나) 콕 a를 열어 기체 ⑤ 을 모두 반응시킨다.

(다) (나)에서 남은 기체가 모두 반응하도록 기체 ⑤ 을 넣는다.

[실험 결과]

• (가)에서 기체의 밀도비는 $X_2 : Y_2 = 7 : 8$이다.

• (나)에서 반응 후 혼합 기체에 대한 기체 XY의 질량비는 $\dfrac{15}{22}$이다.

• (다)에서 반응 후 기체의 부피는 (가)에서 X_2 부피의 2배이다.

이에 대한 설명으로 옳은 것만을 〈보기〉에서 있는 대로 고른 것은? (단, X, Y는 임의의 원소 기호이고, 피스톤의 질량과 마찰은 무시한다.) [3점]

┤ 보기 ├

ㄱ. ⑤은 X_2이다.

ㄴ. 원자량비는 $X : Y = 7 : 8$이다.

ㄷ. 반응 후 기체의 밀도비는 (나) : (다) $= 9 : 10$이다.

① ㄴ ② ㄷ ③ ㄱ, ㄴ
④ ㄱ, ㄷ ⑤ ㄴ, ㄷ

047 $20\ ℃$, 1 기압에서 그림 (가)와 같이 실린더에 기체 X_2를 넣고, 콕을 열었다가 닫았더니 (나)와 같이 용기 안 기체의 압력이 1 기압이 되었다. $20\ ℃$, 1 기압에서 기체 1몰의 부피는 24 L이다.

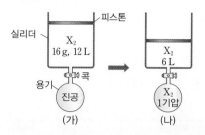

이에 대한 설명으로 옳은 것만을 〈보기〉에서 있는 대로 고른 것은? (단, X는 임의의 원소 기호이고, 온도와 압력은 일정하며, 피스톤의 질량과 마찰은 무시한다.) [3점]

┤ 보기 ├

ㄱ. (가)에서 X_2는 0.5몰이다.

ㄴ. (나)에서 용기에 들어 있는 X_2의 질량은 8 g이다.

ㄷ. X의 원자량은 16이다.

① ㄱ ② ㄷ ③ ㄱ, ㄴ
④ ㄴ, ㄷ ⑤ ㄱ, ㄴ, ㄷ

048 다음은 기체 A와 B의 반응에 대한 자료와 실험이다.

[자료]

• 화학 반응식: $2A(g) + bB(g) \longrightarrow 2C(g)$ (b는 반응 계수)

• A와 일정한 질량의 B를 반응시켰을 때, A의 질량에 따른 C의 질량

[실험 과정]

(가) 그림과 같이 기체 A와 B를 콕으로 연결된 용기에 넣는다.

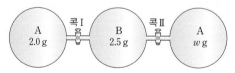

(나) 콕 Ⅰ을 열어 반응을 완결한 후 용기 속 기체의 분자 수비를 구한다.

(다) 콕 Ⅱ를 열어 반응을 완결한 후 용기 속 기체의 몰비를 구한다.

[실험 결과]

• (나)에서 B와 C의 분자 수비는 $2 : 1$이다.

• (다)에서 A와 C의 몰비는 $2 : 5$이다.

반응 계수(b)와 (가)의 w를 곱한 값($b \times w$)은?

① 11.2 ② 12.0 ③ 22.4 ④ 33.6 ⑤ 36.0

기출 분석

14 유형

❓ 출제 의도

러더퍼드의 알파 입자 산란 실험 결과를 해석할 수 있는지 묻는 문제이다.

🔊 이렇게 대비하자!

러더퍼드의 알파 입자 산란 실험 장치와 전자와 원자핵이 발견된 과정에 대해 이해하고, 원자의 내부 구조를 설명할 수 있어야 한다.

■ **연관 기출 문제　키워드**

#알파 입자 #금박 #원자핵

문제 분석

❶ 알파 입자 산란 실험 과정

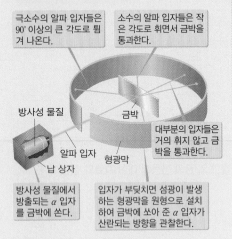

극소수의 알파 입자들은 90° 이상의 큰 각도로 튕겨 나온다.

소수의 알파 입자들은 작은 각도로 휘면서 금박을 통과한다.

방사성 물질

금박

알파 입자　형광막

납 상자

방사성 물질에서 방출되는 α 입자를 금박에 쏜다.

대부분의 입자들은 거의 휘지 않고 금박을 통과한다.

입자가 부딪치면 섬광이 발생하는 형광막을 원형으로 설치하여 금박에 쏘아 준 α 입자가 산란되는 방향을 관찰한다.

- 형광막의 충돌 흔적은 알파 입자가 부딪혀 생긴 것이다.
- 형광막 중심부에 충돌 흔적이 모여 있는 것은 금박을 그대로 통과한 알파 입자에 의해 생긴다.
- 형광막 중심부를 벗어나 생긴 충돌 흔적은 알파 입자가 원자 내의 어떤 입자에 의해 진로가 휘어져 생긴 것이다.

❷ 실험 결과 해석

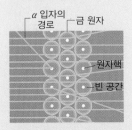

α 입자의 경로 — 금 원자

원자핵

빈 공간

원자의 대부분은 빈 공간이므로 알파 입자는 대부분 그대로 통과한다. 그러나 작지만 질량이 매우 크고 (+)전하를 띤 원자핵을 향하던 알파 입자는 반발력을 받아 큰 각도로 튕겨 나온다. — 알파 입자와 원자핵은 모두 (+)전하를 띠므로 서로 밀어낸다.

다음은 러더퍼드의 알파 입자 산란 실험이다.

[실험 과정]

그림과 같이 금박 주위에 형광막을 설치한 다음, 알파 입자를 금박에 충돌시킨다.

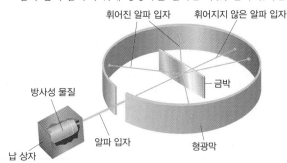

휘어진 알파 입자　휘어지지 않은 알파 입자

방사성 물질

금박

납 상자　알파 입자　형광막

[실험 결과]

형광막에 나타난 알파 입자의 충돌 흔적은 그림과 같다.

형광막

위 실험 결과로 알 수 있는 내용만을 〈보기〉에서 있는 대로 고른 것은?

┤ 보기 ├

ㄱ. 원자 내부의 공간은 대부분 비어 있다.

ㄴ. 원자 내부에 (+)전하를 띠는, 질량이 크고 부피가 매우 작은 입자가 존재한다.

ㄷ. 원자 내부에 (+)전하를 띠는 입자와 (−)전하를 띠는 입자가 같은 수로 존재한다.

① ㄱ　　　② ㄷ　　　③ ㄱ, ㄴ　　　④ ㄴ, ㄷ　　　⑤ ㄱ, ㄴ, ㄷ

■ **문항별 해설**

ㄱ. 러더퍼드의 실험 결과 금박 바로 뒤의 형광막에 대부분의 알파 입자가 찍혔으므로 알파 입자가 금박을 통과하는 동안 직진하였음을 알 수 있다. 따라서 원자의 대부분은 빈 공간이다. (○)

ㄴ. 극소수의 알파 입자들이 직진하지 않고 튕겨져 나왔으므로 중심에 있는 입자는 질량이 매우 크고 부피가 매우 작은 입자이다. (○)

ㄷ. (+)전하를 띠는 입자인 양성자와 (−)전하를 띠는 입자인 전자의 개수는 같지만, 러더퍼드 알파 입자 실험 결과로부터 양성자의 존재를 알게 된 것은 아니다. (×)

답 ③

■ **오류 피하기**

⋯ 러더퍼드의 알파 입자 산란 실험에서는 원자 내에 (+)전하를 띤 원자핵의 존재를 알아내었다. 양성자와 중성자는 그 이후에 발견되었다.

기출 문제

정답과 해설 12쪽

049 그림은 러더퍼드의 α 입자 산란 실험을 나타낸 것이다. 이 실험으로 발견한 것은?

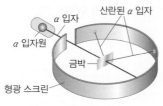

① X선   ② 전자   ③ 원자핵
④ 중성자   ⑤ 동위 원소

050 다음은 러더퍼드의 α 입자(He^{2+}) 산란 실험 결과와, 이를 토대로 민수가 가설을 세운 후 수행한 실험이다.

[러더퍼드의 실험 결과]

[민수의 가설]

[민수의 실험 결과]
러더퍼드의 α 입자 산란 실험에서 사용한 금($_{79}Au$) 박 대신 알루미늄($_{13}Al$)박으로 실험하였더니 경로가 휘거나 튕겨 나온 α 입자의 수가 감소하였다.

민수가 실험을 통해 검증하고자 했던 가설로 가장 적절한 것은? [3점]

① 모든 원자에는 (−)전하를 띠는 입자가 있다.
② 원자에서 전자의 위치는 확률적으로만 나타낼 수 있다.
③ 전자는 원자핵 주변의 허용된 원형 궤도를 따라 움직인다.
④ 경로가 휘거나 튕겨 나온 α 입자의 수는 원자핵의 전하량에 따라 달라진다.
⑤ 원자에서 (−)전하를 띤 전자는 퍼져 있는 (+)전하 구름에 무질서하게 분포한다.

051 다음은 러더퍼드의 α 입자 산란 실험이다.

[실험 장치]

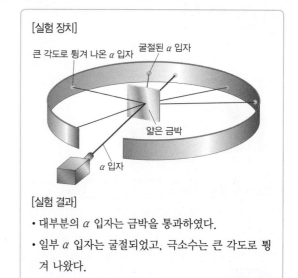

[실험 결과]
• 대부분의 α 입자는 금박을 통과하였다.
• 일부 α 입자는 굴절되었고, 극소수는 큰 각도로 튕겨 나왔다.

이에 대한 설명으로 옳은 것만을 〈보기〉에서 있는 대로 고른 것은?

┃ 보기 ┃
ㄱ. α 입자는 전기적으로 중성이다.
ㄴ. 원자의 (+)전하는 원자핵에 밀집되어 있다.
ㄷ. 원자핵은 크기가 매우 작고 원자 질량의 대부분을 차지한다.

① ㄱ   ② ㄴ   ③ ㄷ
④ ㄱ, ㄴ   ⑤ ㄴ, ㄷ

052 러더퍼드는 다음과 같은 α 입자 산란 실험 결과를 통해 원자핵을 발견하였다.

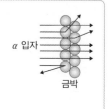

그림과 같이 얇게 편 금박에 α 입자(He^{2+})를 쏘았더니 대부분은 통과하였지만, 일부는 휘어졌고, 극히 일부는 90° 이상의 큰 각도로 튕겨 나왔다.

이 실험 결과로 알 수 있는 사실만을 〈보기〉에서 있는 대로 고른 것은?

┃ 보기 ┃
ㄱ. 원자의 대부분은 빈 공간이다.
ㄴ. 원자핵은 (+)전하를 띠고 있다.
ㄷ. 전자의 에너지 준위는 불연속적이다.

① ㄱ   ② ㄴ   ③ ㄷ
④ ㄱ, ㄴ   ⑤ ㄱ, ㄷ

기출 분석

15 유형

? 출제 의도

음극선 실험과 알파 입자 산란 실험을 통해 원자의 구조를 이해하고 있는지 물어보는 문제이다.

이렇게 대비하자!

톰슨의 음극선 실험과 러더퍼드의 알파 입자 산란 실험을 이해하고, 실험으로 알아낸 원자의 구조를 알고 있어야 한다.

■ 연관 기출 문제 키워드

#음극선#전자#α 입자#원자핵

문제 분석

❶ 톰슨의 음극선 실험

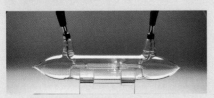

· 음극선의 진로에 바람개비를 설치하면 바람개비가 회전한다. ➡ 바람개비에 질량을 가진 입자가 부딪혔기 때문이며, 음극선이 질량을 가진 입자임을 알 수 있다.

❷ 형광막에 도달한 알파 입자의 충돌 결과로 원자의 내부 구조 추론

· 금박 바로 뒤에 대부분의 알파 입자가 찍혔다.➡ 원자는 대부분 빈 공간이다.
· 금박에서 약간 벗어난 곳에 소수의 알파 입자가 찍혔으며, 90° 이상의 각도인 곳에 극소수의 알파 입자가 찍혔다. ➡ 원자의 중심에 (+)전하를 띠고 질량이 매우 큰 입자가 존재한다. ➡ 원자핵

🔍 배경 지식

진공 방전관에 높은 전압을 걸어주면 (−)극에서 (+)극 쪽으로 빛을 내는 선이 나타나는데, 이를 음극선이라고 한다. 톰슨은 음극선 실험을 통해 음극선을 이루는 입자가 원자를 구성하는 입자라고 생각하였으며, 이 입자가 바로 (−)전하를 띠는 전자이다.

다음은 원자를 구성하는 입자 X, Y에 관련된 실험이다.

입자	실험
X	(가) 음극선의 경로에 바람개비를 두었더니 회전하였다.
Y	(나) 금박에 α 입자를 쏘여주었더니 α 입자의 대부분은 통과하고 일부는 경로가 휘거나 튕겨나왔다.

이에 대한 설명으로 옳은 것만을 〈보기〉에서 있는 대로 고른 것은?

┤ 보기 ├
ㄱ. 음극선은 질량을 가진 X의 흐름이다.
ㄴ. Y는 α 입자와 전기적으로 반발한다.
ㄷ. 톰슨의 원자 모형으로 (가)와 (나)를 설명할 수 있다.

① ㄱ   ② ㄷ   ③ ㄱ, ㄴ   ④ ㄴ, ㄷ   ⑤ ㄱ, ㄴ, ㄷ

■ 문항별 해설

ㄱ. (가)는 톰슨의 음극선 실험으로, 음극선의 경로에 있는 바람개비가 회전한 것은 질량을 가진 입자가 바람개비를 움직였기 때문이다. 즉, 음극선은 질량을 가진 입자의 흐름이며, 이 입자는 전자(X)이다. (○)
ㄴ. (나)는 러더퍼드의 α 입자 산란 실험이다. Y는 원자핵으로, 원자의 중심에 위치하고 크기는 매우 작지만 원자 질량의 대부분을 차지하고, (+)전하를 띤다. 원자핵이 (+)전하를 띠므로 같은 전하를 띠는 α 입자와 전기적으로 반발한다. (○)
ㄷ. 톰슨의 원자 모형은 (+)전하를 띤 부드러운 공 모양의 물질에 (−)전하를 띤 전자가 드문드문 박혀 있는 모형으로, α 입자의 경로가 크게 휘거나 튕겨 나오는 결과를 설명할 수 없다. (×)

답 ③

■ 오류 피하기

··· 알파 입자는 헬륨의 원자핵(He^{2+})으로 (+)전하를 띤다. 알파 입자가 휘거나 튕겨나오는 것을 통해 금박의 원자핵이 알파 입자와 같은 전하를 띠어 반발하는 것을 알 수 있다.
··· 러더퍼드의 알파 입자 산란 실험의 결과로부터 원자핵의 존재를 알게 되었으나 전자의 존재 확인과는 관계가 없다.

053 다음은 톰슨의 원자 모형과 관련된 자료이다.

방전관에 들어 있는 두 금속에 고전압을 걸어주었더니 직진하는 음극선이 관찰되었고, 그림과 같이 전기장을 걸어 주었더니 음극선이 (+)극 쪽으로 휘어졌다. 이를 토대로 톰슨은 (−)전하를 띤 입자가 원자의 구성 입자임을 알았고, 원자는 전기적으로 중성이므로 (+)전하를 포함하여야 한다고 추론하였다.

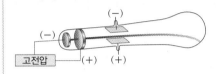

다음 중 톰슨의 원자 모형으로 가장 적절한 것은?

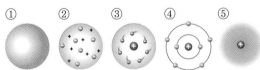

054 다음은 원자의 구성 입자 (가)와 (나)의 발견과 관련된 실험이다.

구성 입자	(가)	(나)
실험		

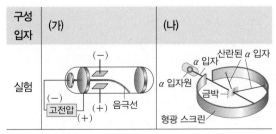

(가)와 (나)에 대한 설명으로 옳은 것만을 〈보기〉에서 있는 대로 고른 것은?

┤ 보기 ├
ㄱ. (나)는 (+)전하를 띤 입자이다.
ㄴ. (가)가 (나)보다 먼저 발견되었다.
ㄷ. 입자 1개의 질량은 (가)가 (나)보다 크다.

① ㄱ   ② ㄷ   ③ ㄱ, ㄴ
④ ㄴ, ㄷ   ⑤ ㄱ, ㄴ, ㄷ

055 다음은 원자를 구성하는 입자에 대한 자료이다.

TV의 영상 표시 장치에 활용되기도 하는 이 입자의 흐름은 ⓐ직진하는 성질이 있으며, ⓑ전기장에서는 (+)극 쪽으로 휘어진다. ⓒ수소 스펙트럼을 해석하여 이 입자가 불연속적인 에너지 준위를 가진다는 것을 알게 되었고, 이는 새로운 원자 모형을 제시하는 근거가 되었다.

┤ 보기 ├

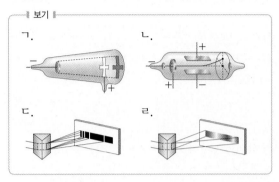

ⓐ~ⓒ의 내용을 확인하기 위한 실험을 〈보기〉에서 골라 옳게 짝 지은 것은?

	ⓐ	ⓑ	ⓒ		ⓐ	ⓑ	ⓒ
①	ㄱ	ㄴ	ㄷ	②	ㄱ	ㄴ	ㄹ
③	ㄴ	ㄱ	ㄷ	④	ㄹ	ㄴ	ㄱ
⑤	ㄹ	ㄷ	ㄱ				

056 다음은 음극선의 성질을 알아보는 실험의 일부이다.

(가) 그림과 같은 방전관에 고전압을 걸어 주었더니 (−)극에서 (+)극으로 음극선이 흘러 형광판의 중앙에 밝은 점이 나타났다.

(나) 스위치를 열고, 그림과 같이 방전관의 위, 아래 방향에 각각 (−)와 (+)극판을 설치하여 전기장을 걸어준다.

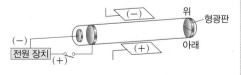

다음 중 (나)에서 전기장을 걸어 준 후 스위치를 닫았을 때 형광판의 모습을 나타낸 것으로 가장 적절한 것은?

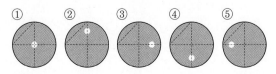

기출 분석

16 유형

? 출제 의도

원자를 구성하는 입자의 질량과 전하량의 관계를 이해하고 있는지 물어보는 문제이다.

😊 이렇게 대비하자!

이온을 구성하는 전자, 양성자, 중성자의 상대적 전하량과 질량을 비교하여 중성 원자의 전하와 질량에 대해 설명할 수 있어야 한다.

■ 연관 기출 문제   키워드

#원자 번호 #양성자 #원자 #이온 #전자 수
#질량수 #중성자수

문제 분석 ············

❶ 이온은 중성 원자가 전자를 잃거나 얻어서 생긴다. A^+은 양이온으로 전자 1개를 잃어서 형성된 것이고, B^{2+}은 전자 2개를 잃어서 형성된 이온이다.

❷ 원자를 구성하는 입자에는 양성자, 중성자, 전자가 있으며, 중성 원자에서 양성자수는 전자 수와 같다.

> 원자 번호 = 양성자수 = 전자 수
> 질량수 = 양성자수 + 중성자수

❸ A^+, B^{2+}과 같이 이온이 주어졌을 경우에는 이온의 전자 수에 이 이온이 얻거나 잃은 전자 수를 빼거나 더해 중성 원자의 전자 수를 구한다.

❹ 중성 원자의 전자 수는 양성자수와 같고, 질량수에서 양성자수를 빼면 중성자수를 구할 수 있다.

> 중성자수 = 질량수 − 양성자수

다음은 원자 A와 B의 이온에 대한 자료이다.

이온	A^+	B^{2+}
전자 수	10	10
질량수	24	24

원자 A와 B에 대한 설명으로 옳은 것만을 〈보기〉에서 있는 대로 고른 것은? (단, A와 B는 임의의 원소 기호이다.)

┤ 보기 ├

ㄱ. A의 원자 번호는 10이다.

ㄴ. B의 전자 수는 12개이다.

ㄷ. 중성자수는 A가 B보다 적다.

① ㄱ   ② ㄴ   ③ ㄱ, ㄷ   ④ ㄴ, ㄷ   ⑤ ㄱ, ㄴ, ㄷ

■ 문항별 해설

ㄱ. A^+은 중성 원자 A에서 전자 1개를 잃고 형성된 것이다. A^+의 전자 수가 10이므로 A의 전자 수는 11이다. 원자의 전자 수는 원자 번호와 같으므로 A의 원자 번호는 11이다. (×)

ㄴ. B^{2+}은 중성 원자 B에서 전자 2개를 잃고 형성된 것이다. 따라서 원자 B의 전자 수는 12이다. (○)

ㄷ. 질량수는 '양성자수 + 중성자수'이다.

	A^+	A	B^{2+}	B
전자 수	10	10+1	10	10+2
양성자수 (=중성 원자의 전자 수=원자 번호)	11		12	
질량수	24		24	
중성자수	13(=24−11)		12(=24−12)	

즉, A의 중성자수는 13, B의 중성자수는 12이므로 중성자수는 A가 B보다 많다. (×)

답 ②

■ 오류 피하기

⋯▶ 이온 상태의 전자 수와 질량수를 가지고 바로 중성자수를 구하지 말고, 중성 원자로 바꿔서 전자 수와 양성자수를 파악한 후 중성자수를 비교해 보아야 한다.

기출 문제

정답과 해설 **13~14**쪽

057 표는 원자 A와 B에서 원자를 구성하는 입자 중 전자의 수와 (가)의 수를 나타낸 것이다.

원자	전자의 수	(가)의 수
A	1	2
B	2	1

이에 대한 설명으로 옳은 것만을 〈보기〉에서 있는 대로 고른 것은? (단, A와 B는 임의의 원소 기호이다.)

⎢ 보기 ⎢
ㄱ. (가)는 중성자이다.
ㄴ. B는 $_1^2$H의 동위 원소이다.
ㄷ. A와 B는 질량수가 같다.

① ㄱ   ② ㄴ   ③ ㄱ, ㄷ
④ ㄴ, ㄷ   ⑤ ㄱ, ㄴ, ㄷ

058 표는 전자 수가 x인 3가지 이온에 대한 자료이다.

이온	양성자수	중성자수	질량수
A$^-$	9	10	19
B^{m+}	11	y	23
C^{n+}	y	y	z

이에 대한 옳은 설명만을 〈보기〉에서 있는 대로 고른 것은? (단, A~C는 임의의 원소 기호이다.)

⎢ 보기 ⎢
ㄱ. x는 10이다.
ㄴ. z는 24이다.
ㄷ. m은 n보다 크다.

① ㄱ   ② ㄴ   ③ ㄷ
④ ㄱ, ㄴ   ⑤ ㄱ, ㄴ, ㄷ

059 표는 이온 (가)와 원자 (나), (다)에 대한 자료이다.

이온 또는 원자	구성 입자 수			질량수
	양성자	A	B	
(가)	8		10	16
(나)		12		24
(다)		14	12	

이에 대한 옳은 설명만을 〈보기〉에서 있는 대로 고른 것은?

⎢ 보기 ⎢
ㄱ. A는 전자이다.
ㄴ. (가)는 음이온이다.
ㄷ. (나)와 (다)는 동위 원소이다.

① ㄱ   ② ㄴ   ③ ㄱ, ㄷ
④ ㄴ, ㄷ   ⑤ ㄱ, ㄴ, ㄷ

060 표는 2가지 이온 A$^-$, B$^+$의 전자 수, 중성자수, 질량수를 나타낸 것이다.

이온	전자 수	중성자수	질량수
A$^-$	10	10	x
B$^+$	y	12	23

$x+y$의 값은? (단, A, B는 임의의 원소 기호이다.) [3점]

① 29   ② 30   ③ 31   ④ 32   ⑤ 33

061 표는 $_8^{16}$O^{2-}과 $_9^{19}$F에 대한 자료이다. (가)~(다)는 각각 양성자, 중성자, 전자 중 하나이다.

원자 또는 이온	구성 입자 수		
	(가)	(나)	(다)
$_8^{16}$O^{2-}	8		10
$_9^{19}$F		9	

(가)~(다)에 해당하는 것으로 옳은 것은?

	(가)	(나)	(다)
①	전자	양성자	중성자
②	양성자	전자	중성자
③	양성자	중성자	전자
④	중성자	전자	양성자
⑤	중성자	양성자	전자

기출 분석

17 유형

■ **연관 기출 문제　키워드**

#중성자수#전자 수#동위 원소#질량수
#양성자수

문제 분석

그래프를 분석하여 표로 정리한다.

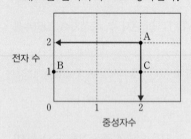

원자	A	B	C
전자 수	2	1	1
중성자수	2	0	2
양성자수	2	1	1
질량수	4	1	3

· 원자는 전기적으로 중성이므로 양성자
수와 전자 수가 같아야 한다.
· 양성자수와 중성자수를 더해 질량수를
구한다.

■ **출제 의도**

그래프의 전자 수와 중성자수를 분석하여 원
소의 종류를 파악하고, 원자의 구성 입자를
예측할 수 있는지 묻는 문제이다.

■ **이렇게 대비하자!**

원자의 중성자수와 전자 수를 통해 양성자
수, 질량수를 계산할 수 있어야 하며, 동위
원소의 개념을 알고 있어야 한다.

그림은 원자 A~C의 중성자수와 전자 수를 나타낸 것이다.

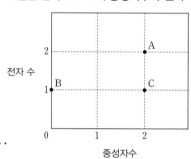

이에 대한 설명으로 옳은 것만을 〈보기〉에서 있는 대로 고른 것은? (단, A~C는 임의의 원
소 기호이다.)

┤ 보기 ├

ㄱ. A의 양성자수는 2개이다.

ㄴ. A와 C는 동위 원소이다.

ㄷ. 질량수는 B>C이다.

① ㄱ　　　　② ㄴ　　　　③ ㄱ, ㄷ　　　　④ ㄴ, ㄷ　　　　⑤ ㄱ, ㄴ, ㄷ

■ **문항별 해설**

ㄱ. 원자는 전기적으로 중성이므로 양성자수와 전자 수가 같다. A는 전자 수가 2개이므로 양성
자수도 2개이다. (○)

ㄴ. A는 전자 수가 2, C는 전자 수가 1이다. 동위 원소는 양성자수는 같으나 중성자수가 다른
원소이다. A와 C는 각각 전자 수가 2와 1로 서로 다르므로 양성자수도 다르기 때문에 동위
원소가 아니다. (×)

ㄷ. 질량수는 '양성자수+중성자수'이다. 질량수는 B가 1(=1+0), C가 3(=1+2)이므로
C>B이다. (×)

답 ①

■ **오류 피하기**

⋯ 질량수는 양성자수와 중성자수를 더한 값이다. 전자는 양성자나 중성자에 비해 그 질량이 매
우 작아 원자의 질량을 결정하는 데 무시할 수 있다. 즉, 전자 수와 질량수는 관계가 없다.

기출 문제

정답과 해설 **14**쪽

062 그림은 원자 A~D의 원자 번호와 중성자수를 나타낸 것이다.

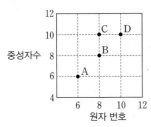

이에 대한 설명으로 옳은 것만을 〈보기〉에서 있는 대로 고른 것은? (단, A~D는 임의의 원소 기호이다.)

┤ 보기 ├
ㄱ. A는 양성자수와 중성자수가 같다.
ㄴ. B와 C는 전자 수가 같다.
ㄷ. C와 D는 동위 원소이다.

① ㄱ   ② ㄷ   ③ ㄱ, ㄴ
④ ㄴ, ㄷ   ⑤ ㄱ, ㄴ, ㄷ

063 그림은 원자 A, B와 이온 C^{2-}의 중성자수와 질량수를 나타낸 것이다.

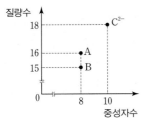

이에 대한 옳은 설명만을 〈보기〉에서 있는 대로 고른 것은? (단, A~C는 임의의 원소 기호이다.)

┤ 보기 ├
ㄱ. A의 양성자수는 8개이다.
ㄴ. A와 B는 동위 원소이다.
ㄷ. C^{2-}의 전자 수는 10개이다.

① ㄱ   ② ㄴ   ③ ㄱ, ㄷ
④ ㄴ, ㄷ   ⑤ ㄱ, ㄴ, ㄷ

064 그림은 원자 X의 구조를 모형으로 나타낸 것이다. ●, ○, ⊖는 원자를 구성하는 입자이다. 이에 대한 설명으로 옳은 것만을 〈보기〉에서 있는 대로 고른 것은?

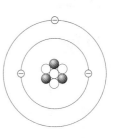

┤ 보기 ├
ㄱ. X의 원자 번호는 3이다.
ㄴ. ○의 수가 변하면 이온이 된다.
ㄷ. ⊖는 원자 질량의 대부분을 차지한다.

① ㄱ   ② ㄷ   ③ ㄱ, ㄴ ④ ㄱ, ㄷ ⑤ ㄴ, ㄷ

065 그림은 원자 (가), (나)를 모형으로 나타낸 것이다. A, B는 각각 양성자, 중성자 중 하나이다.

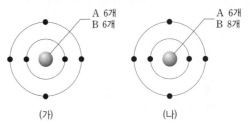

이에 대한 옳은 설명만을 〈보기〉에서 있는 대로 고른 것은?

┤ 보기 ├
ㄱ. A는 양성자이다.
ㄴ. (가)와 (나)는 동위 원소이다.
ㄷ. (나)는 ^{14}N와 질량수가 같다.

① ㄱ   ② ㄴ   ③ ㄱ, ㄷ
④ ㄴ, ㄷ   ⑤ ㄱ, ㄴ, ㄷ

066 그림은 3가지 원자 A~C를 모형으로 나타낸 것이다. ●, ○, ◉는 원자를 구성하는 입자이다.

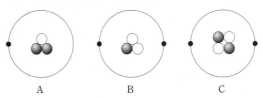

이에 대한 설명으로 옳은 것만을 〈보기〉에서 있는 대로 고른 것은? (단 A~C는 임의의 원소 기호이다.)

┤ 보기 ├
ㄱ. ◉는 양성자이다.
ㄴ. A의 질량수는 3이다.
ㄷ. B와 C는 동위 원소이다.

① ㄱ   ② ㄴ   ③ ㄱ, ㄷ
④ ㄴ, ㄷ   ⑤ ㄱ, ㄴ, ㄷ

기출 분석

18 유형

? 출제 의도
동위 원소와 존재 비율의 의미를 알고, 평균 원자량을 구하는 방법을 이해하고 있는지 묻는 문제이다.

🐛 이렇게 대비하자!
대부분의 원소들은 동위 원소가 있으며, 그 존재 비율이 다르다. 존재 비율이 높은 원소가 결합하여 분자를 만들 때 그 분자의 존재 비율이 가장 높음을 이해할 수 있어야 한다

■ 연관 기출 문제 키워드

#동위 원소 #질량수 #존재 비율
#평균 원자량

문제 분석

- 존재 비율이 크다는 것은 자연계에 해당 질량수를 가진 원소가 많이 있다는 의미이다. X, Y가 결합하여 분자 XY를 이룰 때, 존재하는 비율이 큰 원소일수록 결합하여 분자를 이룰 확률이 높다.
- 분자량은 분자를 이루는 모든 원자의 원자량을 더해 구한다.
- 동위 원소는 질량수가 다르다. ^{1}X은 질량수가 1, ^{2}X는 질량수가 2인 동위 원소이고, ^{35}Y은 질량수가 35, ^{37}Y은 37인 동위 원소이다.

🖥 배경 지식

동위 원소와 평균 원자량
같은 원소의 원자는 양성자수는 항상 같지만 중성자수는 다를 수 있다. 양성자수는 같으나 중성자수가 달라서 질량수가 다른 원소를 동위 원소라고 한다. 대부분의 원소는 동위 원소가 존재하며, 각 동위 원소마다 자연에 존재하는 비율이 다르다. 따라서 원자의 원자량을 나타낼 때는 동위 원소의 존재 비율을 고려한 평균 원자량으로 나타낸다. 평균 원자량은 각 동위 원소의 원자량에 존재 비율을 곱하여 구한다.

그림은 원소 X, Y의 동위 원소 ^{1}X, ^{2}X와 ^{35}Y, ^{37}Y의 자연계에서의 존재 비율을 나타낸 것이다.

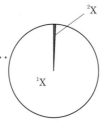
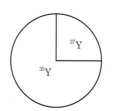

자연계에 존재하는 분자 XY의 가능한 분자량의 종류의 수와 존재 비율이 가장 큰 분자의 분자량은? (단, X, Y는 임의의 원소 기호이며, ^{1}X, ^{2}X, ^{35}Y, ^{37}Y의 원자량은 각각 1, 2, 35, 37이다.) [3점]

	가능한 분자량의 종류의 수	존재 비율이 가장 큰 분자의 분자량
①	3	36
②	3	39
③	4	36
④	4	38
⑤	4	39

■ 문항별 해설

❶ X와 Y 원소가 결합하여 분자 XY를 만드는 경우는 다음과 같다.

	^{1}X	^{2}X
^{35}Y	^{1}X^{35}Y	^{2}X^{35}Y
^{37}Y	^{1}X^{37}Y	^{2}X^{37}Y

즉, 자연계에서 생성되는 XY 분자는 동위 원소의 종류에 따라 ^{1}X^{35}Y, ^{2}X^{35}Y, ^{1}X^{37}Y, ^{2}X^{37}Y 네 종류이다.

❷ 각 분자의 분자량은 분자를 이루는 동위 원소의 질량수를 더하여 구한다.

^{1}X^{35}Y $= 1 + 35 = 36$
^{2}X^{35}Y $= 2 + 35 = 37$
^{1}X^{37}Y $= 1 + 37 = 38$
^{2}X^{37}Y $= 2 + 37 = 39$

➡ 가능한 동위 원소 종류의 분자량은 36, 37, 38, 39이다.

❸ 존재 비율이 높은 원소는 ^{1}X과 ^{35}Y이므로 두 원소가 결합한 ^{1}X^{35}Y의 존재 비율이 가장 크다. ➡ 존재 비율이 가장 큰 분자의 분자량은 ^{1}X^{35}Y의 분자량인 36이다.

답 ③

기출 문제

정답과 해설 **14~15**쪽

067 표는 원자 (가)~(다)를 구성하는 양성자수, 중성자수, 전자 수의 비율과 각 원자의 질량수를 나타낸 것이다. (가)와 (나)는 동위 원소이다.

원자	(가)	(나)	(다)
구성 입자 수의 비율	$\frac{1}{2}$ $\frac{1}{4}$ $\frac{1}{4}$	$\frac{1}{3}$ $\frac{1}{3}$ $\frac{1}{3}$	$\frac{2}{5}$ $\frac{2}{5}$ $\frac{1}{5}$
질량수	3	x	3

이에 대한 설명으로 옳은 것만을 〈보기〉에서 있는 대로 고른 것은?

┤ 보기 ├
ㄱ. (가)는 $^{3}_{1}H$이다.
ㄴ. $x=4$이다.
ㄷ. 중성자수는 (다)가 (가)의 2배이다.

① ㄱ   ② ㄴ   ③ ㄱ, ㄷ
④ ㄴ, ㄷ   ⑤ ㄱ, ㄴ, ㄷ

068 그림은 분자량에 따른 X_2의 분자 수를 상댓값으로 나타낸 것이다. 자연계에 존재하는 X_2의 분자량은 모두 3가지이다.

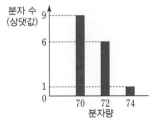

X의 동위 원소 종류의 수와 평균 원자량을 옳게 짝 지은 것은? (단, X는 임의의 원소 기호이다.)

	동위 원소 종류의 수	평균 원자량
①	2	35
②	2	35.5
③	2	36
④	3	35.5
⑤	3	36

069 다음은 인터넷에 올라온 학생 X의 질문과 친구들의 답변이다.

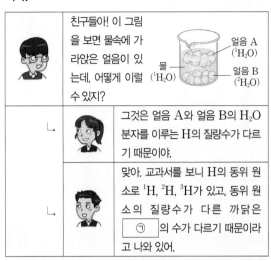

친구들! 이 그림을 보면 물속에 가라앉은 얼음이 있는데, 어떻게 이럴 수 있지?

└ 그것은 얼음 A와 얼음 B의 H_2O 분자를 이루는 H의 질량수가 다르기 때문이야.

└ 맞아. 교과서를 보니 H의 동위 원소로 ^{1}H, ^{2}H, ^{3}H가 있고, 동위 원소의 질량수가 다른 까닭은 　㉠　의 수가 다르기 때문이라고 나와 있어.

이에 대한 설명으로 옳은 것만을 〈보기〉에서 있는 대로 고른 것은? (단, 물, 얼음 A, 얼음 B를 이루는 O의 질량수는 같고, ㉠은 양성자, 중성자, 전자 중 하나이다.)

┤ 보기 ├
ㄱ. 밀도는 얼음 B가 물($^{1}H_2O$)보다 크다.
ㄴ. ㉠은 H의 모든 동위 원소에 존재한다.
ㄷ. H_2O 1분자를 구성하는 원자의 질량수 총합은 얼음 B가 얼음 A보다 크다.

① ㄱ   ② ㄴ   ③ ㄱ, ㄷ
④ ㄴ, ㄷ   ⑤ ㄱ, ㄴ, ㄷ

070 그림은 원소 X가 자연계에 존재하는 비율을 나타낸 것이다. 이에 대한 설명으로 옳은 것만을 〈보기〉에서 있는 대로 고른 것은? (단, X는 임의의 원소 기호이고, ^{35}X, ^{37}X의 원자량은 각각 35, 37이다.)

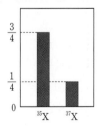

┤ 보기 ├
ㄱ. ^{35}X와 ^{37}X의 화학적 성질은 같다.
ㄴ. 중성자수는 ^{37}X가 ^{35}X보다 크다.
ㄷ. X의 평균 원자량은 35.5이다.

① ㄱ   ② ㄷ   ③ ㄱ, ㄴ
④ ㄴ, ㄷ   ⑤ ㄱ, ㄴ, ㄷ

기출 분석

19 유형

? 출제 의도

수소 원자의 선 스펙트럼만 제시하였을 때, 선 스펙트럼의 특징과 에너지 준위를 연관지어 이해하고 있는지 묻는 문제이다.

😊 이렇게 대비하자!

수소 원자의 선 스펙트럼 특징을 이해하고, 전자가 에너지 준위가 다른 전자 껍질로 전이할 때 흡수하거나 방출하는 에너지를 계산할 수 있어야 한다.

■ **연관 기출 문제   키워드**

#선 스펙트럼#라이먼 계열#발머 계열

문제 분석 ·············

❶ 보어의 수소 원자 모형과 전자 전이

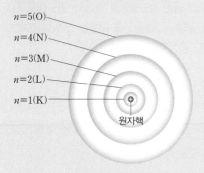

라이먼 계열은 자외선 영역으로, 들뜬상태의 전자 껍질($n \geq 2$)에서 $n=1$인 전자 껍질로 전자 전이가 일어나며, 발머 계열은 가시광선 영역으로 들뜬상태의 전자 껍질($n \geq 3$)에서 $n=2$인 전자 껍질로 전자 전이가 일어난다.

❷ 선 스펙트럼에서 주 양자수

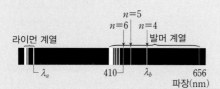

수소의 선 스펙트럼에서 전자 전이할 때 방출되는 에너지가 클수록 파장이 짧은 곳에 선이 나타난다.
발머 계열에서 파장이 가장 긴 656 nm에 해당하는 띠는 $n=3 \rightarrow n=2$로 전자 전이가 일어나 생긴 것이고, 파장이 짧은 왼쪽으로 갈수록 주 양자수가 높은 전자 껍질에서 $n=2$인 전자 껍질로 전자 전이가 일어난 것이다.

그림은 수소 원자의 선 스펙트럼 중 라이먼 계열과 발머 계열을 나타낸 것이다. λ_a, λ_b에 해당하는 빛에너지는 각각 $E(a)$, $E(b)$이다.

이에 대한 설명으로 옳은 것만을 〈보기〉에서 있는 대로 고른 것은? (단, 수소 원자의 에너지 준위 $E_n \propto -\dfrac{1}{n^2}$이고, n은 주 양자수이다.) [3점]

┌─ 보기 ┐

ㄱ. λ_a에 해당하는 빛은 자외선이다.

ㄴ. λ_b는 전자가 $n=4$에서 $n=2$로 전자 전이할 때 방출하는 빛의 파장이다.

ㄷ. $E(a) : E(b) = 4 : 1$이다.

└──────┘

① ㄱ   ② ㄷ   ③ ㄱ, ㄴ   ④ ㄴ, ㄷ   ⑤ ㄱ, ㄴ, ㄷ

■ **문항별 해설**

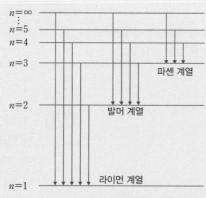

ㄱ. λ_a는 $n=2 \rightarrow n=1$로 전자 전이할 때 방출되는 빛의 파장이며, 이 빛은 자외선이다. (○)

ㄴ. λ_b는 발머 계열로, $n=4 \rightarrow n=2$로 전자 전이할 때 방출되는 빛의 파장이다. (○)

ㄷ. λ_a은 $n=2 \rightarrow n=1$로 전자 전이할 때 나타나므로

$$E(a) \propto -\frac{1}{2^2} - \left(-\frac{1}{1^2}\right) = \left(\frac{1}{1^2} - \frac{1}{2^2}\right)$$이고, λ_b는 $n=4 \rightarrow n=2$로 전자 전이할 때 나타

나므로 $E(b) \propto -\dfrac{1}{4^2} - \left(-\dfrac{1}{2^2}\right) = \left(\dfrac{1}{2^2} - \dfrac{1}{4^2}\right)$이다.

따라서 $E(a) : E(b) = \left(\dfrac{1}{1^2} - \dfrac{1}{2^2}\right) : \left(\dfrac{1}{2^2} - \dfrac{1}{4^2}\right) = 4 : 1$이다. (○)

답 ⑤

기출 문제

정답과 해설 15~16쪽

071 그림은 수소 원자의 가시광선 영역의 선 스펙트럼을 나타낸 것이다.

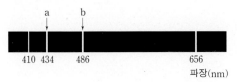

이에 대한 설명으로 옳은 것만을 〈보기〉에서 있는 대로 고른 것은? [3점]

┃ 보기 ┃
ㄱ. 수소 원자의 에너지 준위는 불연속적이다.
ㄴ. a선의 빛을 방출한 수소는 바닥상태이다.
ㄷ. $4p \rightarrow 2s$의 전자 전이가 일어나면 b선이 나타난다.

① ㄱ ② ㄴ ③ ㄷ
④ ㄱ, ㄷ ⑤ ㄴ, ㄷ

072 그림은 수소 방전관에서 나오는 선 스펙트럼의 일부를 나타낸 것이다.

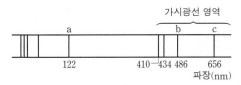

이에 대한 설명으로 옳은 것만을 〈보기〉에서 있는 대로 고른 것은? [3점]

┃ 보기 ┃
ㄱ. 스펙트럼 선의 에너지 크기는 a＜b＜c이다.
ㄴ. a선은 L 껍질에서 K 껍질로의 전자 전이에 해당한다.
ㄷ. 수소 방전관에 더 높은 에너지를 가해도 a~c선의 파장은 변하지 않는다.

① ㄱ ② ㄴ ③ ㄷ
④ ㄱ, ㄴ ⑤ ㄴ, ㄷ

073 그림은 수소 원자의 선 스펙트럼에서 가시광선 영역을 나타낸 것이다.

이에 대한 설명으로 옳은 것만을 〈보기〉에서 있는 대로 고른 것은? (단, 수소 원자의 에너지 준위 $E_n = -\dfrac{k}{n^2}$이고, n은 주 양자수, k는 상수이다.) [3점]

┃ 보기 ┃
ㄱ. 410 nm 선에 해당하는 빛은 라이먼 계열에 속한다.
ㄴ. $3p$ 오비탈에 전자가 있는 수소 원자가 이온화될 때 필요한 최소 에너지는 656 nm 선에 해당하는 빛에너지보다 작다.
ㄷ. $n=2$에서 $n=4$로 전자가 전이될 때 흡수하는 에너지는 656 nm 선에 해당하는 빛에너지의 $\dfrac{27}{20}$배이다.

① ㄱ ② ㄴ ③ ㄷ
④ ㄱ, ㄴ ⑤ ㄴ, ㄷ

074 그림은 수소 원자의 선 스펙트럼과 선의 색깔을 나타낸 것이다. 그림에서 빨강은 발머 계열 중 가장 긴 파장에 해당한다.

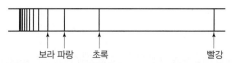

이에 대한 설명으로 옳은 것만을 〈보기〉에서 있는 대로 고른 것은? (단, 수소 원자의 에너지 준위 $E_n = -\dfrac{k}{n^2}$이고, n은 주 양자수, k는 상수이다.)

┃ 보기 ┃
ㄱ. 보라에 해당하는 빛에너지는 $\dfrac{k}{16}$이다.
ㄴ. $n=4$에서 $n=2$로 전자가 전이할 때 초록 빛을 방출한다.
ㄷ. $2s$ 오비탈에 전자가 있는 수소 원자에 빨강 빛을 쪼여 주면 이온화된다.

① ㄱ ② ㄴ ③ ㄱ, ㄷ
④ ㄴ, ㄷ ⑤ ㄱ, ㄴ, ㄷ

기출 분석

20 유형

? 출제 의도

보어의 수소 원자 모형에서 에너지 준위를 바탕으로 선 스펙트럼을 해석할 수 있는지 묻는 문제이다.

🐛 이렇게 대비하자!

수소 원자의 선 스펙트럼과 전자 전이, 에너지 준위를 이해하고, 에너지의 방출량 또는 흡수량을 계산할 수 있어야 한다.

■ 연관 기출 문제　키워드

#선 스펙트럼 #전자 껍질 #에너지 준위
#보어의 원자 모형

문제 분석 ·········

❶ 수소 원자의 스펙트럼 계열

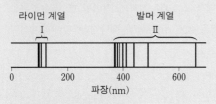

❷ 전자 껍질의 에너지 준위

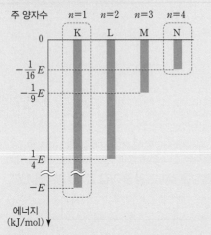

N → K는 $n=4 → n=1$의 전자 전이 므로 라이먼 계열이다. 수소 원자의 선 스펙트럼에서 라이먼 계열은 I의 스펙트 럼 영역이다.

그림 (가)는 보어의 원자 모형에서 수소 원자의 K~N 전자 껍질의 에너지 준위를, 그림 (나)는 수소 원자의 선 스펙트럼에서 자외선 영역과 가시광선 영역 중 두 계열을 나타낸 것 이다.

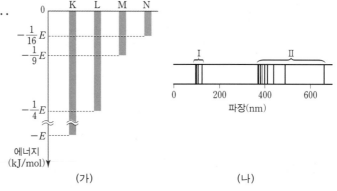

(가)　　　　　　　　　　　　　(나)

이에 대한 설명으로 옳은 것만을 〈보기〉에서 있는 대로 고른 것은? (단, $E=1312$이다.) [3점]

┤ 보기 ├

ㄱ. I에 해당하는 스펙트럼 선은 라이먼 계열이다.

ㄴ. N → K 전자 전이에서 방출되는 빛의 스펙트럼 선은 II에 속한다.

ㄷ. L → M 전자 전이에서 $\dfrac{5}{36}E$ kJ/mol의 에너지가 흡수된다.

① ㄱ　　② ㄴ　　③ ㄱ, ㄷ　　④ ㄴ, ㄷ　　⑤ ㄱ, ㄴ, ㄷ

■ 문항별 해설

ㄱ. I에 해당하는 스펙트럼 선은 II보다 파장이 짧으므로 자외선 영역인 라이먼 계열이다. (○)

ㄴ. 빛은 파장의 크기에 따라 자외선 영역, 가시광선 영역, 적외선 영역으로 나눌 수 있으며, 각각 라이먼 계열, 발머 계열, 파센 계열이라고 한다. N은 주 양자수가 4, K는 주 양자수가 1이므 로 N($n=4$) → K($n=1$) 전자 전이에서 방출되는 스펙트럼 선은 자외선 영역(라이먼 계열) 이다. 자외선 영역은 I의 스펙트럼 선에 속한다. (×)

ㄷ. 흡수되는 에너지는 에너지 준위가 높은 전자 껍질에서 낮은 전자 껍질의 에너지를 뺀 값이다.

따라서 L → M 전자 전이에서 흡수되는 에너지는 $-\dfrac{1}{9}E-\left(-\dfrac{1}{4}E\right)=\dfrac{5}{36}E$ (kJ/mol) 이다. (○)

답 ③

🔳 배경 지식

전자 껍질의 에너지 준위 크기

각 전자 껍질이 가지는 에너지 준위는 주 양자 수(n)에 의해 결정된다. 주 양자수가 클수록 원 자핵에서 먼 전자 껍질이고 에너지 준위가 높다.

$$K(n=1)<L(n=2)<M(n=3)< \cdots$$

■ 오류 피하기

⋯ N → K 전자 전이에서 방출되는 빛의 스펙트럼 선은 자외선 영역이므로 I의 스펙트럼 선에 속한다. 파장이 짧은 것부터 긴 순으로 자외선 영역(라이먼 계열), 가시광선 영역(발머 계열), 적외선 영역(파센 계열)이 있다.

기출 문제

정답과 해설 **16**쪽

075 그림 (가)는 수소 원자의 주 양자수 n에 따른 에너지 준위와 전자 전이 a~c를, (나)는 수소 원자의 가시광선 영역의 선 스펙트럼을 나타낸 것이다.

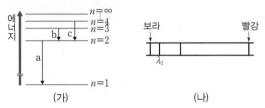

이에 대한 설명으로 옳은 것만을 〈보기〉에서 있는 대로 고른 것은? (단, 수소 원자의 에너지 준위는 $E_n = -\dfrac{k}{n^2}$이고, k는 상수이다.) [3점]

── 보기 ──

ㄱ. a에서 방출하는 빛의 파장은 λ_1보다 길다.

ㄴ. b에서 방출하는 빛의 색은 보라이다.

ㄷ. 방출하는 빛의 에너지는 a가 c보다 크다.

① ㄱ ② ㄷ ③ ㄱ, ㄴ ④ ㄴ, ㄷ ⑤ ㄱ, ㄴ, ㄷ

076 그림 (가)는 수소 원자의 에너지 준위의 일부와 전자 전이 A, B를, (나)는 수소 원자의 선 스펙트럼에서 가시광선 영역을 나타낸 것이다. A에 해당하는 빛의 파장은 λ_1이다.

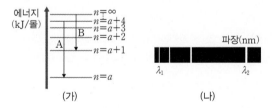

이에 대한 설명으로 옳은 것만을 〈보기〉에서 있는 대로 고른 것은? (단, 수소 원자의 에너지 준위 $E_n = -\dfrac{k}{n^2}$ kJ/몰이고, n은 주 양자수, k는 상수이다.) [3점]

── 보기 ──

ㄱ. $a=2$이다.

ㄴ. λ_2는 발머 계열에 해당하는 빛의 파장 중 가장 짧다.

ㄷ. $\dfrac{\text{B에서 방출되는 빛에너지}}{\text{A에서 방출되는 빛에너지}} = \dfrac{1}{2}$이다.

① ㄱ ② ㄴ ③ ㄱ, ㄴ ④ ㄴ, ㄷ ⑤ ㄱ, ㄴ, ㄷ

077 그림은 수소 원자에서 나타나는 전자 전이 a~c와 수소 원자의 가시광선 영역에 해당하는 선 스펙트럼을 나타낸 것이다.

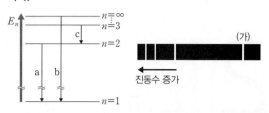

a~c에 대한 설명으로 옳은 것만을 〈보기〉에서 있는 대로 고른 것은? (단, 수소 원자의 에너지 준위(E_n)는 $-\dfrac{1312}{n^2}$ kJ/mol이다.)

── 보기 ──

ㄱ. 자외선 영역에 해당하는 전자 전이는 2가지이다.

ㄴ. 파장이 가장 긴 빛이 방출되는 전자 전이는 b이다.

ㄷ. (가)에 해당하는 전자 전이는 c이다.

① ㄱ ② ㄴ ③ ㄱ, ㄷ ④ ㄴ, ㄷ ⑤ ㄱ, ㄴ, ㄷ

078 그림 (가)는 수소 원자의 가시광선 영역 선 스펙트럼을, (나)는 발머 계열에 해당하는 전자 전이 A~C에서 각각 방출되는 에너지를 나타낸 것이다. 수소 원자의 주 양자수 n에 따른 에너지 준위는 $E_n = -\dfrac{k}{n^2}$ kJ/몰이다.

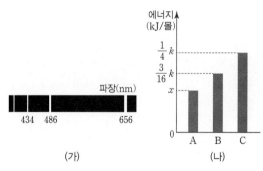

이에 대한 설명으로 옳은 것만을 〈보기〉에서 있는 대로 고른 것은? [3점]

── 보기 ──

ㄱ. B는 $n=4 \rightarrow n=2$의 전자 전이이다.

ㄴ. A에서 방출되는 에너지 x는 $\dfrac{5}{36}k$이다.

ㄷ. C에서 방출되는 빛의 파장은 434 nm이다.

① ㄱ ② ㄷ ③ ㄱ, ㄴ ④ ㄴ, ㄷ ⑤ ㄱ, ㄴ, ㄷ

기출 분석

21. 유형

❓ 출제 의도

오비탈의 모양과 특성을 이해하였는지 묻는 문제이다.

🐛 이렇게 대비하자!

오비탈의 모양이 전자가 발견될 확률이라는 것을 이해하고, 오비탈 모형을 통해 에너지 준위를 예측할 수 있어야 한다.

■ 연관 기출 문제 키워드

#오비탈 #전자 수 #에너지 준위
#전자 발견 확률 #주 양자수

문제 분석

❶ s 오비탈(구 모양)

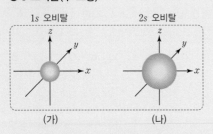

1s 오비탈 (가)   2s 오비탈 (나)

(나)가 (가)보다 오비탈의 크기가 크다. 주 양자수가 커질수록 오비탈의 크기가 커지고 에너지 준위가 높아지므로 (나)는 2s 오비탈, (가)는 1s 오비탈이다.

❷ p 오비탈(아령 모양)

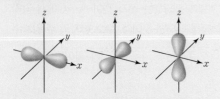

(다)는 p 오비탈로 x축, y축, z축에 놓여 있는 p_x, p_y, p_z 3개의 오비탈이 있다. 문제에서는 p_x와 p_z 오비탈에 전자가 채워져 있다.

그림은 바닥상태 원자 A에서 전자가 들어 있는 모든 오비탈을 모형으로 나타낸 것이다. 주 양자수는 (가)가 (나)보다 작다.

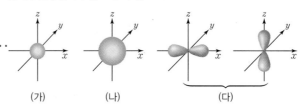

(가)   (나)   (다)

이에 대한 설명으로 옳은 것만을 〈보기〉에서 있는 대로 고른 것은? (단, A는 임의의 원소 기호이다.)

┤ 보기 ├

ㄱ. 원자 A의 전자 수는 6개이다.

ㄴ. (가)는 핵으로부터 거리가 같으면 방향에 관계없이 전자가 발견될 확률이 같다.

ㄷ. 에너지 준위는 (나)와 (다)가 같다.

① ㄱ   ② ㄷ   ③ ㄱ, ㄴ   ④ ㄴ, ㄷ   ⑤ ㄱ, ㄴ, ㄷ

■ 문항별 해설

p_x나 p_z에 전자 2개가 있으려면 p_y 오비탈에 전자가 최소 1개 들어 있어야 한다.

ㄱ. (가)는 1s, (나)는 2s, (다)는 $2p_x$, $2p_z$이므로, 원자 A의 전자 배치는 $1s^2 2s^2 2p_x^1 2p_z^1$이다. 따라서 전자 수는 6이다. 이때 A는 바닥상태이고 훈트 규칙을 만족하므로 p_x와 p_z에는 각각 전자가 1개씩 들어 있다. (○)

ㄴ. s 오비탈은 원자핵으로부터 거리가 같으면 방향에 관계없이 전자를 발견할 확률이 같다. (○)

ㄷ. 수소 원자의 에너지 준위는 2s와 2p가 같지만 다전자 원자의 에너지 준위는 2s가 2p보다 낮다. 원자 A는 전자가 6개이므로 다전자 원자이고, 에너지 준위는 (나)가 (다)보다 낮다. (×)

답 ③

■ 오류 피하기

⋯ 수소 원자의 에너지 준위와 다전자 원자의 에너지 준위는 다르다.

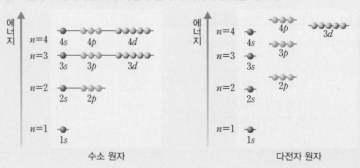

수소 원자   다전자 원자

🐛 배경 지식

오비탈은 전자가 원자핵 주위에서 발견될 확률 분포를 나타낸 것으로, 전자의 존재 확률이 90 %인 공간을 나타내는 경계면을 그려 오비탈을 표현한다.

기출 문제

정답과 해설 **17**쪽

079 그림은 바닥상태의 2주기 원자 A에서 원자가 전자가 들어 있는 모든 오비탈을 모형으로 나타낸 것이다.

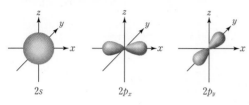

A의 원자가 전자 수는? (단, A는 임의의 원소 기호이다.)

[3점]

① 3   ② 4   ③ 5   ④ 6   ⑤ 7

080 그림은 수소 원자의 $1s$, $2s$, $2p_x$ 오비탈을 기준에 따라 분류한 것이다.

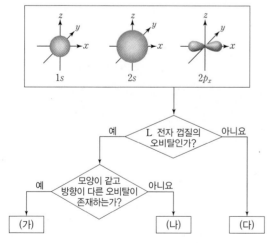

(가)~(다)에 해당하는 오비탈로 옳은 것은?

	(가)	(나)	(다)		(가)	(나)	(다)
①	$1s$	$2s$	$2p_x$	②	$1s$	$2p_x$	$2s$
③	$2s$	$2p_x$	$1s$	④	$2p_x$	$1s$	$2s$
⑤	$2p_x$	$2s$	$1s$				

081 그림은 다전자 원자의 $2s$와 $2p$ 오비탈을 모형으로 나타낸 것이다.

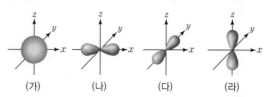

(가)~(라)에 대한 설명으로 옳은 것만을 〈보기〉에서 있는 대로 고른 것은?

─┤ 보기 ├─

ㄱ. 수용 가능한 최대 전자 수는 모두 같다.

ㄴ. 오비탈의 에너지 준위는 (가)<(나)=(다)=(라) 이다.

ㄷ. 바닥상태에서 질소($_7$N) 원자의 오비탈에 배치된 전자 수는 (가)>(나)=(다)=(라)이다.

① ㄴ   ② ㄷ   ③ ㄱ, ㄴ
④ ㄱ, ㄷ   ⑤ ㄱ, ㄴ, ㄷ

082 그림 (가)와 (나)는 각각 s 오비탈과 p 오비탈에서 에너지 준위가 가장 낮은 오비탈을 모형으로 나타낸 것이다.

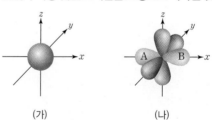

이에 대한 설명으로 옳은 것만을 〈보기〉에서 있는 대로 고른 것은?

─┤ 보기 ├─

ㄱ. (가)는 핵으로부터 거리가 같으면 방향에 관계없이 전자를 발견할 확률이 같다.

ㄴ. 전자가 (나)에 모두 채워질 경우 A와 B에는 각각 2개씩 채워진다.

ㄷ. 수소 원자에서 (가)와 (나)의 에너지 준위는 같다.

① ㄱ   ② ㄴ   ③ ㄱ, ㄷ
④ ㄴ, ㄷ   ⑤ ㄱ, ㄴ, ㄷ

기출 분석

22 유형

② 출제 의도

오비탈의 개념과 주 양자수에 따른 전자 껍질을 이해하고 있는지 묻는 문제이다.

⚠ 이렇게 대비하자!

수소 원자와 다전자 원자의 에너지 준위를 이해하고, 오비탈의 종류와 주 양자수, 에너지 준위의 관계를 파악할 수 있어야 한다.

■ **연관 기출 문제 키워드**

#에너지 준위#주 양자수#오비탈 종류

문제 분석

오비탈의 에너지 준위 결정

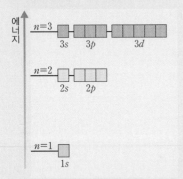

수소 원자에서 전자의 에너지 준위는 주 양자수(n)에 의해서만 결정된다. 따라서 같은 전자 껍질에 있는 오비탈의 전자는 에너지 준위가 같으며, 주 양자수가 커질수록 원자핵에서 전자가 멀어지므로 원자핵과의 인력이 약해져 에너지 준위가 높아진다.

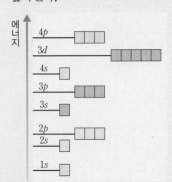

다전자 원자에서는 전자가 2개 이상 존재하기 때문에 원자핵과 전자 사이의 인력뿐만 아니라 전자 사이의 반발력도 작용한다. 따라서 다전자 원자에서 전자의 에너지는 주 양자수뿐만 아니라 오비탈의 종류에 의해서도 영향을 받는다.

그림은 임의의 원자 A의 오비탈의 에너지 준위를 나타낸 것이다.

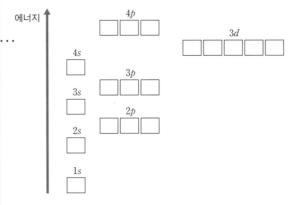

이에 대한 설명으로 옳은 것만을 〈보기〉에서 있는 대로 고른 것은? [3점]

┤ 보기 ├

ㄱ. 오비탈의 에너지 준위는 주 양자수에 의해서만 결정된다.

ㄴ. 수소 원자는 원자 A와 같은 오비탈의 에너지 준위를 가진다.

ㄷ. 오비탈의 종류가 같으면 주 양자수가 클수록 에너지 준위는 높아진다.

① ㄱ   ② ㄴ   ③ ㄷ   ④ ㄱ, ㄴ   ⑤ ㄱ, ㄷ

■ **문항별 해설**

ㄱ. 그림의 오비탈 에너지 준위는 다전자 원자의 에너지 준위이다. 다전자 원자의 에너지 준위는 주 양자수뿐만 아니라 오비탈의 종류에 따라서도 달라진다. 원자핵과 전자 사이의 전기적 인력뿐만 아니라 전자들 사이의 반발력도 작용하기 때문이다. (×)

ㄴ. 수소 원자는 전자가 1개이므로 오비탈의 에너지 준위는 전자와 원자핵 사이에 작용하는 인력의 영향만 받는다. 즉, 주 양자수가 같으면 오비탈 종류에 관계없이 에너지 준위가 같으므로 원자 A와 다른 에너지 준위를 갖는다. (×)

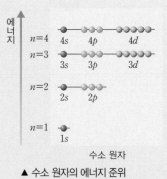

▲ 수소 원자의 에너지 준위

ㄷ. 오비탈의 종류가 같으면 주 양자수에 의해 에너지 준위가 결정된다. 주 양자수가 클수록 에너지 준위는 높아진다. (○)

답 ③

■ **오류 피하기**

⋯ 수소 원자와 다전자 원자의 오비탈 에너지 준위가 다름을 기억하자.

기출 문제

정답과 해설 **17~18**쪽

083 다음은 학생 A가 제출한 전자 배치에 대한 탐구 활동지이다.

> **오비탈의 에너지 준위와 전자 배치**
>
> ○반 ○○번 ○○○
>
> [탐구 과제]
> 바닥상태 칼륨($_{19}K$) 원자에서 전자가 들어가는 오비탈만을 에너지 준위에 따라 모두 그리고, 전자 배치의 원리를 만족하도록 전자를 배치하시오.
>
> [학생 답안]
>
>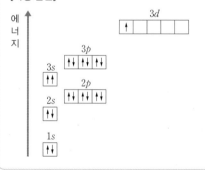

학생 A가 작성한 답안에서 수정해야 할 사항만을 〈보기〉에서 있는 대로 고른 것은?

┤ 보기 ├
ㄱ. $3d$ 오비탈 대신 $4s$ 오비탈을 그려야 한다.
ㄴ. 홀전자를 $4s$ 오비탈에 배치해야 한다.
ㄷ. $3s$ 오비탈의 두 전자는 스핀 방향을 서로 반대로 나타내야 한다.

① ㄱ   ② ㄴ   ③ ㄱ, ㄷ
④ ㄴ, ㄷ   ⑤ ㄱ, ㄴ, ㄷ

084 표는 각 전자 껍질에 수용할 수 있는 최대 전자 수를, 그림은 다전자 원자에서 오비탈의 에너지 준위를 나타낸 것이다.

전자 껍질	K	L	M
주 양자수 (n)	1	2	3
최대 수용 전자 수	2	8	18

이에 대한 설명으로 옳은 것만을 〈보기〉에서 있는 대로 고른 것은?

┤ 보기 ├
ㄱ. 한 개의 오비탈에는 전자가 최대 2개까지 들어간다.
ㄴ. $_7N$의 바닥상태 전자 배치에서 홀전자 수는 1개이다.
ㄷ. $_{20}Ca$의 원자가 전자 수는 2개이다.

① ㄱ   ② ㄴ   ③ ㄷ
④ ㄱ, ㄷ   ⑤ ㄴ, ㄷ

085 그림 (가)는 수소 원자의 주 양자수(n)에 따른 에너지 준위와 전자 전이 A, B를, (나)는 수소 원자에서 오비탈의 에너지 준위를 나타낸 것이다.

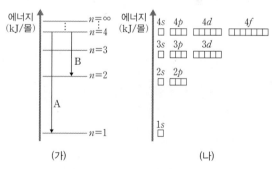

이에 대한 설명으로 옳지 <u>않은</u> 것은? (단, 수소 원자의 에너지 준위 $E_n = -\dfrac{1312}{n^2}$ kJ/mol이다.) [3점]

① 수소 원자의 에너지 준위는 불연속적이다.
② B에서 방출되는 빛은 가시광선 영역에 해당한다.
③ 방출되는 빛에너지는 A가 B의 5배이다.
④ n번째 전자 껍질에 있는 오비탈 수는 n^2이다.
⑤ 전자가 $4s$에서 $2s$로 전이될 때 방출되는 빛의 파장은 $4s$에서 $2p$로 전이될 때보다 짧다.

기출 분석

23 유형

❓ 출제 의도
오비탈에서 전자 배치를 이해하고 있는지 묻는 문제이다.

〰 이렇게 대비하자!
전자 배치 원리에 따른 바닥상태의 전자 배치를 알고 있어야 하며, 원자가 전자 수와 홀전자 수를 파악할 수 있어야 한다.

■ 연관 기출 문제 키워드

#전자 배치#원자가 전자 수#바닥상태
#홀전자 수#전자 껍질 수

문제 분석

❶ 오비탈 상자의 전자 배치

오비탈은 네모 상자로, 전자는 화살표로 나타낸다.

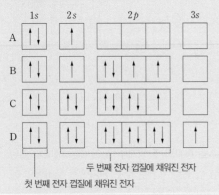

첫 번째 전자 껍질에 채워진 전자
두 번째 전자 껍질에 채워진 전자

❷ 바닥상태의 전자 배치

에너지가 가장 낮은 안정한 상태의 전자 배치로, 파울리의 배타 원리, 쌓음 원리, 훈트 규칙을 모두 만족한다.

즉, 전자는 에너지 준위가 낮은 오비탈부터 차례로 채우고, 1개의 오비탈에는 최대 2개의 전자(스핀 방향 반대)가 들어가며, 에너지 준위가 같은 오비탈에 전자가 들어갈 때는 가능한 전자가 쌍을 이루지 않게 배치되어야 한다. B는 $2s$ 오비탈에 전자 2개가 채워지지 않았으므로 쌓음 원리에 위배된다.

그림은 원자 A~D의 전자 배치를 나타낸 것이다.

	$1s$	$2s$	$2p$			$3s$
A	↑↓	↑				
B	↑↓	↑↓	↑↓		↑	
C	↑↓	↑↓	↑↓	↑	↑	
D	↑↓	↑↓	↑↓	↑↓	↑↓	↑

A~D에 대한 설명으로 옳지 **않은** 것은? (단, A~D는 임의의 원소 기호이다.) [3점]

① B의 원자가 전자 수는 4개이다.
② C는 바닥상태이다.
③ A와 D는 같은 족 원소이다.
④ B와 C에서 전자가 채워진 전자 껍질 수는 같다.
⑤ C와 D의 홀전자 수는 같다.

■ 문항별 해설

① 원자가 전자는 바닥상태 전자 배치에서 가장 바깥 전자 껍질에 있는 전자로, B의 원자가 전자 수는 5개이다. (×)
② C는 에너지 준위가 가장 낮은 $1s$ 오비탈에 전자 2개가 채워지고 다음으로 에너지 준위가 낮은 $2s$ 오비탈에 전자 2개가 채워진 후, 나머지 전자 5개가 $2p$ 오비탈에 채워졌으므로 바닥상태의 전자 배치이다. (○)
③ A의 원자가 전자가 1개, D의 원자가 전자가 1개이므로 둘 다 1족 원소이다. (○)
④ B와 C에서 전자가 채워진 껍질은 첫 번째 전자 껍질과 두 번째 전자 껍질로 같다. (○)
⑤ 홀전자는 쌍을 이루지 않는 전자로, C와 D에 쌍을 이루지 않는 전자는 각각 1개로 같다. (○)

답 ①

■ 오류 피하기

⋯⋯ 전자 껍질 수는 숫자로 구분할 수 있다. 첫 번째 전자 껍질은 $1s$, 두 번째 전자 껍질은 앞의 숫자가 2인 $2s$와 $2p$. 세 번째 전자 껍질은 앞의 숫자가 3인 $3s$, $3p$로 쉽게 구분할 수 있다.

기출 문제

정답과 해설 18~19쪽

086 그림은 학생들이 그린 붕소(B), 탄소(C), 질소(N)의 전자 배치를 순서대로 나타낸 것이다.

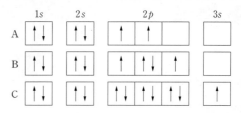

	$1s$	$2s$	$2p_x$	$2p_y$	$2p_z$
(가)	↑↓	↑↓			↑
(나)	↑↓	↑↓	↑		↑
(다)	↑↓	↑↑	↑		

이에 대한 설명으로 옳은 것만을 〈보기〉에서 있는 대로 고른 것은?

보기

ㄱ. (가)는 쌓음 원리를 만족한다.
ㄴ. (나)는 훈트 규칙을 만족한다.
ㄷ. (다)는 파울리 배타 원리를 만족한다.

① ㄱ   ② ㄴ   ③ ㄷ
④ ㄱ, ㄴ   ⑤ ㄱ, ㄷ

087 다음은 수소 원자의 전자 배치이다.

	$1s$	$2s$	$2p_x$	$2p_y$	$2p_z$
					↑

이에 대한 설명으로 옳은 것만을 〈보기〉에서 있는 대로 고른 것은?

보기

ㄱ. 들뜬상태의 전자 배치이다.
ㄴ. $1s$ 오비탈로 전자가 전이될 때 가시광선 영역의 빛이 방출된다.
ㄷ. $2p_z$ 오비탈은 원자핵으로부터의 거리가 같으면 방향에 관계 없이 전자가 발견될 확률이 같다.

① ㄱ   ② ㄴ   ③ ㄷ
④ ㄱ, ㄴ   ⑤ ㄴ, ㄷ

088 그림은 원자 A~C의 전자 배치를 나타낸 것이다.

	$1s$	$2s$	$2p$	$3s$
A	↑↓	↑↓	↑ ↑	
B	↑↓	↑↓	↑ ↑↓ ↑	
C	↑↓	↑↓	↑↓ ↑↓ ↑↓	↑

이에 대한 설명으로 옳은 것은? (단, A~C는 임의의 원소 기호이다.)

① A는 원자가 전자 수가 2개이다.
② B는 바닥상태이다.
③ C는 전자가 채워진 전자 껍질 수가 4개이다.
④ 원자 반지름은 A가 B보다 작다.
⑤ 홀전자 수는 C가 A보다 많다.

089 그림은 질소 원자의 전자를 임의로 배치한 것이다.

	$1s$	$2s$	$2p$
A	↑↓	↑↓	↑ ↑ ↑
B	↑↓	↑↓	↑ ↑ ↑
C	↑↓	↑↓	↓ ↓ ↓
D	↑↓	↑↓	↑ ↑ ↑↓

이에 대한 설명으로 옳은 것은?

① 바닥상태의 전자 배치는 2가지이다.
② A에서 C로 될 때 에너지를 방출한다.
③ 훈트 규칙에 어긋나는 전자 배치는 B이다.
④ 파울리 배타 원리에 어긋나는 전자 배치는 D이다.
⑤ 에너지 변화량은 A에서 C로 변할 때와 A에서 D로 변할 때가 서로 같다.

기출 분석

24 유형

? 출제 의도

원자와 이온의 바닥상태와 들뜬상태에서 전자 배치를 이해하고 있는지 묻는 문제이다.

이렇게 대비하자!

오비탈과 오비탈에 배치된 전자 수를 통해 중성 원자의 전자 배치와 원소의 종류를 파악할 수 있어야 한다.

■ **연관 기출 문제 키워드**

#이온의 바닥상태 전자 배치#원자 번호
#원자가 전자 수#주 양자수

문제 분석

❶ 이온의 바닥상태 전자 배치

이온은 중성 원자가 전자를 잃거나 얻어서 형성된 것이다.

중성 원자 Y는 현재 전자 개수에서 2개를 빼야 한다. ──→ 전자 2개

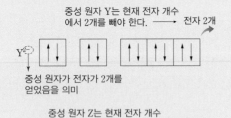

중성 원자가 전자를 2개를 얻었음을 의미

중성 원자 Z는 현재 전자 개수에서 1개를 더해야 한다. ──→ 전자 1개

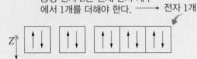

중성 원자가 전자가 1개를 잃었음을 의미

❷ 중성 원자 Y와 Z의 전자 배치

중성 원자 Y, Z의 전자 배치는 다음과 같다.

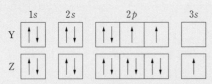

전자 배치에서 오비탈을 $2s$, $2p$ 등으로 나타낼 때 앞의 숫자 1, 2, 3, … 등은 주 양자수, 즉 몇 번째 전자 껍질인지를 나타내며, s, p 등의 기호는 오비탈의 모양을 나타낸다.

그림은 원자 X와 이온 Y^{2-}, Z^+의 바닥상태 전자 배치를 나타낸 것이다.

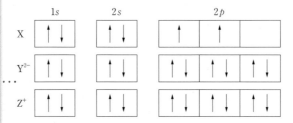

이에 대한 설명으로 옳은 것만을 〈보기〉에서 있는 대로 고른 것은? (단, X~Z는 임의의 원소 기호이다.)

┤ 보기 ├

ㄱ. X의 원자가 전자 수는 2이다.

ㄴ. Y의 원자 번호는 8이다.

ㄷ. 원자가 전자가 들어 있는 오비탈의 주 양자수는 Y와 Z가 같다.

① ㄱ   ② ㄴ   ③ ㄷ   ④ ㄱ, ㄴ   ⑤ ㄴ, ㄷ

■ **문항별 해설**

ㄱ. X는 전자 수가 6개이다. 두 번째 전자 껍질에 전자가 4개 들어 있으므로 원자가 전자 수는 4이다. (×)

ㄴ. Y^{2-}은 전자 수가 10이며, 이것은 Y가 전자 2개를 얻어서 형성된 것이다. 따라서 Y의 전자 수는 8이므로 Y는 원자 번호 8인 O이다. (○)

ㄷ. 주 양자수는 오비탈의 에너지와 크기를 결정하는 양자수로, 보어 원자 모형에서 전자 껍질을 나타낸다. Y의 원자가 전자가 들어 있는 오비탈의 주 양자수는 2이다. Z^+은 Z가 전자 1개를 잃어서 형성된 것이다. 따라서 Z의 전자 수는 11이므로 Z는 원자 번호 11인 Na이다. 따라서 Z의 원자가 전자가 들어 있는 오비탈의 주 양자수는 3이다. (×)

답 ②

■ **오류 피하기**

⋯ 오비탈 상자 모형에 전자 한 개만 채워진 것을 원자가 전자로 판단하지 말자. 원자가 전자는 홀전자로 판단하는 것이 아니라 주 양자수로 판단해야 한다. 주 양자수가 가장 큰 전자 껍질, 즉 가장 바깥 전자 껍질에 있는 전자를 원자가 전자라고 한다.

기출 문제

정답과 해설 **19**쪽

090 표는 임의의 원소 A~C의 원자 또는 이온의 전자 배치이다.

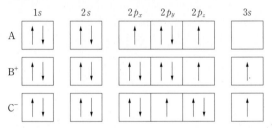

이에 대한 설명으로 옳은 것만을 〈보기〉에서 있는 대로 고른 것은?

| 보기 |
ㄱ. 쌓음 원리를 만족하는 전자 배치는 1가지이다.
ㄴ. A의 원자가 전자 수는 4개이다.
ㄷ. B와 C는 같은 주기의 원소이다.

① ㄱ   ② ㄴ   ③ ㄱ, ㄴ
④ ㄱ, ㄷ   ⑤ ㄴ, ㄷ

091 다음은 원자 A와 B, 이온 C⁻의 전자 배치를 나타낸 것이다.

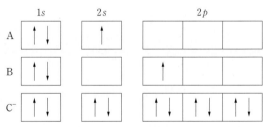

원자 A~C에 대한 설명으로 옳은 것만을 〈보기〉에서 있는 대로 고른 것은? (단, A~C는 임의의 원소 기호이다.)

| 보기 |
ㄱ. A와 B는 같은 원소이다.
ㄴ. C의 원자가 전자는 6개이다.
ㄷ. 바닥상태에서 전자 껍질 수는 C > B 이다.

① ㄱ   ② ㄷ   ③ ㄱ, ㄴ
④ ㄴ, ㄷ   ⑤ ㄱ, ㄴ, ㄷ

092 그림은 전자 수가 같은 3가지 이온 A^{2-}, B^{-}, C^{+}의 전자 배치를 나타낸 것이다.

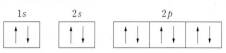

바닥상태의 원자 A~C에 대한 설명으로 옳은 것만을 〈보기〉에서 있는 대로 고른 것은? (단, A~C는 임의의 원소 기호이다.)

| 보기 |
ㄱ. 2주기 원소는 1개이다.
ㄴ. 원자 번호는 C가 가장 크다.
ㄷ. 전자가 들어 있는 오비탈의 수는 모두 같다.

① ㄱ   ② ㄴ   ③ ㄷ   ④ ㄱ, ㄷ ⑤ ㄴ, ㄷ

093 그림은 원자 X, Y의 전자 배치를 나타낸 것이다.

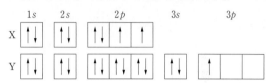

X, Y가 안정한 이온으로 될 때, 공통적으로 감소하는 것만을 〈보기〉에서 있는 대로 고른 것은? (단, X, Y는 임의의 원소 기호이다.)

| 보기 |
ㄱ. 반지름   ㄴ. 홀전자 수   ㄷ. 전자 껍질 수

① ㄱ   ② ㄴ   ③ ㄷ
④ ㄱ, ㄴ   ⑤ ㄴ, ㄷ

094 그림 (가)~(다)는 $_9F$, $_9F^{+}$, $_9F^{2+}$의 전자 배치를 나타낸 것이다.

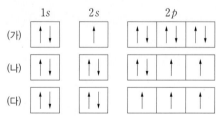

이에 대한 설명으로 옳은 것만을 〈보기〉에서 있는 대로 고른 것은?

| 보기 |
ㄱ. (가)는 바닥상태 전자 배치이다.
ㄴ. (나)에서 (다)로 될 때 에너지가 방출된다.
ㄷ. (다)는 훈트 규칙을 만족하는 전자 배치이다.

① ㄴ   ② ㄷ   ③ ㄱ, ㄴ ④ ㄱ, ㄷ ⑤ ㄴ, ㄷ

기출 분석

25 유형

? 출제 의도
주기율표에서 원자 반지름, 전기 음성도, 전자 배치 등 원소의 주기적 성질을 이해하는지 물어보는 문제이다.

◎ 이렇게 대비하자!
주기율표에서 원자 반지름, 족과 주기, 전자 배치 등의 조건을 통하여 종류와 성질을 알아낼 수 있어야 한다.

■ 연관 기출 문제 키워드

#주기율표#원자 반지름#홀전자 수
#바닥상태#전기 음성도

문제 분석

❶ 원자 반지름의 크기

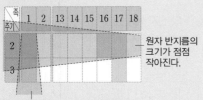

원자 반지름의 크기가 점점 작아진다.

원자 반지름의 크기가 점점 커진다

같은 주기에서는 원자 번호가 작을수록, 같은 족에서는 원자 번호가 클수록 원자 반지름이 크다.

❷ 홀전자 수

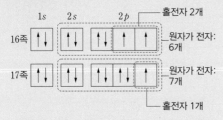

홀전자 2개
원자가 전자: 6개

원자가 전자: 7개
홀전자 1개

홀전자는 쌍을 이루지 않는 전자로, 바닥상태의 홀전자 수는 16족이 2개, 17족이 1개이다.

❸ 전기 음성도

전기 음성도가 점점 커진다.

전기 음성도가 점점 커진다

공유 결합으로 생성된 분자에서 원자들이 공유 전자쌍을 끌어당기는 정도를 상대적으로 나타낸 값을 전기 음성도라고 한다.

다음은 주기율표의 빗금 친 부분에 위치하는 원소 A~E에 대한 자료이다.

족 주기	1	2	13	14	15	16	17	18
2	▨					▨		
3	▨						▨	

- A의 원자 반지름이 가장 크다.
- A와 B는 같은 족 원소이고, B와 C는 같은 주기 원소이다.
- 바닥상태 원자의 홀전자 수는 D가 E보다 크다.

A~E에 대한 설명으로 옳은 것만을 〈보기〉에서 있는 대로 고른 것은? (단, A~E는 임의의 원소 기호이다.) [3점]

〈보기〉
ㄱ. E는 17족 원소이다.
ㄴ. B와 D는 같은 주기 원소이다.
ㄷ. 전기 음성도는 C가 가장 크다.

① ㄱ   ② ㄴ   ③ ㄱ, ㄷ   ④ ㄴ, ㄷ   ⑤ ㄱ, ㄴ, ㄷ

■ 문항별 해설

원자 반지름은 주기가 클수록, 족이 작을수록 크므로 제시된 자료에서 3주기 1족 원소가 가장 크고, 이 원소가 A이다.

A와 B는 같은 족 원소이므로 B는 2주기 1족 원소이다. B와 C는 같은 주기 원소이므로 C는 2주기 원소이다.

바닥상태 원자의 홀전자 수는 D가 E보다 크므로 D는 16족, E는 17족이다. 따라서 C는 2주기 17족, E는 3주기 17족이다.

ㄱ. E는 17족 원소이다. (○)

ㄴ. B와 D는 모두 2주기 원소이다. (○)

ㄷ. 전기 음성도는 주기율표의 오른쪽 위로 갈수록 증가하며, 왼쪽 아래로 갈수록 감소하는 경향성을 가진다. 따라서 C는 2주기 17족 원소이므로 전기 음성도가 가장 크다. (○)

답 ⑤

기출 문제

정답과 해설 **19~20**쪽

095 그림은 주기율표의 일부를 나타낸 것이다.

족 주기	1	2	13	14	15	16	17	18
1								
2	A	B				C		
3	D					E		

원소 A~E에 대한 설명으로 옳지 **않은** 것은? (단, A~E는 임의의 원소 기호이다.)

① A는 금속 원소이다.

② 원자 B의 양성자수는 2개이다.

③ 원자가 전자 수는 C가 가장 많다.

④ 원자 반지름은 D가 A보다 크다.

⑤ 안정한 이온 반지름은 E가 D보다 크다.

096 다음은 주기율표의 (가)~(라) 중 하나에 해당하는 원소 A~D에 대한 설명이다.

족 주기	1	2	13	14	15	16	17	18
2					(가)		(나)	
3	(다)							
4	(라)							

- 바닥상태에서 전자 껍질 수는 A>D이다.
- 이온화 에너지는 B가 가장 작다.
- A와 C의 이온이 옥텟 규칙을 만족할 때 두 이온의 전하의 합은 0이다.

이에 대한 설명으로 옳은 것만을 〈보기〉에서 있는 대로 고른 것은? (단, A~D는 임의의 원소이다.) [3점]

┤ 보기 ├

ㄱ. 원자 반지름은 B>A이다.

ㄴ. 전기 음성도는 C>B이다.

ㄷ. 원자가 전자가 느끼는 유효 핵전하는 D>C이다.

① ㄱ ② ㄷ ③ ㄱ, ㄴ ④ ㄴ, ㄷ ⑤ ㄱ, ㄴ, ㄷ

097 다음은 빗금 친 부분에 해당하는 원소 A~C에 대한 자료이다

- 금속 원소는 1가지이다.
- A와 B는 같은 주기이다.
- 원자 반지름은 A>B>C이다.

족 주기	1	2	13	14	15	16	17	18
2	▨					▨		
3		▨			▨			

이에 대한 설명으로 옳은 것만을 〈보기〉에서 있는 대로 고른 것은? (단, A~C는 임의의 원소 기호이고, 이온은 안정한 상태이며 18족 원소의 전자 배치를 갖는다.) [3점]

┤ 보기 ├

ㄱ. 원자가 전자가 느끼는 유효 핵전하는 A>B이다.

ㄴ. 전기 음성도는 A>C이다.

ㄷ. 이온 반지름은 A<C<B이다.

① ㄱ   ② ㄷ   ③ ㄱ, ㄴ

④ ㄴ, ㄷ   ⑤ ㄱ, ㄴ, ㄷ

098 다음은 주기율표의 일부와 원소 X~Z에 대한 자료이다. 원소 X, Y, Z는 순서대로 주기율표의 (가), (나), (다) 영역에 속한다.

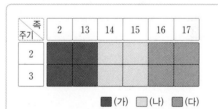

족 주기	2	13	14	15	16	17
2	(가)	(다)	(나)	(다)	(다)	(다)
3	(가)	(다)	(나)	(나)	(다)	(다)

■(가) □(나) ▨(다)

- 원자 번호는 X>Z>Y이다.
- 제1 이온화 에너지는 Y>Z이다.
- (가) 영역의 원소 중 원자 반지름은 X가 가장 크다.

X~Z에 대한 설명으로 옳은 것만을 〈보기〉에서 있는 대로 고른 것은? (단, X~Z는 임의의 원소 기호이다.) [3점]

┤ 보기 ├

ㄱ. X는 3주기 2족 원소이다.

ㄴ. 바닥상태의 홀전자 수는 Y와 Z가 같다.

ㄷ. Ne의 전자 배치를 갖는 이온의 반지름은 X>Z이다.

① ㄱ   ② ㄴ   ③ ㄱ, ㄴ

④ ㄱ, ㄷ   ⑤ ㄴ, ㄷ

기출 분석

❓ 출제 의도

원자가 양이온이 될 때와 음이온이 될 때를 구분하여 이온 반지름을 비교할 수 있는지 묻는 문제이다.

🌀 이렇게 대비하자!

원소와 주기에 따른 이온 반지름의 경향성을 이해하고, 원소들의 주기적 특성을 알아야 한다.

■ 연관 기출 문제 키워드

#이온 반지름#등전자 이온#유효 핵전하

문제 분석

등전자 이온의 원자 반지름과 이온 반지름

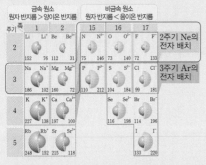

N, O, F, Na, Mg이 안정한 이온이 되면 Ne과 전자 배치가 같아진다.

같은 주기에서 금속 양이온은 원자 번호가 커질수록 유효 핵전하가 증가하므로 이온 반지름이 작아지며, 같은 족에서는 원자 번호가 커질수록 전자 껍질 수가 증가하므로 이온 반지름도 커진다. 이러한 경향은 음이온도 마찬가지이다.

 배경 지식

등전자 이온

전자 수가 같은 이온으로, 동일한 수의 전자를 가진 비활성 기체와 전자 배치가 같다. ➡ 2주기 비금속 원소의 음이온과 3주기 금속 원소의 양이온, 3주기 비금속 원소의 음이온과 4주기 금속 원소의 양이온은 등전자 이온이다. 예 O^{2-}, F^-, Na^+, Mg^{2+}은 2주기 Ne의 전자 배치와 같은 등전자 이온이고, S^{2-}, Cl^-, K^+, Ca^{2+}은 3주기 Ar과 같은 전자 배치로 등전자 이온이다.

그림은 원소 A~D가 Ne과 같은 전자 배치를 갖는 이온이 되었을 때의 이온 반지름을 나타낸 것이다. A~D는 각각 O, F, Na, Mg 중 하나이다.

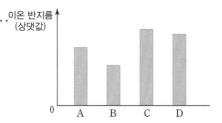

이에 대한 설명으로 옳은 것만을 〈보기〉에서 있는 대로 고른 것은? [3점]

┌ 보기 ┐

ㄱ. C는 Na이다.

ㄴ. 원자가 전자가 느끼는 유효 핵전하는 B>A이다.

ㄷ. C와 D는 같은 주기 원소이다.

① ㄱ　　　　② ㄴ　　　　③ ㄷ　　　　④ ㄱ, ㄴ　　　　⑤ ㄴ, ㄷ

■ 문항별 해설

Ne과 같은 전자 배치를 갖는 이온(등전자 이온)은 전자 껍질 수와 전자 수가 같으므로 가려막기 효과의 크기가 같다. 따라서 핵전하가 클수록 유효 핵전하가 증가하므로 등전자 이온은 원자 번호가 커질수록 이온 반지름이 작아진다. 따라서 이온 반지름은 $Mg^{2+}<Na^+<F^-<O^{2-}$이므로 A는 Na, B는 Mg, C는 O, D는 F이다.

ㄱ. C는 O이다. (×)

ㄴ. 같은 주기에서 원자 번호가 클수록 원자가 전자가 느끼는 유효 핵전하가 증가한다. B(Mg)의 원자 번호는 12로 A(Na)의 원자 번호 11보다 크므로 원자가 전자의 유효 핵전하는 B(Mg)가 A(Na)보다 크다. (○)

ㄷ. C(O)와 D(F)는 모두 2주기 원소이다. (○)

답 ⑤

■ 오류 피하기

• 원자가 양이온이 될 때: 전자 껍질 수 감소 → 반지름 감소

• 원자가 음이온이 될 때: 전자 수 증가(전자 껍질 수는 변하지 않음) → 전자 사이의 반발력 증가 → 반지름 증가

기출 문제

정답과 해설 20~21쪽

099 그림은 임의의 원소 A~D의 이온 반지름을 나타낸 것이다. A~D는 각각 O, F, Na, Mg 중 하나이다. 이에 대한 설명으로 옳은 것만을 〈보기〉에서 있는 대로 고른 것은? (단, A~D 이온의 전자 배치는 Ne의 바닥상태와 같다.)

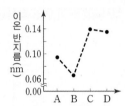

┤ 보기 ├
ㄱ. D는 Mg이다.
ㄴ. 원자 반지름은 A가 B보다 크다.
ㄷ. 녹는점은 화합물 BC가 AD보다 높다.

① ㄱ   ② ㄴ   ③ ㄱ, ㄷ
④ ㄴ, ㄷ   ⑤ ㄱ, ㄴ, ㄷ

100 그림은 원자 A~D의 이온 반지름을 나타낸 것이다. A~D의 이온은 모두 Ne의 전자 배치를 가지며, 원자 번호는 각각 8, 9, 11, 12 중 하나이다.

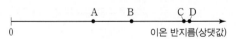

이에 대한 설명으로 옳은 것만을 〈보기〉에서 있는 대로 고른 것은?

┤ 보기 ├
ㄱ. 전기 음성도는 B가 가장 작다.
ㄴ. 원자가 전자가 느끼는 유효 핵전하는 D가 C보다 크다.
ㄷ. A와 C는 1 : 1로 결합하여 안정한 화합물을 형성한다.

① ㄱ   ② ㄴ   ③ ㄱ, ㄷ
④ ㄴ, ㄷ   ⑤ ㄱ, ㄴ, ㄷ

101 그림은 2, 3주기 원소 A~C의 이온 반지름을 나타낸 것이다. 이온의 전자 배치는 모두 네온(Ne)과 같고, A와 C로 이루어진 이온 결합 화합물은 A_2C이다.

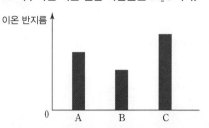

A~C에 대한 옳은 설명만을 〈보기〉에서 있는 대로 고른 것은? (단, A~C는 임의의 원소 기호이다.) [3점]

┤ 보기 ├
ㄱ. 원자 반지름은 B가 가장 크다.
ㄴ. 전기 음성도는 C가 가장 크다.
ㄷ. $\dfrac{\text{제2 이온화 에너지}}{\text{제1 이온화 에너지}}$ 는 A가 가장 크다

① ㄱ   ② ㄴ   ③ ㄱ, ㄷ
④ ㄴ, ㄷ   ⑤ ㄱ, ㄴ, ㄷ

102 그림은 원소 A~D가 각각 Ar과 같은 전자 배치를 갖는 이온이 될 때의 반지름을 나타낸 것이다. A~D는 각각 S, Cl, K, Ca 중 하나이다.

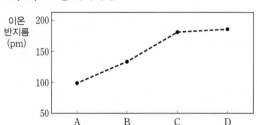

원소 A~D에 대한 설명으로 옳은 것만을 〈보기〉에서 있는 대로 고른 것은? [3점]

┤ 보기 ├
ㄱ. 원자가 전자의 유효 핵전하는 A가 B보다 크다.
ㄴ. 원자가 전자 수는 B가 C보다 많다.
ㄷ. 전기 음성도는 C가 D보다 크다.

① ㄱ   ② ㄴ   ③ ㄱ, ㄴ
④ ㄱ, ㄷ   ⑤ ㄴ, ㄷ

기출 분석

27 유형

❓ 출제 의도
이온 반지름과 원자 반지름의 그래프를 분석하여 이온 반지름과 원자 반지름의 특징을 비교할 수 있는지 묻는 문제이다.

🐛 이렇게 대비하자!
주기율표에서 원소의 족과 주기에 따른 원자 반지름, 이온 반지름의 경향을 파악하고 있어야 하며, 원소들의 특성을 이해하고 있어야 한다.

■ 연관 기출 문제 키워드

#원자 반지름 #이온 반지름 #핵전하량
#이온화 에너지

문제 분석

O, F, Na, Mg 이온은 등전자 이온이다. 등전자 이온의 원자 반지름과 이온 반지름의 그래프는 자주 나오므로 네 원소의 이온 반지름, 원자 반지름을 잘 기억해 두자.

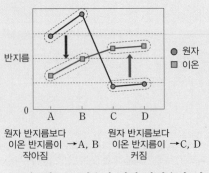

원자 반지름보다
이온 반지름이 → A, B
작아짐

원자 반지름보다
이온 반지름이 → C, D
커짐

- 금속 원소는 이온이 되면 양이온이 되며, 이온 반지름이 원자 반지름보다 작아진다. ➡ Na과 Mg

- 비금속 원소는 이온이 되면 음이온이 되며, 이온 반지름이 원자 반지름보다 커진다. ➡ O와 F

🧑 배경 지식

이온 결합 물질의 녹는점

이온 결합 물질은 음이온과 양이온이 정전기적 인력으로 결합한 것이다. 따라서 이온 사이의 거리가 짧을수록, 이온의 전하량이 클수록 정전기적 인력(쿨롱 힘)이 강해지고, 정전기적 인력이 클수록 녹는점이 높다. 즉, 이온 결합 물질을 구성하는 이온의 전하량이 클수록, 이온 반지름이 작을수록 녹는점이 높아진다.

그림은 원소 A~D의 원자 반지름과 이온 반지름을 나타낸 것이다. A~D는 각각 O, F, Na, Mg 중 하나이다.

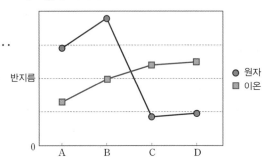

A~D에 대한 설명으로 옳은 것만을 〈보기〉에서 있는 대로 고른 것은? (단, A~D 이온의 전자 배치는 네온의 바닥상태와 같다.) [3점]

〈보기〉
ㄱ. A와 B의 이온 반지름이 다른 것은 핵전하량의 차이 때문이다.
ㄴ. 제1 이온화 에너지는 C가 D보다 크다.
ㄷ. 녹는점은 화합물 BC가 AD보다 높다.

① ㄱ ② ㄷ ③ ㄱ, ㄴ ④ ㄴ, ㄷ ⑤ ㄱ, ㄴ, ㄷ

■ 문항별 해설

4가지 원소 O, F, Na, Mg은 이온이 되면 네온과 같은 전자 배치를 갖는 등전자 이온이다. Na과 Mg은 금속 원소로, 이온이 되면 전자를 잃어 전자 껍질 수가 줄어들어 이온 반지름이 원자 반지름보다 작아진다. 같은 주기에서 이온 반지름은 원자 번호가 클수록 감소하므로 A는 Mg, B는 Na, C는 F, D는 O이다.

ㄱ. Na과 Mg은 같은 주기 원소로 전자 껍질 수는 같지만, Mg의 원자 번호가 크기 때문에 핵전하량이 Na보다 크다. 따라서 Mg은 전자를 안쪽으로 당기는 효과가 크기 때문에 원자 반지름과 이온 반지름이 Na보다 더 작다. (○)

ㄴ. C(F)와 D(O)는 같은 2주기 원소이고, C(F)는 D(O)보다 원자 번호가 크고 원자 반지름이 작기 때문에 원자가 전자를 떼어낼 때 필요한 이온화 에너지가 더 크다. (○)

ㄷ. 화합물 BC는 NaF, AD는 MgO이다. BC를 이루는 이온의 전하량은 각각 +1, -1이고, AD를 이루는 이온의 전하량은 각각 +2, -2이다. 녹는점은 이온 전하량이 큰 화합물인 AD가 BC보다 더 높다. (×)

답 ③

기출 문제

정답과 해설 22쪽

103 그림은 몇 가지 원소들의 원자 반지름과 안정한 이온의 반지름 크기를 나타낸 것이다.

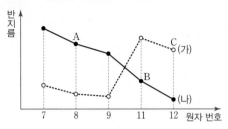

이에 대한 옳은 설명만을 〈보기〉에서 있는 대로 고른 것은? (단, A~C는 원자나 이온을 나타낸 기호이다.)

┤ 보기 ├
ㄱ. (가)는 이온 반지름, (나)는 원자 반지름이다.
ㄴ. A와 B로 이루어진 화합물의 화학식은 B_2A이다.
ㄷ. A와 C의 전자 껍질 수는 같다.

① ㄱ   ② ㄴ   ③ ㄱ, ㄴ   ④ ㄱ, ㄷ   ⑤ ㄴ, ㄷ

104 그림은 2주기 임의의 원소 A~D의 전기 음성도와 원자 반지름 및 이온 반지름을 나타낸 것이다. A~D는 각각 Be, F, N, O 중 하나이다.

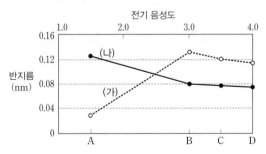

이에 대한 설명으로 옳은 것만을 〈보기〉에서 있는 대로 고른 것은? [3점]

┤ 보기 ├
ㄱ. 원자 반지름은 (가)이다.
ㄴ. 제1 이온화 에너지는 A가 B보다 크다.
ㄷ. 공유 전자쌍은 B_2가 C_2보다 많다.

① ㄴ   ② ㄷ   ③ ㄱ, ㄴ   ④ ㄱ, ㄷ   ⑤ ㄴ, ㄷ

105 그림 (가)는 2, 3주기 원소 A~C의 원자 반지름을, (나)는 A~C가 이온화되어 네온(Ne)의 전자 배치를 갖는 이온 ㉠~㉢이 되었을 때의 이온 반지름을 크기 순으로 나타낸 것이다.

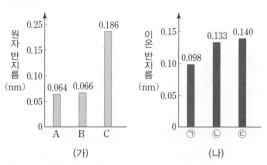

이에 대한 설명으로 옳은 것만을 〈보기〉에서 있는 대로 고른 것은? (단, A~C는 임의의 원소 기호이다.)

┤ 보기 ├
ㄱ. (가)에서 2주기 원소는 2개이다.
ㄴ. B 원자의 이온은 ㉡이다.
ㄷ. 양성자수는 ㉠이 ㉢보다 크다.

① ㄴ   ② ㄷ   ③ ㄱ, ㄴ
④ ㄱ, ㄷ   ⑤ ㄱ, ㄴ, ㄷ

106 그림은 원소 A~D의 상대적인 원자 반지름과 이온 반지름을 나타낸 것이다. 이온의 전자 배치는 모두 네온 원자와 같다.

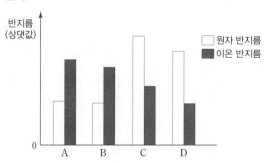

A~D에 대한 옳은 설명만을 〈보기〉에서 있는 대로 고른 것은? (단, A ~ D는 임의의 원소 기호이다.) [3점]

┤ 보기 ├
ㄱ. A와 B는 금속 원소이다.
ㄴ. B와 C는 같은 주기 원소이다.
ㄷ. 원자 번호가 가장 큰 것은 D이다.

① ㄱ   ② ㄷ   ③ ㄱ, ㄴ
④ ㄴ, ㄷ   ⑤ ㄱ, ㄴ, ㄷ

기출 분석

28 유형

❓ 출제 의도

순차 이온화 에너지 표를 분석하여 원자가 전자, 주기와 족을 파악할 수 있는지 물어보는 문제이다.

🤟 이렇게 대비하자!

순차 이온화 에너지를 비교하여 원자가 전자 수를 예상하고, 족과 각 원소들의 성질을 알아낼 수 있어야 한다.

■ 연관 기출 문제 키워드

#이온화 에너지 #원자가 전자 수
#전기 음성도

문제 분석

❶ 순차 이온화 에너지 표 분석

원소	순차 이온화 에너지(E_n, 10^3 kJ/몰)			
	E_1	E_2	E_3	E_4
A	0.58	1.82	2.74	≪11.58
B	0.74	1.45	≪7.73	10.54
C	0.80	2.43	3.66	≪25.03

- 에너지 차이가 가장 크게 나는 부분을 표시하자.
- 표시된 왼쪽 편의 숫자가 해당 원소의 족이다.

   ⟮예⟯ E_2 → 2족, E_3 → 13족

❷ 전기 음성도

전기 음성도는 주기율표의 오른쪽 위로 갈수록 증가하며, 왼쪽 아래로 갈수록 감소하는 경향성을 가진다

전기 음성도 증가 →

↓ 전기 음성도 증가

전기 음성도의 크기를 쉽게 비교하려면 주기율표 안에 원소를 대입해 본다.

전기 음성도 증가 →

족 \ 주기	2	13
2		C
3	B	A

↓ 전기 음성도 감소

표는 2, 3주기 원소 A~C의 순차 이온화 에너지(E_n)를 나타낸 것이다.

원소	순차 이온화 에너지(E_n, 10^3 kJ/몰)			
	E_1	E_2	E_3	E_4
A	0.58	1.82	2.74	11.58
B	0.74	1.45	7.73	10.54
C	0.80	2.43	3.66	25.03

A~C에 대한 옳은 설명만을 〈보기〉에서 있는 대로 고른 것은? (단, A~C는 임의의 원소 기호이다.) [3점]

⎯┤ 보기 ├⎯

ㄱ. B는 원자가 전자 수가 2이다.

ㄴ. A와 B는 같은 주기 원소이다.

ㄷ. 전기 음성도는 C가 A보다 크다.

① ㄱ   ② ㄴ   ③ ㄱ, ㄷ   ④ ㄴ, ㄷ   ⑤ ㄱ, ㄴ, ㄷ

■ 문항별 해설

ㄱ. A는 제4 이온화 에너지가 급격히 증가하였으며, B는 제3 이온화 에너지, C는 제4 이온화 에너지가 급격히 증가하였으므로 A, B, C의 족은 각각 13, 2, 13족이다. B는 2족이므로 원자가 전자 수가 2이다. (○)

ㄴ. A~C는 2, 3주기의 원소이므로 A와 C는 같은 13족으로 주기만 다르다. 같은 족에서는 전자 껍질 수가 증가하면 핵과 전자 사이의 인력이 감소하므로 이온화 에너지는 감소한다. 따라서 A의 이온화 에너지가 C의 이온화 에너지보다 작기 때문에 A는 3주기, C는 2주기이다. 또한 같은 주기에서는 원자 번호가 증가할수록 유효 핵전하가 증가하므로 핵과 전자 사이의 인력이 증가하여 이온화 에너지는 대체로 증가하지만 2족과 13족을 비교하면 이온화 에너지는 2족>13족이다. 따라서 B의 이온화 에너지가 A보다 크고 C보다 작으므로 B는 3주기 2족 원소이다. 따라서 A는 3주기 13족, B는 3주기 2족, C는 2주기 13족 원소이다. (○)

ㄷ. 전기 음성도는 같은 족에서는 원자 번호가 클수록 원자핵과 전자 사이의 인력이 감소하므로 작아지고, 같은 주기에서는 원자 번호가 클수록 원자핵과 전자 사이의 인력이 증가하므로 커진다. 따라서 전기 음성도의 크기는 A<C이다. (○)

답 ⑤

기출 문제

정답과 해설 22~23쪽

107 표는 3주기 원소 A~C의 제1 이온화 에너지에 대한 순차 이온화 에너지 비율 $\left(\dfrac{E_n}{E_1}\right)$ 을 나타낸 것이다.

구분	$\dfrac{E_2}{E_1}$	$\dfrac{E_3}{E_1}$	$\dfrac{E_4}{E_1}$	$\dfrac{E_5}{E_1}$	$\dfrac{E_6}{E_1}$	$\dfrac{E_7}{E_1}$
원소 A	2.0	10.4	14.2	18.4	24.3	29.3
원소 B	2.3	3.4	4.6	7.0	8.5	27.1
원소 C	1.3	2.7	4.7	5.9	20.1	24.0

A~C에 대한 설명으로 옳은 것만을 〈보기〉에서 있는 대로 고른 것은? (단, A~C는 임의의 원소 기호이다.)

┤ 보기 ├

ㄱ. 원자 반지름은 C가 B보다 크다.

ㄴ. 제1 이온화 에너지는 A<B<C이다.

ㄷ. 바닥상태 원자의 홀전자 수는 C가 가장 많다.

① ㄱ   ② ㄴ   ③ ㄱ, ㄷ

④ ㄴ, ㄷ   ⑤ ㄱ, ㄴ, ㄷ

108 표는 3주기 원소 A의 순차 이온화 에너지(E_n)를 나타낸 것이다.

순차 이온화 에너지(E_n, kJ/mol)							
E_1	E_2	E_3	E_4	E_5	E_6	E_7	E_8
1012	1900	2910	4960	6270	22200	25430	29870

다음 중 바닥상태 A에서 원자가 전자의 배치로 옳은 것은? (단, A는 임의의 원소 기호이다.)

① 3s [↑↓]   3p_x 3p_y 3p_z [ ][ ][ ]

② [ ]   [↑][↑][↑]

③ [↑↓]   [↑][↑][ ]

④ [↑↓]   [↑↑][ ][ ]

⑤ [ ]   [↑↓][↑↓][↑]

109 표는 몇 가지 원소의 순차 이온화 에너지의 일부를 나타낸 것이다.

	Ne	Na	Mg	Al
E_n(kJ/mol)	3950	4560	1450	1820
E_{n+1}(kJ/mol)	6120	6910	7730	(가)
E_{n+2}(kJ/mol)	9370	9540	10540	11580

이에 대한 설명으로 옳은 것만을 〈보기〉에서 있는 대로 고른 은? (단, E_n은 제n 이온화 에너지이다.) [3점]

┤ 보기 ├

ㄱ. n은 2이다.

ㄴ. (가)는 7730보다 작다.

ㄷ. Ne, Na, Mg, Al 중 $\dfrac{E_n}{E_{n-1}}$ 이 가장 큰 원소는 Na이다.

① ㄱ   ② ㄴ   ③ ㄱ, ㄷ

④ ㄴ, ㄷ   ⑤ ㄱ, ㄴ, ㄷ

110 표는 원소 A, B의 순차 이온화 에너지를 나타낸 것이다. A, B는 2, 3주기 원소 중 하나이다.

원소	순차 이온화 에너지($\times 10^3$ kJ/몰)			
	E_1	E_2	E_3	E_4
A	0.74	1.45	7.73	10.54
B	0.80	2.42	3.66	25.02

이에 대한 옳은 설명만을 〈보기〉에서 있는 대로 고른 것은? (단, A, B는 임의의 원소 기호이다.) [3점]

┤ 보기 ├

ㄱ. A는 2족 원소이다.

ㄴ. 원자 번호는 A가 B보다 크다.

ㄷ. 기체 상태에서 B가 B^{3+}이 되는 데 3.66×10^3 kJ/몰의 에너지가 필요하다.

① ㄱ   ② ㄷ   ③ ㄱ, ㄴ

④ ㄴ, ㄷ   ⑤ ㄱ, ㄴ, ㄷ

기출 분석

29 유형

순차 이온화 에너지를 이해하고 그래프 분석을 통해 원소의 위치와 주기적인 성질을 알아낼 수 있는지 묻는 문제이다.

🐛 이렇게 대비하자!
순차 이온화 에너지를 분석하여 각 원자의 원자가 전자 수, 전자가 느끼는 유효 핵전하 등을 비교하여 주기율표 상의 원소 위치를 예측한다.

■ **연관 기출 문제 키워드**

#이온화 에너지#순차 이온화 에너지
#원자가 전자#유효 핵전하

문제 분석

❶ 족 간의 에너지 차이가 큰 원소

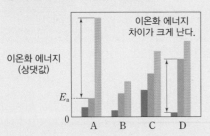

A는 에너지 차이가 E_2와 E_3 사이에서 급격히 증가하므로($E_2 \ll E_3$) 2족 원소이고, D는 E_1과 E_2 사이에서 급격히 증가하므로($E_1 \ll E_2$) 1족 원소이다.

❷ 이온화 에너지의 주기성

- 같은 주기: 원자 번호가 증가할수록 이온화 에너지가 대체로 증가
- 같은 족: 원자 번호가 증가할수록 이온화 에너지가 대체로 감소

C의 제1 이온화 에너지(E_1)는 A와 D의 E_1보다 매우 크기 때문에 C는 A와 D보다 주기가 작아야 한다. 따라서 C는 2주기 원소, A와 D는 3주기 원소이다. B는 E_1이 A의 E_1보다 작으므로 3주기 원소이다.

❸ 유효 핵전하

같은 주기에서 원자 번호가 클수록 전자가 느끼는 유효 핵전하가 크다. 따라서 원자 번호가 A>D이므로 유효 핵전하는 A>D이다.

❹ 원소 구하기

A~D의 원자 번호가 연속이므로 A는 Mg, B는 Al, C는 Ne, D는 Na이다.

그림은 원자 번호가 연속인 2, 3주기 원자의 제1~제3 이온화 에너지를 나타낸 것이다. A~D는 임의의 원소 기호이며, 원자 번호 순서가 아니다.

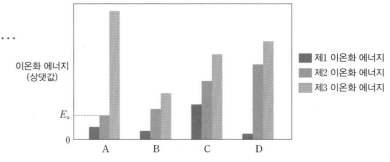

A~D에 대한 설명으로 옳은 것만을 〈보기〉에서 있는 대로 고른 것은? [3점]

┤ 보기 ├

ㄱ. 원자 A가 옥텟 규칙을 만족하는 양이온이 되는 데 필요한 최소 에너지는 E_a이다.
ㄴ. 원자가 전자가 느끼는 유효 핵전하는 원자 A가 D보다 크다.
ㄷ. 3주기 원소는 3가지이다.

① ㄱ   ② ㄴ   ③ ㄷ   ④ ㄱ, ㄴ   ⑤ ㄴ, ㄷ

■ **문항별 해설**

ㄱ. A는 2족 원소로, 원자가 전자를 모두 잃으면 옥텟 규칙을 만족하는 양이온이 된다. 따라서 A는 안정한 이온이 되려면 제1 이온화 에너지와 제2 이온화 에너지(E_a)가 필요하다. (×)
ㄴ. 같은 주기에서 원자 번호가 증가할수록 원자가 전자가 느끼는 유효 핵전하가 크다. 원자 번호가 A>D이므로 유효 핵전하는 A가 D보다 크다. (○)
ㄷ. 3주기 원소는 A, B, D이다. (○)

답 ⑤

■ **오류 피하기**

⋯▸ ㄱ. A가 안정한 이온이 되려면 2개의 전자를 잃어야 하므로 $E_1 + E_2$가 필요하다. 에너지 차이가 급격히 나는 구간의 에너지만 필요하다는 생각은 접어두자.
ㄴ. A~D는 원자 번호가 연속인 2, 3주기 원자라고 문제에 제시되어 있고, C의 E_1는 A와 D의 이온화 에너지보다 커서 2주기 원소이므로 에너지가 작은 A, B, D는 3주기 원소로 분류된다.

기출 문제

정답과 해설 **23**쪽

111 그림은 3주기 원소 A~C에 대해 각각의 제4 이온화 에너지를 100으로 하여 순차 이온화 에너지의 상대값을 나타낸 것이다.

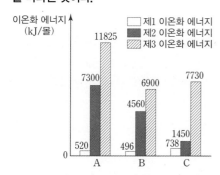

A~C에 대한 설명으로 옳은 것만을 〈보기〉에서 있는 대로 고른 것은? (단, A~C는 임의의 원소 기호이다.)

보기
ㄱ. 원자가 전자 수는 A가 가장 많다.
ㄴ. 원자 반지름은 B가 가장 크다.
ㄷ. 제1 이온화 에너지는 C가 A보다 크다.

① ㄱ　② ㄴ　③ ㄱ, ㄷ　④ ㄴ, ㄷ　⑤ ㄱ, ㄴ, ㄷ

112 그림은 2, 3주기 원자 A~C의 제1~제3 이온화 에너지를 나타낸 것이다.

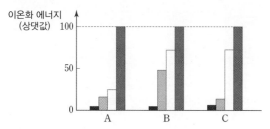

이에 대한 설명으로 옳은 것만을 〈보기〉에서 있는 대로 고른 것은? (단, A~C는 임의의 원소 기호이다.)

보기
ㄱ. A는 1족 원소이다.
ㄴ. B는 2주기 원소이다.
ㄷ. C가 안정한 이온으로 되는 데 필요한 에너지는 1450 kJ/몰이다.

① ㄱ　② ㄴ　③ ㄱ, ㄴ　④ ㄱ, ㄷ　⑤ ㄴ, ㄷ

113 표는 원자 X, Y의 전자 배치를, 그림은 2~3주기 원소 A~C의 순차 이온화 에너지를 나타낸 것이다.

원자	전자 배치
X	$1s^2 2s^2 2p^6 3s^1$
Y	$1s^2 2s^2$

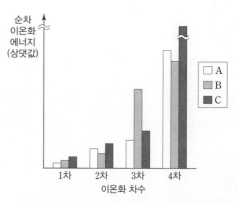

이에 대한 설명으로 옳은 것만을 〈보기〉에서 있는 대로 고른 것은? (단, A~C, X, Y는 임의의 원소 기호이다.) [3점]

보기
ㄱ. 원자 반지름은 X가 A보다 크다.
ㄴ. $\dfrac{제3\ 이온화\ 에너지}{제2\ 이온화\ 에너지}$ 는 Y가 C보다 크다.
ㄷ. 바닥상태의 X와 B는 전자가 들어 있는 오비탈 수가 같다.

① ㄱ　② ㄷ　③ ㄱ, ㄴ　④ ㄴ, ㄷ　⑤ ㄱ, ㄴ, ㄷ

114 그림은 3, 4주기 금속 원소 A~C의 순차 이온화 에너지(E_n)를 상대적으로 나타낸 것이다. A~C 중 원자 번호는 A가 가장 크다.

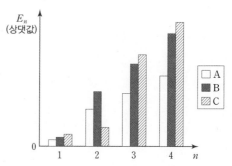

A~C에 대한 설명으로 옳은 것만을 〈보기〉에서 있는 대로 고른 것은? (단, A~C는 임의의 원소 기호이고, E_n은 제n 이온화 에너지이다.) [3점]

보기
ㄱ. A의 원자 반지름이 가장 크다.
ㄴ. B의 원자가 전자 수는 2개이다.
ㄷ. A와 C는 같은 주기의 원소이다.

① ㄱ　② ㄴ　③ ㄱ, ㄷ　④ ㄴ, ㄷ　⑤ ㄱ, ㄴ, ㄷ

기출 분석

30 유형

■ 연관 기출 문제   키워드

#전기 분해 #이온 결합 물질 #전기적 성질

문제 분석

전기 분해 과정 모식도

$$2LiA \longrightarrow 2Li + A_2$$

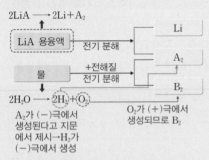

❶ LiA를 전기 분해하면 Li과 A_2가 발생하고, 물을 전기 분해하면 수소 기체(H_2)와 산소 기체(O_2)가 발생한다. 화학식을 적어 놓고 A와 B를 구해 본다.

❷ 물을 전기 분해할 때 A_2는 (−)극에서 생성된다고 문제에 제시되어 있기 때문에 (−)극에서 생성되는 H_2가 A_2가 될 것이고, 나머지 산소 기체는 B_2가 된다.

❓ 출제 의도

이온 결합 물질과 공유 결합 물질을 전기 분해하여 화학 결합의 전기적인 성질을 묻는 문제이다.

〰 이렇게 대비하자!

이온 결합 물질과 공유 결합 물질의 결합과 전자 배치, 옥텟 규칙 등에 대해 파악하고 있어야 하며, 전기적인 성질을 도출해 낼 수 있어야 한다.

그림은 LiA 용융액과 물을 각각 전기 분해하는 과정을 모식적으로 나타낸 것이다. 물을 전기 분해할 때 A_2는 (−)극에서 생성된다.

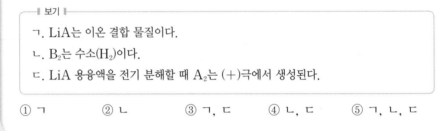

이에 대한 설명으로 옳은 것만을 〈보기〉에서 있는 대로 고른 것은? (단, A와 B는 임의의 원소 기호이다.) [3점]

┤ 보기 ├

ㄱ. LiA는 이온 결합 물질이다.

ㄴ. B_2는 수소(H_2)이다.

ㄷ. LiA 용융액을 전기 분해할 때 A_2는 (+)극에서 생성된다.

① ㄱ   ② ㄴ   ③ ㄱ, ㄷ   ④ ㄴ, ㄷ   ⑤ ㄱ, ㄴ, ㄷ

■ 문항별 해설

물을 전기 분해하면 수소 기체(H_2)와 산소 기체(O_2)가 발생한다. (−)극에서 H_2가 발생하고, (+)극에서 O_2가 발생하므로 A_2는 H_2이고, B_2는 O_2이다.

ㄱ. LiA는 LiH이고, 금속 원소와 비금속 원소가 결합한 이온 결합 물질이다. (○)

ㄴ. B_2는 산소(O_2)이다. (×)

ㄷ. LiH 용융액을 전기 분해할 때 (−)극에서는 Li이 생성되고, (+)극에서 H_2가 생성된다. (○)

(+)극: $2H^-(aq) \longrightarrow H_2(g) + 2e^-$

(−)극: $2Li^+(aq) + 2e^- \longrightarrow 2Li(s)$

답 ③

 배경 지식

물의 전기 분해로 알 수 있는 사실

전류를 흘려주면 물 분자를 이루는 수소 원자와 산소 원자 사이의 결합을 끊어 물을 수소와 산소로 분해할 수 있다. 즉, 수소 원자와 산소 원자가 화학 결합을 형성할 때 전자가 관여한다는 것을 알 수 있다.

■ 오류 피하기

⟶ 물을 전기 분해할 때는 (−)극에서 수소 기체(H_2)가, (+)극에서 산소 기체(O_2)가 발생한다. LiH 용융액을 전기 분해할 때는 수소 기체(H_2)가 (+)극에서 발생하는 것에 주의하자.

기출 문제

정답과 해설 23~24쪽

115 그림은 고체 상태에서 전류가 흐르지 않는 물질 X를 용융시켜 전기 분해하는 과정을 나타낸 것이다.

이에 대한 설명으로 옳은 것만을 〈보기〉에서 있는 대로 고른 것은? (단, A와 B는 임의의 원소 기호이다.)

보기
ㄱ. X는 이온 결합 물질이다.
ㄴ. X의 구성 원소는 A와 B이다.
ㄷ. 전기 분해할 때 (+)극에서 환원 반응이 일어난다.

① ㄱ   ② ㄷ   ③ ㄱ, ㄴ

④ ㄴ, ㄷ   ⑤ ㄱ, ㄴ, ㄷ

116 표는 Na_2A 용융액과 물을 각각 전기 분해하였을 때 (−)극에서 생성된 물질을 나타낸 것이다. (+)극에서 생성된 물질의 종류는 같다.

물질	(−)극
Na_2A 용융액	고체 Na
물	기체 B_2

이에 대한 설명으로 옳은 것만을 〈보기〉에서 있는 대로 고른 것은? (단, A와 B는 임의의 원소 기호이다.) [3점]

보기
ㄱ. B_2는 수소(H_2)이다.
ㄴ. Na_2A는 이온 결합 물질이다.
ㄷ. 같은 양(mol)의 Na_2A와 물을 각각 전기 분해할 때 (−)극에서 생성되는 Na과 B_2의 양(mol)은 같다.

① ㄱ   ② ㄷ   ③ ㄱ, ㄴ

④ ㄴ, ㄷ   ⑤ ㄱ, ㄴ, ㄷ

117 표는 물(H_2O)와 염화 나트륨(NaCl) 용융액을 그림과 같은 장치로 전기 분해할 때 각 전극에서 생성되는 물질에 관한 자료의 일부이다.

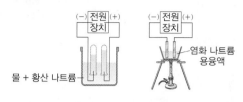

물 + 황산 나트륨   염화 나트륨 용융액

구분＼생성물	A_2	B_2	C
생성 전극	(+)극	(+)극	(−)극
실온에서의 상태	기체	기체	고체
원자 간 결합 상태	단일 결합	다중 결합	−

이에 대한 설명으로 옳은 것만을 〈보기〉에서 있는 대로 고른 것은? (단, A~C 임의의 원소 기호이다.)

보기
ㄱ. B_2는 산소(O_2)이다.
ㄴ. A와 C는 NaCl의 성분 원소이다.
ㄷ. B와 C로 이루어진 화합물은 액체 상태에서 전기 전도성이 있다.

① ㄱ   ② ㄴ   ③ ㄱ, ㄷ

④ ㄴ, ㄷ   ⑤ ㄱ, ㄴ, ㄷ

118 표는 X 용융액과, 소량의 X를 첨가한 물을 각각 전기 분해할 때 두 전극에서 생성되는 물질을 나타낸 것이다.

물질＼전극	(−)극	(+)극
X 용융액	고체 A	기체 B_2
소량의 X를 첨가한 물	기체 C_2	기체 D_2

이에 대한 설명으로 옳은 것만을 〈보기〉에서 있는 대로 고른 것은? (단, A~D는 임의의 원소 기호이다.)

보기
ㄱ. X는 이온 결합 물질이다.
ㄴ. X를 구성하는 원소는 A와 B이다.
ㄷ. 생성되는 C_2와 D_2의 몰비는 1 : 1이다.

① ㄱ   ② ㄷ   ③ ㄱ, ㄴ

④ ㄴ, ㄷ   ⑤ ㄱ, ㄴ, ㄷ

기출 분석

31 유형

? 출제 의도

원자의 전자 배치로부터 원자의 종류를 파악하고, 원자 사이의 결합과 관련된 내용을 이해하고 있는지를 묻는 문제이다.

👾 이렇게 대비하자!

원자의 전자 배치 모형을 보고 원자가 반응하여 생성되는 결합에 대해 알아낼 수 있어야 하며, 원자의 종류와 특성을 파악할 수 있어야 한다.

■ 연관 기출 문제 키워드

#전자 배치 #원자가 전자 #공유 결합
#이온 결합 물질

그림은 원자 A~D의 전자 배치를 모형으로 나타낸 것이다.

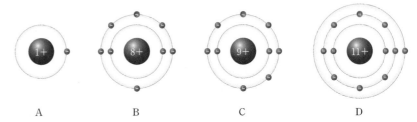

A   B   C   D

이에 대한 설명으로 옳은 것만을 〈보기〉에서 있는 대로 고른 것은? (단, A~D는 임의의 원소 기호이다.)

┤ 보기 ├
ㄱ. 원자가 전자 수는 D가 A보다 많다.
ㄴ. 공유 결합 수는 C_2가 B_2보다 많다.
ㄷ. 화합물 DC는 이온 결합 물질이다.

① ㄴ   ② ㄷ   ③ ㄱ, ㄴ   ④ ㄱ, ㄷ   ⑤ ㄴ, ㄷ

문제 분석

❶ 원자가 전자

원자가 전자는 바닥상태 전자 배치에서 가장 바깥 전자 껍질에 있는 전자를 말한다.

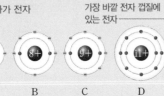

A   B   C   D

❷ B_2와 C_2의 공유 결합 모형

• B_2의 공유 결합: 2개의 산소 원자가 홀전자 2개씩을 각각 내놓아 전자쌍 2개를 공유하여 2중 결합을 형성한다.

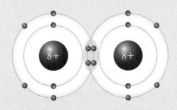

• C_2의 공유 결합: 2개의 플루오린 원자가 홀전자 1개씩을 내놓아 전자쌍 1개를 공유하여 단일 결합을 형성한다.

■ 문항별 해설

ㄱ. 원자가 전자 수는 A가 1, B가 6, C가 7, D가 1이므로 A와 D의 원자가 전자 수는 모두 1개로 같다. (×)

ㄴ. 공유 결합은 비금속 원자들이 홀전자를 내놓아 전자쌍을 만들어 공유함으로써 18족 원소와 같은 안정한 전자 배치를 이루는 결합이다. C는 가장 바깥 전자 껍질의 전자가 8개가 되려면 전자 1개가 부족하므로 각각 홀전자를 1개씩 내놓아 전자쌍 1개를 공유하여 C_2를 형성한다. B는 가장 바깥 전자 껍질에 전자 8개를 채우기 위해 전자 2개가 부족하므로 각각 홀전자를 2개씩 내놓아 전자쌍 2개를 공유하여 B_2를 형성한다. 따라서 공유 결합 수는 B_2가 2개, C_2가 1개이므로 C_2가 B_2보다 적다. (×)

ㄷ. C는 비금속 원소인 F이고, D는 금속 원소인 Na이다. 화합물 DC는 NaF로 이온 결합 물질이다. (○)   답 ②

■ 이렇게 접근하자

⋯ 그림에서 원자핵의 전하량은 양성자수, 즉 원자 번호를 나타낸다. 원자 번호를 보고 각 원소의 종류를 알 수 있다.

⋯ 공유 결합의 개수를 쉽게 알아내는 방법: 가장 바깥 전자 껍질의 전자가 8개가 되려면 몇 개의 전자가 필요한지를 확인한다. 수소를 제외한 원자에서 (8−원자의 원자가 전자 수)가 공유 결합 수가 된다. 단, 수소는 전자를 1개 가지고 있으므로 단일 결합만 할 수 있다.

⋯ 공유 결합 수는 공유 전자쌍의 개수를 말한다. 즉, 전자 한 쌍(2개)을 공유하면 공유 결합 수는 1개이다.

기출 문제

정답과 해설 **24~25**쪽

119 그림은 원자 A~C의 전자 배치를 모형으로 나타낸 것이다.

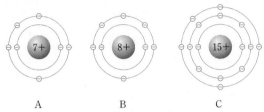

A   B   C

이에 대한 옳은 설명만을 〈보기〉에서 있는 대로 고른 것은? (단, A~C는 임의의 원소 기호이다.)

┤ 보기 ├
ㄱ. A와 B는 같은 주기 원소이다.
ㄴ. A와 C는 화학적 성질이 비슷하다.
ㄷ. 원자가 전자 수는 C가 B보다 크다.

① ㄱ   ② ㄷ   ③ ㄱ, ㄴ
④ ㄴ, ㄷ   ⑤ ㄱ, ㄴ, ㄷ

120 그림은 중성 원자 A~C의 전자 배치를 모형으로 나타낸 것이다.

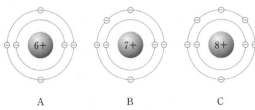

A   B   C

이에 대한 옳은 설명만을 〈보기〉에서 있는 대로 고른 것은? (단, A~C는 임의의 원소 기호이다.) [3점]

┤ 보기 ├
ㄱ. A~C는 같은 주기의 원소이다.
ㄴ. AC_2는 비대칭 구조이다.
ㄷ. B_2는 3중 결합으로 이루어져 있다.

① ㄱ   ② ㄴ   ③ ㄱ, ㄷ
④ ㄴ, ㄷ   ⑤ ㄱ, ㄴ, ㄷ

121 그림은 원자 A, C가 각각 B와 결합하여 옥텟 규칙을 만족하는 화합물 (가)와 (나)가 생성된 것을 나타낸 것이다.

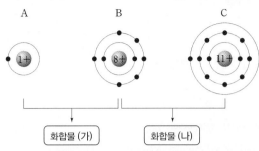

(가)와 (나)에 대한 설명으로 옳은 것만을 〈보기〉에서 있는 대로 고른 것은? (단, A~C는 임의의 원소 기호이다.)

┤ 보기 ├
ㄱ. (가)는 공유 결합 물질이다.
ㄴ. (나)의 화학식은 C_2B이다.
ㄷ. 액체 상태에서의 전기 전도도는 (나)가 (가)보다 크다.

① ㄱ   ② ㄷ   ③ ㄱ, ㄴ
④ ㄴ, ㄷ   ⑤ ㄱ, ㄴ, ㄷ

122 그림은 원자 A~C의 전자 배치를 모형으로 나타낸 것이다.

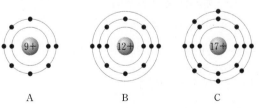

A   B   C

이에 대한 설명으로 옳은 것만을 〈보기〉에서 있는 대로 고른 것은? (단, A~C는 임의의 원소 기호이다.) [3점]

┤ 보기 ├
ㄱ. B와 C로 이루어진 안정한 화합물의 화학식은 BC_2이다.
ㄴ. 원자가 전자의 유효 핵전하는 B가 C보다 크다.
ㄷ. 이온 반지름은 A^-이 B^{2+}보다 작다.

① ㄱ   ② ㄷ   ③ ㄱ, ㄴ
④ ㄴ, ㄷ   ⑤ ㄱ, ㄴ, ㄷ

기출 분석

32 유형

? 출제 의도
화학 결합 모형을 분석하여 성분 원소의 종류를 파악하고, 화학 결합 물질의 형성 원리를 물어보는 문제이다.

~ 이렇게 대비하자!
결합 모형으로부터 원소의 종류와 화합물을 알아내고, 생성된 화합물의 성질을 알아낼 수 있어야 한다.

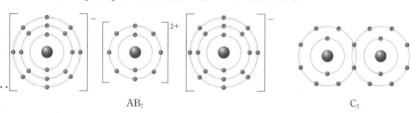

■ 연관 기출 문제   키워드

#화학 결합#공유 결합 물질#다중 결합

문제 분석

❶ 전자 배치를 보고 원소의 종류를 알아내기 위해서는 일단 주기율표의 1~20번까지는 암기해야 한다. 원자 번호는 중성 원자의 전자 수와 같다.

❷ 결합 모형에서 원소 파악

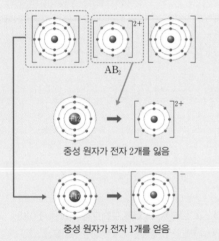

중성 원자가 전자 2개를 잃음

중성 원자가 전자 1개를 얻음

+2가 양이온은 중성 원자일 때 Mg이고, −1가 음이온은 중성 원자일 때 Cl임을 알 수 있다.

그림은 물질 AB_2와 C_2의 화학 결합을 모형으로 나타낸 것이다.

AB₂   C₂

이에 대한 설명으로 옳은 것만을 〈보기〉에서 있는 대로 고른 것은? (단, A~C는 임의의 원소 기호이다.)

┤ 보기 ├

ㄱ. A와 B는 같은 주기 원소이다.
ㄴ. AC_2는 공유 결합 물질이다.
ㄷ. BC에는 다중 결합이 있다.

① ㄱ   ② ㄷ   ③ ㄱ, ㄴ   ④ ㄴ, ㄷ   ⑤ ㄱ, ㄴ, ㄷ

■ 문항별 해설

A는 전자를 2개를 잃어 안정한 전자 배치를 이루므로 원래 전자의 개수는 A^{2+}이 가진 전자의 개수 10개에서 2개를 더한 12개이고, 원자 번호 12인 Mg이다. B는 전자를 1개 얻어 안정한 전자 배치를 이루므로 원래 전자의 개수는 B^-이 가진 전자의 개수 18개에서 1개를 뺀 17개이고, 원자 번호 17번인 Cl이다. C는 전자쌍 한 쌍을 공유하고 있으므로 원자가 전자가 7개이고 2주기 원소인 F이다.

ㄱ. Mg과 Cl는 3주기 원소이다. (○)
ㄴ. AC_2는 MgF_2으로 금속 양이온과 비금속 음이온이 결합한 이온 결합 물질이다. (×)
ㄷ. BC는 ClF로, 비금속 원소들이 전자를 공유하여 생성되는 물질이다. 전자 한 쌍만 공유하므로 단일 결합만 있다. (×)

답 ①

배경 지식

주기율표에서 원자 번호 1~20의 원소

1족	2족	13족	14족	15족	16족	17족	18족
H							He
Li	Be	B	C	N	O	F	Ne
Na	Mg	Al	Si	P	S	Cl	Ar
K	Ca						

■ 오류 피하기

···› 이온 결합은 원자가 전자를 잃거나 얻어 생성되는 양이온과 음이온 사이의 결합이고, 공유 결합은 2개 이상의 원자들이 전자쌍을 공유하면서 형성되는 화학 결합이다. MgF_2은 전자쌍을 공유하는 것이 아니라 양이온과 음이온이 전자를 주고 받아 생성된 물질이므로 이온 결합 물질이다.

기출 문제

정답과 해설 **25~27**쪽

123 그림은 물질 XY_4와 Z_2의 화학 결합을 모형으로 나타낸 것이다.

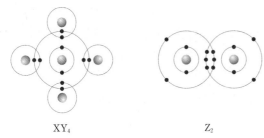

XY₄   Z₂

이에 대한 설명으로 옳은 것만을 〈보기〉에서 있는 대로 고른 것은? (단, X~Z는 임의의 원소 기호이다.)

| 보기 |

ㄱ. 원자 번호는 X가 Z보다 크다.
ㄴ. XY_4와 Z_2는 모두 비금속 원소로만 이루어져 있다.
ㄷ. ZY_3에는 다중 결합이 존재한다.

① ㄱ   ② ㄴ   ③ ㄱ, ㄷ
④ ㄴ, ㄷ   ⑤ ㄱ, ㄴ, ㄷ

124 그림은 물질 AB, C_2의 화학 결합을 모형으로 각각 나타낸 것이다.

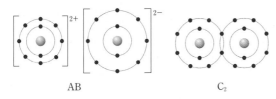

AB   C₂

이에 대한 설명으로 옳은 것만을 〈보기〉에서 있는 대로 고른 것은? (단, A~C는 임의의 원소 기호이다.)

| 보기 |

ㄱ. AB는 액체 상태에서 전기 전도성이 있다.
ㄴ. 공유 전자쌍의 수는 B_2와 C_2가 같다.
ㄷ. A와 C의 안정한 화합물은 AC_2이다.

① ㄱ   ② ㄴ   ③ ㄱ, ㄴ
④ ㄱ, ㄷ   ⑤ ㄴ, ㄷ

125 그림은 화합물 AB와 BC_2의 화학 결합을 모형으로 나타낸 것이다.

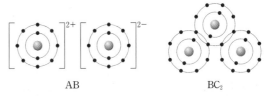

AB   BC₂

이에 대한 옳은 설명만을 〈보기〉에서 있는 대로 고른 것은? (단, A~C는 임의의 원소 기호이다.) [3점]

| 보기 |

ㄱ. AB는 이온 사이의 전기적 인력에 의해 형성된다.
ㄴ. BC_2에서 중심 원자의 공유 전자쌍 수와 비공유 전자쌍 수는 같다.
ㄷ. AB와 BC_2에서 구성 입자는 모두 옥텟 규칙을 만족한다.

① ㄱ   ② ㄷ   ③ ㄱ, ㄴ
④ ㄴ, ㄷ   ⑤ ㄱ, ㄴ, ㄷ

126 그림은 화합물 ABC의 화학 결합 모형을, 표는 화합물 X, Y의 화학식의 구성 원자 수를 나타낸 것이다.

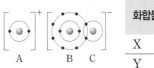

A   B   C

화합물	구성 원자 수		
	A	B	C
X	2	1	0
Y	0	1	2

이에 대한 설명으로 옳은 것만을 〈보기〉에서 있는 대로 고른 것은? (단, A~C는 임의의 원소 기호이다.) [3점]

| 보기 |

ㄱ. Y는 공유 결합 화합물이다.
ㄴ. 전기 전도성은 $Y(l)$가 $X(l)$보다 크다.
ㄷ. Y에서 B는 옥텟 규칙을 만족한다.

① ㄱ   ② ㄴ   ③ ㄱ, ㄷ
④ ㄴ, ㄷ   ⑤ ㄱ, ㄴ, ㄷ

127 그림은 화합물 A_2B의 결합 모형을 나타낸 것이다.

이에 대한 옳은 설명만을 〈보기〉에서 있는 대로 고른 것은? (단, A, B는 임의의 원소 기호이다.) [3점]

┃ 보기 ┃
ㄱ. A_2B는 액체 상태에서 전기 전도성이 있다.
ㄴ. A는 3주기 원소이다.
ㄷ. B_2의 공유 전자쌍 수는 1이다.

① ㄱ   ② ㄷ   ③ ㄱ, ㄴ
④ ㄴ, ㄷ   ⑤ ㄱ, ㄴ, ㄷ

128 다음은 물질 A_2B와 C_2B가 반응하여 ABC를 생성하는 반응의 화학 반응식과 A_2B와 C_2B의 화학 결합 모형이다.

$$A_2B + C_2B \longrightarrow 2ABC$$

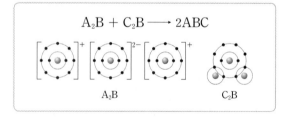

이에 대한 설명으로 옳은 것만을 〈보기〉에서 있는 대로 고른 것은? (단, A~C는 임의의 원소 기호이다.)

┃ 보기 ┃
ㄱ. A_2B는 이온 결합 물질이다.
ㄴ. C_2B에서 B는 옥텟 규칙을 만족한다.
ㄷ. 액체 상태에서 전기 전도성은 ABC가 C_2B보다 크다.

① ㄱ   ② ㄷ   ③ ㄱ, ㄴ
④ ㄴ, ㄷ   ⑤ ㄱ, ㄴ, ㄷ

129 그림은 A와 C로 이루어진 화합물 (가), B와 C로 이루어진 화합물 (나)의 화학 결합을 모형으로 나타낸 것이다.

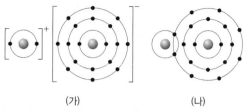

(가)   (나)

이에 대한 옳은 설명만을 〈보기〉에서 있는 대로 고른 것은? (단, A~C는 임의의 원소 기호이다.)

┃ 보기 ┃
ㄱ. 원자 번호는 A가 B보다 작다.
ㄴ. (가)는 액체 상태에서 전류가 흐른다.
ㄷ. (나)에서 C는 옥텟 규칙을 만족한다.

① ㄱ   ② ㄴ   ③ ㄱ, ㄷ
④ ㄴ, ㄷ   ⑤ ㄱ, ㄴ, ㄷ

130 그림은 화합물 ABC의 결합을 모형으로 나타낸 것이다. 원자 번호는 B<C이다.

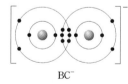

A^+ BC^-

이에 대한 설명으로 옳은 것만을 〈보기〉에서 있는 대로 고른 것은? (단, A~C는 임의의 원소 기호이다.)

┃ 보기 ┃
ㄱ. A와 B는 같은 주기 원소이다.
ㄴ. 액체 상태의 ABC는 전기 전도성이 있다.
ㄷ. C_2의 공유 전자쌍 수는 3이다.

① ㄱ   ② ㄴ   ③ ㄱ, ㄷ
④ ㄴ, ㄷ   ⑤ ㄱ, ㄴ, ㄷ

131 그림은 화합물 AB₄C의 화학 결합을 모형으로 나타낸 것이다.

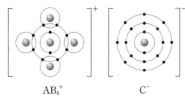

이에 대한 설명으로 옳은 것만을 〈보기〉에서 있는 대로 고른 것은? (단, A~C는 임의의 원소 기호이다.)

┤ 보기 ├

ㄱ. A는 14족 원소이다.

ㄴ. AB₄⁺의 구조는 정사면체이다.

ㄷ. AC₃는 양이온과 음이온 사이의 정전기적 인력에 의해 만들어진다.

① ㄴ ② ㄷ ③ ㄱ, ㄴ

④ ㄱ, ㄷ ⑤ ㄴ, ㄷ

132 그림은 물질 ABC와 CD가 반응하여 AD와 X가 생성되는 반응에서 반응물과 생성물을 화학 결합 모형으로 나타낸 것이다.

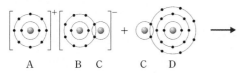

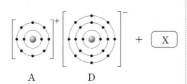

이에 대한 설명으로 옳지 <u>않은</u> 것은? (단, A~D는 임의의 원소 기호이다.) [3점]

① X는 C₂B이다.

② ABC에서 A는 옥텟 규칙을 만족한다.

③ CD는 공유 결합 물질이다.

④ AD는 액체 상태에서 전기 전도성이 있다.

⑤ X와 B₂는 비공유 전자쌍 수가 같다.

133 그림은 물질 AB와 CD의 화학 결합을 모형으로 각각 나타낸 것이다.

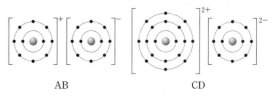

이에 대한 설명으로 옳은 것만을 〈보기〉에서 있는 대로 고른 것은? (단, A~D는 임의의 원소 기호이다.)

┤ 보기 ├

ㄱ. A와 D는 같은 주기 원소이다.

ㄴ. CB₂는 액체 상태에서 전기 전도성이 있다.

ㄷ. DB₂는 공유 결합 물질이다.

① ㄴ ② ㄷ ③ ㄱ, ㄴ

④ ㄱ, ㄷ ⑤ ㄴ, ㄷ

134 그림은 화합물 AB와 CD를 각각 결합 모형으로 나타낸 것이고, 표는 화합물 (가)와 (나)에 대한 자료이다.

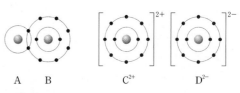

화합물	(가)	(나)
원자 수비	A:D=1:1	B:C=2:1

이에 대한 설명으로 옳은 것만을 〈보기〉에서 있는 대로 고른 것은? (단, A~D는 임의의 원소 기호이다.) [3점]

┤ 보기 ├

ㄱ. (가)에서 비공유 전자쌍 수는 2이다.

ㄴ. (나)는 액체 상태에서 전기 전도성이 있다.

ㄷ. (나)에서 B와 C는 Ne의 전자 배치를 갖는다.

① ㄱ ② ㄴ ③ ㄱ, ㄷ

④ ㄴ, ㄷ ⑤ ㄱ, ㄴ, ㄷ

기출 분석

33 유형

? 출제 의도

양이온과 음이온 사이의 거리와 에너지 관계 그래프를 분석하여 핵 간 거리에 따른 원소 및 물질의 특성을 파악할 수 있는지 물어보는 문제이다.

이렇게 대비하자!

이온 결합이 형성되는 과정에 따라 에너지가 어떻게 변화하는지 이해하고, 결합이 형성되는 조건 및 형성된 물질의 특성을 알고 있어야 한다.

■ 연관 기출 문제 키워드

#핵 간 거리#에너지 변화#이온 반지름

문제 분석

❶ 그래프 분석

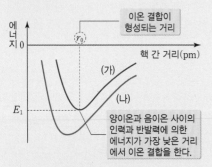

❷ 이온 반지름과 핵 간 거리

이온 결합 물질의 핵 간 거리를 구하려면 각 이온의 반지름을 더하면 된다.

예 CaS: $99+184=283$ pm

➡ CaS의 핵 간 거리는 283 pm이다.

그림은 이온 사이의 핵 간 거리에 따른 에너지 변화를, 표는 몇 가지 이온의 이온 반지름을 나타낸 것이다.

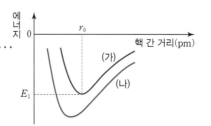

이온	이온 반지름(pm)
$_{12}Mg^{2+}$	65
$_{16}S^{2-}$	184
$_{17}Cl^-$	181
$_{19}K^+$	133
$_{20}Ca^{2+}$	99

이에 대한 설명으로 옳은 것만을 〈보기〉에서 있는 대로 고른 것은? (단, (가)와 (나)는 MgS, CaS 중 하나이다.) [3점]

┤ 보기 ├

ㄱ. (가)는 MgS이다.

ㄴ. KCl의 에너지가 최소가 되는 지점에서 핵 간 거리는 r_0보다 크다.

ㄷ. K^+과 Cl^-의 이온 반지름의 크기 차이는 전자 껍질 수가 다르기 때문이다.

① ㄱ   ② ㄴ   ③ ㄷ   ④ ㄱ, ㄷ   ⑤ ㄴ, ㄷ

배경 지식

이온 결합의 형성과 에너지

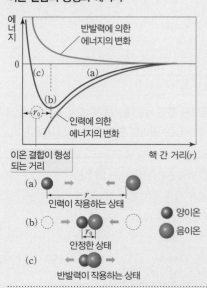

■ 문항별 해설

ㄱ. S^{2-}과 결합하는 양이온인 Mg^{2+}과 Ca^{2+}의 이온 반지름을 비교하면 Ca^{2+}이 Mg^{2+}보다 크다. 즉, 이온 결합이 형성될 때의 핵 간 거리는 CaS이 MgS보다 크다. 따라서 (가)는 CaS, (나)는 MgS이다. (×)

ㄴ. 이온 결합이 형성되었을 때 두 이온 사이의 거리(핵 간 거리)는 두 이온의 반지름 합과 같다. CaS의 핵 간 거리는 $99+184=283$ pm, KCl의 핵 간 거리는 $133+181=314$ pm이므로 KCl의 핵 간 거리가 CaS보다 크다. 따라서 KCl의 에너지가 최소가 되는 지점, 즉 이온 결합이 형성되었을 때 핵 간 거리는 r_0보다 크다. (○)

ㄷ. K^+과 Cl^-은 Ar과 전자 배치가 같은 이온으로 전자 껍질 수가 3개로 같다. (×)

답 ②

■ 오류 피하기

⋯ K과 Cl 원소의 전자 껍질 수는 각각 4개, 3개이지만 K^+과 Cl^-은 전자 껍질 수가 3개로 같다. 전자 껍질 수가 같아도 이온 반지름이 다른 것은 K^+의 유효 핵전하가 Cl^-보다 크기 때문이다.

기출 문제

정답과 해설 **27**쪽

135 그림은 $H_2(g)$, $HX(g)$, $HY(g)$의 분자 내 핵 간 거리에 따른 에너지를 나타낸 것이다.

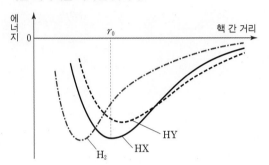

이에 대한 설명으로 옳은 것만을 〈보기〉에서 있는 대로 고른 것은? (단, X, Y는 임의의 할로젠 원소이다.) [3점]

┤ 보기 ├
ㄱ. 전기 음성도는 X > Y이다.
ㄴ. 결합 에너지는 HX > HY이다.
ㄷ. X의 원자 반지름은 $\dfrac{r_0}{2}$보다 크다.

① ㄱ   ② ㄷ   ③ ㄱ, ㄴ
④ ㄴ, ㄷ   ⑤ ㄱ, ㄴ, ㄷ

136 그림은 2, 3주기의 원소 A~D가 기체인 이원자 분자 A_2~D_2를 형성할 때, 핵 간 거리에 따른 에너지를 간략하게 나타낸 것이다.

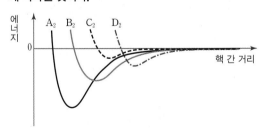

B_2와 C_2로 옳은 것은? (단, A~D는 임의의 원소 기호이다.)

	B_2	C_2		B_2	C_2
①	F_2	O_2	②	F_2	Cl_2
③	O_2	F_2	④	Cl_2	F_2
⑤	O_2	N_2			

137 그림은 $NaCl(g)$이 생성될 때 두 이온 사이의 핵 간 거리에 따른 에너지를 나타낸 것이다.

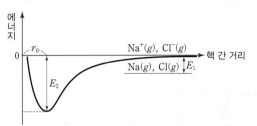

이에 대한 옳은 설명만을 〈보기〉에서 있는 대로 고른 것은?

┤ 보기 ├
ㄱ. Na^+의 반지름은 $\dfrac{r_0}{2}$이다.
ㄴ. $LiCl(g)$이 생성될 때 E_1은 커진다.
ㄷ. $KCl(g)$이 생성될 때 E_2는 작아진다.

① ㄱ   ② ㄷ   ③ ㄱ, ㄴ
④ ㄴ, ㄷ   ⑤ ㄱ, ㄴ, ㄷ

138 표는 몇 가지 이온의 반지름을, 그림은 이온 화합물에서 핵 간 거리(r)에 따른 에너지를 나타낸 것이다.

이온	반지름(nm)	이온	반지름(nm)
K^+	0.133	Cl^-	0.181
Mg^{2+}	0.065	Br^-	0.195
Ca^{2+}	0.099	O^{2-}	0.140

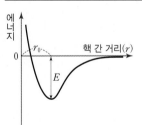

이에 대한 설명으로 옳은 것만을 〈보기〉에서 있는 대로 고른 것은? [3점]

┤ 보기 ├
ㄱ. r_0는 KCl이 KBr보다 작다.
ㄴ. E는 CaO이 MgO보다 크다.
ㄷ. 녹는점은 KCl이 CaO보다 낮다.

① ㄱ   ② ㄴ   ③ ㄱ, ㄷ
④ ㄴ, ㄷ   ⑤ ㄱ, ㄴ, ㄷ

기출 분석

34 유형

? 출제 의도

금속 결합과 이온 결합의 구조를 이해하고, 수용액 상태의 이온 결합 물질의 성질을 알고 있는지 물어보는 문제이다.

🐛 이렇게 대비하자!

금속 결합 물질과 이온 결합 물질의 구조를 알고, 화학 결합의 종류와 관련지어 물질의 특성을 설명할 수 있어야 한다.

■ 연관 기출 문제 키워드

#금속 결합#열전도성#이온 결합 물질
#전류가 흐를 때 이온의 이동

그림 (가)는 칼륨(K)의 결정 모형, (나)는 염화 칼륨(KCl)의 결정 모형, (다)는 염화 칼륨(KCl) 수용액의 모형을 나타낸 것이다.

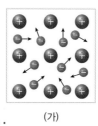

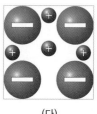

(가)　　　　　　(나)　　　　　　(다)

(가)~(다) 물질에 대한 설명으로 옳은 것만을 〈보기〉에서 있는 대로 고른 것은?

┤ 보기 ├

ㄱ. (가)는 (나)보다 열전도성이 크다.

ㄴ. (다)에 전원 장치를 연결하면 양이온은 (−)극으로 이동한다.

ㄷ. (가)~(다)에서 (−)전하를 띤 입자는 모두 같다.

① ㄱ　　　　② ㄷ　　　　③ ㄱ, ㄴ　　　　④ ㄴ, ㄷ　　　　⑤ ㄱ, ㄴ, ㄷ

문제 분석

❶ 금속 결합의 구조

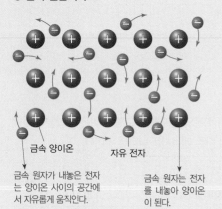

　　금속 양이온　　　자유 전자

금속 원자가 내놓은 전자는 양이온 사이의 공간에서 자유롭게 움직인다.

금속 원자는 전자를 내놓아 양이온이 된다.

❷ 금속 결합의 열전도성

자유롭게 움직이는 자유 전자들 때문에 열에너지가 빠르게 전달될 수 있으므로 금속은 열전도성이 높다.

■ 문항별 해설

(가)는 금속 결합 모형, (나)는 이온 결합 모형, (다)는 수용액 상태의 이온 결합 물질을 모형으로 나타낸 것이다.

ㄱ. 칼륨은 금속으로 자유 전자가 있으므로 열전도성이 크다. (○)

ㄴ. 염화 칼륨(KCl) 수용액에 전원 장치를 연결하면 양이온인 K^+은 (−)극으로 이동하고, 음이온인 Cl^-은 (+)극으로 이동한다. (○)

ㄷ. (−)전하를 띤 입자는 (가)에서는 자유 전자이고, (나)와 (다)에서는 Cl^-이다. (×)

답 ③

🖥🙂 배경 지식

금속 원자는 원자가 전자가 비교적 쉽게 떨어져 나온다. 원자에서 떨어져 나온 전자들이 금속 양이온 사이를 자유롭게 움직이면서 금속 양이온을 결합시키는 접착제와 같은 역할을 한다. 이런 전자를 자유 전자라 하며, 자유 전자와 금속 양이온 사이에 정전기적 인력으로 형성되는 결합을 금속 결합이라고 한다.

■ 오류 피하기

⋯▸ 이온 결합 물질은 수용액 상태에서 양이온과 음이온으로 나누어지며, 전원 장치를 연결하면 (+)전하를 띠는 입자는 (−)극으로, (−)전하를 띠는 입자는 (+)극으로 이동한다. (−)전하를 띤 입자라도 금속 결합 물질에서는 전자, 이온 결합 물질에서는 음이온임에 주의하자.

기출 문제

정답과 해설 **28**쪽

139 그림은 물질 A와 B의 결정 구조를 모형으로 나타낸 것이다.

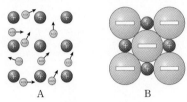

A   B

이에 대한 설명으로 옳은 것만을 〈보기〉에서 있는 대로 고른 것은? (단, A와 B는 염화 나트륨과 나트륨 중 하나이다.)

┤ 보기 ├
ㄱ. A는 물과 반응하여 수소 기체를 발생시킨다.
ㄴ. B의 수용액에 BTB 용액을 떨어뜨리면 노란색을 띤다.
ㄷ. A와 염소 기체를 반응시키면 B를 얻을 수 있다.
ㄹ. 힘을 가했을 때, B가 A보다 부서지기 쉽다.

① ㄱ, ㄴ   ② ㄴ, ㄷ   ③ ㄷ, ㄹ
④ ㄱ, ㄴ, ㄷ   ⑤ ㄱ, ㄷ, ㄹ

140 그림 (가)와 (나)는 서로 다른 화학 결합 모형을, 표는 물질 A~C의 성질을 나타낸 것이다.

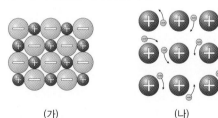

(가)   (나)

물질	녹는점(℃)	전기 전도성	
		고체 상태	용융 상태
A	801	없음	있음
B	1083	있음	있음
C	148	없음	없음

(가)와 (나)에 해당하는 물질을 옳게 짝 지은 것은?

	(가)	(나)		(가)	(나)
①	A	B	②	A	C
③	B	A	④	B	C
⑤	C	B			

141 그림은 어떤 금속(M)과 그 금속 산화물(MO)의 결정을 모형으로 나타낸 것이다.

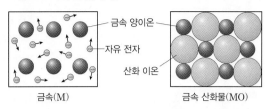

금속(M)   금속 산화물(MO)

이에 대한 옳은 설명을 〈보기〉에서 모두 고른 것은? (단, M은 임의의 금속 원소이다.)

┤ 보기 ├
ㄱ. M의 이온은 2가 양이온이다.
ㄴ. M에 전류를 흘려 주면 금속 양이온이 (−)극 쪽으로 이동한다.
ㄷ. MO는 M보다 연성과 전성이 크다.

① ㄱ   ② ㄷ   ③ ㄱ, ㄴ
④ ㄴ, ㄷ   ⑤ ㄱ, ㄴ, ㄷ

142 표는 고체 (가)와 (나)의 결정 모형 및 상태에 따른 전기 전도성을 나타낸 것이다.

구분	(가)	(나)
결정 모형	양이온 음이온	양이온 자유 전자
전기 전도성	고체	없음	있음
	액체	있음	있음

이에 대한 설명으로 옳은 것만을 〈보기〉에서 있는 대로 고른 것은?

┤ 보기 ├
ㄱ. (가)는 금속의 결정 모형이다.
ㄴ. 액체 상태의 (가)에 전압을 걸어 주면 음이온이 (+)극 쪽으로 이동한다.
ㄷ. 고체 상태의 (나)에 전압을 걸어 주면 양이온이 (−)극 쪽으로 이동한다.

① ㄱ   ② ㄴ   ③ ㄱ, ㄷ
④ ㄴ, ㄷ   ⑤ ㄱ, ㄴ, ㄷ

기출 분석

35 유형

❓ 출제 의도

주기율표의 위치로부터 원소의 종류를 파악하고, 원소의 화학 결합과 특성에 대해 물어보는 문제이다.

🌊 이렇게 대비하자!

주기율표에서 원자 번호 1~20번까지 원소를 모두 암기하고 있어야 하며, 이들이 형성하는 화합물의 결합과 특징을 알고 있어야 한다.

■ **연관 기출 문제　키워드**

#주기율표 #전자 껍질 #화합물 #공유 전자쌍
#반응성

문제 분석

❶ 주기율표 채우기

족\주기	1	2	13	14	15	16	17	18
1								He
2		Be			N	O		
3		Mg						

주기율표의 색칠된 부분에 암기하고 있는 원소들을 채워 넣는다. 1~20번 암기는 필수!

❷ 문제의 조건이 의미하는 바를 정리하자.

• 가장 바깥 전자 껍질에 채워진 전자 수
 =족(족에서 일의 자리 수)
• 전자 껍질 수=주기
• 전자 수=양성자수=원자 번호

다음은 주기율표의 일부와 원소 A~E에 대한 설명이다. A~E는 빗금 친 부분 중 한 곳에 위치한다.

족\주기	1	2	13	14	15	16	17	18
1								▨
2		▨	▨	▨	▨			
3		▨						

• A와 B는 가장 바깥 전자 껍질에 채워진 전자 수가 같다.
• A와 C는 전자가 채워진 전자 껍질 수가 같다.
• B와 D로 이루어진 화합물의 화학식은 BD이다.
• E의 전자 수는 2개이다.

A~E에 대한 옳은 설명만을 〈보기〉에서 있는 대로 고른 것은? (단, A~E는 임의의 원소 기호이다.) [3점]

┤ 보기 ├

ㄱ. A와 B는 화학적 성질이 비슷하다.
ㄴ. 한 분자당 공유 전자쌍 수는 C_2가 D_2보다 많다.
ㄷ. E는 반응성이 가장 크다.

① ㄱ 　　② ㄷ 　　③ ㄱ, ㄴ 　　④ ㄴ, ㄷ 　　⑤ ㄱ, ㄴ, ㄷ

🐸 배경 지식

반응성

한 원소가 다른 원소와 화학 반응을 일으키는 정도를 말한다. 다른 원소나 물질과 쉽게 반응하면 '반응성이 크다'고 하고, 쉽게 반응하지 않으면 '반응성이 작다', 또는 '안정하다'라고 한다. 원자는 가장 바깥 전자 껍질에 비활성 기체와 같이 전자 8개가(단, He은 2개) 채워졌을 때 안정해져 다른 원자와 쉽게 반응하지 않는다.

■ **문항별 해설**

A와 C는 전자 껍질 수가 같으므로 같은 주기이다. 따라서 A와 C는 2주기이다.

족\주기	1	2	13	14	15	16	17	18
1								E
2		A			C	D		
3		B						

E의 전자 수가 2개이므로 18족 He이다.

A와 B는 가장 바깥 전자 껍질에 채워진 전자 수가 같으므로 같은 족이다.

BD는 B와 D가 1 : 1로 반응하여 화합물을 생성하고 B 이온이 2족, +2가 양이온이므로, D 이온은 −2가 음이온이다. 따라서 D는 16족이다. D가 16족으로 결정되었으므로 C는 15족이다.

ㄱ. A와 B는 같은 족이므로 화학적 성질이 비슷하다. (○)
ㄴ. 한 분자당 공유 전자쌍 수는 C_2가 3중 결합을 형성하므로 3개, D_2가 2중 결합을 형성하므로 2개이다. 따라서 C_2가 D_2보다 공유 전자쌍 수가 많다. (○)
ㄷ. E는 18족 원소로 비활성 기체이므로 반응성이 없다. (×)

답 ③

기출 문제

정답과 해설 28~29쪽

143 그림은 주기율표의 일부를 나타낸 것이다.

주기＼족	1	2	15	16	17	18
1	A					
2	B			C	D	

이에 대한 설명으로 옳은 것만을 〈보기〉에서 있는 대로 고른 것은? (단, A~D는 임의의 원소 기호이다.)

┤ 보기 ├
- ㄱ. A는 금속 원소이다.
- ㄴ. B_2C는 이온 결합 물질이다.
- ㄷ. CD_2 한 분자에 존재하는 비공유 전자쌍 수는 8개이다.

① ㄱ ② ㄴ ③ ㄱ, ㄷ
④ ㄴ, ㄷ ⑤ ㄱ, ㄴ, ㄷ

144 다음은 주기율표의 일부를 나타낸 것이다.

주기＼족	1	2	13	14	15	16	17	18
1	A							
2	B			C		D		
3	E	F						

이에 대한 옳은 설명만을 〈보기〉에서 있는 대로 고른 것은? (단, A~F는 임의의 원소 기호이다.)

┤ 보기 ├
- ㄱ. B는 E보다 금속성이 크다.
- ㄴ. A와 C로 이루어진 화합물은 공유 결합 물질이다.
- ㄷ. D와 F로 이루어진 화합물은 액체 상태에서 전류가 흐른다.

① ㄱ ② ㄷ ③ ㄱ, ㄴ
④ ㄴ, ㄷ ⑤ ㄱ, ㄴ, ㄷ

145 그림은 주기율표의 일부를, 표는 안정한 화합물 (가)~(라)의 화학식을 나타낸 것이다.

주기＼족	1	2	13	14	15	16	17	18
1	A							
2				B		C	D	
3		E						

화합물	(가)	(나)	(다)	(라)
화학식	AD	A_2C	BD_4	E_xD_y

(가)~(라)에 대한 설명으로 옳은 것만을 〈보기〉에서 있는 대로 고른 것은? (단, A~E는 임의의 원소 기호이다.)

┤ 보기 ├
- ㄱ. 공유 결합 화합물은 3가지이다.
- ㄴ. 분자의 결합각은 (나)가 (다)보다 크다.
- ㄷ. (라)에서 x는 y보다 크다.

① ㄱ ② ㄷ ③ ㄱ, ㄴ
④ ㄴ, ㄷ ⑤ ㄱ, ㄴ, ㄷ

146 다음은 주기율표의 일부를 나타낸 것이다.

주기＼족	1	2	13	14	15	16	17	18
2				A		B		
3	C						D	E

그림은 원소 A~E를 3가지 기준에 따라 분류한 벤다이어그램이다.

[기준]
(가) 원자가 전자 수가 4개 이상이다.
(나) 전자가 채워진 전자 껍질 수가 3개이다.
(다) 칼륨과 이온 결합 물질을 형성할 수 있다.

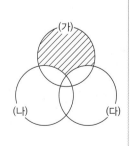

그림의 빗금 친 부분에 해당하는 원소만을 있는 대로 고른 것은? (단, A~E는 임의의 원소 기호이다.) [3점]

① A ② D ③ A, D
④ C, E ⑤ A, B, D

기출 분석

36 유형

■ 연관 기출 문제 키워드

#전기 음성도 #공유 결합 #이온 결합
#공유 전자쌍

문제 분석

❶ 제시된 원소를 주기율표에 그린다.
❷ 주기율표에서 전기 음성도의 주기성을 표시한다.
❸ 문제의 전기 음성도 크기와 주기율표의 원소를 맞춰 본다.

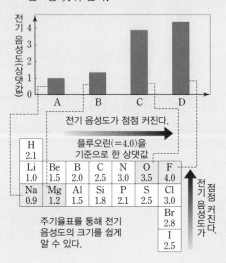

전기 음성도가 점점 커진다.

H 2.1						
Li 1.0	Be 1.5	B 2.0	C 2.5	N 3.0	O 3.5	F 4.0
Na 0.9	Mg 1.2	Al 1.5	Si 1.8	P 2.1	S 2.5	Cl 3.0
						Br 2.8
						I 2.5

플루오린(=4.0)을 기준으로 한 상댓값

점점 커진다. 전기 음성도가

주기율표를 통해 전기 음성도의 크기를 쉽게 알 수 있다.

🎥 배경 지식

원자가 공유 결합을 형성할 때는 각 원자의 원자핵이 공유 전자쌍을 끌어당기는 정도가 다르므로 공유 전자쌍이 어느 한 원자 쪽으로 치우친다. 이때 각 원자가 공유 전자쌍을 끌어당기는 정도를 상대적인 수치로 나타낸 것을 전기 음성도라고 한다. 즉, 공유 전자쌍은 두 원자의 가운데에 있는 것이 아니라 전기 음성도가 큰 원자 쪽으로 치우쳐 분포한다.

❓ 출제 의도

전기 음성도 그래프를 통해 원소의 종류를 알아내고, 원소와 화합물의 성질을 파악할 수 있는지 물어보는 문제이다.

🐛 이렇게 대비하자!

주기율표에서 원소들의 전기 음성도가 어떤 주기성을 가지는지 파악하고, 원자 및 분자의 성질을 예상할 수 있어야 한다.

그림은 임의의 원소 A~D의 전기 음성도를 상댓값으로 나타낸 것이다. A~D는 각각 O, F, Na, Mg 중 하나이다.

이에 대한 설명으로 옳은 것만을 〈보기〉에서 있는 대로 고른 것은? [3점]

보기
ㄱ. A와 D가 결합한 화합물의 화학식은 AD이다.
ㄴ. B와 D가 결합한 화합물은 공유 결합 화합물이다.
ㄷ. C₂ 분자에는 1개의 공유 전자쌍이 있다.

① ㄱ   ② ㄷ   ③ ㄱ, ㄴ   ④ ㄴ, ㄷ   ⑤ ㄱ, ㄴ, ㄷ

■ 문항별 해설

전기 음성도는 같은 주기에서 원자 번호가 클수록 대체로 커지고, 같은 족에서 원자 번호가 클수록 대체로 작아진다. 따라서 주기율표의 왼쪽이나 아래로 갈수록 감소하고, 주기율표의 오른쪽이나 위로 갈수록 증가한다. 즉, 전기 음성도는 금속 원소가 비금속 원소보다 작다. 따라서 A는 Na, B는 Mg, C는 O, D는 F이다.

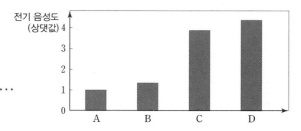

ㄱ. A(Na)는 1족 원소로 전자 1개를 잃어 +1가의 양이온이 된다. D(F)는 17족 원소로 전자 1개를 얻어 −1가의 음이온이 된다. 따라서 A와 D가 결합하면 NaF이 되므로 화학식은 AD이다. (○)
ㄴ. B는 Mg으로 금속 원소이고, D는 F으로 비금속 원소이다. 금속 양이온과 비금속 음이온이 결합한 화합물은 이온 결합 화합물이다. (✕)
ㄷ. C₂ 분자는 O₂이다. 16족 원소인 O는 원자가 전자 수가 6개로, 옥텟 규칙을 만족하려면 전자 2개가 부족하므로 O₂가 형성될 때 2개의 공유 전자쌍이 필요하다. (✕)   답 ①

■ 오류 피하기

⋯ 화합 결합의 종류를 알아내려면 결합한 원소가 금속 원소인지 비금속 원소인지를 살펴보아야 한다. 금속 원소+비금속 원소 ➡ 이온 결합. 비금속 원소+비금속 원소 ➡ 공유 결합

기출 문제

정답과 해설 **29~30**쪽

147 그림은 원소 A~C의 전기 음성도와 옥텟 규칙을 만족하는 이온의 반지름을 나타낸 것이다. A~C는 O, Mg, S 중 하나이다.

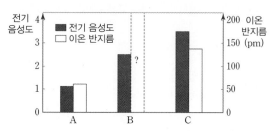

이에 대한 설명으로 옳은 것만을 〈보기〉에서 있는 대로 고른 것은? [3점]

보기
ㄱ. A는 Mg이다.
ㄴ. 이온 반지름은 B가 C보다 작다.
ㄷ. A와 C의 이온 반지름 차이는 전자 껍질 수가 다르기 때문이다.

① ㄱ   ② ㄴ   ③ ㄱ, ㄷ
④ ㄴ, ㄷ   ⑤ ㄱ, ㄴ, ㄷ

148 그림은 원소 A~D의 전기 음성도를 나타낸 것이다. A~D는 각각 O, F, Na, Mg 중 하나이다.

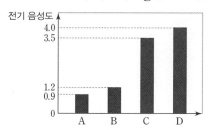

이에 대한 설명으로 옳은 것만을 〈보기〉에서 있는 대로 고른 것은? [3점]

보기
ㄱ. 원자 반지름은 A > B이다.
ㄴ. 안정한 이온의 반지름은 A > D이다.
ㄷ. 제1 이온화 에너지는 C > D이다.

① ㄱ   ② ㄴ   ③ ㄱ, ㄴ
④ ㄱ, ㄷ   ⑤ ㄴ, ㄷ

149 그림은 바닥상태인 원자의 전자 배치에서 홀전자 수가 같은 임의의 2주기 원소 X~Z의 전기 음성도를 나타낸 것이다.

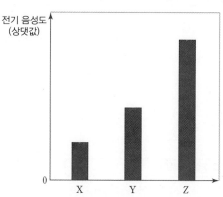

X~Z에 대한 설명으로 옳은 것만을 〈보기〉에서 있는 대로 고른 것은? [3점]

보기
ㄱ. Y는 2족 원소이다.
ㄴ. 원자가 전자가 느끼는 유효 핵전하는 Y가 X보다 크다.
ㄷ. 제1 이온화 에너지는 Z가 가장 크다.

① ㄱ   ② ㄴ   ③ ㄷ
④ ㄱ, ㄷ   ⑤ ㄴ, ㄷ

150 그림은 2주기 원소의 수소 화합물 (가)~(다)에 대해 구성 원소의 전기 음성도 차를 나타낸 것이다. (가)~(다)는 각각 H_2X, YH_3, ZH_4 중 하나이고, 중심 원자가 옥텟 규칙을 만족한다.

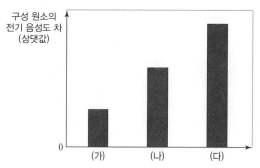

(가)~(다)에 대한 옳은 설명만을 〈보기〉에서 있는 대로 고른 것은? (단, X~Z는 임의의 원소 기호이다.)

보기
ㄱ. (가)는 ZH_4이다.
ㄴ. (나)는 평면 구조이다.
ㄷ. 결합각은 (다)가 (나)보다 크다.

① ㄱ   ② ㄴ   ③ ㄱ, ㄷ
④ ㄴ, ㄷ   ⑤ ㄱ, ㄴ, ㄷ

기출 분석

37 유형

❓ 출제 의도
루이스 전자점식을 통해 원자의 종류를 파악하고 화합 결합으로 생성되는 분자의 특징을 묻는 문제이다.

💬 이렇게 대비하자!
원자를 루이스 전자점식으로 나타낼 수 있어야 하며, 분자 구조를 파악한 후 분자의 특징과 성질을 알아야 한다.

■ 연관 기출 문제 키워드

#루이스 전자점식 #공유 전자쌍 #분자 모양
#쌍극자 모멘트의 합

문제 분석

주기율표 상의 루이스 전자점식

1족	2족	13족	14족	15족	16족	17족	18족
H·							·He·
Li·	·Be·	·B·	·C·	·N·	·O·	·F·	:Ne:
Na·	·Mg·	·Al·	·Si·	·P·	·S·	:Cl·	:Ar:

BF₃의 쌍극자 모멘트 구하기

❶ BF₃의 루이스 전자점식을 그려 중심 원자인 B 주위의 공유 전자쌍 수와 비공유 전자쌍 수를 구한다.

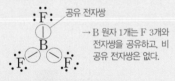

→ B 원자 1개는 F 3개와 전자쌍을 공유하고, 비공유 전자쌍은 없다.

공유 전자쌍

❷ 분자의 구조를 예측한다.

❸ 극성 공유 결합의 쌍극자 모멘트를 표시하고, 쌍극자 모멘트의 합을 구한다.

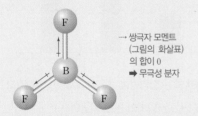

→ 쌍극자 모멘트(그림의 화살표)의 합이 0
➡ 무극성 분자

➡ 공유 전자쌍이 치우치지 않으므로 BF₃는 평면 삼각형이다.

다음은 2주기에 속하는 임의의 원소 A~D의 루이스 전자점식을 나타낸 것이다.

:·A· · B̈· :C̈· :D̈·

이에 대한 설명으로 옳은 것만을 〈보기〉에서 있는 대로 고른 것은?

┤ 보기 ├
ㄱ. 공유 전자쌍의 수는 $B_2 > C_2$이다.
ㄴ. BD_3의 분자 모양은 평면 삼각형이다.
ㄷ. AD_3 분자는 쌍극자 모멘트의 합이 0이다.

① ㄱ   ② ㄷ   ③ ㄱ, ㄴ   ④ ㄱ, ㄷ   ⑤ ㄴ, ㄷ

■ 문항별 해설

원자가 전자 수를 통해 A는 붕소, B는 질소, C는 산소, D는 플루오린임을 알 수 있다.

ㄱ. B_2의 공유 전자쌍의 수는 3개, C_2의 공유 전자쌍 수는 2개이다. 따라서 공유 전자쌍 수는 $B_2 > C_2$이다. (○)

ㄴ. BD_3는 NF_3로 분자 모양은 비공유 전자쌍이 한 쌍 있으므로 삼각뿔형이다. (×)

ㄷ. AD_3 분자는 BF_3이며, 평면 삼각형 구조로 무극성 분자이므로 쌍극자 모멘트의 합은 0이다. (○)

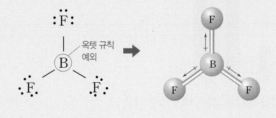

옥텟 규칙 예외

답 ④

■ 오류 피하기

⋯ NF_3와 BF_3는 분자식은 비슷하지만, 중심 원자의 원자가 전자 수가 다르므로 비공유 전자쌍 수가 달라진다. N은 F 3개와 결합하여 비공유 전자쌍 한 쌍이 있어 쌍극자 모멘트의 합이 0이 아니며 삼각뿔형이 되고, B는 F 3개와 결합하여 비공유 전자쌍이 없으므로 쌍극자 모멘트 합이 0이 되고 평면 삼각형 구조를 갖는다.

기출 문제

정답과 해설 **30~32**쪽

151 그림은 1, 2주기 비금속 원소 W~Z로 이루어진 분자의 루이스 전자점식이다.

$$X:\overset{\cdot\cdot}{\underset{\cdot\cdot}{W}}:\overset{\cdot\cdot}{\underset{\cdot\cdot}{W}}:X \quad X:Y::Y:X \quad X:\overset{\cdot\cdot}{Z}::\overset{\cdot\cdot}{Z}:X$$

이에 대한 설명으로 옳은 것만을 〈보기〉에서 있는 대로 고른 것은? (단, W~Z는 임의의 원소 기호이다.) [3점]

┤ 보기 ├
ㄱ. 전기 음성도는 W>Z>Y이다.
ㄴ. 공유 전자쌍 수는 Z_2가 W_2보다 많다.
ㄷ. 분자 XYZ의 중심 원자에는 비공유 전자쌍이 없다.

① ㄱ   ② ㄷ   ③ ㄱ, ㄴ
④ ㄴ, ㄷ   ⑤ ㄱ, ㄴ, ㄷ

152 그림은 사이안화 수소(HCN)와 에타인(C_2H_2)의 루이스 전자점식을 나타낸 것이다.

$$H:C::N: \qquad H:C::C:H$$
사이안화 수소   에타인

두 물질을 비교한 것으로 옳은 것만을 〈보기〉에서 있는 대로 고른 것은? (단, 수소, 탄소, 질소의 원자량은 각각 1, 12, 14이다.)

┤ 보기 ├
ㄱ. 끓는점: $HCN<C_2H_2$
ㄴ. 물에 대한 용해도: $HCN>C_2H_2$
ㄷ. 분자 내 공유 전자쌍의 수: $HCN>C_2H_2$

① ㄱ   ② ㄴ   ③ ㄷ
④ ㄱ, ㄴ   ⑤ ㄴ, ㄷ

153 그림은 2주기 원소에 해당하는 원자 A~D의 루이스 전자점식이다.

$$\cdot\overset{\cdot}{A}\cdot \qquad \cdot\overset{\cdot\cdot}{B}\cdot \qquad \cdot\overset{\cdot\cdot}{C}: \qquad :\overset{\cdot\cdot}{D}:$$

A~D의 수소 화합물에 대한 설명으로 옳은 것은? (단, A~D는 임의의 원소 기호이다.) [3점]

① AH_4는 무극성 공유 결합이 있다.
② CH_2의 분자 모양은 굽은 형이다.
③ DH의 쌍극자 모멘트는 0이다.
④ 물에 대한 용해도는 AH_4가 BH_3보다 크다.
⑤ 결합각은 BH_3이 CH_2보다 작다.

154 다음은 분자 (가)와 (나)의 루이스 전자점식을 나타낸 것이다.

$$A:\overset{\cdot\cdot}{B}:A \qquad :\overset{\cdot\cdot}{B}::C::\overset{\cdot\cdot}{B}:$$
(가)   (나)

이에 대한 설명으로 옳은 것만을 〈보기〉에서 있는 대로 고른 것은? (단, A~C는 1, 2주기 임의의 원소 기호이다.)

┤ 보기 ├
ㄱ. (가)의 쌍극자 모멘트는 0이다.
ㄴ. (나)의 분자 구조는 직선형이다.
ㄷ. C_2A_4의 모든 원자는 동일 평면에 있다.

① ㄱ   ② ㄴ   ③ ㄱ, ㄷ
④ ㄴ, ㄷ   ⑤ ㄱ, ㄴ, ㄷ

155 그림은 2주기 원소 A~D로 이루어진 3가지 분자를 루이스 전자점식으로 나타낸 것이다.

$$\ddot{:}B::A::\ddot{B}: \qquad :C::C: \qquad \overset{:\ddot{D}:}{\underset{:\ddot{D}:}{D:\ddot{C}:\ddot{D}:}}$$

이에 대한 설명으로 옳은 것만을 〈보기〉에서 있는 대로 고른 것은? (단, A~D는 임의의 원소 기호이다.) [3점]

─┤ 보기 ├─

ㄱ. AD₄의 공유 전자쌍 수는 4개이다.
ㄴ. 원자가 전자 수는 B>C이다.
ㄷ. CD₃에서 D는 부분적인 (−)전하를 띤다.

① ㄱ ② ㄴ ③ ㄱ, ㄷ
④ ㄴ, ㄷ ⑤ ㄱ, ㄴ, ㄷ

156 다음은 분자 X에 대한 자료이다.

- 2주기 원소 A, B, C로 구성된 3원자 분자이다.
- 구성하는 원자들의 루이스 전자점식은 다음과 같다.

$$\cdot\dot{A} \qquad :\ddot{B}: \qquad :\ddot{C}\cdot$$

- 분자 내에서 원자들은 모두 옥텟 규칙을 만족한다.

X에 대한 설명으로 옳은 것만을 〈보기〉에서 있는 대로 고른 것은? (단, A~C는 임의의 원소 기호이고, X에서 B의 산화수는 −2이다.) [3점]

─┤ 보기 ├─

ㄱ. 중심 원자는 B이다.
ㄴ. 극성 공유 결합이 있다.
ㄷ. 분자 내 공유 전자쌍은 3개이다.

① ㄱ ② ㄷ ③ ㄱ, ㄴ
④ ㄴ, ㄷ ⑤ ㄱ, ㄴ, ㄷ

157 다음은 2주기 원소 A~C의 루이스 전자점식이다.

$$\cdot\dot{A} \qquad \cdot\ddot{B}\cdot \qquad :\dot{C}\cdot$$

이에 대한 옳은 설명만을 〈보기〉에서 있는 대로 고른 것은? (단, A~C는 임의의 원소 기호이다.)

─┤ 보기 ├─

ㄱ. B₂ 분자의 공유 전자쌍 수는 2개이다.
ㄴ. AC₃ 분자에서 A는 옥텟 규칙을 만족한다.
ㄷ. BC₂ 분자의 구조는 직선형이다.

① ㄱ ② ㄷ ③ ㄱ, ㄴ
④ ㄴ, ㄷ ⑤ ㄱ, ㄴ, ㄷ

158 그림 (가)와 (나)는 CO₂와 BF₃를 루이스 전자점식으로 나타낸 것이다.

$$:\ddot{O}::C::\ddot{O}: \qquad \overset{:\ddot{F}:}{:\ddot{F}:B:\ddot{F}:}$$

(가)   (나)

(가)와 (나)의 공통점으로 옳은 것만을 〈보기〉에서 있는 대로 고른 것은?

─┤ 보기 ├─

ㄱ. 극성 공유 결합이 있다.
ㄴ. 중심 원자는 옥텟 규칙을 만족한다.
ㄷ. 무극성 분자이다.

① ㄴ ② ㄷ ③ ㄱ, ㄴ
④ ㄱ, ㄷ ⑤ ㄱ, ㄴ, ㄷ

159 다음은 임의의 2주기 원소 X~Z로 구성된 분자 (가), (나)의 루이스 전자점식이다.

$$:\ddot{Y}:X:\ddot{Y}: \qquad :\ddot{X}::Z::\ddot{X}:$$

(가)   (나)

이에 대한 설명으로 옳은 것만을 〈보기〉에서 있는 대로 고른 것은? [3점]

─┤ 보기 ├─

ㄱ. (나)에 있는 비공유 전자쌍의 수는 4개이다.
ㄴ. 결합각은 (나)>(가)이다.
ㄷ. ZY₄의 분자 모양은 정사면체형이다.

① ㄱ ② ㄷ ③ ㄱ, ㄴ
④ ㄴ, ㄷ ⑤ ㄱ, ㄴ, ㄷ

160 그림은 2주기 원자 A~D의 루이스 전자점식을 나타낸 것이다.

A·   ·B·   :Ċ·   :D̈·

이에 대한 설명으로 옳은 것만을 〈보기〉에서 있는 대로 고른 것은? (단, A~D는 임의의 원소 기호이다.) [3점]

┤ 보기 ├

ㄱ. C_2 분자의 공유 전자쌍은 2개이다.

ㄴ. AD는 이온 결합 화합물이다.

ㄷ. BD_3 분자의 쌍극자 모멘트는 0이다.

① ㄱ   ② ㄴ   ③ ㄱ, ㄷ

④ ㄴ, ㄷ   ⑤ ㄱ, ㄴ, ㄷ

161 다음은 1, 2주기 비금속 원소 A~C의 원자를 루이스 전자점식으로 나타낸 것이다.

A·   ·B̈·   :Ċ·

A~C로 이루어진 물질에 대한 옳은 설명만을 〈보기〉에서 있는 대로 고른 것은? (단, A~C는 임의의 원소 기호이다.)

┤ 보기 ├

ㄱ. AC는 공유 결합 물질이다.

ㄴ. BA_3에서 B는 부분적인 (−)전하를 띤다.

ㄷ. BC_3의 분자 구조는 삼각뿔형이다.

① ㄱ   ② ㄷ   ③ ㄱ, ㄴ

④ ㄴ, ㄷ   ⑤ ㄱ, ㄴ, ㄷ

162 다음은 2주기 원자 X~Z의 루이스 전자점식이다.

·Ẍ·   ·Ÿ·   :Z̈·

이에 대한 옳은 설명만을 〈보기〉에서 있는 대로 고른 것은? (단, X~Z는 임의의 원소 기호이다.)

┤ 보기 ├

ㄱ. X_2 분자에는 비공유 전자쌍이 2개 있다.

ㄴ. XZ_3 분자는 결합각이 120°이다.

ㄷ. YZ_2 분자는 무극성 분자이다.

① ㄱ   ② ㄴ   ③ ㄱ, ㄷ

④ ㄴ, ㄷ   ⑤ ㄱ, ㄴ, ㄷ

163 표는 옥텟 규칙을 만족하는 3원자 분자 (가), (나)를 구성하는 원자의 루이스 전자점식을 나타낸 것이다.

3원자 분자	구성 원자의 루이스 전자점식
(가)	·Ẍ· :Ÿ·
(나)	:Ÿ· :Z̈·

이에 대한 설명으로 옳은 것만을 〈보기〉에서 있는 대로 고른 것은? (단, X~Z는 2주기 임의의 원소 기호이다.) [3점]

┤ 보기 ├

ㄱ. 한 분자를 구성하는 Y원자의 수는 (가)가 (나)보다 많다.

ㄴ. (나)에 있는 비공유 전자쌍은 2개이다.

ㄷ. 결합각은 (가)가 (나)보다 작다.

① ㄱ   ② ㄴ   ③ ㄷ

④ ㄱ, ㄴ   ⑤ ㄱ, ㄷ

기출 분석

38. 유형

■ 연관 기출 문제 키워드

#분자 모형 #분자량 #끓는점

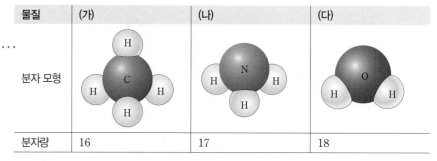

출제 의도
분자 모형과 주어진 조건을 통해 분자의 성질을 파악할 수 있는지 묻는 문제이다.

이렇게 대비하자!
분자 모형을 통해 분자 구조를 파악하고, 화학 결합 및 물리적, 화학적 성질을 알아낼 수 있어야 한다.

문제 분석

메테인의 분자 구조

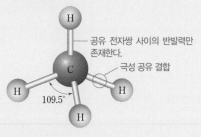

공유 전자쌍 사이의 반발력만 존재한다.

극성 공유 결합

109.5°

정사면체 대칭 구조 ➡ 무극성 분자

암모니아의 분자 구조

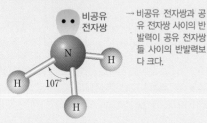

비공유 전자쌍

→ 비공유 전자쌍과 공유 전자쌍 사이의 반발력이 공유 전자쌍들 사이의 반발력보다 크다.

107°

삼각뿔형 비대칭 구조로 쌍극자 모멘트의 합이 0이 아니다. ➡ 극성 분자

물의 분자 구조

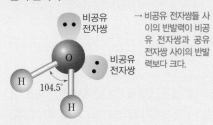

비공유 전자쌍

→ 비공유 전자쌍들 사이의 반발력이 비공유 전자쌍과 공유 전자쌍 사이의 반발력보다 크다.

비공유 전자쌍

104.5°

굽은 형 비대칭 구조 ➡ 극성 분자

표는 3가지 물질의 분자 모형과 분자량을 나타낸 것이다.

물질	(가)	(나)	(다)
분자 모형	H, C, H, H, H	N, H, H, H	O, H, H
분자량	16	17	18

(가)~(다)에 대한 설명으로 옳은 것만을 〈보기〉에서 있는 대로 고른 것은? [3점]

┌─ 보기 ┐
ㄱ. 물질 (가)의 끓는점이 가장 낮다.
ㄴ. (나)는 이온 결합 물질이다.
ㄷ. 한 분자를 구성하는 원자 수가 가장 작은 것은 (다)이다.
└──────┘

① ㄴ   ② ㄷ   ③ ㄱ, ㄴ   ④ ㄱ, ㄷ   ⑤ ㄱ, ㄴ, ㄷ

■ **문항별 해설**

ㄱ. 분자량이 비슷할 때 무극성 분자보다 극성 분자의 녹는점과 끓는점이 높다. (가)는 무극성, (나)는 극성, (다)는 극성 분자이다. 따라서 (가)의 끓는점이 가장 낮다. (○)

ㄴ. (가)~(다)는 공유 결합 물질이다. (×)

ㄷ. 한 분자를 구성하는 원자 수는 각각 (가) 5, (나) 4, (다) 3이다. 따라서 한 분자를 구성하는 원자 수가 가장 작은 것은 (다)이다. (○)

답 ④

■ **오류 피하기**

⋯ 분자의 극성은 분자의 물리적, 화학적 성질에 영향을 미친다. 극성 분자는 무극성 분자보다 끓는점과 녹는점이 높다.

기출 문제

164 표는 3가지 물질의 분자 모형과 1 기압에서의 끓는점이다.

물질	산소	메테인	암모니아
분자 모형			
끓는점(℃)	−183	−164	−33

이에 대한 옳은 설명만을 〈보기〉에서 있는 대로 고른 것은?

┤ 보기 ├
ㄱ. 산소 분자는 대칭 구조이다.
ㄴ. 1 기압, 25 ℃에서 메테인은 기체로 존재한다.
ㄷ. 분자 사이의 힘은 메테인이 암모니아보다 크다.

① ㄱ   ② ㄷ   ③ ㄱ, ㄴ
④ ㄴ, ㄷ   ⑤ ㄱ, ㄴ, ㄷ

165 그림은 두 분자의 구조를 모형으로 나타낸 것이다.

이에 대한 설명으로 옳은 것만을 〈보기〉에서 있는 대로 고른 것은? (단, A~C는 2주기 임의의 원소 기호이다.)

┤ 보기 ├
ㄱ. 전기 음성도는 A가 C보다 크다.
ㄴ. AB_2의 쌍극자 모멘트의 합은 0이다.
ㄷ. 중심 원자의 비공유 전자쌍 수는 AB_2가 BC_2보다 많다.

① ㄱ   ② ㄴ   ③ ㄱ, ㄷ
④ ㄴ, ㄷ   ⑤ ㄱ, ㄴ, ㄷ

166 그림은 분자량이 비슷한 세 가지 분자의 구조를 모형으로 나타낸 것이다.

메테인(CH_4)   암모니아(NH_3)   물(H_2O)

이에 대한 설명으로 옳은 것만을 〈보기〉에서 있는 대로 고른 것은? [3점]

┤ 보기 ├
ㄱ. 분자 구조가 대칭인 것은 메테인이다.
ㄴ. 끓는점은 메테인보다 암모니아가 낮다.
ㄷ. 분자 사이의 인력은 물보다 메테인이 크다.

① ㄱ   ② ㄴ   ③ ㄷ
④ ㄱ, ㄴ   ⑤ ㄴ, ㄷ

167 표는 3가지 물질에 대한 자료이다.

물질	질소	암모니아	메테인
분자 모형			
분자량	28	17	16
1 기압에서 끓는점(℃)	−196	−33	㉠

이에 대한 설명으로 옳은 것만을 〈보기〉에서 있는 대로 고른 것은? [3점]

┤ 보기 ├
ㄱ. 질소는 무극성 분자이다.
ㄴ. ㉠은 −33보다 크다.
ㄷ. 액체 상태에서 분자 간 인력은 암모니아가 질소보다 크다.

① ㄱ   ② ㄴ   ③ ㄱ, ㄷ
④ ㄴ, ㄷ   ⑤ ㄱ, ㄴ, ㄷ

기출 유형 분석 **83**

기출 분석

39유형

#분자 모형#중심 원자#원자가 전자
#비공유 전자쌍#극성 분자

❓ 출제 의도
분자 모형을 통해 분자의 극성, 무극성을 판단하고, 중심 원자의 비공유 전자쌍 수와 분자 구조를 파악할 수 있는지 묻는 문제이다.

🐛 이렇게 대비하자!
여러 가지 분자의 비공유 전자쌍과 공유 전자쌍, 분자의 극성과 무극성으로 구조 및 성질을 파악할 수 있어야 한다.

표는 2주기 원소 A~C의 수소 화합물 (가)~(다)에 대한 자료이다.

수소 화합물	(가)	(나)	(다)
분자 모형		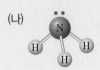	
중심 원자의 원자가 전자 수	6	5	㉠

이에 대한 옳은 설명만을 〈보기〉에서 있는 대로 고른 것은? (단, A~C는 임의의 원소 기호이다.) [3점]

┤ 보기 ├
ㄱ. ㉠은 4이다.
ㄴ. 한 분자당 비공유 전자쌍 수는 (가)가 (나)보다 많다.
ㄷ. (가)~(다) 중 극성 분자는 1가지이다.

① ㄱ   ② ㄷ   ③ ㄱ, ㄴ   ④ ㄴ, ㄷ   ⑤ ㄱ, ㄴ, ㄷ

문제 분석
분자의 공유 전자쌍과 비공유 전자쌍

(가)   공유 전자쌍: 2쌍
        비공유 전자쌍: 2쌍

(나)   공유 전자쌍: 3쌍
        비공유 전자쌍: 1쌍

(다)   공유 전자쌍: 4쌍
        비공유 전자쌍: 없음

■ 문항별 해설
중심 원자의 원자가 전자 수를 보면 원소 종류를 알 수 있다. 2주기 원소 중 원자가 전자가 6개인 원소 A는 O, 5개인 원소 B는 N이다.

ㄱ. 수소(H)는 한 개의 공유 결합을 형성한다. 수소 4개가 탄소(C)와 단일 결합을 형성하므로 C의 원자가 전자 수는 4개이다. (○)

ㄴ. H와 결합을 형성하는 전자 수는 (가)에서 A가 2개이고, (나)에서 B가 3개이다. 따라서 (가)와 (나)의 비공유 전자쌍을 루이스 전자점식으로 나타내면 다음과 같으므로 한 분자당 비공유 전자쌍 수는 (가)(2개)가 (나)(1개)보다 많다. (○)

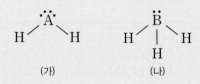

ㄷ. (가)~(다) 중 극성 분자는 비공유 전자쌍이 있는 (가)와 (나)로 2개이다. (×)   답 ③

■ 오류 피하기
⋯ 분자의 대칭 여부를 판단하는 기준은 겉으로 보이는 분자의 결합 형태가 아니라 분자를 이루는 각 원자 간의 결합에서 쌍극자 모멘트의 합이 0이냐, 아니냐이다.

🐛 배경 지식
극성 분자는 분자 안에서 전하가 고르게 분포하지 않고 한쪽으로 치우쳐서 부분적으로 (+)전하와 (−)전하는 띠는 분자를 말한다. 분자 구조가 비대칭이면서 쌍극자 모멘트의 합이 0이 되지 않으면 극성 분자가 된다.
극성 분자는 서로 반대 전하를 띤 부분 사이에서 서로 끌어당기는 정전기적 인력이 작용하므로 무극성 분자보다 분자 사이의 인력이 강하고, 끓는점과 녹는점이 높다.

기출 문제

정답과 해설 33~34쪽

168 표는 물과 이산화 탄소의 분자 모형과 25 °C에서의 상태를 나타낸 것이다.

구분	물	이산화 탄소
분자 모형	굽은 형	직선형
25 °C에서의 상태	액체	기체

이에 대한 설명으로 옳은 것만을 〈보기〉에서 있는 대로 고른 것은? [3점]

보기
ㄱ. 이산화 탄소는 무극성 분자이다.
ㄴ. 분자 사이의 인력은 이산화 탄소가 물보다 크다.
ㄷ. 물 분자의 산소 원자에는 공유 결합에 참여하지 않은 전자가 있다.

① ㄱ   ② ㄴ   ③ ㄱ, ㄷ
④ ㄴ, ㄷ   ⑤ ㄱ, ㄴ, ㄷ

169 그림은 세 가지 분자를 모형으로 나타낸 것이다.

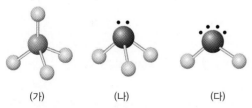

(가)   (나)   (다)

이에 대한 설명으로 옳은 것만을 〈보기〉에서 있는 대로 고른 것은? (단, (가)~(다)는 물, 암모니아, 메테인 중 하나이다.)

보기
ㄱ. (가)는 비대칭 구조이다.
ㄴ. (나)는 암모니아의 분자 모형이다.
ㄷ. 중심 원자의 비공유 전자쌍이 가장 많은 것은 (다)이다.

① ㄱ   ② ㄴ   ③ ㄱ, ㄷ
④ ㄴ, ㄷ   ⑤ ㄱ, ㄴ, ㄷ

170 표는 수소(H_2), 메테인(CH_4), 물(H_2O)의 분자 모형과 끓는점을 나타낸 것이다.

분자	수소	메테인	물
분자 모형			
끓는점 (1 기압)	−253 °C	−164 °C	100 °C

이에 대한 설명으로 옳은 것만을 〈보기〉에서 있는 대로 고른 것은?

보기
ㄱ. 수소(H_2)는 무극성 분자이다.
ㄴ. 메테인(CH_4)은 실온(25 °C)에서 기체이다.
ㄷ. 액체 상태에서 분자 사이의 인력이 가장 큰 물질은 물(H_2O)이다.

① ㄱ   ② ㄴ   ③ ㄱ, ㄷ
④ ㄴ, ㄷ   ⑤ ㄱ, ㄴ, ㄷ

171 그림은 물, 암모니아, 이산화 탄소의 분자 모형을 나타낸 것이다.

물   암모니아   이산화 탄소

이에 대한 설명으로 옳은 것만을 〈보기〉에서 있는 대로 고른 것은?

보기
ㄱ. 물 분자는 공유 전자쌍 수와 비공유 전자쌍 수가 같다.
ㄴ. 이산화 탄소 분자는 대칭 구조이다.
ㄷ. 물에 대한 용해도는 이산화 탄소가 암모니아보다 크다.

① ㄴ   ② ㄷ   ③ ㄱ, ㄴ
④ ㄱ, ㄷ   ⑤ ㄱ, ㄴ, ㄷ

기출 분석

40 유형

■ 연관 기출 문제 키워드

#분자 #쌍극자 모멘트 #비공유 전자쌍
#극성 공유 결합

❓ 출제 의도
주어진 분자의 구조와 특성을 파악하고, 분자를 분류 기준에 맞게 분류할 수 있는지 묻는 문제이다.

💬 이렇게 대비하자!
분자의 모양과 극성을 이해하고 분자를 분류할 수 있어야 한다.

문제 분석

루이스 전자점식(구조식)을 그려서 쌍극자 모멘트와 비공유 전자쌍을 판단한다.

❶ BeH₂

$$\overset{\longleftrightarrow}{H : Be : H}$$

쌍극자 모멘트 합=0
비공유 전자쌍 없음

❷ CO₂

$$\overset{\longleftrightarrow}{\ddot{O} :: C :: \ddot{O}}$$

쌍극자 모멘트 합=0
비공유 전자쌍 있음

❸ H₂S

쌍극자 모멘트 합≠0
비공유 전자쌍 있음

⸺ 쌍극자 모멘트는 전기 음성도가 작은 원자에서 큰 원자 쪽으로 화살표가 향하게 표시한다.

그림은 3가지 분자를 기준 (가), (나)에 따라 분류한 것이다.

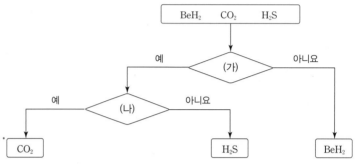

기준 (가), (나)로 옳은 것을 〈보기〉에서 고른 것은? [3점]

┃ 보기 ┃

ㄱ. 분자의 쌍극자 모멘트 합이 0인가?

ㄴ. 분자에 비공유 전자쌍이 있는가?

ㄷ. 극성 공유 결합이 있는가?

	(가)	(나)		(가)	(나)
①	ㄱ	ㄴ	②	ㄱ	ㄷ
③	ㄴ	ㄱ	④	ㄴ	ㄷ
⑤	ㄷ	ㄴ			

■ 문항별 해설

세 분자 모두 서로 다른 원자가 결합하고 있으므로 모두 극성 공유 결합을 하고 있다. 따라서 〈보기〉에 나온 'ㄷ. 극성 공유 결합이 있는가?'는 (가), (나)에 해당하지 않는다.

(가) BeH₂는 아니요, CO₂와 H₂S는 예라고 했기 때문에 이 둘을 나누는 기준을 찾아야 한다. BeH₂에는 비공유 전자쌍이 없고, CO₂, H₂S에는 비공유 전자쌍이 있으므로 (가)에 알맞은 기준은 '분자에 비공유 전자쌍이 있는가?'이다.

(나) CO₂와 H₂S를 나누는 기준을 찾아야 한다. CO₂는 선형 구조로 쌍극자 모멘트의 합이 0이고, H₂S는 중심 원자에 비공유 전자쌍이 있는 굽은 형 구조이므로 쌍극자 모멘트 합이 0이 아니다. 따라서 (나)에 알맞은 기준은 '분자의 쌍극자 모멘트 합이 0인가?'이다.

답 ③

■ 배경 지식

쌍극자 모멘트: 서로 다른 원자가 공유 결합을 할 때 공유 전자쌍은 전기 음성도가 더 큰 원자 쪽으로 치우친다. 전자쌍이 치우친 원자는 부분적인 (−)전하를, 그렇지 않은 원자는 부분적인 (+)전하를 띠는데, 이렇게 한 분자에 있는 서로 반대인 두 전하를 쌍극자라고 하고, 결합의 극성이나 분자의 극성 정도를 나타낼 때 사용하는 물리량을 쌍극자 모멘트라고 한다. 쌍극자 모멘트 값이 클수록 극성이 강하다.

■ 오류 피하기

⸺ 분자에 비공유 전자쌍이 있는지의 여부를 볼 때는 중심 원자뿐 아니라 중심 원자에 결합하고 있는 원자들까지 살펴봐야 한다.

기출 문제

정답과 해설 **34**쪽

172 그림은 4가지 분자를 주어진 기준에 따라 분류한 것이다.

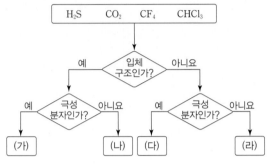

이에 대한 옳은 설명만을 〈보기〉에서 있는 대로 고른 것은?

┃ 보기 ┃
ㄱ. (가)는 $CHCl_3$이다.
ㄴ. (나)에는 무극성 공유 결합이 있다.
ㄷ. 결합각은 (다)가 (라)보다 크다.

① ㄱ　② ㄷ　③ ㄱ, ㄴ ④ ㄱ, ㄷ ⑤ ㄴ, ㄷ

173 다음은 3가지 물질을 몇 가지 기준에 따라 분류한 것이다.

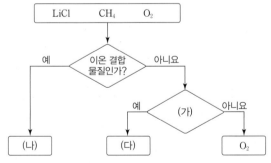

이에 대한 설명으로 옳은 것만을 〈보기〉에서 있는 대로 고른 것은?

┃ 보기 ┃
ㄱ. (가)에는 '극성 공유 결합이 있는가?'를 사용할 수 있다.
ㄴ. (나)는 LiCl이다.
ㄷ. (다)에는 비공유 전자쌍이 있다.

① ㄱ　② ㄴ　③ ㄷ　④ ㄱ, ㄴ ⑤ ㄴ, ㄷ

174 그림은 3가지 분자를 주어진 기준에 따라 분류하는 과정을 나타낸 것이다.

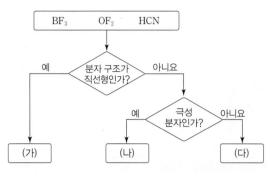

(가)~(다)에 대한 옳은 설명만을 〈보기〉에서 있는 대로 고른 것은?

┃ 보기 ┃
ㄱ. (가)에는 3중 결합이 있다.
ㄴ. 중심 원자에 존재하는 전체 전자쌍 수는 (다)가 가장 적다.
ㄷ. 결합각은 (나)가 (다)보다 크다.

① ㄱ　② ㄷ　③ ㄱ, ㄴ　④ ㄴ, ㄷ　⑤ ㄱ, ㄴ, ㄷ

175 그림은 중심 원자가 탄소(C)인 3가지 물질을 어떤 기준에 따라 분류하는 과정을 나타낸 것이다.

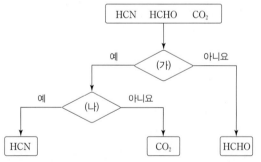

(가), (나)에 들어갈 적절한 분류 기준을 〈보기〉에서 골라 옳게 짝 지은 것은? [3점]

┃ 보기 ┃
ㄱ. 극성 분자인가?
ㄴ. 분자 모양이 직선형인가?
ㄷ. 2중 결합을 가지고 있는가?

	(가)	(나)		(가)	(나)
①	ㄱ	ㄴ	②	ㄱ	ㄷ
③	ㄴ	ㄱ	④	ㄴ	ㄷ
⑤	ㄷ	ㄴ			

기출 분석

41 유형

? 출제 의도
분자 내의 공유 전자쌍 수를 통해 분자의 구조를 파악하고 분자의 특성을 알아낼 수 있는지 묻는 문제이다.

👀 이렇게 대비하자!
미지의 분자식을 통해 분자 구조를 파악하여 원자의 종류를 알아내고, 분자의 극성과 결합각, 쌍극자 모멘트를 예측할 수 있어야 한다.

■ 연관 기출 문제 키워드

#분자식#공유 전자쌍#무극성#결합각

문제 분석

[X_2F_2 분자식 그리기]

❶ 공유 결합   공유 결합

:F̈—X   X—F̈: → 공유 결합 2개

X와 X 사이에 공유 결합 2개 추가 필요

❷ :F̈—X═X—F̈:

공유 결합 2개 추가

총 공유 결합 4개

❸ 옥텟 규칙을 만족하므로 X의 원자가 전자 수를 8개로 맞춘다.

:F̈—Ẍ═Ẍ—F̈:

❹ 전자쌍 사이의 반발력을 고려하여 분자 구조를 완성한다.

Ẍ═X

[Y_2H_2 분자식 그리기]

❶ 공유 결합   공유 결합

H—Y   Y—H → 공유 결합 2개

Y와 Y 사이에 공유 결합 3개 추가 필요

❷ H—Y═Y—H

공유 결합 3개 추가

총 공유 결합 5개

❸ Y의 원자가 전자 수가 옥텟 규칙을 만족하는지 확인한다.

→ 현재 원자가 전자 수 8개이므로 만족함

❹ Y에 비공유 전자쌍이 없으므로 분자 구조는 직선형이다.

H—Y≡Y—H

표는 화합물 (가), (나)에 대한 자료이다. X와 Y는 2주기 원소이며 화합물에서 옥텟 규칙을 만족한다.

화합물	(가)	(나)
분자식	X_2F_2	Y_2H_2
공유 전자쌍 수	4	5

이에 대한 설명으로 옳은 것만을 〈보기〉에서 있는 대로 고른 것은? (단, X와 Y는 임의의 원소 기호이다.) [3점]

┤ 보기 ├

ㄱ. X는 질소(N)이다.

ㄴ. (나)는 무극성 분자이다.

ㄷ. 결합각은 (나)가 (가)보다 크다.

① ㄱ   ② ㄷ   ③ ㄱ, ㄴ   ④ ㄴ, ㄷ   ⑤ ㄱ, ㄴ, ㄷ

■ 문항별 해설

플루오린(F)은 1개의 공유 결합을 형성한다. (가)는 공유 전자쌍 수가 총 4개인데 X와 F 원자 사이에 각각 1개의 전자쌍을 공유하고 있으므로 X 원자 사이에는 2개의 공유 전자쌍이 있다.

수소(H)는 1개의 공유 결합을 형성한다. (나)는 공유 전자쌍 수가 총 5개인데 Y와 H 원자 사이에 각각 1개의 전자쌍을 공유하고 있으므로, Y 원자 사이에는 3개의 공유 전자쌍이 있다.

X, Y는 옥텟 규칙을 만족하므로 X는 비공유 전자쌍이 있고, Y는 비공유 전자쌍이 없다.

Ẍ═X   H—Y≡Y—H

(가)   (나)

ㄱ. X는 비공유 전자쌍 1개와 공유 전자쌍 3개가 있으므로 원자가 전자 수가 5이다. X는 2주기 원소이므로 2주기 15족 원소인 질소(N)이다. (○)

ㄴ. (나)의 분자 구조는 직선형이므로 쌍극자 모멘트가 0인 무극성 분자이다. (○)

ㄷ. (가)의 X에 비공유 전자쌍이 있으므로 분자 구조가 굽은 형이다. (나)는 직선형으로 결합각이 180°이므로 결합각은 (나)가 (가)보다 크다. (○)   답 ⑤

■ 오류 피하기

⋯ 결합각은 분자에서 중심 원자의 핵과 중심 원자와 결합한 두 원자의 핵을 연결한 선이 이루는 각이다. 결합각은 전자쌍 사이의 반발력에 따라 달라진다. 비공유 전자쌍 사이의 반발력이 공유 전자쌍 사이의 반발력보다 크다. 따라서 중심 원자에 비공유 전자쌍이 많을수록 결합각이 작아진다.

176 표는 분자 (가)~(다)에 대한 자료이다. X, Y는 2주기 원소이며 (가)~(다)에서 모두 옥텟 규칙을 만족한다.

분자	실험식	분자 내 공유 전자쌍의 수
(가)	XH_3	3
(나)	HYX	4
(다)	YH	5

이에 대한 설명으로 옳은 것만을 〈보기〉에서 있는 대로 고른 것은? (단, X와 Y는 임의의 원소 기호이다.) [3점]

┤ 보기 ├
ㄱ. (가)는 극성 분자이다.
ㄴ. (가)와 (다)는 분자당 구성 원자 수가 같다.
ㄷ. (나)와 (다)의 모양은 모두 직선형이다.

① ㄱ   ② ㄷ   ③ ㄱ, ㄴ
④ ㄴ, ㄷ   ⑤ ㄱ, ㄴ, ㄷ

177 표는 2주기 원소 A~C로 이루어진 분자 (가), (나)에 대한 자료이다. (가), (나)에서 구성 원자는 모두 옥텟 규칙을 만족한다.

분자	분자식	비공유 전자쌍 수
(가)	AB_2	4
(나)	BC_2	8

이에 대한 옳은 설명만을 〈보기〉에서 있는 대로 고른 것은? (단, A~C는 임의의 원소 기호이다.) [3점]

┤ 보기 ├
ㄱ. 공유 전자쌍 수는 (가)가 (나)의 2배이다.
ㄴ. 결합각은 (가)가 (나)보다 크다.
ㄷ. 분자의 쌍극자 모멘트는 (가)가 (나)보다 크다.

① ㄱ   ② ㄷ   ③ ㄱ, ㄴ
④ ㄴ, ㄷ   ⑤ ㄱ, ㄴ, ㄷ

178 표는 1, 2주기의 1~16족 원소 중 하나인 A~D로 이루어진 3가지 분자에 대한 자료이다.

분자식	ADC	DB_2	DA_4
공통점	중심 원자는 옥텟 규칙을 만족함		

이에 대한 설명으로 옳은 것만을 〈보기〉에서 있는 대로 고른 것은? (단, A~D는 임의의 원소 기호이다.) [3점]

┤ 보기 ├
ㄱ. 무극성 분자는 2가지이다.
ㄴ. 비공유 전자쌍이 있는 분자는 2가지이다.
ㄷ. 분자를 구성하는 모든 원자들이 동일 평면에 존재하는 것은 1가지이다.

① ㄱ   ② ㄷ   ③ ㄱ, ㄴ
④ ㄴ, ㄷ   ⑤ ㄱ, ㄴ, ㄷ

179 다음은 분자 (가)~(다)에 대한 자료이다.

- (가)~(다)의 분자식

분자	(가)	(나)	(다)
분자식	WX_2Y	YZ_2	WY_2

- W~Z는 각각 H, C, O, F 중 하나이고, 전기 음성도는 X가 가장 작다.
- (가)~(다)의 중심 원자는 옥텟 규칙을 만족한다.

(가)~(다)에 대한 설명으로 옳은 것만을 〈보기〉에서 있는 대로 고른 것은?

┤ 보기 ├
ㄱ. (가)의 분자 모양은 평면 삼각형이다.
ㄴ. (나)의 중심 원자는 부분적인 (+)전하를 띤다.
ㄷ. 극성 분자는 1가지이다.

① ㄱ   ② ㄷ   ③ ㄱ, ㄴ
④ ㄴ, ㄷ   ⑤ ㄱ, ㄴ, ㄷ

기출 분석

42유형

#아레니우스 #브뢴스테드·로리 #루이스

문제 분석
산과 염기의 정의

(가) HCN(g) + H$_2$O(l)
　　　⟶ H$_3$O$^+$(aq) + CN$^-$(aq)

- HCN는 수용액에서 H$^+$을 내놓으므로 아레니우스 산이고, 브뢴스테드·로리 산이다.

(나) (CH$_3$)$_3$N(g) + HF(aq)
　　⟶ (CH$_3$)$_3$NH$^+$(aq) + F$^-$(aq)

- (CH$_3$)$_3$N은 수용액에서 OH$^-$을 내놓지 않으므로 아레니우스 염기가 아니다.
- (CH$_3$)$_3$N은 H$^+$을 받으므로 브뢴스테드·로리 염기이다.

(다) H$_3$O$^+$(aq)+ OH$^-$(aq)
　　　　　　⟶ 2H$_2$O(l)

- OH$^-$은 H$_3$O$^+$에게 비공유 전자쌍을 주므로 루이스 염기이다.

배경 지식

루이스 산과 염기

산: 비공유 전자쌍을 받는 물질
염기: 비공유 전자쌍을 주는 물질

```
    F   H              F  H
    |   |              |  |
F - B  + :N-H   ⟶   F-B-N-H
    |   |              |  |
    F   H              F  H
    산    염기
```

출제 의도

산과 염기의 화학 반응식을 통해 여러 가지 산과 염기의 정의를 이해하고 있는지 물어보는 문제이다.

이렇게 대비하자!

아레니우스, 브뢴스테드·로리, 루이스 산과 염기의 정의를 암기하고 있어야 하며, 이를 화학식에 적용시켜 각 정의에 적합한 산과 염기를 분류할 수 있어야 한다.

다음은 산 염기 반응의 화학 반응식이다.

(가) HCN(g) + H$_2$O(l) ⟶ H$_3$O$^+$(aq) + CN$^-$(aq)
(나) (CH$_3$)$_3$N(g) + HF(aq) ⟶ (CH$_3$)$_3$NH$^+$(aq) + F$^-$(aq)
(다) H$_3$O$^+$(aq)+ OH$^-$(aq) ⟶ 2H$_2$O(l)

이에 대한 설명으로 옳은 것만을 〈보기〉에서 있는 대로 고른 것은? [3점]

┤ 보기 ├
ㄱ. (가)에서 HCN(g)는 아레니우스 산이다.
ㄴ. (나)에서 (CH$_3$)$_3$N(g)은 브뢴스테드·로리 염기이다.
ㄷ. (다)에서 OH$^-$(aq)은 루이스 염기이다.

① ㄱ　　　② ㄷ　　　③ ㄱ, ㄴ　　　④ ㄴ, ㄷ　　　⑤ ㄱ, ㄴ, ㄷ

■ **문항별 해설**
산과 염기의 여러 가지 정의

아레니우스	산	수용액에서 수소 이온(H$^+$)을 내놓는 물질
	염기	수용액에서 수산화 이온(OH$^-$)을 내놓는 물질
브뢴스테드·로리	산	다른 물질에게 수소 이온(H$^+$)을 내놓는 물질
	염기	다른 물질로부터 수소 이온(H$^+$)을 받는 물질
루이스	산	다른 물질의 비공유 전자쌍을 받는 물질
	염기	다른 물질에게 비공유 전자쌍을 주는 물질

ㄱ. 아레니우스 산은 수용액에서 수소 이온(H$^+$)을 내놓는 물질이다. HCN는 수용액에서 H$^+$을 내놓아 CN$^-$이 되므로 아레니우스 산이다. (○)
ㄴ. 브뢴스테드·로리 염기는 수소 이온(H$^+$)을 받는 물질이다. (CH$_3$)$_3$N은 HF의 H$^+$을 받아 (CH$_3$)$_3$NH$^+$가 되었으므로 브뢴스테드·로리 염기이다. (○)
ㄷ. 루이스 염기는 비공유 전자쌍을 주는 물질이다. OH$^-$은 H$_3$O$^+$의 H$^+$에게 비공유 전자쌍을 주므로 루이스 염기이다. (○)

답 ⑤

■ **오류 피하기**

⋯ 루이스 산의 정의는 다른 물질의 비공유 전자쌍을 받는 물질이고, 루이스 염기의 정의는 다른 물질에게 비공유 전자쌍을 내놓는 물질이다. 비공유 전자쌍을 수소 이온(H$^+$)과 헷갈리지 말자.

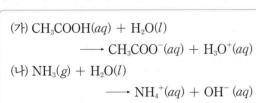
180 다음은 산 염기 반응의 화학 반응식이다.

> (가) $CH_3COOH(aq) + H_2O(l)$
> $\longrightarrow CH_3COO^-(aq) + H_3O^+(aq)$
> (나) $NH_3(g) + H_2O(l)$
> $\longrightarrow NH_4^+(aq) + OH^-(aq)$
> (다) $NH_2CH_2COOH(s) + NaOH(aq) \longrightarrow$
> $NH_2CH_2COO^-(aq) + Na^+(aq) + H_2O(l)$

(가)~(다)에 대한 설명으로 옳은 것만을 〈보기〉에서 있는 대로 고른 것은?

> **보기**
> ㄱ. (가)에서 CH_3COOH은 아레니우스 산이다.
> ㄴ. (나)에서 NH_3는 브뢴스테드·로리 염기이다.
> ㄷ. (다)에서 NH_2CH_2COOH은 루이스 염기이다.

① ㄱ   ② ㄷ   ③ ㄱ, ㄴ
④ ㄴ, ㄷ   ⑤ ㄱ, ㄴ, ㄷ

181 다음은 3가지 산 염기 반응의 화학 반응식이다.

> (가) $CH_3COOH(aq) + H_2O(l)$
> $\longrightarrow H_3O^+(aq) + CH_3COO^-(aq)$
> (나) $BF_3(g) + F^-(aq) \longrightarrow BF_4^-(aq)$
> (다) $HF(aq) + HCO_3^-(aq)$
> $\longrightarrow H_2CO_3(aq) + F^-(aq)$

이에 대한 설명으로 옳은 것만을 〈보기〉에서 있는 대로 고른 것은?

> **보기**
> ㄱ. (가)에서 CH_3COOH은 아레니우스 산이다.
> ㄴ. (나)에서 BF_3는 루이스 산이다.
> ㄷ. (다)에서 HCO_3^-은 브뢴스테드·로리 염기이다.

① ㄱ   ② ㄴ   ③ ㄱ, ㄷ
④ ㄴ, ㄷ   ⑤ ㄱ, ㄴ, ㄷ

182 다음은 산 염기 반응의 화학 반응식이다.

> (가) $HCl(aq) + H_2O(l)$
> $\longrightarrow Cl^-(aq) + H_3O^+(aq)$
> (나) $CH_2(NH_2)COOH(aq) + OH^-(aq)$
> $\longrightarrow CH_2(NH_2)COO^-(aq) + H_2O(l)$
> (다) $NH_3(aq) + H_2O(l)$
> $\longrightarrow NH_4^+(aq) + OH^-(aq)$

이에 대한 옳은 설명만을 〈보기〉에서 있는 대로 고른 것은?

> **보기**
> ㄱ. (가)에서 HCl는 아레니우스 산이다.
> ㄴ. (나)에서 $CH_2(NH_2)COOH$은 브뢴스테드·로리 산이다.
> ㄷ. (다)에서 NH_3는 루이스 염기이다.

① ㄱ   ② ㄷ   ③ ㄱ, ㄴ
④ ㄴ, ㄷ   ⑤ ㄱ, ㄴ, ㄷ

183 다음은 산 염기 반응의 화학 반응식이다.

> (가) $HCN(aq) + H_2O(l)$
> $\longrightarrow CN^-(aq) + H_3O^+(aq)$
> (나) $CN^-(aq) + H_2O(l)$
> $\longrightarrow HCN(aq) + OH^-(aq)$
> (다) $HCN(aq) + OH^-(aq) \longrightarrow$
> $CN^-(aq) + H_2O(l)$

이에 대한 옳은 설명만을 〈보기〉에서 있는 대로 고른 것은? [3점]

> **보기**
> ㄱ. (가)에서 HCN는 아레니우스 산이다.
> ㄴ. (나)에서 CN^-은 브뢴스테드·로리 염기이다.
> ㄷ. (다)에서 OH^-은 루이스 염기이다.

① ㄴ   ② ㄷ   ③ ㄱ, ㄴ
④ ㄱ, ㄷ   ⑤ ㄱ, ㄴ, ㄷ

기출 분석

43 유형

❓ 출제 의도

산과 염기가 반응하여 중화 반응이 일어날 때 이온 수의 변화를 알고 있는지 물어보는 문제이다.

〰 이렇게 대비하자!

중화 반응에서 수소 이온(H^+)과 수산화 이온(OH^-)이 1 : 1의 몰비로 반응하여 물(H_2O)을 생성함을 이해하고 있어야 한다.

■ **연관 기출 문제 키워드**

#산 염기의 혼합#중화 반응#구경꾼 이온
#단위 부피당 이온 수

문제 분석

❶ 이온 파악

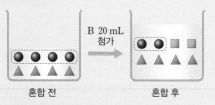

혼합 전   혼합 후

●는 염기 수용액을 첨가한 후에 2개로 줄어들었으므로 H^+이다.

❷ 구경꾼 이온

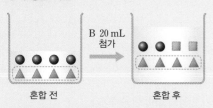

혼합 전   혼합 후

▲는 혼합 전과 후의 개수가 같으므로 구경꾼 이온이다.

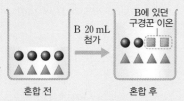

혼합 전   혼합 후

■는 중화 반응 과정에서 H^+과 반응하지 않으므로 구경꾼 이온이다.

그림은 산 수용액 A 20 mL에 염기 수용액 B 20 mL를 넣을 때, 혼합 전후 수용액 속에 존재하는 이온을 입자 모형으로 나타낸 것이다.

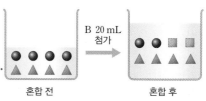

혼합 전   혼합 후

이에 대한 설명으로 옳은 것만을 〈보기〉에서 있는 대로 고른 것은? (단, 사용한 산과 염기는 수용액에서 완전히 이온화한다.) [3점]

┤ 보기 ├
ㄱ. 혼합 후 수용액은 중성이다.
ㄴ. 이 반응에서 ▲와 ■는 구경꾼 이온이다.
ㄷ. 혼합 전 수용액의 단위 부피당 총 이온 수는 A가 B의 4배이다.

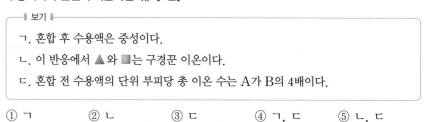

■ **문항별 해설**

혼합 전 수용액이 산 수용액이므로 ● 또는 ▲가 H^+으로 예상할 수 있다. 염기 수용액을 산 수용액에 혼합하여 중화 반응이 일어난 후에 ●는 감소하고 ▲의 수는 그대로인 것으로 보아 ●는 H^+, ▲는 구경꾼 이온임을 알 수 있다.

ㄱ. 혼합 후 수용액에 ●인 H^+이 남아 있는 것으로 보아 산 수용액이다. (×)

ㄴ. 산과 염기의 중화 반응에서 ▲는 혼합 후에도 혼합 전과 수가 같고, 중화 반응 과정에서 ■는 H^+과 반응하지 않으므로 ▲와 ■는 구경꾼 이온이다. (○)

ㄷ. 혼합 전 수용액 A는 20 mL에 8개의 이온이 존재한다. 혼합 후에 ● 2개가 반응하고, ■ 2개가 수용액에 남아 있으므로 B 20 mL에는 OH^- 2개와 ■ 2개, 총 4개의 이온이 존재하였을 것으로 예상된다. 혼합 전 수용액의 단위 부피당 총 이온 수는 A가 B의 2배이다. (×)

답 ②

■ **오류 피하기**

⋯ 용액의 입자 모형을 나타낼 때 전체 용액 속 입자를 나타내지 않고, 일정한 부피를 기준으로 입자의 양을 나타낸다. 이때 기준이 되는 부피가 단위 부피이며, 단위 부피당 이온 수를 통해 일정한 부피 속에 존재하는 이온 수를 예상해야 한다.

기출 문제

정답과 해설 36~38쪽

184 그림은 HCl(aq)에 A(aq), B(aq)을 순서대로 넣었을 때 용액 속의 양이온만을 모형으로 나타낸 것이다. A, B는 각각 NaOH, Ca(OH)$_2$ 중 하나이다.

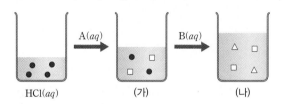

이에 대한 옳은 설명만을 〈보기〉에서 있는 대로 고른 것은? [3점]

┃ 보기 ┃
ㄱ. □는 Na$^+$이다.
ㄴ. (나)는 염기성이다.
ㄷ. 용액 속의 전체 음이온 수는 (나)가 (가)보다 많다.

① ㄱ   ② ㄷ   ③ ㄱ, ㄴ
④ ㄱ, ㄷ   ⑤ ㄱ, ㄴ, ㄷ

185 그림 (가)~(다)는 강산 HA 수용액 20 mL에 강염기 BOH 수용액을 10 mL씩 2번 넣었을 때, 수용액 속의 이온을 모형으로 나타낸 것이다.

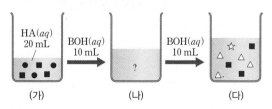

이에 대한 옳은 설명만을 〈보기〉에서 있는 대로 고른 것은? [3점]

┃ 보기 ┃
ㄱ. ●는 H$^+$이다.
ㄴ. (나)에서 △의 개수는 2개이다.
ㄷ. (나)에서 수용액은 산성이다.

① ㄱ   ② ㄷ   ③ ㄱ, ㄴ
④ ㄴ, ㄷ   ⑤ ㄱ, ㄴ, ㄷ

186 그림은 묽은 황산(H$_2$SO$_4$) 수용액 20 mL에 염기 수용액 A, B를 각각 10 mL씩 순서대로 넣었을 때, 수용액 속에 존재하는 이온의 종류와 수를 모형으로 나타낸 것이다.

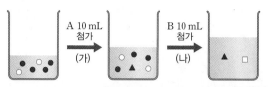

이에 대한 설명으로 옳은 것만을 〈보기〉에서 있는 대로 고른 것은? (단, A, B는 수산화 나트륨(NaOH)과 수산화 바륨(Ba(OH)$_2$) 수용액 중 하나이며, 사용한 산과 염기는 수용액에서 완전히 이온화된다.) [3점]

┃ 보기 ┃
ㄱ. □는 구경꾼 이온이다.
ㄴ. 과정 (나)에서 생성되는 물 분자 수는 과정 (가)에서 생성되는 물 분자 수의 3배이다.
ㄷ. 혼합 전의 황산 수용액 10 mL와 수산화 바륨 수용액 10 mL를 섞은 혼합 용액은 중성이다.

① ㄱ   ② ㄴ   ③ ㄷ
④ ㄱ, ㄴ   ⑤ ㄴ, ㄷ

187 다음은 중화 반응 실험이다.

[실험 과정]
(가) HCl(aq)과 NaOH(aq)을 준비한다.
(나) HCl(aq) 20 mL와 NaOH(aq) 10 mL를 혼합하여 용액 I을 만든다.
(다) I에 HCl(aq) 10 mL를 넣어 용액 II를 만든다.
(라) II에 HCl(aq) 또는 NaOH(aq) x mL를 넣어 중성 용액 III을 만든다.

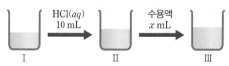

[실험 결과]
• 용액 I, II, III에 들어 있는 양이온 수는 각각 $5N$, $6N$, $6N$이다.

(라)에서 x는? [3점]

① 1   ② 2   ③ 4
④ 6   ⑤ 8

기출 분석

44 유형

? 출제 의도
주어진 그래프를 분석하여 산 수용액과 염기 수용액이 반응할 때 이온 수의 변화와 중화 반응의 특징을 이해하고 있는지 묻는 문제이다.

🔍 이렇게 대비하자!
중화 반응이 일어날 때의 그래프를 해석하여 용액 속의 이온 수 변화를 예측하고, 중화 반응 시 나타나는 특징을 알고 있어야 한다.

■ 연관 기출 문제 키워드

#중화 반응#온도#전기 전도도#이온 수
#중화점

문제 분석

❶ 그래프 해석

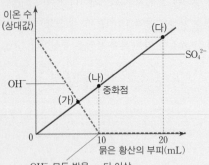

❷ 중화점에서 전류의 세기는 0이 되지 않으며, 이는 용액 속에 반응하지 않은 K^+과 SO_4^{2-}이 존재하기 때문이다.

그림은 수산화 칼륨(KOH) 수용액 10 mL에 묽은 황산(H_2SO_4)을 가할 때 혼합 용액에 들어 있는 이온 중 두 가지 이온의 개수 변화를 나타낸 것이다.

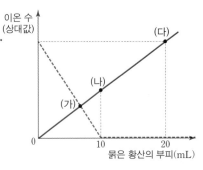

혼합 용액 (가)~(다)에 대한 설명으로 옳은 것만을 〈보기〉에서 있는 대로 고른 것은? [3점]

> **보기**
> ㄱ. 온도는 (나)>(가)이다.
> ㄴ. 전기 전도도는 (나)>(다)이다.
> ㄷ. (가)에 존재하는 K^+과 SO_4^{2-}의 이온 수비는 3 : 1이다.

① ㄱ   ② ㄴ   ③ ㄱ, ㄷ   ④ ㄴ, ㄷ   ⑤ ㄱ, ㄴ, ㄷ

💻 배경 지식

중화 반응 시 온도 변화

🔖 묽은 염산(HCl)에 수산화 나트륨(NaOH) 수용액을 넣을 경우

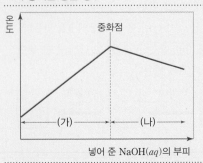

• (가) 구간에서 혼합 용액의 온도가 높아진다.
➡ 중화 반응에 의해 H^+과 OH^-이 많이 반응할수록 중화열이 많이 발생하기 때문
• (나) 구간에서 혼합 용액의 온도가 낮아진다.
➡ 중화 반응이 일어나지 않고, 처음과 같은 온도의 NaOH 수용액을 넣기 때문

■ 문항별 해설

KOH 수용액과 H_2SO_4의 반응식은 $2KOH + H_2SO_4 \longrightarrow K_2SO_4 + 2H_2O$이다. 그래프에서 점선은 묽은 황산을 투입하면서 점점 감소하는 이온이므로 H^+과 반응한 OH^-일 것이다. 실선은 묽은 황산을 가할 때 반응하지 않고 점점 늘어나는 이온이므로 SO_4^{2-}이다.

ㄱ. 묽은 황산의 부피가 10 mL일 때 OH^-이 모두 반응하였으므로 중화점이다. 따라서 온도는 (나)가 (가)보다 높다. (○)

ㄴ. 전기 전도도는 중화점에서 가장 작기 때문에 (나)<(다)이다. (×)

ㄷ. H_2SO_4 10 mL일 때 KOH 10 mL의 OH^-이 모두 반응하였으므로 (가)에서 OH^- : SO_4^{2-}는 1 : 1이다. SO_4^{2-}이 N개 첨가될 때, H^+이 2N개 첨가되므로, OH^-도 2N개가 반응하여 물이 생성되므로 OH^-은 2N개 감소한다. 따라서 처음의 OH^-과 K^+은 각각 3N개이므로 (가)에서 K^+ : SO_4^{2-}=3 : 1이다. (○)

답 ③

188 그림은 묽은 황산 20 mL와 묽은 염산 20 mL에 각각 농도가 같은 수산화 칼륨(KOH) 수용액을 조금씩 넣으면서 혼합 용액의 온도를 측정한 것이다.

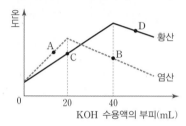

A~D점의 용액에 대한 설명으로 옳은 것만을 〈보기〉에서 있는 대로 고른 것은? [3점]

보기

ㄱ. C에 존재하는 SO_4^{2-}의 개수는 D보다 많다.

ㄴ. A는 D보다 pH가 작다.

ㄷ. B와 C를 섞은 용액은 염기성이다.

① ㄱ   ② ㄴ   ③ ㄱ, ㄷ

④ ㄴ, ㄷ   ⑤ ㄱ, ㄴ, ㄷ

189 다음은 농도가 같은 염산이 10 mL씩 들어 있는 두 개의 비커에 서로 다른 농도의 수산화 나트륨(NaOH) 수용액을 각각 조금씩 가할 때 각 혼합 용액의 총 이온 수 변화를 그래프 I, II로 나타낸 것이다.

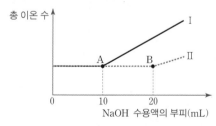

I의 A와 II의 B에서 같은 값을 갖는 것을 〈보기〉에서 있는 대로 고른 것은? [3점]

보기

ㄱ. pH   ㄴ. 온도

ㄷ. Na^+의 수   ㄹ. 생성된 물의 양

① ㄱ, ㄷ   ② ㄴ, ㄹ   ③ ㄱ, ㄴ, ㄹ

④ ㄱ, ㄷ, ㄹ   ⑤ ㄴ, ㄷ, ㄹ

190 그림에서 점 A, B, C는 묽은 황산(H_2SO_4)과 수산화 나트륨(NaOH) 수용액을 반응시킬 때 각각의 부피를 나타낸 것이다.

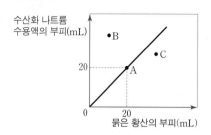

이에 대한 설명으로 옳은 것은? (단, A점을 지나는 직선은 중화점을 연결한 것이다.) [3점]

① pH는 B>C>A이다.

② A점의 용액에서 양이온과 음이온의 수는 같다.

③ B점의 용액을 가열하여 증발시켜 남은 물질은 한 종류이다.

④ C점의 용액에 BTB 용액을 떨어뜨리면 푸르게 변한다.

⑤ C점의 용액에서 열이 가장 많이 발생한다.

191 실험 I은 수산화 나트륨(NaOH) 수용액 10 mL가 들어 있는 비커에 묽은 황산(H_2SO_4)을 조금씩 가할 때 생성되는 물 분자 수를 나타낸 것이다. 실험 II는 묽은 황산 대신 묽은 염산(HCl)을 사용하여 실험 I의 과정을 반복한 것이다.

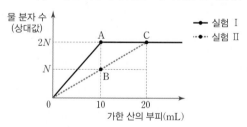

이에 대한 설명으로 옳은 것만을 〈보기〉에서 있는 대로 고른 것은? [3점]

보기

ㄱ. 실험 I에서 A의 전기 전도도는 C에서보다 작다.

ㄴ. 실험 I의 A와 실험 II의 B에서 양이온 수는 서로 같다.

ㄷ. 실험 I과 II의 C에서 측정된 pH는 서로 같다.

① ㄱ   ② ㄷ   ③ ㄱ, ㄴ

④ ㄴ, ㄷ   ⑤ ㄱ, ㄴ, ㄷ

기출 분석

45 유형

■ **연관 기출 문제 키워드**

#중화 반응#이온 수의 비율

문제 분석

❶ 표 분석

	용액 (가)	용액 (나)	용액 (다)
HCl의 부피 (mL)	x	x	x
NaOH의 부피 (mL)	30	60	10
이온 수의 비율			㉠

3 : 2 : 1   3 : 2 : 1

염기성 용액 → 수소   같은 부피
이온(H⁺) 없음

❷ 화학 반응식

HCl + NaOH ⟶ H₂O + NaCl
OH⁻은 H⁺과 반응하여 H₂O을 생성하므로 반응 후 OH⁻ 수가 Na⁺ 수보다 작다.

❸ 용액 (가)와 (나)는 염기성 ➡ 용액 속에 존재하는 이온은 Na^+, Cl^-, OH^-이다.

❹ (가)와 (나)에서 이온의 전하량의 총 합은 0 ➡ Na^+의 수가 가장 많으며, Na^+의 수는 Cl^-과 OH^- 수의 합이다.

❺ (가)에서 이온 수의 비가 $\frac{1}{2} : \frac{1}{3} : \frac{1}{6}$ = 3 : 2 : 1이므로 Na^+의 수를 3N이라고 하면, 나머지 이온 수는 각각 2N, N이다.

 출제 의도
산 수용액에 넣는 염기 수용액의 부피를 달리하여 중화 반응시킬 때 혼합 용액 속의 이온 수의 비율을 분석할 수 있는지 물어보는 문제이다.

이렇게 대비하자!
산 수용액에 서로 다른 부피의 염기 수용액을 넣어 중화 반응이 일어날 때 알짜 이온과 구경꾼 이온을 구분하고, 이온 수의 변화를 예측할 수 있어야 한다.

표는 묽은 염산(HCl) x mL에 수산화 나트륨(NaOH) 수용액을 부피를 달리하여 혼합한 용액 (가)~(다)에 존재하는 이온 수의 비율을 이온의 종류에 관계없이 나타낸 것이다. 용액 (가)와 (나)의 액성은 염기성이다.

	용액 (가)	용액 (나)	용액 (다)
HCl의 부피(mL)	x	x	x
NaOH의 부피(mL)	30	60	10
이온 수의 비율			㉠

㉠에 해당하는 것으로 가장 적절한 것은? [3점]

①   ②   ③

④   ⑤

■ **문항별 해설**

(가)와 (나)는 염기성 용액이므로 H⁺이 없다. HCl + NaOH ⟶ H₂O + NaCl의 중화 반응에서 OH⁻은 H⁺과 반응하므로 OH⁻ 수는 Na⁺보다 작다.

- **(가) 용액의 이온 수 비율:** (가) 용액의 이온 수의 비율이 3 : 2 : 1이고, 혼합 용액은 염기성이므로 HCl의 H⁺은 모두 반응하여 존재하지 않는다. 따라서 반응하지 않은 Na⁺의 비율이 가장 클 것이다. NaOH 30 mL에서 Na⁺과 OH⁻의 수를 각각 3N으로 가정하면, HCl은 H⁺과 Cl⁻이 각각 2N씩 들어 있다. 따라서 3 : 2 : 1 = Na⁺ : Cl⁻ : OH⁻ 이다.

- **(나) 용액의 이온 수 비율:** NaOH이 60 mL이므로 Na⁺과 OH⁻의 수를 각각 6N으로 가정한다. HCl은 (가), (나), (다) 모두 같으므로 H⁺과 Cl⁻이 각각 2N개 들어 있다. 따라서 중화 반응 후 남은 이온 수의 비율은 Na⁺ : OH⁻ : Cl⁻ = 6 : 4 : 2 = 3 : 2 : 1이다.

- **(다) 용액의 이온 수 비율:** NaOH이 10 mL이므로 Na⁺과 OH⁻의 수를 각각 N으로 가정한다. HCl은 H⁺과 Cl⁻이 각각 2N개 들어 있으므로 중화 반응 후 남은 이온 수의 비율은 $Cl^- : H^+ : Na^+ = 2 : 1 : 1$이다. 따라서 이온 수의 비율은 $Cl^- : H^+ : Na^+ = \frac{1}{2} : \frac{1}{4} : \frac{1}{4}$이다.

답 ②

192 다음은 HCl(aq), NaOH(aq), KOH(aq)을 혼합한 용액에 대한 자료이다. 단위 부피당 이온 수는 NaOH(aq)이 KOH(aq)보다 크다.

(가) HCl(aq) 20 mL, NaOH(aq) 20 mL, KOH(aq) 10 mL를 혼합한 용액에 존재하는 이온 수의 비율

(나) (가)에서 사용된 HCl, NaOH, KOH 중 ☐ㄱ 10 mL를 더 첨가한 후, 혼합한 용액에 존재하는 이온 수의 비율

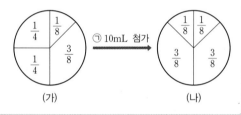

이에 대한 설명으로 옳은 것만을 〈보기〉에서 있는 대로 고른 것은? [3점]

┤ 보기 ├

ㄱ. ㉠은 HCl이다.

ㄴ. (나)에서 혼합 용액의 액성은 염기성이다.

ㄷ. 혼합 전 단위 부피당 이온 수는 Na$^+$이 K$^+$의 3배이다.

① ㄱ   ② ㄷ   ③ ㄱ, ㄴ
④ ㄴ, ㄷ   ⑤ ㄱ, ㄴ, ㄷ

193 표는 HCl(aq), NaOH(aq), KOH(aq)의 부피를 달리하여 혼합한 용액 (가), (나)에 대한 자료이다.

혼합 용액		(가)	(나)
혼합 전 용액의 부피(mL)	HCl(aq)	10	20
	NaOH(aq)	5	30
	KOH(aq)	20	20
혼합 용액의 양이온 수비			

$\dfrac{\text{(나)에서 생성된 물 분자 수}}{\text{(가)에서 생성된 물 분자 수}}$ 는? [3점]

① $\dfrac{3}{2}$ ② 2   ③ $\dfrac{7}{3}$ ④ $\dfrac{8}{3}$ ⑤ 3

194 표는 HCl(aq), NaOH(aq), KOH(aq)의 부피를 달리하여 혼합한 용액에 대한 자료이다.

혼합 용액		(가)	(나)	(다)
혼합 전 용액의 부피(mL)	HCl(aq)	10	15	5
	NaOH(aq)	10	10	V_1
	KOH(aq)	20	15	V_2
혼합 용액에 존재하는 이온 수의 비율				

이에 대한 설명으로 옳은 것만을 〈보기〉에서 있는 대로 고른 것은?

┤ 보기 ├

ㄱ. $V_1 = V_2$이다.

ㄴ. ㉠은 Na$^+$의 비율이다.

ㄷ. 단위 부피당 이온 수의 비는 HCl(aq) : KOH(aq) = 1 : 2이다.

① ㄱ   ② ㄷ   ③ ㄱ, ㄴ
④ ㄴ, ㄷ   ⑤ ㄱ, ㄴ, ㄷ

기출 분석

46 유형

❓ 출제 의도

중화 반응에서 산과 염기 수용액의 부피를 달리했을 때 혼합한 용액의 단위 부피당 이온 수를 파악할 수 있는지 물어보는 문제이다.

👀 이렇게 대비하자!

혼합 용액의 단위 부피당 이온 수를 파악하여 산과 염기의 단위 부피당 이온 수를 예측하고, 용액의 액성과 중화 반응에서 생성된 물 분자 수를 구할 수 있어야 한다.

■ 연관 기출 문제 키워드

#혼합 전 용액의 부피 #혼합 후 용액의 부피
#단위 부피당 이온 #중화 반응

문제 분석 ·

❶ (가)와 (나)의 이온 수 구하기

	(가) (가)의 부피가 (나)의 3배	(나)
HCl	30	10
NaOH	x	y
단위 부피당 이온 모형	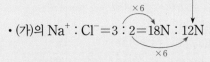	
	Na$^+$: 3개(3N)	Na$^+$: 2개(2N)
	Cl$^-$: 2개(2N)	Cl$^-$: 4개(4N)

- HCl 부피는 (가)가 (나)의 3배
- (가)의 Cl$^-$ 수=(나)의 Cl$^-$ 수×3 → 12N

- (가)의 Na$^+$: Cl$^-$=3 : 2=18N : 12N

- (가)의 Cl$^-$이 실제 12N개인데 2N개로 나타내었으므로 (단위 부피×6)이 실제 부피이다.
- (나)의 Cl$^-$이 실제 4N개인데 4N개로 나타내었으므로 단위 부피는 실제 부피와 같다.

표는 염산(HCl(aq))과 수산화 나트륨 수용액(NaOH(aq))을 혼합한 용액 (가)와 (나)에 대한 자료이다.

혼합 용액		(가)	(나)
혼합 전 용액의 부피(mL)	HCl(aq)	30	10
	NaOH(aq)	x	y
단위 부피당 이온 모형 (▲:Na$^+$, ●:Cl$^-$)			

이에 대한 설명으로 옳은 것만을 〈보기〉에서 있는 대로 고른 것은? (단, 혼합 용액의 부피는 혼합 전 각 용액의 부피의 합과 같다.) [3점]

│ 보기 │

ㄱ. $x+y=20$이다.
ㄴ. 같은 부피의 HCl(aq)과 NaOH(aq)을 혼합한 용액은 산성이다.
ㄷ. 중화 반응에서 생성된 물의 분자 수는 (가)가 (나)의 6배이다.

① ㄱ   ② ㄴ   ③ ㄱ, ㄷ   ④ ㄴ, ㄷ   ⑤ ㄱ, ㄴ, ㄷ

■ 문항별 해설

HCl(aq)의 부피는 (가)가 (나)의 3배이므로 Cl$^-$ 수도 (가)가 (나)의 3배이다. (가)에서 단위 부피당 Cl$^-$의 수가 2N개이고 (나)에서 단위 부피당 Cl$^-$의 수가 4N이므로 총 부피를 고려하면 (가) 용액에 들어 있는 Cl$^-$의 수는 12N이 되어야 하므로 혼합 용액의 총 부피는 (가)가 (나)의 6배이다. 따라서 $30+x=6\times(10+y)$이다. …… ①

(가)의 부피가 (나)의 부피의 총 6배이므로 (가)에서 Na$^+$의 개수는 18N개이고 (나)는 2N개이다. 따라서 NaOH(aq)의 부피는 (가)가 (나)의 9배이어야 하므로 $x=9y$이다. …… ②

ㄱ. ①과 ②를 풀면, $x=90$, $y=10$이다. 따라서 $x+y=100$이다. (×)

ㄴ. y가 10이므로 혼합 용액 (나)는 같은 부피의 HCl(aq)과 NaOH(aq)을 혼합한 것이다. 혼합 용액의 단위 부피당 이온이 Cl$^-$이 Na$^+$의 2배이므로 단위 부피당 이온의 개수는 HCl(aq)이 NaOH(aq)의 2배이다. 따라서 혼합 용액의 액성은 산성이다. (○)

ㄷ. (가) 혼합 용액은 HCl 30 mL에서 H$^+$과 Cl$^-$이 각각 12N개씩, NaOH 90 mL에서 Na$^+$, OH$^-$이 각각 18N개씩 들어 있으므로 중화 반응으로 생성된 물 분자 수는 12N개이다. (나) 혼합 용액은 HCl 10 mL에서 H$^+$과 Cl$^-$이 각각 4N개씩, NaOH 10 mL에서 Na$^+$, OH$^-$이 각각 2N개씩 들어 있으므로 중화 반응으로 생성된 물 분자 수는 2N개이다. 따라서 생성된 물 분자 수의 비는 (가) : (나)=12N : 2N=6 : 1이므로 (가)가 (나)의 6배이다. (○)

답 ④

기출 문제

정답과 해설 **39~41**쪽

195 표는 염산(HCl(aq))에 수산화 나트륨(NaOH(aq))의 부피를 달리하여 혼합한 용액 (가)와 (나)에 대한 자료이다. y는 x보다 크다.

혼합 용액		(가)	(나)
혼합 전 각 용액의 부피(mL)	HCl(aq)	100	100
	NaOH(aq)	x	y
단위 부피당 이온 수 모형			

이에 대한 설명으로 옳은 것만을 〈보기〉에서 있는 대로 고른 것은? (단, 중화 반응에 의한 물의 부피 변화는 무시한다.)

━━┫ 보기 ┣━━
ㄱ. ▲는 Cl$^-$ 이다.
ㄴ. $y=3x$이다.
ㄷ. 중화 반응에서 생성된 물의 양(mol)은 (나)가 (가)의 2배이다.

① ㄱ   ② ㄴ   ③ ㄱ, ㄷ
④ ㄴ, ㄷ   ⑤ ㄱ, ㄴ, ㄷ

196 표는 HCl(aq), NaOH(aq), KOH(aq)의 부피를 달리하여 혼합한 용액 (가), (나)에 대한 자료이다.

용액		(가)	(나)
혼합 전 각 용액의 부피(mL)	HCl(aq)	20	40
	NaOH(aq)	5	20
	KOH(aq)	15	20
혼합 후 용액의 단위 부피 속에 존재하는 양이온의 모형			

$\dfrac{\text{(가)에서 생성된 물의 양(mol)}}{\text{(나)에서 생성된 물의 양(mol)}}$ 은? (단, 혼합 용액의 부피는 혼합 전 각 용액의 부피의 합과 같다.) [3점]

① $\dfrac{3}{8}$ ② $\dfrac{1}{2}$ ③ $\dfrac{3}{4}$ ④ 1   ⑤ $\dfrac{4}{3}$

197 표는 HCl(aq), NaOH(aq), KOH(aq)을 부피를 달리하여 혼합한 용액 (가), (나)에 대한 자료이다.

혼합 용액		(가)	(나)
혼합 전 용액의 부피(mL)	HCl(aq)	20	40
	NaOH(aq)	20	20
	KOH(aq)	10	40
단위 부피당 양이온 모형			

이에 대한 옳은 설명만을 〈보기〉에서 있는 대로 고른 것은? (단, 혼합 용액의 부피는 혼합 전 각 용액의 부피의 합과 같다.) [3점]

━━┫ 보기 ┣━━
ㄱ. ▲은 Na$^+$이다.
ㄴ. (나)는 중성이다.
ㄷ. 중화 반응에 의해 생성된 H$_2$O 분자 수비는 (가) : (나)=2 : 5이다.

① ㄴ   ② ㄷ   ③ ㄱ, ㄴ
④ ㄱ, ㄷ   ⑤ ㄱ, ㄴ, ㄷ

기출 분석

47 유형

■ 연관 기출 문제 키워드

#화학 반응식#산화#환원

#산화제#환원제

문제 분석

산소 이동과 수소에 의한 산화 환원 반응

> (나) $4NH_3 + 6NO$
>
> $\longrightarrow 5N_2 + 6H_2O$

- 물질이 수소를 잃으면 산화 반응이다. NH_3는 수소 원자를 잃었기 때문에 산화되었다.
- 물질이 산소를 잃으면 환원 반응이다. NO는 산소를 잃고 N_2가 되었으므로 환원되었다. 따라서 NO는 산화제로 작용한다.

> (다) $2NO + O_2 \longrightarrow 2NO_2$

- NO는 산소를 얻어 $2NO_2$가 되었으므로 산화되었다. 따라서 NO는 환원제로 작용한다.

배경 지식

산화 환원 반응

산화수를 구하여 산화 환원을 판단할 수 있지만 다음과 같은 조건을 이용하여 산화 환원을 쉽게 판단할 수도 있다.

① 산소: 산소를 얻으면 산화, 산소를 잃으면 환원된다.

② 전자: 전자를 잃으면 산화, 전자를 얻으면 환원된다.

③ 수소: 수소를 잃으면 산화, 수소를 얻으면 환원된다.

❓ 출제 의도

화학 반응식에서 산화 환원 반응을 판단할 수 있고, 산화제와 환원제를 찾을 수 있는지 묻는 문제이다.

🐸 이렇게 대비하자!

산소 이동, 전자 이동, 산화수 등을 이용하여 산화 환원, 산화제와 환원제를 알아 낼 수 있어야 한다.

다음은 3가지 반응의 화학 반응식이다.

> (가) $CF_4 + 2H_2O \longrightarrow CO_2 + 4HF$
>
> (나) $4NH_3 + 6NO \longrightarrow 5N_2 + 6H_2O$
>
> (다) $2NO + O_2 \longrightarrow 2NO_2$

(가)~(다)에 대한 설명으로 옳은 것만을 〈보기〉에서 있는 대로 고른 것은?

┤ 보기 ├

ㄱ. 산화 환원 반응은 2가지이다.

ㄴ. (나)에서 NH_3는 환원된다.

ㄷ. (나)와 (다)에서 NO는 모두 산화제로 작용한다.

① ㄱ   ② ㄴ   ③ ㄱ, ㄷ   ④ ㄴ, ㄷ   ⑤ ㄱ, ㄴ, ㄷ

■ 문항별 해설

ㄱ. (가)는 산화수 변화가 없으므로 산화 환원 반응이 아니다. (○)

$$\underset{+4\,-1}{CF_4} + \underset{+1\,-2}{2H_2O} \longrightarrow \underset{+4\,-2}{CO_2} + \underset{+1\,-1}{4HF}$$

(나)와 (다)는 산화수가 변하므로 산화 환원 반응이다.

$$\underset{-3\,+1}{4NH_3} + \underset{+2\,-2}{6NO} \longrightarrow \underset{0}{5N_2} + \underset{+1\,-2}{6H_2O}$$

환원 / 산화

$$\underset{+2\,-2}{2NO} + \underset{0}{O_2} \longrightarrow \underset{+4\,-2}{2NO_2}$$

산화

ㄴ. (나)의 NH_3에서 N 원자의 산화수가 -3이고, 생성된 N_2의 산화수가 0이므로 NH_3는 산화되었다. (×)

ㄷ. (나)에서 NO는 환원되고, (다)에서 NO는 산화된다. 따라서 NO는 (나)에서는 산화제로 작용하고, (다)에서는 환원제로 작용한다. (×)

답 ①

■ 오류 피하기

⋯ (나)의 NH_3는 수소를 잃어 N_2가 되었으므로 산화되고, NO는 산소를 잃어 N_2가 되었으므로 환원되었다. (다)의 NO는 O_2와 만나 산소를 얻어 NO_2가 되었으므로 산화되었다. 산화수가 아닌 산소, 수소, 전자의 이동으로 산화, 환원을 쉽게 판단할 수 있다.

기출 문제

정답과 해설 **41**쪽

198 다음은 2가지 반응의 화학 반응식이다.

> (가) $2Mg +$ $\boxed{A}$ $\longrightarrow 2MgO + C$
> (나) $Fe_2O_3 + 3CO \longrightarrow 2Fe + 3$ $\boxed{A}$

이에 대한 설명으로 옳은 것만을 〈보기〉에서 있는 대로 고른 것은?

┤ 보기 ├

ㄱ. A는 CO_2이다.
ㄴ. (가)에서 Mg은 산화된다.
ㄷ. (나)에서 환원되는 물질은 Fe_2O_3이다.

① ㄱ   ② ㄷ   ③ ㄱ, ㄴ
④ ㄴ, ㄷ   ⑤ ㄱ, ㄴ, ㄷ

199 다음은 산성비와 관련된 반응의 화학 반응식이다.

> (가) $2NO + O_2 \longrightarrow 2NO_2$
> (나) $2NO_2 + H_2O \longrightarrow HNO_3 + HNO_2$
> (다) $HNO_3 + H_2O \longrightarrow H_3O^+ + NO_3^-$

(가)~(다) 중 산화 환원 반응만을 있는 대로 고른 것은? [3점]

① (가)   ② (다)   ③ (가), (나)
④ (나), (다)   ⑤ (가), (나), (다)

200 다음은 철과 관련된 반응의 화학 반응식이다.

> (가) $Fe + Cu^{2+} \longrightarrow Fe^{2+} + Cu$
> (나) $Fe_2O_3 + 3CO \longrightarrow 2Fe + 3CO_2$
> (다) $4Fe(OH)_2 + O_2 + 2H_2O \longrightarrow 4Fe(OH)_3$

이에 대한 설명으로 옳은 것만을 〈보기〉에서 있는 대로 고른 것은?

┤ 보기 ├

ㄱ. (가)에서 Fe은 산화된다.
ㄴ. (나)에서 CO는 환원제이다.
ㄷ. (다)에서 H_2O은 환원된다.

① ㄱ   ② ㄷ   ③ ㄱ, ㄴ
④ ㄴ, ㄷ   ⑤ ㄱ, ㄴ, ㄷ

201 다음은 산화 환원 반응의 화학 반응식이다.

> (가) $Cl_2 + H_2O \longrightarrow HCl + HClO$
> (나) $aAl + bAg_2S \longrightarrow Al_2S_3 + cAg$
>   ($a \sim c$는 반응 계수)

이에 대한 설명으로 옳은 것만을 〈보기〉에서 있는 대로 고른 것은?

┤ 보기 ├

ㄱ. (가)에서 H_2O은 산화된다.
ㄴ. (나)에서 $a+b=c$이다.
ㄷ. (나)에서 Al은 환원제이다.

① ㄱ   ② ㄷ   ③ ㄱ, ㄴ
④ ㄴ, ㄷ   ⑤ ㄱ, ㄴ, ㄷ

기출 분석

48 유형

? 출제 의도

화학 반응식에서 산화 환원을 이해하고 산화제와 환원제를 구별할 수 있으며, 산화수를 구할 수 있는지 판단하는 문제이다.

이렇게 대비하자!

화학식에서 산화수를 구하고 산화수가 증가하면 산화되고, 산화수가 감소하면 환원된다는 것을 이해해야 한다.

■ 연관 기출 문제 키워드

#산화#환원#산화수#산화제#환원제

문제 분석

산화수 계산

① $\overset{+1}{\underset{}{Na_2}}\overset{}{Cr_2}\overset{-2}{O_7} + \overset{0}{2C}$ $(+2)+C+(-6)=0$
② $\quad +2 \quad -14 \qquad 0$ $\therefore C = +4$

$\longrightarrow \overset{-2}{Cr_2O_3} + \overset{+1}{Na_2}\overset{-2}{CO_3} + \overset{-2}{CO}$
$\qquad\quad -6 \qquad +2 \quad -6 \qquad -2$

$\qquad\qquad\qquad\qquad\qquad C-2=0$
$\qquad\qquad\qquad\qquad\qquad \therefore C=+2$

③ 화합물의 산화수 총합이 0이 되어야 한다.

$(+2)+2\times(Cr)-14=0$ $2\times Cr+(-2\times3)=0$
$+2+2Cr-14=0$ $2Cr-6=0$
$2Cr=12$ $\therefore Cr=+3$
$\therefore Cr=+6$

다음은 다이크로뮴산 나트륨($Na_2Cr_2O_7$)과 탄소(C)가 반응하는 산화 환원 반응의 화학 반응식이다.

$$Na_2Cr_2O_7 + \underset{㉠}{2C} \longrightarrow Cr_2O_3 + \underset{㉡}{Na_2CO_3} + \underset{㉢}{CO}$$

이에 대한 설명으로 옳은 것만을 〈보기〉에서 있는 대로 고른 것은?

┤ 보기 ├

ㄱ. ㉠은 산화제이다.

ㄴ. Cr의 산화수는 +6에서 +3으로 감소한다.

ㄷ. ㉡과 ㉢의 산화수는 같다.

① ㄱ   ② ㄴ   ③ ㄷ   ④ ㄱ, ㄴ   ⑤ ㄴ, ㄷ

■ 문항별 해설

화합물에서 Na의 산화수는 +1이고 O의 산화수는 −2이다. 위의 화학 반응식에서 산화수 변화는 다음과 같다.

산화수 감소: 환원

$$\overset{+6}{Na_2Cr_2O_7} + \overset{0}{2C} \longrightarrow \overset{+3}{Cr_2O_3} + \overset{+4}{Na_2CO_3} + \overset{+2}{CO}$$

산화수 증가: 산화

ㄱ. C는 자신이 산화되어 CO가 되고, Cr을 환원시켰으므로 환원제이다. (×)

ㄴ. Cr의 산화수는 +6에서 +3으로 감소한다. (○)

ㄷ. Na_2CO_3에서 Na의 산화수가 +1이고, O의 산화수가 −2이므로 화합물을 구성하는 원자의 산화수의 합이 0인 것을 이용하면 (Na 산화수(+1)×2)+ (O의 산화수(−2)×3)+(C의 산화수)=0이므로 C의 산화수는 +4이다. CO에서 O의 산화수가 −2이므로 C의 산화수는 +2이다. 따라서 ㉡과 ㉢의 산화수는 같지 않다. (×)

답 ②

배경 지식

산화수 규칙

① 단원자 이온의 산화수는 그 이온의 전하와 같다.

② 일반적으로 화합물에서 수소의 산화수는 +1이다. (단, NaH과 같은 금속의 수소화물에서는 −1이다.)

③ 일반적으로 화합물에서 산소의 산화수는 −2이다. (단 H_2O_2와 같은 과산화물에서는 −1, 전기 음성도가 더 큰 플루오린과 결합한 OF_2에서는 +2이다.)

④ 홑원소 물질을 구성하는 원자의 산화수는 0이다.

⑤ 화합물에서 모든 원자의 산화수 합은 0이다.

⑥ 다원자 이온에서 원자의 산화수 합은 그 이온의 전체 전하와 같다.

■ 오류 피하기

⋯ 산화수가 증가하면 산화, 산화수가 감소하면 환원이다. 같은 C 원소라도 화합물에 따라서 산화수가 다르다. 반응 후의 Na_2CO_3과 CO의 C 산화수가 같다고 생각하지 말자!

202 다음은 2가지 산화 환원 반응의 화학 반응식이다.

> • $2\underset{\ominus}{C} + O_2 \longrightarrow 2\underset{\ominus}{C}O$
>
> • $2\underset{\textcircled{c}}{C_2H_2} + 5O_2 \longrightarrow 4\underset{\textcircled{e}}{C}O_2 + 2H_2O$

㉠~㉣의 산화수에 해당하지 않는 것은?

① −1 ② 0 ③ +1 ④ +2 ⑤ +4

203 다음은 2가지 화학 반응식이다.

> (가) $Fe_2O_3 + 3CO \longrightarrow 2Fe + 3CO_2$
> (나) $Cl_2 + H_2O \longrightarrow HCl + HClO$

이에 대한 옳은 설명만을 〈보기〉에서 있는 대로 고른 것은? (단, 전기 음성도는 H < Cl < O이다.)

⊣ 보기 ⊢
ㄱ. (가)에서 O의 산화수는 변하지 않는다.
ㄴ. (가)에서 CO는 산화제이다.
ㄷ. (나)에서 HCl와 HClO에 포함된 Cl의 산화수는 같다.

① ㄱ ② ㄷ ③ ㄱ, ㄴ
④ ㄴ, ㄷ ⑤ ㄱ, ㄴ, ㄷ

204 다음은 몇 가지 산화 환원 반응식이다.

> (가) $2\underline{H}_2 + O_2 \longrightarrow 2H_2O$
> (나) $4\underline{Fe} + 3O_2 \longrightarrow 2Fe_2O_3$
> (다) $\underline{C}H_4 + 2O_2 \longrightarrow CO_2 + 2H_2O$
> (라) $\underline{Mg} + CuCl_2 \longrightarrow MgCl_2 + Cu$
> (마) $6\underline{C}O_2 + 6H_2O \longrightarrow C_6H_{12}O_6 + 6O_2$

(가)~(마) 중 밑줄 친 원소의 산화수 변화가 가장 큰 것은? [3점]

① (가) ② (나) ③ (다) ④ (라) ⑤ (마)

205 다음은 2가지 산화 환원 반응의 화학 반응식이다.

> (가) $CH_4 + NH_3 \longrightarrow HCN + 3H_2$
> (나) $C_2H_4 + H_2 \longrightarrow C_2H_6$

이에 대한 옳은 설명만을 〈보기〉에서 있는 대로 고른 것은?

⊣ 보기 ⊢
ㄱ. HCN에서 C의 산화수는 +4이다.
ㄴ. (가)에서 N의 산화수는 변하지 않는다.
ㄷ. (나)에서 H_2는 산화제이다.

① ㄱ ② ㄴ ③ ㄱ, ㄷ
④ ㄴ, ㄷ ⑤ ㄱ, ㄴ, ㄷ

206 다음은 3가지 반응의 화학 반응식이다.

> (가) $HNO_3 + NaOH \longrightarrow NaNO_3 + \boxed{㉠}$
> (나) $3NO_2 + \boxed{㉠} \longrightarrow 2HNO_3 + NO$
> (다) $2NaOH + Cl_2$
> $\longrightarrow NaCl + \boxed{㉠} + \boxed{㉡}$

이에 대한 옳은 것만을 〈보기〉에서 있는 대로 고른 것은?

⊣ 보기 ⊢
ㄱ. 산화 환원 반응은 2가지이다.
ㄴ. (나)에서 ㉠은 환원된다.
ㄷ. ㉡에서 Cl의 산화수는 +1이다.

① ㄱ ② ㄴ ③ ㄱ, ㄷ
④ ㄴ, ㄷ ⑤ ㄱ, ㄴ, ㄷ

기출 분석

49 유형

❓ 출제 의도

산과 금속, 금속의 양이온과 금속의 반응 여부를 통해 금속이 산화되는 정도를 비교할 수 있는지 묻는 문제이다.

🐛 이렇게 대비하자!

산과 금속의 반응, 금속과 다른 금속 사이의 반응을 반응성으로 설명할 수 있으며, 이때 용액 속의 이온의 변화에 대해 이해하고 있어야 한다.

■ 연관 기출 문제   키워드

#금속판#산화#환원#반응성#질량

문제 분석

그림 해석

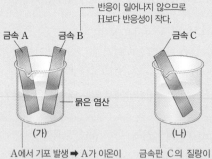

A에서 기포 발생 ➡ A가 이온이 되어 용액 속에 녹아 있고 용액 속 H^+이 H_2로 환원된다.

금속판 C의 질량이 증가 ➡ C가 이온이 되고 용액 속 A^{2+}이 A로 석출된다.

다음은 금속판 A, B, C를 이용한 실험이다.

[실험 과정]

(가) 금속판 A, B를 묽은 염산에 넣었더니 A에서만 기체가 발생하였다.

(나) A에서 기체가 더 이상 발생하지 않을 때, 용액에서 금속판 A, B를 빼내고 금속판 C를 넣었더니 금속판 C의 질량이 증가하였다.

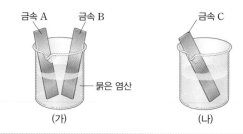

이에 대한 설명으로 옳은 것만을 〈보기〉에서 있는 대로 고른 것은? (단, A, B, C의 양이온은 +2가이다.)

┌─ 보기 ─────────────────────────
ㄱ. 반응성은 B<C이다.
ㄴ. 원자의 상대적 질량은 A<C이다.
ㄷ. (가)에서 기체가 발생하는 동안 용액의 전체 이온 수는 감소한다.
└──────────────────────────────

① ㄴ   ② ㄷ   ③ ㄱ, ㄴ   ④ ㄱ, ㄷ   ⑤ ㄱ, ㄴ, ㄷ

🐛 배경 지식

금속의 반응성 비교

[실험] 금속 A를 금속염 B의 수용액에 넣었다.

[결과] 반응성이 더 큰 금속이 용액 속에 이온으로 존재한다.

(결과 1) 반응이 일어났다.

→ 금속 A가 이온이 되어 용액 속에 녹아 있고 금속 B는 A 표면에 석출된다.

→ 금속 A가 이온으로 존재한다.

→ 반응성: A>B

(결과 2) 반응이 일어나지 않았다.

→ 금속 B가 이온으로 용액 속에 존재하며 금속 A 표면에 석출되지 않는다.

→ 금속 B가 이온으로 존재한다.

→ 반응성: A<B

■ 문항별 해설

ㄱ. $HCl(aq)$에 A와 B를 넣었을 때 A에서만 기포가 발생하였으므로 A는 H보다 산화되기 쉽다. 따라서 반응성은 A>H>B이다. 금속 A가 모두 반응하고 난 후 A^{2+}이 들어 있는 용액에 금속판 C를 넣었을 때 금속판 C의 질량이 증가하였으므로 C가 A보다 반응성이 크다. 따라서 반응성은 C>A>H>B이므로 B<C이다. (○)

ㄴ. (나)에서 C^{2+} 1개가 생성될 때 A 원자 1개가 석출된다. 금속판 C를 A^{2+}이 들어 있는 용액에 넣었을 때 금속판 C의 질량이 증가하였으므로 원자의 상대적 질량은 A>C이다. (×)

ㄷ. (가)에서 A^{2+} 1개가 생성될 때 H^+ 2개가 감소하므로 용액의 전체 이온 수는 감소한다. (○)

답 ④

■ 오류 피하기

⋯ 묽은 염산에 금속판 A, B를 넣었을 때 A에서만 기체가 발생하는 것은 A가 묽은 염산의 H보다 반응성이 크므로 산화되어 A^{2+}이 되고, H^+은 환원되어 H_2 기체가 되는 것이다.

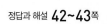

기출 문제

정답과 해설 42~43쪽

207 다음은 금속의 반응성을 알아보기 위한 실험이다.

> (가) 금속 이온 B^{3+}, C^{2+}이 들어 있는 수용액에 금속 A를 넣었더니 수용액의 밀도가 증가하였고, 이온 수의 변화는 없었다.
>
> (나) 금속 이온 D^{2+}이 들어 있는 수용액에 금속 A를 넣었더니 수용액의 밀도가 감소하였고, 이온 수의 변화는 없었다.

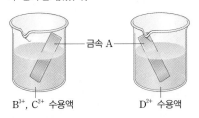

금속 A

B^{3+}, C^{2+} 수용액 D^{2+} 수용액

이에 대한 설명으로 옳은 것만을 〈보기〉에서 있는 대로 고른 것은? (단, A~D는 임의의 금속 원소 기호이다.) [3점]

> ┤ 보기 ├
> ㄱ. A는 D보다 산화되기 쉽다.
> ㄴ. C의 반응성은 B보다 크다.
> ㄷ. 원자의 상대적 질량은 D가 C보다 크다.

① ㄱ   ② ㄴ   ③ ㄱ, ㄷ
④ ㄴ, ㄷ   ⑤ ㄱ, ㄴ, ㄷ

208 다음은 금속의 반응성을 비교하기 위한 실험이다.

> [실험]
> (가) 그림과 같이 금속 A, B를 철에 부착시켜 소금물에 넣었더니 철이 부식되지 않았다.
> (나) 부착시킨 금속 A를 떼어내고 소금물에 넣었더니 철이 부식되었다.

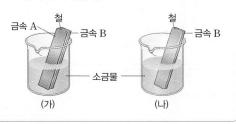

금속 A   철   철
   금속 B   금속 B
   소금물
(가)   (나)

이에 대한 옳은 설명만을 〈보기〉에서 있는 대로 고른 것은? [3점]

> ┤ 보기 ├
> ㄱ. 반응성의 크기는 A>B이다.
> ㄴ. (가)와 (나)에서 환원되는 물질은 같다.
> ㄷ. A를 철에 부착시키면 철의 부식이 방지된다.

① ㄱ   ② ㄴ   ③ ㄱ, ㄷ
④ ㄴ, ㄷ   ⑤ ㄱ, ㄴ, ㄷ

209 다음은 임의의 금속 A~C의 반응성을 알아보기 위한 실험이다.

> (가) 금속 C를 금속 이온 A^+, B^{3+}이 들어 있는 수용액에 넣었더니 용액의 전체 이온 수가 감소하였다.
> (나) 금속 A와 B를 금속 이온 C^{2+}이 들어 있는 수용액에 넣었더니 한쪽 금속에서만 금속이 석출되었다.

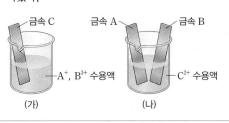

금속 C   금속 A   금속 B
    A^+, B^{3+} 수용액 C^{2+} 수용액
(가)   (나)

이에 대한 설명으로 옳은 것만을 〈보기〉에서 있는 대로 고른 것은? [3점]

> ┤ 보기 ├
> ㄱ. 금속 B는 A보다 산화되기 쉽다.
> ㄴ. (나)에서는 금속 B의 표면에 C가 석출된다.
> ㄷ. (나)에서도 수용액 속 전체 이온 수가 감소한다.

① ㄱ   ② ㄷ   ③ ㄱ, ㄴ
④ ㄴ, ㄷ   ⑤ ㄱ, ㄴ, ㄷ

기출 분석

50 유형

? 출제 의도

금속의 산화 환원 반응을 이해하고 수용액에 존재하는 양이온의 종류에 따라 수용액에 존재하는 양이온 수의 변화를 예측할 수 있는지 물어보는 문제이다.

🐛 이렇게 대비하자!

금속과 금속 양이온의 반응에서 양적 관계를 이용하여 반응한 금속의 몰비를 구할 수 있어야 한다.

■ **연관 기출 문제 키워드**

#산화 환원#양이온 수#몰비

문제 분석

(가)의 용액의 화학식

반응 전 용액에 양이온인 A^+이 있고 충분한 양의 B를 넣어 반응 후 B^{2+}만 용액에 남아 있으므로 A^+은 전자를 받아 환원되었다. 따라서 $aA^+ + bB \longrightarrow cA + dB^{2+}$로 식을 세운다. 반응 전과 반응 후의 원자 수 및 산화수를 고려하면 $2A^+ + B \longrightarrow 2A + B^{2+}$이다.

(나)의 용액의 화학식

반응 전 용액에 양이온인 C^{3+}이 있고 충분한 양의 B를 넣어 반응 후 B^{2+}만 용액에 남아 있으므로 C^{3+}은 전자를 받아 환원되었다. 따라서 $aC^{3+} + bB \longrightarrow cC + dB^{2+}$로 식을 세운다. 반응 전과 반응 후의 원자 수 및 산화수를 고려하면 $2C^{3+} + 3B \longrightarrow 2C + 3B^{2+}$이다.

다음은 금속 A~C의 산화 환원 반응 실험이다.

[실험 과정]

(가) A^+이 들어 있는 수용액에 충분한 양의 B를 넣는다.

(나) C^{3+}이 들어 있는 수용액에 충분한 양의 B를 넣는다.

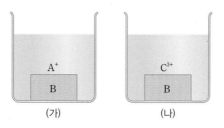

[실험 결과]

반응 전후 (가)와 (나)의 용액 속에 존재하는 양이온 종류와 수

구분	반응 전		반응 후	
	양이온의 종류	양이온 수	양이온의 종류	양이온 수
(가)의 용액	A^+	x	B^{2+}	N
(나)의 용액	C^{3+}	y	B^{2+}	$2N$

반응 전 $x : y$는? (단, A~C는 임의의 원소 기호이고, 음이온은 반응하지 않는다.) [3점]

① 1 : 1   ② 1 : 3   ③ 2 : 1   ④ 2 : 3   ⑤ 3 : 2

■ **문항별 해설**

(가)와 (나)의 화학 반응식은 다음과 같다.

(가): $2A^+ + B \longrightarrow 2A + B^{2+}$

(나): $2C^{3+} + 3B \longrightarrow 2C + 3B^{2+}$

(가)의 A^+이 모두 반응하여 생성된 B^{2+} 수가 N이다. A^+이 2개 반응하여 하나의 B^{2+}을 생성하므로 반응하는 $A^+ : B^{2+} = 2 : 1$이다. 따라서 반응 전의 A^+의 수는 $2N$이다.

(나)에서 C^{3+}이 모두 반응하여 생성된 B^{2+}의 수가 $2N$이다. C^{3+}이 2개 반응하여 3개의 B^{2+}을 생성하므로 반응하는 $C^{3+} : B^{2+} = 2 : 3$이다. 따라서 $2 : 3 = y : 2N$이므로 비례식을 풀면 y는 $\frac{4}{3}N$이다.

따라서 $x : y = 2N : \frac{4}{3}N = 3 : 2$이다.

🖥 배경 지식

• 반응성이 큰 금속은 금속 이온 수용액과 반응하여 양이온이 되며, 양이온으로 존재하던 금속은 석출된다.

• 용액 속에 녹아 있는 금속 이온보다 넣어 준 금속의 전하량이 크면 석출되는 금속 이온의 수가 더 많으므로 용액 속의 양이온 수가 감소한다.

답 ⑤

기출 문제

정답과 해설 **43~44**쪽

210 다음은 금속 A~C의 산화 환원 반응 실험이다.

[실험 과정]

(가) $A^{a+}(aq)$이 담긴 비커 I, $B^{b+}(aq)$이 담긴 비커 II, 금속 $C(s)$를 준비한다.

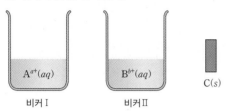

(나) $C(s)$를 비커 I에 넣어 $A^{a+}(aq)$과 반응시킨다.

(다) (나)에서 반응이 완결된 후 금속을 꺼내 비커 II에 넣어 $B^{b+}(aq)$과 반응시킨다.

[실험 결과]

· (나)에서 A^{a+}과 (다)에서 B^{b+}은 모두 환원되었다.

· (나)에서 석출된 금속은 (다)에서 반응하지 않았다.

· 각 과정 후 물질의 양(mol)에 대한 자료

과정	몰비 $C(s)$: 비커 I의 양이온 : 비커 II의 양이온
(가)	$5 : 1 : x$
(나)	$7 : y : 2$
(다)	$6 : 3 : 1$

$\dfrac{x \times y}{a}$는? (단, a, b는 3 이하의 정수이다.) [3점]

① 1 ② $\dfrac{4}{3}$ ③ $\dfrac{3}{2}$ ④ 2 ⑤ 3

211 다음은 금속 A~C의 산화 환원 반응 실험이다.

[실험 과정]

(가) 두 금속 A와 B가 들어 있는 비커에 $C^+(aq)$ V mL를 넣어 반응시킨다.

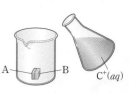

(나) 과정 (가)의 비커에 $C^+(aq)$ V mL를 더 넣어 반응시킨다.

(다) 과정 (나)의 비커에 $C^+(aq)$ V mL를 더 넣어 반응시킨다.

[실험 결과]

· A가 모두 산화된 후 B가 산화되었다.

· (가)~(다)에서 반응 후 용액 속의 양이온 종류와 수

	(가)	(나)	(다)
양이온 종류	A^{2+}, B^{3+}	A^{2+}, B^{3+}	A^{2+}, B^{3+}, C^+
양이온 수 (상댓값)	6	11	24

반응 전 A에 대한 B의 몰비($\dfrac{\text{B의 양(mol)}}{\text{A의 양(mol)}}$)는? (단, 음이온은 반응하지 않는다.) [3점]

① 1 ② 1.5 ③ 2 ④ 2.5 ⑤ 3

212 다음은 금속 A~C의 산화 환원 반응 실험이다.

[실험 과정]

(가) 비커 I, II에 $A^{2+}(aq)$을 V mL씩 넣는다.

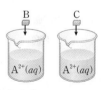

(나) I에 B를 일정량씩 계속 넣어 준다.

(다) II에 C를 일정량씩 계속 넣어 준다.

[실험 결과]

· I에는 $B^+(aq)$, $A(s)$, $B(s)$가 존재한다.

· II에는 $C^{3+}(aq)$, $A(s)$, $C(s)$가 존재한다.

I과 II에서 넣어 준 금속의 양(mol)에 따른 총 이온 수를 나타낸 것으로 가장 적절한 것은? (단, 모든 금속은 물과 반응하지 않고, 음이온의 수는 일정하다.) [3점]

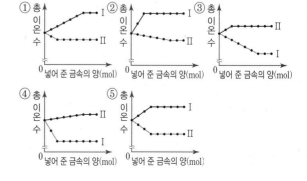

기출 분석

51 유형

#산화 환원#금속 반응#전하량
#양이온#몰비

문제 분석

수용액 속 이온의 몰 구하기

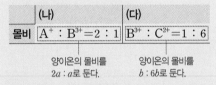

	(나)	(다)
몰비	$A^+ : B^{3+} = 2 : 1$	$B^{3+} : C^{2+} = 1 : 6$

양이온의 몰비를 $2a : a$로 둔다. 양이온의 몰비를 $b : 6b$로 둔다.

반응 전후 전체 이온의 전하량 합은 같다. ➡ (가) 비커의 전체 전하량이 1.5몰이므로 (나), (다) 비커의 전하량도 1.5몰이 되어야 한다.

(나) $(1 \times 2a) + (3 \times a) = 1.5$몰, $a = 0.3$

(다) $(3 \times b) + (2 \times 6b) = 1.5$몰, $b = 0.1$

(나)와 (다)의 용액 속 이온의 양(mol)을 구하고, 원자량$=\dfrac{질량}{물질의 양(mol)}$을 이용하여 B와 C의 원자량을 구할 수 있다.

배경 지식

수용액 속에 금속을 넣어 반응시킬 때 반응 전후의 전체 이온의 전하량 합은 같다.

예 A^+이 2몰 들어 있는 수용액에 금속 B를 넣었을 때 B가 모두 반응하여 B^{2+}으로 존재할 경우 B^{2+}의 양(mol)(x) 구하기

A의 전하량($+1$)$\times$2몰$=$B의 전하량($+2$)$\times x$몰

$\therefore x = 1$몰

---

② 출제 의도

수용액 속에 금속을 넣었을 때 금속 이온과 금속의 반응을 이해하는지 물어보는 문제이다.

😮 이렇게 대비하자!

수용액 속에 금속을 넣어 반응시킬 때, 반응 전후의 전체 이온의 전하량 합이 같다는 것을 전제로 이온 양을 구해야 한다.

다음은 금속 A~C의 산화 환원 반응 실험이다.

[실험 과정]

(가) A^+ 1.5몰이 들어 있는 수용액을 비커에 넣는다.

(나) (가)의 비커에 금속 B를 w_1 g 넣어 반응시킨다.

(다) (나)의 비커에 금속 C를 w_2 g 넣어 반응시킨다.

[실험 결과]

· (나)에서 B는 모두 반응하였고, (다)에서 C는 모두 반응하였다.

· 각 과정 후 수용액에 들어 있는 양이온의 몰비는 표와 같았다.

	(나)	(다)
몰비	$A^+ : B^{3+} = 2 : 1$	$B^{3+} : C^{2+} = 1 : 6$

$\dfrac{\text{C의 원자량}}{\text{B의 원자량}}$는? (단, A~C는 임의의 원소 기호이고, 음이온 수는 일정하며, A~C는 물과 반응하지 않는다.) [3점]

① $\dfrac{w_2}{2w_1}$ ② $\dfrac{w_1}{2w_2}$ ③ $\dfrac{w_2}{w_1}$ ④ $\dfrac{2w_2}{w_1}$ ⑤ $\dfrac{2w_1}{w_2}$

■ 문항별 해설

반응 전후 전체 이온의 전하량 합은 같아야 한다.

(가) A^+ 1.5몰

(나) A^+과 B^{3+}의 전하량 합이 1.5몰이어야 한다. (나) 수용액 속 실제 이온의 전하량 비는 $A^+ : B^{3+} = 2a : a$ 이므로 $(1 \times 2a) + (3 \times a) = 1.5$몰이다. 따라서 a는 0.30이므로 A^+은 0.6몰, B^{3+}은 0.3 몰이다.

(다) B^{3+}과 C^{2+}의 전하량 합이 1.5몰이어야 한다. (다) 수용액 속 실제 이온의 전하량 비는 $B^{3+} : C^{2+} = b : 6b$ 이므로 $(3 \times b) + (2 \times 6b) = 1.5$몰이다. 따라서 b는 0.10이므로 B^{3+}은 0.1몰, C^{2+}은 0.6몰이다.

(나)와 (다)에서 반응한 B와 C의 양(mol)은 각각 0.3몰, 0.6몰이므로 B의 원자량은 $\dfrac{w_1}{0.3}$, C의 원자량은 $\dfrac{w_2}{0.6}$이다. 따라서 $\dfrac{\text{C의 원자량}}{\text{B의 원자량}} = \dfrac{0.3w_2}{0.6w_1}$이므로 $\dfrac{w_2}{2w_1}$이다.

답 ①

■ 오류 피하기

⋯› 반응 전후 전체 이온의 전하량 합은 같아야 하므로 (가), (나), (다) 비커의 전체 전하량을 1.5몰로 두고 계산한다. (나)에서 B가 모두 반응하였고, (다)에서 C가 모두 반응하였으므로 (가)와 (나)의 몰비를 각각 구한 뒤 (나)의 B^{3+} 양(mol)과 (다)의 C^{2+} 양(mol)을 이용하여 B와 C의 원자량을 구해야 한다.

기출 문제

정답과 해설 **44**쪽

213 다음은 금속 A~C에 대한 실험이다. A~C 이온의 산화수는 +3 이하이다.

[실험 과정]
(가) A 이온 0.7몰이 들어 있는 수용액을 만든다.
(나) (가)의 수용액에 금속 B 0.2몰을 넣어 모두 반응시킨다.
(다) (나)의 수용액에 금속 C 0.2몰을 넣어 모두 반응시킨다.

[실험 결과]
(가)~(다)에서 반응 후 수용액에 들어 있는 전체 양이온 수

구분	(가)	(나)	(다)
전체 양이온 수(몰)	0.7	0.5	0.25

이에 대한 설명으로 옳은 것만을 〈보기〉에서 있는 대로 고른 것은? (단, 물과 음이온은 반응에 참여하지 않으며, A~C는 임의의 원소 기호이다.) [3점]

― 보기 ―
ㄱ. (나)에서 반응 후 수용액에 들어 있는 이온의 양(mol)은 A가 B의 1.5배이다.
ㄴ. B 이온과 C 이온의 산화수비는 2 : 3이다.
ㄷ. (나)와 (다)에서 생성된 금속의 전체 양(mol)은 0.9이다.

① ㄱ ② ㄷ ③ ㄱ, ㄴ
④ ㄴ, ㄷ ⑤ ㄱ, ㄴ, ㄷ

214 다음은 금속 A~C의 산화 환원 반응 실험이다.

[실험 과정]
(가) A^{m+} 0.1몰이 들어 있는 수용액을 만든다.
(나) (가)의 용액에 금속 B w_1 g을 넣어 모두 반응시킨다.
(다) (나)의 용액에 금속 C w_2 g을 넣어 모두 반응시킨다.

[실험 결과]
· (가)~(다)에서 용액 속에 들어 있는 양이온의 종류와 양(mol)

	(가)	(나)	(다)
양이온의 종류	A^{m+}	A^{m+}, B^{2+}	A^{m+}, B^{2+}, C^{3+}
양이온의 양(mol)	0.1몰	0.08몰	0.06몰

w_1+w_2는? (단, B, C의 원자량은 각각 64, 27이고, 음이온은 반응하지 않는다.) [3점]

① 1.18 ② 1.55 ③ 1.82 ④ 2.09 ⑤ 2.36

215 다음은 금속 A, B의 산화 환원 반응 실험이다. m은 3 이하이다.

[실험 과정]
(가) A^{m+}이 x몰 들어 있는 수용액을 비커에 넣는다.
(나) (가)의 비커에 B를 3몰 넣어 반응시킨다.
(다) (나)의 비커에 B를 3몰 넣어 반응시킨다.
(라) (다)의 비커에 B를 3몰 넣어 반응시킨다.

[실험 결과]
· (나)와 (다) 각각에서 B는 모두 반응하였다.
· (라)에서 수용액의 A^{m+}은 모두 반응하였다.
· 각 과정 후 수용액에 존재하는 전체 금속 양이온의 양(mol)

과정	(나)	(다)	(라)
전체 금속 양이온의 양(mol)	6	y	7.5

$\dfrac{x \times y}{m}$는? (단, 물과 음이온은 반응에 참여하지 않는다.) [3점]

① 3 ② 4 ③ 5 ④ 6 ⑤ 8

기출 분석

52 유형

? 출제 의도

통열량계를 이용하여 물질의 연소열을 구할 수 있는지 물어보는 문제이다.

👀 이렇게 대비하자!

통열량계의 구조를 이해하고 비열, 열용량, 열량 등의 개념을 익힌다. 연소열을 구하는 식을 암기한 후 주어진 조건을 이용하여 여러 가지 물질의 연소열을 구해본다.

■ 연관 기출 문제 키워드

#열량 #통열량계 #연소열

문제 분석

에탄올 연소열 구하기

— 시료의 연소로 발생한 열은 통열량계와 주위의 물에 흡수된다.

에탄올이 연소할 때 방출한 열량(Q)
= 물이 얻은 열량 + 통열량계가 얻은 열량
= $(c_물 \times m_물 \times \Delta t) + (C_{통열량계} \times \Delta t)$

배경 지식

비열

어떤 물질 1 g의 온도를 1 ℃ 높이는 데 필요한 열량으로, 단위는 J/g·℃이다.

열용량

어떤 물질의 온도를 1 ℃ 높이는 데 필요한 열량으로, 단위는 J/℃이다. 열용량은 비열이 c인 물질 m g의 온도를 1 ℃ 올리는 데 필요한 열량과 같다.

열용량(C) = 비열(c) × 질량(m)

연소열(kJ/g)

$$= \frac{(물이 흡수한 열량 + 통열량계가 흡수한 열량)}{연료의 질량 변화}$$

문제에서 연소열이 주어질 때는 물이 흡수한 열량($c_물 \times m_물 \times \Delta t$)과 통열량계가 흡수한 열량($C_{통열량계} \times \Delta_물$)의 합이($Q$) 질량 변화로 나누어진 계산된 값이다.

열량

열량(Q) = 비열(c) × 질량(m) × 온도 변화(Δt)
= 열용량(C) × 온도 변화(Δt)

다음은 통열량계를 이용하여 에탄올(C_2H_5OH)의 연소열(Q)을 구하는 실험이다.

[실험 과정]

(가) 에탄올 0.46 g을 통열량계 안에 있는 시료 용기에 넣고 물 1000 g을 채운다.

(나) 물의 온도가 일정해졌을 때의 온도(t_1)를 측정한다.

(다) 점화 장치를 작동하여 에탄올을 완전 연소시킨다.

(라) 젓개로 저으면서 물의 최고 온도(t_2)를 측정한다.

[실험 결과]

t_1(℃)	t_2(℃)	통열량계의 열용량(kJ/℃)	물의 비열 (J/g·℃)
24.2	26.2	2.8	4.2

이에 대한 설명으로 옳은 것만을 〈보기〉에서 있는 대로 고른 것은? (단, 에탄올의 분자량은 46이다.) [3점]

┤ 보기 ├

ㄱ. 에탄올의 연소열은 1400 kJ/몰이다.

ㄴ. t_2가 실제보다 낮게 측정되면 연소열은 크게 계산된다.

ㄷ. (가)에서 500 g의 물로 실험하면 연소열은 2배가 된다.

① ㄱ   ② ㄴ   ③ ㄱ, ㄷ   ④ ㄴ, ㄷ   ⑤ ㄱ, ㄴ, ㄷ

■ 문항별 해설

ㄱ. 통열량계를 이용하여 열량을 측정할 때는 화학 반응에서 출입하는 열은 통열량계 속 물과 통열량계의 온도 변화에 이용된다고 가정한다. — 간이 열량계는 화학 반응에서 출입하는 열이 모두 간이 열량계 속의 온도 변화에 이용된다고 가정한다. ➡ $Q = c \times m \times \Delta t$

발생한 열량(Q) = 물이 얻거나 잃은 열량 + 통열량계가 얻거나 잃은 열량
= $(c_물 \times m_물 \times \Delta t) + (C_{통열량계} \times \Delta t)$

($c_물$: 물의 비열, $m_물$: 물의 질량, Δt: 물의 온도 변화, $C_{통열량계}$: 통열량계의 열용량)

위의 식에 따르면 에탄올의 연소에 의해 발생하는 열량은
$(4.2 \text{ J/g}\cdot℃ \times 1000 \text{ g} \times 2 ℃) + (2.8 \text{ kJ/℃} \times 2 ℃) = 14 \text{ kJ}$이며, 에탄올 0.46 g은 0.01 몰이므로 에탄올의 연소열은 1400 kJ/몰이다. (○)

ㄴ. t_2가 실제보다 낮게 측정되면 발생하는 열량이 작게 측정되므로 연소열도 작게 계산된다. (×)

ㄷ. (가)에서 500 g의 물로 실험해도 연소열은 변하지 않고, t_2는 높아진다. (×)   **답 ①**

216 다음은 에탄올의 연소열을 구하는 실험이다.

[자료]

벤조산의 연소열: 26.4 kJ/g

[실험 과정]

(가) 열량계의 시료 용기에 벤조산 5 g을 넣고, 완전 연소시키기 전과 후의 열량계의 온도 변화를 측정한다.

(나) (가)의 결과와 자료를 이용하여 열량계의 열용량을 계산한다.

(다) 열량계의 시료 용기에 에탄올 3 g을 넣고, 완전 연소시키기 전과 후의 열량계의 온도 변화를 측정한다.

[실험 결과]

과정	시료의 종류와 질량	열량계의 온도 변화
(가)	벤조산 5 g	6.6 ℃
(다)	에탄올 3 g	4.5 ℃

이 실험에 대한 설명으로 옳은 것만을 〈보기〉에서 있는 대로 고른 것은? [3점]

| 보기 |

ㄱ. 벤조산 5 g이 완전 연소될 때 발생한 열량은 132 kJ이다.

ㄴ. 열량계의 열용량은 20 kJ/℃이다.

ㄷ. 에탄올의 연소열은 30 kJ/g이다.

① ㄱ   ② ㄷ   ③ ㄱ, ㄴ

④ ㄴ, ㄷ   ⑤ ㄱ, ㄴ, ㄷ

217 다음은 물질 X의 연소열을 구하는 실험에 대한 자료이다.

• 그림과 같이 열용량이 1 kJ/℃인 열량계에 시료 X 2 g을 넣고 완전 연소시켰을 때, 연소 전후 물의 온도는 표와 같았다.

물의 온도(℃)	
연소 전	연소 후
10	t

• X의 분자량은 32이고, 계산한 X의 연소열은 720 kJ/몰이다.

연소 후 물의 온도 t(℃)는?

① 50   ② 55   ③ 60   ④ 65   ⑤ 70

218 다음은 에탄올의 연소열을 이용하여 열량계의 열용량을 측정하는 실험이다.

[과정]

(가) 강철 통 속 시료 접시에 에탄올 2 g을 넣는다.

(나) 강철 통을 둘러쌀 수 있도록 물을 채운 후 물의 온도(t_1)를 측정한다.

(다) 에탄올을 완전 연소시킨 후 물의 최고 온도(t_2)를 측정한다.

(라) 에탄올의 연소열을 이용하여 열량계의 열용량을 계산한다.

[측정 결과 및 자료]

t_1	t_2	에탄올의 연소열	에탄올의 분자량
23 ℃	26 ℃	1380 kJ/몰	46

열량계의 열용량(kJ/℃)은?

① 10   ② 15   ③ 20   ④ 30   ⑤ 60

Memo

Memo

Memo

피곤한 눈을 맑고 개운하게!
눈 스트레칭

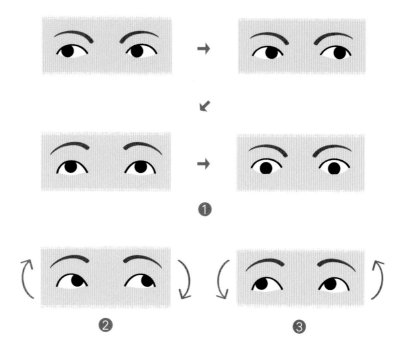

눈이 피곤하면 집중력도 떨어지고, 심한 경우 두통이 생기기도 합니다.
꾸준한 눈 스트레칭으로 눈의 피로를 꼭 풀어 주세요. 눈 스트레칭을 할 때 목은
고정하고 눈동자만 움직여야 효과가 좋아진다는 것! 잊지 마세요.

❶ 눈동자를 다음과 같은 순서로 움직여 보세요. 한 방향당 10초간 머물러야 합니다.

  왼쪽 ➜ 오른쪽 ➜ 위쪽 ➜ 아래쪽

❷ 눈동자를 시계 방향으로 한 바퀴 돌려 주세요.

❸ 눈동자를 시계 반대 방향으로 한 바퀴 돌려 주세요.

  ※ 스트레칭 후에도 눈에 피곤함이 남아 있다면, 2~3회 반복해 주세요.

Sherpa

개념을 쌓아가는 기본서

고등 **셀파**

화학 I

김필수·권은주·손혜연·조민진·조형훈

BOOK **2**

문제 기본서 | **정답과 해설**

천재교육

빠른 기출 **문제 정답**

기출 1~50

001 ⑤	002 ⑤	003 ④	004 ④	005 ⑤	006 ⑤	007 ⑤	008 ⑤
009 ③	010 ③	011 ④	012 ④	013 ⑤	014 ④	015 ①	016 ①	017 ⑤
018 ④	019 ①	020 ⑤	021 ⑤	022 ②	023 ④	024 ③	025 ③	026 ④
027 ④	028 ①	029 ②	030 ③	031 ②	032 ①	033 ①	034 ①	035 ④
036 ⑤	037 ⑤	038 ①	039 ③	040 ①	041 ⑤	042 ④	043 ④	044 ④
045 ②	046 ①	047 ⑤	048 ②	049 ③	050 ④			

기출 51~100

051 ⑤	052 ④	053 ②	054 ③	055 ①	056 ④	057 ③	058 ④
059 ④	060 ①	061 ⑤	062 ③	063 ③	064 ①	065 ⑤	066 ④	067 ①
068 ②	069 ③	070 ⑤	071 ④	072 ⑤	073 ③	074 ②	075 ②	076 ③
077 ③	078 ③	079 ②	080 ⑤	081 ⑤	082 ①	083 ⑤	084 ④	085 ⑤
086 ④	087 ①	088 ②	089 ⑤	090 ①	091 ①	092 ②	093 ②	094 ②
095 ②	096 ③	097 ②	098 ①	099 ④	100 ①			

기출 101~150

101 ④	102 ④	103 ②	104 ②	105 ④	106 ②	107 ⑤	108 ③
109 ⑤	110 ③	111 ⑤	112 ①	113 ⑤	114 ①	115 ③	116 ③	117 ⑤
118 ③	119 ③	120 ③	121 ⑤	122 ①	123 ②	124 ④	125 ⑤	126 ③
127 ③	128 ⑤	129 ④	130 ④	131 ①	132 ⑤	133 ⑤	134 ④	135 ⑤
136 ③	137 ④	138 ③	139 ⑤	140 ①	141 ①	142 ②	143 ④	144 ④
145 ①	146 ①	147 ①	148 ①	149 ⑤	150 ①			

기출 151~200

151 ⑤	152 ②	153 ②	154 ④	155 ⑤	156 ④	157 ①	158 ④
159 ⑤	160 ⑤	161 ⑤	162 ①	163 ①	164 ③	165 ②	166 ①	167 ③
168 ③	169 ④	170 ⑤	171 ③	172 ①	173 ④	174 ③	175 ③	176 ⑤
177 ③	178 ③	179 ③	180 ③	181 ①	182 ⑤	183 ⑤	184 ⑤	185 ⑤
186 ②	187 ②	188 ②	189 ④	190 ⑤	191 ①	192 ③	193 ④	194 ①
195 ①	196 ①	197 ⑤	198 ⑤	199 ③	200 ③			

기출 201~218

201 ②	202 ③	203 ①	204 ③	205 ②	206 ③	207 ③	208 ⑤
209 ⑤	210 ①	211 ⑤	212 ①	213 ③	214 ②	215 ②	216 ⑤	217 ②
218 ③								

001 답 ⑤ | 하버–보슈법으로 합성된 암모니아를 원료로 하여 질소 비료를 대량 생산할 수 있게 되어 인구 증가에 따른 식량 문제를 해결할 수 있었다.

문제 속 자료 질소의 필요성과 암모니아의 합성

질소 비료의 필요성
· 급격한 인구 증가에 따른 식량 부족으로, 농업 생산량을 높이기 위해 질소 비료를 사용해야 하였다.
· 자연에서 얻을 수 있는 질소 비료의 양이 매우 적어 인공적 질소 비료의 대량 생산이 필요하였다.

암모니아의 대량 합성(하버–보슈법)
· 수소 기체와 질소 기체가 반응하여 암모니아가 합성되지만 이 반응은 질소 분자에서 질소 원자 사이의 강한 결합 때문에 쉽게 일어나지 않는다.
· 20세기 초 하버는 수소 기체와 공기 중의 질소 기체를 촉매와 함께 반응시켜 암모니아를 합성하였으며, 그 후 보슈와 함께 암모니아 합성에 필요한 최적의 온도, 압력, 촉매를 찾아 암모니아(NH_3)를 대량으로 합성하는 하버–보슈법을 개발하였다.

---

002 답 ⑤ | 암모니아의 합성 반응식은 $N_2 + 3H_2 \longrightarrow 2NH_3$ 이다.

ㄱ. 질소와 수소를 반응시켜 암모니아를 생성하므로 암모니아의 구성 원소는 질소와 수소이다.

ㄴ. 암모니아를 물에 녹이면 수산화 이온(OH^-)이 생성되므로 암모니아 수용액은 염기성이다. $NH_3 + H_2O \longrightarrow NH_4^+ + OH^-$

ㄷ. 하버는 질소를 수소와 반응시켜 암모니아를 대량으로 생산하는 공정을 고안함으로써 인공적으로 질소 비료를 생산할 수 있게 되어 농업 생산량을 비약적으로 증가시켰다.

003 답 ④ | 하버는 수소 기체와 공기 중의 질소 기체로부터 암모니아를 합성하는 방법을 고안하였고, 이를 통해 합성된 암모니아는 비료의 원료 등으로 활용되어 인구 증가에 따른 식량 문제를 해결하였다.

004 답 ④ | ㄴ. 질소와 수소로부터 암모니아가 생성되는 화학 반응식은 $N_2 + 3H_2 \longrightarrow 2NH_3$이다.

ㄷ. 하버–보슈법이 개발되어 질소 비료를 대량으로 생산할 수 있어 식량 생산량이 크게 증가하였다.

오답 피하기
ㄱ. 질소는 반응성이 작은 원소이다.

005 답 ⑤ | ㄱ. 인류는 화석 연료가 연소될 때 생성되는 열을 이용하여 문명을 발전시켰고, 불을 이용하여 광석으로부터 구리, 철과 같은 금속을 얻어 생활에 필요한 도구를 만들었다.

ㄴ. (가)는 화석 연료의 연소로, 생성물에 물(H_2O)이 있으므로 A에 수소(H)가 포함되어 있다.

ㄷ. 화석 연료의 연소 반응과 철의 제련 과정에서 이산화 탄소가 발생하므로 B는 이산화 탄소이다. 이산화 탄소는 지구 온난화의 원인이 된다.

006 답 ⑤ | ㄱ. A는 암모니아이다. 질소와 수소로 이루어진 암모니아의 합성은 인류의 농업 생산량 증가에 큰 영향을 주었다.

ㄴ. 화석 연료(메테인)와 산소가 반응하여 이산화 탄소와 물이 생성되는 연소가 일어난다. 홑원소 물질은 한 종류의 원소로 되어 있는 물질로 산소, 질소, 철, 황, 수소 등이 있다. B는 산소로, 홑원소 물질이다.

ㄷ. 물의 화학식은 H_2O로 산소와 수소로 이루어진 화합물이다.

007 답 ⑤ | ㄱ. 하버는 공기 중의 질소 기체를 수소 기체와 반응시켜 암모니아를 대량으로 생산하였다.

ㄴ. 철광석에서 철을 얻는 철의 제련 과정은 산화 환원 반응으로 화학적 변화이다.

ㄷ. 질소 비료 생산과 농기구의 발달은 농업의 발전을 가져와 식량 생산 증대에 기여하였다.

008 답 ⑤ | ㄱ. 석탄, 석유, 천연가스의 주요 구성 원소는 C(탄소)와 H(수소)이다.

ㄴ. 암모니아의 합성으로 이를 원료로 한 질소 비료를 대량 생산하게 되어 식량 생산량 증가에 크게 기여하였다.

ㄷ. 철의 제련은 철광석에서 철을 얻는 과정으로 산화 환원 반응을 이용한다.

009 답 ③ | ㄱ. 화합물은 두 가지 이상의 서로 다른 종류의 원소들이 일정한 비율로 결합하여 만들어진 순물질이다. 포도당의 분자식은 $C_6H_{12}O_6$로 탄소, 수소, 산소로 이루어진 순물질이므로 화합물이다.

ㄷ. 포도당 1몰은 탄소 원자 6몰, 수소 원자 12몰, 산소 원자 6몰로 이루어져있다. 따라서 포도당 1몰에 들어 있는 각 원자의 양(mol)을 모두 더하면 원자는 6+12+6=24몰이다.

오답 피하기
ㄴ. 분자량이 180이므로 포도당 180 g에는 6.02×10^{23}개의 분자가 포함되어 있다. 따라서 180 g에서 6.02×10^{23}개를 나누면 분자 1개의 질량이다.

010 답 ③ | ㄱ. 아세트산의 분자식이 CH_3COOH이므로 분자량은 $(12 \times 2) + (1 \times 4) + (16 \times 2) = 60$이고 포도당의 분자식이 $C_6H_{12}O_6$이므로 분자량은 $(12 \times 6) + (1 + 12) + (16 \times 6) = 180$이다. 아세트산의 탄소(C) 질량 백분율은

$\dfrac{\text{탄소의 질량}}{\text{아세트산의 분자량}}\times100(\%)=\dfrac{24}{60}\times100(\%)=40$이다.

포도당의 탄소(C) 질량 백분율은

$\dfrac{\text{탄소의 질량}}{\text{포도당의 분자량}}\times100(\%)=\dfrac{72}{180}\times100(\%)=40$이다.

따라서 아세트산과 포도당의 탄소(C) 질량 백분율은 40으로 같다.

ㄴ. 아세트산과 포도당의 실험식이 CH_2O로 같으므로 1 g 속에 들어 있는 산소 원자의 양(mol)은 같다.

오답 피하기

ㄷ. 1몰에 포함된 아세트산의 수소는 4개, 포도당의 수소는 12개이므로 포도당에 포함된 수소(H)는 아세트산의 3배이다. 따라서 생성되는 물의 양은 포도당이 아세트산의 3배이다.

011 답 ④ | ㄴ. 두 분자 모형 각각 탄소 원자 1개가 탄소 원자 3개와 결합한다.

ㄷ. C_{60}과 C_{70}은 C로만 이루어져 있으므로 1 g 속에 포함된 탄소 원자 수는 $\dfrac{1}{12}$몰로 같다. 따라서 1 g이 완전 연소할 때 생성되는 CO_2의 양(mol)도 같다.

오답 피하기

ㄱ. 1몰에 포함된 탄소 원자 수는 C_{70}은 탄소가 70개, C_{60}은 탄소가 60개이므로 $C_{70}>C_{60}$이다. 따라서 C_1몰의 질량은 $C_{70}>C_{60}$이다.

012 답 ④ | ㄱ. (가)와 (나)는 탄소 원자가 다른 탄소 원자와 공유 결합을 형성하여 만들어진 공유 결합 물질이다.

ㄷ. 다이아몬드와 풀러렌은 모두 탄소 원자로 이루어진 물질이다. 따라서 다이아몬드와 풀러렌 분자의 종류와 관계없이 1 g에 포함된 탄소 원자의 양(mol)은 같다.

탄소 원자 양(mol) $=\dfrac{\text{질량}}{\text{탄소의 분자량}}=\dfrac{1\,\text{g}}{12\,\text{g/mol}}=\dfrac{1}{12}$ mol 이다. 다이아몬드는 탄소 원자 1개당 4개의 공유 결합을 하고 있고, 풀러렌은 탄소 원자 1개당 3개의 공유 결합을 하고 있으므로, 물질 1 g에 포함된 탄소-탄소 결합 수는 (가)가 (나)보다 많다.

오답 피하기

ㄴ. 다이아몬드 1몰에는 탄소 원자 1몰이 포함되어 있고, 풀러렌(C_{60}) 1몰에는 탄소 원자 60몰이 포함되어 있다.

013 답 ⑤ | 기체 1몰은 22.4 L이므로 기체 A 5.6 L는 $\dfrac{5.6}{22.4}=$ 0.25몰이다. 물질의 양(mol) $=\dfrac{\text{질량}}{\text{몰 질량}}=0.25$몰인데 질량이 4 g이므로 $0.25=\dfrac{4}{x}$, $x=16$ g이다. 1몰의 질량에서 단

위인 g을 빼면 분자량이 된다. 따라서 (가)는 16이다. 기체 B 16 g은 $\dfrac{16}{32}=0.5$몰이므로 부피는 22.4 L의 반인 11.2 L이다.

> **문제 속 자료** 몰과 기체의 부피
>
> · 기체 1몰의 부피: 0 °C, 1 기압(표준 상태)에서 기체 1몰의 부피는 기체의 종류에 관계없이 22.4 L이다.
> · 기체의 부피와 양(mol): 기체의 부피를 알면 양(mol)을 구할 수 있다.
> ➡ 물질의 양(mol)을 구하려는 기체의 부피를 1몰의 부피(=22.4 L)로 나누어 구한다.
>
> $$\text{물질의 양(mol)}=\dfrac{\text{기체의 부피 (0 °C, 1 기압)}}{22.4}$$
>
> · 기체 1몰의 부피(0 °C, 1 기압) 이용: 기체의 부피가 22.4 L일 때의 질량=1몰의 질량=분자량
>
> $$22.4 : \text{분자량}=\text{기체의 부피} : \text{질량}$$

014 답 ④ | O_2의 질량은 32 g이고, O의 원자량이 16이므로 분자량은 $16\times2=32$이다. 물질의 양(mol)은 $\dfrac{\text{질량}}{\text{분자량}}$이므로 산소 분자의 양(mol)은 $\dfrac{32}{32}=1$몰이다. NH_3 분자의 양(mol)은 3몰이고 구성 원자는 N 원자 1개와 H 원자 3개로 총 4개이므로 총 원자 수는 $(3\times4)N_A$개이다. 따라서 $a=1$, $b=12$이므로 $a+b$는 13이다.

015 답 ① | 아보가드로 법칙에 따라 온도와 압력이 같을 때 모든 기체 1몰의 부피는 같다.

ㄱ. (가)에서 수소 분자의 양(mol)은 $\dfrac{\text{질량}}{\text{분자량}}$이므로 1몰이다. 따라서 H_2의 분자 수는 6×10^{23}이다.

오답 피하기

ㄴ. 같은 온도와 압력에서 (나)의 부피가 (가)의 $\dfrac{1}{2}$이므로 물질의 양(mol) 역시 (가)의 $\dfrac{1}{2}$이다. 따라서 (나)는 0.5몰이고, N_2의 분자량이 28이므로 질량은 14 g이다.

ㄷ. (가)와 (다)는 1기압에서 부피가 서로 같으나 온도가 각각 30 °C, 50 °C로 다르므로 기체의 양(mol)은 다르다.

016 답 ① | ㄱ. 물질의 양(mol) $=\dfrac{\text{질량}}{\text{화학식량}}$이므로 NaOH의 양(mol)은 $\dfrac{20}{40}=0.5$몰이다.

ㄴ. 기체 20 °C, 1 기압에서 1몰의 부피가 24 L이므로 (다)의 H_2는 $\dfrac{12}{24}=0.5$몰이다. H_2 0.5몰은 1 g이다.

ㄷ. (나)의 H_2O 18 g은 1몰이고, (다)의 H_2 12 L는 0.5몰이다. H_2O 1몰에 포함된 H 원자는 2몰(=1몰×2개)이고, H_2

0.5몰에 포함된 H 원자는 1몰(=0.5몰×2개)이다.

017 ⑤ | 같은 온도와 압력에서 기체의 부피는 분자 수에 비례하고 물질의 양(mol)에 비례한다.

He과 X의 부피비는 He : X=3 L : 6 L=1 : 2이다. 헬륨과 X의 몰비는 $\dfrac{\text{He 질량}}{\text{He 분자량}}$: $\dfrac{\text{X의 질량}}{\text{X의 분자량}}$이고, 부피비는 물질의 양(mol)에 비례하므로 $1 : 2 = \dfrac{0.6}{4} : \dfrac{12}{\text{X의 분자량}}$이다. 따라서 X의 분자량은 40이다.

> **문제 속 자료** 몰과 입자 수, 질량, 기체의 부피 관계
>
> $$\text{물질의 양(mol)} = \dfrac{\text{입자 수}}{6.02 \times 10^{23}/\text{mol}} = \dfrac{\text{질량(g)}}{\text{몰 질량(g/mol)}}$$
>
> $$= \dfrac{\text{기체의 부피(L)}}{22.4\,\text{L/mol}} (0\,^\circ\text{C, 1 기압})$$

018 답 ④ | 0 °C, 1 기압에서 1몰의 부피는 22.4 L이다. (가)~(다)의 부피는 2.24 L이므로 모두 0.1몰이다.

ㄴ. CO_2의 분자량이 44이므로 0.1몰의 CO_2 질량은 4.4 g이다.

ㄷ. (가)에서 O_2를 구성하는 원자 수는 2개, (나)에서 CO_2를 구성하는 원자 수는 3개, (다)에서 CH_4을 구성하는 원자 수는 5개이므로 같은 수의 분자 속에 들어 있는 총 원자 수는 (다)가 가장 많다.

오답 피하기

ㄱ. (가)에서 O_2의 양(mol)은 0.1몰이다.

019 답 ① | ㄱ. 같은 온도와 압력에서 기체의 부피는 분자 수에 비례하므로 분자 수비는 (가) : (나)=1 L : 9 L=1 : 9이다.

오답 피하기

ㄴ. (가)와 (나)의 질량은 w로 같다. 분자 수의 비가 (가) : (나)=1 : 9이므로 분자 1개의 질량비는 (가) : (나)=$\dfrac{w}{1} : \dfrac{w}{9}$=9 : 1이다.

ㄷ. 원자 A의 원자량을 a, 원자 B의 원자량을 b라고 하면, A_2B의 분자량은 $2a+b$, A_2의 분자량은 $2a$이므로 $2a+b : 2a=9 : 1$이다. 따라서 $a : b=1 : 16$이다.

020 답 ⑤ | 같은 온도와 압력에서 두 기체의 부피가 같을 때 기체의 밀도는 분자량에 비례한다.

ㄱ. (나)가 (가)보다 밀도가 2배이므로 XO_2의 분자량은 O_2의 2배이다. 따라서 원자량이 X가 O의 2배이다.

ㄴ. 아보가드로 법칙에 의해 같은 온도와 압력에서 기체의 종류에 관계없이 같은 부피 속에 같은 수의 분자가 들어 있으므로 (가)와 (나)에는 같은 수의 기체 분자가 들어 있다.

ㄷ. (가)와 (나)에 같은 수의 기체 분자가 들어 있으므로 (가)와 (나)의 전체 원자 수비는 $O_2 : XO_2 = 2 : 3$이다.

> **문제 속 자료** 아보가드로 법칙 이용
>
>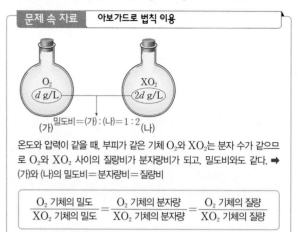
>
> (가) 밀도비=(가) : (나)=1 : 2 (나)
>
> 온도와 압력이 같을 때, 부피가 같은 기체 O_2와 XO_2는 분자 수가 같으므로 O_2와 XO_2 사이의 질량비가 분자량비가 되고, 밀도비와도 같다. ➡ (가)와 (나)의 밀도비=분자량비=질량비
>
> $$\dfrac{O_2 \text{ 기체의 밀도}}{XO_2 \text{ 기체의 밀도}} = \dfrac{O_2 \text{ 기체의 분자량}}{XO_2 \text{ 기체의 분자량}} = \dfrac{O_2 \text{ 기체의 질량}}{XO_2 \text{ 기체의 질량}}$$

021 답 ⑤ | 화학 반응식에서 반응물과 생성물의 원자 종류와 개수가 같아야 하므로 $a=1$, $b=3$, $c=2$, $d=3$이다.

022 답 ② | 화학 반응식에서 반응물과 생성물의 원자의 종류와 개수는 변하지 않아야 한다.

H 원자 수: $6=2c$

C 원자 수: $2=b$

O 원자 수: $1+2a=2b+c$

따라서 $a=3$, $b=2$, $c=3$이므로 $a \times b=6$이다.

> **문제 속 자료** 화학 반응식의 계수 맞추기
>
> 간단한 화학 반응식에서는 반응 전후 원자의 종류와 개수를 비교하여 화학 반응식의 계수를 맞춘다.
>
> $$C_2H_6O + aO_2 \longrightarrow bCO_2 + cH_2O$$
>
> · C: C_2H_6O의 계수가 1이므로 반응 전 C의 원자 수가 2이다. 따라서 화살표 오른쪽의 생성물 CO_2의 계수는 2이다.
> · H: H의 원자 수가 6이므로 화살표 오른쪽의 H_2O의 계수는 3이다.
> · O: b가 2, c가 3이므로 화살표 오른쪽의 O의 원자 수는 총 7이다. 화살표 왼쪽의 O 원자 수는 $1+2a$이므로 a는 3이다.
> ▶ 완성된 화학 반응식: $C_2H_6O + 3O_2 \longrightarrow 2CO_2 + 3H_2O$

023 답 ④ | ④ 암모니아 분자는 N와 H 2종류의 원소로 이루어져 있다.

오답 피하기

① 화학 반응식에서 반응 전후의 질소, 수소 원자의 수가 같으므로 $a=1$, $b=3$이다.

② 수소와 질소는 반응물이고 생성물은 암모니아이다.

③ 화학 반응이 일어날 때 원자의 종류와 개수는 반응 전후 변화가 없다.

⑤ 암모니아 2분자를 생성하기 위해 질소 원자 2개가 필요하다.

024 답 ③ | 화학 반응에서 반응 전후의 원자 종류와 개수가 같아야 하므로 (가)와 (나)의 화학 반응식을 완성하면 다음과 같다.

(가) $C(s) + O_2(g) \longrightarrow CO_2(g)$

(나) $2C(s) + O_2(g) \longrightarrow 2CO(g)$

ㄱ. $a=1$, $b=1$이므로 $a+b=2$이다.

ㄴ. ㉠은 CO이다.

오답 피하기

ㄷ. (가)에서 반응하는 몰비는 $C : O_2 = 1 : 1$이고, (나)에서 반응하는 몰비는 $C : O_2 = 2 : 1 = 1 : \frac{1}{2}$이다. 따라서 같은 온도와 압력에서 1몰의 C가 모두 반응할 때 필요한 O_2의 최소 부피비는 (가) : (나) $= 2 : 1$이다.

025 답 ③ | ㄱ, ㄴ. 탄산 칼슘($CaCO_3$)과 묽은 염산(HCl)의 반응식에서 반응물과 생성물의 원자 종류와 개수를 맞추면 x는 2, (가)는 CO_2이다.

오답 피하기

ㄷ. 질량 보존 법칙에 의해 반응 전후 물질의 질량 합은 같다.

026 답 ② | A_2 분자 1개와 AB 분자 2개가 반응하여 A_2B 분자 2개를 생성하므로 화학 반응식은 $A_2 + 2AB \longrightarrow 2A_2B$이다.

027 답 ④ | ㄴ. AB 분자 4개가 B_2 분자 2개와 반응하여 AB_2 분자 4개를 생성한다. 화학 반응식에서 계수비는 분자 수의 비이므로 $4AB(g) + 2B_2(g) \longrightarrow 4AB_2(g)$이다. 이때 계수를 가장 간단한 정수로 나타내면 화학 반응식은 $2AB(g) + B_2(g) \longrightarrow AB_2(g)$이다.

ㄷ. 반응 후 반응물 AB가 2개 남아 있으므로 B_2를 더 넣으면 생성물의 양이 증가한다.

오답 피하기

ㄱ. 생성물은 AB_2 1가지이다.

028 답 ① | ㄱ. 반응 전의 실린더 속에 A 분자 5개와 B 분자 9개가 존재하며 반응 후 실린더 속에 A 분자 2개, C 분자 6개가 있다. 즉, A 분자 2개는 반응에 참여하지 않았으므로, A 분자 3개와 B 분자 9개가 반응하여 C 분자 6개가 생성되는 것이다. 따라서 화학 반응식은 $A + 3B \longrightarrow 2C$이다.

오답 피하기

ㄴ. C 분자 2개의 질량은 A 분자 1개와 B 분자 3개의 질량 합과 같다. 따라서 (C 분자량 $\times 2 =$ A 분자의 분자량 $+$ B 분자의 분자량 $\times 3$)이므로 C의 분자량은 $\dfrac{(\text{A의 분자량}) + (3 \times \text{B의 분자량})}{2}$이다.

ㄷ. 실린더의 부피는 반응 전보다 반응 후에 줄어든다. 기체의 밀도는 $\dfrac{\text{질량}}{\text{부피}}$이며, 질량 보존 법칙에 의해 반응 전후 실린더 속 혼합 기체의 질량은 일정하므로 밀도는 증가한다.

029 답 ② | 반응 전에 XY가 3개, Y_2가 1개 있고, 반응 후에는 XY 1개와 XY_2 2개가 있다. XY 1개는 반응에 참여하지 않았으므로 화학 반응식으로 나타내면 $2XY + Y_2 \longrightarrow 2XY_2$이다.

ㄷ. 반응 전후 원자의 종류와 개수가 같으므로 용기에 존재하는 물질의 총 질량은 보존된다.

오답 피하기

ㄱ. 생성물의 종류는 XY_2 1가지이다.

ㄴ. 반응하는 XY와 Y_2의 몰비는 화학 반응식에서 계수비와 같으므로 2 : 1이다.

030 답 ③ | ㄱ. 화학 반응식을 완성하기 위해 M(s)와 $H_2(g)$의 몰비를 구해야 한다. 물질의 양(mol) $= \dfrac{\text{질량}}{\text{분자량}}$이고, 반응한 M(s)의 양은 w g으로 주어져 있으므로 M의 원자량을 알면 M(s)의 양(mol)을 구할 수 있다.

ㄴ. 화학 반응식을 완성하기 위해 H_2의 양(mol)도 알아야 한다. H_2의 부피를 측정하였으므로, t ℃, 1 기압에서 기체 1몰의 부피를 알면 $H_2(s)$의 양(mol)을 구할 수 있다.

오답 피하기

ㄷ. 화학 반응식 완성에 반응한 HCl의 부피는 필요없다.

031 답 ② | 화학 반응식을 보면 금속 M이 1몰 반응할 때 수소 기체 1몰이 발생한다. 금속 M 1.2 g과 반응하여 발생한 수소 기체의 부피가 1.12L이므로 수소 기체의 양(mol)은 $\dfrac{1.12\ \text{L}}{22.4\ \text{L}} = 0.05$몰이다. 따라서 금속 M의 원자량은 $\dfrac{1.2}{0.05} = 24$이다.

문제 속 자료 **화학 반응식의 양적 관계**

[화학 반응식]

$M(s) + 2HCl(aq) \longrightarrow MCl_2(aq) + H_2(g)$

➡ 반응식의 계수비 $=$ 몰비 $=$ M : H_2 $= 1 : 1$

[실험 결과]

실험이 끝난 후 0 ℃, 1 기압에서 발생한 H_2의 부피 $= 1.12$ L

➡ H_2의 양(mol) $= \dfrac{1.12}{22.4} = 0.05$몰

원자와 분자의 양(mol) 구하기

원자의 양(mol) $= \dfrac{\text{질량(g)}}{\text{원자량}}$

분자의 양(mol) $= \dfrac{\text{질량(g)}}{\text{분자량}} = \dfrac{\text{분자 수}}{6.02 \times 10^{23}\text{개}} = \dfrac{\text{부피(L)}}{22.4}$ (0 ℃, 1 기압)

032 답 ① | ㄱ. 화학 반응식에서 반응 전후의 원자의 종류와 개수가 변하지 않으므로 화학 반응식을 완성시키면 $M(s) + 2HCl(aq) \longrightarrow MCl_2(aq) + H_2(g)$이다. 따라서 $a=2$이다.

오답 피하기

ㄴ. 그래프를 통해 금속 $M(s)$이 충분한 양의 염산($HCl(aq)$)과 반응하여 수소 기체(H_2) 5.6 L를 생성하였고, H_2는 $\frac{5.6}{22.4}=0.25$몰 생성되었음을 알 수 있다. 반응한 6 g의 M도 0.25몰이므로 M 1몰은 6 g × 4=24 g이다. M 1몰의 질량이 24 g이므로 M의 원자량은 24이다.

ㄷ. M 1몰이 24 g이므로 M 12 g은 $\frac{12}{24}=0.5$몰이다. 따라서 M 12 g과 반응하여 생성되는 H_2는 0.5몰이므로 H_2 질량은 1 g이다.

033 답 ① | 1 기압에서 기체 1몰의 부피가 24 L이므로 실험 I에서 생성된 $CH_4(g)$ 48 mL는 $\frac{0.048 \text{ L}}{24 \text{ L/몰}}=2×10^{-3}$몰이고, (나)에서 반응물과 생성물의 반응 몰비는 $C : H_2 : CH_4=1:2:1$이므로 반응한 C는 $2×10^{-3}$몰, H_2는 $4×10^{-3}$몰이다. M과 H_2의 반응 몰비가 1 : 1이므로 M의 양(mol)은 $4×10^{-3}$몰이다.

실험 I의 (가)에서 반응한 M w mg은 $4×10^{-3}$몰이므로 M의 원자량은 $\frac{w}{4}$이다. 실험 I의 (나)에서 반응한 C는 $2×10^{-3}$몰이고, 원자량이 12이므로 반응한 C의 질량은 $2×10^{-3}×12=24$ mg이고 반응하지 않고 남은 C의 질량이 12 mg이므로 반응 전 C의 질량은 $24+12=36$ mg이다. 따라서 $a=36$이다.

M은 $4×10^{-3}$몰이므로 실험 II의 (가)에서 M $2w$ mg은 $2×4×10^{-3}=8×10^{-3}$몰이다. M $2w$ mg을 충분한 양의 HCl과 반응시키면 H_2 $8×10^{-3}$몰이 생성된다. (나)에서 H_2 $8×10^{-3}$몰을 C 36 mg과 반응시키면 C가 $3×10^{-3}$몰이므로 CH_4가 $3×10^{-3}$몰이 생성된다. 따라서 x는 3이므로 $\frac{a}{x}×(\text{M의 원자량})=\frac{36}{3}×\frac{w}{4}=3w$이다.

034 답 ① | (가)에서는 페트병에 공기가 들어 있으며 (다)에서는 페트병에 이산화 탄소만 들어 있다. 드라이아이스에서 발생한 이산화 탄소가 공기보다 밀도가 크므로 공기를 밀어내어 결국 이산화 탄소만 페트병에 남게 된다. '(다)에서 측정한 질량－(가)에서 측정한 질량'은 '이산화 탄소의 질량－공기의 질량'이므로 이산화 탄소의 질량을 구하려면 공기의 질량을 더해 주어야 한다. 따라서 공기의 질량을 알아야 하며, 공기의 질량은 '공기의 밀도×페트병의 부피'로 구할 수 있다.

오답 피하기

ㄴ, ㄷ. 이산화 탄소 질량을 구할 때, (나)에서 넣어 준 드라이아이스의 부피와 물을 채운 페트병의 질량은 필요없다. (라)에서 페트병의 부피를 알기 위해, 물을 채워 눈금실린더로 부피를 측정한 것이다.

035 답 ④ | CO_2의 질량은 (다)에서 측정한 w_2에서 페트병의 질량을 뺀 것으로 (b－페트병의 질량)이다. 페트병의 질량은 (가)에서 측정한 w_1에서 공기의 질량을 뺀 것으로 (a－공기의 질량)이다. 따라서 CO_2의 질량은 '$b-(a-\text{공기의 질량})$'이므로 '$b-a+\text{공기의 질량}$'이다. 공기의 질량은 '공기의 밀도×부피'이므로 $1.2×0.2$이다. 따라서 (바)의 식을 이용하여 CO_2를 구하면 $\frac{(b-a+1.2×0.2)×300}{1×0.2}×0.08$이다. 식을 계산하면 $120(b-a+0.24)$이다.

036 답 ⑤ | $CaCO_3(s)$과 $HCl(aq)$의 화학 반응식은 다음과 같다.

$$CaCO_3(s) + 2HCl(aq) \longrightarrow CaCl_2(aq) + H_2O(l) + CO_2(g)$$

ㄴ. 생성된 기체의 질량은 반응 전 $CaCO_3$의 질량(w_1)과 반응 전 삼각 플라스크의 질량(w_2)을 더한 값에서 반응 후 삼각 플라스크의 질량(w_3)을 뺀 값으로 ($w_1+w_2-w_3$)이다.

ㄷ. 반응한 $CaCO_3$와 생성된 CO_2의 몰비는 화학 반응식의 계수비를 통해 알 수 있다. 반응물 $CaCO_3$의 계수가 1이고, 생성된 CO_2의 계수가 1이므로 몰비는 1 : 1이다.

오답 피하기

ㄱ. 실험 I, II, III의 생성된 기체의 질량을 보면 $CaCO_3$의 질량이 늘어날수록 생성된 기체의 질량이 일정하게 0.44 g씩 증가하는 것을 볼 수 있다. 하지만 III과 IV 사이에서는 0.44 g에 미치지 못하고 0.12 g만 생성된 것을 볼 수 있다. 즉, $CaCO_3$의 질량이 3.00~4.00 g일 때 HCl이 한계 반응물이 되어 CO_2의 생성량이 더 증가하지 않는다는 것을 알 수 있다. 따라서 $CaCO_3$ 5.00 g에서 x는 1.44 g이다.

> **문제 속 자료** **화학 반응의 몰비**
>
> **탄산 칼슘과 묽은 염산이 반응할 때 발생하는 이산화 탄소의 양 계산**
> 화학 반응의 계수비는 반응물과 생성물의 몰비와 동일하다.
> [1단계] 탄산 칼슘과 묽은 염산이 반응하면 이산화 탄소 기체가 생성되어 빠져 나가므로 반응 후 질량이 감소한다. (반응 전후 질량 차이＝빠져 나간 이산화 탄소 기체의 질량)
> [2단계] 반응한 물질과 생성된 물질의 몰비는 반응한 물질의 질량에 관계 없이 항상 일정하다.
> [3단계] 반응물과 생성물의 몰비는 화학 반응식의 계수비와 같다.
>
> **탄산 칼슘과 묽은 염산의 반응에서 양적 관계 이해**
> 탄산 칼슘과 묽은 염산의 반응에서 탄산 칼슘의 질량이 증가할수록 생성된 이산화 탄소의 질량도 증가 ➡ 두 물질의 몰비는 항상 일정(1 : 1) ➡ 화학 반응에서 물질의 몰비는 화학 반응식의 계수비와 같다.

037 답 ⑤ | ㄴ, ㄷ. 화학 반응에서 몰 관계를 비교하기 위해서는 반응물과 생성물의 양을 몰로 나타내야 한다. 반응한 탄산 칼슘의 양(mol)은 $\dfrac{\text{탄산 칼슘의 질량}}{\text{탄산 칼슘의 화학식량}}$ 으로부터 알 수 있다. 생성된 이산화 탄소의 양(mol)은 $\dfrac{\text{이산화 탄소의 질량}}{\text{이산화 탄소의 분자량}}$ 으로부터 구한다.

오답 피하기

ㄱ. 실험에서 충분한 양의 묽은 염산을 사용하였으므로 묽은 염산의 농도는 필요하지 않다.

038 답 ① | ㄴ. (나)에서 탄산 칼슘 1.0 g을 삼각 플라스크에 넣었을 때 모두 반응하였으므로 반응한 $CaCO_3$은 $\dfrac{1.0}{100}=0.01$ 몰이다.

오답 피하기

ㄱ. 묽은 염산과 삼각 플라스크의 질량(w_1)에 탄산 칼슘을 1 g 넣으면 CO_2가 발생하므로 전체 질량은 감소한다. 즉, $w_1+1.0=w_2+$발생한 CO_2의 질량이므로 $w_1+1.0>w_2$ 이다.

ㄷ. 반응한 $CaCO_3$과 생성된 CO_2의 몰비는 화학 반응식의 계수비를 통해 알 수 있다. 생성된 CO_2의 양(mol)은 반응한 $CaCO_3$의 양(mol)의 계수비가 1 : 1로 같으므로 0.01몰 이다.

039 답 ③ | 화학 반응식으로부터 반응 몰비는 A : B : C = 1 : 2 : 2이다. 실험 I에서 반응 후 존재하는 B와 C의 몰비가 1 : 1이며 A가 모두 소모되었으므로 반응 전후의 물질의 양(mol)을 나타내면 다음과 같다.

	A	+	2B	⟶	2C
반응 전 양(몰)	a		$4a$		0
반응한 양(몰)	$-a$		$-2a$		$+2a$
반응 후 양(몰)	0		$2a$		$2a$

따라서 반응 전 A와 B의 몰비는 1 : 4이다.

실험 Ⅱ에서 반응 후 존재하는 A와 C의 몰비가 1 : 1이며 B가 모두 소모되었으므로 반응 전후의 물질의 양(mol)을 나타내면 다음과 같다.

	A	+	2B	⟶	2C
반응 전 양(몰)	$3b$		$2b$		0
반응한 양(몰)	$-b$		$-2b$		$+2b$
반응 후 양(몰)	$2b$		0		$2b$

따라서 반응 전 A와 B의 몰비는 3 : 2이다.

ㄱ. 실험 I에서 A와 B는 1 : 2의 몰비로 반응하고, 반응 전 A와 B의 몰비는 1 : 4이다. 즉, B는 반응물 3.2 g 중 절반인 1.6 g이 반응하고 나머지 절반인 1.6 g이 남는다.

ㄴ. 실험 I에서 반응 전후의 질량을 나타내면 다음과 같다.

	A	+	2B	⟶	2C
반응 전 질량(g)	0.7		3.2		0
반응한 질량(g)	−0.7		−1.6		+2.3
반응 후 질량(g)	0		+1.6		+2.3

질량 보존 법칙에 의해 반응물과 생성물의 질량비는 A : B : C = 0.7 : 1.6 : 2.3이고 몰비는 계수비와 같으므로 A : B : C = 1 : 2 : 2이다. 분자량 $=\dfrac{\text{질량}}{\text{물질의 양(mol)}}$ 이므로 분자량비는 A : B : C $=\dfrac{0.7}{1}:\dfrac{1.6}{2}:\dfrac{2.3}{2}=14:16:23$ 이다. 따라서 C의 분자량이 46일 때 A의 분자량은 28이다.

오답 피하기

ㄷ. 실험 I과 실험 Ⅱ에서 반응한 질량은 1.6 g으로 동일하므로 실험 Ⅱ에서 반응한 A의 질량은 0.7 g이다. 반응 후 몰비가 A : C = 1 : 1이 되기 위해서 반응 전 A의 질량은 반응한 A의 질량의 3배가 되어야 하므로 2.1 g이다.

040 답 ① | 실험 I과 Ⅱ의 반응 전과 반응 후의 전체 물질의 양(mol)을 비교하면 각각 $4n>2n$, $5n>2n$이므로 반응물의 계수 합(1+2)이 생성물의 계수의 합(c)보다 커야 한다. 따라서 c는 1 또는 2이다.

실험 I에서 반응 전 전체 기체의 양(mol)은 $4n$이므로 A가 x 몰이면 B는 $(4n-x)$몰이다. 실험 I에서 A가 모두 소모되었으며 반응 전후의 물질의 양(mol)을 나타내면 다음과 같다.

	A	+	2B	⟶	cC
반응 전 양(몰)	x		$4n-x$		0
반응한 양(몰)	$-x$		$-2x$		$+cx$
반응 후 양(몰)	0		$4n-3x$		cx

반응 후 전체 기체의 양(mol)은 $4n-3x+cx=2n$이다. $c=1$인 경우, $4n-2x=2n$이므로 $x=n$이다. 실험 I의 x에 n을 대입하면 다음과 같다.

	A	+	2B	⟶	C
반응 전 양(몰)	n		$3n$		0
반응한 양(몰)	$-n$		$-2n$		n
반응 후 양(몰)	0		n		n

따라서 실험 I에서 반응 전 A, B는 각각 n, $3n$몰이고 반응 후 B, C는 모두 n몰이다.

$c=2$인 경우, $4n-x=2n$이므로 $x=2n$이다. 따라서 실험 I의 x에 $2n$을 대입하면 다음과 같다.

$$\begin{array}{cccc} & A & + & 2B & \longrightarrow & C \end{array}$$

	A	2B	C
반응 전 양(몰)	$2n$	$2n$	0
반응한 양(몰)	$-2n$	$-4n$	$4n$
반응 후 양(몰)	0	$-2n$	$4n$

반응 후 B의 양(mol)이 음의 값이 되어 불가능한 경우이므로 $c=1$이다.

실험 Ⅱ에서 반응 전 전체 기체의 양(mol)은 $5n$이므로 B가 y몰이라면, A는 $(5n-y)$몰이다. 실험 Ⅱ에서 B가 모두 소모되었으며 반응 전후의 물질의 양(mol)을 나타내면 다음과 같다.

	A	2B	C
반응 전 양(몰)	$5n-y$	y	0
반응한 양(몰)	$-\dfrac{y}{2}$	$-y$	$+\dfrac{y}{2}$
반응 후 양(몰)	$5n-\dfrac{3y}{2}$	0	$\dfrac{y}{2}$

반응 후 전체 기체의 양(mol)은 $5n-\dfrac{3y}{2}+\dfrac{y}{2}=2n$이므로 $y=3n$이다. 따라서 실험 Ⅱ의 y에 $3n$을 대입하면 다음과 같다.

	A	2B	C
반응 전 양(몰)	$2n$	$3n$	0
반응한 양(몰)	$-\dfrac{3}{2}n$	$-3n$	$\dfrac{3}{2}n$
반응 후 양(몰)	$\dfrac{1}{2}n$	0	$\dfrac{3}{2}n$

따라서 실험 Ⅱ에서 반응 전 A, B는 각각 $2n$몰, $3n$몰이고 반응 후 A, C는 각각 $0.5n$몰, $1.5n$몰이다.

ㄱ. 실험 Ⅰ과 Ⅱ에서 반응 전 B의 양(mol)은 각각 $3n$으로 서로 같다.

오답 피하기

ㄴ. 실험 Ⅰ에서 C가 n몰 생성되었고, 실험 Ⅱ에서는 C가 $1.5n$몰이 생성되었다. 따라서 질량은 실험 Ⅱ에서가 Ⅰ에서의 1.5배이다.

ㄷ. 질량 보존 법칙에 의해 반응 전후 전체 기체의 질량은 변하지 않는다. A, B의 분자량을 각각 M_A, M_B라고 하면, 실험 Ⅰ의 전체 질량은 $n \times M_A + 3n \times M_B = 34$ g이고, 실험 Ⅱ의 전체 질량은 $2n \times M_A + 3n \times M_B = 62$ g이다. 따라서 $M_A = \dfrac{28}{n}$, $M_B = \dfrac{2}{n}$이므로 분자량은 A가 B의 14배이다.

041 답 ⑤ | 실험 Ⅰ에서 반응 전 전체 기체의 부피가 14.4 L이고, 기체 1몰의 부피는 24 L이므로 $\dfrac{14.4}{24} = 0.6$몰이다. 기체의

부피비는 몰비와 같기 때문에 반응 전후의 부피비가 몰비와 같다. 반응 전후의 부피비가 4 : 3이고, 반응 후의 양(mol)을 x라고 하면 반응 전후의 몰비는 $0.6 : x$이므로 $4 : 3 = 0.6 : x$이다. 따라서 x는 0.45이다. 반응 전과 후에 존재하는 실린더 내 기체의 양(mol)은 다음과 같다.

	2A	B	2C
반응 전 양(몰)	$2y$	$0.6-2y$	0
반응한 양(몰)	$-2y$	$-y$	$+2y$
반응 후 양(몰)	0	$0.6-3y$	$2y$

반응 후 남아 있는 기체의 양(mol)은 $0.6-y=0.45$이므로 y는 0.15몰이다. y에 0.15를 대입하면 기체의 양(mol)은 다음과 같다.

	2A	B	2C
반응 전 양(몰)	0.3	0.3	0
반응한 양(몰)	-0.3	-0.15	$+0.3$
반응 후 양(몰)	0	0.15	0.3

ㄱ. 실험 Ⅰ에서 반응 전 A와 B의 양(mol)은 0.3몰이고, A와 B의 질량이 각각 9.0 g, 9.6 g이므로, A와 B의 분자량은 각각 30, 32이다. 반응 후 남은 B의 질량은 0.15 몰 $\times$ 32 g/몰 $=4.8$ g이다.

ㄴ. 질량 보존 법칙에 의해 반응 전과 반응 후의 질량은 같아야 하므로 반응 전 A와 B의 질량이 $9.0+9.6=18.6$ g이고, 반응 후 A는 완전히 소모되어 0이므로 B와 C의 질량의 합이 18.6 g이 된다. B가 4.8 g이므로 C는 13.8 g이다. 따라서 C의 분자량은 $\dfrac{13.8}{0.3}=46$이다.

ㄷ. 실험 Ⅱ의 반응 전과 후에 존재하는 실린더 내 기체의 양(mol)을 구하여 나타내면 다음과 같다.

	2A	B	2C
반응 전 양(몰)	0.2	0.7	
반응한 양(몰)	-0.2	-0.1	$+0.2$
반응 후 양(몰)	0	0.6	0.2

반응 전과 후의 몰비가 9 : 8이므로 $x : y = 9 : 8$이다.

042 답 ④ | 온도와 압력이 일정할 때 기체의 부피는 분자 수에 비례한다.

ㄴ. 아보가드로 법칙에 의해 (가)와 (나)의 단위 부피당 분자 수는 같다.

ㄷ. 보기 ㄱ에서 A와 B의 분자량비를 구하면 A의 분자량이 B의 $\dfrac{1}{2}$이므로 (나)의 질량은 (가)의 2배이고, (나)의 부피는 (가)의 $\dfrac{3}{2}$배이므로 밀도비는 (가) : (나)$=3 : 4$이다.

ㄱ. (가)에 A와 같은 질량의 B를 넣었을 때 부피가 1 L 증가했으므로 B의 부피는 1 L이다. 따라서 A와 B의 부피비는 2 : 1이고 분자 수비도 2 : 1이다. 물질의 양(mol)

$=\dfrac{질량}{분자량}$이므로 분자량$=\dfrac{질량}{물질의 양(mol)}$이다. A와 B의

질량이 같으므로 'A의 분자량 : B의 분자량$=\dfrac{1}{2}$: 1'이다. 따라서 A의 분자량은 B의 $\dfrac{1}{2}$배이다.

043 답 ④ | 기체 A와 B의 질량은 같고, 반응 후 남은 B와 C의 질량비가 3 : 4이므로 전체 기체의 질량을 $7x$로 둔다. 질량 보존 법칙에 의해 반응 전 기체 A와 B의 질량 합도 $7x$이고, 기체 A와 B의 질량이 같으므로 A, B의 질량은 각각 $3.5x$이다. 반응 전과 후에 실린더 내에 존재하는 기체의 질량은 다음과 같다.

	A	+	2B	⟶	C
반응 전 질량(g)	3.5x		3.5x		0
반응한 질량(g)	−3.5x		−0.5x		+4x
반응 후 질량(g)	0		3x		4x

ㄴ. 보기 ㄱ에서 A, B, C의 분자량비는 14 : 1 : 16이다. 반응 후 실린더에는 B가 $3x$ g, C가 $4x$ g 남아 있다.

'물질의 양(mol)$=\dfrac{질량}{분자량}$'이므로 실린더에 남은 'B의 양

(mol) : C의 양(mol)$=\dfrac{3x}{1} : \dfrac{4x}{16}$'이다. 정리하면 B와 C의 몰비는 12 : 1이다.

ㄷ. 보기 ㄴ에서 실린더에 남은 B와 C의 몰비는 12 : 1이므로 남은 B와 C의 양(mol)은 각각 $12n$, n이다. 따라서 반응 전과 후 실린더 속 A~C의 양(mol)은 다음과 같다.

	A	+	2B	⟶	C
반응 전 양(몰)	n		14n		0
반응한 양(몰)	−n		−2n		+n
반응 후 양(몰)	0		12n		n

반응 전과 후의 전체 기체의 질량은 같고 기체의 밀도는 $\dfrac{질량}{부피}$이다. 질량이 같으므로 밀도는 부피에 반비례하며 부피는 물질의 양(mol)과 비례한다. 따라서 반응 전과 후의 밀도비는

$\dfrac{1}{n+14n} : \dfrac{1}{12n+n}$이므로 $\dfrac{1}{15} : \dfrac{1}{13}$=13 : 15이다.

ㄱ. 기체 A~C의 반응에서 몰비는 화학 반응식을 통해 1 : 2 : 1인 것을 알 수 있고, 질량비는 $3.5x$: $0.5x$: $4x$= 7 : 1 : 8이므로 분자량$(=\dfrac{질량}{물질의 양(mol)})$의 비는 14 : 1

: 16이다. 따라서 A와 B의 분자량비는 14 : 1이다.

044 답 ④ | ㄱ. 반응 전후 X와 Y의 질량 차이만큼 O_2가 반응하므로 160 g−128 g=32 g이다. 반응한 O_2의 양(mol)은

$\dfrac{32 g}{32 g/몰}$=1몰이다. X와 O_2는 2 : 1로 반응하므로 반응한 X의 양(mol)은 2몰이고, 반응 전 전체 기체는 5몰이다. 같은 온도, 압력에서 기체의 부피비와 몰비는 같다. 따라서 피스톤의 높이가 $5h : 4h$이므로 반응 전후 몰비는 5 : 4이다. 반응 후 전체 기체는 4몰이고, O_2는 반응 전 3몰에서 반응 후 2몰 남으므로 생성된 Y는 2몰이다. 따라서 반응 계수 a=2이다.

ㄷ. X 2몰의 질량은 128 g이고, 반응 후 남아 있는 O_2 2몰을 모두 반응시키기 위해 추가로 필요한 X는 최소 4몰이므로 2몰의 질량×2=128×2=256 g이다.

ㄴ. Y 2몰의 질량이 160 g이므로 분자량은 $\dfrac{160}{2}$=80이다.

045 답 ② | 실험 I에서 A_2가 모두 반응하여 소모되고, B_2AB$_3$만 남는다. 반응 전과 후에 존재하는 실린더 내 기체의 양(mol)은 다음과 같다.

	A_2	+	$3B_2$	⟶	$2AB_3$
반응 전 양(몰)	a		b		
반응한 양(몰)	−a		−3a		+2a
반응 후 양(몰)	0		b−3a		2a

└ A_2 모두 소모

실린더 내 반응 전 A_2가 a몰, B_2가 b몰이고 반응 후 A_2가 모두 반응하였다. 화학 반응식에 따르면 A_2와 B_2가 1 : 3의 비로 반응하므로 a : $3a$로 반응하고 AB_3가 $2a$ 생성된다. 반응 전의 기체 양(mol)의 합은 $(a+b)$이고, 반응 후의 기체 양(mol)의 합은 $(b−3a+2a)=(b−a)$이다. 같은 온도와 압력에서 기체의 양(mol)는 부피에 비례하므로 $(a+b) : (b−a)$=9 L : 6 L이다. 따라서 $5a=b$이다.

실험 I과 실험 II에서 반응 전 기체의 양(mol)의 합은 $(a+b)$로 같고, 같은 온도와 압력에서 기체의 양(mol)이 같으면 기체의 부피도 같으므로 실험 II에서 반응 전 부피는 9 L이다. 실험 II에서 B_2가 모두 반응하여 소모되고, A_2와 AB_3만 만든다. 반응 전과 후에 존재하는 실린더 내 기체의 양(mol)은 다음과 같다.

	A_2	+	$3B_2$	⟶	$2AB_3$
반응 전 양(몰)	5a(=b)		a		
반응한 양(몰)	$−\dfrac{1}{3}a$		−a		$+\dfrac{2}{3}a$
반응 후 양(몰)	$\dfrac{14}{3}a$		0		$\dfrac{2}{3}a$

└ B_2 모두 소모

실린더 내 반응 전 물질의 양(mol)은 A_2가 b몰, B_2가 a몰이고 반응 후 B_2가 모두 반응하였다. 실험 I을 통해 $b=5a$이므로 A_2를 b 대신 $5a$로 계산한다.

반응 전의 기체 양(mol)의 합은 $6a$이고, 반응 후의 기체 양(mol)의 합은 $\frac{14}{3}a+\frac{2}{3}a$이므로 $\frac{16}{3}a$이다.

따라서 $6a : \frac{16}{3}a = 9\,L : x\,L$이므로 x는 8이다.

046 답 ① | 기체 X_2와 Y_2가 반응하여 XY를 생성하므로 화학 반응식은 $X_2 + Y_2 \longrightarrow 2XY$이다. X_2와 Y_2는 1 : 1의 몰비로 반응한다.

ㄴ. 기체의 밀도는 온도와 압력이 같을 때 같은 부피에서 분자량에 비례하고, X_2와 Y_2는 이원자 분자이므로 기체의 밀도비는 원자량비와 같다. (가)에서 기체의 밀도비는 $X_2 : Y_2 = 7 : 8$이므로 원자량비는 $X : Y = 7 : 8$이다.

오답 피하기

ㄱ. 같은 온도와 압력에서 기체의 부피는 물질의 양(mol)에 비례하며, (가)에서 X_2의 부피가 Y_2의 부피보다 크므로 X_2의 양(mol)이 Y_2의 양(mol)보다 많다. 따라서 (나)에서 콕 a를 열면 Y_2가 모두 반응한다.

ㄷ. (나)에서 반응 후 혼합 기체에 대한 기체 XY의 질량비가 $\frac{15}{22}$이므로 생성된 XY의 질량이 $15x$이면 남은 기체 X_2의 질량은 $7x$이다. X와 Y의 원자량비가 $7 : 8$이므로 생성된 XY가 $15x$일 때 반응한 X_2는 $7x$, Y_2는 $8x$이며, (가)~(다)에서 화학 반응의 양적 관계는 다음과 같다.

단계		질량비			부피비	밀도비
		X_2	Y_2	XY		
(가)	과정	14	8	0		
(나)	반응	-7	-8	$+15$		
	결과	7	0	15	3	$\frac{22}{3}$
(다)	과정		$+8$			
	반응	-7	-8	$+15$		
	결과	0	0	30	4	$\frac{30}{4}$

반응 후 기체의 밀도비는 (나) : (다) $=44 : 45$이다.

047 답 ⑤ | ㄱ. $20\,°C$, 1 기압에서 기체 1몰의 부피가 $24\,L$이다. 부피비는 몰비와 같으므로 (가)에서 X_2 $12\,L$는 $\frac{12}{24}=0.5$몰에 해당한다.

ㄴ. (나)에서 용기의 부피가 $6\,L$이고, 물질의 양(mol)은 $\frac{6}{24}=0.25$몰이다. (가)에서 X_2 0.5몰의 질량이 $16\,g$이므로

(나)에 X_2 0.25몰의 질량은 $8\,g$이다.

ㄷ. X_2 0.5몰의 질량이 $16\,g$이므로 1몰의 질량은 $32\,g$이다. 따라서 X의 원자량은 16이다.

048 답 ② | [자료]의 그래프에서 기체 A $4\,g$이 기체 B와 반응하여 기체 C $5\,g$이 되었으므로 질량비는 $A : B : C = 4 : 1 : 5$이다.

콕 I을 열면 기체 A $2.0\,g$과 기체 B $2.5\,g$ 중에서 $0.5\,g$이 $4 : 1$의 질량비로 반응하여 기체 C $2.5\,g$을 생성하고, 기체 B $2.0\,g$이 남는다.

	$2A$	$+$	bB	$\longrightarrow$	$2C$
반응 전 질량(g)	2.0		2.5		
반응한 질량(g)	-2.0		-0.5		$+2.5$
반응 후 질량(g)			2.0		2.5

└ 질량비 $4 : 1 : 5$로 반응

기체 B의 분자량을 M_B, 기체 C의 분자량을 M_C라고 하면 B와 C의 계수비=분자 수비이므로,

$$b : 2 = \frac{0.5}{M_B} : \frac{2.5}{M_C} \quad \cdots\cdots ㉠$$

[실험 결과]에서 B와 C의 분자 수비가

$$2 : 1 = \frac{2}{M_B} : \frac{2.5}{M_C} \quad \cdots\cdots ㉡$$

㉡에서 $M_B = \frac{2}{5}M_C$임을 구하여 이를 ㉠에 대입하면,

$$b : 2 = \frac{5}{4M_C} : \frac{2.5}{M_C}, \; \frac{5}{2M_C} = \frac{b\times 2.5}{M_C}$$이므로, $b=1$이다.

콕 Ⅱ를 열면 기체 A $w\,g$과 과정 (나)에서 남은 기체 B $2.0\,g$이 반응하게 된다.

	$2A$	$+$	B	$\longrightarrow$	$2C$
반응 전 질량(g)	w		2.0		2.5
반응한 질량(g)	-8		-2.0		$+10.0$
반응 후 질량(g)	$w-8$		0		12.5

└ 질량비 $4 : 1 : 5 : 5$로 반응

기체 A의 분자량을 M_A라고 하면 A와 C의 계수비=분자 수비이므로,

$$2 : 2 = 1 : 1 = \frac{8}{M_A} : \frac{10}{M_C} \quad \cdots\cdots ㉠$$

[실험 결과]에서 A와 C의 몰비가

$$2 : 5 = \frac{w-8}{M_A} : \frac{12.5}{M_C} \quad \cdots\cdots ㉡$$

㉠에서 $M_A = \frac{4}{5}M_C$임을 구하여 이를 ㉡에 대입하면,

$$2 : 5 = \frac{5(w-8)}{4M_C} : \frac{12.5}{M_C}, \; \frac{25(w-8)}{4M_C} = \frac{25}{M_C}$$이므로, $w=12$이다. 따라서 $b=1$, $w=12$이므로, $b\times w = 1 \times 12 = 12$이다.

049 답 ③ | 러더퍼드가 얇은 금박에 α 입자를 충돌시키는 실험을 한 결과, 대부분의 α 입자들은 거의 휘지 않고 금박을 그대로 통과하지만, 극소수의 α 입자들이 튕겨 나오는 현상을 관찰하였다. 따라서 원자의 대부분은 빈 공간이고, 중심에 (+)전하를 띠는 매우 작고 원자 질량의 대부분을 차지하는 입자가 있다는 것을 알아냈으며, 이를 원자핵이라고 하였다.

050 답 ④ | 민수는 러더퍼드가 사용한 금($_{79}$Au)박 대신 원자핵의 전하량이 작은 알루미늄($_{13}$Al)박으로 α 입자 산란 실험을 하였고, 실험 결과 경로가 휘거나 튕겨 나온 α 입자의 수가 감소한 것을 발견하였다. 이는 민수가 원자핵의 전하량이 경로가 휘거나 튕겨 나온 α 입자의 수에 영향을 미칠 것이라는 가설을 세우고 실험을 진행한 것이다.

[오답 피하기]

① 원자에서 (−)전하를 띠는 입자는 전자로, 이는 톰슨의 음극선 실험과 관련이 있다.
② 원자에서 전자의 위치를 확률적으로만 나타낼 수 있다는 것은 불확정성의 원리와 관련이 있다.
③ 전자가 원자핵 주변의 허용된 원형 궤도를 따라 움직이는 것은 수소 원자의 선 스펙트럼을 통해 알아낼 수 있다.
⑤ 원자에서 (−)전하를 띤 전자가 퍼져 있는 (+)전하 구름에 무질서하게 분포한다는 것은 톰슨의 원자 모형과 관련이 있다.

> **문제 속 자료** **톰슨의 전자 발견과 원자 모형**
>
> **톰슨의 음극선 실험**
> 음극선은 외부에서 가해진 전기장이나 자기장에 의해 휘어진다. ➡ 음극선은 (−)전하를 띠는 입자의 흐름 ➡ 전자의 발견
>
> **톰슨의 원자 모형**
> (+)전하를 띤 부드러운 공 모양의 물체에 (−)전하를 띤 전자가 드문드문 박혀 있는 모형
>
> 전자
> (+)전하를 띤 공

051 답 ⑤ | ㄴ. α 입자를 산란시킨 결과를 통해 원자핵에 (+)전하가 밀집되어 있음을 알 수 있다.
　ㄷ. 대부분의 α 입자가 금박을 통과하였으므로 원자핵의 크기는 원자에 비해 매우 작다는 것을 알 수 있다. 또한 (+)전하를 띤 α 입자가 반발력을 받아 튕겨 나오려면 원자 내부에 (+)전하를 띠는 질량이 매우 큰 입자가 존재한다는 것을 의미한다. 따라서 원자핵의 질량은 원자 질량의 대부분을 차지한다.

[오답 피하기]

　ㄱ. α 입자는 헬륨 원자핵(He^{2+})으로 (+)전하를 띠는 입자이다.

052 답 ④ | ㄱ. 대부분의 α 입자가 금박을 통과하였으므로 원자의 대부분은 빈 공간이다.

ㄴ. (+)전하를 띠는 α 입자의 일부가 휘어진 것과 극히 일부가 큰 각도로 튕겨 나온 것은 원자핵이 α 입자와 같은 전하를 띠고 있기 때문이다.

[오답 피하기]

ㄷ. 러더퍼드 α 입자 산란 실험으로 전자의 에너지 준위를 알 수 없다.

053 답 ② | 톰슨은 음극선에 전기장을 걸어 주면 음극선이 (+)극 쪽으로 휘는 것을 관찰하고, 음극선은 (−)전하를 띤 입자의 흐름임을 알아내었다. 그리고 전기적으로 중성인 원자에 높은 전압을 걸어 주었을 때 음극선과 같은 전자의 흐름이 생기려면 (+)전하를 띤 공에 (−)전하를 띤 전자가 박혀 있어야 한다고 생각했다.

[오답 피하기]

① 돌턴의 원자 모형으로, 더 이상 쪼갤 수 없는 입자를 원자라고 주장하였다. 따라서 전자를 설명할 수 없다.
③ 러더퍼드의 원자 모형이다.
④ 보어의 원자 모형이다.
⑤ 현대적 원자 모형이다.

> **문제 속 자료** **원자 모형의 변천 과정과 한계점**
>
> **원자 모형의 변천**
> 돌턴(쪼개지지 않는 원자) ➡ 톰슨(전자 발견) ➡ 러더퍼드(원자핵 발견) ➡ 보어(전자가 원 운동하는 궤도 제안) ➡ 현대(전자 존재 확률 분포의 오비탈)
>
> | 과학자 | 돌턴 | 톰슨 | 러더퍼드 |
> |---|---|---|---|
> | 모형 | | | 전자 / 원자핵 |
> | 한계점 | 톰슨의 음극선 실험 결과 설명 불가능 | 러더퍼드의 알파 입자 산란 실험 결과 설명 불가능 | 수소의 선 스펙트럼 설명 불가능 |
>
> | 과학자 | 보어 | 현대 모형 |
> |---|---|---|
> | 모형 | 전자 / 원자핵 | 전자 구름 / 원자핵 (양성자+중성자) |
> | 한계점 | 2개 이상의 전자를 가지는 다전자 원자의 선 스펙트럼 설명 불가능 | 점은 전자의 개수를 의미하는 것이 아니라 전자가 존재할 수 있는 확률 분포를 나타냄 |

054 답 ③ | ㄱ. (나)는 원자핵으로, 러더퍼드 알파 입자 산란 실험을 통해 원자의 대부분은 빈 공간이며, 원자 중심에 (+)전하를 띤 원자핵이 존재한다는 것을 발견했다.
　ㄴ. (가)는 전자로, 음극선 실험을 통해 (−)전하를 띤 전자

를 발견했다. (가)는 전자, (나)는 원자핵으로 전자가 원자보다 먼저 발견되었다.

오답 피하기

ㄷ. (가)는 전자, (나)는 원자핵으로 입자 1개의 질량은 전자가 원자핵보다 작다.

055 답 ① l 문제에서 설명하는 입자는 전자이며, 음극선은 전자의 흐름이다. 음극선의 직진하는 성질은 진공관에 음극선이 지나는 길에 물체를 놓아두면 그림자가 생기는 것으로 알 수 있다. 음극선은 (−)전하를 띠고 있어 진행 방향에 전기장을 걸어주면 (+)극 쪽으로 일정하게 휜다. 전자는 불연속적인 에너지 준위를 가지므로 선 스펙트럼이 관찰된다.

문제 속 자료 **톰슨의 음극선 실험**

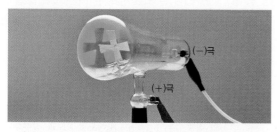

① 진공 유리관 내부에 물체를 놓아두면 (−)극의 반대쪽에 그림자가 생긴다. ➡ 음극선이 (−)극에서 나와 (+)극으로 직진하기 때문이다.

② 음극선에 자석을 갖다 대면 음극선이 (+)극 쪽으로 휜다 ➡ 음극선이 (−)전하를 띠고 있다.

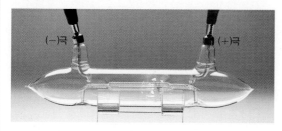

③ 음극선의 진로에 바람개비를 설치하면 바람개비가 회전한다. ➡ 바람개비에 질량을 가진 입자가 부딪혔기 때문이며, 음극선이 질량을 가진 입자임을 알 수 있다.

056 답 ④ l 음극선은 (−)전하를 띠는 입자의 흐름이므로 전기장에서 (+)극 쪽으로 휘어진다. (+)극이 아래쪽에 있으므로 형광판의 아래쪽에 밝은 점이 나타날 것이다.

057 답 ③ l ㄱ. 원자는 양성자수와 전자 수가 같다. 따라서 A와

B의 양성자의 수가 각각 1, 2이므로 (가)는 중성자이다.

ㄷ. 질량수는 양성자수+중성자수이다. A와 B의 질량수는 3이므로 질량수가 같다.

오답 피하기

ㄴ. A는 양성자수가 1이므로 H 원자로, $_1^3$H이고, B는 양성자수가 2이므로 He 원자로, $_2^3$He이다. 따라서 B는 $_1^2$H의 동위 원소가 아니다.

문제 속 자료 **원자의 표시**

원자의 표시 방법
원자를 표시할 때 원자 번호는 원소 기호의 왼쪽 아래, 질량수는 왼쪽 위에 표시한다.
예 탄소 원자의 표시

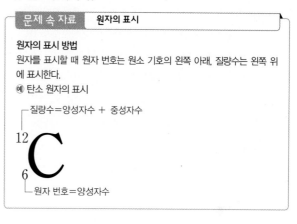

질량수=양성자수 + 중성자수

원자 번호=양성자수

058 답 ④ l ㄱ. 3가지 이온의 전자 수는 x로 모두 같다. A^-의 양성자수가 9이므로 전자 수는 10이다. 따라서 $x=10$이다.

ㄴ. 질량수는 양성자수와 중성자수의 합이다. B^{m+}의 양성자수와 중성자수의 합이 23이므로 $11+y=23$이다. 따라서 y는 12이다. C^{n+}의 양성자수와 중성자수의 합은 $12+12=24$이므로 z는 24이다.

오답 피하기

ㄷ. B^{m+}은 양성자수가 11이고 전자 수가 10이므로 m은 1이고, C^{n+}은 양성자수가 12이고 전자 수가 10이므로 n은 2이다.

059 답 ④ l (가) 이온에서 양성자수가 8이고 질량수가 16이므로 중성자수는 8이다. 표에서 A는 중성자를, B는 전자를 나타낸다.

ㄴ. (가)는 양성자가 8, 중성자가 8, 전자가 10이므로 전자 수가 양성자수보다 많다. 따라서 음이온이다.

ㄷ. (나)와 (다)는 원자이다. (나)는 질량수가 24이고 중성자수가 12이므로 양성자수도 12이다. (다)는 전자 수가 12이므로 양성자수도 12이다. 따라서 (나)와 (다)는 양성자수가 12로 같고 중성자수가 다르기 때문에 동위 원소이다.

오답 피하기

ㄱ. (가)의 질량수가 16이므로 중성자수는 '질량수−양성자수=8'이다. B가 10이므로 중성자가 아닌 전자이다. 따라서 A는 중성자, B는 전자이다.

060 답 ① l A^-의 전자 수가 10이므로 양성자수는 9이다. 질량

수는 양성자수와 중성자수를 합한 값이기 때문에 $x=19$이다. B^+의 질량수는 23이고 중성자수가 12이므로 양성자수는 $23-12=11$이다. 따라서 전자 수 $y=10$이다. $x+y$의 값은 $19+10=29$이다.

061 답 ⑤ | $^{16}_{8}O^{2-}$의 양성자수는 8, $^{19}_{9}F$의 양성자수는 9이다. $^{16}_{8}O^{2-}$은 -2가 음이온이므로 전자가 양성자보다 2개 더 많다. 따라서 전자 수가 10이므로 (다)는 전자이다. $^{19}_{9}F$의 질량수는 19이므로 중성자수는 질량수−양성자수=$19-9=10$이다. 따라서 (가)가 중성자, (나)가 양성자, (다)가 전자이며 표를 완성하면 다음과 같다.

원자 또는 이온	구성 입자 수		
	중성자	양성자	전자
$^{16}_{8}O^{2-}$	8	8	10
$^{19}_{9}F$	10	9	9

062 답 ③ | 원자에서 원자 번호=양성자수=전자 수이다. 그래프의 원자 번호와 중성자수를 정리하면 다음과 같다.

구분	원자 번호	양성자수	중성자수	전자 수
A	6	6	6	6
B	8	8	8	8
C	8	8	10	8
D	10	10	10	10

ㄱ. A는 원자 번호가 6번으로 양성자수가 6이므로, 양성자수와 중성자수가 같다.
ㄴ. 중성 원자는 양성자수와 전자 수가 같으므로 B와 C는 전자 수가 8로 같다.

오답 피하기
ㄷ. 동위 원소는 양성자수가 같아야 한다. C와 D는 양성자수가 각각 8, 10으로 서로 다르므로 동위 원소가 아니다.

063 답 ③ | 질량수는 양성자수와 중성자수의 합이고, 중성 원자에서 양성자수=전자 수=원자 번호이므로 그래프의 중성자수와 질량수를 정리하면 다음과 같다.

원자 또는 이온	양성자수	중성자수	전자 수	질량수
A	8	8	8	16
B	7	8	7	15
C^{2-}	8	10	10	18

ㄱ. A의 양성자수는 16(질량수) − 8(중성자수)=8이다.
ㄷ. C^{2-}은 전자 2개를 얻어 형성된 음이온이므로 전자 수가 10이다.

오답 피하기
ㄴ. A와 B는 양성자수가 각각 8, 7이므로 동위 원소가 아니다.

064 답 ① | (−)전하를 띤 입자가 전자이다. 중성 원자에서 '양성자수=전자 수'이므로, ●입자가 양성자이며, 원자 X는 전자 3개, 양성자 3개, 중성자 4개를 가진다.
ㄱ. 원자 번호=양성자수이므로, X의 원자 번호는 3이다.

오답 피하기
ㄴ. ○는 중성자로, 중성자수가 변하면 동위 원소가 된다. 중성 원자가 이온이 되려면 전자를 얻거나 잃어야 한다.
ㄷ. 전자는 양성자나 중성자에 비해 질량이 매우 작으므로 원자 질량에 거의 영향을 주지 않는다.

065 답 ⑤ | (가)와 (나)는 모두 전자 수가 6이므로, 양성자수도 6이다. 질량수는 '양성자수+중성자수'이므로 (가)의 질량수는 12, (나)의 질량수는 14이다.
ㄱ. 전자 수와 같은 값을 가지는 A는 양성자, B는 중성자이다.
ㄴ. (가)와 (나)는 양성자수가 같고 중성자수가 다르므로 동위 원소이다.
ㄷ. (나)의 질량수는 14(=6+8)이므로 ^{14}N과 질량수가 같다.

066 답 ④ | 중성 원자에서 '전자 수=양성자수=원자 번호'이다. 원자핵 주변을 도는 ●은 전자이고 ●와 개수가 같은 입자인 ○이 양성자이며, ●는 중성자이다.
ㄴ. 질량수는 '양성자수+중성자수'이므로, A는 3, B는 3, C는 4이다.
ㄷ. 동위 원소는 양성자수가 같고 중성자수가 다른 원소이다. 각 원소의 양성자수는 A는 1, B는 2, C는 2이다. B와 C는 양성자수는 같고 중성자수는 다르므로 동위 원소이다.

오답 피하기
ㄱ. ●는 중성자이다.

067 답 ① | 중성 원자에서 '양성자수=전자수'이고 동위 원소는 양성자수는 같고 중성자수가 다른 원소를 말한다. 각 원소에서 입자 수 비율이 같은 것은 양성자와 전자이다.
(가)에서 입자 수의 비율이 $\frac{1}{2}$, $\frac{1}{4}$, $\frac{1}{4}$ 이므로 차례로 중성자, 양성자, 전자를 의미한다. 즉, 중성자 : 양성자= 2 : 1이고, 질량수가 3이므로 이 원소는 중성자 2개, 양성자 1개를 가진 3중 수소(^3_1H)이다.
(나)는 (가)와 동위 원소이므로 양성자수는 (가)와 같은 1개이다. (나)에서 각 입자 수의 비율은 $\frac{1}{3}$, $\frac{1}{3}$, $\frac{1}{3}$로 같으므로 중성자수도 1개가 되어 질량수는 2가 된다.

(다)는 입자 수비가 $\frac{2}{5}$, $\frac{2}{5}$, $\frac{1}{5}$이므로 비율이 같은 $\frac{2}{5}$가 양성자와 전자이며, 비율이 $\frac{1}{5}$인 입자가 중성자이다. 즉, 양성자 : 중성자＝2 : 1이고, 질량수가 3이므로 양성자 2개, 중성자 1개가 있는 원자이다.

오답 피하기

ㄴ. x는 2이다.

ㄷ. (가)의 중성자수는 2, (다)의 중성자수는 1로, (가)가 (다)의 2배이다.

068 답 ② | X 원자 2개로 이루어진 분자 X_2의 분자량은 70, 72, 74 세 종류이다. 즉, X의 동위 원소에 따라 구분하면 X_2 분자의 종류가 3가지라는 의미이다. X의 동위 원소가 두 개일 경우 각각을 ^aX, ^bX라 하면 두 동위 원소가 만들 수 있는 분자 X_2의 종류는 다음과 같이 구할 수 있다.

	^aX	^bX
^aX	$^aX^aX$	$^aX^bX$
^bX	$^aX^bX$	$^bX^bX$

즉, 분자 X_2의 종류는 $^aX^aX$, $^aX^bX$, $^bX^bX$ 세 종류이다. '^aX의 원자량＞^bX의 원자량'으로 가정하면

	$^aX^aX$	$^aX^bX$	$^bX^bX$
분자량	74	72	70
존재수(상댓값)	1	6	9

즉, ^aX의 원자량은 37, ^bX의 원자량은 35이며, 존재비는 ^aX : ^bX＝(1＋3) : (9＋3)＝1 : 3이다.

평균 원자량은 원자량에 존재 비율을 곱하여 구한다. 즉, $\left(37 \times \frac{1}{4}\right)+\left(35 \times \frac{3}{4}\right)=35.5$이다.

오답 피하기

X의 동위 원소가 3종류일 경우 ^aX, ^bX, ^cX가 되며, 이 원소로 생성될 수 있는 분자 X_2의 종류는 $^aX^aX$, $^aX^bX$, $^aX^cX$, $^bX^bX$, $^bX^cX$, $^cX^cX$로 6종류이다.

069 답 ③ | 그림에서 액체 상태의 물을 이루는 수소는 질량수가 1인 ^1H이고, 얼음 A는 질량수가 1인 수소(^1H), 얼음 B는 질량수가 2인 중수소(^2H)로 되어 있다.

ㄱ. 어떤 물체를 물에 띄웠을 때, 물체의 밀도가 물보다 크면 바닥으로 가라앉고, 물보다 작으면 물에 뜬다. 얼음 B는 중수소로 이루어져 있어 물보다 무겁다.

ㄷ. H_2O에서 O의 질량수는 같으므로 H의 질량수만 비교하면 된다. 얼음 A에서 수소의 질량수는 1이고, 얼음 B에서 수소의 질량수는 2이므로 얼음 B가 얼음 A보다 더 크다.

오답 피하기

ㄴ. 동위 원소의 질량수가 다른 까닭은 중성자수가 다르기 때문이다. 수소의 동위 원소 중 ^1H은 중성자는 없고 양성자 1개로 이루어져 있다.

070 답 ⑤ | ^{35}X와 ^{37}X는 원소 X의 동위 원소로, 중성자수가 달라 질량수가 다르다.

ㄱ. 동위 원소는 양성자수와 전자 수가 같으므로 화학적 성질은 같다.

ㄴ. 동위 원소에서 질량수가 클수록 중성자수가 많다. 즉, 원자가 가진 중성자수는 ^{37}X이 ^{35}X보다 크다.

ㄷ. ^{35}X의 원자량이 35, 존재 비율이 $\frac{3}{4}$이며, ^{37}X의 원자량이 37, 존재 비율이 $\frac{1}{4}$이므로

평균 원자량＝$\left(35 \times \frac{3}{4}\right)+\left(37 \times \frac{1}{4}\right)=35.5$이다.

071 답 ④ | ㄱ. 수소 원자의 스펙트럼이 불연속적인 선으로 나타났으므로 수소 원자의 에너지 준위는 불연속적이다.

ㄷ. 가시광선 영역에서 파장이 긴 쪽에서 두 번째 선인 b는 $n=4 \rightarrow n=2$의 전자 전이가 일어날 때 방출하는 빛에 의해 나타난다. $4p$는 주 양자수가 4, $2s$는 주 양자수가 2이다.

오답 피하기

ㄴ. a선의 빛을 방출한 수소 원자의 전자는 $n=2$인 전자 껍질에 있으므로 들뜬상태이다.

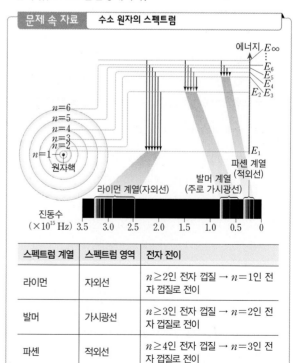

문제 속 자료 수소 원자의 스펙트럼

스펙트럼 계열	스펙트럼 영역	전자 전이
라이먼	자외선	$n\geq2$인 전자 껍질 → $n=1$인 전자 껍질로 전이
발머	가시광선	$n\geq3$인 전자 껍질 → $n=2$인 전자 껍질로 전이
파셴	적외선	$n\geq4$인 전자 껍질 → $n=3$인 전자 껍질로 전이

072 답 ⑤ | ㄴ. a선은 라이먼 계열(자외선 영역)에서 가장 긴 파장이므로 L 껍질에서 K 껍질로의 전자 전이에 해당한다.

ㄷ. 수소 방전관에 가하는 에너지를 변화시켜도 수소 원자 오비탈의 에너지 준위는 일정하므로 빛의 파장은 변하지 않는다.

[오답 피하기]

ㄱ. 빛에너지의 크기는 파장에 반비례하므로 스펙트럼 선의 에너지 크기는 파장이 짧은 a가 가장 크고, c가 가장 작다. 따라서 에너지 크기는 a>b>c이다.

073 답 ⑤ | ㄴ. 이온화되는 것은 전자가 무한대로 가는 것이다. $3p(n=3)$에서 이온화될 때 필요한 에너지는

$$\varDelta E=-\frac{k}{\infty^2}-\left(-\frac{k}{3^2}\right)=\frac{k}{9}$$이고, 656 nm 선에 해당하는

빛에너지는 $\varDelta E=-\frac{k}{3^2}-\left(-\frac{k}{2^2}\right)=\frac{5}{36}k$이다. 따라서 $3p$

오비탈의 에너지가 656 nm 선에 해당하는 에너지보다 작다.

ㄷ. $n=2 \rightarrow n=4$로 전자가 전이될 때 흡수한 에너지는

$\varDelta E=-\frac{k}{4^2}-\left(-\frac{k}{2^2}\right)=\frac{3}{16}k$이므로 656 nm 선에 해당하

는 빛에너지$\left(\frac{5}{36}k\right)$의 $\frac{27}{20}$배이다.

[오답 피하기]

ㄱ. 가시광선 영역의 빛은 발머 계열에 속한다.

074 답 ② | ㄴ. 발머 계열 중 가장 긴 파장은 빨강이며 $n=3$에서 $n=2$로 방출되는 빛이다. 초록 빛은 발머 계열에서 빨강 다음으로 2번째로 긴 파장에 해당되므로 $n=4$에서 $n=2$로 전자가 전이할 때 방출된다.

[오답 피하기]

ㄱ. 보라는 빨강, 초록, 파랑 다음으로 4번째로 긴 파장에 해당되므로 $n=6$에서 $n=2$로 전자가 전이할 때 방출되는 빛이다. 이때 방출하는 빛에너지는 $-\frac{k}{6^2}-(-\frac{k}{2^2})=\frac{2}{9}k$이다.

ㄷ. 빨강 빛은 발머 계열 중 가장 파장이 긴 빛으로 $n=3 \rightarrow n=2$로 전자 전이할 때 나온다. 빨강 빛을 쪼여 주면 이만큼의 에너지를 흡수하는 것이므로 $2s$ 오비탈$(n=2)$에 있는 전자는 세 번째 전자 껍질$(n=3)$로 전이된다. 전자가 이온화되는 것은 전자가 무한대로 가는 것이다.

075 답 ② | ㄷ. a에서 방출하는 빛에너지는 $n=2 \rightarrow n=1$, c에서 방출하는 빛에너지는 $n=4 \rightarrow n=2$의 전자 전이에서 방출하므로 에너지 크기는 a가 c보다 크다.

[오답 피하기]

ㄱ. a는 $n=1$로 전이되므로 라이먼 계열이고, 방출되는 빛

은 자외선이다. λ_1은 가시광선으로 a는 λ_1보다 파장이 짧다.

ㄴ. b는 $n=3$에서 $n=2$로 전자 전이되므로 가시광선 영역의 선 스펙트럼 중 파장이 가장 긴 빨강에 해당된다. 보라는 긴 파장부터 4번째로 긴 파장에 해당하므로 $n=6$에서 $n=2$로 전자가 전이될 때 방출되는 빛이다.

076 답 ③ | ㄱ. A에 해당하는 빛의 파장은 λ_1이므로 가시광선 영역에 해당한다. 가시광선 영역은 $n=2$로의 전자 전이이므로 A는 $n=2$로의 전자 전이이다. 따라서 $a=2$이다.

ㄷ. A에서 방출되는 빛에너지는 $\varDelta E=-\frac{k}{6^2}-\left(-\frac{k}{2^2}\right)=\frac{8}{36}k$

이고, B에서 방출되는 빛에너지는 $\varDelta E=-0-\left(-\frac{k}{3^2}\right)=\frac{1}{9}k$

$=\frac{4}{36}k$이므로 $\dfrac{\text{B에서 방출되는 빛에너지}}{\text{A에서 방출되는 빛에너지}}=\dfrac{1}{2}$이다.

[오답 피하기]

ㄴ. λ_1은 $n=6$에서 $n=2$로 전자 전이될 때 방출되는 빛의 파장이고, λ_2는 $n=3$에서 $n=2$로 전자 전이될 때 방출되는 빛의 파장이므로 λ_2가 발머 계열 중 파장이 가장 길다.

077 답 ③ | ㄱ. 자외선 영역은 $n=1$로 전자 전이될 때에 해당하므로 a와 b, 2가지이다.

ㄷ. 가시광선 영역은 $n \geq 3$인 전자 껍질에서 $n=2$인 전자 껍질로 전자가 전이할 때에 해당한다. (가)는 가시광선 영역의 전자 전이 중 에너지가 가장 작으므로(가시광선 영역에서 파장이 가장 긴 것을 의미한다.) $n=3$에서 $n=2$로 전이하는 c에 해당한다.

[오답 피하기]

ㄴ. b는 가장 큰 에너지를 방출하므로 파장이 가장 짧다.

078 답 ③ | ㄱ. 발머 계열은 $n \geq 3$인 전자 껍질에서 $n=2$인 전자 껍질로 전자가 전이할 때 나타난다. B에서 방출되는 에너지는

$$\varDelta E=E_n-E_2=E_n-\left(-\frac{k}{4}\right)=\frac{3}{16}k$$이므로 $E_n=-\frac{k}{4^2}$

이다. 따라서 $n=4$이므로 B는 $n=4 \rightarrow n=2$의 전자 전이이다.

ㄴ. A는 B보다 에너지가 작으므로 $n=3 \rightarrow n=2$로의 전자 전이이다. 따라서 A에서 방출되는 에너지는

$$-\frac{k}{3^2}-\left(-\frac{k}{2^2}\right)=\frac{5}{36}k$$이다.

[오답 피하기]

ㄷ. 434 nm의 빛의 파장은 $n=5 \rightarrow n=2$의 전자 전이이다. C는 $n=\infty \rightarrow n=2$로의 전자 전이이므로 이때 방출되는 빛의 파장은 434 nm보다 짧다.

079 답 ② | 원자 A의 바닥상태 전자 배치에서 에너지 준위가 같은 2개의 $2p$ 오비탈에 전자가 각각 1개씩 들어 있다. 따라서 원자 A의 바닥상태 전자 배치는 $1s^2 2s^2 2p_x^1 2p_y^1$이므로 원자가 전자 수는 4이다.

080 답 ⑤ | L 전자 껍질의 오비탈은 $2s$, $2p_x$ 오비탈이고, $1s$ 오비탈은 K 전자 껍질의 오비탈이므로 (다)에 해당한다. p 오비탈은 에너지 준위가 같고 방향이 다른 세 개의 p_x, p_y, p_z 오비탈이 있으므로 (가)에 해당한다. 따라서 (가)는 $2p_x$, (나)는 $2s$, (다)는 $1s$ 오비탈이다.

081 답 ⑤ | ㄱ. s 오비탈과 p 오비탈의 수용 가능한 최대 전자 수는 모두 2개로 같다.

ㄴ. 다전자 오비탈의 에너지 준위는 $2s < 2p_x = 2p_y = 2p_z$이므로 (가) < (나) = (다) = (라)이다.

ㄷ. 질소($_7$N) 원자는 전자 수가 7이므로 바닥상태 전자 배치는 $1s^2 2s^2 2p_x^1 2p_y^1 2p_z^1$이다. 따라서 오비탈에 배치된 전자 수는 (가)가 2개, (나), (다), (라)가 1개로 같다.

문제 속 자료 **오비탈의 에너지 준위**

수소 원자에서 오비탈의 에너지 준위
주 양자수가 커질수록 원자핵에서 전자가 멀어지므로 원자핵과의 인력이 약해져 에너지 준위가 높아진다.

$$1s < 2s = 2p < 3s = 3p = 3d < 4s = 4p = 4d = 4f \cdots$$

다전자 원자에서 오비탈의 에너지 준위
다전자 원자는 원자핵과 전자 사이의 전기적 인력뿐만 아니라 전자들 사이에 반발력이 작용한다. 따라서 주 양자수뿐만 아니라 오비탈의 종류도 에너지 준위에 영향을 미치게 된다.

$$1s < 2s < 2p < 3s < 3p < 4s < 3d < 4p < 5s < \cdots$$

수소와 다전자 원자의 오비탈 에너지 준위

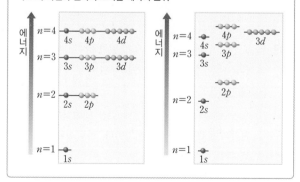

---

082 답 ① | s 오비탈과 p 오비탈에서 에너지 준위가 가장 낮은 오비탈을 모형으로 나타낸 것이므로 (가)는 $1s$ 오비탈, (나)는 $2p$ 오비탈이다.

ㄱ. (가)는 $1s$ 오비탈로 구형이므로 핵으로부터 거리가 같으면 방향에 관계없이 전자를 발견할 확률이 같다.

오답 피하기

ㄴ. (나)는 $2p$ 오비탈로, $2p_x$, $2p_y$, $2p_z$ 오비탈에 각각 전자가 2개씩 채워진다. A와 B는 $2p_x$ 오비탈로 각각 전자 1개가 채워진다.

ㄷ. 수소 원자에서 오비탈의 에너지 준위는 $1s < 2p$이다. 따라서 (가)와 (나)의 에너지 준위는 다르다.

083 답 ⑤ | ㄱ. 다전자 원자의 오비탈 에너지 준위는 $4s < 3d$이므로 $3d$ 오비탈 대신 $4s$ 오비탈을 그려야 한다.

ㄴ. $3d$ 오비탈보다 $4s$ 오비탈의 에너지 준위가 낮기 때문에 홀전자를 $4s$ 오비탈에 배치해야 한다.

ㄷ. 파울리 배타 원리에 따르면 1개의 오비탈에 들어갈 수 있는 전자 수는 최대 2개이며, 이때 두 전자의 스핀 방향이 반대여야 한다. 따라서 $3s$ 오비탈의 두 전자는 스핀 방향을 서로 반대 방향으로 바꿔야 한다.

084 답 ④ | ㄱ. 파울리 배타 원리에 따르면 1개의 오비탈에 들어갈 수 있는 전자 수는 최대 2개이며, 이때 두 전자의 스핀 방향은 반대이다. 따라서 한 개의 오비탈에 전자가 최대 2개까지 들어간다.

ㄷ. $_{20}$Ca의 전자 배치는 $1s^2 2s^2 2p^6 3s^2 3p^6 4s^2$이므로 원자가 전자 수는 2개이다.

오답 피하기

ㄴ. $_7$N의 바닥상태 전자 배치는 $1s^2 2s^2 2p_x^1 2p_y^1 2p_z^1$이므로 홀전자 수는 3개이다.

085 답 ⑤ | ① 수소 원자의 에너지 준위는 $E_n = -\dfrac{1312}{n^2}$ kJ/mol 이며, 주 양자수 n에 따라 전자는 특정한 에너지 값을 갖는다. 따라서 수소 원자의 에너지 준위는 불연속적이다.

② A에서 방출되는 빛은 자외선, B에서 방출되는 빛은 가시광선 영역에 해당한다.

③ A에서 방출되는 빛에너지는
$$-\dfrac{1312}{4^2} - \left(-\dfrac{1312}{1^2}\right) = \dfrac{15}{16} \times 1312 \text{ kJ/mol}$$이고,
B에서 방출되는 빛에너지는
$$-\dfrac{1312}{4^2} - \left(-\dfrac{1312}{2^2}\right) = \dfrac{3}{16} \times 1312 \text{ kJ/mol}$$이다.
따라서 A에서 방출되는 빛에너지는 B의 5배이다.

④ 각 전자 껍질의 오비탈의 수는 K 껍질($n=1$)에 1개, L 껍질($n=2$)에 4개, M 껍질($n=3$)에 9개, N 껍질($n=4$)에 16개이므로 n번째 전자 껍질에 있는 오비탈 수는 n^2이다.

⑤ 수소 원자에서는 $2s$와 $2p$ 오비탈의 준위가 같다. 따라서 $4s$에서 $2s$로 전이될 때 방출되는 빛의 파장은 $4s$에서 $2p$로 전이될 때 방출되는 빛의 파장과 같다.

086 답 ④ | ㄱ. (가)에서 3개의 $2p$ 오비탈($2p_x$, $2p_y$, $2p_z$)의 에너지 준위가 같으므로 쌓음 원리를 만족한다.

ㄴ. (나)는 $2p$ 오비탈에 2개의 전자가 각각 홀전자로 채워졌으므로 훈트 규칙을 만족한다.

ㄷ. (다)는 $2s$ 오비탈에 스핀 방향이 같은 전자 2개가 채워졌으므로 파울리 배타 원리를 만족하지 않는다.

문제 속 자료 **원자의 전자 배치**

파울리 배타 원리
하나의 오비탈에는 최대 2개의 전자가 채워질 수 있으며, 두 전자의 스핀 방향은 서로 달라야 한다.

He: $1s^2$

$1s$ ↑↓ (○) $1s$ ↑↑ (×) $1s$ ↓↓ (×)

파울리 배타 원리에 어긋남

훈트 규칙
에너지 준위가 같은 오비탈에 전자가 채워질 때 가능한 한 전자는 쌍을 이루지 않게 배치될 때 가장 안정하다.

(가) $_6C$: $1s^2\ 2s^2\ 2p_x^2$ 또는 $1s$ ↑↓ $2s$ ↑↓ $2p$ ↑↓ □ □

(나) $_6C$: $1s^2\ 2s^2\ 2p_x^1\ 2p_y^1$ 또는 $1s$ ↑↓ $2s$ ↑↓ $2p$ ↑ ↑ □

(가)처럼 3개의 $2p$ 오비탈 중 한 오비탈에 전자 2개가 동시에 들어가면 전자들 사이의 반발이 커져 불안정하다. 전자 2개가 각각 다른 오비탈에 들어간 (나)의 전자 배치가 더 안정하다.

쌓음 원리
바닥상태인 원자의 전자 배치는 에너지가 낮은 오비탈부터 순서대로 전자를 채워 나간다.

주기	원자 번호	원소 기호	$n=1$ $1s$	$n=2$ $2s$	$n=2$ $2p(x, y, z)$	전자 배치
2	3	Li	↑↓	↑		$1s^2\ 2s^1$
	4	Be	↑↓	↑↓		$1s^2\ 2s^2$
	5	B	↑↓	↑↓	↑	$1s^2\ 2s^2\ 2p^1$
	6	C	↑↓	↑↓	↑ ↑	$1s^2\ 2s^2\ 2p^2$
	7	N	↑↓	↑↓	↑ ↑ ↑	$1s^2\ 2s^2\ 2p^3$
	8	O	↑↓	↑↓	↑↓ ↑ ↑	$1s^2\ 2s^2\ 2p^4$
	9	F	↑↓	↑↓	↑↓ ↑↓ ↑	$1s^2\ 2s^2\ 2p^5$
	10	Ne	↑↓	↑↓	↑↓ ↑↓ ↑↓	$1s^2\ 2s^2\ 2p^6$

---

087 답 ① | ㄱ. 수소 원자의 바닥상태 전자 배치는 $1s^1$이므로 $2p_z^1$은 들뜬상태의 전자 배치이다.

ㄴ. $2p$ 오비탈에서 $1s$ 오비탈로 전자가 전이되는 것은 $n=2$ → $n=1$이 되므로 자외선 영역의 빛이 방출된다.

ㄷ. s 오비탈은 방향에 관계없이 원자핵으로부터 같은 거리에서 전자를 발견할 확률이 같지만, p 오비탈은 핵으로부터의 거리와 방향에 따라 전자가 발견될 확률이 다르다.

문제 속 자료 p **오비탈의 방향성**

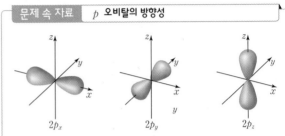

$2p_x$ $2p_y$ $2p_z$

p 오비탈은 아령 모양으로 x축, y축, z축에 놓여 있는 p_x, p_y, p_z 3개의 오비탈이 있다. 핵으로부터의 방향에 따라 전자가 발견될 확률이 다르기 때문에 방향성이 있다고 한다. p 오비탈은 $n=1$인 전자 껍질에는 존재하지 않고, $n=2$인 전자 껍질부터 존재한다. p 오비탈도 주 양자수가 커질수록 오비탈의 크기는 커지고 에너지 준위는 높아진다.

---

088 답 ② | ② B는 쌓음 원리, 파울리 배타 원리, 훈트 규칙을 모두 만족하므로 바닥상태이다.

① A는 원자가 전자 수가 4개이다.
③ C는 전자가 채워진 전자 껍질 수가 3개이다.
④ 같은 주기에서 원자 번호가 클수록 핵전하량이 증가하므로 원자 반지름이 작아진다. 따라서 원자 반지름은 A가 B보다 크다.
⑤ A의 홀전자 수는 2개, C의 홀전자 수는 1개이므로 홀전자 수는 C가 A보다 적다.

---

089 답 ⑤ | ⑤ C와 D는 에너지 준위가 같다. 따라서 A에서 C로 변할 때와 A에서 D로 변할 때의 에너지 변화량은 같다.

① A는 질소 원자의 바닥상태 전자 배치이며, C와 D는 질소 원자의 들뜬상태 전자 배치이다. 바닥상태의 전자 배치는 A 뿐이다.
② A는 바닥상태이고, C는 들뜬상태이다. 바닥상태에서 들뜬상태로 되면 에너지를 흡수한다.
③ 훈트 규칙은 오비탈에 전자가 채워질 때는 가능한 전자가 쌍을 이루지 않게 배치될 때 더 안정하다는 것이다. C와 D는 $2p$ 오비탈 중 비어 있는 오비탈이 있는데 각각 $2p_x$, $2p_z$ 오비탈에서 전자들이 쌍을 이루므로 훈트 규칙에 어긋난다.

④ 파울리 배타 원리는 1개의 오비탈에 들어갈 수 있는 전자 수는 최대 2개이며, 이때 두 전자의 스핀 방향은 반대여야 한다. 파울리 배타 원리에 어긋나는 전자 배치는 B이다.

090 답 ① | ㄱ. B^+은 $2p_z$ 오비탈에 전자 수가 2개가 되어야 하는데 $3s$ 오비탈에 전자가 들어갔으므로 쌓음 원리에 위배된다. C^-은 $2p_y$ 오비탈에 전자 수가 2개가 되어야 하는데 $3s$ 오비탈에 전자가 들어갔으므로 쌓음 원리에 위배된다. 쌓음 원리를 만족하는 전자 배치는 A 한 가지이다.

> **오답 피하기**

ㄴ. A의 원자가 전자는 $2s$ 오비탈의 2개와 $2p$ 오비탈의 4개로 총 6개이다.

ㄷ. B는 전자 수가 11개이므로 3주기 원소이고, C는 전자 수가 9개이므로 2주기 원소이다. 따라서 B와 C는 다른 주기의 원소이다.

> **문제 속 자료** 이온의 전자 배치

원자가 이온이 될 때는 비활성 기체와 같은 전자 배치를 가지려는 경향이 있다.

양이온의 전자 배치
양이온이 될 때 에너지가 가장 높은 오비탈의 전자를 잃는다.

구분	K 껍질	L 껍질			M 껍질				전자 배치
	$1s$	$2s$	$2p_x$	$2p_y$ $2p_z$	$3s$	$3p_x$	$3p_y$ $3p_z$		
$_{12}$Mg	↑↓	↑↓	↑↓ ↑↓ ↑↓		↑↓				$1s^2\,2s^2\,2p^6\,3s^2$
$_{12}$Mg^{2+}	↑↓	↑↓	↑↓ ↑↓ ↑↓						$1s^2\,2s^2\,2p^6$

음이온의 전자 배치
음이온이 될 때는 비어 있는 오비탈 중 에너지 준위가 가장 낮은 오비탈에 전자가 채워진다.

구분	K 껍질	L 껍질		전자 배치
	$1s$	$2s$	$2p_x$ $2p_y$ $2p_z$	
$_8$O	↑↓	↑↓	↑↓ ↑ ↑	$1s^2\,2s^2\,2p^4$
$_8$O^{2-}	↑↓	↑↓	↑↓ ↑↓ ↑↓	$1s^2\,2s^2\,2p^6$

091 답 ① | ㄱ. A와 B는 전자가 3개이므로 같은 원소이다.

> **오답 피하기**

ㄴ. C^-의 전자 배치는 $1s^2\,2s^2\,2p^6$이므로 C의 전자 배치는 $1s^2\,2s^2\,2p^5$이다. 따라서 원자가 전자는 7개이다.

ㄷ. A, B, C의 바닥상태에서 전자 껍질 수는 2개로 모두 같다.

092 답 ② | ㄴ. C^+의 전자 수가 10개이므로 C의 전자 수(=원자 번호)는 11이다.

> **오답 피하기**

ㄱ. A^{2-}와 B^-과 전자 수가 10개이므로 A의 전자 수는 8, B의 전자 수는 9이다. 따라서 A와 B는 2주기 원소이다. C

의 전자 수는 11개로 3주기 원소이다.

ㄷ. 원소 A, B, C의 전자 배치는 다음과 같다.

	$1s$	$2s$	$2p$			$3s$
A:	↑↓	↑↓	↑↓	↑	↑	
B:	↑↓	↑↓	↑↓	↑↓	↑	
C:	↑↓	↑↓	↑↓	↑↓	↑↓	↑

따라서 전자가 들어 있는 오비탈의 수는 A와 B는 5개, C는 6개이다.

093 답 ② | 원자 X와 Y의 안정한 이온은 X^{2-}과 Y^{3+}이다.

ㄴ. 바닥상태일 때 원자 X의 홀전자 수는 2개이고, 원자 Y의 홀전자 수는 1개이다. X^{2-}과 Y^{3+}에서 홀전자는 모두 0이므로 공통적으로 감소한다.

> **오답 피하기**

ㄱ. X가 전자 2개를 얻어 X^{2-}이 되면 핵전하량은 동일하지만 전자 수가 증가하여 전자 사이에 반발력이 커지므로 반지름이 증가한다. Y는 전자 3개를 잃어 Y^{3+}이 되면 전자 껍질 수가 감소하므로 반지름이 감소한다.

ㄷ. 원자 X의 전자 껍질 수는 2개, 원자 Y의 전자 껍질 수는 3개이다. X^{2-}의 전자 껍질 수와 Y^{3+}의 전자 껍질 수는 모두 2이므로 X는 변화가 없고, Y는 감소한다.

094 답 ② | ㄷ. (다)는 에너지 준위가 같은 $2p$ 오비탈에 전자가 배치될 때, 홀전자 수가 최대가 되도록 배치되었으므로 훈트 규칙을 만족한다.

> **오답 피하기**

ㄱ. (가)는 전자가 낮은 에너지 준위부터 차례대로 채워지지 않고, $2s$ 오비탈에 있는 전자 1개가 높은 에너지 준위인 $2p$ 오비탈에 배치된 들뜬상태의 전자 배치이다.

ㄴ. (나)에서 (다)의 전자 배치가 될 때 전자가 떨어져 나가야 하므로 에너지가 흡수된다.

095 답 ② | ① A는 1족 원소로 금속 원소이다.

③ C는 17족 원소로 원자가 전자 수가 7로 가장 많다.

④ 원자 반지름은 같은 족에서 원자 번호가 클수록 증가하므로 D가 A보다 크다.

⑤ D의 안정한 이온은 Ne의 전자 배치와 같고, E의 안정한 이온은 Ar의 전자 배치와 같다. 같은 족에서 원자 번호가 클수록 이온 반지름이 크므로 E가 D보다 크다.

> **오답 피하기**

② 원자 B는 원자 번호 4인 베릴륨으로 양성자수는 4이다.

096 답 ③ | 이온화 에너지가 가장 작은 B는 (라)이다. 바닥상태에서 전자 껍질 수는 A>D이므로 A는 (라)를 제외한 (가), (나), (다) 중 전자 껍질 수가 가장 많은 (다)이다. A와 C의 이온이 옥텟 규칙을 만족할 때 두 이온의 전하 합이 0이다. A가 1족 원소이므로 C는 17족 원소이어야 하므로 C는 (나)이다. 따라서 (가)~(라)에 A~D를 대입하면 주기율표는 다음과 같다.

족 주기	1	2	13	14	15	16	17	18
2					D		C	
3	A							
4	B							

ㄱ. 원자 반지름은 같은 족에서 원자 번호가 클수록 크므로 B>A이다.

ㄴ. 전기 음성도는 2주기 17족 원소인 C가 4주기 1족 원소인 B보다 크다.

오답 피하기

ㄷ. C와 D는 같은 주기이며, 같은 주기에서 원자 번호가 클수록 원자가 전자가 느끼는 유효 핵전하가 크므로 C>D이다.

097 답 ② | 금속 원소는 1가지이므로 2주기 1족이나 3주기 2족 중 하나만 A~C에 해당한다. 원자 반지름이 A>B>C이므로 B는 3주기 15족, C는 2주기 16족 원소이다. 따라서 A는 3주기 2족 원소이다.

ㄷ. A와 C의 이온의 전자 배치는 Ne과 같고 핵전하량은 A가 C보다 크므로 A의 이온 반지름이 가장 작다. B 이온의 전자 배치는 Ar의 전자 배치와 같으므로 이온 반지름이 가장 크다. 따라서 이온 반지름은 A<C<B이다.

오답 피하기

ㄱ. 원자가 전자가 느끼는 유효 핵전하는 같은 주기에서 원자 번호가 클수록 커지므로 B>A이다.

ㄴ. 전기 음성도는 2주기 비금속 원소인 C가 가장 크다. 따라서 전기 음성도는 A<C이다.

098 답 ① | X, Y, Z가 순서대로 주기율표의 (가), (나), (다) 영역에 속하므로 원자 번호가 X>Z>Y이기 위해서는 X는 3주기, Y와 Z는 2주기여야 한다. 같은 주기에서 원자 번호가 클수록 제1 이온화 에너지가 증가한다. 하지만 예외가 있는데 15족보다 16족의 이온화 에너지가 작다. 같은 오비탈의 전자 사이에도 반발력이 작용하므로 16족 원소에서 전자를 떼기 쉽기 때문이다. 이온화 에너지는 Y>Z이므로 Y는 N, Z는 O이다. 같은 족에서 원자 번호가 클수록 원자 반지름이

증가하고, 같은 주기에서 원자 번호가 클수록 원자 반지름이 감소하므로, (가) 영역에서 원자 반지름은 3주기 2족 원소가 가장 크다. 따라서 X는 Mg이다.

ㄱ. X는 Mg으로 3주기 2족 원소이다.

오답 피하기

ㄴ. Y는 N으로 바닥상태 전자 배치는 $1s^2 2s^2 2p^3$이며, Z는 O로 바닥상태 전자 배치는 $1s^2 2s^2 2p^4$이다. 따라서 N과 O의 홀전자 수는 각각 3, 2이다.

ㄷ. Ne의 전자 배치를 갖는 이온의 반지름은 유효 핵전하가 클수록 작다. Mg^{2+}과 O^{2-} 중 Mg의 유효 핵전하가 크므로 이온 반지름은 X<Z이다.

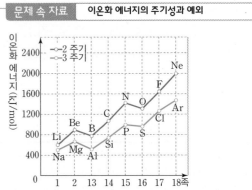

문제 속 자료   **이온화 에너지의 주기성과 예외**

① 같은 주기에서 이온화 에너지는 1족이 가장 작고, 18족이 가장 큼 ➡ 유효 핵전하의 증가 때문

② 같은 족에서 주기가 클수록 이온화 에너지가 감소 ➡ 전자 껍질 수 증가 때문

③ 2족보다 13족의 이온화 에너지가 작다. ➡ p 오비탈의 에너지 준위가 s 오비탈보다 크기 때문에 $s^2 p^1$의 전자 배치를 하는 13족 원소에서 전자를 떼기 쉽다.

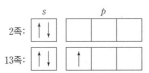

④ 15족보다 16족의 이온화 에너지가 작다. ➡ 같은 오비탈의 전자 사이에도 반발력이 작용하므로 $p_x^2 p_y^1 p_z^1$의 전자 배치를 하는 16족 원소에서 전자를 떼기 쉽다.

099 답 ④ | A~D 이온의 전자 배치는 Ne의 바닥상태와 같으므로 등전자 이온이다. 핵전하가 클수록 유효 핵전하가 증가하므로, 등전자 이온은 원자 번호가 커질수록 이온 반지름이 작아진다. 따라서 이온 반지름의 크기는 $Mg^{2+} < Na^+ < F^- < O^{2-}$이므로 A 이온은 Na^+, B 이온은 Mg^{2+}, C 이온은 O^{2-}, D 이온은 F^-이다.

ㄴ. A와 B는 각각 3주기 1족, 3주기 2족 원소이다. 같은 주

기에서 원자 번호가 커질수록 유효 핵전하가 증가하여 전자들을 강한 인력으로 끌어당기므로 원자 반지름이 감소한다. 따라서 원자 반지름은 A가 B보다 크다.

ㄷ. BC는 MgO, AD는 NaF이다. 녹는점은 이온의 전하량이 클수록 높다. +1가의 양이온과 −1가의 음이온이 이온 결합을 형성한 NaF보다 +2가의 양이온과 −2가의 음이온이 이온 결합을 하여 형성된 MgO의 녹는점이 훨씬 높다. 따라서 녹는점은 화합물 BC가 AD보다 높다.

오답 피하기

ㄱ. D는 F이다.

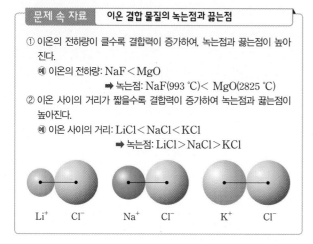

| 문제 속 자료 | 이온 결합 물질의 녹는점과 끓는점 |

① 이온의 전하량이 클수록 결합력이 증가하여, 녹는점과 끓는점이 높아진다.
예 이온의 전하량: NaF<MgO
➡ 녹는점: NaF(993 ℃)< MgO(2825 ℃)
② 이온 사이의 거리가 짧을수록 결합력이 증가하여 녹는점과 끓는점이 높아진다.
예 이온 사이의 거리: LiCl<NaCl<KCl
➡ 녹는점: LiCl>NaCl>KCl

Li⁺ Cl⁻   Na⁺ Cl⁻   K⁺ Cl⁻

100 답 ① | 원자 번호가 각각 8, 9, 11, 12이므로 O, F, Na, Mg이며, Ne과 같은 전자 배치를 가지므로 이온은 각각 O^{2-}, F^-, Na^+, Mg^{2+}이다. 전자 수가 같은 이온은 원자 번호가 클수록 원자핵과 전자 사이의 인력이 크므로 이온 반지름이 작다. 이온 반지름의 크기는 $Mg^{2+}<Na^+<F^-<O^{2-}$이므로 A는 Mg, B는 Na, C는 F, D는 O이다.

ㄱ. 전기 음성도는 같은 주기에서 원자 번호가 클수록 대체로 크고, 같은 족에서 원자 번호가 클수록 대체로 작다. 즉, 주기율표의 오른쪽 위로 갈수록 대체로 커지고, 왼쪽 아래로 갈수록 대체로 줄어든다(수소는 예외). B(Na)의 전기 음성도는 같은 주기의 A(Mg)보다 작다. D(O)와 C(F)는 B(Na)보다 주기율표의 오른쪽 위에 있으므로 전기 음성도가 A, B보다 크다. 따라서 전기 음성도는 B가 가장 작다.

오답 피하기

ㄴ. 원자가 전자의 유효 핵전하는 원자가 전자가 실제로 느끼는 핵전하이다. 원자가 전자의 유효 핵전하는 같은 주기에서 원자 번호가 커질수록 증가한다. 따라서 C(F)가 D(O)보다 원자 번호가 크므로 원자가 전자의 유효 핵전하는 크다.

ㄷ. A 이온은 Mg^{2+}이고, C 이온은 F^-이므로 A와 C는 1 : 2로 결합하여 MgF_2을 형성한다.

101 답 ④ | A와 C의 화합물이 A_2C이므로 A와 C의 이온은 각각 Na^+, O^{2-}이다. 그래프를 보면 B가 A보다 이온 반지름이 작으므로 B는 A보다 원자 번호가 크다는 것을 알 수 있다.

ㄴ. 전기 음성도는 Na, Mg, O 중에 O가 가장 크다.

ㄷ. $\dfrac{제2 이온화 에너지}{제1 이온화 에너지}$는 1족 원소가 가장 크므로 A가 가장 크다.

오답 피하기

ㄱ. B는 A보다 원자 번호가 크므로 B는 Mg으로 예측할 수 있다. 원자 반지름은 Na, Mg, O 중에 Na가 가장 크므로 A가 가장 크다.

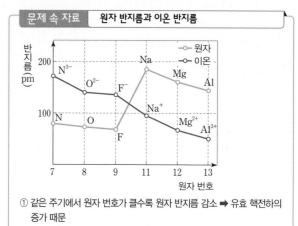

| 문제 속 자료 | 원자 반지름과 이온 반지름 |

① 같은 주기에서 원자 번호가 클수록 원자 반지름 감소 ➡ 유효 핵전하의 증가 때문
② 비금속 원소가 음이온으로 될 때 반지름 증가 ➡ 전자 사이의 반발력 증가 때문
③ 금속 원소가 양이온으로 될 때 반지름 감소 ➡ 전자 껍질 수 감소 때문
④ 등전자 이온은 원자 번호가 클수록 반지름 감소 ➡ 핵전하가 커지기 때문

102 답 ④ | 원소 A~D가 각각 Ar과 같은 전자 배치를 갖는 이온이 될 때 이온 반지름의 크기는 A<B<C<D이다. 금속 원소는 안정한 양이온이 될 때 가장 바깥 전자 껍질의 전자를 모두 잃어 전자 껍질 수가 감소하므로 이온 반지름이 원자 반지름보다 작아진다. 비금속 원소는 안정한 음이온이 될 때 가장 바깥 전자 껍질에 전자를 받아들이며, 전자 수가 증가하면 전자 사이의 반발력이 증가하므로 이온 반지름이 원자 반지름보다 커진다. 따라서 원소 A는 Ca, B는 K, C는 Cl, D는 S이다.

ㄱ. 같은 주기에서 원자 번호가 클수록 원자가 전자의 유효 핵전하가 커지므로 A가 B보다 크다.

ㄷ. 전기 음성도는 같은 주기에서 원자 번호가 클수록 대체로 커지므로 C가 D보다 크다.

오답 피하기

ㄴ. 원자가 전자 수는 B(K)가 1개, C(Cl)가 7개이므로 B가 C보다 적다.

103 답 ② | 원자 번호 7, 8, 9, 11, 12는 각각 N, O, F, Na, Mg이다.

ㄴ. A는 O^{2-}이고, B는 Na^+이다. A는 -2가의 음이온, B는 $+1$가의 양이온이므로 A와 B로 이루어진 화합물의 화학식은 B_2A이다.

오답 피하기

ㄱ. N의 안정한 이온이 음이온이고, 음이온의 반지름이 원자 반지름보다 크므로 (가)는 원자 반지름이고, Na의 안정한 양이온의 반지름이 원자 반지름보다 작으므로 (나)는 이온 반지름이다.

ㄷ. $A(O^{2-})$는 2주기 원소의 음이온이고, C(Mg)는 3주기 원소의 원자이므로 전자 껍질 수는 C>A이다.

104 답 ② | 2주기에서 원자 번호가 커질수록 전기 음성도가 증가한다. 따라서 A는 Be, B는 N, C는 O, D는 F이다.

ㄷ. 질소(N)는 공유 전자쌍이 3개로 3중 결합을 하고, 산소는 공유 전자쌍이 2개로 2중 결합을 하므로 N_2가 O_2보다 공유 전자쌍이 많다.

오답 피하기

ㄱ. Be, F, N, O 중에 F, N, O 3가지 원소가 비금속 원소이므로 전자를 얻으면 반지름이 커진다. 따라서 B, C, D가 비금속 원소이며 (가)는 이온 반지름, (나)는 원자 반지름이다.

ㄴ. A가 금속 원소이고, B가 비금속 원소이므로 기체 상태의 중성 원자 1몰로부터 전자 1몰을 떼어내는 데 필요한 에너지인 이온화 에너지는 A가 B보다 작다.

105 답 ④ | ㄱ. 2, 3주기 원소 A, B, C가 이온화될 때 원자 반지름과 이온 반지름을 비교하면 C의 원자 반지름보다 큰 이온 반지름이 존재하지 않으므로 C의 이온은 양이온이어야 한다. A와 B의 원자 반지름보다 작은 이온 반지름이 존재하지 않으므로 A와 B의 이온은 음이온이다. A, B, C의 이온은 모두 네온의 전자 배치를 가지므로 A와 B는 2주기 원소, C는 3주기 원소이다.

ㄷ. A~C의 이온은 전자 수가 같은 등전자 이온으로 이온의 반지름 크기는 양성자수가 큰 이온이 양성자수가 작은 이온보다 작다. 따라서 양성자수는 ㉠이 가장 크다.

오답 피하기

ㄴ. (가)에서 2주기 원소인 A와 B의 원자 반지름 크기를 비교하면 B가 A보다 크다. 따라서 원자 번호는 A가 B보다 크다. (나)에서 각 이온의 전자 수는 네온 원자의 전자 수와 같으므로 이온 반지름의 크기는 원자 번호가 커질수록 작아진다. 따라서 이온 반지름이 가장 큰 ㉢의 원자 번호가 가장 작을 것이므로 ㉢이 B 원자의 이온에 해당된다.

106 답 ② | ㄷ. A~D는 모두 네온과 같은 전자 배치를 가지므로 A~D의 이온은 등전자 이온이다. 따라서 원자 번호가 커질수록 이온 반지름이 작아진다. D가 이온 반지름이 가장 작기 때문에 원자 번호가 가장 크다.

오답 피하기

ㄱ. A와 B는 원자 반지름이 이온 반지름보다 작으므로 비금속 원소이다.

ㄴ. 이온의 전자 배치는 모두 네온 원자와 같으므로 2주기 비금속 원소와 3주기 금속 원소일 것이다. B는 2주기 비금속 원소이고, C는 3주기 금속 원소이므로 서로 다른 주기이다.

107 답 ⑤ | A~C는 3주기 원소이다. 원소 A는 $\dfrac{E_2}{E_1} \ll \dfrac{E_3}{E_1}$이므로 3주기 2족인 Mg이고, 원소 B는 $\dfrac{E_6}{E_1} \ll \dfrac{E_7}{E_1}$이므로 3주기 16족인 S, 원소 C는 $\dfrac{E_5}{E_1} \ll \dfrac{E_6}{E_1}$이므로 3주기 15족인 P이다.

ㄱ. 원자 반지름은 같은 주기에서 원자 번호가 클수록 작아지므로 15족인 C가 16족인 B보다 크다.

ㄴ. 같은 주기에서 이온화 에너지는 1족이 가장 작고, 18족이 가장 크다. 하지만 15족과 16족의 이온화 에너지는 예외이다. 15족보다 16족의 이온화 에너지가 작은데 이는 같은 오비탈의 전자 사이에도 반발력이 작용하므로 $p_x^2 p_y^1 p_z^1$의 전자 배치를 하는 16족 원소에서 전자를 떼기 쉽기 때문이다. 따라서 제1 이온화 에너지는 A<B<C이다.

ㄷ. A의 바닥상태 전자 배치는 $1s^2 2s^2 2p^6 3s^2$이므로 홀전자가 없다. B의 바닥상태 전자 배치는 $1s^2 2s^2 2p^6 3s^2 3p^4$이므로 3p 오비탈에 2개의 홀전자가 있다. C의 바닥상태 전자 배치는 $1s^2 2s^2 2p^6 3s^2 3p^3$이므로 홀전자 수가 3이다.

문제 속 자료	**순차 이온화 에너지**				

① 순차 이온화 에너지는 차수가 증가할수록 크다. ➡ 전자를 떼어 낼수록 전자 간 반발력이 감소한다.

$M(g) + E_1 \longrightarrow M^+(g) + e^-$ (E_1: 제1 이온화 에너지)
$M^+(g) + E_2 \longrightarrow M^{2+}(g) + e^-$ (E_2: 제2 이온화 에너지)
$M^{2+}(g) + E_3 \longrightarrow M^{3+}(g) + e^-$ (E_3: 제3 이온화 에너지)

② 안쪽 전자 껍질의 전자를 떼어 낼 때는 이온화 에너지 값이 급격히 증가한다. ➡ 원자가 전자 수를 예측할 수 있다.

순차 이온화 에너지(kJ/mol)	E_1	E_2	E_3	E_4	원자가 전자 수
Na	496	4562	6912	9543	1
Mg	738	1451	7733	10540	2

108 답 ③ | 순차 이온화 에너지가 E_5와 E_6 사이에서 크게 증가하

므로 원소 A는 15족 원소이다. 따라서 원자가 전자는 5개이며, 바닥상태의 원자가 전자 배치는

$$\begin{array}{cccc} 3s & 3p_x & 3p_y & 3p_z \\ \uparrow\downarrow & \uparrow & \uparrow & \uparrow \end{array}$$ 이다.

문제 속 자료 순차 이온화 에너지

순차 이온화 에너지의 크기
이온화 차수가 커질수록 순차 이온화 에너지가 증가한다.
($E_1 < E_2 < E_3 < \cdots$) ➡ 이온화가 진행될수록 전자 사이의 반발력이 감소하고 원자핵과 전자 사이의 인력은 증가하여 전자를 떼어내기 어려워지기 때문이다.

---

109 답 ⑤ | ㄱ. E_n이 Na>Mg이므로 n번째 떨어져 나가는 전자가 들어 있는 전자 껍질은 Na이 L, Mg이 M이며 $n=2$이다.

ㄴ. Al은 13족 원소로 E_2와 E_3의 차보다 E_3와 E_4의 차가 크므로 (가)는 7730보다 작다.

ㄷ. $n=2$이므로 Ne, Na, Mg, Al 중 $\dfrac{E_n}{E_{n-1}} = \dfrac{E_2}{E_1}$는 Na이 가장 크다.

110 답 ③ | ㄱ. 원소 A의 순차 이온화 에너지가 E_2와 E_3 사이에서 급격히 증가하였으므로 A는 2족 원소이다.

ㄴ. 같은 주기에서 제1 이온화 에너지는 2족이 13족 원소보다 크므로 A는 3주기, B는 2주기 원소이다.

오답 피하기

ㄷ. 기체 상태에서 B가 B^{3+}이 되는 데 $E_1+E_2+E_3$의 에너지가 필요하므로 6.88×10^3 kJ/몰의 에너지가 필요하다.

111 답 ⑤ | ㄱ. A는 제3 이온화 에너지와 제4 이온화 에너지의 크기 차이가 크므로 13족, B는 제1 이온화 에너지와 제2 이온화 에너지의 크기 차이가 크므로 1족, C는 제2 이온화 에너지와 제3 이온화 에너지의 크기 차이가 크므로 2족 원소이다. 따라서 원자가 전자 수는 A가 3개, B가 1개, C가 2개로 A가 가장 많다.

ㄴ. 같은 주기에서 원자 번호가 증가할수록 원자 반지름이 감소하므로 1족 원소가 원자 반지름이 가장 크다. B가 1족 오비탈 원소이므로 원자 반지름은 B가 가장 크다.

ㄷ. C는 3주기 2족 원소이므로 제1 이온화 에너지는 $3s^2$ 오비탈에서 전자를 떼어 낼 때 필요한 에너지이다. A는 3주기 13족 원소이므로 제1 이온화 에너지는 $3s^2$ 오비탈보다 에너지 준위가 높은 $3p^1$ 오비탈에서 전자를 떼어 낼 때 필요한 에너지이다. 따라서 제1 이온화 에너지는 C가 A보다 크다.

112 답 ① | ㄱ. A는 $E_1 \ll E_2 < E_3$이므로 1족 원소이다.

오답 피하기

ㄴ. B는 $E_1 \ll E_2 < E_3$이므로 1족 원소이다. A와 B가 같은

족 원소이므로 E_1이 더 큰 A가 2주기, B는 3주기 원소이다.

ㄷ. C가 안정한 이온으로 되는 데 필요한 에너지는 (738+1450) kJ/mol이다.

113 답 ⑤ | 전자 배치를 통해 X는 3주기 1족, Y는 2주기 2족 원소임을 알 수 있다. 순차 이온화 에너지 그래프를 통해 A와 C는 제3 이온화 에너지와 제4 이온화 에너지 크기의 차이가 크기 때문에 13족 원소이며, B는 제2 이온화 에너지와 제3 이온화 에너지 차이가 크기 때문에 2족 원소이다. 제1 이온화 에너지의 크기가 C>B>A이므로 A와 B는 3주기 원소이고 C는 2주기 원소이다. 따라서 A는 3주기 13족, B는 3주기 2족, C는 2주기 13족 원소이다.

ㄱ. X는 3주기 1족, A는 3주기 13족이고, 원자 반지름은 원자 번호가 증가할수록 작아지므로 X가 A보다 크다.

ㄴ. Y는 2주기 2족, C는 2주기 13족 원소이다. 따라서 Y의 제2 이온화 에너지와 제3 이온화 에너지의 크기 차이가 크므로 C보다 $\dfrac{\text{제3 이온화 에너지}}{\text{제2 이온화 에너지}}$가 크다.

ㄷ. X의 바닥상태 전자 배치는 $1s^2 2s^2 2p^6 3s^1$이고, B는 3주기 2족이므로 바닥상태 전자 배치는 $1s^2 2s^2 2p^6 3s^2$이다. 따라서 바닥상태의 X와 B에서 전자가 들어 있는 오비탈 수는 모두 6개로 같다.

114 답 ① | 금속 원소 A와 B는 제1 이온화 에너지와 제2 이온화 에너지 크기 차이가 가장 크므로 원자가 전자 수가 1개인 1족 원소이다. 금속 원소 C는 제2 이온화 에너지와 제3 이온화 에너지 크기 차이가 가장 크므로 원자가 전자 수가 2개인 2족 원소이다. 같은 족에서 제1 이온화 에너지가 작을수록 원자 반지름이 커지므로 A의 원자 번호가 가장 크다. 따라서 A는 4주기 1족, B는 3주기 1족, C는 3주기 2족이다.

ㄱ. 4주기 1족(A), 3주기 1족(B), 3주기 2족(C) 중에 4주기 1족 원소(A)의 원자 반지름이 가장 크다.

오답 피하기

ㄴ. B의 원자가 전자 수는 1개이다.

ㄷ. A는 4주기, C는 3주기이므로 다른 주기의 원소이다.

115 답 ③ | ㄱ. X는 고체 상태에서는 전류가 흐르지 않고 용융했을 때 전류가 흘러 전기 분해가 가능하므로 X는 이온 결합 물질이다.

ㄴ. X(l)를 전기 분해하면 A_2, B가 생성되므로 구성 원소는 A, B이다.

오답 피하기

ㄷ. X(l)를 전기 분해할 때 (+)극에서는 음이온이 전자를 잃고 산화된다.

116 답 ③ | ㄱ. 물을 전기 분해하면 (−)극에서는 H_2가 생성되고 (+)극에서는 O_2가 생성된다. 따라서 B_2는 H_2이다.

ㄴ. Na_2A 용융액과 물을 전기 분해하였을 때 (+)극에서 생성된 물질의 종류가 같으므로 O_2이다. 따라서 A는 O이며 Na_2O은 금속 양이온(Na^+)과 비금속 음이온(O_2^-)이 결합한 이온 결합 물질이다.

오답 피하기

ㄷ. Na_2O과 H_2O을 전기 분해했을 때 반응식은 다음과 같다.

$2Na_2O \longrightarrow 4Na + O_2$

$2H_2O \longrightarrow 2H_2 + O_2$

이때 (−)극에서 생성되는 물질은 각각 Na, H_2이며, 같은 양(mol)(2몰)의 Na_2O과 H_2O을 전기 분해할 때 Na은 4몰이 생성되고 H_2는 2몰이 생성되므로 몰비는 2 : 1이다.

117 답 ⑤ | 물과 염화 나트륨을 전기 분해하였으므로 물은 H_2와 O_2가 생성되고, 염화 나트륨은 Na 고체가 석출되며 Cl_2가 생성될 것이다. 실온에서 기체 상태인 물질은 H_2, O_2, Cl_2이며 (+)극에서는 O_2와 Cl_2가 발생한다. O_2는 2중 결합, Cl_2는 단일 결합이므로 A_2는 Cl_2, B_2는 O_2, C는 Na이다.

ㄱ. B_2는 O_2이다.

ㄴ. A는 Cl, C는 Na이므로 A와 C는 NaCl의 성분 원소이다.

ㄷ. B와 C로 이루어진 화합물은 Na_2O로 이온 결합 물질이므로 액체 상태에서 전기 전도성이 있다.

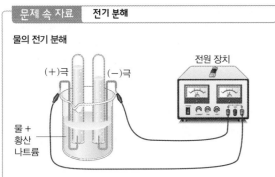

문제 속 자료 **전기 분해**

물의 전기 분해

(+)극   (−)극

전원 장치

물 + 황산 나트륨

┌(+)극에 모인 기체: 산소(O_2) 기체
└확인 방법: 꺼져가는 불씨를 대면 활활 타오르게 하는 조연성 기체이다.
┌(−)극에 모인 기체: 수소(H_2) 기체
└확인 방법: 성냥불을 대면 '퍽' 소리를 내면서 타게 하는 가연성 기체이다.

(+)극: $2H_2O(l) \longrightarrow O_2(g) + 4H^+(aq) + 4e^-$

(−)극: $4H_2O(l) + 4e^- \longrightarrow 2H_2(g) + 4OH^-(aq)$

전체 반응: $2H_2O(l) \longrightarrow 2H_2(g) + O_2(g)$

발생하는 기체의 부피비는 수소 : 산소 = 2 : 1

염화 나트륨 용융액의 전기 분해

• (+)극: 염화 이온(Cl^-)이 전자를 잃어 염소 기체(Cl_2)가 발생한다.

• (−)극: 나트륨 이온(Na^+)이 전자를 얻어 금속 나트륨(Na)이 생성된다.

(+)극: $2Cl^-(l) \longrightarrow Cl_2(g) + 2e^-$

(−)극: $2Na^+(l) + 2e^- \longrightarrow 2Na(s)$

전체 반응: $2NaCl(l) \longrightarrow 2Na(s) + Cl_2(g)$

118 답 ③ | ㄱ, ㄴ. X 용융액을 전기 분해하면 고체 A와 기체 B_2가 생성되므로 X는 금속 원소 A와 비금속 원소 B로 구성된 이온 결합 물질이다.

오답 피하기

ㄷ. 소량의 X를 첨가한 물을 전기 분해하면 기체 C_2와 D_2가 생성된다. X는 전해질이고 물이 전기 분해된 것이므로 (−)극에서는 H_2가 생성되고, (+)극에서는 O_2가 생성된다. $2H_2O \longrightarrow 2H_2 + O_2$ 반응에 의해 C_2는 H_2, D_2는 O_2이므로 생성되는 C_2와 D_2의 몰비는 2 : 1이다.

119 답 ③ | ㄱ. A와 B는 전자 껍질 수가 같으므로 같은 주기의 원소이다.

ㄴ. 같은 족 원소는 화학적 성질이 비슷하다. 원자가 전자 수가 같으면 같은 족이다. A와 C는 원자가 전자 수가 5개로 같으므로 화학적 성질이 비슷하다.

오답 피하기

ㄷ. B의 원자가 전자 수는 6개, C의 원자가 전자 수는 5개로 C가 B보다 작다.

120 답 ③ | ㄱ. A~C는 전자 껍질 수가 같으므로 같은 주기의 원소이다.

ㄷ. B는 원자 번호 7인 N이다. N_2는 3중 결합으로 이루어져 있다.

오답 피하기

ㄴ. A는 탄소(C), B는 질소(N), C는 산소(O)이다. AC_2는 CO_2로, 대칭 구조이다.

121 답 ⑤ | A는 H, B는 O, C는 Na이다.

ㄱ. (가)는 비금속 원소인 H와 O의 공유 결합으로 형성된 H_2O이다.

ㄴ. (나)는 비금속 원소인 O와 금속 원소인 Na이 결합한 이온 결합 물질이다. O의 안정한 이온은 O^{2-}, Na의 안정한 이온은 Na^+이므로 Na_2O이 형성된다.

ㄷ. (가)는 H_2O이고 (나)는 Na_2O이다. 액체 상태에서 전기 전도도는 이온 결합 물질이 공유 결합 물질보다 크므로 전기 전도도는 (나)가 (가)보다 크다.

122 답 ① | 각 원자핵의 전하량으로 원자 번호를 알 수 있다. A는 F, B는 Mg, C는 Cl이다.

ㄱ. B는 원자가 전자가 2개인 금속 원소이고 C는 원자가 전자가 7개인 비금속 원소이다. 따라서 B와 C가 안정한 이온이 되기 위해서는 각각 B^{2+}, C^-이 되므로 B와 C로 이루어진 화합물의 화학식은 BC_2이다.

ㄴ. 같은 주기의 원자는 원자 번호가 클수록 유효 핵전하가 커진다. B와 C는 같은 주기이므로 유효 핵전하는 B가 C보다 작다.

ㄷ. A^-과 B^{2+}은 전자 수가 같으므로 핵전하량이 큰 B^{2+}의 반지름이 A^-의 반지름보다 작다.

문제 속 자료 | 이온 반지름

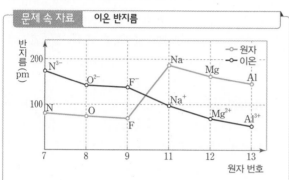

- 비금속 원소(N, O, F)는 음이온이 되면서 전자 사이의 반발력이 증가 ➡ 원자 반지름 < 이온 반지름
- 금속 원소(Na, Mg, Al)는 양이온이 되면서 전자 껍질 수 감소 ➡ 원자 반지름 > 이온 반지름
- 등전자 이온은 원자 번호가 클수록 핵전하량이 증가하여 이온 반지름 감소 ➡ $N^{3-} > O^{2-} > F^- > Na^+ > Mg^{2+} > Al^{3+}$

123 답 ② | X의 전자 수는 6, Y의 전자 수는 1, Z의 전자 수는 7이므로 X는 C, Y는 H, Z는 N이다. 따라서 XY_4는 CH_4, Z_2는 N_2이다.

ㄴ. X, Y, Z는 모두 비금속 원소이므로 XY_4, Z_2는 비금속 원소로만 이루어져 있다.

ㄱ. X(C)는 원자 번호가 6, Z(N)은 원자 번호가 7이므로 X가 Z보다 작다.

ㄷ. ZY_3은 NH_3로 단일 결합만 존재한다.

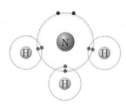

124 답 ④ | 물질 AB의 화합 결합 모형은 A^{2+}과 B^{2-}이 결합한 것이다. A^{2+}은 A가 전자 2개를 잃어 생성된 이온이며 A의 원자가 전자는 2개이다. B^{2-}은 B가 전자 2개를 얻어 생성된 이온이며, B의 원자가 전자는 6개이다. 물질 C_2는 C 원자 2개가 각각 전자 1개를 내놓아 만든 전자쌍 1개를 공유하면서 결합을 형성하고, C의 원자가 전자는 7개이다.

ㄱ. AB는 A^{2+}과 B^{2-}의 정전기적 인력으로 화학 결합을 형성한 이온 결합 물질이다. 이온 결합 물질은 액체 상태에서 이온이 자유롭게 이동할 수 있으므로 전기 전도성이 있다.

ㄷ. A는 전자 2개를 잃어 A^{2+}이 되고, C는 전자 1개를 얻어 C^-이 되므로 A^{2+}과 C^-이 1 : 2의 개수비로 결합한다. 따라서 A와 C의 안정한 화합물은 AC_2이다.

ㄴ. B는 원자가 전자가 6개이므로 B_2는 2중 결합을 하며, C는 원자가 전자가 7개이므로 C_2는 단일 결합을 한다. 따라서 공유 전자쌍 수는 B_2는 2개, C_2는 1개이다.

문제 속 자료 | 이온 결합 물질의 전기 전도성

전기 전도성
전기가 흐르는 성질로, 전하를 띠는 입자가 이동해야만 전류가 흐를 수 있다.

이온 결합 물질의 전기 전도성
예 염화 나트륨의 전기 전도성

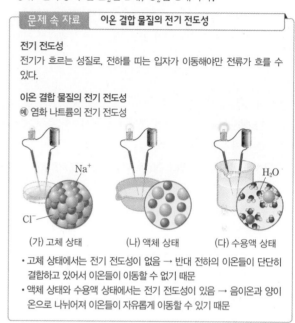

(가) 고체 상태 (나) 액체 상태 (다) 수용액 상태

- 고체 상태에서는 전기 전도성이 없음 → 반대 전하의 이온들이 단단히 결합하고 있어서 이온들이 이동할 수 없기 때문
- 액체 상태와 수용액 상태에서는 전기 전도성이 있음 → 음이온과 양이온으로 나뉘어져 이온들이 자유롭게 이동할 수 있기 때문

125 답 ⑤ | ㄱ. AB는 양이온과 음이온의 전기적 인력에 의해 형성된 이온 결합 물질이다.

ㄴ. BC_2에서 중심 원자 B에는 공유 전자쌍이 2쌍, 비공유 전자쌍이 2쌍 있다.

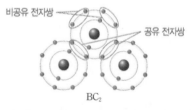

ㄷ. 옥텟 규칙은 비활성 기체 이외의 원자들이 전자를 잃거나, 전자를 얻거나, 전자를 서로 공유함으로써 비활성 기체와 같이 가장 바깥 전자 껍질에 8개의 전자를 가져 안정해지려는 경향이다(단, 헬륨은 2개). AB와 BC_2의 구성 입자는 가장 바깥 전자 껍질에 8개의 전자를 가지고 있으므로 모두 옥텟 규칙을 만족한다.

126 답 ③ | 화학 결합 모형에서 A는 +1가의 양이온이므로 전자가 3개인 Li이다. B와 C는 단일 결합을 이루고 있고 전체적으로 −1가의 음이온이므로 B는 O, C는 H이다. X는 A 2개와 B 1개로 구성되어 있으므로 A_2B인 Li_2O이고, Y는 B 1개와 C 2개로 이루어져 있으므로 C_2B인 H_2O이다.

ㄱ. Y는 비금속 원소인 O와 H가 결합하여 생성된 물질이므로 공유 결합 화합물이다.

ㄷ. Y에서 B는 원자가 전자가 6개이므로 C 2개와 각각 단일 결합을 형성하며, 옥텟 규칙을 만족한다.

오답 피하기

ㄴ. X는 금속 Li와 비금속 O로 이루어진 이온 결합 화합물이므로 액체 상태에서 이온이 자유롭게 움직일 수 있어 전기 전도성이 있다. 그러나 Y는 공유 결합 화합물로, 액체 상태에서 이온으로 분리되지 않으므로 액체 상태에서 전기 전도성이 없다.

127 답 ③ | A^+은 전자가 10개이므로 중성 원자 A는 총 전자가 11개인 Na이고, B^{2-}은 전자가 10개이므로 중성 원자 B는 총 전자가 8개인 O이다.

ㄱ. A_2B는 금속 원소 Na과 비금속 원소 O가 결합한 Na_2O으로 이온 결합 물질이다.

ㄴ. A는 Na로 3주기 원소이다.

오답 피하기

ㄷ. B_2는 O_2로 공유 전자쌍 수는 2이다.

공유 전자쌍

128 답 ⑤ | A_2B는 Na_2O, C_2B는 H_2O이므로 A, B, C는 각각 Na, O, H이다.

ㄱ. A_2B는 금속 양이온인 Na^+ 2개와 비금속 음이온인 O^{2-}이 결합한 물질로 이온 결합 물질이다.

ㄴ. C_2B에서 B는 O로, O는 가장 바깥 전자 껍질에 전자가 8개 있으므로 옥텟 규칙을 만족한다.

ㄷ. ABC는 NaOH로 이온 결합 물질이며, C_2B는 H_2O로 공유 결합 물질이다. 액체 상태에서 전기 전도성은 이온 결합 물질이 공유 결합 물질보다 크므로 ABC의 전기 전도성이 C_2B보다 크다.

129 답 ④ | (가)는 LiCl, (나)는 HCl이다. A, B, C 각각 Li, H, Cl이다.

ㄴ. (가)는 LiCl으로 금속 양이온과 비금속 음이온이 결합한 이온 결합 물질이다. 이온 결합 물질은 액체 상태에서 전류가 흐른다.

ㄷ. (나)의 C(Cl)는 18족 원소인 Ar과 같은 안정한 전자 배치를 이루고 있으므로 옥텟 규칙을 만족한다.

오답 피하기

ㄱ. 원자 번호는 A(Li)가 3, B(H)가 1이므로 원자 번호는

A가 B보다 크다.

130 답 ④ | A^+의 전자가 10개이므로 A 원자의 전자는 11개이고, BC^-의 전자가 14개이므로 BC의 전자는 13개이다. B가 C보다 원자 번호가 작기 때문에 B 원자의 전자는 6개, C 원자의 전자는 7개이다. 따라서 A는 나트륨(Na), B는 탄소(C), C는 질소(N)으로 ABC는 NaCN이다.

ㄴ. NaCN은 금속 원소인 Na과 비금속 원소인 C와 N가 결합한 이온 결합 물질로 액체 상태에서 전기 전도성이 있다.

ㄷ. C_2는 N_2로 공유 전자쌍 수는 3이다.

오답 피하기

ㄱ. A는 Na으로 3주기 원소, B는 C로 2주기 원소이므로 다른 주기의 원소이다.

131 답 ① | AB_4^+는 NH_4^+이고, C^-는 Cl^-이다.

ㄴ. AB_4^+의 구조는 중심 원자 N와 4개의 H가 각각 공유 결합을 하고 있는 정사면체이다.

오답 피하기

ㄱ. A는 N로, 15족 원소이다.

ㄷ. AC_3는 NCl_3로 N와 Cl가 모두 비금속 원소이므로 전자를 공유하여 공유 결합을 형성한다. 양이온과 음이온 사이의 정전기적 인력에 의해 형성되는 결합은 이온 결합이다.

132 답 ⑤ | A~D는 각각 Na, O, H, Cl이다.

① 화학 결합 모형을 식으로 나타내면 ABC + CD ⟶ AD + X(C_2B) 이므로 NaOH + HCl ⟶ NaCl + X(H_2O)이다. 따라서 X는 C_2B이다.

② ABC에서 A는 가장 바깥 껍질에 전자가 8개이므로 옥텟 규칙을 만족한다.

③ CD는 C와 D가 1개의 전자쌍을 공유하여 생성된 공유 결합 물질이다.

④ AD는 금속 양이온(Na^+)과 비금속 음이온(Cl^-)이 결합하여 생성된 이온 결합 물질이다. 이온 결합 물질은 액체 상태에서 전기 전도성이 있다.

오답 피하기

⑤ X는 H_2O로 비공유 전자쌍이 2개이고, B_2는 O_2로 비공유 전자쌍이 4개이다.

물(H_2O)의 비공유 전자쌍	산소(O_2)의 비공유 전자쌍
비공유 전자쌍 H^OH 104.5°	비공유 전자쌍 :O=O:

133 답 ⑤ | A~D는 각각 Na, F, Ca, O이다.

ㄴ. CB_2는 CaF_2으로 금속 양이온(Ca^{2+})과 비금속 음이온(F^-)이 결합한 이온 결합 물질이므로 액체 상태에서 전기 전도성이 있다.

ㄷ. DB_2는 OF_2로 비금속 원소인 O와 F이 전자를 공유하여 생성된 공유 결합 물질이다.

> **오답 피하기**

ㄱ. A와 D는 Na과 O로 Na은 3주기, O는 2주기로 다른 주기 원소이다.

134 답 ④ | 화합물 AB는 HF, 화합물 CD는 MgO이다.

ㄴ. (나)는 원자 수비가 B : C=2 : 1이므로 MgF_2이다. MgF_2은 금속 양이온인 Mg^{2+}과 비금속 음이온인 F^-이 결합한 이온 결합 물질로 액체 상태에서 전기 전도성이 있다.

ㄷ. (나)에서 B와 C는 F^-과 Mg^{2+}으로, Mg^{2+}은 Mg이 전자 2개를 잃고 전자 껍질이 2개, 가장 바깥 전자 껍질에 8개의 전자를 채운 Ne과 같은 전자 배치를 가진다. F^-은 F이 전자 1개를 얻어 Ne과 같은 전자 배치를 가진다.

> **오답 피하기**

ㄱ. (가)에서 원자 수비가 A : D=1 : 1이므로 (가)의 화학식은 H_2O_2이다. 루이스 구조식은 그림과 같으며 비공유 전자쌍 수는 4이다.

$$H - \overset{..}{\underset{..}{O}} - \overset{..}{\underset{..}{O}} - H \quad \text{── 비공유 전자쌍}$$

135 답 ⑤ | ㄱ. 핵 간 거리는 HY가 HX보다 크므로 원자 반지름은 Y가 X보다 크다. X와 Y는 할로젠 원소이고 주기가 증가하면 전기 음성도가 감소한다. 원자 반지름의 큰 Y가 주기가 크므로 전기 음성도는 X보다 작다.

ㄴ. 할로젠화 수소에서 공유 결합 핵 간의 거리가 짧을수록 결합 에너지가 크다. 따라서 HX의 핵 간 거리가 HY보다 짧으므로 결합 에너지가 더 크다.

ㄷ. $\frac{r_0}{2}$는 HX의 공유 결합 길이의 $\frac{1}{2}$이며, X_2 분자의 공유 결합 반지름보다 작다.

136 답 ③ | A~D는 2, 3주기의 원소이며 기체이므로 이원자 분자 A_2~D_2는 F_2, O_2, N_2, Cl_2일 것이다. 같은 주기에서 결합 수가 증가할수록 결합 에너지가 증가하고 핵 간 거리가 감소한다. 이원자 분자들의 결합 수는 F_2이 1개, O_2가 2개 N_2가 3개, Cl_2가 1개이다. 따라서 A_2는 N_2, B_2는 O_2이며, F_2보다 Cl_2 원자 반지름이 더 크기 때문에 C_2는 F_2, D_2는 Cl_2이다.

137 답 ④ | ㄴ. Li의 이온화 에너지는 Na보다 크므로 LiCl(g)이 생성될 때 E_1은 커진다 .

ㄷ. 두 이온 사이의 핵 간 거리가 짧을수록 결합 에너지가 크다. NaCl이 KCl보다 핵 간 거리가 짧으므로 결합 에너지가 크다. 따라서 KCl(g)이 생성될 때 핵 간 거리가 길어지므로 결합 에너지가 작아진다.

> **오답 피하기**

ㄱ. $\frac{r_0}{2}$은 Na^+의 반지름이 아니라 Na^+과 Cl^- 사이 거리의 $\frac{1}{2}$이다.

> **문제 속 자료** 이온 결합의 형성

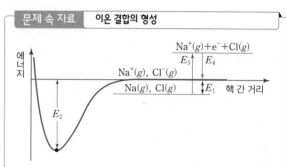

- $Na(g) + E_3 \longrightarrow Na^+(g) + e^-$, E_3: Na의 이온화 에너지(에너지 흡수)
- $Cl(g) \longrightarrow Cl^-(g) + E_4$, E_4: Cl의 전자 친화도(에너지 방출)
- 이온화 에너지: 기체 상태의 중성 원자에서 전자 1개를 떼어 내어 기체 상태의 양이온으로 만드는 데 필요한 에너지이다.
- 전자 친화도: 기체 상태의 중성 원자가 전자 1개를 받아 음이온이 될 때 방출하는 에너지이다.

138 답 ③ | ㄱ. Cl^-이 Br^-보다 이온 반지름이 작으므로 r_0는 KCl이 KBr보다 작다.

ㄷ. 이온 사이의 거리가 짧을수록 녹는점이 높다. KCl은 +1의 양이온과 −1의 음이온이 이온 결합을 하여 생성되고, CaO은 +2의 양이온과 −2의 음이온이 이온 결합을 하여 생성되었으므로 CaO의 녹는점이 훨씬 높다.

> **오답 피하기**

ㄴ. MgO가 CaO보다 이온 사이의 거리가 짧아 결합력이 강하므로 이온 결합이 형성될 때 방출되는 에너지(E)는 MgO이 CaO보다 크다.

> **문제 속 자료** 이온 결합의 형성과 에너지 변화

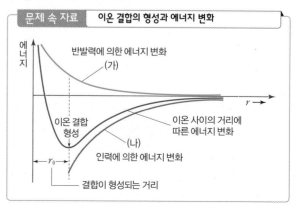

139 답 ⑤ | 물질 A의 결정 구조는 금속, 물질 B의 결정 구조는 이온 결합을 나타낸 것이므로 A는 금속인 나트륨, B는 이온 결합 물질인 염화 나트륨이다.

ㄱ. A인 나트륨은 금속으로 물과 반응하면 수소 기체를 발생시킨다.

ㄷ. A인 나트륨과 염소 기체를 반응시키면 염화 나트륨이 생성된다.

ㄹ. 이온 결합 물질은 고체 상태에서 쉽게 쪼개지거나 부서진다. 금속은 자유 전자가 있으므로 강한 정전기적 인력이 작용해 힘을 가해도 이온 결합 물질처럼 잘 부서지지 않는다. 따라서 힘을 가했을 때 이온 결합 물질인 B가 금속인 A보다 부서지기 쉽다.

[오답 피하기]
ㄴ. BTB 용액은 산성에서는 노란색, 중성에서는 초록색, 염기성에서는 파란색을 띤다. B의 수용액은 염화 나트륨 수용액으로 중성이므로 BTB 용액을 떨어뜨리면 초록색을 띤다.

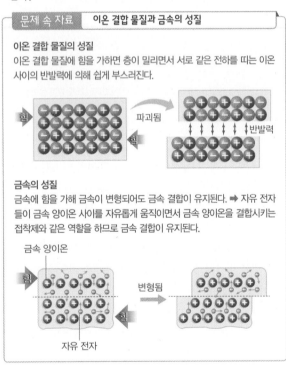

문제 속 자료 **이온 결합 물질과 금속의 성질**

이온 결합 물질의 성질
이온 결합 물질에 힘을 가하면 층이 밀리면서 서로 같은 전하를 띠는 이온 사이의 반발력에 의해 쉽게 부스러진다.

힘 · 파괴됨 · 힘 · 반발력

금속의 성질
금속에 힘을 가해 금속이 변형되어도 금속 결합이 유지된다. ➡ 자유 전자들이 금속 양이온 사이를 자유롭게 움직이면서 금속 양이온을 결합시키는 접착제와 같은 역할을 하므로 금속 결합이 유지된다.

금속 양이온 · 힘 · 변형됨 · 힘 · 자유 전자

140 답 ① | (가)는 양이온과 음이온이 강하게 결합된 모형으로 이온 결합 물질, (나)는 금속 양이온과 자유 전자 사이의 정전기적 인력에 의해 이루어진 결합으로 금속 결합 물질이다. 이온 결합 물질은 고체 상태에서 전기 전도성이 없고 용융 상태에서는 전기 전도성이 있다. 금속 결합 물질은 고체 상태, 용융 상태 모두 전기 전도성이 있으며 녹는점이 높다. 따라서 (가)는 A, (나)는 B이다.

141 답 ① | ㄱ. 금속 결합 물질 모형에서 양이온과 자유 전자의 개수비가 1 : 2이며, 금속 산화물의 화학식 MO에서 O의 이온이 −2가 음이온이므로 M의 이온은 +2가 양이온이다.

[오답 피하기]
ㄴ. 금속인 M에 전류를 흘려주면 자유 전자가 (+)극 쪽으로 이동하고 양이온은 이동하지 않는다.

ㄷ. 금속 산화물인 MO는 금속 양이온과 비금속 음이온이 결합한 이온 결합 물질이므로 연성과 전성이 없다. 금속에 힘을 가해 금속 양이온이 다른 위치로 이동하더라도, 자유 전자가 있으므로 강한 정전기적 인력이 작용한다. 따라서 가늘게 뽑을 수 있거나 얇게 펴지는 연성과 전성은 금속의 성질이다.

142 답 ② | (가)는 이온 결정, (나)는 금속 결정 모형을 나타낸 것이다.

ㄴ. (가)는 이온 결합 물질로 액체 상태에서 이온들이 자유롭게 이동할 수 있다. 따라서 액체 상태의 (가)에 전압을 걸어주면 양이온은 (−)극 쪽으로, 음이온은 (+)극 쪽으로 이동한다.

[오답 피하기]
ㄱ. (가)는 양이온과 음이온이 결합되어 있는 모형으로, 이온 결정 모형이다.

ㄷ. 고체 상태의 (나)인 금속 결정에 전압을 걸어주면 자유 전자들이 (+)극 쪽으로 이동하면서 전류가 흐른다.

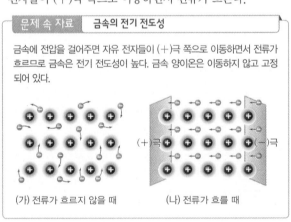

문제 속 자료 **금속의 전기 전도성**

금속에 전압을 걸어주면 자유 전자들이 (+)극 쪽으로 이동하면서 전류가 흐르므로 금속은 전기 전도성이 높다. 금속 양이온은 이동하지 않고 고정되어 있다.

(+)극 · (−)극

(가) 전류가 흐르지 않을 때 · (나) 전류가 흐를 때

143 답 ④ | A는 수소(H), B는 리튬(Li), C는 산소(O), D는 플루오린(F)이다.

ㄴ. B_2C는 Li_2O으로 금속 양이온과 비금속 음이온이 결합한 이온 결합 물질이다.

ㄷ. CD_2는 OF_2로 구조식은 그림과 같으며 비공유 전자쌍 수는 8개이다.

ㄱ. 수소는 비금속 원소이다.

144 답 ④ | 원소 A는 수소(H), B는 리튬(Li), C는 탄소(C), D는 산소(O), E는 나트륨(Na), F는 마그네슘(Mg)이다.

ㄴ. A와 C로 이루어진 화합물은 수소와 탄소로 이루어진 물질이다. A와 C는 비금속 원소이므로 공유 결합을 한다.

ㄷ. D와 F는 산소와 마그네슘이므로 D와 F로 이루어진 화합물은 비금속 음이온과 금속 양이온으로 이루어진 이온 결합 화합물이므로 액체 상태에서 전류가 흐른다.

ㄱ. 주기율표에서 왼쪽 아래로 갈수록 금속성이 커지므로 리튬은 나트륨보다 금속성이 작다.

145 답 ① | 원소 A, B, C, D, E는 각각 수소(H), 탄소(C), 산소(O), 플루오린(F), 마그네슘(Mg)이므로 (가)는 HF, (나)는 H_2O, (다)는 CF_4, (라)는 Mg_xF_y이다.

ㄱ. 공유 결합 물질은 비금속 원소 사이의 공유 결합으로 이루어진 물질이다. (가)~(라) 중 공유 결합 물질은 HF, H_2O, CF_4이므로 3가지이다.

ㄴ. (나)는 H_2O로 굽은 형 모양의 분자이며 결합각은 104.5°이다. (다)는 CF_4로 정사면체형의 분자이며 결합각은 109.5°이므로 결합각은 (나)가 (다)보다 작다.

ㄷ. E_xD_y는 Mg^{2+}과 F^-이 1 : 2의 비로 결합하여 생성된다. 따라서 x는 1, y는 2이므로 x는 y보다 작다.

146 답 ① | 원소 A, B, C, D, E는 각각 탄소(C), 산소(O), 나트륨(Na), 염소(Cl), 아르곤(Ar)이다. 각 원소의 원자가 전자 수, 전자 껍질 수는 다음과 같다.

원소	원자가 전자 수	전자 껍질 수
A(탄소)	4	2
B(산소)	6	2
C(나트륨)	1	3
D(염소)	7	3
E(아르곤)	0	3

따라서 (가)에 해당하는 원소는 A, B, D이고 (나)에 해당하는 원소는 C, D, E이다. 칼륨의 이온은 금속 양이온이므로 칼륨과 이온 결합 물질을 형성할 수 있는 원소는 비금속 음이온을 형성하는 B, D이다. 그림의 빗금 친 부분에 해당하는 원소는 (가)에 해당하는 원소 중 (나)와 (다)에 해당하는 원소를 빼면 된다. A, B, D에서 (나)에 해당하는 원소 D를

빼고, (다)에 해당하는 원소 B, D를 빼면 A만 남는다.

147 답 ① | 전기 음성도는 주기율표의 왼쪽이나 아래로 갈수록 감소하고, 주기율표의 오른쪽이나 위로 갈수록 증가한다. 따라서 A~C의 전기 음성도 크기는 O>S>Mg으로 A는 Mg, B는 S, C는 O이다.

ㄱ. A는 Mg이다.

ㄴ. 같은 족에서 이온 반지름은 주기가 커질수록 커진다. C(O)는 2주기, B(S)는 3주기이므로 B(S)의 이온 반지름이 C(O)보다 크다.

ㄷ. A와 C의 이온은 Mg^{2+}, O^{2-}이므로 전자 껍질 수와 전자 수가 같은 등전자 이온이다. 등전자 이온의 이온 반지름 차이는 원자가 전자가 느끼는 유효 핵전하의 크기가 다르기 때문이다.

148 답 ① | 전기 음성도는 같은 주기에서 원자 번호가 클수록 대체로 커지고, 같은 족에서 원자 번호가 작을수록 대체로 커진다. 따라서 A는 Na, B는 Mg, C는 O, D는 F이다.

ㄱ. A와 B는 같은 주기이다. 같은 주기에서 원자 번호가 커질수록 원자 반지름이 감소하므로 A의 원자 반지름이 B보다 더 크다.

ㄴ. A와 D의 안정한 이온은 각각 Na^+, F^-이다. 두 이온은 전자 수가 10개로 네온과 같은 전자 배치를 하고 있으며, Na^+의 유효 핵전하량이 F^-보다 크다. 따라서 안정한 이온의 반지름은 $Na^+<F^-$이므로 A<D이다.

ㄷ. 제1 이온화 에너지는 같은 주기에서 원자 번호가 클수록 대체로 증가하므로 C<D이다.

149 답 ⑤ | X~Z는 바닥상태 원자의 전자 배치에서 홀전자 수가 같은 2주기 원소이므로 1족, 13족, 17족 원소이다.

ㄴ. 원자가 전자가 느끼는 유효 핵전하는 같은 주기에서 원자 번호가 클수록 크므로 Y가 X보다 크다.

ㄷ. 제1 이온화 에너지는 같은 주기에서 원자 번호가 클수록 대체로 증가하므로 Z(F)가 가장 크다.

ㄱ. 같은 주기에서 전기 음성도는 원자 번호가 클수록 대체로 크므로 X는 Li, Y는 B, Z는 F이다. Y(B)는 13족 원소이다.

150 답 ① | (가)~(다)는 2주기 원소의 수소 화합물이므로 H_2X, YH_3, ZH_4는 각각 H_2O, NH_3, CH_4이다. 전기 음성도는 X(O)>Y(N)>Z(C)이므로 (가)는 ZH_4, (나)는 YH_3, (다)는 H_2X이다.

ㄱ. (가)는 ZH_4이다.

오답 피하기

ㄴ. (나)는 NH_3로 삼각뿔형 구조이므로 입체 구조이다.

ㄷ. (나)의 결합각은 107°, (다)의 결합각은 104.5°로 (나)의 결합각이 (다)보다 크다.

151 답 ⑤ | 1, 2주기 비금속 원소로 이루어진 루이스 전자점식이므로 X는 수소, Y는 탄소, Z는 질소, W는 산소이다.

ㄱ. 전기 음성도는 O>N>C 이므로 W>Z>Y이다.

ㄴ. Z_2는 N_2로 구조식은 N≡N이며, 공유 전자쌍 수는 3개이다. W_2는 O_2로 구조식은 O=O이며, 공유 전자쌍 수가 2개이다. 따라서 공유 전자쌍 수는 Z_2가 W_2보다 많다.

ㄷ. 분자 XYZ의 구조식은 H−C≡N으로 중심 원자 C에 비공유 전자쌍이 없다.

문제 속 자료	비공유 전자쌍

비공유 전자쌍은 쌍을 이루면서 공유 결합에 참여하지 못하는 전자쌍이다.

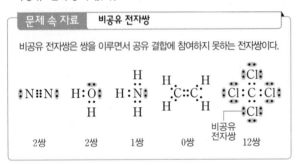

152 답 ② | ㄴ. 극성 물질은 극성 용매에 잘 용해되고 무극성 물질은 무극성 용매에 잘 용해된다. 물은 극성이므로 물에 대한 용해도는 극성 분자가 무극성 분자보다 더 크다. 따라서 물에 대한 용해도는 HCN이 C_2H_2보다 크다.

오답 피하기

ㄱ. 끓는점은 극성 분자가 무극성 분자보다 높다. 두 물질의 분자량은 비슷하고, HCN은 극성 분자, C_2H_2는 무극성 분자이므로 끓는점은 HCN이 C_2H_2보다 높다.

ㄷ. HCN과 C_2H_2의 구조식은 다음과 같다.

HCN 구조식	C_2H_2 구조식
$H - C \equiv \ddot{N}$	H − C ≡ C − H

따라서 HCN의 공유 전자쌍의 수는 4개, C_2H_2의 공유 전자쌍 수는 5개로 HCN이 C_2H_2보다 적다.

문제 속 자료	공유 결합의 표시

루이스 전자점식 → 루이스 구조식

$$H : \overset{..}{\underset{H}{N}} : H \rightarrow H - \underset{H}{\overset{|}{N}} - H$$

$$:N⦂⦂⦂N: \rightarrow N \equiv N$$

$$H : C ⦂⦂⦂ N : \rightarrow H - C \equiv N$$

153 답 ② | 2주기 원자 A~D는 각각 C, N, O, F이다.

② CH_2는 H_2O로 2쌍의 비공유 전자쌍이 있으므로 굽은 형의 구조이다.

오답 피하기

① AH_4는 CH_4로, C와 H는 전기 음성도가 다르므로 극성 공유 결합을 한다.

③ DH는 HF로, 극성 공유 결합을 하는 이원자 분자이므로 쌍극자 모멘트가 0이 아니다.

④ AH_4는 CH_4로 정사면체 구조의 무극성 분자, BH_3는 NH_3로 삼각뿔형의 극성 분자이다. 극성 분자가 무극성 분자보다 물에 대한 용해도가 크기 때문에 AH_4가 BH_3보다 물에 대한 용해도가 작다.

⑤ BH_3는 NH_3, CH_2는 H_2O이다. NH_3의 결합각이 107°, H_2O의 결합각이 104.5°이므로 결합각은 BH_3이 CH_2보다 크다.

154 답 ④ | (가)는 H_2O, (나)는 CO_2이다.

ㄴ. (나)는 결합각이 180°인 직선형 구조의 분자이다.

ㄷ. C_2A_4는 C_2H_4이며, 루이스 구조식은 다음과 같다.

$$\overset{H}{\underset{H}{>}} C = C \overset{H}{\underset{H}{<}}$$

따라서 C_2H_4는 모든 원자가 동일 평면에 있다.

오답 피하기

ㄱ. (가)는 굽은 형의 분자 구조이며 H_2O의 쌍극자 모멘트가 0이 아닌 극성 분자이다.

155 답 ⑤ | A는 탄소(C), B는 산소(O), C는 질소(N), D는 플루오린(F)이다.

ㄱ. AD_4는 CF_4로 A와 D가 공유 결합하는 공유 전자쌍 수가 4개이다.

ㄴ. B는 O로 원자가 전자가 6개, C는 N로 원자가 전자가 5개이다. 따라서 원자가 전자 수는 B>C이다.

ㄷ. CD_3은 NF_3로 D(F)는 부분적인 (−)전하를 띤다.

A는 탄소이고 B는 산소이다. 탄소 원자는 산소 원자 2개와 각각 2개의 전자쌍을 공유한다. 따라서 $AB_2(CO_2)$에서 공유 전자쌍은 4개, 비공유 전자쌍은 4개이다.

156 답 ④ | A는 N, B는 O, C는 F이다.

ㄴ. 분자 X를 구성하는 원소 A, B, C의 전기 음성도가 서로 다르므로 분자 내 결합은 극성 공유 결합이다.

ㄷ. 분자 구조가 B=A−C이므로 공유 전자쌍은 3개이다.

오답 피하기

ㄱ. 분자 X에서 세 원자 A, B, C가 옥텟 규칙을 만족하므로 A는 공유 전자쌍 3개, B는 2개, C는 1개를 갖는다. 따라서 분자 구조는 B=A−C이므로 중심 원자는 A이다.

157 답 ① | A는 붕소(B), B는 산소(O), C는 플루오린(F)이다.

ㄱ. B_2는 O_2로 O의 원자가 전자 수가 6개이므로 O 원자 2개가 결합할 때 공유 전자쌍 수는 2개이다.

오답 피하기

ㄴ. AC_3는 BF_3로 중심 원자 주위에 6개의 전자가 존재하므로 AC_3는 옥텟 규칙을 만족하지 않는다.

ㄷ. BC_2는 OF_2로 O의 비공유 전자쌍이 2개이므로 분자 구조는 굽은 형이다. OF_2의 구조식은 다음과 같다.

158 답 ④ | ㄱ. 극성 공유 결합은 전기 음성도가 다른 두 원자 사이의 공유 결합이다. (가)에서 전기 음성도가 다른 C와 O가 극성 공유 결합을 하고 있으며, (나)에서 전기 음성도가 다른 B와 F이 극성 공유 결합을 하고 있다.

ㄷ. (가)와 (나)는 각각 직선형, 평면 삼각형 구조이므로 둘 다 쌍극자 모멘트의 합은 0이다. 따라서 (가)와 (나)는 무극성 분자이다.

오답 피하기

ㄴ. 옥텟 규칙은 가장 바깥 전자 껍질에 8개의 전자를 가질 때 가장 안정하다는 규칙이다. (가)의 중심 원자인 C는 2개의 2중 결합을 형성하고 있으므로 총 8개의 전자를 가지고 있다. (나)의 중심 원자인 B는 3개의 단일 결합을 형성하고 있으므로 총 6개의 전자를 가지고 있으므로 옥텟 규칙을 만족하지 못한다.

159 답 ⑤ | 각 원자의 원자가 전자 수는 X는 6개, Y는 7개, Z는 4개이다. X~Z는 2주기 원소이므로 X는 O, Y는 F, Z는 C이다.

ㄱ. (나)에 있는 비공유 전자쌍의 수는 4개이다.

ㄴ. (가)는 OF_2이므로 굽은 형 구조로 결합각이 104.5°, (나)는 CO_2이므로 직선형 구조로 결합각이 180°이다. 따라서 결합각은 (나)>(가)이다.

ㄷ. ZY_4는 CF_4로 중심 원자 C에 4개의 공유 전자쌍만 존재한다. 전자쌍 반발 원리에 의해 4개의 전자쌍은 정사면체의 꼭짓점에 위치하므로 정사면체형의 분자 모양을 가진다.

중심 원자 X에 2개의 공유 전자쌍과 2개의 비공유 전자쌍이 존재하므로 4개의 전자쌍이 전자쌍 반발 원리에 의해 사면체의 꼭짓점에 위치하게 되므로 (가)는 굽은 형의 분자 구조를 가진다.

160 답 ⑤ | A~D는 2주기 원자이므로 A는 리튬(Li), B는 붕소(B), C는 산소(O), D는 플루오린(F)이다.

ㄱ. C는 옥텟 규칙을 만족하기 위해 전자 2개가 필요하므로 C_2는 2개의 공유 전자쌍을 형성한다.

ㄴ. AD는 LiF로 Li은 금속 원소이고 F은 비금속 원소이므로 LiF은 이온 결합 화합물이다.

ㄷ. BD_3는 BF_3로 B에는 비공유 전자쌍이 없으므로 평면 삼각형 구조이다. 평면 삼각형은 대칭 구조로 극성이 상쇄되어 쌍극자 모멘트가 0이다.

161 답 ⑤ | ㄱ. A와 C는 비금속 원소이므로 공유 결합을 한다.

A와 C가 전자 1개씩을 내놓아 전자쌍을 만들고 이 전자쌍을 공유한다.

ㄴ. BA_3에서 B가 A보다 주기율표의 오른쪽에 있으므로 전기 음성도는 B가 A보다 크다. 따라서 BA_3에서 B는 부분적인 (−)전하를 띤다.

ㄷ. BC_3의 중심 원자 B에 공유 전자쌍 3개와 비공유 전자쌍 1개가 존재한다. 따라서 분자 구조는 삼각뿔형이다.

162 답 ① | X~Z가 2주기 원소이므로 X는 N, Y는 O, Z는 F 이다.

ㄱ. X_2의 루이스 구조식은 $:N \equiv N:$이며, 공유 전자쌍이 3개, 비공유 전자쌍은 2개 있다.

오답 피하기

ㄴ. XZ_3 분자는 NF_3로 삼각뿔형이므로 결합각은 107°이다.

ㄷ. YZ_2는 OF_2로 굽은 형이므로 극성 분자이다.

163 답 ① | (가)는 XY_2, (나)는 YZ_2이고 (가)의 루이스 전자점 식은 $:Y::X::Y:$, (나)의 루이스 전자점식은 $:Z:Y:Z:$ 이다.

ㄱ. 한 분자를 구성하는 Y 원자 수는 (가)가 2개, (나)가 1개 이므로 (가)가 (나)보다 많다.

오답 피하기

ㄴ. (나)에 있는 비공유 전자쌍은 8개이다.

$:Z:Y:Z:$ ——비공유 전자쌍

ㄷ. (가)는 직선형 구조, (나)는 굽은 형 구조이므로 결합각은 (가)가 (나)보다 크다.

164 답 ③ | ㄱ. 산소 분자는 대칭 구조이다.

ㄴ. 1 기압에서 메테인의 끓는점이 -162 ℃이므로 25 ℃에 서 메테인은 기체로 존재한다.

오답 피하기

ㄷ. 분자량이 비슷할 때 극성 분자가 무극성 분자보다 녹는 점이나 끓는점이 높다. 녹는점과 끓는점이 높은 것은 분자 사이의 힘이 크기 때문이다. 암모니아는 극성 분자이며, 끓 는점이 무극성 분자인 메테인의 끓는점보다 더 높으므로 분 자 사이의 힘은 암모니아가 메테인보다 크다.

문제 속 자료	극성 분자와 무극성 분자의 녹는점과 끓는점 비교			
물질	극성	분자량	녹는점(℃)	끓는점(℃)
메테인 (CH_4)	무극성	16	-183	-162
암모니아 (NH_3)	극성	17	-78	-33
산소 (O_2)	무극성	32	-219	-183
황화 수소 (H_2S)	극성	34	-86	-61

· 분자량이 비슷할 때 극성 분자가 무극성 분자보다 녹는점과 끓는점이 높다.
· 극성 분자는 서로 반대 전하를 띤 부분 사이에 강한 정전기적 인력이 작용하므로 무극성 분자보다 분자 사이의 인력이 강하다.

165 답 ② | ㄴ. AB_2는 극성 공유 결합이지만 대칭 구조이며 직 선형으로, 무극성 분자이고 쌍극자 모멘트의 합이 0이다.

오답 피하기

ㄱ. AB_2의 전기 음성도는 A가 δ^+, B가 δ^-이므로 A가 B 보다 전기 음성도가 작다. BC_2의 전기 음성도는 B가 δ^+, C 가 δ^-이므로 B가 C보다 전기 음성도가 작다. 따라서 A~C 의 전기 음성도를 비교하면 A<B<C이다.

ㄷ. 2주기 원소의 화합물이 AB_2와 같은 대칭 구조이면 비공 유 전자쌍이 없다. BC_2는 굽은 형 구조이므로 중심 원자에 공유 전자쌍 2개와 비공유 전자쌍 2개가 있다.

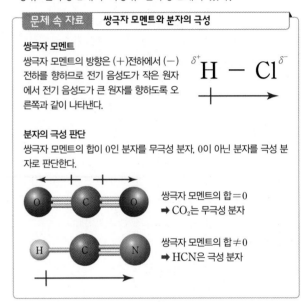

문제 속 자료	쌍극자 모멘트와 분자의 극성

쌍극자 모멘트

쌍극자 모멘트의 방향은 (+)전하에서 (−) 전하를 향하므로 전기 음성도가 작은 원자 에서 전기 음성도가 큰 원자를 향하도록 오 른쪽과 같이 나타낸다.

$$\delta^+ H - Cl^{\delta^-}$$

분자의 극성 판단

쌍극자 모멘트의 합이 0인 분자를 무극성 분자, 0이 아닌 분자를 극성 분 자로 판단한다.

쌍극자 모멘트의 합＝0
➡ CO_2는 무극성 분자

쌍극자 모멘트의 합≠0
➡ HCN은 극성 분자

166 답 ① | ㄱ. 메테인은 대칭 구조이고, 암모니아와 물은 비대칭 구조이다.

오답 피하기

ㄴ, ㄷ. 분자량이 비슷한 경우 비대칭 구조의 분자가 대칭 구 조의 분자보다 분자 사이의 인력이 커서 끓는점이 높다. 따 라서 암모니아가 메테인보다 끓는점이 높고, 분자 사이의 인 력은 물이 메테인보다 크다.

문제 속 자료	전자쌍 수에 따른 분자의 모양		
공유 전자쌍 수	4개	3개	2개
비공유 전자쌍 수	0개	1개	2개
분자 모양	정사면체형 109.5°	삼각뿔형 107°	굽은 형 104.5°
결합각	109.5°	107°	104.5°
예	CH_4	NH_3	H_2O

167 답 ③ | ㄱ. 질소는 대칭 구조이므로 쌍극자 모멘트 합이 0이고, 무극성 분자이다.

ㄷ. 액체 상태에서 분자 간 인력은 암모니아가 질소보다 크다.

오답 피하기

ㄴ. 분자량이 비슷할 때 극성 물질이 무극성 물질보다 끓는점이 높다. 암모니아는 극성 물질이고 메테인은 무극성 물질이므로 암모니아의 끓는점이 메테인보다 높다. 따라서 메테인의 끓는점은 −33보다 작다.

문제 속 자료 **분자의 구조 및 극성**

분자식	N_2	NH_3	CH_4
구조	직선형	삼각뿔형	정사면체형
	대칭 구조	비대칭 구조	대칭 구조
결합의 극성	무극성 공유 결합	극성 공유 결합	극성 공유 결합
쌍극자 모멘트 합	0(무극성)	0이 아니다. (극성)	0(무극성)

· N_2: 같은 원자끼리 결합한 무극성 공유 결합으로 이루어진 무극성 분자이다.
· NH_3: 분자의 구조가 비대칭이기 때문에 쌍극자 모멘트의 합이 0이 되지 않는다.
· CH_4: 분자의 구조가 대칭이기 때문에 극성이 상쇄되어 쌍극자 모멘트의 합이 0이 된다.

168 답 ③ | ㄱ. 이산화 탄소는 대칭 구조를 이루어 쌍극자 모멘트가 서로 상쇄되어 그 합이 0이 되므로 무극성 분자이다.

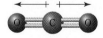
무극성 분자
(쌍극자 모멘트의 합=0)

ㄷ. 물 분자에 있는 산소는 6개의 원자가 전자 중에 2개만 수소와 공유 결합을 하고 나머지 4개는 결합에 참여하지 않는다. 따라서 결합하지 않은 비공유 전자쌍으로 인해 물은 굽은 형 구조를 갖는다.

오답 피하기

ㄴ. 분자 사이의 인력이 클수록 끓는점이 높아지므로 25 °C

일 때 물이 액체, 이산화 탄소가 기체임을 고려하면 물이 이산화 탄소보다 분자 사이의 인력이 크다.

169 답 ④ | (가)는 메테인, (나)는 암모니아, (다)는 물의 분자 구조 모형이다.

ㄴ. (나)는 중심의 질소 원자가 비공유 전자쌍 한 쌍을 가지고 있는 암모니아 구조이다.

ㄷ. 중심 원자의 비공유 전자쌍 수는 (가)는 0개, (나)는 1개, (다)는 2개이다.

오답 피하기

ㄱ. (가)는 정사면체형으로 대칭 구조이다.

문제 속 자료 **13~17족 원소의 수소 화합물**

족	13	14	15	16	17
중심 원소	B	C	N	O	F
수소 화합물의 화학식	BH_3	CH_4	NH_3	H_2O	HF
중심 원자의 공유 전자쌍수	3개	4개	3개	2개	1개
중심 원자의 비공유 전자쌍 수	0개	0개	1개	2개	3개

수소 화합물의 루이스 전자점식

BH_3	CH_4	NH_3
H:B:H (with H below)	H:C:H (with H above and below)	H:N:H (with H below)
H_2O	HF	
H:O: (with H below)	H:F:	

수소 화합물의 분자 모양

BH_3	CH_4	NH_3
평면 삼각형 (120°)	정사면체 (109.5°)	삼각뿔형 (107°)
H_2O	HF	
굽은 형 (104.5°)	직선형	

170 답 ⑤ | 무극성 분자는 분자 내에 전하가 고르게 분포되어 있어서 부분 전하를 띠지 않는 분자이다. 무극성 공유 결합을 하는 이원자 분자는 모두 무극성 분자이다.

ㄱ. 수소는 같은 원자끼리 공유 결합한 무극성 분자이다.

ㄴ. 메테인은 끓는점이 −164 °C이므로 실온(25 °C)에서 기체 상태이다.

ㄷ. 액체 상태에서 분자 사이의 인력이 클수록 끓는점이 높아지므로 끓는점이 가장 높은 물이 분자 사이의 인력이 가장 크다.

171 답 ③ | ㄱ. 물 분자는 공유 전자쌍 2개와 비공유 전자쌍 2개가 있다.

ㄴ. 이산화 탄소는 중심 원자에 비공유 전자쌍이 없는 대칭 구조이다.

오답 피하기

ㄷ. 극성 분자는 극성 용매에 잘 용해되고, 무극성 분자는 무극성 용매에 잘 용해된다. 이산화 탄소는 무극성이고, 암모니아는 극성이다. 물이 극성 분자이므로 물에 대한 용해도는 극성 분자인 암모니아가 무극성 분자인 이산화 탄소보다 크다.

문제 속 자료	극성 분자와 무극성 분자의 용해성	
물질	극성 분자	무극성 분자
용해성	극성 용매에 잘 용해된다.	무극성 용매에 잘 용해된다.
	예 물은 극성이 큰 물질이므로 극성 물질인 에탄올과 잘 섞인다.	예 물은 극성이 큰 물질이므로 무극성 물질인 기름과 섞이지 않는다.
녹는점과 끓는점	분자량이 비슷한 경우 극성 분자는 무극성 분자보다 녹는점, 끓는점이 높다.	

172 답 ① | H_2S는 굽은 형, CO_2는 직선형, CF_4는 정사면체형, $CHCl_3$는 사면체형이므로 4가지 분자 중에 입체 구조는 CF_4, $CHCl_3$이고 입체가 아닌 구조는 H_2S, CO_2이다. H_2S와 $CHCl_3$는 극성 분자, CO_2와 CF_4는 무극성 분자이다. 따라서 (가)는 $CHCl_3$, (나)는 CF_4, (다)는 H_2S, (라)는 CO_2이다.

ㄱ. (가)는 $CHCl_3$이다.

오답 피하기

ㄴ. (나)는 CF_4로 C와 F의 공유 결합으로 이루어져 있으므로 극성 공유 결합이다. 하지만 정사면체 구조이므로 무극성 분자이다.

ㄷ. (다) H_2S는 굽은 형, (라) CO_2는 직선형이므로 결합각은 (라)가 (다)보다 크다.

173 답 ④ | LiCl은 이온 결합 물질이며, CH_4과 O_2는 공유 결합 물질이다. 따라서 (나)는 LiCl이다.

ㄱ. (가)에 '극성 공유 결합이 있는가?'를 기준으로 CH_4과 O_2를 분류한다면 CH_4은 C와 H가 극성 공유 결합을 하고 있으므로 '예', O_2는 무극성 공유 결합을 하고 있으므로 '아니오'가 된다. 따라서 (가)에 '극성 공유 결합이 있는가?'를 사용할 수 있다.

ㄴ. (나)는 LiCl이다.

오답 피하기

ㄷ. (다)는 CH_4으로 구조식은 다음과 같다.

$$\begin{matrix} & H & \\ H- & C & -H \\ & | & \\ & H & \end{matrix}$$

따라서 CH_4에는 비공유 전자쌍이 없다.

174 답 ③ | 3가지 원소 중에서 HCN만 직선형 구조이므로 (가)에 해당한다. OF_2와 BF_3는 직선형이 아니며 극성 분자는 OF_2, 무극성 분자는 BF_3에 해당한다. 따라서 (가)는 HCN, (나)는 OF_2, (다)는 BF_3이다.

ㄱ. (가)의 구조식은 $H-C\equiv N$이므로 3중 결합이 있다.

ㄴ. 중심 원자에 존재하는 전체 전자쌍 수는 다음과 같다.

구분	HCN	OF_2	BF_3
구조식	$H-C\equiv N:$		
중심 원자 전자쌍 수	4	4	3

BF_3의 중심 원자에는 3개의 공유 전자쌍이 있고 HCN과 OF_2의 중심 원자에는 각각 4개의 전자쌍이 있으므로 중심 원자에 존재하는 전체 전자쌍 수는 (다)가 가장 적다.

오답 피하기

ㄷ. OF_2는 굽은 형 구조이고, BF_3는 평면 삼각형 구조이므로 결합각은 (다)가 (나)보다 크다.

175 답 ③ | HCN, CO_2와 HCHO를 분류할 수 있는 기준을 찾으면 HCN과 CO_2는 직선형이지만 HCHO는 삼각형 구조이다. 따라서 (가)는 '분자 모양이 직선형인가?'이다. HCN과 CO_2를 분류할 수 있는 기준으로 '극성 분자인가'와 '2중 결합을 가지고 있는가?' 모두 해당된다. HCN은 극성 분자, CO_2는 무극성 분자로 나뉠 수 있고 CO_2는 2중 결합이 있고

HCN은 2중 결합이 없다. 그러나 기준에 대해 '예'에 해당하는 물질이 HCN이므로 알맞은 기준이 '극성 분자인가?'이다. 따라서 (나)는 '극성 분자인가?'이다.

176 답 ⑤ | (가)는 X와 H의 원자 수비가 1 : 3이고 분자 내 공유 전자 쌍이 3개로 옥텟 규칙을 만족하므로 중심 원자 X에 H 원자 3개를 공유 결합하고, 나머지 남은 비공유 전자쌍을 그려 주면 다음과 같다.

H — $\overset{\cdot\cdot}{X}$ — H
|
H

X는 2주기에서 원자가 전자가 5개인 N이고 XH_3의 분자식은 NH_3가 된다. NH_3는 극성 분자이다.

ㄴ, ㄷ. (나)는 H, Y, X의 원자 수비가 1 : 1 : 1이고 분자 내 공유 전자쌍의 수가 4개이므로 구조식은 H−Y≡X이다. Y가 4개의 공유 전자쌍을 가지므로 C이며, X는 N이므로 H−C≡N이다. (다)는 YH로 Y가 C이므로 실험식이 CH이고, 공유 전자쌍을 5개 가지므로 H−C≡C−H이다. 따라서 (가)와 (다)의 분자당 구성 원자 수는 각각 4개로 같으며, (나)와 (다)는 결합각이 180°인 직선형이다.

> **문제 속 자료** 공유 결합 분자의 모양을 결정하는 과정
>
> ① 루이스 전자점식을 그린다.
> ② 중심 원자 주위의 공유 전자쌍과 비공유 전자쌍의 수를 센다.
> ③ 기하학적 구조를 결정한다.
> • 공유 전자쌍 2, 비공유 전자쌍 0: 직선형
> • 공유 전자쌍 3, 비공유 전자쌍 0: 평면 삼각형
> • 공유 전자쌍 4, 비공유 전자쌍 0: 정사면체형
> • 공유 전자쌍 3, 비공유 전자쌍 1: 삼각뿔형
> • 공유 전자쌍 2, 비공유 전자쌍 2: 굽은 형

177 답 ③ | (가)는 비공유 전자쌍 수가 4개이므로 구조식은 $\overset{\cdot\cdot}{B} = A = \overset{\cdot\cdot}{B}$ 이다. A와 B는 2주기 원소이므로 AB는 공유 전자쌍이 4개인 CO_2이다. (나)는 비공유 전자쌍이 8개이므로 구조식은 [구조식]이다. B는 O이므로 공유 전자쌍이 2개인 OF_2이다.

ㄱ. 공유 전자쌍 수는 (가)가 4개, (나)가 2개이므로 (가)가 (나)의 2배이다.

ㄴ. 분자 모양은 (가)가 직선형, (나)가 굽은 형이므로 결합각은 (가)가 (나)보다 크다.

> **오답 피하기**

ㄷ. (가)는 쌍극자 모멘트 합이 0인 무극성 분자 CO_2이고, (나)는 극성 분자인 OF_2이므로 쌍극자 모멘트는 (나)가 (가)보다 크다.

> **문제 속 자료** 비공유 전자쌍에 의한 분자 구조와 결합각의 크기
>
>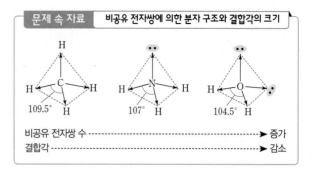
>
> 비공유 전자쌍 수 ─────────→ 증가
> 결합각 ─────────→ 감소

178 답 ③ | DA_4의 중심 원자가 옥텟 규칙을 만족하기 위해 D는 원자가 전자 수가 4개인 탄소(C)이고, A는 원자가 전자 수가 1개인 수소(H)이다. DB_2에서 D(C)와 B가 2중 결합을 하므로 B는 산소(O)이다. ADC의 중심 원자 D(C)가 A(H)와 단일 결합을 하므로 옥텟 규칙을 만족하기 위해 C와 3중 결합을 해야한다. 따라서 C는 원자가 전자 수가 5개인 질소(N)이다. 따라서 분자식과 구조식은 다음과 같다.

ADC(HCN)	$DB_2(CO_2)$	$DA_4(CH_4)$
H — C ≡ N:	$\overset{\cdot\cdot}{\underset{\cdot\cdot}{O}} = C = \overset{\cdot\cdot}{\underset{\cdot\cdot}{O}}$	H | H—C—H | H

ㄱ. 무극성 분자는 CO_2와 CH_4 2가지이다.

ㄴ. 비공유 전자쌍이 있는 분자는 HCN과 CO_2 2가지이다.

> **오답 피하기**

ㄷ. 분자 모양이 평면 구조인 것은 HCN과 CO_2 2가지이다.

179 답 ③ | W~Z 중에 전기 음성도는 X가 가장 작으므로 X는 H이다. WX_2Y에서 중심 원자는 옥텟 규칙을 만족하므로 W는 C 또는 O이다. (다)에서 WY_2는 W 1개와 Y 2개로 이루어져 있으므로 W는 C, Y는 O이며, Z는 F이다. 따라서 (가)는 CH_2O, (나)는 OF_2, (다)는 CO_2이며, 구조식은 다음과 같다.

(가) CH_2O	(나) OF_2	(다) CO_2
:O: || C / \ H H	$\overset{\cdot\cdot}{\underset{\cdot\cdot}{F}} \quad \overset{\cdot\cdot}{\underset{\cdot\cdot}{O}} \quad \overset{\cdot\cdot}{\underset{\cdot\cdot}{F}}$	$\overset{\cdot\cdot}{\underset{\cdot\cdot}{O}} = C = \overset{\cdot\cdot}{\underset{\cdot\cdot}{O}}$

ㄱ. (가)의 분자 모양은 평면 삼각형이다.

ㄴ. (나)의 중심 원자는 O로, 전기 음성도는 O보다 F이 크기 때문에 부분적인 (+)전하를 띤다.

> **오답 피하기**

ㄷ. 쌍극자 모멘트의 합이 0이 아닌 분자는 (가)와 (나)이므로 극성 분자는 2가지이다.

180 답 ③ | ㄱ. 아레니우스 산은 수용액에서 수소 이온(H^+)을 내놓는 물질이다. (가)에서 CH_3COOH은 물에 녹아 H^+을 내놓았으므로 아레니우스 산이다.

ㄴ. 브뢴스테드·로리 염기는 수소 이온(H^+)을 받는 물질이므로 (나)에서 NH_3는 H_2O로부터 H^+을 받아 NH_4^+이 되었으므로 브뢴스테드·로리 염기이다.

오답 피하기

ㄷ. 루이스 염기는 전자쌍을 주는 물질이다. (다)에서 NH_2CH_2COOH은 H^+이 $NaOH$의 OH^-으로부터 전자쌍을 받아 H_2O이 생성되었으므로 NH_2CH_2COOH은 루이스 산이다.

문제 속 자료 **산과 염기 정의의 확장**

아레니우스의 산과 염기
산: 수용액 속에서 H^+을 내놓는 물질
염기: 수용액 속에서 OH^-을 내놓는 물질

브뢴스테드·로리 산과 염기
산: H^+을 내놓는 분자 또는 이온 → 양성자 주개
염기: H^+을 받아들이는 분자 또는 이온 → 양성자 받개

루이스 산과 염기
산: 비공유 전자쌍을 받아들이는 물질 → 전자쌍 받개
염기: 비공유 전자쌍을 내놓는 물질 → 전자쌍 주개

(가) $CH_3COOH(aq) + H_2O(l)$
　　　　　 $\longrightarrow CH_3COO^-(aq) + H_3O^+(aq)$
수소 이온 내놓음 → 아레니우스 산
수소 이온 내놓음 → 브뢴스테드·로리 산

(나) $NH_3(g) + H_2O(l) \longrightarrow NH_4^+(aq) + OH^-(aq)$
수소 이온 받음 → 브뢴스테드·로리 염기

(다) $NH_2CH_2COOH(s) + NaOH(aq)$　H^+이 OH^-로 부터 전자쌍 받음 → 루이스 산
　　　　　 $\longrightarrow NH_2CH_2COO^-(aq) + Na^+(aq) + H_2O(l)$

181 답 ⑤ | ㄱ. (가)에서 CH_3COOH은 물에 녹아 수소 이온을 내놓았으므로 아레니우스 산이다.

ㄴ. (나)에서 BF_3는 F^-의 비공유 전자쌍을 받아 BF_4^-이 되었으므로 루이스 산이다.

ㄷ. (다)에서 HCO_3^-은 HF의 수소 이온(H^+)을 받아 H_2CO_3이 되었으므로 브뢴스테드·로리 염기이다.

문제 속 자료 **화학 반응식에서 산 염기 정의**

(가) $CH_3COOH(aq) + H_2O(l)$
　　　　　 $\longrightarrow H_3O^+(aq) + CH_3COO^-(aq)$
수소 이온 내놓음 → 아레니우스 산

(나) $BF_3(g) + F^-(aq) \longrightarrow BF_4^-(aq)$
F^-의 비공유 전자쌍 받음 → 루이스 산

(다) $HF(aq) + HCO_3^-(aq) \longrightarrow H_2CO_3(aq) + F^-(aq)$
수소 이온 받음 → 브뢴스테드·로리 염기

182 답 ⑤ | ㄱ. (가)에서 HCl은 물에 녹아 수소 이온을 내놓았으므로 아레니우스 산이다.

ㄴ. (나)에서 $CH_2(NH_2)COOH$은 수소 이온(H^+)을 내놓았으므로 브뢴스테드·로리 산이다.

ㄷ. (다)에서 NH_3는 H^+에게 비공유 전자쌍을 내놓으므로 루이스 염기이다.

문제 속 자료 **화학 반응식에서 산 염기 정의**

(가) $HCl(aq) + H_2O(l) \longrightarrow Cl^-(aq) + H_3O^+(aq)$
수소 이온 내놓음 → 아레니우스 산

(나) $CH_2(NH_2)COOH(aq) + OH^-(aq)$
　　　　　 $\longrightarrow CH_2(NH_2)COO^-(aq) + H_2O(l)$
수소 이온(H^+) 내놓음 → 브뢴스테드·로리 산

(다) $NH_3(aq) + H_2O(l) \longrightarrow NH_4^+(aq) + OH^-(aq)$
비공유 전자쌍 내놓음 → 루이스 염기

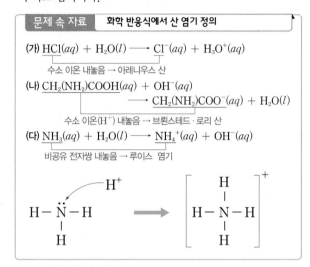

183 답 ⑤ | ㄱ. (가)에서 HCN는 물에 녹아 수소 이온(H^+)을 내놓아 CN^-이 되므로 아레니우스 산이다.

ㄴ. (나)에서 CN^-은 수소 이온(H^+)을 받아 HCN이 되므로 브뢴스테드·로리 염기이다.

ㄷ. (다)에서 OH^-은 HCN에게 비공유 전자쌍을 주므로 루이스 염기이다.

$OH^- + H-C\equiv N: \Longrightarrow CN^- + H_2O$

문제 속 자료 **화학 반응식에서 산 염기 정의**

(가) $HCN(aq) + H_2O(l) \longrightarrow CN^-(aq) + H_3O^+(aq)$
수소 이온 내놓음 → 아레니우스 산

(나) $CN^-(aq) + H_2O(l) \longrightarrow HCN(aq) + OH^-(aq)$
수소 이온(H^+) 받음 → 브뢴스테드·로리 염기

(다) $HCN(aq) + OH^-(aq) \longrightarrow CN^-(aq) + H_2O(l)$
OH^-이 HCN에게 비공유 전자쌍 제공 → 루이스 염기

184 답 ⑤ | ㄱ. HCl 용액은 양이온만 모형으로 나타낸 것으로 ●는 H^+이다. 여기에 A 염기 수용액을 넣어 준 후 H^+이 2개 남았으므로 OH^- 2개와 반응한 것이며, 새로운 □는 반응하지 않은 양이온이다. HCl이 OH^- 2개와 반응하여 양이온 2개를 생성하였으므로 A 수용액은 $NaOH$이며, □는 Na^+이다.

ㄴ. B 수용액은 $Ca(OH)_2$이므로 △는 Ca^{2+}이다. (나)에서

△이 1개가 아니라 2개이므로 B 수용액을 과량으로 넣었음을 알 수 있다. 따라서 (나)는 염기성 용액이다.

ㄷ. (가)에는 반응하지 않고 남은 OH^-이 없지만 (나)에는 반응하지 않고 남은 OH^-이 존재하므로 용액 속의 전체 음이온 수는 (나)가 (가)보다 많다.

185 답 ⑤ | ㄱ. ●는 염기 수용액과 반응하여 없어지므로 ●는 H^+이다.

ㄴ. 10 mL의 BOH 수용액을 2번 가했을 때 (다)에서 △의 개수가 4개이므로 (나)에서는 △가 2개일 것이다.

ㄷ. (나)에서 반응하지 않은 수소 이온이 1개이므로 (나)의 수용액은 산성이다.

> **문제 속 자료** **수용액 속의 이온 예상**
>
>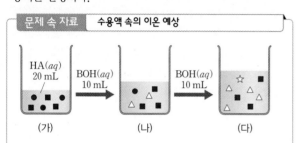
>
> - ●는 BOH 수용액과 반응하여 없어지므로 H^+이다.
> - ■는 염기 수용액과 반응하지 않으므로 구경꾼 이온이며, A^-이다.
> - 같은 양의 BOH 수용액을 2번 가했을 때 (다)에서 △가 4개 있으므로 (나)에서는 △가 2개이다.
> - ☆은 HA와 모두 반응하고 난 후 남아 있으므로 H^+과 반응하고 남은 OH^-이다.

186 답 ② | 황산(H_2SO_4) 수용액의 수소 이온(H^+)과 황산 이온(SO_4^{2-})의 이온 수비는 $H^+ : SO_4^{2-} = 2 : 1$이다. 황산 수용액의 이온 모형에서 ●가 4개 ○가 2개이므로 ●가 H^+, ○가 SO_4^{2-}이다. (가)의 염기 수용액을 넣었을 때, ● 하나가 없어지고 ▲ 하나가 생겼으므로 (가)는 이온화가 될 때 양이온과 음이온의 개수비가 1 : 1인 수산화 나트륨 용액이다. 따라서 ▲는 Na^+이다. (나)는 수산화 바륨 수용액이며, 반응이 일어나면 바륨 이온(Ba^{2+}) 2개와 황산 이온(SO_4^{2-}) 2개가 반응하여 앙금 생성하며, 수산화 이온(OH^-)은 4개 중 3개가 수소 이온(H^+)과 반응하고 1개가 남는다. 따라서 □는 수산화 이온(OH^-)이다.

ㄴ. 과정 (가)에서 생성되는 물 분자 수는 1개이고, 과정 (나)에서 생성되는 물 분자 수는 3개이다. 따라서 과정 (나)에서 생성되는 물 분자 수는 과정 (가)에서 생성되는 물 분자 수의 3배이다.

오답 피하기

ㄱ. 구경꾼 이온은 반응에 직접 참여하지 않는 이온이다. □는 OH^-으로 반응에 참여한 알짜 이온이다.

ㄷ. 혼합 전의 황산 수용액 10 mL 속 이온 수는 20 mL의 절반이므로 수소 이온(H^+) 2개, 황산 이온(SO_4^{2-}) 1개이고, 수산화 바륨 10 mL 속 이온 수는 바륨 이온(Ba^{2+}) 2개, 수산화 이온(OH^-) 4개이므로 반응 후 혼합 용액은 염기성이 된다.

> **문제 속 자료** **수용액 속의 이온 예상**
>
>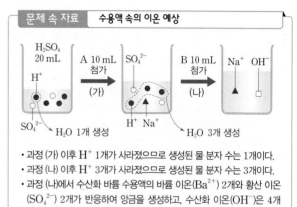
>
> - 과정 (가) 이후 H^+ 1개가 사라졌으므로 생성된 물 분자 수는 1개이다.
> - 과정 (나) 이후 H^+ 3개가 사라졌으므로 생성된 물 분자 수는 3개이다.
> - 과정 (나)에서 수산화 바륨 수용액의 바륨 이온(Ba^{2+}) 2개와 황산 이온(SO_4^{2-}) 2개가 반응하여 앙금을 생성하고, 수산화 이온(OH^-)은 4개 중 3개가 수소 이온(H^+)과 반응하고 1개가 남는다.
> 황산 바륨의 앙금 생성 반응식: $Ba^{2+} + SO_4^{2-} \longrightarrow BaSO_4 \downarrow$

187 답 ② | 일정한 부피의 산 또는 염기 수용액에 염기 또는 산 수용액을 추가로 넣었을 때 양이온 수 변화는 다음과 같다.

⑴ 용액 I이 산성 용액일 경우: 추가로 10 mL의 HCl을 넣어 주면 수소 이온(H^+)의 수가 증가한다.

⑵ 용액 I이 염기성 용액일 경우

㉠ 용액 II가 산성 용액일 경우 양이온 수는 Na^+ 수와 H^+ 수의 합이고, 음이온 수는 Cl^-의 수이다.

㉡ 용액 II가 염기성 또는 중성 용액일 경우는 용액 I에 HCl 10 mL를 추가로 넣어 주면 H^+이 모두 중화 반응하므로 혼합 용액 속 양이온 수는 변하지 않는다.

용액 I에 HCl을 추가로 넣었을 때 양이온 수가 $5N$에서 $6N$으로 증가하므로 용액 I은 염기성 용액이며, 용액 II는 양이온 수가 증가하지 않았으므로 산성 용액이라고 가정할 수 있다. 용액 I이 염기성 용액이므로 양이온 수는 Na^+ 수과 같다. 따라서 용액 I에 들어 있는 Na^+ 수는 $5N$이다. 따라서 $NaOH(aq)$ 10 mL에 들어 있는 Na^+과 OH^- 수는 각각 $5N$이다. 용액 II는 산성 용액이므로 양이온 수는 Na^+ 수와 H^+ 수의 합이며, 음이온 수는 Cl^- 수와 같다. 따라서 용액 II에 들어 있는 H^+ 수는 N, Cl^- 수는 $6N$이므로 HCl 30 mL에 들어 있는 H^+ 수는 $6N$이다. 용액 II와 용액 III의 양이온 수가 같으므로 추가로 넣은 수용액은 $NaOH(aq)$이며, 용액 II에 들어 있는 H^+ N개를 중화시키기 위해 넣어 준 OH^-은 N개이다. 따라서 NaOH 10 mL에 들어 있는 Na^+과 OH^-은 각각 $5N$이므로, 용액 II에 넣어준 수용액은 NaOH 2 mL이다.

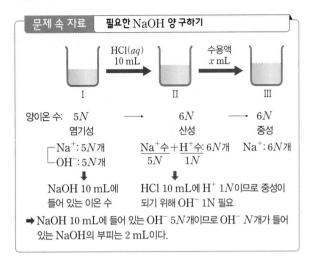

문제 속 자료 **필요한 NaOH 양 구하기**

양이온 수: 5N → 6N → 6N
염기성 → 산성 → 중성

Na⁺: 5N개 / OH⁻: 5N개

$\underset{5N}{Na^+ 수} + \underset{1N}{H^+ 수}$: 6N개

Na⁺: 6N개

NaOH 10 mL에 들어 있는 이온 수

HCl 10 mL에 H⁺ 1N이므로 중성이 되기 위해 OH⁻ 1N 필요

➡ NaOH 10 mL에 들어 있는 OH⁻ 5N개이므로 OH⁻ N개가 들어 있는 NaOH의 부피는 2 mL이다.

188 답 ② | 황산과 염산을 각각 중화시키기 위해 농도가 같은 수산화 칼륨 수용액을 넣을 때, 황산에 넣는 수산화 칼륨 수용액이 염산에 넣는 양의 2배가 되어야 한다.

ㄴ. A는 중화점 전의 용액이고, D는 중화점 이후의 용액이므로 A는 산성이고 D는 염기성이다. 따라서 A가 D보다 pH가 작다.

오답 피하기

ㄱ. 황산의 SO_4^{2-}은 중화 반응과 상관없는 구경꾼 이온으로 C와 D의 SO_4^{2-} 수가 같다.

ㄷ. B는 중화점 이후 수산화 칼륨 수용액이 20 mL 더 첨가되었고 C는 중화점에 도달하기 위해 20 mL의 수산화 칼륨 수용액이 더 필요하므로 두 용액을 섞으면 중성이 된다.

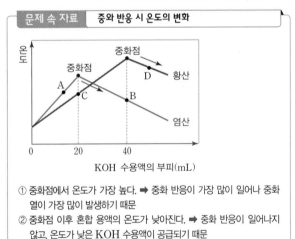

문제 속 자료 **중화 반응 시 온도의 변화**

① 중화점에서 온도가 가장 높다. ➡ 중화 반응이 가장 많이 일어나 중화열이 가장 많이 발생하기 때문
② 중화점 이후 혼합 용액의 온도가 낮아진다. ➡ 중화 반응이 일어나지 않고, 온도가 낮은 KOH 수용액이 공급되기 때문

189 답 ④ | ㄱ, ㄷ, ㄹ. 농도가 같은 염산 10 mL에 농도가 다른 수산화 나트륨 수용액 각각 10 mL, 20 mL를 넣었을 때 중화점을 확인하면 그래프 I이 Ⅱ보다 중화점에 먼저 도달하며, 중화점에서 넣어 준 NaOH 수용액의 양은 그래프 I이 Ⅱ의 절반이다. 따라서 NaOH 수용액의 농도는 I이 Ⅱ의 2배이다.

I, Ⅱ에서 염산의 농도와 부피가 같으므로 중화점에서 두 용액의 pH, Na⁺의 수, 생성된 물의 양, 발생한 중화열이 같다.

오답 피하기

ㄴ. 발생한 중화열은 같지만 Ⅱ의 혼합 용액의 부피가 I보다 더 크므로 B의 온도가 더 낮다.

190 답 ⑤ | ⑤ 중화 반응을 많이 할수록 중화열이 많이 발생하므로 C에서 열이 가장 많이 발생한다. A점은 황산 20 mL가 중화 반응을 한 것이고, B는 20 mL보다 적은 양의 황산, C는 20 mL보다 많은 양의 황산이 중화 반응을 한 것이다.

오답 피하기

① A는 수산화 나트륨 20 mL와 묽은 황산 20 mL가 반응하여 중화되었으므로 중성, 이를 기준으로 B는 수산화 나트륨 수용액의 부피가 묽은 황산의 부피보다 많으므로 염기성, C는 묽은 황산의 부피가 수산화 나트륨 수용액의 부피보다 많으므로 산성이다. 따라서 pH는 B>A>C이다.

② A점의 화학 반응식은 $2NaOH(aq) + H_2SO_4(aq) \longrightarrow Na_2SO_4(aq) + 2H_2O(l)$이다. 물을 생성하고 Na⁺과 SO_4^{2-}이 2 : 1로 남아 있으므로 양이온과 음이온의 수는 다르다.

③ B점의 용액을 가열하여 증발시키면 두 종류 이상의 물질이 남는다.

④ C점의 용액은 산성이므로 BTB 용액을 떨어뜨리면 노란색으로 변한다.

191 답 ③ | 실험 I의 중화점에서는 H_2SO_4 10 mL가, 실험 Ⅱ의 중화점에서는 HCl 20 mL가 반응하였다.

ㄱ. 실험 I에서 A는 H_2SO_4 10 mL, C는 H_2SO_4 20 mL를 넣어 주었으므로 C의 이온 농도가 A보다 크다. 따라서 A의 전기 전도도는 C에서보다 작다.

ㄴ. 같은 양의 NaOH 수용액에 산을 가했으며, 실험 I의 A에 들어 있는 양이온은 Na⁺만 있고, 실험 Ⅱ에 들어 있는 B의 양이온도 Na⁺만 있으므로 그 수는 서로 같다.

오답 피하기

ㄷ. 실험 I에서 C는 중화점을 지났으므로 산을 과량 넣은 것으로 액성은 산성이고, 실험 Ⅱ에서 C는 중화점이므로 중성이다. 따라서 pH는 I이 Ⅱ보다 작다.

192 답 ③ | 용액에서 양이온과 음이온의 전하량의 합이 0이 되어야 하므로 HCl, NaOH, KOH을 혼합한 용액에서 양이온의 총 수와 음이온의 총 수가 같아야 한다. (가)의 혼합 용액이 산성이라면 H⁺, Cl⁻, Na⁺, K⁺이 존재하고 양이온 수와 음이온 수의 비율이 1 : 1이어야 한다. 즉, 세 이온(양이온)

의 비율 합이 음이온 하나의 비율과 같아야 하는데, (가)의 이온 수 비율로는 불가능하다. 따라서 (가)는 염기성이고, Na^+, K^+, Cl^-, OH^-이 존재한다. 이때 $NaOH$이 KOH 보다 단위 부피당 이온 수가 크므로 이온 수의 비율은 다음과 같다.

이온	Na^+	K^+	Cl^-	OH^-
비율	$\frac{3}{8}$	$\frac{1}{8}$	$\frac{1}{4}$	$\frac{1}{4}$

ㄱ, ㄴ. (나)의 혼합 용액의 액성은 양이온의 총 수와 음이온의 총 수가 같아야 하므로 염기성이다. 따라서 용액 속에 Na^+, K^+, Cl^-, OH^-이 존재하며 이온 수의 비율은 다음과 같다.

이온	Na^+	K^+	Cl^-	OH^-
비율	$\frac{3}{8}$	$\frac{1}{8}$	$\frac{3}{8}$	$\frac{1}{8}$

(나)의 비율이 되기 위해서는 HCl 10 mL가 첨가되어야 한다.

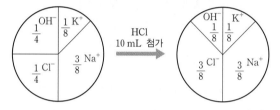

오답 피하기

ㄷ. (가)의 혼합 용액에서 Na^+과 K^+의 이온 수 비율이 $\frac{3}{8}$: $\frac{1}{8}$이고, $NaOH$은 20 mL, KOH은 10 mL이므로 단위 부피당 이온 수의 비율은 Na^+ : $K^+=\frac{3}{16}$: $\frac{2}{16}$이므로 Na^+이 K^+의 1.5배이다.

193 답 ④ | (가) 혼합 용액에 양이온이 H^+, Na^+, K^+ 3가지가 존재한다. (나)에서는 K^+의 수는 (가)와 같고, H^+ 수는 2배, Na^+ 수는 6배이므로 (가)와 (나)에 들어 있는 이온 수를 나타내면 다음과 같다.

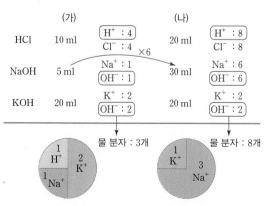

(가)에서 H^+은 4개, OH^-은 총 3개가 들어 있으므로 물 분자 3개를 생성하고, (나)에서 H^+은 8개, OH^-은 총 8개가 들어 있으므로 물 분자 8개를 생성한다. 따라서 $\frac{(나)에서\ 생성된\ 물\ 분자\ 수}{(가)에서\ 생성된\ 물\ 분자\ 수}=\frac{8}{3}$이다.

194 답 ① | 혼합 용액에서 양이온과 음이온의 전하량 합이 0이 되어야 한다. (가)의 혼합 용액이 산성이라면 H^+, Na^+, K^+, Cl^-이 존재해야 하지만 (가)의 이온 수 비율에서 Cl^- 한 개가 이온 수 비율의 반을 차지하지 않으므로 (가)는 염기성 용액이다. 따라서 (가)의 이온은 Na^+, K^+, Cl^-, OH^-이다.

(나)는 한 가지 이온인 Cl^-이 전체 이온 수의 반을 차지하므로 산성 용액일 것이다. 따라서 (나)의 이온은 H^+, Na^+, K^+, Cl^-이다.

(다)는 4개의 이온 수비가 같으므로 Cl^-, Na^+, K^+, OH^-이다. 이를 정리하면 아래와 같다.

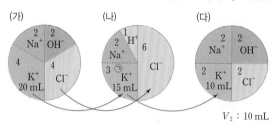

ㄱ. (가), (나), (다)의 Na^+ 수가 같으므로 (다)의 $NaOH$의 양은 (가), (나)와 같다. 따라서 V_1은 10 mL이다. (가), (나), (다)의 K^+ 수비는 4 : 3 : 2이므로 KOH 양은 20 mL : 15 mL : x mL이다. x는 10이므로 V_2는 10 mL이다. 따라서 $V_1=V_2$이다.

오답 피하기

ㄴ. ㉠은 K^+의 비율이다.

ㄷ. 단위 부피당 이온 수의 비는 (나)의 HCl 15 mL와 KOH 15 mL를 비교하면 6 : 3이므로 2 : 1이다.

195 답 ① | ㄱ. 단위 부피당 이온 수 모형에서 각 모형이 어떤 이온에 해당하는지 찾아야 한다. 구경꾼 이온은 중화 반응이 일어나도 사라지지 않으므로 (가), (나)에서 공통적으로 보이는 ▲와 ▨가 구경꾼 이온이다. (가)와 (나)에서 HCl의 부피는 100 mL로 일정하므로 Cl^-의 수는 같지만, 전체 부피는 (나)가 (가)보다 크므로 단위 부피당 Cl^-의 수는 (나)가 (가)보다 적어지게 된다. 따라서 Cl^-의 모형은 개수가 4개에서 2개로 감소한 ▲이고, Na^+의 모형은 개수가 1개에서 3개로

증가한 ▨이다. 이때 Cl^-의 수가 절반으로 감소한 것으로 (나)의 부피가 (가)의 2배임을 알 수 있다.

$100 + y = 2 \times (100 + x)$ ······ ①

$NaOH$의 부피는 (나)가 (가)보다 크므로, (나)에만 있는 ● 는 반응하지 않고 남은 OH^-이 되며, ○는 H^+이 된다.
이를 정리하면 다음과 같다.

혼합 용액		(가)	(나)
혼합 전 각 용액의 부피 (mL)	HCl(aq)	100	100
	NaOH(aq)	x	y
단위 부피당 이온 수(개)		Cl^- : 4 Na^+ : 1 H^+ : 3	Cl^- : 2 Na^+ : 3 OH^- : 1
혼합 용액의 전체 부피(mL)		100+x	100+y
		(나)의 부피가 (가)의 2배	
혼합 용액의 전체 부피 속 이온 수(개)		Cl^- : 4 Na^+ : 1 H^+ : 3	Cl^- : 4 Na^+ : 6 OH^- : 2
혼합 전 각 용액 속 이온 수(개)	HCl(aq)	H^+ : 4, Cl^- : 4	H^+ : 4, Cl^- : 4
	NaOH(aq)	Na^+ : 1 OH^- : 1	Na^+ : 6 OH^- : 6
생성된 물 분자 수(개)		1	4

오답 피하기

ㄴ. (가)에서 NaOH x mL를 넣었을 때 Na^+은 1개, (나) 에서 NaOH y mL를 넣었을 때 Na^+은 6개이므로, NaOH의 부피는 (나)가 (가)의 6배이다.

$y = 6x$ ······ ②

①과 ②에서 연립 방정식을 풀면 $x=25$, $y=150$이 된다.

ㄷ. 혼합 전 각 용액 속 이온 수를 보면 (가)에서 H^+은 4개, OH^-은 1개가 들어 있으므로 H_2O은 1개가 생성된다. (나) 에서 H^+은 4개, OH^-은 6개가 들어 있으므로 H_2O은 4개가 생성된다. 따라서 중화 반응에서 생성된 물의 양(mol)은 (나)가 (가)의 4배이다.

196 답 ① | 혼합 후 용액의 단위 부피 속에 존재하는 양이온의 모형을 비교해 보면, (가)에 들어 있는 세 종류의 양이온은 넣어 준 염기 수용액의 구경꾼 이온인 Na^+, K^+과 반응하지 않고 남은 H^+이다. 그런데 ▲는 (나)에는 존재하지 않으므로 H^+이 된다.

전체 부피는 (나)가 (가)의 2배인데, NaOH의 부피는 (나)가 (가)의 4배이므로 Na^+의 모형은 개수가 3 → 6으로 증가한 ●가 되며, ▪는 K^+이 된다.

혼합 용액		(가)	(나)
혼합 전 각 용액의 부피 (mL)	HCl(aq)	20	40
	NaOH(aq)	5	20
	KOH(aq)	15	20
혼합 후 용액의 단위 부피 속에 존재하는 양이온의 수(개)		H^+ : 2 Na^+ : 3 K^+ : 3	— Na^+ : 6 K^+ : 2
혼합 용액의 전체 부피(mL)		40	80
		(나)의 부피가 (가)의 2배	
혼합 용액의 전체 부피 속 이온 수(개)		H^+ : 2 Na^+ : 3 K^+ : 3	— Na^+ : 12 K^+ : 4

(가)에서 혼합 전 H^+의 수는 반응 후 남은 H^+, Na^+, K^+의 수의 합이므로, HCl 20 mL에는 H^+ 8개가 들어 있다. (나) 에서 HCl 40 mL에는 H^+ 16개가 들어 있다.

혼합 용액		(가)	(나)
혼합 전 각 용액 속 이온 수(개)	HCl(aq)	H^+ : 8 Cl^- : 8	H^+ : 16 Cl^- : 16
	NaOH(aq)	Na^+ : 3 OH^- : 3	Na^+ : 12 OH^- : 12
	KOH(aq)	K^+ : 3 OH^- : 3	K^+ : 4 OH^- : 4
생성된 물 분자 수(개)		6	16

(가)에는 H^+ 8개, OH^- 6개가 들어 있으므로 물 분자 6개가 생성되고, (나)에는 H^+ 16개, OH^- 16개가 들어 있으므로 물 분자 16개가 생성된다.

따라서 $\dfrac{\text{(가)에서 생성된 물의 양(mol)}}{\text{(나)에서 생성된 물의 양(mol)}} = \dfrac{6}{16} = \dfrac{3}{8}$이다.

197 답 ⑤ | 혼합 용액 (가)와 (나)의 부피는 각각 50 mL, 100 mL이다. (가)와 (나)에 넣어 준 NaOH의 부피는 같고, 혼합 용액의 부피비는 1 : 2이므로 단위 부피당 Na^+ 수의 비는 2 : 1이다. 따라서 ▲이 Na^+이다. (나)의 단위 부피당 이온 수를 2배로 하여 NaOH의 Na^+을 동일하게 변경하면 양이온 수는 아래와 같다.

(가)	(나) 2배
★ 1개	★ 0개
▲ 2개	▲ 2개
● 2개	● 8개

ㄱ. ●는 Na^+이다.

ㄴ. (가)에서 Na^+ 2개, K^+ 2개이므로 OH^-가 4개이다. H^+ 1개가 남아 있으므로 반응 전 H^+는 5개이다. (나)의 단위 부피당 이온 수가 2배이므로 H^+이 10개이다. (나)에서 HCl 10개와 NaOH 2개, KOH 8개가 반응하면 H^+ 10개와 OH^-이 10개 반응하여 물이 생성되고 용액은 중성이다.

ㄷ. (가)에서 반응 전의 H^+이 5개이고 OH^-이 4개이므로 H_2O이 4개 생성되고, (나)에서는 반응 전의 H^+이 10개, OH^-가 10개이므로 H_2O이 10개 생성된다. 따라서 생성된 H_2O의 분자 수비는 (가) : (나) $= 4 : 10 = 2 : 5$이다.

198 답 ⑤ | 산화 환원을 산소의 이동으로 구분할 수 있다.

$$\text{(가) } 2Mg + CO_2 \longrightarrow 2MgO + C$$
(산화 / 환원)

$$\text{(나) } Fe_2O_3 + 3CO \longrightarrow 2Fe + 3CO_2$$
(산화 / 환원)

ㄱ. 화학 반응식에서 반응 전후의 원자 종류와 원자 수가 같아야 하므로 A는 CO_2이다.

ㄴ. (가)에서 Mg은 산소와 결합하여 MgO이 되므로 산화된다.

ㄷ. (나)에서 Fe_2O_3은 산소를 잃고 Fe이 되므로 환원된다.

199 답 ③ | 원자의 산화수가 증가하면 산화, 산화수가 감소하면 환원 반응이다. 일반적으로 화합물에서 수소의 산화수는 $+1$이며 산소의 산화수는 -2이다. 홑원소 물질을 구성하는 원자의 산화수는 0이다.

(가) NO가 O_2와 결합하여 NO_2가 될 때 N의 산화수가 증가하고, O의 산화수가 감소하므로 산화 환원 반응이다.

산화수 감소: 환원
$$\text{2NO} \overset{+2}{} + \text{O}_2 \overset{0}{} \longrightarrow \text{2NO}_2 \overset{+4\ -2}{}$$
산화수 증가: 산화

(나) NO_2의 N가 H_2O과 반응하여 HNO_3이 될 때 산화수가 증가하고, HNO_2이 될 때 산화수가 감소하므로 산화 환원 반응이다.

산화수 감소: 환원
$$\text{(나) } 2NO_2 \overset{+4}{} + H_2O \longrightarrow HNO_3 \overset{+5}{} + HNO_2 \overset{+3}{}$$
산화수 증가: 산화

오답 피하기

(다) 원자의 산화수 변화가 없으므로 산화 환원 반응이 아니다.

200 답 ③ | ㄱ. (가)에서 Fe은 전자를 잃었으므로 산화되었다.

ㄴ. (나)에서 CO가 산화 철을 철로 환원시켰으므로 환원제이다.

ㄷ. (다)의 산화수를 구하면 다음과 같다.

산화수 감소: 환원
$$4Fe(OH)_2 \overset{+2\ -2+1}{} + O_2 \overset{0}{} + 2H_2O \overset{+1-2}{} \longrightarrow 4Fe(OH)_3 \overset{+3\ -2+1}{}$$
산화수 증가: 산화

H_2O를 구성하는 수소와 산소 원자의 산화수가 변하지 않았으므로 H_2O은 산화되거나 환원되지 않았다.

문제 속 자료	**산화제와 환원제**	
구분	산화제	환원제
정의	자신은 환원되면서 다른 물질을 산화시키는 물질	자신은 산화되면서 다른 물질을 환원시키는 물질
예	\multicolumn{2}{c}{ 환원 $$\underset{\text{환원제}}{Cu}\overset{0}{} + 4H^+ + \underset{\text{산화제}}{2NO_3^-}\overset{+5}{} \longrightarrow Cu^{2+}\overset{+2}{} + 2NO_2\overset{+4}{} + 2H_2O$$ 산화 }

201 답 ② | ㄷ. (나)에서 Al은 산화되고, Ag_2S를 환원시키므로 환원제이다.

환원
$$2Al \overset{0}{} + 3Ag_2S \overset{+1-2}{} \longrightarrow Al_2S_3 \overset{+3-2}{} + 6Ag \overset{0}{}$$
산화

오답 피하기

ㄱ. (가)에서 H_2O의 H 원자와 O 원자의 산화수가 변하지 않았으므로 H_2O은 산화되거나 환원되지 않는다.

$$Cl_2 \overset{0}{} + H_2O \overset{+1-2}{} \longrightarrow HCl \overset{+1-1}{} + HClO \overset{+1+1-2}{}$$

ㄴ. (나)의 화학 반응식을 완성시키면 $2Al + 3Ag_2S \longrightarrow Al_2S_3 + 6Ag$이므로 $a = 2$, $b = 3$, $c = 6$이다. 따라서 $a + b < c$이다.

202 답 ③ | 화학 반응식의 ㉠~㉣의 산화수를 구하면 각각 0, $+2$, -1, $+4$이다.

$$\bullet\ 2C \overset{0}{\underset{㉠}{}} + O_2 \longrightarrow 2CO \overset{+2}{\underset{㉡}{}}$$

$$\bullet\ 2C_2H_2 \overset{-1}{\underset{㉢}{}} + 5O_2 \longrightarrow 4CO_2 \overset{+4}{\underset{㉣}{}} + 2H_2O$$

203 답 ① | ㄱ. (가)에서 O의 산화수는 모두 -2로 변하지 않는다.

(가) $\underset{+3}{Fe_2}\underset{-2}{O_3} + 3\underset{+2-2}{CO} \longrightarrow 2\underset{0}{Fe} + 3\underset{+4-2}{CO_2}$

환원

오답 피하기

ㄴ. (가)에서 CO는 산화되면서 Fe_2O_3을 환원시키므로 환원제이다.

ㄷ. (나)에서 HCl의 Cl 산화수는 -1, HClO의 Cl 산화수는 $+1$이므로 산화수가 다르다.

(나) $Cl_2 + H_2O \longrightarrow \underset{+1-1}{HCl} + \underset{+1+1-2}{HClO}$

204 답 ③ | (가)의 H는 산화수가 0에서 $+1$로 증가 → 산화

(나)의 Fe은 산화수가 0에서 $+3$으로 증가 → 산화

(다)의 C는 산화수가 -4에서 $+4$로 증가 → 산화

(라)의 Mg은 산화수가 0에서 $+2$로 증가 → 산화

(마)의 C는 산화수가 $+4$에서 0으로 감소 → 환원

(가) $2\underset{0}{H_2} + O_2 \longrightarrow 2\underset{+1}{H_2}O$

(나) $4\underset{0}{Fe} + 3O_2 \longrightarrow 2\underset{+3}{Fe_2}O_3$

(다) $\underset{-4}{C}H_4 + 2O_2 \longrightarrow \underset{+4}{C}O_2 + 2H_2O$

(라) $\underset{0}{Mg} + CuCl_2 \longrightarrow \underset{+2}{Mg}Cl_2 + Cu$

(마) $6\underset{+4}{C}O_2 + 6H_2O \longrightarrow \underset{0}{C_6}H_{12}O_6 + 6O_2$

산화수 변화가 가장 큰 것은 -4에서 $+4$로 증가한 (다)이다.

205 답 ② | ㄴ. (가)의 NH_3에서 N의 산화수는 -3이고, HCN에서 N의 산화수도 -3이므로 N의 산화수는 변하지 않는다.

오답 피하기

ㄱ. HCN에서 C의 산화수는 $+2$이다.

ㄷ. (나)에서 H_2는 C_2H_4를 C_2H_6로 환원시키므로 환원제이다.

206 답 ③ | 각 화학 반응식을 완성하면 다음과 같다.

(가) $HNO_3 + NaOH \longrightarrow NaNO_3 + H_2O$

(나) $3NO_2 + H_2O \longrightarrow 2HNO_3 + NO$

(다) $2NaOH + Cl_2 \longrightarrow NaCl + H_2O + NaOCl$

ㄱ. (가)는 질산과 수산화 나트륨이 반응하는 중화 반응이므로 산화 환원 반응이 아니다. (나)는 NO_2의 N이 HNO_3가 될 때 산화수 $+4 \rightarrow +5$로 증가하므로 산화되고, NO가 될 때 산화수가 $+4 \rightarrow +2$로 감소하므로 환원된다. 따라서 산화 환원 반응이다.

환원

$3\underset{+4}{N}O_2 + H_2O \longrightarrow 2\underset{+5}{H}NO_3 + \underset{+2}{N}O$

산화

(다)는 Cl의 산화수가 Cl_2에서 NaCl이 될 때 $0 \rightarrow -1$로 감소하므로 환원되고, NaOCl이 될 때 $0 \rightarrow +1$로 증가하므로 산화된다. 따라서 산화 환원 반응이다.

환원

$2NaOH + \underset{0}{Cl_2} \longrightarrow \underset{-1}{Na}Cl + H_2O + \underset{+1}{Na}OCl$

산화

ㄷ. ⓒ은 NaOCl이며 Na와 O의 산화수가 각각 $+1$, -2이므로 Cl의 산화수는 $+1$이다.

오답 피하기

ㄴ. ⊙은 H_2O이며, (나)에서 H_2O에 포함된 H와 O의 산화수는 변하지 않으므로 H_2O은 산화되거나 환원되지 않는다.

207 답 ③ | ㄱ. (나)에서 A는 D^{2+}과 반응하므로 반응성은 A$>$D이다. 이온 수의 변화가 없으므로 A는 $+2$이며, 수용액의 밀도가 감소하였으므로 원자의 상대적 질량은 D$>$A이다.

ㄷ. 원자의 상대적 질량은 (나)에서 A$<$D이고, (가)에서 수용액의 밀도가 증가하였으므로 원자의 상대적 질량은 A$>$C이므로 C$<$A$<$D이다. 따라서 원자의 상대적 질량은 D가 C보다 크다.

오답 피하기

ㄴ. (가)에서 이온 수의 변화가 없으므로 A는 C^{2+}과 반응한다. 따라서 금속의 반응성은 B$>$C, A$>$C이다.

208 답 ⑤ | ㄱ. A와 B를 부착하였을 때 철이 부식되지 않았지만 B만 부착하였을 때 철의 부식이 일어나는 것으로 보아 금속의 반응성 크기는 A$>$철$>$B이다.

ㄴ. (가)와 (나)에서 환원되는 물질은 O_2이다.

ㄷ. A의 반응성이 가장 크기 때문에 A를 철에 부착하면 A가 산화되어 철의 부식이 방지된다.

209 답 ⑤ | 각 금속 이온이 각각 A^+, B^{3+}, C^{3+}일 때, (가)에서 반응이 일어나 이온 수가 감소한 것으로 보아 금속 C와 반응한 금속 이온은 A^+이다. $2A^+ + C \longrightarrow 2A + C^{2+}$ C는 A와 반응하였으므로 A보다 반응성이 크지만, B와는 반응하지 않았으므로 B보다 반응성이 작다. 따라서 반응성의 크기는 B$>$C$>$A이다.

ㄱ. 금속 B의 반응성이 A보다 크므로 B는 A보다 산화되기 쉽다.

ㄴ. (나)에서 반응성이 큰 금속 B가 이온으로 존재하려는 경향이 더 크므로 B가 녹아 양이온이 되고, B의 표면에 C가 석출된다.

ㄷ. (나)에서 C^{2+} 3개가 환원될 때, 2개의 B^{3+}이 생성되므로 전체 이온 수가 감소한다.

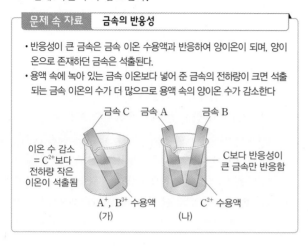

문제 속 자료 **금속의 반응성**

• 반응성이 큰 금속은 금속 이온 수용액과 반응하여 양이온이 되며, 양이온으로 존재하던 금속은 석출된다.
• 용액 속에 녹아 있는 금속 이온보다 넣어 준 금속의 전하량이 크면 석출되는 금속 이온의 수가 더 많으므로 용액 속의 양이온 수가 감소한다

금속 C   금속 A   금속 B

이온 수 감소
= C^{2+}보다
전하량 작은
이온이 석출됨

C보다 반응성이
큰 금속만 반응함

A^+, B^{3+} 수용액
(가)

C^{2+} 수용액
(나)

210 답 ① | 금속과 금속 이온의 반응에서 수용액에 존재하는 금속 이온의 산화수와 금속 이온 수를 곱한 값은 항상 일정하다. 금속 C는 과정 (가)~(다)를 진행하는 동안 반응하여 계속 감소하므로 $C(s)$가 감소하는 경향을 볼 수 있도록 (가)의 몰비를 다음과 같이 변경한다.

과정	몰비 $C(s)$: 비커 Ⅰ의 양이온 : 비커 Ⅱ의 양이온
(가)	$5 : 1 : x = 10 : 2 : 2x$
(나)	$7 : y : 2$
(다)	$6 : 3 : 1$

과정 (가)~(다)까지 C의 양(mol)은 10, 7, 6 순으로 감소한다. 과정 (나)에서 금속 C가 10몰이고 A^{a+} 수용액에 넣어 주었을 때 A^{a+}는 모두 환원되어 석출한다. 금속 C가 10몰에서 7몰 남았으므로 3몰이 반응하여 수용액 상태에 C^{c+}로 남아 있으며, A^{a+}은 2몰이 금속 A로 석출된다. a, b는 3이하의 정수이고 $c \times 3 = a \times 2$이므로 c는 2, a는 3이다.

(나)에서 비커 Ⅰ은 A가 모두 환원되고 C^{2+}만 남았으며 3몰이 존재하므로 $y = 3$이다.

과정 (다)에서 금속 C가 7몰에서 6몰로 1몰 반응하였고, 수용액 속에 C^{2+}이 1몰 있으며 (나)에서 반응하지 않은 B^{b+}은 2몰이므로 2몰의 B^{b+}이 B로 석출된다. 따라서 $2 \times 1 = b \times 2$이므로 $b = 1$이다.

(가)와 (나)의 비커 Ⅱ에 들어 있는 양이온은 B^+이고 반응이 없었으므로 $2x = 2$이다. 따라서 $x = 1$이다.

$a = 3$, $x = 1$, $y = 3$이므로 $\dfrac{x \times y}{a} = \dfrac{1 \times 3}{3} = 1$이다.

211 답 ⑤ | 주어진 실험 결과를 보면 A가 모두 산화된 후 B가

산화되는데, (가)에서 A^{2+}, B^{3+}이 모두 존재하므로 금속 A는 모두 반응하고, 금속 B는 일부가 반응한 것이다.

$A + 2C^+ \longrightarrow A^{2+} + 2C$

$B + 3C^+ \longrightarrow B^{3+} + 3C$

(나)에서 C^+를 V mL 더 넣었을 때 양이온의 수가 5만큼 증가하였는데, 이는 (나)에서 반응하여 생성된 B^{3+} 수에 해당한다. C^+ 3개가 반응하여 B^{3+} 1개가 생성되므로 C^+ V mL에는 C^+ 15개가 들어 있다.

(가)에서 생성된 A^{2+}의 수를 x, B^{3+}의 수를 y라고 할 때, x와 y의 합은 6이고, 생성된 A^{2+}, B^{3+}의 이온의 전하량의 합과 반응한 C^+의 이온 전하량은 같다.

$x + y = 6 \cdots\cdots ①$

$2x + 3y = 15 \cdots\cdots ②$

따라서 ①과 ②를 계산하면 $x = 3$, $y = 3$이다.

(다)에서 C^+ V mL(C^+ 15개)를 추가로 넣었을 때 증가한 양이온 수는 13이다. 즉, C^{3+} 3개가 반응하여 B^{3+} 1개가 생성되고 C^+ 12개는 반응하지 않고 남는다.

양이온의 종류	(가)		(나)		(다)		
	A^{2+}	B^{3+}	A^{2+}	B^{2+}	A^{2+}	B^{3+}	C^+
양이온의 수(상댓값)	3	3	3	8	3	9	12

반응 후 생성된 A^{2+}과 B^{3+}의 몰비는 반응 전 A와 B의 몰비와 같으므로, 반응 전 A에 대한 B의 몰비는 다음과 같다.

$$\dfrac{B의 양(mol)}{A의 양(mol)} = \dfrac{9}{3} = 3$$

212 답 ① | 금속 A^{2+}과 금속 B, C의 화학 반응식은 다음과 같다.

$A^{2+} + 2B \longrightarrow A + 2B^+$

$3A^{2+} + 2C \longrightarrow 3A + 2C^{3+}$

Ⅰ에서 A^{2+}과 금속 B가 반응하면 용액 속에 B^+이 생성되면서 A가 석출되므로 B가 A보다 반응성이 크다. B는 반응 후 B^+으로 이온화 되므로 수용액 속 총 이온 수는 증가한다. A^{2+}과 금속 C가 반응하면 용액 속에 C^{3+}이 생성되면서 A가 석출되므로 C가 A보다 반응성이 크다. C는 반응 후 C^{3+}으로 존재하므로 수용액 속 총 이온 수는 감소한다.

일정량의 A^{2+}에 금속 B와 C를 각각 넣어 반응시켰으므로 Ⅰ과 Ⅱ에서 생성되는 금속 A의 양(mol)은 모두 같다. 화학 반응식에서 일정량의 A^{2+}과 반응하는 B와 C의 몰비는 B : C $= 3 : 1$이다.

Ⅰ에서는 A^{2+} 1개가 금속으로 석출될 때 B^+ 2개가 용액 속에 생성된다. Ⅱ에서는 A^{2+} 3개가 금속으로 석출될 때 C^{3+} 2개가 용액 속에 생성되므로 Ⅰ은 이온 수가 천천히 늘어나면서

일정해지고, Ⅱ는 Ⅰ에 비해 빨리 줄어들면서 일정해지므로 금속의 양(mol)에 따른 총 이온 수의 그래프는 ①과 같다.

213 답 ③ | ㄱ. (나)에서 수용액에 들어 있는 이온의 양(mol)을 구하는 식은 다음과 같다.

(반응 후 전체 양이온 수)=((가)의 A 이온 수)+(증가한 B 이온 수)−(감소한 A 이온 수)

감소한 A 이온 수를 x라고 하면 0.5몰=0.7몰+0.2몰−x몰이므로 x는 0.4이다. 즉, B가 0.2몰 이온화될 때 A 0.4몰 감소되었으므로 A의 전하량은 +1가, B의 전하량은 +2가이다. 따라서 남아 있는 이온은 A^+이 0.3몰, B^{2+}이 0.2몰이고, 이온의 양(mol)은 A가 B의 1.5배이다.

ㄴ. (다)에서 전체 양이온 수가 줄었으므로 C 이온은 C^{2+} 또는 C^{3+}이다. (나)를 통해 반응성이 A보다 B가 큰 것을 알 수 있고, C 0.2몰이 모두 반응하였으며 C 이온을 제외한 이온이 0.05몰 남아야 한다. 따라서 A 이온은 모두 반응하였고, B 이온이 0.05몰 존재한다. 전하량은 반응 전과 후가 같으므로 반응 전의 A^+ 0.3몰과 B^{2+} 0.2몰의 합은 C^{C+} 0.2몰과 B^{2+} 0.05몰의 합과 같으므로 0.3+0.4=(C^{C+}×0.2)+0.1, C 이온은 +3가 이온이다. 따라서 B 이온은 B^{2+}, C 이온은 C^{3+}이므로 B 이온과 C 이온의 산화수비는 2 : 3이다.

오답 피하기

ㄷ. (나)에서 금속 A가 0.4몰 생성되었으며 (다)에서 금속 A가 0.3몰, 금속 B가 0.15몰 생성되었다. 따라서 (나)와 (다)에서 생성된 금속의 전체 양(mol)은 0.85몰이다.

214 답 ② | (나)에서 A^{m+}이 B와 반응하여 전체 양이온의 양(mol)이 감소하므로 m은 +2보다 작은 +1이다. (나)에서 반응 전후의 전하량이 같아야 하므로 (나)의 수용액 속 이온의 양(mol)을 구하는 식은 다음과 같다.

(반응 후 전체 양이온 수)=((가)의 A 이온 수)+(증가한 B 이온 수)−(감소한 A 이온 수)이다.

반응 후 B^{2+}이 x몰 생성되고 A^+이 $2x$몰 감소되므로 0.08몰=0.1몰+x몰−$2x$몰이므로 x는 0.02이다. 따라서 (나)에는 A^+은 0.06몰, B^{2+}은 0.02몰 들어 있다. (나)에서 B가 모두 반응하여 이온이 되었으므로 반응성은 B가 A보다 크다. (다)에서 C^{3+}이 y몰 생성될 때, 반응성이 큰 A^+은 $3y$몰 소모되며 A^+이 완전히 소모되지 않았기 때문에 B^{2+}은 반응하지 않고 남아 있다. 따라서 B^{2+}은 0.02몰 남아 있고, y+(0.06−$3y$)+0.02=0.06몰이므로 y=0.01이다. 따라서 (다)에는 A^+, B^{2+}, C^{3+}이 각각 0.03몰, 0.02몰, 0.01몰 들어 있다. B의 원자량이 64이므로 반응한 B의 질량(w_1)은 0.02

몰×64 g/몰=1.28 g이며, C의 원자량이 27이므로 반응한 C의 질량(w_2)은 0.01몰×27 g/몰=0.27 g이다. 따라서 w_1+w_2=1.28+0.27=1.55이다.

215 답 ② | (가)는 A^{m+} x몰 들어 있다. (나)에서 B가 3몰 반응하여 전체 양이온이 6몰이 된다. 따라서 A 이온은 3몰이 들어 있다. (라)에서 A 이온이 모두 반응하였으므로 A 이온이 없으며 B 이온만 7.5몰이 들어 있다.

(나)와 (라)를 비교해 보면 (나)의 A 이온 3몰과 B 이온 3몰에 추가로 B 6몰을 더 넣어 반응시키면 A 이온은 없어지고, B 이온이 7.5몰 존재하므로 A 이온 3몰이 B 4.5몰과 반응하였다는 것을 알 수 있다. 따라서 A와 B는 2 : 3의 몰비로 반응하며, A와 B의 산화수비는 3 : 2이다. 즉, A 이온은 +3가, B 이온은 +2가이다. (나)에서 반응 전 전하량과 반응 후의 전하량이 같다는 것을 이용하여 B^{2+} 3몰이 생성되었으므로 A^{3+} 2몰이 감소하였을 것이다. (가)의 A^{3+} x몰에서 2몰이 감소하여 3몰이 되었으므로 x는 5이다. (다)에서 A^{3+} 3몰, B^{2+} 3몰에 B 3몰을 넣어 반응시키면 A^{3+} 1몰, B^{2+} 6몰이 존재하므로 y=7이다. 따라서 $\frac{x+y}{m}=\frac{5+7}{3}=4$이다.

216 답 ⑤ | 반응에서 발생한 열량을 Q, 열용량을 C, 온도 변화를 Δt라고 할 때 $Q=C\Delta t$이다.

ㄱ. 벤조산의 연소열이 26.4 kJ/g이므로 발생한 열량(Q)=26.4 kJ/g×5 g=132 kJ이다.

ㄴ. 열량계의 열용량(C)은 132 kJ=C×6.6 ℃이므로 열량계의 열용량 C=20 kJ/℃ 이다.

ㄷ. 에탄올 3 g이 연소할 때 발생한 Q=20 kJ/℃×4.5 ℃=90 kJ이므로 에탄올의 연소열은 30 kJ/g이다.

문제 속 자료　**연소열 계산**

1몰 연소열(kJ/몰)=연소열(kJ/g)×화학식량(분자량)
연소열은 완전 연소 시 방출되는 열이므로 완전 연소로 가정하고 연소열을 측정하는 것이다.

217 답 ② | 열량(Q)=열용량(C)×온도 변화(Δt)=연소열×X의 양(mol)이므로 1 kJ/℃×(t−10) ℃=720 kJ/몰×$\frac{2\ g}{32\ g/몰}$이다. 따라서 t는 55이다.

218 답 ③ | 에탄올의 연소열이 1380 kJ/몰이고 분자량이 46이므로 에탄올 2 g이 연소되면 1380 kJ/몰×$\frac{2}{46}$몰=60 kJ이 방출된다. 열량계의 온도 변화는 물의 온도 변화와 같으므로 열량계의 열용량은 $\frac{60\ kJ}{3\ ℃}$=20 kJ/℃이다.

뻐근한 손목을 가볍게!
손목 스트레칭

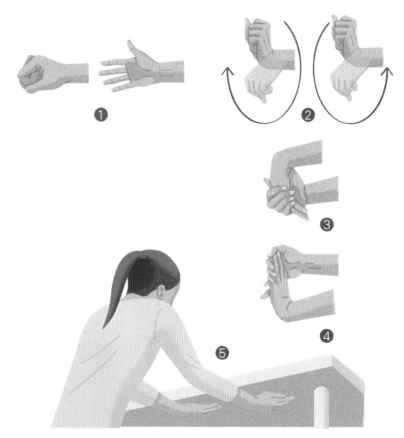

컴퓨터나 스마트폰, 반복적 움직임 등으로 인해 손목에 부담이 가면 때때로 손목이 아파지곤 합니다. 처음에는 잠시 저렸다가 나아지곤 하지만, 심해지면 손가락도 쉽게 움직일 수 없을 만큼의 통증으로 일상생활이 불편할 정도라고 해요. 오늘 하루 고생한 손목을 스트레칭으로 충분히 풀어주세요.

❶ 엄지손가락이 바깥으로 나오게 주먹을 쥔 다음, 주먹을 폈다 쥐기를 5~10회 반복하세요.

❷ 손목을 시계 방향, 반시계 방향으로 천천히 돌려주세요. 양손 각 10회씩 반복합니다.

❸ 팔을 쭉 뻗어 손바닥을 몸쪽으로 꺾어주세요.
한 번에 10초씩 유지해 주시고, 5회 반복해 주세요.

❹ ❸번과 반대로, 손등을 몸쪽으로 당겨주세요.
이 동작도 한 번에 10초씩 유지해 주시고, 5회 반복해 주세요.

❺ 앉은 자세에서 손바닥과 손목으로 책상을 들어 올리듯 힘을 주어 5초간 유지해 주세요.

개념을 쌓아가는 기본서

고등 **셀파**

BOOK 2
문제 기본서 | 정답과 해설

화학 I

개 념 을 쌓 아 가 는 **기 본 서**

고등 **셀파**

미래를 바꾸는
긍정의 한 마디

멀리 갈 위험을 감수하는 자만이
얼마나 멀리 갈 수 있는지 알 수 있다.

T.S. 엘리엇(T.S. Eliot)

'실패는 성공의 어머니'라는 옛말이 있습니다.

그러니 어떤 일에 도전해 실패하더라도, 끝난 것이 아니라

성공을 위한 발판을 마련한 것이라고 자신을 다독여 주세요.

도전하지 않으면 얻을 수 있는 것도 없답니다.

도전하는 여러분의 멋진 결과를 기대할게요. 파이팅!

천재교육과 함께 배움에 대한 도전 정신을 불 태워 보시길!